La Promise

Johanne Luce

La Promise

Roman

Publibook

Retrouvez notre catalogue sur le site des Éditions Publibook :

http://www.publibook.com

Éditions Publibook
14, rue des Volontaires
75015 PARIS – France
Tél. : +33 (0)1 53 69 65 55

IDDN.FR.010.0109669.000.R.P.2008.030.40000

Cet ouvrage a fait l'objet d'une première publication aux Éditions Publibook en 2008

Retrouvez l'auteur sur son site Internet :
http://johanne_luce.publibook.com

À Mario, Bélinda, Emanuelle et tous ceux qui aiment
l'histoire, l'aventure et le mystère.

Prologue

Stephen Silverstone, un archéologue de renom, est appelé sur des fouilles en Norvège et y fera une découverte qui bouleversera sa vie ainsi que l'histoire mondiale.

Un manuscrit vieux de plus de sept cents ans surgit d'outre-tombe ramènera un passé oublié et le replacera dans l'actualité. L'auteur du livre retrouvé, n'est nul autre que Ladislas Mirikof, général en chef des armées du roi de Norvège en plein moyen âge. En couchant sur papier ses dernières volontés, le grand général permettra de faire traverser le temps à celle pour qui il avait le plus grand respect, la paysanne devenue reine qui connaîtra un destin hors du commun et qui sera plus tard une légende connue dans tout le monde scandinave. Il révélera l'existence d'un trésor inestimable qui fut judicieusement caché et jusqu'à aujourd'hui jamais retrouvé.

Par ce testament écrit, Mirikof passe le flambeau à celui qui a su le trouver et le lire. Cette responsabilité incombera maintenant à Silverstone.

Sur la route de notre destin, il nous arrive parfois de faire des rencontres bouleversantes. Puissiez-vous un jour avoir la chance de faire la connaissance d'un ange et de savoir le reconnaître…

Ladislas Mirikof

La découverte

-Monsieur Silverstone ! Monsieur Silverstone ! Criait le jeune homme en courant vers l'archéologue assis devant un bureau couvert de plans et de paperasse divers qui se trouvaient éparpillés telles des feuilles qui parsèment le sol, l'automne.

L'homme, âgé d'une cinquantaine d'années, s'était penché sur une recherche des plus méthodique. Malgré le barda qui régnait en son lieu de travail et qui ne laissait aucun doute sur l'horaire surchargé qu'il avait, il releva la tête et ses lunettes, de son index droit qui lui pendaient au bout du nez, lançant vers le jeune stagiaire un regard interrogateur. Il voyait arriver, en trombe, Émile qui brandissait quelque chose.

-Voyons Émile, qu'avez-vous ?
-Monsieur… Ouf !
-Reprenez votre souffle ! Je n'ai pas envie de perdre mon meilleur stagiaire aujourd'hui, il y a tellement de travail à faire ici !
-Monsieur… voyez par vous-même !

Il déposa délicatement un manuscrit qu'il avait pourtant assez mal mené dans sa course effrénée vers son patron, juste sous le nez de ce dernier. Avec empressement, il tira une chaise faisant grand bruit et de ses grands yeux verts, admira la réaction presque enfantine qu'eue l'homme qui se pencha sur ce qu'il avait maintenant devant les yeux.

Quelques secondes de silence un échange de regards entre les deux hommes ; enfin, le jeune Émile n'en pouvait plus ; il se pencha en avant sur la chaise en disant :

-Qu'en pensez-vous ?
-D'abord, il faudrait me dire d'où vous tenez ce document mon cher !
-Des fouilles pardi ! Oui, les ouvriers ont mis à jour de nouvelles trouvailles ! En voulant dégager une pierre qui était tombée, voilà qu'un petit orifice nous est apparu. En y jetant de la lumière, nous

avons découvert qu'il s'agissait en fait, d'une cavité anormale compte tenu de la finesse de la construction. J'ai pris soin de dégager ce qui obstruait l'ouverture et, comme par miracle, voilà ce que nous y avons découvert ! Il est dans un tel état de conservation que nous avons d'abord cru à de mauvais plaisantins. Mais, Philippe y a jeté un œil ; maintenant nous n'avons plus de doute… À moins que vous nous confirmiez que ce manuscrit n'est pas très ancien comme son apparence le laisse penser !

-Eh Bien, il faut d'abord que je l'examine minutieusement Émile. À première vue, ce document semble dater de plusieurs centaines d'années. Si c'est un faux, j'aimerais bien connaître le faussaire, il fait de l'excellent travail ! En plus, il faudrait me faire venir Philippe… mon norvégien est bien mal en point. Et selon toute vraisemblance, ce document serait écrit dans cette langue… quoique… à prime abord… ce norvégien est bien curieux !

L'homme de science observait les premières lettres inscrites sur le manuscrit. Il releva la tête et regarda Émile par-dessus ses lunettes qui avaient de nouveau glissé le long de son nez effilé.

-Allez me chercher Philippe… S'il vous plaît !
-J'y cours, j'y cours ! ! !

D'un bond, Émile était debout, courait vers la porte et le courant d'air émanant de ses mouvements brusques fit virevolter les premières feuilles du document. Silverstone s'empressa avec délicatesse de les attraper avant qu'elles n'atteignent le sol. Ses mouvements de tête, ses sourcils froncés en disaient long sur ce qu'il pensait de son jeune stagiaire. Comme la jeunesse a quelque chose qui ressemble à un tourbillon ! Il délaissa l'étude du plan qu'il avait quelques minutes auparavant entreprise pour examiner le document qu'il touchait du bout des doigts.

Le papier était grossier, jauni avec les rebords des feuilles quelque peu retroussés. Par contre, l'encre n'avait pas été altérée ni par l'eau, ni l'humidité. Bien étonnant tout ça ! Selon les dires d'Émile, il avait été retrouvé dans l'un des murs des fondations vieilles de plus de huit cents ans ! Quelle cachette ! Probablement scellée avec minutie, ce qui semblait la seule explication plausible à une telle conservation si le manuscrit en question était très ancien comme son apparence le laissait croire. Le document à lui seul devait contenir au moins six cents pages. *Très volumineux, tout ça !* Pensa Silverstone. Mais de quoi ou de qui pouvait-on parler dans ce document ? En attendant Philippe, Silverstone poussa du revers de sa main les papiers sur son bureau vers la gauche faisant ainsi une place pour mieux examiner le document. Il prit une pincette et se mit à tourner les pages une à une. Il ne s'agissait pas d'un plan. Aucun dessin, pas de carte, que des caractères soigneusement calligraphiés sur du papier avec de l'encre noire. Par contre, une armoirie trônait à la deuxième page. Silverstone y jeta un œil aidé de sa loupe qu'il trouva à tâtons de la main droite sous quelques feuilles de papiers éparses sur son bureau.

Il observa. D'abord de loin et approcha la loupe maintenant collée à son œil. Quelques secondes de réflexion et il crut reconnaître une armoirie très ancienne. Il se redressa, se secoua la tête et reprit l'étude une autre fois. Il s'agissait non pas d'une armoirie mais d'un sceau royal admirablement reproduit sur les feuilles vieillies du document. Un sceau royal ! Silverstone examina encore et encore. Pas de doute, c'était le sceau royal des anciens rois de Norvège. Il se laissa choir dans sa chaise perplexe.

Quelques mois auparavant, l'éminent archéologue anglais qu'il était, avait été appelé à Tolkiengür, petit village situé à quelques kilomètres de Trondheim en Norvège. Un important consortium d'hommes d'affaires avait projeté de développer cette région au profit de l'industrie touristique. Un Fjord, des montagnes, une forêt magnifique, une vue panoramique sans compter une légende alimentée par le folklore norvégien avaient contribué au choix de ce site.

Dès le début des travaux d'excavation pour un gigantesque complexe hôtelier, le chantier fut arrêté. Plus on creusait, plus on retournait ce qui semblait être les ruines d'anciens bâtiments. Le bouche à oreille fit son opération singulière aboutissant aux tympans des protecteurs du patrimoine norvégien qui s'empressèrent de sortir de l'ombre comme un chat qui rôde la nuit. Si on remuait de la terre, on remuait également la curiosité de certains esprits qui ne demandaient pas mieux que de s'échauffer ! Alors, on fit appel à des experts dont Silverstone faisait partie intégrante. Le remue-ménage engendré par cette découverte inattendue prit d'abord l'aspect d'une guerre froide entre les hommes d'affaires, l'industrie touristique et pour finir à la région tout entière ! Enfin, le gouvernement norvégien, par le biais de son ministre de la culture et du patrimoine, dut se faire présent, non sans à prime abord s'être quelque peu fait tordre le bras ! Les gens du patrimoine, les hommes d'affaires, les villageois, tous se crêpaient le chignon. Avant que le tout dégénère, le gouvernement dut intervenir car cette découverte avait débordé au-delà des frontières de la région concernée. Les hommes politiques étant ce qu'ils sont, le ministre dédommagea substantiellement le consortium d'hommes d'affaires dans l'attente d'une explication sur ce que ce site recelait réellement.

Voilà comment notre éminent archéologue se pointa sur cette terre nordique. D'un simple amas de pierres, on mit à jour des fondations, des poteries, des ustensiles, autrement dit, tout un attirail d'artéfacts qui dataient de plusieurs centaines d'années. Silverstone entreprit une étude exhaustive dans les Archives historiques de la région et dut élargir ses recherches jusqu'aux Archives nationales. Malgré ses recherches, rien ou presque n'existait sur ce lieu. Il y avait bien eu un village, mais rien n'expliquait l'envergure de ce qu'on déterrait chaque jour. Il fit plusieurs voyages, travailla en collaboration avec d'autres archéologues des pays avoisinants, mais rien de probant ne ressortit de ses recherches. Seul un court paragraphe dans les Archives royales remontant à 1370, sous le règne du roi Haakon parlait d'un endroit plus au Nord de Trondheim où on conduisait les indésirables ! Pour ainsi dire, rien de très explicite. Qu'entendait-on par "les indésirables" à cette époque ? Des bandits de grands chemins pris la main dans le sac ? Des forçats reconduits vers un bagne d'où personne ne ressortait ? Rien d'autre que ces quelques mots. De quoi alimenter l'imagination et rien de plus ! Un endroit plus au Nord signifiait-il Tolkiengür ? Et l'endroit en question, c'était un château ? Un bagne ? Un village isolé ? Silverstone poursuivait ses recherches sans pour autant trouver le fil conducteur. Pourquoi avait-on perdu toute trace de la fonction et de l'emplacement de ce site ? Pourquoi les archives étaient si vagues sur cet énigmatique endroit ? Pourquoi y avait-il un tel vide ? Si ce lieu avait eu une quelconque importance, il aurait dû trouver les explications dans ses recherches ; mais non. Plus on faisait des découvertes, plus on s'enfonçait dans le mystère. Elles étaient loin d'être banales ce qui semblait tout à fait paradoxal. De jour en jour, de pelletée en pelletée, on faisait remonter un fabuleux mystère. Tout d'abord, les fondations : gigantesques, vastes et imposantes. Entre autres, un des bâtiments devait être une splendeur et se voyait sûrement de plusieurs kilomètres. Pourquoi alors ne trouvait-on rien dans l'histoire norvégienne qui faisant allusion à cet endroit ?

Les squelettes retrouvés sur les lieux et qui avaient été envoyés en laboratoire avaient dévoilé quelques secrets. La plupart d'entre eux, six en tout, qui s'étaient conservés dans la terre humide, étaient tous morts de maladie, de mauvais traitements ou de mal nutrition. La majorité âgée entre trente et quarante ans de sexe mâle. Un hôpital ? Silverstone nageait en plein mystère et ses confrères aussi. On ne connaissait pas en Norvège l'existence d'une telle construction et aucun autre pays avoisinant ne détenait une telle information dans leurs archives. Peut-être que ce document qui reposait sous ses yeux lui en dirait plus. Détenait-il la clé qui ouvre toutes grandes les portes du savoir ? Franchement, il l'espérait.

Émile revenait, comme à son habitude, semblable à une tornade traînant dans son sillon, Philippe. Émile était déjà assis, patte croisée, quand Philippe prit place de l'autre côté de Silverstone sur une petite chaise droite en bois très dur.

-Qu'en pensez-vous Silverstone ? Demanda Philippe.
-Je n'en sais trop rien... du moins pas encore. À première vue, je dirais qu'il s'agit là d'un document qui date de l'époque du Roi Bjarni Eriksson ou encore du Roi Boris Magnusson. Il faudra investiguer tout ça à fond avec le carbone 14. Mais ce que j'aimerais, Philippe c'est que vous me le traduisiez. Le tout me semble en norvégien médié-val... J'y arriverais peut-être seul, mais à quoi bon perdre des mois alors que vous, il ne vous faudra que quelques jours puisque c'est là votre spécialité, mon cher !
-Je vais m'empresser de répondre à votre demande... J'avoue que j'avais déjà des fourmis dans les pattes quand je l'ai vu et que j'ai lu les premières lignes !
-Si je lis bien... attendez ! Dit Silverstone qui se pencha sur la première page. Oui... Le livre de la vérité... hum... la... la promise...

Il eut d'abord un petit sourire sur le bout des lèvres.

-Voyez-vous ça ! Vous avez déterré une autre épopée d'Ulysse ? Mieux encore la Jeanne d'Arc Norvégienne ! ! ! Dit-il en s'esclaffant.

Philippe sourit aussi mais Émile lui, resta de glace. Silverstone plaça le document sur une large feuille de papier ciré et l'enveloppa avec délicatesse puis le tendit à Philippe.

-Bon... voyez ce que vous pouvez en tirer. C'est peut-être une œuvre romanesque qui entrera dans la grande culture norvégienne. Faites le nécessaire pour faire analyser l'âge de ce document et son authenticité. Toutefois, Philippe, traduisez quelques pages et si vous voyez qu'il s'agit là d'une œuvre romanesque, laissez le soin aux traducteurs de terminer cette besogne, car nous n'avons pas de temps ni d'argent à perdre à des futilités de ce genre. L'attaché de presse du ministre de la culture et du patrimoine me harcèle de questions aux-quelles je ne puis encore répondre avec exactitude et on les connaît tous, les hommes politiques et les journalistes, ils ne feront qu'une bouchée de nous s'ils savent que nous perdons notre temps avec des découvertes anodines. Et j'ai tant à faire pour enfin savoir ce qui nous court sous les pieds !

-Je ferai tout ce qui est humainement possible de faire, croyez-moi ! Et moi non plus je n'ai pas de temps à perdre. Je vous reviens avec mes commentaires dans deux jours.

Il se leva prenant le document avec soin suivi d'Émile laissant Silverstone à ce qu'il avait entrepris avant l'arrivée de son stagiaire dans son bureau.

Les fouilles se poursuivaient sur le site. On mit à jour ce qui semblait être la grande bibliothèque des lieux. Malheureusement, le feu et l'eau avaient fait leur œuvre destructrice et les documents retrouvés en avaient beaucoup souffert. On devinait qu'il s'agissait de livres, de documents dont seulement d'infimes parcelles étaient encore lisibles. Lisibles avec des loupes et un effort déconcertant ! Des feuilles ou plutôt ce qui en restait, en lambeaux noircis et fragiles.

Silverstone agenouillé près des ouvriers qui sortaient avec précaution tous ces lambeaux de papiers ne vit pas arriver Philippe sur les lieux. Seule la sensation d'être observé, lui fit relever la tête.

-Eh bien ! Philippe vous êtes bien matinal ce matin ! Lui dit, d'un air moqueur, Silverstone.

-Monsieur, les résultats du labo sont formels.

-Et que disent-ils ?

-Qu'il s'agit d'un document qui est vieux de près de sept cents ans.

-Ah ! Donc, il est très ancien !

-Plus que ça. J'ai débuté la traduction. Il s'arrêta faisant revirer tous les sens de son interlocuteur.

-Mais dites-moi Philippe ! ! Vous m'intriguez ! ! ! S'empressa de dire Silverstone.

-Monsieur, je suis venu, non seulement vous porter cette nouvelle, mais aussi vous demander la permission de poursuivre la traduction.

-Si vous me dites enfin pourquoi vous portez soudainement un tel intérêt à ce que vous avez jusqu'à maintenant déchiffré, je vous autoriserai sûrement !

-Monsieur, il semble que ce que nous avons trouvé est l'histoire de la Norvège et de la Suède entre 1340 et 1390.

-Ha ! ha ! Silverstone se mit à rire. Cher Philippe ! Cher Philippe ! ! ! Ha ! ha ! Ne connaissez-vous pas encore l'histoire de ces pays entre 1340 et 1390 ?

-Bien entendu, je connais mon histoire Monsieur ! ! ! Coupa-t-il sèchement, visiblement humilié par la réaction de Silverstone, lui qui était un Norvégien pure laine.

-Pardonnez-moi, Philippe… C'est que j'attendais bien autre chose de ce document que l'histoire de ces pays que nous connaissons déjà… Je suis un peu déçu.

-Vous ne devriez pas l'être, Monsieur !

-Ah ? et pourquoi donc Philippe ?

-Parce qu'il relate une partie cachée de l'histoire monsieur.

-Comment ? Que voulez-vous dire Philippe, soyez plus clair ! Si au moins vous me disiez ce qu'est l'endroit où nous nous trouvons…

-La première fonction de cet endroit était celle d'une université qui fut beaucoup plus tard convertie en prison et qui portait le nom de prison d'Orlitza.

-La prison d'Orlitza ! Je suis fort aise d'apprendre ça ! Je me doutais bien qu'il s'agissait d'un lieu semblable… mais encore, Philippe ? Pourquoi, nulle part on ne retrouve trace d'une telle prison ou encore de l'existence primaire d'une université ? Pourquoi aucune archive n'en parle ? J'aimerais bien le savoir ! Rien en Norvège, rien en Suède, rien en Finlande ne fait allusion à un tel lieu… C'est quand même inimaginable ? Ne croyez-vous pas ?

-Parce que pour des raisons politiques de l'époque on a délibérément décidé d'effacer au reste du monde une bonne partie de l'histoire.

-Voyez-vous ça ! Voyons Philippe ! Pas un historien, pas un archéologue ne voudra épouser une telle thèse ! L'histoire de la Norvège et de la Suède est bien connue. Vous ne voulez pas me faire croire que ce document est un genre de "chaînon manquant" ! ! !

-Alors dites-moi pourquoi Silverstone on ne retrouve à nulle part trace de cette prison ? Des prisonniers qui s'y trouvaient ?

-Justement… je… je

Silverstone se tut. Déconcerté par la réponse vide qui jaillissait de sa bouche. Philippe reprit.

-Monsieur, sans vouloir vous manquer de respect, si vous étiez déçu tout à l'heure c'est à mon tour de l'être ! Comment un homme tel que vous, un homme connu de par le monde pour ses découvertes peut-il soudainement s'arrêter et croire que tout ce qu'on connaît de notre passé est l'exactitude même ? Pouvons-nous, nous hommes ordinaires prétendre que ce nous avons découvert, ce que nous découvrons, ce que nous mettons à jour nous fait réellement comprendre avec une exactitude sans reproche tout ce qui se passait voilà plus de huit cents ans ? Monsieur, il arrive parfois qu'on fasse des découvertes et qu'elles bouleversent les fondements même de toutes nos croyances… Je ne jurerai pas que ce document n'est pas l'œuvre d'un fou ou d'un illuminé, mais je vous assure que sa précision est déconcertante et expliquerait que bien des légendes ne sont que des récits d'événements transformés par le temps… Tout concorde, les noms, les dates, les lieux et surtout… oui surtout le Pourquoi du lieu dans lequel nous travaillons depuis plusieurs semaines déjà… Si ce que je suis en train de déchiffrer est un canular, il est fort bien édifié Monsieur… Digne du meilleur scénariste d'Hollywood !

Silverstone dévisagea Philippe. Le jeune spécialiste des langues anciennes venait de fouetter l'archéologue jusqu'aux plus profonds de ses fondements. Silverstone se ressaisit et Philippe reprit.

-Donnez-moi l'autorisation de continuer !

Silverstone se serra les lèvres et finit par aboutir.

-Je vous en donne l'autorisation… quoique… ne parlez de ceci à personne. Il faut étayer votre traduction par des preuves, Philippe. Si ce sur quoi vous peinez mon ami, est la vérité, du moins celle qui était à cette époque… Nous serons à même de réécrire l'histoire. Mais, ne tombons pas dans l'imaginaire et ne devenons pas la risée du monde entier… Je n'ai vraiment pas besoin de ce genre de situation dans le moment. Gardez vos découvertes secrètes et je veux que vous me fassiez part méticuleusement de vos découvertes avant de passer aux prochaines étapes !
-Ne vous en faites pas de ce côté-là. J'ai pris grand soin, même pour le labo, de ne pas laisser entrevoir quoi que ce soit. Le tout a passé comme d'autres artefacts trouvés sur le site. De toute façon, ce manuscrit provient bien des fouilles. Nous sommes les seuls à le savoir et je ne crois pas qu'Émile nous trahira.
-Émile ! Un si bon stagiaire, mais si désinvolte ! Un vrai coup de vent celui-là ! Si vous le croisez faites-lui savoir que je tiens à ce que tout ceci reste secret jusqu'à nouvel ordre !
-Je le ferai.

Philippe retourna sur ses pas jusqu'à ce que Silverstone le perde de vue. L'archéologue resta quelques minutes immobile comme perdu dans ses pensées se demandant s'il avait pris la bonne décision. Si jamais il s'agissait d'un canular, même vieux de sept cents ans, il ne se le pardonnerait pas, et la presse non plus d'ailleurs ! Adieu l'éminent archéologue ! Enfin, de tous les temps il y avait eu des découvertes qui avaient bouleversé le monde… Mais s'agissait-il de cela ? Et Philippe qui venait de l'ébranler par un discours rempli d'un sens moral et éthique dont il se savait imprégné depuis sa plus tendre enfance. Voilà qu'il se surprenait à avoir eu une réaction semblable à celle qu'il détestait tant voir dans les yeux de certains personnages qu'il avait eu si souvent l'occasion de côtoyer dans sa vie ! ! ! *Mon Dieu ! Pourvu que ce ne fût qu'un écart de jugement passager !* Pensait-il remerciant que Philippe fût aussi perspicace au bon moment.

Plusieurs jours passèrent jusqu'à l'aboutissement de la traduction du manuscrit. Philippe apporta à l'archéologue le fruit de son travail. Silverstone avait maintenant entre les mains le document volumineux dactylographié à la fine pointe de la technologie et pourtant le contenu était d'une tout autre époque. Avec intérêt, dans la chambre de l'hôtel où il habitait depuis plusieurs mois déjà, il s'apprêtait à faire un voyage. Lui, l'archéologue mondialement connu, qui avait pourtant traversé pratiquement tous les continents tout au long de sa carrière ne se doutait pas qu'il allait faire un voyage dans le temps. Il en commença paisiblement la lecture, confortablement installé dans un fauteuil moelleux.

Le livre de la vérité

Toi qui viens de me découvrir sauras-tu avoir la sagesse et l'intelligence de lire ce manuscrit d'un bout à l'autre sans t'arrêter ? Sauras-tu ouvrir tes yeux comme ton esprit sur ce testament que je laisse avant mon grand départ ? Je souhaite que ce que tu t'apprêtes à découvrir te fasse comprendre que la bêtise humaine à toujours fait partie du monde dans lequel nous naissons, vivons et j'espère que ce témoignage saura faire naître la Lumière dans ton cœur et te guidera sur le chemin de la vérité. Tu découvriras comment on réussit à effacer de la mémoire des hommes même les plus grandes épopées !

Je me nomme Ladislas Mirikof. Je suis l'enfant unique du baron Rustopov Mirikof qui après un désaccord avec la noblesse russe immigra en Norvège. À l'âge de treize ans, étant de noble famille, mon éducation, mes connaissances me permirent d'accéder à l'armée de l'honorable roi Magnus Eriksson à titre de soldat. Mon sens aigu de la stratégie, ma diplomatie et mon caractère de gentilhomme me firent gravir aisément tous les échelons de l'armée Norvégienne rapidement. À peine âgé de vingt ans, j'étais devenu le général en chef des armées du roi mais aussi son conseiller personnel, son confident, son ami.

Ce que je m'apprête à te raconter n'est pas inscrit dans les livres d'histoire et ne le sera probablement jamais. Même si je me fais vieux, extrêmement vieux, ne crois pas que je suis sénile. Mes facultés sont comme à mon premier jour, aussi vives et limpides malgré mes quatre-vingt-douze printemps.

Elitch est celui qui tient la plume et moi celui qui dicte les mots qui sont inscrits sur ce papier de mauvaise qualité. Nous sommes des copains de cellule et nous partageons ensemble le logis de Sa Majesté depuis plusieurs années. Un logis aussi insalubre que sombre, visité par des quadrupèdes poilus qui daignent bien nous tenir compagnie pendant que nous tentons d'apercevoir, par les fenêtres quadrillées de barreaux de fer, un ciel de Norvège parfois gris, parfois bleu comme mes yeux. Nous sommes enfermés à la prison d'Orlitza près de Trondheim. Un lieu qui fut d'abord une université qui avait pour vocation, le savoir, la culture, l'art, les lettres et la finesse de l'esprit. Dire qu'aujourd'hui on en a fait un lieu maudit de tous où l'on enferme jusqu'à trépas des bagnards qui pour la plupart n'ont commis que de menus larcins, n'ayant en commun qu'ils déplaisent à notre très Grande Majesté.

Assez parlé de ce lieu où je me trouve depuis déjà trop longtemps. Comme mes jours sont comptés et que l'on m'a accordé un seul vœu avant que j'aille rejoindre les êtres célestes, celui-là même d'avoir de l'encre et du papier, je vais te raconter… Oui, te raconter ce que fût un jour la Scandinavie. Une époque d'âge d'or, des temps fabuleux pendant lesquels les peuples de la Norvège, de la Suède, de la Finlande s'unirent et formèrent une alliance qui rayonna sur le monde comme le soleil de midi.

Mais avant de connaître la vérité, sache que je ne suis pas un homme de lettres. Alors il te faudra être indulgent avec mon passé d'homme de guerre qui pourrait éclabousser au passage certaines formes lyriques ! Quoi que je croie, Elitch et sa grande culture, capable de corriger l'indomptable général que je suis !

Même si on a tenté d'étouffer cette partie fabuleuse de notre histoire, j'ai le droit d'espérer qu'un jour justice sera rendue et que la vérité jaillira tel un perce-neige au printemps.

Tout d'abord, faisons un retour en arrière en l'an de grâce 1347. J'avais quarante-cinq printemps et j'étais aussi vif que l'éclair. Je me remettais peu à peu de la terrible perte qui m'avait été affligée quelques années auparavant. Mon roi, mon ami, mon compagnon était décédé à la suite d'une effroyable maladie, la peste. D'ailleurs nous déplorions la mort de beaucoup des sujets de Sa Majesté. Cette maladie avait voyagé de par la mer bien embarquée sur les bateaux qui provenaient de l'Europe où cette calamité décimait des villages entiers. J'avais promis. Oui, promis à mon roi que je veillerais sur son fils Bjarni comme sur la prunelle de mes yeux. Donc, Bjarni Eriksson accéda au trône de la Norvège quelques temps après la mort de son père. J'étais donc aux côtés d'un nouveau et jeune roi qui laissait présager un avenir rempli de promesses !

Cependant, ce n'est pas de par la Norvège, mais de par la Suède que débuta une saga qui allait transformer à jamais l'histoire de la Scandinavie tout entière. La Suède était ce pays de légendes et de fables que nous racontaient avec verve les poètes, les musiciens, les vieux loups de mer qui tiraient leur origine des lointains et courageux

Vikings aïeux communs de cette portion de terre qu'on appelait plus communément, les peuples du Nord et qui comprenait, les Norvégiens, les Suédois, les Finlandais, les Islandais et les Danois. Ces Vikings qui avaient légué à leur descendance un passé d'histoire et de découvertes plus fabuleuses les unes que les autres.

Nous, les pays Scandinaves, sommes des hommes de découvertes, de voyages sur les eaux tumultueuses de la mer et des grands froids hivernaux. Nous avons des traits caractéristiques communs, des langues apparentées (sauf pour les Finlandais), des traits physiques comparables. Enfin, nous sommes frères et malgré certaines petites disputes territoriales, il ne faut pas oublier que nous sommes tous issus d'un même coin de pays et que pendant quelques années, oui pendant les plus belles années, nous avons poursuivi le même rêve soit celui de l'unification de nos peuples.

Alors, revenons aux Suédois. Peuple fier et noble du Nord, les Suédois, comme les autres pays Scandinaves n'avaient rien à envier à leurs voisins de l'Asie et de l'Europe de cette époque au niveau de leur hardiesse et de leur érudition.

À part la noblesse et la Cour Royale, le pays était constitué de paysans et de villageois peu fortunés qui eux aussi, comme le commun des mortels de ces temps éloignés, avaient à répondre de leurs faits et gestes devant leur souverain et, permets-moi de dire que cela n'a guère changé.

Malgré les épopées rocambolesques de leurs ancêtres, les Suédois faisaient partie intégrante d'un pays qui se trouvait sous le glaive d'un roi tyrannique nouvellement arrivé sur le trône du royaume.

Le vieux roi de cette contrée avait abdiqué devant la maladie qui l'avait presque vaincu. Il avait été contraint d'abandonner la couronne à son fils unique, à peine âgé de vingt-trois ans. Ce dernier avait pris les rênes du pouvoir depuis trois mois. Le prince, devenu roi, se hâtait de faire honneur à ses ambitions et arrivait d'une conquête sanglante sur la terre voisine, la Finlande qui était jusqu'à lors un duché de la Russie.

Par un beau matin du mois de mai, dans les vastes corridors du château du roi de Suède, seuls, l'activité matinale de la garde royale, les bruits insolites des bols qui s'entrechoquent à la cuisine et les pas décidés d'un homme se faisaient entendre. Les pas sûrs, certains, pesants, bruyants qui renvoyaient leur écho d'un mur de pierre à un autre. Cette démarche particulière, raisonnante, vive, royale, froide, solennelle qui ne la connaissait pas ? Même les rats et les araignées la connaissaient. C'était bien là, la démarche de Boris se rendant vers les appartements de son père.

Comment vais-je le trouver ce matin ? Encore à se plaindre et à geindre ! ! ! Je ne lui ai pas rendu visite depuis mon arrivée et il l'a bien mérité ce vieil entêté ! ! ! A-t-on idée d'être aussi obstiné avec moi... pourtant il devrait savoir depuis le temps ! ! ! Bon, allons voir quels potins les commères lui ont rapportés de ma victoire.

La lourde porte grinçante au fond de cet interminable corridor n'était pas tellement discrète. On pouvait l'entendre du hall d'entrée.

S'il n'était pas réveillé et bien là il l'est ! ! ! Je devrais mettre cette porte au milieu de la cour et faire égorger ce maudit coq. Pas un de mes gardes ne pourrait se cacher derrière sa paresse ! ! ! Tout le monde se réveillerait à bien meilleure heure ! ! !

Toujours claquant de ses grosses bottes sur les dalles de pierre, Boris avançait vers l'immense lit baldaquin paré de draperies en velours rouge feu. Tirant la chaise dans un bruit infernal, il s'assit près de son père et le regarda avec empressement.

-Je vous envoie mes vœux d'une bonne journée Majesté. Comment allez-vous aujourd'hui ?

La voix chevrotante de l'homme en disait long sur son état de santé.

-Pas très bien mon fils. Et tout ce bruit que tu fais quand tu entres ici ! ! ! Toujours aussi délicat ! Un vrai loup dans une bergerie ! ! ! et je vais de mal en pis depuis que je connais les raisons par les bons entendeurs...
-Les bons entendeurs... ! ! ! Ha ! Ha ! Ha ! Oui, les bons entendeurs... N'y a-t-il pas de quoi être de si bonne humeur père ? Cette conquête fut tellement facile que je me demande bien pourquoi vous n'y avez jamais songé ! ! ! C'était un jeu d'enfant. Mais on sait bien, à part remarquer le bruit qui émane de mes gestes, rien de tout ça ne vous intéresse n'est-ce pas ? Rien pour faire surgir le lion qui doit bien dormir en vous ! ! ! Inerte, immobile, certes vous l'êtes aujourd'hui, mais ne l'avez-vous pas toujours été ?
-Ah ! Boris, ne recommence pas... Cesse avec tes sarcasmes et sache que j'irais bien mieux si tu te mariais, faisais des héritiers et que

tu n'essayais pas de détruire ce que j'ai tenté de construire tout au long de mon règne…

Ah ! Là, le père venait de faire bondir le fils juste par cette remarque et ce dernier leva le ton, tout en levant sa forte stature du siège qu'il avait pris avec tapage quelques minutes plus tôt.

-Ah ! Je détruis ! ! ! Comment pourrais-je détruire ce qui n'existe pas ? Seriez-vous un enchanteur qui fait disparaître des monuments entiers ? Je ne vois rien autour de moi qui soit votre œuvre ! ! ! Qu'avez-vous donc construit père ? Dites-le moi ! ! ! Qu'avez-vous construit ? Ce royaume que votre père vous a légué déjà bien nanti, déjà configuré, déjà planté comme un peuplier géant dans le milieu d'une clairière ! ! ! Pas une pousse, pas une branche, pas une feuille n'a jailli de cet arbre depuis et la clairière en est toujours une ! ! ! Rien, non, rien… que le vide, que l'air qu'il y a entre le ciel et la terre ! ! C'est ça que je détruis ? Le néant ? Ha ! Ha ! Ha ! Pauvre vieux fou ! ! ! Je vais agrandir ce royaume que vous avez laissé, par votre mollesse, se désagréger petit à petit…
-Ma mollesse ! Être un roi bon et averti vis-à-vis ses sujets, c'est de la mollesse pour toi ? Avoir conquis le pays voisin, en saccageant tout sur ton passage, violant femmes et tuant de pauvres innocents qui vivaient près de nous depuis des générations, c'est ce que tu appelles être un roi ?

Si je ne me retenais pas, il n'aurait pas à attendre que les souffrances l'achèvent ! ! !

-Ah ! Non, vous ne recommencerez pas ce matin avec vos remontrances ! La Finlande a été depuis trop longtemps aux mains de ces filous de Russes ! ! ! Il n'y a pas de prise de territoire sans affrontement… Mais vous, vous ne connaissez pas. N'est-ce pas père que vous ne connaissez pas ? Comment un roi comme vous pourrait le savoir ? Comment, quand on sait ce que vous avez fait pendant votre existence. Justement, vous n'avez rien fait. Jamais une guerre. Chaque fois que vous aviez une décision à prendre, vous vous cachiez derrière la robe du Cardinal ou encore la fausse armure de votre maudit général Gürtven. Ni la robe du Cardinal, ni cette fripouille de général Gürtven ne vous ont servi à leur juste titre… Ils ont toujours comploté à asservir par leurs paroles mielleuses le Roi, la suprématie que vous deviez être… C'est une véritable honte ! ! ! Aucune loi, aucun règlement, n'était voté sans leur consentement ! ! ! C'est une parodie si bien orchestrée que vous êtes la risée dans tous les contés ! ! ! Veinard encore, que je puisse être roi aujourd'hui ! ! ! Bientôt il ne serait rien resté de notre dynastie, ni de royaume à gouverner ! Je tiens bien à ce que la Suède reprenne sa place sur la carte et au delà. Je serai le plus grand Roi que cette contrée n'a jamais connu, je vais conquérir de plus en plus de territoire, que cela vous plaise ou non ! Je serai respecté et partout les gens trembleront à seulement prononcer mon nom...

-Comment oses-tu me parler sur ce ton ? Et tu en as pris grand soin du Cardinal et du général Gürtven ! ! ! Le Cardinal s'est reclus dans un monastère, troquant sa robe rouge pour celle d'un moine, un homme d'une telle valeur et d'une telle envergure et Gürtven a été mis à la retraite... Ah ! Boris ! Boris... si je pouvais me lever de ce lit...

-Justement, vous ne le pouvez plus ! ! ! Hourra ! ! ! Enfin, un homme est arrivé pour sauver la couronne... Vous devriez m'en remercier... car vous n'en avez jamais eu le courage, mais moi je l'ai et je suis coriace ! ! ! Ça, vous ne pouvez le nier ! ! Et depuis mon arrivée au pouvoir, les choses ont bien changé... Vous le savez ! ! ! Au lieu de vous en réjouir, toujours les sermons, les reproches, les blâmes ! ! ! J'en ai assez ! ! ! Je ne me fatiguerai pas ce matin à me disputer avec vous ! !

-Et que vas-tu répondre aux nombreuses missives des rois des royaumes frontaliers ? Les rois Etok, Euphrase et Bjarni ne cessent de te semoncer d'arrêter tes projets de conquête sinon ils se réuniront pour t'écraser.

-Quoi ? Vous ne pensez tout de même pas que je vais me laisser impressionner par ces rois de pacotille ! ! Des lâches qui se cachent derrière leur armée et qui s'unissent parce que pas assez puissants pour m'affronter ! ! ! Ha ! ha ! ! Laissez-moi rire votre très grande Majesté ! ! ! Rien ne fera reculer Boris Le Magnifique, encore moins des rois sans envergure qui se pensent à l'abri d'une conquête uniquement parce qu'ils se regroupent et me menacent ! ! !

-Des rois sans envergure ? Boris... Boris... c'est terrible d'être aussi désinvolte ! ! ! Comment peux-tu ne pas répondre à leur requête ? Ils sont puissants, Boris... Tu sous-estimes beaucoup trop leur puissance... Si tu n'y prends garde, ils t'écraseront je te le dis ! ! !

-Je ne répondrai pas à leur requête ! ! ! Elle est bien bonne celle-là ! ! ! Des rois qui veulent que je m'assoie gentiment sur mon trône et que je fasse comme vous ! ! ! Ils n'ont rien vu... moi aussi je suis puissant et je le deviendrai bien davantage... il suffit que d'un peu de temps ! ! !

-Depuis toujours tu n'en fais qu'à ta tête ! ! ! Tu les affrontes, tu m'affrontes... jamais nous ne réussirons à nous entendre, tu as toujours été si excessif et entêté ! Pourquoi n'attends-tu pas de vivre ce pouvoir et de le savourer... La sagesse vient au fur et à mesure et non à courir après. Tes ambitions te perdront mon fils...

-Savourer le pouvoir avec sagesse ! C'est ce que vous avez fait toute votre vie et on voit bien où cela vous a mené... Pauvre roi Sla-vürko qui est malade et qui a dû laisser à son fils le pouvoir ! Comme vous avez dû chercher une manière pour que cela ne soit ! ! ! Qu'avez-vous accompli de grandiose pendant votre règne ? Dites-le moi... que de questions je vous pose et que de réponses effarantes je reçois ! ! ! Surtout quand tous savent... oui... quand tous savent qu'après que cette femme vous ait laissé tomber pour votre charpentier et qu'elle s'est retirée de votre vie vous ne valiez plus grand-chose... Vous n'avez fait qu'aggraver votre cas. Vous vous êtes marié pour avoir un héritier et dès ma conception, vous n'avez plus jamais touché ma mère... la laissant dans une amertume pendant toutes ces longues années. Elle est morte dans cet état lamentable. Vous ne l'avez jamais aimée et elle en a beaucoup souffert et moi je ne vous le pardonnerai jamais !

Le défilement de toutes ces paroles avec une agressivité marquée perçait le regard du jeune roi. L'homme alité, devant ce jeune et irrita-ble pur sang, se secouait lourdement la tête de gauche à droite, signe qu'il n'adhérait pas du tout au discours du fils.

-Boris, Boris, pourquoi toujours revenir sur cette histoire ? Je suis vieux et malade, ai-je besoin que tu me rappelles toujours cette femme qui un jour a touché ma vie et pour qui le destin avait choisi d'autres horizons ?

La réaction de l'interlocuteur ne se fit pas attendre. Il bondit sur l'occasion pour raviver la vieille querelle qui existait, depuis toujours, entre eux.

-Ha ! Ha ! D'autres horizons permettez-moi encore d'en rire ! Vous étiez le Roi et si vous aviez voulu, vous auriez pris cette femme qu'elle le veuille ou non. Vous n'aviez pas à la laisser partir comme vous l'avez fait pour ensuite vous morfonde toute votre vie et faire du mal autour de vous.

Voilà que l'éternelle dispute reprenait de plus belle. Le passé du malade était marqué à l'encre de chine par le passage d'une femme dans sa jeunesse et avait laissé l'homme sur une déception dont il ne s'était jamais remis. Le seul mal dont il pouvait être coupable était celui d'avoir aimé. Aimé, vraiment, totalement, éperdument, à un point tel, qu'il n'avait pas pu retenir une belle qui s'était alors amou-rachée de son propre charpentier. La déception était d'ailleurs bien plus redoutable lorsque le fils ne cessait de lui reprocher cet amour

dont il ne s'était jamais défait même après avoir épousé la Reine Sophia et avoir eu d'elle le seul héritier du trône. Ce fils ingrat, tyran en
herbe, impétueux, assoiffé de pouvoir était devenu roi et démontrait
sans aucun doute ses visions de grandeur à un être dépourvu désormais de toutes possibilités de mettre fin au carnage qui se préparait.
La peur, la haine, la déception, la mélancolie étaient ses seules compagnes dans ce grand lit d'où il ne se relèverait jamais plus. Du coin
de l'œil, il observait cette pièce d'homme imposante avec un caractère
de tigre enragé. Qu'allait-il advenir de la tranquillité des paysans et
des royaumes frontaliers avec ce jeune roi puissant et avide de
conquêtes ?

Dieu du ciel protégez mes sujets de ce fils que j'ai engendré ! ! !
Courez, partez, fuyez pendant qu'il est encore temps ! ! ! Il se sent
invincible ! ! Ah ! Ursula, Ursula… Si seulement il t'avait connue…
Tu l'aurais raisonné toi, par un seul regard !

-Boris, tu as au moins raison sur une chose. Si j'avais pu t'esquiver
du pouvoir, je l'aurais fait. Je suis tellement déçu. Oui, quelle déception que tu sois le seul héritier pour cette couronne ! Tu es dur,
insensible et empreint d'une méchanceté indescriptible. Sache mon
fils, qu'on ne retient pas les gens comme on retient un cheval ! Il ne
suffit pas de tirer sur la bride pour les faire tourner à droite ou à gauche… Ta jeunesse, ton arrogance, ta fougue, ton empressement te
perdront, je te le dis !
-Ah ! Taisez-vous, vous m'ennuyez… ! J'étais venu pour vous
voir et avoir une discussion d'égal à égal au sujet de ce nouveau territoire qui s'ajoute à mes terres, mais je ne peux pas vous voir sans vous
faire ces reproches.
-Puisque tu me parles sur ce ton, je ne te retiens pas…

Sourire en coin, le fils s'animait et se gavait de l'effet dévastateur
de ses paroles.

Je vois bien que je viens de toucher sa corde sensible… Ursu-
la ! ! ! Puisqu'il se replie sur lui-même à chaque fois que je parle
d'elle…

-Ha ! ha ! Voilà qu'Ursula vous turlupine encore ! ! ! Ce n'est pas
possible ça ! ! ! Qui était donc cette femme ? Une sorcière ? Je ne vois
nulle autre explication pour détenir une telle emprise sur le Roi de
Suède depuis toutes ces années ! ! ! Je me délecterais bien d'un
voyage d'agréments après cette prise de possession en Finlande et si
j'allais vérifier ce qu'on raconte au sujet de sa fille ?

Son père eut aussitôt une sensation d'étranglement, résultat de l'émotion qui lui montait soudainement à la gorge.

-Boris ! Je te défends d'aller embêter ces gens ! Tu m'entends ? Sache que le sage de la Forêt d'Elfe est un homme respectable… et sa fille…

-Pourquoi parler de lui en ces termes ? Il est parti avec la femme que vous aimiez, vous ne vous en êtes jamais remis. Il a bien une dette envers vous, n'est-ce pas ?

-Non Boris, il n'a aucune dette envers moi. Ursula a choisi, elle a été très heureuse auprès de l'homme qu'elle aimait. Elle a choisi et a eu une vie comblée de bonheur. Il n'est pas question que tu ailles là-bas semer la zizanie dans l'arrière-pays uniquement parce que tu veux te venger de moi…

Cette fois Boris s'illumina d'un sourire malicieux.

Hum ! S'il pense que je crois à tout ce qu'on raconte au sujet de la Forêt d'Elfe et la fille du sage ! ! ! Ce qu'il peut être idiot parfois… Je dois tenir de ma mère pour être si intelligent ! Pas de lui… Oh ! Non pas de lui ! ! ! Mais comme c'est amusant de le voir s'agiter à chaque fois que j'aborde ce sujet ! ! ! C'est d'ailleurs la seule chose qui l'anime ! ! ! Et cette fille… une femme, bah ! Rien qui puisse me faire tourner la tête… encore des commérages colportés par des hommes et des femmes sans jugement ! ! Mais de piquer père comme ça… comme c'est amusant…

-Serait-ce donc vrai qu'Ursula était si belle que pas un homme ne pouvait lui résister ? Serait-ce donc vrai que même après sa mort elle aurait survécu à travers les traits de sa fille ? On dit que la fille du sage de la Forêt d'Elfe est si belle et si gracieuse que pas une étoile ne peut lui être comparée…

-Laisse cette famille tranquille, je t'en conjure, Boris ! Akim s'est retiré aussi loin pour ne pas me gêner. Il est un sage homme et même s'il a épousé la femme que j'aimais, il l'a aimée lui aussi et il en a pris grand soin. Il est au plus profond de notre territoire et il est vieux lui aussi maintenant… Le passé est le passé Boris, il faut apprendre à penser à l'avenir…

-Penser à l'avenir ? Comment osez-vous me dire ça ? Vous qui avez vécu avec le souvenir intarissable de cette beauté qu'était Ursula. (silence) Je vais quand même visiter mon royaume, tout mon royaume, et j'irai où bon me semble… J'en profiterai pour faire ce qui me chante… Surtout voir et sentir, regarder, entendre le peuple, ce peuple qui est mien et celui qui sera. J'étais d'ailleurs passé vous dire que je partais demain en voyage.

-Boris, tu viens à peine d'arriver et tu repars déjà ?

-Eh, oui ! C'est peut-être difficile à concevoir pour vous père, mais l'homme est fait pour bouger !

-Que mijotes-tu donc Boris ?

-Faut-il que le Roi mijote quelque chose pour voyager ? Je m'en vais en voyage père, en voyage !

-Je te connais trop bien Boris pour avaler pareil mensonge ! Et même si je te disais de ne pas y aller, tu as toujours fait à ta tête... alors...

-Bon, puisque nous n'arriverons jamais à nous entendre, je préfère vous quitter. je reviendrai vous voir dès mon retour de voyage "d'exploration" avec mes impressions et avant que je parte, sachez que ce n'est pas demain la veille que vous me verrez marié Père ! ! ! Désolé, je préfère de loin batifoler d'un lit à l'autre sans aucune conséquence et obligation de ma part... C'est beaucoup plus... jouissif si vous me permettez, votre très grande Majesté, cette expression de bas étage !

-Ah ! Bon Dieu Boris, tu es d'une vulgarité... Tu... tu me répugnes... Va-t-en et ne reviens plus me voir ! Je n'ai pas besoin de voir que j'ai engendré une bête ! Un être ignoble... ! Va-t-en, je ne veux plus en entendre davantage.

-Ha ! ha ! J'ai bien failli avoir droit à une fessée ! Ha ! ha ! Mais il est loin, Père, le temps où j'étais gamin et que vous pouviez me corriger ! Depuis longtemps vous n'y parvenez plus et aujourd'hui encore moins... en plus, je suis le Roi désormais !

-Va-t-en...

Boris se retira de la pièce en riant aux éclats laissant son père dans un état de mélancolie atroce. Le silence revenu dans la chambre, Slavürko se rappelait maintenant ses jeunes jours.

Ursula... pourrais-je enfin te rejoindre un jour ? Reverrais-je ces yeux qui m'ont bouleversé ? Ursula... Ursula... protège ta fille que je sais belle comme le jour. Détourne Boris si jamais il s'aventurait sur cette route. Protège-la. Non seulement, j'ai laissé le pouvoir à cet être infect qu'est mon fils, mais également perdu tous pouvoirs. Il est vraiment un maître dans l'art de la domination. Aucun de mes ministres, aucun de mes généraux, ne sont autorisés à me rendre visite... et s'ils le font c'est sous haute surveillance.

Le lendemain, le fracas des portes, l'animation dans la cour, les chevaux qui hennissent, le branle-bas de combat que faisaient les hommes étaient les signes évocateurs d'un départ éminent.

Il part... où va-t-il se rendre ? Boris, fais bon voyage. Faire bon voyage c'est de voyager, c'est de voir du pays, pas de prendre pays ! Ce qu'il m'inquiète... Pourvu que de sa tête n'ait pas émergé une idée farfelue qui lui vaudra peine et misère entraînant par la même occasion tout mon royaume dans une hécatombe !

Slavürko ferma les yeux préférant croire à son impossible rêve. Celui-là même que son fils se résigne à faire comme lui, connaître une vie paisible, sans histoire.

Une voix puissante, forte se fit entendre dans cette activité matinale qui ne semblait jamais vouloir se terminer.

-Tout le monde est prêt ?
-Oui, Sire, les chevaux sont scellés, les hommes embarqués, les provisions chargées, les femmes embrassées... nous sommes prêts !
-Bon... Allons-y ! Votre roi vous emmène dans ses terres et peut-être au-delà ! Soyez du voyage ceux qui veulent voir la frontière !

Boris en tête de convoi, entouré par ses généraux, avançait vers l'Ouest. Tout au long de son voyage, son cortège attirait l'attention sur son passage. Boris avait fière allure avec son habit bleu roi paré d'emblèmes de la couronne du royaume Suédois sur une monture élégante et fougueuse.

Ses nombreuses conquêtes féminines lui donnaient l'impression qu'il était irrésistible. Du haut de ses vingt-trois ans, muni d'un physique d'Apollon, le jeune roi impressionnait par sa prestance qui n'avait d'égal que sa prétention. Sa réputation de tyran qu'il avait si bien façonnée à l'image qu'il se faisait d'un souverain le devançait dans l'esprit de ses sujets. Sûr de lui, rien ni personne ne devait se trouver au travers de sa route. Il dirigeait les affaires du royaume depuis plus de trois mois et il les conduisait d'une main de fer et sans gants de velours. Beaucoup de gens et même ses proches, le redoutaient. Il était colérique et son humeur changeait au fur et à mesure des frustrations que la vie lui imposait.

À cheval avec sa compagnie, il se dirigeait vers la frontière norvégienne. Un fait qui n'était nullement étranger à se déploiement royal. Slavürko avait vu juste. Son fils voyageait dans un but bien précis.

Ah ! Boris Le Magnifique aurait pu s'appeler Boris Le Conquérant et cela aurait été plus près de la réalité. Seuls ses plus proches généraux en connaissaient tous les rouages. Une tactique guerrière surgit tout droit de la matière grise coiffée par une chevelure aussi noire que le plumage d'un corbeau de Sa Majesté, elle-même.

Ils s'engouffraient dans une vallée bordée de montagnes majestueuses. Les odeurs d'épinettes et de sapins flottaient au gré de la douce brise. La flore était d'une verdure à couper le souffle, agrémentée par-ci, par-là de couleurs de fleurs diverses qui commençaient à montrer le bout de leur nez après un rude hiver. Les hommes qui accompagnaient le fougueux roi admiraient le tableau digne d'un grand peintre. Que dire de cette nature luxuriante qui se dévoilait sous le pas de leur monture et au-devant de leurs yeux de soldats ? Comment expliquer la beauté par des mots quand tous les sens sont mis à contribution ? Mais Boris, roi, guerrier, homme de prestige ne se laissait pas impressionner pour si peu. Les arbres, les fleurs, les petits oiseaux, foutaise que tout ça aux yeux de la perfection qu'il croyait être !

Le cortège suivait la route qui longeait la rivière Pasquetck. Rivière dont les flots étaient d'un vert profond. Sa Majesté était de bonne humeur. Sa Majesté n'aurait jamais admis que cette nature luxuriante, le bruit de l'eau qui coule, l'air pur d'un matin de printemps lui remplissaient le cœur d'énergie.

De village en village, Boris se pavanait devant les villageois et surtout les villageoises. Aucune présentation n'était nécessaire, son habillement, sa compagnie parlaient d'eux-mêmes. De toute façon, la nouvelle que le roi visitait, devançait ce dernier de quelques jours. On le recevait toujours en grandes pompes pour plaire à ce roi qu'on savait sans merci s'il était contrarié. Certaines petites fêtes étaient aussi improvisées par les villageois pour le passage du grand monarque. Tout cela amusait Boris qui se délectait de compliments sur sa personne et du meilleur vin du pays. Cependant, il y avait tout de même, une ombre au tableau… Quelle colère il faisait lorsqu'il se rendait compte que certains paysans ne se déplaçaient pas pour voir sa majestueuse personne…

Quels manants ! Des gueux que je materai quand j'aurai le temps de m'occuper de leur sort ! Ils ne s'en tireront pas à si bon compte ! Ah ! Ça non ! Je suis leur roi. On me doit politesse et dévotion… Grrrrr ! ! !

Mais le bon vin enivrait Sa Majesté et ces gueux tombaient vite dans l'oubli… surtout quand on lui présentait toujours, comme sur un plateau d'argent, des vierges qu'il se délectait de dépuceler en moins de deux ! Vaillant guerrier sur un champ de bataille, que le champ soit un amas de collines et de foin rempli à craquer d'adversaires qu'il trouait de son épée, ou qu'il soit fait de draps et de douillettes rempli de jeunes demoiselles qu'il trouait de sa verge royale ! Ce jeune homme était puissant et dans tous les sens du terme… du moins, c'est ce qu'il aimait bien prétendre !

Il profitait largement de sa position de roi au sein d'un pays de paysans qui lui versaient un lourd tribut, surtout depuis qu'il avait augmenté les impôts et fait des dépenses de guerre. Comme il avait annexé dans les dernières semaines, un nouveau territoire à son royaume, plusieurs le respectaient parce qu'il avait su faire une guerre sans qu'aucun autre grand monarque ne s'objecte par le biais de la force à cette prise de possession sauf les quelques garnisons du grand prince de Russie. Peu importe le saccage dans lequel le tout s'était organisé, le résultat parlait par lui-même. La Suède avait un nouveau territoire et les ripoux de Russes chassés hors de Finlande ! Le grand prince était à Moscou, bien loin pour dépêcher des combattants pour un territoire qu'il avait quelques années auparavant pris sans trop de remue-ménage. Boris était l'heureux bénéficiaire d'une dizaine de milliers de soldats Finlandais maintenant à sa solde et sous ses ordres.

Comme tout vient à point à qui sait attendre, il n'en restait pas moins, qu'il était surveillé de près. Aucun homme politique ne voulait qu'un despote menace son propre territoire et encore moins la paix qui régnait depuis plusieurs décennies. Un voisin trop puissant est toujours menaçant.

Mais Boris rêvassait, s'imaginant déjà le roi… le seul… l'unique… Le Roi parmi les rois. Ce rêve, cette ambition, cette obsession étaient les seuls enjeux de ses futures guerres, les seuls compagnons qu'il aurait à l'avenir. L'empire Romain, Attila, Gensis Khan, Alexandre Le Grand ne seraient qu'un pâle souvenir sur son utopique rêve d'être l'empereur du monde… Rien ni personne ne serait son égal. Il deviendrait la puissance mondiale. Par un stratagème de guerrier, aussi compliqué que simple à la fois, Boris avait des plans et des vues bien déterminés. Le bougre était tout de même doté d'une intelligence peu commune et pourvu d'un esprit ingénieux. Même si cet esprit était habité par je ne sais quelles tortueuses machinations, il s'avérait être précis dans ses prédictions. Celui de conquérir la terre voisine, la Norvège en passant par le Danemark et le Col du Diable en

Suède, divisant son armée en deux était un plan qui ne manquait pas de finesse. C'était même une prouesse d'imagination. Détournant l'attention de ses ennemis, il conquerrait ! Avec la péninsule Scandinave sous la main, il pourrait se retourner et se diriger vers l'Europe. Sa puissance serait telle que son petit royaume devenu Empire éclipserait toute résistance sur sa route. Lui, monarque incontesté à la démesure de son fantasme, salivant déjà à cette pensée obsédante de pouvoir et de conquêtes. Régner sur des millions de sujets, avoir une puissance inégalée l'enivrait de bonheur et le transportait vers le point de non-retour.

Boris et sa compagnie avaient maintenant atteint la légendaire Forêt d'Elfe. Ils s'approchaient de plus en plus de la frontière norvégienne. Là, Boris aurait un aperçu d'une future terre qui serait bientôt sienne. N'oublions pas que le monarque voyageait dans ce but unique. Il faisait connaissance avec les recoins de son royaume mais aussi avec les prochains. La Norvège avait fait bon voisinage avec la Suède dans les dernières années, peu dérangeante et Boris avait bien pris soin qu'aucun mot sur ses intentions ne parvienne à son semblable, le roi Bjarni de Norvège.

Le roi Bjarni... s'il est comme il était quand nous étions princes, je n'ai rien à craindre de lui. Je me demande bien si mon père n'est pas le sien au fait ! Il lui ressemble bien plus physiquement que moi ! Bjarni, ce maudit blond aux yeux verts ! Une vraie calamité à avoir dans une Cour royale. Les femmes le trouvent toutes si séduisant... et lui, vrai nigaud, il n'en profite point ! Il aimerait peut-être les contacts charnels avec ses semblables ? Beurk ! Si jamais l'idée lui était venue lorsqu'on se visitait, je lui coupais ses valseuses en moins de temps qu'il n'eût eu pour faire un soupir !

Ce roi était pour lui une limace sur sa route avec qui il fallait négocier le passage de peur de glisser et perdre pied sur le dos d'une si minuscule créature. Trop prétentieux, trop fier, trop orgueilleux, aucune bévue de ce genre ne devait entacher sa réputation de guerrier, de roi !

Bah ! Balivernes, Bjarni est bien trop sot à mes yeux pour que je m'en soucie. Il est si occupé à faire le saint homme et à se dévouer pour ses sujets qu'il ne se rend même pas compte qu'il sera bientôt confiné dans un de mes nombreux monastères. Un rôle qui lui sied comme un gant d'ailleurs ! Je le vois avec une soutane et prêcher la bonne nouvelle !

La vue d'un village au bout du sentier qu'ils avaient emprunté, sortit Boris de ses rêveries. Un autre parmi tous ceux qu'il avait visités depuis le début de son périple qui durait maintenant depuis quatre jours. Ils s'arrêtèrent tous à l'auberge du village. La demeure du seigneur de l'endroit, où il était attendu, était plus loin juchée sur des collines. Les chevaux étaient fatigués et il était préférable de s'arrêter à cette accueillante petite auberge. Le Seigneur Garventson attendrait. Encore mieux, il n'avait qu'à venir le rejoindre à l'auberge. Voilà ce qui émergeait, comme politesse, de la tête de Sa Majesté. Ce noble Seigneur n'était, en fait, qu'un subalterne pour notre très grand Boris dit Le Magnifique.

Un adorable fumet se dégageait de la petite construction de bois et de pierres des champs. Les villageois présents étaient fixés sur cet être majestueux vêtu des plus beaux habits. Une autre occasion pour Boris de pavaner. S'il avait été muni d'une queue de paon, ce cher Boris l'aurait toujours déployée afin d'en faire voir toute la splendeur ! C'est sans aucun doute la comparaison qu'il aurait aimé donner à son entrejambe s'il avait connu cet oiseau d'Asie. C'était lui, le plus beau, le plus fort, le plus intelligent. Rien ne lui aurait laissé présager le contraire puisque cette populace, lourdement habituée à un régime de soumission et à une religion catholique en communication directe avec Dieu, était d'une obéissance sans borne. Il s'agissait du Roi. Il leur faisait l'honneur de s'arrêter dans leur minuscule petit village et c'était là l'analyse superficielle que Boris se faisait de son passage parmi ses sujets.

Descendu de cheval, Boris suivi de son cortège de généraux, de nobles, de chevaliers, de soldats, se dirigea vers l'intérieur de l'auberge qui était bien petite pour accueillir plus d'une cinquantaine d'hommes. L'aubergiste se précipita au-devant de ce personnage énigmatique en se confondant en courbettes de toutes sortes.

-Majesté, Majesté quel honneur vous faites à notre humble famille de vous arrêter dans notre modeste auberge.

Boris lui fit un léger signe de tête en guise de réponse. D'un coup d'œil rapide, il étudia l'antre dans laquelle il venait de s'introduire. Le roi s'adressa au petit homme chauve penché devant lui :

-Mon brave, nous désirons rester pour la nuit. Comme je peux voir, l'endroit n'est pas très grand. Donc, mes hommes s'organiseront pour dormir sous leurs tentes. Par contre, j'aimerais savoir si vous disposez d'assez de vivres car nous allons en prendre un peu ici, avant de repartir demain.

-Sire, aucun problème, je ferai en sorte que vous ne manquiez de rien. Nous ne savions pas que vous vous arrêteriez ici, mais nous savions que vous visitiez la région, des voyageurs nous avaient prévenus. Nous avons donc fait en sorte que nous ayons tout en main si jamais votre Majesté daignait nous faire cet honneur.

-Bon, sers-moi ainsi qu'à mes hommes ton meilleur vin, nous avons soif !

-Tout de suite, Sire.

L'aubergiste se retira aussitôt. La commande était considérable, satisfaire un roi et son cortège. Il s'afféra, lui, sa femme ainsi que plusieurs autres aux cuisines avec hardiesse.

Comme Boris était habitué au léger confort que l'on retrouve sur les champs de batailles, il s'agrémentait facilement de prendre une place à une table située en plein milieu ; même si cette table avait servi à de simples villageois qui venaient boire et manger à l'auberge. Il ne se formalisait pas non plus de la chaise de bois dur qui n'avait rien de commun avec son trône. Il s'assied donc entouré par ses quatre généraux. Les serveuses commencèrent à verser le vin dans un bruit infernal d'hommes qui parlent et rient.

L'aubergiste vint lui-même servir le roi. Il versait le vin dans la coupe lorsque son grand roi capta son attention par une question :

-Aubergiste, sommes-nous vraiment dans la Forêt d'Elfe ?
-Vous êtes à l'orée de ces bois, Sire !
-Bien.

L'aubergiste versait le liquide rouge dans la coupe du roi quand un homme de grande stature fit irruption dans l'auberge. N'ayant nullement détournée l'attention de quiconque, l'homme cherchait du regard à l'intérieur de la petite salle quelque chose ou quelqu'un. Après un bref tour d'horizon, l'homme avait trouvé ce qui l'avait amené jusqu'à cette auberge. D'un pas incertain, il se dirigea vers la table du roi. Il s'arrêta derrière l'aubergiste qu'il connaissait bien. Son regard insistant sur le personnage royal, fit que Boris leva les yeux vers lui.

-Monsieur, par votre regard, dois-je comprendre que vous aimeriez obtenir une audience avec le roi ?

L'homme qui s'était décoiffé était visiblement ému d'être en présence de son roi et tournoyait son chapeau entre ses mains.

-Si votre Majesté veut bien me le permettre, j'en serais fort aise !

-Eh ! Bien, si d'abord je savais à qui ai-je l'honneur ?

-Oh ! Pardon, Sire… Je suis le Seigneur Garventson pour vous servir !

-Enchanté de vous connaître mon cher Garventson ! Dit Boris en levant sa coupe vers l'homme dont la nervosité lui tressaillait tous les membres.

-J'espère que votre Majesté a fait bon voyage et qu'elle se plaît dans notre merveilleux coin de pays !

-En effet, j'ai fait bon voyage et il est vrai que j'ai un merveilleux pays ! Cependant, Seigneur Garventson vous n'êtes sûrement pas venu jusqu'ici pour seulement vous enquérir de mes impressions sur ce coin reculé de mon royaume ?

-Certes, Sire, vous avez raison. Comme mon messager vous l'a déjà laissé savoir, vous me feriez un immense honneur, si vous daigniez venir passer la nuit dans mon humble demeure !

-C'est avec plaisir que j'ai reçu votre invitation mais malgré la modestie de cette auberge, je décline votre charmante invitation. Je passerai la nuit près de mes hommes. Ne pensez pas que votre Roi ne soit pas attentionné, loin de là, mais j'avoue que je suis un peu las et je préfère m'arrêter ici ce soir. Cependant, Garventson, demain matin, je me rendrai au village de la Forêt d'Elfe où j'espère être accueilli comme il se doit.

-Soyez assuré votre Majesté que tout est déjà paré en ce sens et que les villageois sont impatients de pouvoir vous contempler !

Contempler ! Il n'en fallait pas plus pour ravir Boris. Ces mots lui coulaient à l'oreille comme l'eau sur le dos d'un canard. Il fit un léger sourire à cet homme qui, malgré sa stature imposante, semblait prêt à s'écrouler comme un château de cartes par le simple souffle d'une brise tellement il était impressionné par son interlocuteur. L'homme se retira en décrivant des courbettes maladroites qui firent sourire Boris.

L'aubergiste qui s'était retiré le temps de laisser son Seigneur s'entretenir avec le roi revint remplir les coupes qui étaient déjà vides. Juste avant qu'il ne se retire, vint une question aux lèvres de Boris. Ces méninges venaient de fonctionner dans un autre sens et avaient écorché au passage un souvenir enfoui. La curiosité faisait le reste.

-Ah ! oui, j'oubliais ! Aubergiste, je suis un nouveau et jeune Roi, j'aimerais savoir si ce qu'on m'a raconté est vrai.

L'aubergiste se pencha vers lui.

-Que vous a-t-on raconté, Sire ?

-On m'a raconté la légende de la Forêt d'Elfe et parler d'un personnage mystique qui habiterait ces bois enchantés. On m'a raconté
que ce personnage était une femme exceptionnellement belle. On m'a
également dit qu'elle posséderait certains pouvoirs dont celui
d'ensorceler les hommes. Je tiens à te dire tout de suite que je ne crois
pas un mot de toutes ces inepties mais ton Roi aimerait tout de même
savoir…

Le bon aubergiste fit un sourire au roi.

-Votre Majesté est bien informée. La légende de la Forêt d'Elfe est
bien étoffée et prend son origine aux temps où les dragons et les
monstres marins peuplaient notre terre. Une chose est certaine c'est
qu'elle perdure malgré les années qui passent ! Tant qu'au personnage
mystique qu'on vous a décrit… il est sûr que la fille du sage est toute
désignée pour porter sur ses frêles épaules la magnificence de ce que
raconte la légende.

-Que veux-tu dire ? Demanda Boris intrigué.

-Sire, vous vous êtes exprimé en ces termes : une femme exceptionnellement belle. Mira la fille du sage est effectivement d'une
beauté exceptionnelle, mais elle est beaucoup plus que ça… car sa
beauté ne se limite pas à la couleur exquise de ses yeux, à la forme
angélique de son visage et que pourrais-je dire d'autre pour vous la
décrire ? Son être tout entier semble habité par Dieu lui-même !

-Prenez garde de ne point blasphémer ! N'utilisez donc pas le nom
de Dieu pour une simple paysanne soi-disant pointée du doigt par des
élucubrations de paysans qui n'ont jamais rien vu d'autres que la couleur de leurs champs !

L'aubergiste se tut, visiblement embarrassé par les remontrances
de l'être royal qui semblait choqué par ses propos ! Il allait repartir
lorsque le roi l'arrêta.

-Comment pourrait-elle être habitée de Dieu puisqu'on lui prête
plus des dons d'ensorcellement qui, mon cher, sont plus près de la
sorcière que de l'ange ?

-Sire, ceux qui vous ont raconté ça, c'est qu'ils l'avaient croisée
sur leur route. Une telle splendeur ne laisse pratiquement personne

indifférent. Elle n'est nullement apparentée aux incantations des sorcières. Ceux qui la regardent s'ensorcellent bien malgré elle et bien malgré eux, croyez-moi. Elle n'a aucun pouvoir si ce n'est celui d'être d'une beauté et d'une simplicité déconcertantes.

Voyant qu'il avait piqué la curiosité de son invité de marque, il ajouta :

-Cette jeune demoiselle est comme l'était sa mère, douceur, charme, grâce, beauté, délicatesse. Elle a maintenant atteint ses dix-sept ans et j'ai entendu dire que les hommes de son village ont fait un petit concours épique pour se mériter le cœur de la belle. Il semble que ce soit le fils du forgeron qui a remporté tous les honneurs, un dénommé Éric. On dit qu'ils se marieront dans quelques semaines. Mais je vous assure, Sire, que voir cette demoiselle est comme voir une apparition !

Le roi s'accota au dossier de la chaise tout en regardant l'aubergiste.

-Tu sais aubergiste, je passerai demain par ce fameux village de la Forêt d'Elfe puisque c'est le dernier village avant d'atteindre la frontière norvégienne. C'est d'ailleurs à cet endroit que mon voyage se terminera. Je vérifierai de mes yeux tes dires et à mon retour si j'estime que tu m'as menti, je reviendrai te réclamer le double de ton impôt.

Boris prit sa coupe et la porta à sa bouche avec un sourire moqueur. L'aubergiste s'empressa de répondre :

-Oh ! non Majesté ! Je n'oserai jamais mentir à mon Roi et je pense que si vous rencontrez les habitants du village de la Forêt d'Elfe vous pourrez juger par vous-même si j'ai bon goût comme tous ces paysans qui ont fait courir cette histoire jusqu'au-delà des frontières qui bordent notre royaume.
-Donc, je disais vrai ! Cette légende en est une ! puisque la belle va se marier. La légende dit que c'est une pucelle qui conduira le drakkar et non une femme mariée.
-Vous dites vrai Majesté. La légende parle d'une vierge. Mais, la légende ne dit pas si la pucelle, le sera toujours lorsqu'elle conduira le drakkar !
-Ha ! ha ! Que les paysans ont de l'imagination ! Tout pour croire en une légende ! Bien ! Va maintenant, tu as sûrement mieux à faire

que de me raconter des histoires légendaires, j'étais simplement curieux et tu as bien répondu à ma question.

L'aubergiste s'éloigna vers les cuisines. Les serveuses continuaient leur service, déambulant à travers ces hommes qui réclamaient sans cesse du vin. Certains d'entre eux traitaient ces dames avec peu de dignité allant de la taloche sur la croupe à l'empoignade des seins. Boris admirait ses hommes du coin de l'œil et se découvrait satisfait de les voir prendre du bon temps allant jusqu'à trouver ces démonstrations irrespectueuses tout à fait normales. *Du bon vin, des femmes, voilà ce qui contente bien son homme.* Pensait Boris.

Je ne sais pas ce que pensera Bjarni de ma venue jusqu'à la frontière ? Pourvu qu'on lui rapporte que je visite mes terres comme j'ai bien voulu le laisser entendre. Il ne se doute pas que je viens jusqu'ici pour voir le seul chemin praticable pour l'envahir par les terres.

Sa Majesté, qui était pourtant un homme dont la forte nature exigeait une femme dans sa couche tous les soirs, était lasse. Le voyage l'avait quelque peu éreinté avec toutes ces fêtes, tout ce vin et toutes ces femmes. Les conquêtes sexuelles dont il se targuait de sortir vainqueur avaient contribué à ramollir le membre glandulaire de Sa Grandeur. Les serveuses, les putains étaient, certes, appétissantes, mais aurait-il pu encore faire tendre son arc ? Non… ces Suédoises… quelles femmes pour venir à bout de cette tour toujours en érection. Le hérisson cachait ses pics. Il est vrai qu'il fallait bien cuver son vin tout de même ! Le bon jugement rendait sa sentence. Il préférait, pour ce soir, se complaire à se perdre dans ses calculs de victoires et de conquêtes.

Assis depuis quelques heures déjà, bouteille de vin en main, il fallait qu'il se retire dehors. Les reins de Sa Majesté Royale insistaient pour une évacuation et la plus rapide serait le mieux ! Les reins devraient attendre un peu… un problème d'équilibre et de direction venait de faire apparition lorsque Sa Majesté se mit à la verticale. Comme le plancher en grosses planches de bois ressemblait à des vagues. Au fait, même les murs et la porte lui donnaient l'impression de se moquer de lui. Pourtant, tous les attributs de la construction, d'habitude, inanimés, dansaient soudainement.

Holà ! Matelot, tu n'es point sur le pont d'un navire, retiens tes ardeurs et navigue à bon port ! Boris… allons… ce ne sont pas quelques bouteilles de vin qui auront le dessus sur toi !

Il tenta une sortie et fit face à la porte d'entrée. D'un coup de pied, il l'ouvrit sans ménagement. Elle se claqua contre le mur en pierres de champs de l'auberge. Le fracas fit retourner les hommes assis à l'extérieur ainsi que les autres qui étaient attablés dans l'auberge. Se dirigeant avec détermination, si détermination il était possible d'avoir quand le cervelet décide de ne point répondre au cerveau, il se dirigeait, disais-je, vers un coin sombre où il pourrait enfin soulager la vessie qui réclamait sans aucun doute, le vide ! Ne se rendant pas compte qu'il exposait son postérieur aux yeux curieux de certaines demoiselles qui étaient avec ses hommes dehors, il pissait. Bien entendu, il n'avait nullement besoin d'exposer quoique ce soit… il ne s'était simplement pas aperçu que sa ceinture était tombée, entraînant son pantalon jusqu'à ses genoux ! Comme le soir était maintenant tombé et que la nuit s'annonçait plutôt fraîche, c'est la petite fraîcheur sur ses bijoux de famille qui lui fit réaliser que sa culotte était descendue. Sourire en coin, essayant de reprendre son pantalon qu'il finit par atteindre avec la ceinture. Il tourna le regard vers la troupe de gens assise dehors et qui faisait grand bruit. Il poussa même l'audace jusqu'à péter et le tout en roulement de tambour, s'il vous plaît merci ! Une fois vêtu convenablement, du moins c'est ce qu'il croyait, même si la ceinture était toute croche, les facultés quelque peu affaiblies, Boris se dirigea vers quelques-uns de ses hommes accompagnés des dames qui l'observaient. Il s'adressa à une en particulier.

-Alors ma belle… hic… tu as vu le cul du roi ?

La jeune fille ne disait rien, estomaquée, ne sachant trop ce qu'aurait dit Sa Majesté Royale d'un tel manque de respect.

-Et si le Roi te disait de lui rendre l'appareil ?

Les hommes se mirent à rire.

-Hein ? Hic… dis… si tu me donnais le tien, ton petit cul, ma jolie ?

La demoiselle lui fit un sourire.

-Si Sa Majesté veut me faire cet honneur !

Il réussit, tant bien que mal, à s'asseoir sur un tonneau de bois. Le tonneau vide ne supporta pas le déplacement de son point de gravité. Voilà notre Boris sur le plancher des vaches !

-Maudit tonneau ! Voilà ce qui arrive… hic… au Roi qui ne s'assied point dans son trône ! ! ! Maudit sois-tu ! ! !

Les autres grimaçaient pour retenir les fous rires qui leur chatouillaient les muscles des joues. C'est là que Boris se mit à rire. Il était complètement ivre. Tellement enivré qu'il envoya le tonneau, d'un magistral coup de pied, se fracasser contre le tronc d'une épinette géante, se déséquilibrant davantage. Les vagues étaient devenues gigantesques et il négocia pendant plusieurs secondes un retour à la verticale. Les hommes ne se contenaient plus. Les rires fuselaient de partout et Boris riait aux éclats.

-Et bien ma… hic… jolie… Boris te fera cet honneur… Viens ici… hic… et sachez mes braves… que comme le tonneau… hic… c'est ce qui arrive à ceux qui se dressent sur ma route. Rien, ne me résiste… non rien, ni le bois, ni la pierre, ni un royaume… hic… ni une femme ! Buvez, c'est un ordre de votre Roi. Buvez et faites honneur à votre Roi, hic… prenez la femme qui osera vous passer sous le nez… et faites jaillir votre puissance jusqu'à ce qu'elle vous demande grâce !

Ses dernières paroles furent dites en faisant basculer son bassin vers l'avant, le déséquilibrant encore plus. Il arrivait à peine à tenir sur ses jambes. Les hommes pas mieux que lui, tous saouls, applaudissaient cette prestation.

L'orgie se déroulait autant en dedans qu'en dehors de l'auberge. Certaines filles de joie étaient complètement nues et Boris voyait ses hommes les besogner. Certaines, par contre s'enfuyaient, pour celles qui le pouvaient, et d'autres se débattaient. Boris se mit à crier : *Celles qui ne sont pas consentantes d'une si bonne fortune, soyez pendues !*

Sa bouteille de vin vacillait entre ses doigts et Boris décida qu'il fallait en finir avec cette fiole devenue trop lourde puisqu'elle n'était pas encore vide. D'un trait, le liquide fut ingurgité. Sans qu'il s'en aperçoive, après six bouteilles de vin et la fatigue des fêtes des jours précédents, cette dernière coulée dans ses boyaux, l'acheva. Il s'écroula. Quelques bonnes âmes qui n'étaient pas aussi amochées que Boris, le ramassèrent et le portèrent dans une chambre. Seul, n'ayant pas tenu sa promesse de faire honneur à la jeune demoiselle, parce qu'incapable physiquement de le faire, il dormait. Son sommeil profond, d'homme saoul, n'était nullement perturbé par ses ronflements bruyants.

Au lever du jour, le coq chantait sa sérénade habituelle.

Ah ! Qu'on le fasse taire, qu'on coupe le cou à ce ribaud ! ! Aïe ! Ma tête. Cet aubergiste aura des comptes à me rendre. Jamais je n'ai eu un mal de tête pareil. Son vin était empoisonné !

La gueule de bois l'attendait de pied ferme ! Comme il n'était pas d'humeur agréable au réveil, Boris n'en serait que trop accommodé de l'être davantage puisque son anatomie supérieure lui rappelait qu'il avait une tête. Il jeta un coup d'œil dehors. Plusieurs de ses hommes étaient dans le même état que lui. Mais tout le monde manœuvrait vers les selles et le royaume chevalin.

Bon, ils ne sont pas trop amochés. Je vais descendre et nous nous remettons en route. Si l'un d'eux gémit, je lui tranche la gorge, je ne suis pas d'humeur à entendre quoi que ce soit.

Dans un silence presque religieux, se lançant de part et d'autre de petits regards furtifs, les hommes faisaient de leur labeur de soldats du roi, un travail minutieux et voyaient à ce que rien ne contrarie l'armoire à glace qui venait d'apparaître dans la cour de l'auberge. Donc, leur labeur de soldats royaux était simple : appareiller la cavalerie de façon à ce que tout fût prêt dès que les yeux noirs lanceraient le signal de départ.

Un malheureux, ayant la tremblote en ce lendemain de veille, passée à boire et à frelater avec les dames, échappa avec fracas son épée contre le sol rocailleux dans un bruit assourdissant. Tous retenaient leur souffle. Les boucles d'ébène, les yeux noirs, la gueule de bois, la bête féroce, se retourna en jetant un regard meurtrier sur la pauvre victime qui était restée immobile devant sa maladresse.

-Serait-ce donc ta vie que tu jouerais ce matin ?

La tremblote du lendemain de veille prenait maintenant l'ampleur d'une secousse sismique. Le jeune soldat restait figé sur place. L'épée avait depuis longtemps terminé de carillonner mais la ramasser semblait une entreprise fort périlleuse.

-Alors ? Tu la ramasses ? Où je devrai le faire moi-même ?

La tremblote devait reprendre le chemin de l'oubli et la main devait agripper cette arme. On aurait entendu une mouche volée si on avait pu se concentrer sur d'autre chose que ce qui se passait sous les yeux de tous ! Sous le regard furieux de cet ours aux frisettes noires, le pauvre se pencha.

-Tiens ! ça t'apprendra à me casser les oreilles si tôt le matin !

Un coup de botte magistral sur la mâchoire inférieure de plein fouet eut pour résultat de faire résonner un corps humain comme un tonneau vide. Le sang jaillissait de la bouche du jeune homme et plusieurs dents prirent la même direction que le liquide rouge. Boris, lui, avait déjà tourné les talons et prenait la voie de la selle de son cheval.

-Qu'on se mette en route.

Se relevant de peine et de misère, le jeune soldat se culbuta sur sa monture, prenant pour seul pansement sa chemise entachée de sang pour la portée jusqu'au point névralgique. Boris était déjà en tête de convoi et les autres n'avaient qu'à bien se tenir… sinon…

C'est ainsi, dans ce silence perturbé par une petite scène colérique de Sa Majesté que l'on se mit en route, suivant l'impétueux personnage royal par cette matinée printanière vers la frontière norvégienne.

L'aubergiste avait dit vrai, après quelques heures à cheval, ils pénétrèrent plus profondément dans la Forêt d'Elfe.

La Forêt d'Elfe portait ce nom car une légende racontait qu'on avait vu, il y a très longtemps, un elfe, petit génie de l'air dans notre mythologie scandinave, dans cette forêt. L'elfe était le gardien d'un trésor fabuleux qui fut dérobé lors d'une guerre. La légende racontait que l'elfe avait disparu après avoir dit à un voyageur égaré que le trésor serait retrouvé un jour par une pucelle d'une grande beauté qui conduirait une compagnie d'hommes dans un immense drakkar vers une terre lointaine et encore inconnue.

La Forêt d'Elfe comme bien d'autres recoins de la terre était un lieu mythique et respecté. La populace très superstitieuse avait fait de cette légende un fait connu au-delà des frontières Scandinaves.

Boris avait beaucoup voyagé. Il avait vu des villes, des cités, des terres lointaines, mais il ne s'était jamais rendu jusqu'à la Forêt d'Elfe qui se trouvait pourtant dans son propre royaume. N'attachant aucune importance aux légendes quelles qu'elles soient, cette forêt était sans aucun intérêt jusqu'à maintenant. Mais voilà que son destin d'homme de guerre le conduisait maintenant au cœur de ce territoire inconnu.

Cette visite n'était nullement improvisée pourtant. Il avait dans la tête un dessein bien précis, celui de guerroyer.

La beauté de cette partie du pays était encore plus saisissante que ce que Boris avait vu auparavant. Lui dont les yeux s'étaient posés sur de gigantesques murailles, de fabuleux châteaux, des terres aussi étendues que les yeux n'en distinguent pas la fin et se perdent dans l'infini, voilà qu'une forêt anodine, à prime abord, surprenait par des arbres plus majestueux, plus grands, plus hauts qu'on puisse se l'imaginer. Les odeurs persistantes, imprégnantes qui flottent dans l'air pur, les fleurs qui s'ouvraient timidement après un dur hiver de couleurs crues et pastelles, le feuillage vert des jeunes pousses des bouleaux entremêlés dans les mélèzes, les épinettes, les pins et les cèdres se balançaient sous l'effet du vent donnant l'impression de saluer les passants. Les érables penchaient leurs immenses branches par-dessus le petit sentier faisant un timide passage au soleil radieux de cette matinée, le laissant se parsemer tout au long de la route comme des flambeaux la nuit. Et que dire du chant des oiseaux, distincts les uns des autres laissant présager, tantôt un épervier, un grand duc ou un aigle royal ! La berceuse soufflait à l'oreille comme si le vent s'était emmêlé dans les cordes d'une harpe. Plus loin, le sentier s'ouvrait un peu et mère nature préparait aux voyageurs une surprise dont les expressions d'étonnement les plus diverses pouvaient se distinguer sur les visages aux yeux écarquillés. Des montagnes gigantesques, silencieuses, immobiles bordaient la vue sud-ouest, comme des gardes impassibles et imposants qui offraient résistance juste à l'idée de les traverser. Leurs pics aiguisés comme des rasoirs reflétaient si bien le soleil matinal qui donnait aux neiges éternelles l'allure de diamants étincelants. Cette fresque sous un fond d'un bleu poudre mêlé du blanc immaculé de la neige, du gris rocailleux des montagnes, du vert bouteille des épinettes et des sapins était pour ainsi dire époustouflante. En silence, ils s'engouffrèrent encore plus profondément comme happés par je ne sais quelle forme de catalepsie qui les rendait totalement muets. Émerveillé, voilà comme on se sent lorsqu'on entre dans la Forêt d'Elfe. La route cahoteuse et peu entretenue n'était pas un frein à leur marche et tombait vite dans l'oubli car tous les sens étaient mis à contribution. Quelle description pourrais-je faire de cette sensation quand les mots ne traduisent pas l'enivrement, l'extase, la beauté ?

Boris était pourtant un homme qui ne se laissait nullement impressionné par quoi que ce soit et pourtant voilà que lui aussi, il était ensorcelé par ses propres sens. L'apparition de la civilisation au milieu de ces bois magnifiques les sortit de leur état transitoire. Des toits de petites chaumières, d'habitations, voilà que le village de la Forêt d'Elfe se dévoilait peu à peu sous leurs yeux. Un autre village mais un village vraiment au milieu de la forêt. Les arbres bordaient presque la totalité de celui-ci. Seule la route le traversait. Boris et ses hommes s'arrêtèrent pour se reposer quelques minutes. Le lendemain de veille était encore présent et les poursuivrait probablement une partie de l'avant-midi.

Les villageois étaient là. Ils avaient bonnes oreilles. Cette cavalerie déplaçait poussière et hourvari à travers leur forêt dont ils connaissaient le moindre son. Ces bruits insolites et ce déplacement d'une bande d'hommes à cheval annonçaient une visite peu commune et qui avait été annoncée en grandes pompes par leur Seigneur. Plusieurs se pressaient les uns contre les autres pour voir le Roi.

L'accueil fut à la hauteur des espérances de Sa Majesté. Voir tous ces curieux, les courbettes, la soumission, c'était répondre à ses attentes. On avait installé des tables au milieu du village sur la seule grande place qui semblait abriter ces lieux. Ils offrirent vin et vivres aux hommes et à Boris, le Roi, qui subjuguait les foules. Boris s'assit à une table qui avait été sortie expressément pour son arrivée. Je dis expressément, parce qu'elle était plus grande, mieux ouvragée et le siège qu'on y avait joint était grand et confortable. Un vieil homme vint avec un jarre remplir le gobelet du roi. Boris le fit pencher davantage et à voix basse lui demanda :

-Serions-nous enfin arrivés dans le légendaire village de la Forêt d'Elfe ?
-Oui, Sire.
-Y a-t-il autre chose que ce village dans ces bois ?
-À part les champs plus loin sur la route et la demeure du Seigneur Garventson, non, Sire. Il y a, après avoir traversé ce col que vous voyez là-bas, la Norvège.
-Ah ! La Norvège.

Observation, silence, les yeux rivés sur le col, Boris était devenu muet. Se rendant compte qu'il venait d'attirer l'attention avec cette phrase étonnante, il esquiva sa maladresse par un sujet tout à fait inusité en demanda au vieillard :

-Où est donc le Seigneur Garventson ?
-Il s'avance vers vous Majesté.

En effet, le Seigneur s'approchait lui offrant un large sourire en guise de bienvenue et se courba gracieusement, telle une danseuse !

-Ho ! Votre très grande Majesté c'est avec honneur que moi ainsi que les villageois, nous vous recevons en ces humbles lieux qui sont en somme notre petit village de la Forêt d'Elfe !

Boris n'était pas vraiment d'humeur à tergiverser avec le seigneur de ces lieux et lui répondit par un hochement de tête glacial. L'homme poursuivit tout de même.

-Votre Majesté est la bienvenue en ma demeure si tel est son désir.
-Je verrai plus tard, cher Garventson ; pour l'instant une seule chose m'importe. J'aimerais que vous me présentiez qui est celui parmi ces villageois qui nous dévisagent celui qu'on appelle Amik le sage de votre village.

Garventson était surpris de la requête du roi et sa surprise n'allait qu'empirer puisqu'il le savait absent de cette foule qui avait accueilli le roi. Nerveux de nature, l'homme se mit à balbutier.

-Amik ? Le… le sage du village…
-Oui, Amik, le sage de votre village, celui-là même dont la réputation a largement dépassé les bornes de votre village ! Ne le connaissez-vous point Garventson ?
-Non… oui… je veux dire… que je le connais que trop bien, je… je vous le fais cueillir sur le champ, Sire.

Boris fronça les sourcils. Toute cette hésitation, ce mal à l'aise visible de l'homme, le contraria.

-Comment ? Garventson pourquoi le feriez-vous cueillir, n'est-il pas parmi ces gens ? Demanda Boris pointant du doigt la petite foule de curieux qui se trouvait derrière Garventson
-Non, Sire… il n'est pas ici.
-Comment ? Questionnait Boris en se levant de son siège. Mais où est-il donc Garventson ?
-Il… il est aux champs… Vous savez Sire, la belle saison est courte et la récolte exigeante.

Boris était d'humeur colérique résultat de ses excès de la veille. Comme les paysans de son royaume étaient ingrats et mal élevés ! Encore les autres qui étaient absents lors de ses précédents passages, cela pouvait aller, mais là, il était si loin, il avait fait un si long voyage, comment pouvait-on lui manquer de respect à ce point ? Amik était un homme respecté et qu'il ne daigne pas lui rendre la visite, il n'en fallait pas plus pour allumer l'étincelle qui ferait jaillir le feu ! Il bomba le torse et d'un regard terrifiant, s'adressa à Garventson.

-Où sont les champs ?
-Tous près Sire, la route y mène directement.

Boris leva le bras. Du bout de l'index, il pointa tour à tour quatre de ses soldats et sans en dire davantage se dirigea vers sa monture, bousculant Garventson sur son passage qui perdit presque l'équilibre par l'allure du pas décidé que prenait soudainement Sa Majesté. Les quatre soldats ne demandèrent rien sachant très bien qu'ils devaient regagner leur monture afin de le suivre sans plus attendre. Lorsque Boris exigeait sans même à avoir à ouvrir la bouche, on exécutait un point, c'est tout.

Les regards étonnés des villageois se perdaient dans celui de Boris, offusqué et outré par cette agaçante faculté qu'avaient ses sujets de lui manquer de respect. Il faut savoir que pour Boris, la limite entre le respect et le non-respect est séparé par un trait très fin. Il ne fallait guère se dérouter pour comprendre qu'on lui déplaisait et qu'on passait facilement d'un côté à l'autre selon son humeur. Ses yeux sombres s'enflammaient et les muscles de ses mâchoires se crispaient facilement ne laissant aucun doute sur la rage qui était prête à surgir comme la foudre sur un arbre. Il enfourcha sa monture et ses quatre chevaliers le suivirent. Et on perdit le roi et ses compagnons de vue quelques galops plus loin.

Je vais aller moi, je vais le ramener par la peau du cou et le faire pendre haut et court devant le reste de ces mécréants qui n'ont pas de respect pour ma personne. La récolte exigeante ! Je vais leur en faire une, moi, une récole exigeante ! Elle n'est sûrement pas aussi exigeante que je puisse l'être... Ils verront qu'est-ce que l'exigence et le respect dus au Roi de Suède !

Toute cette rage était excessive et à l'image même de ce qu'était Boris. Il prouvait une fois de plus à quel point il était intransigeant même pour des choses insignifiantes. Quelques nuits de beuveries et de femmes alléchantes suffisaient amplement pour que son caractère se débauche au même rythme que ses orgies !

Quelques galops plus loin, ils atteignaient une petite colline qu'ils gravirent à grands galops. Pourtant, arrivés au sommet, ils arrêtèrent brusquement leur monture si bien poussée quelques minutes auparavant.

La route dévalait logiquement la colline de l'autre côté et contournait un puits pour se perde dans la forêt fournie. Qu'y avait-il d'inhabituel pour ainsi les arrêtés sur leur chemin ? Ils restaient assis sur leur monture, silencieux regardant et écoutant avec intérêt ce qui se passait quelques pas plus bas. Sous un soleil de printemps, dans une forêt magnifique bercée par un bruit de fond dont la nature est la seule à posséder les secrets, un chant doux et majestueux parvenait à leurs oreilles. Une voix d'une pureté, d'une justesse, une voix saisissante qui les faisait frissonner, vibrer à chaque note. Cet air folklorique qu'ils connaissaient tous était devenu un chant glorieux, divin, un hymne à l'amour et à la joie. La voix se perdait par-delà les immenses montagnes et se transportait comme un vent frais. Un ange chantait ! Ah ! Oui… un ange… seul un ange pouvait posséder le pouvoir sur l'oreille humaine de donner une telle sensation de bien-être, de bonheur, de libération.

L'ange se trouvait plus bas et possédait tous les attributs d'une icône. Sa chevelure dorée, éblouissante comme les champs de blé, d'où émanait une lumière qui les envahissait. Figés, sous l'effet de cette mélodie fredonnée avec une telle exactitude, Boris comme ses compagnons étaient intrigués, subjugués, dans un état second. L'ange n'avait pas d'ailes, mais c'était sûrement parce qu'il était parmi les mortels ! Qui était cette mystérieuse créature perdue au fond des bois ? Sa voix douce et charmante guérissait si bien les débauches des veillées précédentes. Telle une sirène, la créature les ensorcelait. Si la Forêt d'Elfe les avait rendus muets quelques heures auparavant par ces beautés naturelles, ils n'étaient guère plus loquaces, observant silencieusement et religieusement l'être divin qui semblait descendu directement du ciel faisant une besogne pourtant, réservée à l'humain, près d'un grand puits remplissant des jarres d'une eau vive et limpide.

Les gestes gracieux, précis, délicats suivaient la cadence du chant donnant l'impression aux spectateurs juchés sur leur monture essoufflées d'être témoins d'une apparition. Des mouvements fluides agrémentés par un chant de sirène ! Ah ! Oui… Une apparition leur était dévoilée…

L'apparition cessa pourtant son chant magnifique et sa gestuelle lorsque son attention fut attirée par le petit chat qui s'était installé sur le rebord du puits et qui tourna brusquement sa tête de félin vers la colline, se hérissa en poussant un petit grondement pour ensuite bondir sur la terre ferme et s'enfuir dans les fourrés.

Balayant du regard les alentours, d'abord à son niveau pour essayer de comprendre ce changement soudain dans le comportement de l'animal, c'est en relevant la tête qu'elle aperçût, sur le fait de la colline, les cinq hommes qui se tenaient bien assis sur de magnifiques montures, immobiles et silencieux. L'étonnement de la demoiselle laissa vite place à une sensation qui s'apparentait drôlement à celui du chat. Elle sentit monter en elle un petit vent de panique.

Retournée et complètement immobile, figée par la surprise, voilà que bien malgré elle, la dame laissait aux observateurs tout le loisir de l'admirer.

C'est alors qu'une splendeur leur fut révélée. Leurs yeux s'écarquillèrent. Après avoir entendu, après avoir eu l'impression qu'un ange puisait de l'eau à un puits, ils scrutaient à la loupe la magnificence faite femme. Une bouche vermeille, une peau de velours, des yeux d'un bleu azur aussi profond que la mer, un nez gracile parfait, un corps délicat, une beauté scandinave rarissime, un ange comme ils n'auraient même jamais soupçonné voir en songe. Un être d'une beauté pure et exceptionnelle vêtu simplement d'une robe de paysanne remplissant des jarres sur le bord d'un puits au milieu d'une forêt. Une femme qui les arrêtait sur leur route et qui avait par le seul son de sa voix réussit à leur faire oublier leur armure de soldats, leurs barbaries, leur esprit de conquérants pendant quelques instants. C'était incroyable et impensable que cela puisse être réel. Boris toujours immobile, aussi émerveillé que ses cavaliers, était aphone. Ce qui n'était pas le cas de son esprit qui ne cessait de lui retourner la même phrase : *Dieu qu'elle est belle ! Dieu qu'elle est belle !*

Littéralement soufflé par ce que la Forêt d'Elfe avait, sans aucun doute, de plus beau, l'esprit aventurier de notre conquérant lui envoyait l'ordre de descendre auprès d'elle pour l'admirer de plus près. Connaissant Boris comme je l'ai décrit, malgré son impétueuse curiosité il se disait : *Il faut que je m'approche. Que je la touche. C'est une apparition et dès que je la toucherai elle s'envolera.*

L'ordre ne tarda pas à venir aux flancs de sa monture qui descendit doucement vers le puits. Les soldats allaient emboîter le pas mais furent brusquement arrêtés par un seul geste de la main du souverain. La distance entre Boris et la demoiselle diminuait à chaque pas du cheval, rendant les battements de cœur de la belle semblable à une roulade de tambour étant sur le point de défaillir tellement cette rencontre était inattendue et involontaire. Voilà qu'à son tour elle se disait :

Ce sont sûrement les hommes du roi. Que viennent-ils faire jusqu'ici ? Pourquoi l'homme bien vêtu, vêtu comme un seigneur s'approche-t-il de moi ? Que me veut-il ?

Une panique intérieure s'emparait d'elle. Ses jambes se mirent à trembler.

Arrivé au-devant de la belle, il donna ordre à sa monture de s'arrêter, toujours aussi silencieux. Ses yeux aussi noirs que les ténèbres analysaient scrupuleusement les détails de l'anatomie de la jeune fille. Il contemplait. Comme le faucon en plein vol qui repère une proie, Boris, de toute sa corpulence, de toute sa stature augmentée par l'imposant étalon qu'il montait, semblait prêt à fondre sur elle. Non, il n'y avait pas de doute pour Boris si la perfection existait elle revêtait un corps de femme.

Ces instants d'observation et de silence semblaient durer depuis des lunes pour la jeune fille qui ne savait trop quoi faire ni penser devant cet imposant personnage immobile et aphone qui l'observait dans un sérieux de curé. C'est alors que le grand Seigneur décida de descendre de sa monture. Comme l'apparition ne se défilait pas, qu'elle semblait si réelle, il tendit la main pour lui toucher la joue. Une réaction rapide de la part de la jeune demoiselle surprit Boris qui sourit aux gestes qu'elle posa. Elle s'agenouilla, la tête baissée et un seul mot réussi à surgir de sa lèvre :

-Messire…

L'ange de beauté était bien réel. Il avait presque douté quelques instants auparavant que le vin de l'aubergiste lui avait troublé l'esprit. Mais tout ceci était bien réel. Une femme d'une extraordinaire beauté, mais aussi, comme le voulait l'étiquette, se courbant devant Sa Majesté présentant ses respects comme tous ses sujets. Elle resta dans cette position ne semblant jamais vouloir se relever. Même si Boris aimait par-dessus tout qu'on lui rende hommage, qu'on le respecte au plus haut point, il jugea que cette politesse avait assez duré.

-Je vous en pris Madame, relevez-vous.

Voyant avec quelle délicatesse elle se releva, voyant à quel point elle était intimidée par sa présence, Boris sourit amusé par les joues qui prenaient des couleurs de plus en plus rosacées, les petites mains tremblaient, et ce corps semblait tout à coup être une feuille de papier à la merci du vent. Le mal à l'aise de la demoiselle était si palpable qu'on aurait pu entendre son cœur nerveux battre si on avait tendu l'oreille à sa poitrine. Idée qui n'avait pas traversé l'esprit malicieux du roi car il se serait régalé à poser son oreille à cette poitrine !

-Je suis très honoré que vous mettiez autant d'ardeur à saluer votre Roi, Madame !

Cette simple phrase eut l'effet d'un coup de hache sur le corps nerveux et fébrile de la jeune paysanne. À sa grande stupeur, il ne s'agissait pas d'un noble compagnon du Roi, mais bien du Roi lui-même en chair et en os. Ce Roi dont on vantait les exploits guerriers, l'impitoyable, le barbare, c'était lui ! Elle semblait sur le point de s'évanouir tellement cette pression était insupportable.

Quelle idiote ! C'est le Roi... le Roi en personne... oh ! Ce n'est pas possible ça ! Qu'est-ce qu'il fait ici ? Et pourquoi il n'est qu'accompagné que de quelques hommes ? On m'avait pourtant dit qu'il voyageait avec tout un cortège... pourvu que je ne l'aie pas offensé !

-Pardonnez-moi. Dit-elle sèchement.

Elle le surprit encore. Elle s'agenouilla de nouveau et répéta son salut :

-Majesté.

Elle demeura agenouillée. Boris entrouvrit ses lèvres charnues et sourit à pleines dents.

-Non... non... Relevez-vous Madame, vous dis-je !

Il lui tendit la main. Timidement elle posa sa main au creux de la sienne. Ah ! Quelles sensations enrobèrent soudainement Boris par ce simple contact. Une si frêle main, presque froide, qui possédait le pouvoir d'un éclair !

Et comme l'éclair, elle enleva sa main une fois qu'elle fût revenue à la verticale. Boris était plus que charmé, il était sous l'effet de l'étonnement et de l'émerveillement les plus complets. Il se déplaça lentement, faisant le tour de cet être magnifique observant le moindre détail. Passant de ses épaules, à cette taille fine, cette longue chevelure nattée avec soin, ces petits pieds chaussés de pantoufles de cuir brodé, il la contournait silencieusement. Son comportement s'apparentait grandement à un acheteur sur la place publique qui vient acheter un esclave reluquant la moindre imperfection pour en faire baisser les enchères. Cette manière d'agir n'aidait en rien l'inconfortable position dans laquelle se sentait la jeune demoiselle depuis qu'il avait entrepris les premiers pas pour descendre la rejoindre. Le désespoir gagnait tous ses membres.

Pour une fois, Boris n'aurait pas fait descendre les enchères. Bien au contraire, il aurait donné tous les joyaux de sa couronne pour posséder une femme d'une telle beauté car malgré son tour d'horizon, seule la perfection lui était dévoilée.

Chassez le naturel et il revient aux galops ! Que cet adage est vrai dans le cas de Boris. S'il avait été poli et respectueux, là il se sentait prêt à bondir. Sa nature empressée et capricieuse, dont certains membres se dressaient déjà en position de garde-à-vous, l'amenait à avoir des pensées plus que grivoises.

Miracle ! Ôtez-vous devant, pas une cave de vin, ni une orgie ne m'empêcherait de faire honneur à cette femme. C'est un véritable cadeau du ciel !

Contrairement à ce qu'on aurait pu attendre de lui dans de pareils moments, il se ressaisit et surprit ses compagnons toujours en observation, en prenant la main de la belle pour l'embrasser tendrement.

-C'est un honneur pour le Roi que de rencontrer par hasard un ange sur sa route.

Ahurie par un tel geste, elle sentait ses forces l'abandonner. Le Roi, Boris Le Grand de Suède lui baisait la main ! L'étreinte de la frêle main fut de courte durée car il se sentait épié. Il avait oublié qu'il n'était point venu seul. Il détourna son regard et aperçut ses cavaliers sagement assis sur leur monture en observateurs chevronnés. Ils la dévoraient littéralement des yeux. Cette petite parenthèse écorcha quelque peu les sensations divines dont il se sentait épris depuis quelques minutes. Son impétueuse Majesté venait de découvrir un trésor et ses propres hommes en convoitaient le butin. Notre réactionnaire roi se fit alors clairement comprendre par un seul geste de la main et par une voix forte et assourdissante :

-Partez devant, retournez au village !

Les quatre soldats n'eurent d'autre choix que de délaisser leur point d'observation et s'exécutèrent à contrecœur en faisant retourner leur monture par où ils étaient venus. Une fois les soldats hors de vue, les tensions de compétition masculine firent place à nouveau à une politesse et une galanterie complètement inconnues chez Boris, pour qui le côtoyait quotidiennement !

-Chère dame, le Roi est en visite et même dans les coins les plus reculés de son royaume. Je ne croyais pas y trouver une si charmante personne ! Qu'on me coupe la tête si vous n'êtes pas Mira la fille du sage de la Forêt d'Elfe !

Comme cette remarque l'étonna. Elle était perplexe devant ce discours.

Comment sait-il qui je suis ? Elle ne répondit pas.

-M'aurait-on mal informé, Madame ? N'êtes-vous pas celle que je crois ?
-Maj… Majesté, je suis… je suis bien Mira la fille du sage de la Forêt d'Elfe.
-Je le savais, j'en étais certain.
-Comment… Comment Majesté connaissez-vous mon nom ?
-Ha ! ha ! C'est une vieille et bien trop longue histoire pour que j'ennuie une si jolie dame par ce beau matin ensoleillé !

Boris se tut quelques instants. Son regard fut attiré par le fait que la belle, visiblement sous l'emprise de la nervosité la plus complète se frottait les mains l'une contre l'autre sans arrêt.

-De si jolies mains ne devraient pas faire un travail aussi dur. Ces jarres sont lourdes.

Elle ne répondit pas, imposant à ses mains des frottements plus rigoureux. Fuyant totalement le regard du roi depuis son arrivée auprès d'elle, Boris poursuivit quand même.

-Est-ce là l'une de vos tâches, chère Mira ?
-Oui Majesté.

-Quel genre d'habitant peuple donc la Forêt d'Elfe pour laisser puiser de l'eau et remplir des jarres par une dame aussi menue que vous l'êtes, Madame ?

Elle ne se sentait pas la force de répondre et le manège du tortillement de ses mains s'activa d'avantage.

-Je vois que je vous intimide avec mes questions… mais le Roi ne saurait voir un tel gaspillage ! Je vais donc réquisitionner leur porteuse d'eau.

Sans plus attendre il monta sur son cheval.

-Que diriez-vous Madame, si le Roi vous raccompagnait chez vous ?

Elle leva la tête nerveusement vers lui pour aussitôt revenir à un regard soumis.

-L'espace d'un instant, j'ai cru que vous m'ayez vu ! Dit le roi qui s'amusait grandement de cette timidité. Il reprit :
-Devrais-je en conclure, Madame que c'est un refus ?

Elle se mordit la lèvre inférieure.

-Sire, c'est que je n'ai pas fini de remplir mes jarres, c'est mon travail… et les… les hommes auront soif et ils n'auront rien à boire… ils… ils viendront…

Boris ne perdit pas un instant. Il se pencha, la happa avec force et en moins de deux Mira se retrouva assise entre les jambes du roi sur le magnifique étalon noir.

-Eh ! bien ! qu'ils remplissent les jarres eux-mêmes ! Le Roi réquisitionne leur porteuse d'eau, je vous raccompagne. Je vous donne congé aujourd'hui, c'est un ordre du Roi, Madame !

La main de fer l'avait empoignée comme s'il avait soulevé une plume.

-Êtes-vous confortablement assise, Madame ?

Elle ne daigna pas lui répondre en proie à un désarroi sans précédent. Boris sourit encore. Il sentait bien avec quelle réticence elle était arrivée jusque-là. Qu'à cela ne tienne ! Boris est ce qu'il est : Le Seigneur et maître. Le cheval fit demi-tour et emboîta le pas pour remonter la petite colline.

Boris laissa le silence les envahir. Bien assis sur sa selle, le roi humait l'odeur de lilas qui émanait de cette chevelure de soleil. Ses yeux sombres admiraient le côté gauche du visage de la femme. Un peintre n'aurait pas pu rendre sur une toile une telle perfection. Une peau satinée aux couleurs de neige saupoudrée d'un rose tendre, un nez si délicat… il regardait par-dessus son épaule remarquant la poitrine haletante qui se soulevait à chacune de ses respirations. Même s'il ne conduisait pas avec les rênes serrées, cette fois, il fit exception. Il pouvait passer ses bras autour d'elle et sentir à quel point elle était délicate. S'il était bien sur sa monture, ce n'était pas le cas de Mira. Le souffle chaud du roi dans ses cheveux, ces bras envahissants, cette façon qu'il avait de la contraindre à se coller sur son torse, ne lui plaisaient guère.

Pour chasser tout ce qui se passait dans sa tête, et on s'en doute, dans son pantalon, Boris voulu détendre l'atmosphère qu'il sentait tendue dans tous les sens du terme !

-Vous êtes bien silencieuse madame ? Cela vous déplaît-il que le Roi vous raccompagne ?

Il fallait bien répondre à cette question, mais quoi dire ?

-Votre majesté à tous les droits, elle reconduit qui elle veut…

Boris fit un petit sourire comprenant que la position de la belle lui déplaisait énormément.

-Il est vrai que je fais ce que je veux. Vous avez raison. Alors, je me permets une question ; pourquoi n'étiez-vous pas au village avec les autres habitants pour m'accueillir à mon arrivée ce matin ?

La question était très ennuyeuse. La peur et cette prise de conscience soudaine de la belle crevaient les yeux.

Comme elle ne répondait pas, visiblement ennuyée par cette question, il reprit :

-Alors Madame, vous mettez toujours autant de temps à répondre lorsqu'on vous pose une question ?

-Non... non... Pardonnez-moi, Sire... Je... je... savais comme tous que vous visitiez... mais... mais je ne savais pas que vous vous rendiez aussi loin... la Forêt d'Elfe est aux frontières.

-Je sais, mais le Roi désirait voir toutes les splendeurs de son royaume, même celles qui se cachent aux confins de son royaume, chère dame.

Elle se tut, le roi reprit :

-Est-ce vraiment pour cette raison que vous n'attendiez pas ma visite ?

-Bien... bien sûr, Sire.

-Alors ces hommes aux champs, ils croyaient la même chose que vous ?

-Sûrement... Je ne les vois pas quand je monte au puits le matin. Ils viennent plus tard dans la matinée. Alors... je... je suppose qu'ils pensaient la même chose que moi.

-Hum ! D'accord.

Malgré les explications pleines de jugement de la belle, ceci ne pardonnait en rien leur manque de respect vis-à-vis Boris qui se sentait de nouveau envahi par la colère. Il savait que Garventson les avait tous prévenus de sa visite et Amik avait sans aucun doute défendu à sa fille de se trouver au village et en sa présence. Il préféra se taire, tout de même satisfait d'avoir réussi à lui soutirer quelques phrases !

Elle avait cessé depuis un moment déjà de se tordre les mains. Il admirait avec stupéfaction la longueur de ses petits doigts fins coiffés d'ongles longs et délicats ressemblant à de véritables petites griffes. Il eut à nouveau un petit sourire.

Si elle me griffait au visage, il est certain qu'elle me lacérerait la peau des joues en moins de deux ! Pensa-t-il.

Il est le cas de dire que cette féminité qui se traduisait jusqu'aux bouts de ses doigts attirait Sa Majesté habituée aux rudesses de la guerre et des combats, marqués par les échanges musclés faits de sueur d'hommes et d'épées qui s'entrechoquent ! Quel contraste intéressant ! Il faisait deux fois sa taille et la dépassait d'au moins une tête même si elle était particulièrement grande pour une femme, à son point de vue, il s'agissait d'un morceau de choix.

Mais par-dessus tout, c'était cette inexplicable aura qui semblait l'entourer, la protéger qui le laissait sans voix. Elle avait quelque chose d'étrange, de mystérieux, comme si cette paysanne avait un bouclier invisible que Boris n'arrivait pas à percer. Situation impossible pour lui qui devinait, scrutait, dévoilait par un seul regard, la profondeur de l'âme des individus qui se présentaient en face de lui. Cette rencontre inusitée piquait au plus haut point sa curiosité lui qui n'avait jamais rencontré, de toute sa vie, un être d'une telle délicatesse et qui semblait pourtant aussi insondable que le roc. Avec son esprit de compétition chevronnée, déjà, il sentait en lui pointer le défi. Maître dans l'art de la guerre, Boris était toujours prêt au combat mais avec un adversaire dépourvu de toute arme visible, la lutte semblait plus difficile à remporter. Il n'aurait su dire pourquoi mais au contact de la belle, il ressentait un sentiment de défaite avant même d'avoir livré bataille lui qui ne connaissait pas l'échec.

La monture continuait tranquillement sa route vers le village qui n'était, désormais, qu'à quelques pas de sabots. Les toits des chaumières apparaissaient déjà entre les arbres et le bruit d'une petite foule de villageois mêlé avec celui de sa compagnie se faisait entendre.

Avant de faire descendre la belle, la perspicacité naturelle du roi vint lui tenir compagnie au point d'en devenir indiscret :

-Dites-moi Madame, votre père n'est-il pas considéré comme le sage de toute votre contrée ?

Comment ? Il connaissait son père ?

-Certes, Sire… Mon père est un homme sage.

Boris se mit à rire en entendant cette réponde évasive.

-Ha ! ha ! Madame, votre réponse ne reflète nullement le sens de ma question ! Il est d'ordinaire de considérer notre père comme un sage homme, mais ici, je parle d'Amik le sage de la Forêt d'Elfe, celui-là même dont on vante la grande sagesse de par toute la Suède !

Elle fut très surprise de la réplique du roi. Certes, on venait voir son père pour qu'il donne conseil, mais là, de quoi pouvait-il parler ? Elle n'avait jamais vu son paternel sous cet angle. Voyant la stupéfaction de la belle, il comprit qu'elle ignorait totalement l'importance de son père, Boris reprit :

-Vous ne semblez pas connaître les choses nobles qu'on raconte sur votre père, Madame ? Je ne vous ennuierai donc pas davantage avec cette question. Parlez-moi plutôt de votre famille ?

Décidément, cette question n'était pas moins audacieuse que la première.

-Ma famille, Sire ? Que pourrais-je vous en dire ?
-Eh ! bien, vous avez des frères, je crois ?

Comment savait-il ces choses ? On disait du roi qu'il était vigoureux, plein d'esprit, mais connaissait-il donc tous ses sujets ? Mira était déconcertée, déroutée.

-J'ai… j'ai bien des frères.
-Mais encore ?
-J'ai trois frères, Sire.
-Ah ! et comment s'appellent-ils ?
-Le plus vieux de mes frères s'appelle Roberts, ensuite il y a Patrick et enfin Stephen.
-Et de quel noble métier vivent-ils ?
-Roberts est charpentier, Patrick est fermier et Stephen est forgeron.
-Forgeron, tiens donc ! Il y a plusieurs forgerons au village ?
-Non, il y a Gustave et Éric son fils. Stephen les aide depuis plusieurs années.

Une réponse plus particulièrement que les autres piqua la curiosité du personnage royal. Car notre roi avait bonne mémoire… et soudain lui revint à l'esprit la petite discussion qu'il avait eue avec l'aubergiste la veille.

-Ah ! oui, Éric le fils du forgeron. Quel âge peut-il bien avoir ?

Mira fronça les sourcils. Il connaîtrait la vie de ses sujets et leur âge maintenant ? Elle ne comprenait plus rien.

-Il a 19 ans, Majesté.
-N'est-il pas vrai que vous vous marierez dans quelques semaines avec ce dénommé Éric ?

Elle tourna sèchement la tête vers lui, le regarda et revint à sa position initiale. Que voulait donc savoir le roi ? Elle fit un instant de silence et répondit enfin :

-Votre Majesté est bien informée.

-Bien entendu que je suis bien informé ! Je suis le Roi et le Roi se doit de connaître bien des choses même sur les sujets les plus éloignés de son château ! Mais cela n'a aucune importance. Ce qui importe pour votre Roi, c'est de savoir si vous êtes contrainte de l'épouser.

-Contrainte ? Pourquoi cette question, Sire ?

-Eh ! bien, la belle désirez-vous l'épouser ?

Le petit manège de ses mains qui se frottent l'une contre l'autre reprit et ce trait qui devenait caractéristique de sa nervosité ne passa nullement inaperçu aux yeux du roi. Il était clair que cette question l'intimidait.

-Oui… oui… je veux bien l'épouser !

-Oh ! Comme vous semblez convaincue ! De reprendre Boris à sa manière la plus sarcastique.

Le frottement des mains avait fait place à l'empoignement de la jupe de sa robe. Boris arborant un large sourire reformula sa question :

-Pardonnez-moi chère dame, je me suis mal exprimé ! Aimez-vous votre futur époux au point de vous unir par les liens sacrés du mariage ?

-Je… oui… J'ai beaucoup… Enfin… J'ai beaucoup d'affection… Non… J'aime Éric !

Cette réponse pleine d'hésitation et de gesticulations sur la jupe de sa robe amusait Boris au plus haut point. Cette timidité extrême était hors du commun. Cette paysanne à qui on attribuait les plus délicieuses qualités du royaume, celle-là même dont la réputation dépassait largement les abords de son petit village, semblait si naïve, si ignorante de la nature humaine… C'était quasi incroyable. Il crut mettre fin au calvaire de la belle en lui répondant :

-Voilà une réponse bien curieuse, Madame ! Je voulais simplement savoir si une de mes sujettes voyait son mariage d'un bon œil ! Je ne faisais qu'entretenir une conversation tout en vous reconduisant à votre demeure. Ne soyez pas si nerveuse lorsque le Roi vous demande quelques questions futiles, même si je ne considère pas le mariage comme une futile chose. Je sais que bien des dames sont contraintes de prendre mari et c'était là, le seul but de ma question.

Fin filou qu'il était, sacré Boris ! Mira était une jeune paysanne de dix-sept ans, naïve à souhait pour ce tordu de Boris qui arrivait toujours à ses fins malgré les chemins tortueux qu'il empruntait pour y arriver. Ce qu'il cachait si bien sous ses airs de galant homme était le souvenir soudain de ce que lui avait raconté l'aubergiste la veille. Comme il s'intéressait plus qu'il ne l'aurait cru lui-même à cette pucelle dont il ne daignait même pas connaître l'existence quelques heures auparavant, l'annonce de son mariage, apprendre qu'elle n'y était pas contraire, égratignait sa jalousie d'homme possessif de plein fouet. À un tel point, qu'il développait tout ce stratagème uniquement pour essayer de satisfaire son caprice d'homme unique ! Eh ! Oui, Boris se considérait comme l'homme, le seul. En sa présence, seul son être parfait devait être adulé. Or donc, la demoiselle, sous ses airs de timidité, ne laissait aucun doute quant à la réserve dont elle faisait preuve face au roi. Elle ne lui lançait aucun regard franc, ses bras ne cherchaient pas à l'étreindre et de plus, elle était sous la contrainte de cette promenade qu'il avait lui-même imposée. Boris sentait une réticence marquée, de quoi le déconcerter !

Il dut pourtant se résoudre à penser à autre chose, car la belle se raidissait sur sa monture presque au point de se jeter en bas.

-Pourquoi voulez-vous vous jeter en bas de mon cheval, Madame ? Au lieu d'en descendre normalement ?

Elle baissa les yeux et resta muette. Voilà qu'il n'en fallait pas plus à Boris pour faire surgir son mauvais caractère.

-Mais enfin qu'y a-t-il, Madame ? Vous aurais-je offensée ? Le Roi n'est-il pas de bonne compagnie que vous voulez vous jeter en bas de sa monture ?
-C'est… c'est que je suis rendue chez-moi, Sire…

Par cette réponse, Boris défronça les sourcils et se mit à rire ! Ce rire gras gêna Mira au maximum. Devant ce petit minois embarrassé aux joues plus que rouges, Boris tentait de reprendre son sérieux.

-Mais ma chère dame, il suffisait que d'en informer le Roi. Je sais bien des choses, mais je ne connais pas les logis de tous mes sujets ! Il y a des manières beaucoup plus élégantes de descendre d'une monture !

D'un bond il était descendu et l'avait agrippée par la taille. En moins de deux, elle était arrivée sur le plancher des vaches.

Comme un animal libéré d'une longue capture, la belle s'empressa d'entrer à l'intérieur alors que Boris fut distrait par l'approche d'un cavalier au galop qui arrivait tout droit sur lui. Le cavalier s'arrêta et resta assis sur sa monture observant le roi. Boris le dévisagea et ne prit pas toute la journée pour mettre un nom sur le personnage.

-Seriez-vous le maître de ces lieux, Monsieur ?

L'homme délaissa son souverain du regard et mit pied à terre.

-Majesté ?
-Oui, Amik sage de la Forêt d'Elfe tu as devant toi Sa Majesté Boris Roi de Suède, c'est bien moi !
-Pardonnez-moi… Majesté… je suis si étonné que vous soyez ici devant mon humble demeure !
-Tu es tout pardonné, Amik sage de la Forêt d'Elfe. Je faisais route vers les champs quand j'ai rencontré ta fille. Pardonne-moi, si je l'ai enlevée à ses tâches coutumières mais le Roi ne saurait voir une si jolie dame besogner ainsi ! surtout aujourd'hui. Je visite mon royaume et je n'aime guère qu'on travaille pendant mon passage.
-Heu ! Oui… Majesté…
-D'ailleurs j'allais te cueillir lorsque je fus détourné de ma route par cette enfant qui de sa douce voix m'a changé les idées !

Boris fit silence et allait entrer à l'intérieur de la demeure pendant qu'Amik restait bouche bée, scrutant du regard l'être royal. Il n'avait rien de son père. Amik avait bien connu le père de Boris et le jeune homme qui se tenait devant lui n'avait rien de commun, ni physiquement, ni par son air arrogant avec le paternel. La prestance, la stature, cette chevelure noire comme le plumage du corbeau n'était nullement comparable au vieux roi qui était plutôt châtain, menu et gentilhomme. Il devait tenir tout ça de la reine Sophia qu'on disait descendante des tribus du Nord de la Russie aux cheveux noirs et aux yeux bridés. Comme le roi allait entrer en sa demeure, Amik emboîta le pas et passa au-devant du personnage royal démontrant ainsi son hésitation à le laisser pénétrer en sa demeure.

-Votre Majesté voudrait-elle entrer dans ma chaumière ?
-Oui, pourquoi ? Tu ne me ferais pas cet honneur ?
-Oh ! Sire… c'est que ma demeure est si modeste… et…

Boris était déjà passé près d'Amik et ouvrait la porte arborant un sourire narquois. Amik suivait étonné par l'audace dont faisait preuve son souverain. Une fois à l'intérieur, un seul coup d'œil suffit à Boris pour comprendre ce que voulait dire Amik par modeste. Une belle construction, solide, propre, travaillée à même les mains du sage homme mais effectivement humble. Dans la cuisine qui était la pièce centrale de cette demeure, seules des tablettes servaient d'armoires, une table et six bancs pour servir les repas. Deux portes de chaque côté de la pièce maîtresse laissaient deviner qu'il devait s'agir de deux autres pièces faisant office de chambres.

-C'est effectivement très modeste, mais qui abrite un sage et une très jolie demoiselle ! Où est-elle au fait ?
-Je ne sais pas, Sire… Elle est entrée si vite !
-Lui aurai-je fait peur ? Demanda Boris ayant toujours son sourire malicieux.
-Peut-être, Sire… Ma fille est plutôt timide…
-Oui… j'ai pu m'en rendre compte ! Tu l'as bien élevée, même si elle n'est qu'une paysanne, elle sait saluer le Roi.
-Sans vouloir vous manquer de respect Sire, les paysans savent vivre.
-Ah ! En es-tu si sûr ?
-Les paysans sont les sujets de la couronne les plus éduqués et les moins bien nantis.
-Serait-ce un reproche que je sens dans ta voix, Ho ! Sage de la Forêt d'Elfe ?
-Sire… ce n'est pas un reproche mais une constatation.
-Pour qui te prends-tu, toi, Amik, le sage de la Forêt d'Elfe, pour ainsi, devant même le Roi, te permettre un jugement sur les politiques financières de mon royaume ?

Amik avait les yeux perçants du faucon. Il se tut préférant ne pas affronter les épées qu'il voyait jaillir du regard arrogant que son interlocuteur posait sur lui.

-Je préfère ton silence à tes élucubrations de pauvre paysan. Sache que le Roi n'est point un ingrat. Amik, je connais ton histoire… et je connais également celle de mon père ! Je n'en dirai pas plus long, tu sais très bien de quoi, ou plutôt de qui, je parle. Je t'ai ramené ta fille. J'aurais aimé la revoir avant de me rendre au village, mais puisqu'elle s'est enfuie comme une voleuse, je retire ce que j'ai dit tout à l'heure, elle n'est pas si bien élevée que ça ta fille… On ne s'enfuit pas comme ça de si charmantes intentions du Roi de Suède. Elle ne m'a même pas remercié ! Je suis très contrarié. Mais est-ce peut-être l'éducation qu'elle a reçue ? J'étais en route vers les champs ce matin c'était tout simplement pour te cueillir, Amik. Quel affront ! Le sage de la Forêt d'Elfe n'était point au village pour me recevoir. Heureusement que j'ai fait cette rencontre… Elle a quelque peu fait redescendre mes ardeurs à aller te quérir ! Si tu ne connais pas le respect, je l'apprendrai à ta fille. Elle pourra venir me faire ses excuses ce soir. Il y aura fête au village et tu me l'enverras… si je suis d'humeur je lui pardonnerai peut-être ta propre bêtise ! Et si je ne le suis pas qui sait ce que je serais capable de faire !

Aussi droit et solennel qu'un mât de drapeau, Boris fit sa sortie, ne laissant aucune possibilité à Amik de lui répondre.

Ce dernier préféra courir auprès de sa fille quérir toutes les réponses aux questions qui lui déferlaient dans la tête.

-Mira ! Mira ! Sors… tu peux sortir ma fille, il est parti. Viens ici ! Viens me raconter ce qui s'est passé.

-Il ne s'est rien passé de particulier, si ce n'est qu'il… qu'il était en route vers je ne sais où et qu'il s'est arrêté au puits. Il a insisté pour me raccompagner… Je vous assure père que j'ai tenté de l'en dissuader… mais… mais…

-Mais ?

-Il m'a empoigné et m'a embarqué sur sa monture. J'étais figée… Je ne savais plus comment agir !

-Il t'a fait mal ?

-Non… non… il m'a seulement intimidée… par ses questions, ses manières.

-Ses questions, ses manières ?

-Il… il… m'a demandé si j'étais bien Mira, la fille du sage de la Forêt d'Elfe, de parler de ma famille, si je désirais épouser Éric… ce genre de questions, Père !

Dieu du ciel ! Mira ! Pauvre enfant. Pourvu que ce damné Boris n'est pas quelques machinations sordides derrière la tête ! Je l'en croirais capable. Tu es si belle ma fille. Tu es comme ta mère… le carnage qui se passe dans le cœur d'un homme quand il te voit ! En plus, qu'il sait l'histoire de son père concernant ta pauvre mère… alors que toi, mon enfant, tu ignores tout de ce passé qui semble vouloir me rattraper !

-Qu'as-tu répondu ?

-Que pouvais-je répondre ? Je lui ai dit la vérité. C'est le Roi, Père… Il insistait tellement ! Quoi ? Qu'aurais-je dû répondre, Père ?

-Rien de plus que ce que tu lui as dit. C'est un homme étrange et dangereux, ne t'étonne pas que ces questions lui ressemblent ! Il s'emporte pour un oui ou un non…

-Vous avez sûrement raison, Père. Il est très curieux… Mais les rois sont peut-être tous comme lui ? Nous sommes de simples paysans et nous ne connaissons guère ce qui passe dans la tête des nobles. Peut-être, posent-ils ce genre de questions pour avoir belle apparence et paraître connaisseurs face à leurs sujets ?

-Non, je connais bien les nobles Mira… Ils ne font pas ce genre de geste et ne posent pas ce genre de questions. Boris est un roi qui se distingue de tous les monarques. Je te donnerai seulement un conseil… évite de rester seule avec lui et d'être vue de son regard arrogant.

-Père… j'apprécie que vous vous souciiez de moi, mais il est inutile de me le dire. J'ai été surprise par sa suffisance tout à l'heure, mais soyez assuré que je n'ai nullement l'intention de le revoir, même pas de croiser sa route. De toute façon, ce conseil est probablement inutile, il a continué sa route, maintenant et il ne se souvient plus de moi !

-Puisses-tu dire vrai mon ange.

-Père ! voyons, je suis une simple paysanne… Il est le Roi… Les belles dames de sa Cour sont beaucoup plus attrayantes que je puisse l'être !

-Les belles dames de sa Cour n'ont rien de ce que tu as Mira !

-Qu'ai-je donc que les dames de sa Cour n'ont pas ? C'est vrai qu'elles n'ont pas une robe comme la mienne… Oui… ça c'est vrai !

-Ha ! ha ! Mira… Mira… Voilà ce qu'elles n'ont pas les dames de sa Cour, ce petit quelque chose, cet humour dont tu es dotée !

-Ah ! Père… à qui disiez-vous ce matin qu'elle était coquine ? Vous êtes bien plus coquin que moi… Vous ne me voyez pas comme tout le monde me voit ! Vous êtes si épris de votre fille, Amik sage de la Forêt d'Elfe ! que vous voyiez des choses en moi que personne d'autre ne réussirait à voir !

-Ha ! ha ! Mira… c'est vrai que je suis fier de ma fille. C'est vrai que tu représentes tout pour moi. Tu es mon petit rayon de soleil et je serais bien malheureux sans toi !

Mira lui souriait tout en s'afférant à la préparation d'un succulent repas constitué de légumes et d'une pointe de filet de porc.

De son côté, Boris et ses cavaliers qui l'avaient attendu à l'orée du village, faisaient route vers le reste des hommes entassés au milieu de la grande place.

Songeur, Boris ne semblait plus entendre qui que ce soit autour de lui. Il était bien assis sur la selle de son magnifique étalon mais son esprit semblait vagabonder vers d'autres lieux. Son regard était fixe et vide d'expression. Ces hommes voyant le grand maître si vague ne se soucièrent guère de faire attention à leurs bavardages :

-Dis-moi Ulrick, tu l'as trouvé comment toi, la jeune paysanne ?

-Comment je l'ai trouvé ? Comme si tu n'étais pas devenu comme nous tous sous l'emprise d'une apparition Slavernöck !

-Oui… une apparition !

-Nous n'avons cessé de parler d'elle pendant que le Roi la reconduisait… Ne fais pas l'hypocrite Ulrick !

-Tu penses qu'un de nous aura la chance de… Tu sais…

-Sans vouloir offenser notre Sainte Mère l'Église, elle ne laisserait pas le plus croyant des prêtres insensibles… Alors tu penses quoi ?

-Ha ! ha ! Ulrick ! Ha ! ha ! Bien on verra bien qui de nous aura cette chance… parce que je sais que ce soir… si on est encore ici… !

-Oui, on verra bien Slavernöck… La lutte sera terrible… entre nous quatre !

-Pourquoi tu dis entre nous quatre ?

-Parce qu'imagines-toi donc que nous sommes les seuls à l'avoir vue à part le Roi bien sûr… et que si on sait tenir notre langue… bien on élimine un tas de prétendants non ?

-Ha ! ha ! Tu es mieux d'être plus vite qu'un lièvre, parce que moi je ne te laisserai aucune chance !

Comme un coup de tonnerre, une voix forte fit résonner leurs tympans.

-Descendez de vos montures et entrez tous les quatre dans cette chaumière, j'ai à vous parler.

Déjà en bas de sa monture, Boris entra sans crier gare, à l'intérieur chassant sans ménagement les occupants qui sortirent en courant, allant se réfugier au centre du village avec les autres paysans qui s'y trouvaient, sans même demander le comment et le pourquoi. Boris savait d'un seul geste, d'un seul mot, d'un seul regard se faire obéir sans qu'aucune explication ne fût nécessaire. La place libre, Boris accota son fessier sur la table, croisant ses bras sur son imposante poitrine, le regard vindicatif attendant l'entrée de ses quatre compagnons de route.

Intrigués par ce changement d'humeur soudain du roi, ils entrèrent en la demeure comme des chiens battus. La tornade noire n'avait guère l'air invitant. Que se passait-il ? Qu'est-ce qui avait encore déclenché une attitude si rébarbative chez le Roi ? Car on connaissait bien cette voix et cette manie, cela n'augurait rien de bon.

-Je ne suis pas de meilleure humeur que j'étais ce matin ! Tiens, Slavernöck, ça te guériras du mal qui te ronge.

À genoux, tordu par la douleur, les mains sur ses organes génitaux, le jeune chevalier du roi venait d'essuyer les fougues du roi qui se soldaient par un coup de botte dans ses bijoux de famille. Il tentait, tant bien que mal, de reprendre son souffle. Les autres grimaçaient et ne disaient rien comprenant avec certitude que Boris piquait encore une colère terrible et comme à son habitude, largement excessive.

-Messieurs, vous avez tous vu la même chose que votre Roi tout à l'heure. Je sais maintenant que vous en avez parlé entre vous et je tiens à vous dire qu'il n'est pas question, vous m'entendez, pas question qu'un seul de mes hommes ne touche à un cheveu de la tête de Mira fille du sage de la Forêt d'Elfe puisque c'est d'elle dont il s'agit ici ! Oui… Mira, la légendaire Mira. Vous feriez mieux de vous enlever toutes les petites idées saugrenues qui semblent vous torturer l'esprit. En tout cas, Slavernöck, toi, au moins tu es guéri au moins pour quelques semaines ! Me suis-je bien fait comprendre ?
-Oui, Sire… De répondre en cœur les quatre jeunes hommes.
-Une autre chose, il vous est strictement défendu de parler d'elle entre vous et encore moins à toute la troupe ! Si l'un de vous désobéit à ce que je viens d'ordonner, je vous jure que je lui coupe personnellement la queue ! Allez maintenant, hors de ma vue ! et faites-moi venir mes quatre généraux.

Les ardeurs redescendues à leur plus simple expression, surtout celles de Slavernöck, les quatre cavaliers sortirent. Mais une fois à l'extérieur et à l'abri du regard du fauve, ils s'attroupèrent question de comprendre ce qui venait de se passer.

-Ce que vous êtes idiots ! De dire l'un à Slavernöck et Ulrick.
-Pouvait-on savoir qu'il écoutait notre conversation Borngnegn ?
-Vous ne pouviez peut-être pas savoir qu'il vous écoutait, mais ne pas vous êtes rendu compte qu'elle lui a fait le même effet qu'à nous, vous êtes vraiment idiots ! De dire l'autre.
-Pourquoi pensez-vous qu'il nous a chassé hors de sa vue ? Qu'il l'a raccompagnée jusqu'à chez elle lui-même ? Ai-je besoin de vous faire un dessin ? De reprendre Borngnegn.

-Quoi ? Le Roi ne demande jamais la permission à personne lorsqu'il veut prendre femme… et d'habitude il est beaucoup plus pressé d'assouvir ses besoins. Alors, comme il n'avait pas croqué la belle immédiatement, comment je pouvais deviner, moi, qu'elle lui plaisait à ce point ? De répondre Slavernöck.

-Non… il est vraiment idiot ! Tu as raison Borngnegn, c'est un idiot !

-Eh ! Ho ! Fais attention à ce que tu dis, Ensfrund !

-Il a raison, tu es un idiot ! Comme nous, tu l'as vu… Le Roi est le Roi, mais c'est un être humain, un homme comme nous… Tu aurais, toi, dévoré dans les fourrés en plein jour, comme une bête, une femme comme elle ?

-Non… non…

-Bon… Tu as ta réponse… Elle a beau être une paysanne, il n'en reste pas moins qu'elle est une femme adulée de tous… Nous étions tous envoûtés tout à l'heure… Il l'était peut-être davantage que nous l'étions.

-En tout cas, Ulrick et Slovernöck vous avez bien failli nous coûter notre tête avec vos bêtises ! Ne parlons plus de cette histoire… S'il se rend compte que nous nous sommes parlé, quatre têtes s'ajouteront à ses nombreux trophées de chasse et j'aime autant vous dire que je n'y tiens pas du tout. Je vais aller chercher ses généraux. Dispersez-vous et ne parlez pas de ceci à qui que ce soit… Nous ne sommes pas mieux que morts si l'un de nous ose le défier !

Ce qu'ils firent sans demander leurs restes. Boris, assis à la petite table dans la chaumière attendait la venue de ses généraux qui se présentèrent dignement devant lui.

-Messieurs, assoyez-vous, nous avons d'importantes choses à discuter. Je n'étais pas en grande forme ce matin et j'allais vers les champs cueillir quelques mécréants qui n'avaient pas daigné se rendre à ma rencontre, mais chemin faisant j'ai changé d'idée. Bref, nous savons tous les cinq le but de ce voyage. Nous sommes arrivés à destination, Messieurs. Le Col du Diable est à quelques kilomètres d'ici. Derrière, c'est la Norvège. Jusqu'ici, je n'ai rien vu qui empêche une armée de passer et de traverser par ce col.

-Sire, sauf le petit bout de chemin juste avant d'arriver à la Forêt d'Elfe. Il n'est pas très praticable pour une armée. C'est un petit sentier sinueux et une armée devrait se déployer sur plusieurs kilomètres de longueur pour le traverser.

-Nous ferons avec, c'est le seul inconvénient rencontrer jusqu'à maintenant. Ce matin, vous allez me suivre. Je connais bien la Norvège, j'y suis allé souvent. Cependant, je connais très peu cette partie qui borde nos frontières. Comme le Col du Diable débouche sur cette partie, il faut se rendre jusqu'à la frontière pour au moins avoir une idée de ce qui nous attend de l'autre côté. Nous allons escalader les flancs de la montagne aussi haut que nous pourrons. J'ai toujours préféré voir de mes yeux avant de m'aventurer dans quelques batailles quelles qu'elles soient. Il en fut de même pour la prise de la Finlande, et j'avais vu juste. Les soldats du Grand Prince étaient indisciplinés, mal armés, et bien trop éparpillés sur le territoire pour pouvoir nous contenir et nous avons gagné. La vue que nous aurons du reste du chemin à parcourir par notre armée saura nous guider sur ce que nous aurons à affronter. Il n'est pas conseillé de traverser la frontière. Bjarni saurait vite que je suis sur ses terres et se demanderait bien ce que je vais y faire ! Alors notre voyage se termine ici. Nous allons nous rendre au Col du Diable et visualiser si ce plan de conquête fonctionnera. Il faut bien se préparer pour cette bataille, car cette fois, il s'agit d'un plan d'envergure et beaucoup plus compliqué que celui utilisé pour conquérir la Finlande.

-Sire, malgré tout le respect que je vous doive, je persiste à dire que cette manière d'envahir la Norvège est périlleuse. Seulement quelques-uns d'entre-nous connaissent bien cette partie du pays…

-Assez ! Général, ce voyage a été organisé de façon à passer inaperçu. Le Roi Suédois visite ses terres ! Aucun soupçon du Roi Bjarni. Il est bien trop sot, croyez-moi ! Nos espions ont très bien travaillé. Ils ont démasqué les espions envoyés par Bjarni et Etok. Seul mon voyage de plaisance leur a été délibérément raconté afin de brouiller toutes pistes. Général, d'après votre expérience de guerrier, qu'y a-t-il de mieux qu'un effet de surprise ? Dites-le moi ?

-Le Roi à raison général Örtven ! Nous avons déjà discuté de tout ça… Bjarni n'y verra que du feu. Il ne peut pas se douter qu'une armée entière passera par ce col et qu'une autre arrivera de la mer par le biais du Danemark qui aura d'abord été dévasté par nos troupes. Il sera pris sur deux flancs. Quand il se rendra compte que nous l'attaquons, il sera trop tard… Son armée est grande, mais la nôtre l'est tout autant. Ajoutons un effet de surprise, peu de temps pour qu'il ne se retourne et le tour est joué !

-Et si le Roi Bjarni faisait venir des troupes de l'Islande, de la Prusse ? Qu'il se préparait lui aussi à une éventuelle attaque ? Ne vous a-t-il pas déjà envoyé maintes missives à ce sujet, Sire ?

-C'est pourquoi nous devons faire vite. Mes espions savent que la Prusse, le Danemark, la Norvège, l'Islande sont sur le pied de guerre avec nous. Mais, sauf des missives, aucun déplacement de troupes n'a été décelé, cher général. Imaginez les distances, par terre et par mer que ces armées auront à parcourir pour parvenir jusqu'à la Norvège et le Danemark pour venir en aide à ces deux royaumes ? Bjarni n'a même pas envoyé de soldats au Danemark, les gardant tous pour lui pour mieux se défendre. Et Euphrase garde au Danemark tout ce qu'il a comme armée. Nous savons tous que le Danemark ne possède pas une armée puissante et c'est pourquoi nous commencerons d'abord par envahir cette terre pour nous retourner ensuite vers Bjarni. Le reste de mon armée passera par ici. Les distances, la prise du Danemark, tout ça devrait prendre environ deux à trois semaines. Quand le Danemark sera conquis, vous général vous prendrez vos guerriers et traverserez de nouveau la mer jusqu'aux berges de la Norvège. Le temps qu'il vous faudra pour atteindre le plus gros de l'armée de Bjarni sera d'environ une semaine. Pendant ce temps, le reste de mon armée passera par le Col du Diable et vous rejoindra dans une synchronie… une synchronie, général, que nous avons déjà calculée. Vous vous rejoindrez en même temps au même endroit. Bjarni, n'y pourra rien.

-C'est vrai que ce plan est tellement risqué que Bjarni et les autres ne peuvent pas s'imaginer que nous l'utiliserons pour conquérir… Ça, je dois l'admettre, Sire c'est difficile à imaginer !

-Bon ! Voilà ! Vous avez tout compris, général ! Des choses qui semblent impossibles, un effet de surprise, des attaques rapides, synchronisées, voilà ce qui fait d'un conquérant, un conquérant ! Souvenons-nous d'Alexandre le Grand, il est parti de la Macédoine et lorsqu'il est arrivé à Babylone, son armée était en nombre inférieur et par un plan d'invasion bien préparé, il a vaincu, plus nombreux et plus puissant que lui et tout au long de son parcours ce fut de même… alors ? Pourtant vous êtes un homme d'expérience en matière de guerre, général ! Permettez-moi de vous dire que vous me décevez quelque peu ! Toutes ces inquiétudes dont vous faites preuve, blessent l'intelligence de mes tactiques !

-Pardonnez-moi Sire, vous avez raison. Mais, j'avoue que je n'ai jamais eu un Roi aussi érudit que vous et que les petites guerres que j'ai faites par le passé n'avaient pas l'ampleur de ce plan-ci !

-Et croyez-moi, vous n'avez encore rien vu, général… ! Ce n'est que le commencement !

-Sire, nous vous suivons, allons voir un peu ce col ! De dire l'un des autres généraux présents.

-Général Gustaveson, vous êtes bien silencieux ? N'avez-vous rien à ajouter ?

-Sire, je suis silencieux puisqu'il faut dire : Que sert-il à un homme d'ajouter sur une mission qu'il considérait déjà parfaite au départ et qui l'est d'avantage depuis qu'il a vu ?

-Ha ! ha ! Voilà Örtven, vous avez le général Gustaveson pour vous convaincre si jamais le doute vous turlupine encore ! Répondit

Boris visiblement heureux que son plan plaise à l'une des plus fines lames de son royaume.

La colère de Boris était chose du passé et c'était l'heure pour les cinq hommes de prendre montures et de se rendre jusqu'à l'endroit où ils finaliseraient leur plan de conquête.

Boris et sa suite sortirent de la chaumière, grimpèrent sur leurs chevaux sous les regards de nombreux curieux qui admiraient la prestance d'un être royale en ces lieux si éloignés et peu habitués à une telle visite de marque. Quant à lui, Boris les observait du coin de l'œil ces paysans massés au milieu du village. Ils étaient tous ses fidèles sujets et pourtant sa Grandeur Royale ne trouvait personne digne de l'être. Il se pencha tout de même vers l'un de ses nombreux soldats pour qu'il fasse une annonce.

-Toi...
-Oui, Sire ?
-Fais annoncer à ces braves gens que le Roi donnera une fête ce soir. Vois à ce que tous les préparatifs soient mis en branle et prêts dès mon retour.
-Bien Sire, il sera fait comme vous le désirez.

Quelques galops suffirent pour qu'on perde de vue le Roi et ses quatre compagnons sur la route. Mais où pouvait-il bien ? C'était curieux en effet, mais les paysans étaient accoutumés à vaquer à leurs occupations, à s'occuper de leurs affaires. Alors, ce départ passa comme le premier un peu plus tôt, une promenade du Roi dans leur magnifique forêt !

Le soldat interpellé par Boris se plaça dans le milieu du village et d'une voix forte et claire annonça :
-Oyez ! Oyez ! Bonnes gens, par ordre du Roi Boris de Suède, sachez que ce soir, le Roi donnera une fête, ici, dans votre village. Musiciens, saltimbanques, magiciens, troubadours, danseurs, funambules seront également du rassemblement. Vous êtes donc tous invités par ordre de Sa Majesté Royale de Suède à venir festoyer.

Après une courte cacophonie produite par des étonnements et des rires, chacun retourna à leurs besognes et les préparatifs débutèrent sur le champ. Le Roi avait parlé et donné ses ordres, c'était bien suffisant pour qu'on s'affaire.

Après quelques galops, les chevaux du Roi et de ses compagnons eurent l'ordre de ralentir. Boris et ses généraux contemplaient les majestueuses montagnes qui s'élevaient au-devant d'eux.

Le Col du Diable ressemblait à une immense crevasse creusée à même le roc. Ce col était emprunté depuis des lunes par les voyageurs de la Norvège et de la Suède pour faire commerce. On le surnommait ainsi puisque les pentes escarpées qui le bordaient étaient sujettes à des éboulis fréquents. Plusieurs avaient trouvé la mort sous les avalanches de pierres qui se détachaient sans prévenir des parois. D'année en année, le col s'était élargi grâce aux nombreux éboulis et permettait ainsi une traversée plus sécuritaire pour qui s'y aventurait. Quoiqu'il demeurât risqué de l'emprunter.

Étudiant avec minutie les parois montagneuses, les yeux noirs de Sa Majesté scrutaient le flanc gauche. Tout en se faisant discret, le Roi s'avança doucement, suivi de ses généraux. Il se retourna vers eux :

-Soyez prudents, il ne faut pas que nous soyons vus ! Cachons nos montures derrière cet amas de grosses épinettes et débutons l'escalade par ce côté. Il y a une petite corniche plus haut qui nous servira d'observatoire.

Il pointait du doigt un endroit qui semblait à plusieurs mètres au-dessus du sol et pour le général Örtven cela lui semblait à plusieurs kilomètres. À travers les arbres fournis qui bordaient cette montagne, on distinguait en effet, une corniche de pierre dénudée.

-Montons Sire, ne perdons pas un instant ! C'est très escarpé, mais nous devrions réussir à l'escalader. Dit le général Gustaveson qui accrochait la bride de son cheval à une branche d'épinette.

Une fois les montures dissimulées, les cinq hommes entreprirent l'escalade. Deux heures durant, ils grimpèrent sans relâche faisant de leur montée une bataille quasi permanente contre les branches de sapins, les roches qui se défilent sous les bottes, la sueur à l'effort et leur essoufflement dû à ce rude exercice physique. Ils parvinrent enfin à la corniche où ils s'arrêtèrent reprenant leur souffle. Silencieux, scrutant du regard l'horizon, ils étudiaient le paysage. Ils n'auraient plus à monter plus haut. En effet, le point de vue était saisissant. Ils pouvaient voir d'un côté comme de l'autre à plusieurs kilomètres. Du côté Norvégien, le Col du Diable s'estompait doucement pour se fondre dans des plaines à perte de vue. En observant méticuleusement, le col vu de cette hauteur satisfit grandement Sa Majesté car il semblait d'une largeur acceptable pour passer une armée de plusieurs hommes. Après qu'il ait repris son souffle, Gustaveson prit la parole :

-Comme je vous l'avais dit, Sire, après ces montagnes c'est la plaine ! Pointant de son index le côté norvégien.

-Vous aviez raison Gustaveson. On voit à des milliers de bornes ! Et je sais qu'après cette plaine, c'est la région de Tevedalen. Ce n'est que cette petite partie du territoire norvégien que je ne connaissais pas très bien. Boris, à son tour, pointait l'horizon.

-N'avons-nous pas oublié la Laponie ?

-Örtven ! La Laponie n'est pratiquement pas peuplée et ce n'est pas ces quelques Lapons qui viendront à bout de mon armée ! À quoi bon s'en soucier ! Örtven, je vais finir par perdre patiente ! Vous avez toujours quelque chose à redire !

-Pardonnez-moi, Sire.

-Je ne vous pardonne pas, ne recommencez plus ! Vous savez que la patience n'est pas l'une de mes vertus !

Le silence se fit.

-Du point de vue où nous sommes, nous voyons très bien que rien, non rien, ne pourra ralentir la progression de mon armée.

-Comme moi je connais bien cette région, Sire, je sais exactement par où passer me rendre jusqu'au point de rencontre avec Örtven.

-Ce n'est pas que je ne vous faisais pas confiance, Général Travs-kreugn, mais, je suis comme ça… Je dois vérifier par moi-même ! Gustaveson et vous serez ensemble pour diriger mon armée par ce col. Quant à vous Örtven, je vous laisse le commandement avec Rist-wangh de la partie Sud. Vous la connaissez déjà très bien et comme je serai avec vous… bien, on devrait être capable de ne faire que de la chair à pâté avec l'armée d'Euphrase !

-Tout est comme nous l'avions calculé jusqu'à maintenant. N'est-ce pas Sire ?

-Oui… tout ou presque…

-Qu'est-ce qui vous faire dire ça, Sire ?

-Rien… Gustaveson… rien… redescendons, retournons au village. Il ne faut pas élever aucun soupçon. Le Roi visite sa contrée, n'oubliez pas Messieurs, le Roi visite sa contrée et n'est nullement venu en mission de reconnaissance !

Ils le regardèrent en souriant. Ce qu'il pouvait être ratoureux quand il le voulait ! C'était le terrible Boris ! Ils redescendaient. La descente n'était guère plus aisée que la montée. D'autant plus que

Gustaveson voyait arriver au loin une charrette venant de la Norvège pour emprunter le col afin de traverser vers la Suède.

-Sire, regardez !

-Oh ! Oui… sûrement des marchands qui font commerce avec les paysans frontaliers.

-Que faisons-nous ?

-Faisons une petite course messieurs. Nous devons arriver à nos montures et galoper en direction du village avant que ne passe cette charrette et ses occupants par ce col.

-Sire ! Parlez pour vous ! Vous êtes jeune, en pleine forme, je suis plus âgé et pas aussi agile ! Je n'arriverai jamais à galoper, comme vous dites, avant que cette charrette soit arrivée dans le col !

-Örtven, si je vous poussais jusqu'en bas, je suis certain que vous arriverez avant tout le monde !

Les trois autres généraux se mirent à rire.

-Alors, général Örtven, une poussée ?

-Non… non… Sire !

-Vous me faites encore une remarque de ce genre… Örtven et…

Boris se retourna vite comme l'éclair. Le compte à rebours avait commencé. Boris en tête de file arrivait à descendre avec une agilité surprenante pour un homme de cette stature. Les autres également, sauf Örtven qui bien entendu éprouvait quelques difficultés avec les branches de sapin et d'épinettes que ses compagnons faisaient fouetter derrière eux et qui aveuglaient le pauvre général ne lui laissant d'autres expressions verbales que des Ohohhoooohhh ! ! ! Aïe ! Oooooh ! Aïe !

-Taisez-vous Örtven vous allez finir par nous faire repérer par les Norvégiens ! De dire Travskreugn.

Notre pauvre général Örtven tentait tant bien que mal d'étouffer les sons qui émanaient de sa bouche ! Plus, ils pressaient le pas, plus Örtven prenait du retard. Plus, il prenait du retard, plus il se faisait silencieux, ne recevant plus en pleine figure les branches épineuses… et cette descente qui continuait à un rythme d'enfer aggravait son retard de pas en pas.

Boris était arrivé près des montures et restait fidèle à lui-même, droit comme un mât de drapeau ! Les autres le suivaient de près.

-Vite Messieurs, ils sont tout près et ne doivent pas voir le Roi et ses généraux sur la frontière… Où est Örtven ?

-Plus haut Sire, il avait raison, il est loin d'être agile !

-C'est ce qui arrive quand on est gras comme un porc ! ! ! De rétorquer le roi.

-Il est là…

-Nous n'avons pas le temps de l'attendre, allez, Messieurs, qu'il se débrouille !

Örtven, arrivait, mais les quatre autres étaient déjà sur leur monture et partis aux galops.

Bon Dieu de merde, j'ai le visage en compote ! Maudit Boris… avec ses idées ! A-t-on idée de dévaler une pente pareille, à la course ! Vite, il ne faut pas… je les entends… ils sont tout près ! Vite !

Ils cavalaient à pleine allure. Örtven était à sa monture distinguant les autres partis à la volée telle une nuée d'oiseaux. La charrette norvégienne s'engageait tout juste dans le Col du Diable. Malgré son retard, Örtven enfourcha sa selle et tenta de rattraper ses compagnons.

Les occupants de la charrette ne pouvaient donc pas les avoir aperçus. Ils avaient bien failli être pris de court par des sujets de Bjarni et s'en était fait de leur plan surprise. Des sujets Norvégiens n'auraient pas manqué de rapporter à leurs semblables que le Roi Suédois lui-même avait été rencontré à la frontière avec quatre de ses généraux dévalant une pente abrupte à tout allure. Assez pour que cette nouvelle fasse le tour de la Norvège et arrive jusqu'aux oreilles de Bjarni qui était déjà sur le pied de guerre et aurait deviné ce que le bougre de Boris avait derrière la tête. Ou du moins, aurait été mis au parfum de quelques trames à la Boris dont Bjarni connaissait si bien les aboutissements ! Boris aimait faire paraître son homologue comme un parfait idiot, mais savait très bien qu'il ne l'était point ! Enfin, l'important était d'arriver avant le passage de la charrette dans le village afin qu'aucun doute ne soit soulevé. Le village était bel et bien sur un territoire suédois et rien de suspect n'aurait sauté aux yeux des voyageurs ! Le Roi Suédois visite sa contrée. Voilà ce que devaient croire tous et chacun, même les sujets de Boris !

Boris, Guvastenson, Travskreugn et Retvergün arrivaient et débarquaient afin de se mêler à la petite foule qui circulait sur la grande place. Örtven y parvint aussi. Boris s'assit sur la chaise qu'on lui avait présentée le matin. Cette arrivée n'avait pas passé inaperçue et les chevaux essoufflés avaient été reconduits à l'arrière d'une chaumière pour empêcher que les villageois aient des soupçons.

Quelqu'un attira l'attention de Boris. Ce fut instantané, le roi se mit à rire à gorge déployée. Les quelques soldats et généraux qui se trouvaient en sa compagnie se retournèrent tous pour voir qui ou quoi était l'instigateur des rires du roi.

-Örtven ! Ha ! ha ! Vous emmenez un souvenir avec vous ?

Quand les autres aperçurent Örtven, ils se mirent à rire à leur tour. Örtven s'avançait vers eux et s'arrêta, le regard étonné, ne comprenant pas leur réaction. La remarque du roi fit en sorte qu'il se mit à s'examiner. Il réalisa qu'il avait une branche de sapin prise dans le fourreau de son épée et une autre dans sa botte droite.

-Et vous vous déguisez pour la fête de ce soir ? Ha ! ha ! ha ! De dire le roi qui riait de plus belle pointant le visage de son général.

De sa main droite, Örtven effleura sa joue. Au contact de ses doigts sur sa peau, il palpa quelque chose de liquide. C'était en fait, le résultat des branches qui lui avaient fouetté le visage tout au long de la montée et de la descente quelques minutes auparavant. Il avait la peau lacérée et quelques gouttes de sang dégoulinaient le long de ses joues. On aurait dit quelqu'un qui s'était frotté le visage contre un porc-épic. Profondément choqué d'être l'objet de cette risée, Örtven recula de quelques pas. Il allait partir bouder dans un coin mais le roi se retourna vers les dames qui étaient tout près et cria :
-Mesdames, n'y aurait-il pas parmi vous une âme charitable qui aimerait prodiguer soins et délicatesses à mon général pour qui les promenades en forêt ne réussissent guère !

Örtven, insulté, se gonfla le torse et tourna sur ses talons. D'un pas décidé il s'engouffra dans la tente qui avait été montée expressément pour les généraux.

Boris se campa sur sa chaise et tout sourire il dit :

-La vue du pauvre général Örtven m'a ouvert l'appétit, j'ai faim, qu'on me serve à manger et je veux que vous mangiez en ma compagnie. Désignant ainsi ses trois autres généraux.

Ils s'essayèrent près de lui et les autres hommes se retirèrent vers le centre de la grande place où ils prirent place à leur tour autour de plusieurs tables.

Le roi mangeait aux vues et aux sus de tous bien assis à la table en compagnie de ses généraux avec qui il avait grande discussion.

Les tentes étaient montées pour la nuit autour de la grande place. Les chevaux étaient cordés l'un contre l'autre derrière une petite construction dont le toit en planches d'érable semblait sur le point de s'effondrer.

Comme tout semblait paré pour passer la nuit au village, Sa Majesté ne semblait pas daigner monter dormir au logis du Seigneur qui lui avait lancé une si belle invitation à son arrivée le matin.

Il faut dire que malgré ses airs de grandeurs, Boris était un homme qui aimait la compagnie de ses soldats. Habitué depuis son plus jeune âge aux rudesses de la vie de soldat, il adorait coucher à la belle étoile ou sous le toit d'une tente. Il disait qu'il se sentait en communion avec la nature. C'était plutôt un être rustre qui détestait les bonnes manières de la Cour. Il s'y pliait mais sans faire d'extravagances. Il aimait par-dessus tout lever le coude avec ses compagnons et courir après des jupons quand le bon vin l'avait enivré et ne détestait pas trouver une occasion, fut-elle minime pour faire la fête ! Ce qui allait se produire, sans l'ombre d'un doute dans quelques instants au milieu de cette grande place.

Tout avait été préparé dans ce sens. L'amas de bois qui gisait au milieu de la grande place laissait présager que le feu durerait au moins jusqu'aux petites heures du matin. Les jarres remplies de vin étaient cordées, comme une corde de bois, bien accotées sur le mur d'une des maisons. À se demander d'où elles pouvaient bien provenir ? Car même en demandant à chacun des villageois d'en fournir une, ils n'auraient pas réussi à en amasser autant ! L'aubergiste à l'orée de la Forêt d'Elfe ne devait pas être étranger à une telle quantité.

Le repas terminé, la panse bien remplie, notre Boris souhaitait maintenant prendre un bain. Sa soûlerie de la veille, son escalade et sa descente précipitée… même à vingt-trois ans, c'était un peu demander à son jeune corps dans un si court laps de temps ! Se relaxer dans une eau tiède presque froide semblait être le remède vivifiant dont il avait grandement besoin.

Ça ne fut pas très long qu'on lui coula un bain. Il entra donc dans la seule maison qui disposait d'un tel objet de luxe. Sans se soucier de savoir s'il y avait encore des occupants dans la pièce, il se dévêtit et se plongea dans le bain.

Fermant les yeux sous l'effet de cette eau bienfaitrice, il noya sa longue chevelure d'ébène. Il relaxait, prenant de grandes respirations. Une dame entra alors dans la pièce, débarbouillette de lin à la main et gros savon jaune. La dame âgée d'une cinquantaine d'années s'approcha timidement du bain où elle savait Sa Majesté dans son costume d'Adam.

-Viens, approche… Je ne mords pas… pas les dames ! Frotte-moi le dos.

La dame s'agenouilla, passa le savon sur la débarbouillette et s'exécuta.

-Frotte-moi le dos. Ahhhh ! Oui… Frotte fort, n'aie pas peur, je suis solide !

Elle frottait vigoureusement en silence.

-Viens ici… frotte-moi le torse maintenant.

Elle changea de position, passant du derrière au-devant de ce roi qui se laissait frotter comme un enfant. Toujours en silence et dans un mal à l'aise certain, la dame s'exécutait ne fermant pas les yeux pour la seule raison de voir ce qu'elle faisait. Par la force des choses, elle pouvait tout de même admirer un roi dans sa plus simple expression. Un jeune roi à l'imposante musculature, à la chevelure fournie, à la mâchoire carrée le tout coiffé d'un regard profondément noir et austère expliquant sans doute qu'il ne laissait pas la gent féminine indifférente. Rien de tout cela n'échappait à la dame qui tout en frottant était sous l'effet Boris. Il n'était point sot et mit fin à l'observation de la dame.

-Vas maintenant, je vais me sécher. Tu auras trois couronnes d'or pour t'avoir aussi bien occupé du Roi.

La brunante pointait maintenant à l'horizon. La soirée serait moins fraîche que la précédente. Les jours plus longs, la chaleur qui gagnait peu à peu les terres, annonçaient l'été tant attendu dans ces contrées nordiques.

Le bruit sur la grande place annonçait qu'il y avait déjà foule. Les musiciens, pour la plupart venant de villages lointains étaient installés et faisaient sonner leurs instruments d'airs musicaux plus mélodieux les uns que les autres. Les cinquante hommes de Boris étaient tous attablés, coupe de vin à la main le long de tables qu'on avait disposées en croissant de lune devant le feu. Les villageois, étaient eux aussi présents fidèles à la couronne Suédoise et certains dansaient bras dessous, bras dessus en face de cette compagnie royale. Seul l'immense brasier les séparait.

Boris rejoignit ses hommes et prit place. Détendu, relaxe, notre Boris se sentait particulièrement bien. Sa bonne humeur, ses rires, ses blagues le faisaient paraître sous un jour nouveau. Ses hommes avaient l'habitude de le voir plus souvent en proie à une rage qu'au bon entrain. La plupart du temps, un état de joie chez Boris était de très courte durée. Il était pourtant assis là depuis plusieurs minutes et continuait à rire et à taquiner le pauvre Örtven devenu son cheval de bataille depuis son aventure de l'après-midi, Boris s'en amusait énormément.

Les magiciens déambulaient devant le roi. Un tour n'attendait pas l'autre. Les saltimbanques, les troubadours, la musique, tout était parfait. Une jeune fille vint chanter. Tous l'écoutaient religieusement. Sa voix était belle et douce, mais rien de comparable à ce que les cinq chevaliers avaient eu l'occasion d'entendre le matin.

Ceci lui rappela sa douce rencontre du matin. Comme un chasseur, il scrutait la foule devant lui. Au fait, où était-elle ?

Il y a peut-être beaucoup de monde, mais d'ici je vois tout le monde ! Où est donc l'ange que j'ai vu ce matin ? Son père devait l'amener... Elle n'est toujours pas là ! Les excuses que j'exigeais ce matin n'étaient qu'une ruse pour qu'il me l'amène...

Il se leva debout faisant une ronde derrière ses hommes et regardant avec précision les villageois qui se tenaient au-devant d'eux les dévisageant un à un.

Je ne vois pas Amik, ni sa délicieuse fille ! Où sont-ils donc ?

Il revint s'asseoir et se pencha sur son voisin de droite.

-Dites à Slavernöck et Ulrick de venir ici immédiatement.

-Bien Majesté.

Quelques minutes plus tard les deux réprimandés du matin arrivèrent près du roi.

-Penchez-vous que je vous demande quelque chose.

Les deux compères se demandaient bien ce qui leur valait toutes ses précautions dont le roi faisait preuve. S'adressant à voix basse, le roi allait soulager leur curiosité.

-Écoutez-moi bien. Je veux que vous cherchiez dans cette foule la jeune paysanne que nous avons croisée ce matin… et si vous la trouvez, amenez-la-moi.
-Bien Sire.

Quelques minutes plus tard, ils revinrent bredouilles.

-Sire, nous sommes désolés, mais cette demoiselle n'est pas ici !

Son regard s'assombrit. Quelques instants, ils eurent peur que leur réponse leur vaille les foudres du roi, mais il les regarda et leur dit :

-Vous savez où elle habite. Vous allez vous y rendre et me la ramener ici. Et attention, Messieurs, je sais très bien ce qui vous a trotté dans la tête plus tôt aujourd'hui, si vous faites quoique ce soit de répréhensible, je n'hésiterai pas !
-Non, Sire… Soyez assuré de notre galanterie et de notre politesse envers elle.
-Ça vaut mieux pour vous.

Ils partirent aussi vite qu'ils étaient arrivés. Ils galopaient vers la demeure de l'ange du matin. Ça ne prit que quelques minutes avant qu'ils n'atteignent leur but. La petite chaumière était éclairée. Ils cognèrent à la porte et quelques instants suffirent à ce que le paternel vint répondre.

-Amik, sage de la Forêt d'Elfe, le Roi Boris de Suède, nous envoie chercher votre fille, Mira, pour la reconduire jusqu'à lui.
-Il n'en est pas question ! Ma fille n'accompagnera personne et si Sa Majesté veut la voir il n'a qu'à venir lui-même.
-Mon brave, ce sont les ordres de votre Roi.
-Le Roi ! et bien dites-lui que nous ne sommes pas allés à sa fête parce que justement, il s'est conduit de façon cavalière avec ma fille

ce matin ! Et qu'il n'est point dans mon dessein d'y envoyer ma fille et encore moins pour qu'elle s'excuse devant lui !

-Comprenez-moi bien mon brave. Le Roi, lui-même nous envoie ici. C'est Boris, le Roi de Suède qui demande à ce qu'on raccompagne votre fille jusqu'à lui… Savez-vous ce que vous faites en refusant de répondre à sa requête ?

-Je le sais très bien. Je suis le père. Il a beau être Roi, il n'est pas le père de ma fille ! Il n'a donc aucun droit sur elle.

-Nous sommes désolés, Amik sage de la Forêt d'Elfe, mais si vous refusez d'obtempérer, nous devrons utiliser la force !

-Ah ! oui ! Bien faites ! Faites donc Messieurs ! Encore chanceux que mes fils ne sont pas ici, on vous aurait rendu au quadruple vos coups ! Mais, moi, Amik, je suis bien capable de corriger deux jeunes soldats du roi qui se présentent si impoliment aux portes des sujets de Sa Majesté Royale.

-Père… Père qu'avez-vous à crier comme ça ?

-Madame…

-Mira reste à l'intérieur !

-Mais… mais… que se passe-t-il ?

-Madame, le Roi requiert votre présence au village.

-Dis-leur Mira que tu ne désires pas t'y rendre.

-Mon père dit vrai, Messieurs. Faites mes salutations à Sa Majesté, mais je ne désire pas m'y rendre.

-Est-ce que cela répond à votre effronterie Messieurs ?

-Comprenez-nous Madame… nous ne sommes que les messagers. Sous son ordre nous nous sommes rendus jusqu'à vous. Si nous revenons sans vous…

-Allez donc lui dire qu'Amik vous a retournés sans la permission d'emporter sa fille !

-Vous ne nous laissez pas le choix !

Les deux hommes pointèrent leur épée sur la gorge d'Amik.

-Non ! Non ! pas ça ! ne faites pas ça… ne le tuez pas… non… Hurlait Mira horrifiée.

-Mira, reste en dehors de ça, ton père n'a nullement peur de ses deux manants !

-Non ! non… je vais vous suivre… je vais… vous suivre…

-Non ! Mira…

En larmes, la belle sortit suivie des deux soldats. Elle prit place sur la monture de Slavernöck au grand désespoir d'Ulrick qui aurait voulu avoir cette chance. Amik hurlait.

-Je te suis ma fille, j'arrive. On verra bien qui est le plus puissant, le père ou le Roi !

Amik entra en sa demeure pour traverser la cuisine afin de sortir vers l'arrière dans le but d'aller quérir sa jument.

-Nous vous demandons humblement pardon Madame. Nous ne voulions absolument pas que ça se passe ainsi. Mais les ordres du Roi sont les ordres du Roi, Madame. Comme je vous l'ai dit, nous ne sommes que ses messagers.
-D'autant plus Madame que votre père à raison, un père est un père et le Roi ne devrait pas aller contre les décisions d'un père.
-Séchez vos larmes Madame sinon vous nous ferez pendre tous les deux.
-Slavernöck à raison Madame, si le Roi se rend compte que vous avez pleuré, il nous en gardera rancune et nous serons tenus responsables de votre état.
-Excusez-moi. J'ai eu si peur pour mon père. Ça va maintenant. Pardonnez-moi.
-Ne vous excusez pas Madame… Non. Nous arrivons. Vous allez nous suivre.
-Pourquoi dois-je vous suivre ?
-Parce que ce sont nos ordres, Madame.
-Je croyais qu'il voulait que je vienne à la fête et bien j'y suis !
-Oui… c'est vrai, mais il désire vous rencontrer, s'entretenir avec vous.
-Me rencontrer ? Pourquoi ?
-Cela Madame, il ne nous l'a point dit.

À contrecœur elle se résigna. Les deux jeunes hommes étaient toutefois un réconfort. Ils semblaient discrets et attentionnés prenant grand soin qu'elle soit entre eux et empruntant un chemin à l'écart des regards de tous. Ils parvinrent jusque derrière les tables où étaient assis les compagnons du roi. Malgré les précautions de nos deux jeunes soldats, les hommes se retournèrent jetant leur regard sur la frêle créature qui se tenait timidement derrière eux. Malgré les bruits d'une fête qui battait son plein, cette portion d'individus devint silencieuse comme happée par je ne sais quelle catatonie. L'immobilité soudaine de ses compagnons surprit le roi qui juste avant de se retourner s'illumina d'un petit sourire narquois. Il avait lui même goûté à cet état d'âme le matin et se doutait bien qui était la responsable de cette étonnante inactivité soudaine de la part de ses hommes. Il ne tourna pas complètement la tête et du coin de l'œil voyait la jeune paysanne visiblement ennuyée qui attendait qu'il daigne se lever. Il arborait toujours ce sourire malicieux quand il finit par se mettre à la verticale. Sans même s'excuser auprès de ses voisins, l'imposant personnage s'avançait vers la dame d'un pas majestueux. D'un seul geste, il chassa ses valeureux messagers et se pencha pour embrasser la main de la belle. Ce geste estomaqua sa garnison. Ils n'avaient jamais vu Boris d'une telle délicatesse et d'une telle galanterie. Ils l'avaient pourtant suivi partout à travers le monde et malgré les rencontres dignes de ce nom, ils ne l'avaient vu agir ainsi. Il pouvait faire preuve d'une certaine politesse mais sans plus. Si la dame les avait quelque peu ébranlés, là ils étaient plus que surpris. Mais Boris ne leur laissa pas le temps de contempler plus qu'il ne le fallait, déjà il l'amenait avec lui vers une chaumière où il ouvrit la porte pour les y introduire. Il ferma soigneusement la porte et se retourna pour apercevoir un animal affolé. Elle se tenait nerveusement debout, les mains croisées, la tête baissée, tremblant de tous ses membres. Boris eut soudainement un sentiment qu'il ne connaissait point, celui-là même, de la pitié. Cette frayeur qui parcourait le corps de la jeune femme l'émut quelque peu. Il s'approcha doucement et d'une voix tendre, lui dit :

-Ne sois pas si intimidée douce et belle Mira en ma présence, le Roi ne mord pas les jolies dames.

Il s'arrêta devant elle et l'observa quelques instants espérant que ces paroles la réconfortent un peu. Mais la dame était toujours aussi apeurée.

-Tu sais que je n'ai pas l'habitude de me faire refuser quoi que ce soit ?

La belle ne répondait rien et gardait la tête baissée.

-Où étais-tu ce soir ?
-Où… Où j'étais Sire ?
-Oui, où étais-tu ?
-À… la maison Sire.
-Pourquoi n'as-tu pas fait comme la plupart des villageois et être venue à ma fête ? Mes ordres étaient pourtant clairs ! Vous étiez tous invités !
-Je… je… n'ai pas l'habitude des fêtes Majesté… Je n'aime pas tellement les foules…
-Regarde-moi quand tu me parles Mira. Lève la tête. C'est vrai que je suis le Roi et que tu me dois soumission et obéissance, mais moi, je veux que tu me regardes… Voilà c'est mieux… Je veux bien accepter cette explication comme excuse. Parlant d'excuses… N'en as-tu pas à

me faire ? Ne t'es-tu pas enfuie ce matin ? Tu es entrée si vite chez-toi, tu t'es même cachée ! Non, ne baisse pas la tête, regarde-moi Mira ! Et répond moi !

-Je suis… confuse que votre Majesté pense que je m'enfuyais… Je vous en demande humblement pardon !

-J'accepte tes excuses… même si tu ne sais pas mentir Mira ! Non, tu ne sais pas mentir. Ton regard fuyant, la rougeur sur tes joues, tes lèvres qui tremblent te trahissent si bien ! Ha ! ha ! Oui, tous tes atours te trahissent ! Puisque tu veux que je te pardonne, j'aimerais tout de même avoir quelque chose en échange !

Si la dame était apeurée quelques instants auparavant, là tout son corps était sur le point de s'effondrer tel un château de cartes !

-Je vois bien à quel point ma requête te semble désagréable, mais rassure-toi, ange des bois de la Forêt d'Elfe. J'aimerais seulement que tu chantes pour moi !

La réponse se fit attendre et Boris insista du regard.

-Je… je ne pourrai pas… j'en suis incapable… veuillez me par-donner Sire… Je… je chante lorsque je suis seule… Si… si… voulez me châtier Sire… parce que je refuse d'acquiescer à votre demande… j'accepterai… le châtiment que vous voudrez bien me réserver.

-Ha ! ha ! ha ! Mon Dieu ! Mon Dieu ! Ha ! ha ! Mira ! Pourquoi est-ce que je te châtierais ? Ha ! ha ! Mira ! Le Roi est certes très puis-sant et parfois même, je dirais qu'il pose des gestes qui doivent sembler cruels, mais je ne châtierais pas une jeune demoiselle parce qu'elle refuse de chanter pour moi et qu'elle se sauve comme une voleuse ! Serait-ce donc là l'image que tu te fais de moi ? Réponds-moi Mira et regarde-moi !

-Je… je… voudrais… juste que vous me libériez de cet embarras dans lequel je suis, Sire… Je ne pourrai pas chanter pour vous… J'ai le cœur dans la gorge… J'aimerais retourner près des membres de ma famille… Je resterai à votre fête… je vous… le promets… Majesté.

-Bien ! Je vais te laisser partir puisque c'est ton désir. Rappelle-toi cependant que le Roi est peiné que tu ne daignes pas chanter pour lui, que tu n'as pas répondu à sa question et que ce matin tu t'aies sauvé dès ton arrivée chez-toi ! C'est vrai Mira, que le Roi a pendu et coupé la tête à des gens pour bien moins que ça ! Considère donc ma clé-mence comme un cadeau que je te fais !

-Majesté…

-Où cours-tu comme ça ?

-Je… je vais rejoindre ma famille, Majesté !

-Oh ! Là ! Madame pas si vite ! Je suis clément, mais je suis bien élevé moi ! On ne peut pas en dire autant de toi ma belle ! Depuis quand quitte-t-on le Roi sans lui présenter ses respects ?

-Je... je vous les ai présentés... Sire...

-Tu as fait ça si vite que je n'ai rien vu ! Et moi, je n'ai pas pu te présenter les miens ! Ha ! ha ! Tes joues se colorent d'un magnifique rouge. Ne sois pas si timide en ma présence Mira ! Madame, le Roi vous baise la main et fut heureux de ce court entretien qu'il a eu avec Mira la fille du sage de la Forêt d'Elfe.

Les yeux noirs fixaient la dame pendant que ses lèvres charnues embrassaient la petite main tremblante. Tout son corps était tendu et la tension ressentie par Boris n'avait absolument rien à voir avec celle dont elle était affligée ; pressée contre la porte devant le noble personnage qui se courbait offrant respects à une paysanne.

Ne demandant pas son reste, la belle sortit si vite que seul l'air déplacé par ses gestes effleura la stature robuste du roi. La porte lui ferma presque sur le nez et le fit avoir un soubresaut.

Empoignant le loquet de la porte à pleines mains, le roi l'ouvrit pour constater la fuite de la bête libérée. Elle courait.

Ah ! Mira... ta course est comme celle d'une gazelle... Mes hommes se retournent tous sur ton passage et toi tu ne vois rien ni personne ! Petite paysanne au cœur tendre, Boris, est à ta merci si tu savais ce que je suis prêt à faire pour toi ! Mais pour cela faudrait-il que je te plaise ! Ce maudit Éric que tu vas rejoindre a bien plus de chance que le Roi que je suis !

Elle finit sa course lorsqu'elle atteignit la compagnie de son père, ses frères et Éric. Ils étaient tous visiblement inquiets. Mais, la sœur, l'amoureuse, la fille était de retour dans un seul morceau et cela leur suffit pour le moment. Quant à Boris il revint s'asseoir et avait perdu sa bonne humeur des minutes précédentes.

-Majesté, c'est donc, elle, la fille du sage de la Forêt d'Elfe dont j'ai tant entendu parler ?

-Oui, c'est bien elle Gustaveson.

-Vous l'avez rencontré ce matin ?

-Oui, ce matin...

-Vous avez bien failli faire avoir une attaque à vos hommes Majesté !

-Ce ne sont pas mes hommes qui vont en faire une Gustaveson, mais moi !

-Elle vous plaît, n'est-ce pas Sire ?

-Soyez franc ! Ne te plaît-elle pas Gustaveson ?

-Sire, comment un homme peut-il rester insensible devant une femme pareille ?

-Vous avez répondu pour moi ! Si j'avais su, jamais je n'aurais mis les pieds dans cette maudite forêt !

-Majesté, soulagez votre envie… Pardonnez-moi d'être aussi sincère… C'est que je ne vous ai jamais vu dans un tel état auparavant !

-Gustaveson… c'est vrai que je contente souvent avec qui me plaît ma forte nature, mais… elle c'est…

-C'est différent n'est-ce pas ?

-Très différent Gustaveson ! Je ne sais pas ce qui m'arrive…

-Me permettez-vous un conseil Sire ?

-Bien sûr, vous avez toujours été mon confident et vous êtes le seul en qui j'ai confiance.

-Soyez prudent… c'est peut-être la plus belle femme qu'il m'a été donné de voir, mais c'est une paysanne Sire. Même une légendaire paysanne, reste une paysanne ! D'autant plus que le peuple fonde sur elle un espoir insensé. Vos sujets sont très superstitieux. Les légendes sont coriaces. Mais que pouvons-nous dire de la légende de la Forêt d'Elfe ? Puisque pour tous vos sujets, Sire, la légende n'en est plus une. Cette pucelle aux yeux d'azur est parmi nous. C'est ce qu'on raconte dans tout le pays. Même si vous n'en teniez pas compte des histoires populaires, aujourd'hui, il faut admettre que cette jeune paysanne à un je-ne-sais-quoi, qui attire la foule et qui ne fait qu'agrémenter les discussions quant au contenu de la légende de la Forêt d'Elfe. Elle semble être bien ancrée dans son monde et l'en sortir pourrait vous valoir bien des tourments ! C'est bien là, la différence qu'il y a entre vous et le commun des mortels. Je lis dans vos pensées Sire… Le Roi se doit de se marier ou d'entretenir des relations charnelles avec des dames de hauts rangs. Je sais que cette paysanne vaut plus que toute votre Cour réunie mais prenez garde Sire… N'oubliez pas les contraintes que vous rencontrerez si jamais vous prenez trop au sérieux vos désirs pour des réalités !

-Ne pensez-vous pas que depuis ce matin ceci ne me trotte pas dans la tête ? D'autant plus qu'elle est si distante… Elle fuit mes regards, elle a si peur quand je la touche ! Comme si je la répugnais ! Jamais une femme ne m'a démontré une telle réticence… Je ne comprends pas !

Il fit un silence. Gustaveson observait les réactions de son roi. Jamais, au grand jamais, il ne l'avait vu comme ça. Cet homme calculateur, froid, vindicatif, brutal était en proie à un combat d'ordre émotif. Gustaveson qui le connaissait que trop bien, se surprenait de ne pas avoir vu arriver dans ses grands sabots un sentiment qu'il pensait inexistant chez son roi. Lorsque le roi fronçait les sourcils, se tenait le menton c'est qu'il mijotait quelque chose. Il ne tarderait pas à le savoir.

-Gustaveson, si on donnait des titres de noblesses à sa famille ?
-C'est vrai que ça, je n'y avais pas songé ! Il est vrai que si vous désirez poursuivre une relation plus approfondie avec la jeune demoiselle, ça réglerait beaucoup de différents avec votre Cour, Sire !
-Ça réglerait tout, vous voulez dire !
-Tout ou presque Sire !
-Presque ? Que voulez-vous dire ?
-Vous oubliez la dame Sire ! Vous le dites-vous même, elle est distante…
-Oui… mais ça, c'est seulement le temps qui me donnera raison et du temps j'en ai ! à revendre même ! Je suis jeune, riche et Roi !

Gustaveson reconnaissait maintenant son roi. Boris réduisait tout à sa personne et à l'importance de son titre. Boris réglait toute ambiguïté par cette simple énumération. Si son souverain lui avait semblé quelque peu désemparé tout à l'heure, là il voyait que Boris avait déjà solutionné son problème. Pour ne pas ajouter à cette démarche psychologique où semblait vouloir s'engouffrer le roi, Gustaveson tenta une diversion.

-Sire, vous vous amusiez tout à l'heure… buvez donc un peu de vin et moquez-vous encore d'Örtven ! Il est presque déjà saoul ! Comme vous le dites, vous êtes jeune et ce soir, c'est la fête, fêtez ! Amusez-vous !
-Ha ! ha ! Oui, tu as raison, je vais m'amuser ce soir. Regardez donc Örtven, il a le nez rouge comme le bout d'un pénis au vif !
-Ha ! ha ! ha ! Sire, comme cette comparaison est amusante !
-Eh ! Örtven ! Prends garde de n'aggraver ton cas… Je trouve que tu titubes déjà beaucoup trop !

Les hommes étaient pour la plupart dans un état d'ébriété avancé. Boris avait bien ingurgité plusieurs coupes de vin mais étant de forte constitution et supportant très bien la boisson, il n'était pas au même stade que la plupart de ses hommes.

Mais Örtven ne parvenait pas à le captiver totalement. Du coin de l'œil, il épiait la foule. La camaraderie se résumait maintenant à un bourdonnement dans ses oreilles. Son attention délaissait peu à peu les blagues loufoques de ses compagnons qui l'entouraient. Comme dans un rêve, Boris dévisageait des groupuscules de villageois qui festoyaient autour du feu. Il était perdu dans ses pensées quand son regard s'accrocha telle une flèche dans le milieu d'une cible, sur un point fixe de l'autre côté du feu qui pétillait. Ses yeux de faucon distinguaient avec précision une chevelure de soleil, des yeux perçants, des lèvres que la lueur des flammes transformait en véritables pétales de rose. Elle avait tenu promesse. Elle était restée, bien entourée par ses frères, son père et Éric.

C'est déjà ça ! Je peux la voir sourire. Même si ses sourires ne me sont pas adressés, je la vois ! Ce qu'elle est belle ! Quel roi pourrait résister à un tel trésor ? Légende ou pas, elle est magnifique... Quoi ? Qu'est-ce qu'il fait lui ? Il l'a embrassé sur la joue ! Ah ! Ça doit être lui le futur époux... Éric, non ! NON ! Et son père qui semblait si choqué aujourd'hui pour une simple question de droits aux paysans qui laisse ce forgeron embrasser sa fille ! Ah ! Ces paysans ! Il est vrai qu'ils seront mariés d'ici peu ! Non... non... je ne peux pas laisser cette abomination se produire. Je suis jaloux comme un pigeon... Si je ne me retenais pas... j'irai tout de suite lui couper le cou à ce prétendant... mais pas devant elle ! Non... non... Boris... Je deviens fou ! Si elle ne possède pas le pouvoir d'ensorceler les hommes, moi en tout cas, je le suis ! Tu m'as jeté un sort Mira. Je suis en bien mauvaise posture. Mon père avait déjà passé par toutes ses émotions, je le sais maintenant... mais moi... non... Comment est-ce possible ? Ces femmes nous ont jeté un sort ! Elles en veulent à notre dynastie ou quoi ? Mira... Mira... ne danse pas avec lui... NON ! Cet homme qui se trouve au travers de ma route, c'est trop !

La coupe en bois sculpté qu'il tenait à la main, partie en mille miettes sous la pression qui lui était infligée. Gustaveson, assis à la droite de son souverain, sursauta surpris par le bruit et les éclaboussures de vin dont il avait été aspergé.

-Majesté, tout va bien ?

Le roi était tendu, figé, fixé sur quelque chose de l'autre côté du feu. Gustaveson s'essuya comprenant les raisons d'une rage intérieure qui dévorait le roi.

-Sire ?
-Gustaveson, je me retire... Je vais faire des bêtises si je reste !
-Sire !

Voilà que le lion venait de pousser un rugissement si fort de l'intérieur que Gustaveson en avait ressenti les vibrations. Cette sortie en trombe, la chaise renversée, les pas décidés et pesants qui s'enfonçaient dans l'herbe sous le poids du mastodonte avaient attiré l'attention de plusieurs de ses hommes. Il marchait vers une tente où il s'enfila par des gestes brusques faisant vibrer l'habitacle tout entier au point où il aurait pu la faire effondrer.

Gustaveson se leva et le suivit de peu. Il s'arrêta devant la tente en lui, demanda :

-Majesté puis-je entrer dans votre tente ?

-Oui, Gustaveson… entrez !

-Sire… Reprenez-vous ! Nous retournons demain vers votre château et il faut que vous soyez en pleine forme pour affronter les inquiétudes et les questions de tous vos ministres et vos délégués. Vous préparez une invasion… Vous avez besoin de toute votre tête et de toutes vos énergies.

-Vous avez raison ! A-t-on idée de se mettre dans un état pareil pour une femme !

-C'est tout à fait normal. Vous êtes dans l'âge de vivre des passions dévorantes ! Et je suis même surpris que cela ne vous soit pas arrivé avant !

-Avant c'était avant… Avant que je mette les pieds dans ces maudits bois ! Pourquoi n'ai-je attaché aucune importance à cette légende et à ce qu'on racontait sur la fille du sage ?

-Parce que vous êtes un homme terre à terre Sire ! Que toutes les bonnes vieilles histoires de fantômes, de sorcières sur leur balai la nuit vous n'y avez jamais crues ! Même enfant, vous étiez comme ça ; et qu'une légende reste une légende Sire !

-Sauf que cette fois, si j'avais attaché un peu plus d'importance à cette légende et à ce qu'on me racontait sur elle, je ne me serais peut-être pas aventuré jusqu'ici ! Ou du moins, j'aurais été plus prudent !

-Vous aviez raison ce matin sur l'effet de surprise, c'est parfois dévastateur beaucoup plus qu'une armée entière ! Vous en avez la preuve… On vous a pris par surprise !

-Merde ! Merde ! Je n'aime pas du tout ce que je ressens ! J'ai de la difficulté à me contenir et à peser mes gestes ! Moi qui d'habitude sais exactement quel geste posé et à quel moment voilà que je n'arrive pas à me sortir cette femme de la tête ! Bon Dieu de merde !

-Sire… Calmez-vous ! Reposez-vous. Dormez, si vous y parvenez. Demain, nous repartons… Peut-être que loin, vous oublierez !

-Ça, ça m'étonnerait beaucoup… mon père n'a jamais oublié lui !

-Oui… en effet Sire vous dites là quelque chose qui est vrai. (silence) Mais vous n'êtes pas le même homme que votre père !

-Vous dites vrai. Ça, je ne lui ressemble pas du tout !

-Je me retire, Sire… Tentez de dormir un peu. La nuit porte conseil et comme vous êtes si… si perturbé… pourquoi ne prenez-vous pas une dame pour vous aider à passer la nuit Sire ?

-Sortez, Gustaveson ! Vous savez ce qui m'obsède… et… je n'ai pas envie de conter fleurette aux des dames, ce soir…

Cette petite discussion avait réussi à faire redescendre quelque peu la tension intense qui était sur le point d'exploser quelques instants auparavant. À l'horizontal sur le matelas de paille qui lui servait de lit, son Impétueuse Majesté repassait chacun des instants passés auprès de sa découverte du matin. Le choc qu'il avait alors ressenti était loin de s'être dissipé. Avoir insisté pour revoir la dame le soir n'avait fait qu'aggraver les choses. Pourquoi désirait-il cette femme et ne pouvait-il pas la prendre comme il le faisait d'habitude sans même se poser la question ? Que se passait-il ? Boris ne pouvait répondre à cette question. Il n'arrivait pas à faire le point et cette situation l'agaçait au dernier degré.

À l'apparition de l'aurore, le soleil qui passait par les coutures du toit de la tente l'invitait à se lever. N'ayant pratiquement pas fermé l'œil de la nuit, il prit la décision qu'un bain lui serait bénéfique. Après mûres réflexions, une plongée dans les eaux froides de la rivière qui longeait le village le revigorerait bien mieux. Serviette de coton à la main, torse nu, cheveux nattés, le roi sortait se baigner.

Le feu de la veille n'était plus que cendres et poussières. Le village entier semblait dormir sauf quelques enfants qui couraient en poussant des cris stridents. Les jarres laissées par terre, les coupes de vin qui jonchaient le sol, les chaises en désordre, les tables tournées pour la plupart les quatre fers en l'air, même quelques âmes qui avaient dû fêter plus que leur permettait leur constitution, parsemaient l'endroit ! De ces esprits tourmentés par la boisson, couchés, dormant à point fermé, certains étaient les soldats de Sa Grandeur Royale ! On avait bien festoyé et le résultat gisait partout sur la grande place.

Regardant ce spectacle en passant à travers ce désordre anarchique, Boris se rendait directement vers la rivière aux émeraudes. Une rivière d'un vert profond aux eaux limpides qui coulait depuis des millénaires à travers la belle Suède. Le soleil du matin, tels des petits éclats de verre, dansait sur la surface mouvementée des eaux qui descendaient inlassablement vers le Sud, se butant quelques fois sur les rochers qui montraient leur tête par-dessus la surface limpide.

Les pieds dans l'eau froide, les muscles réclamant leurs étirements matinaux, tout était paré pour débuter une matinée vers un nouveau destin. Nu comme un ver, il se trempait dans une eau bienfaisante et ravigotante ne se souciant guère de sa tenue d'Adam auprès des yeux curieux qui auraient pu tout voir s'ils étaient debout à cette heure matinale !

Plusieurs minutes plus tard, après avoir ressenti tout l'effet salutaire de cette eau qui s'immisçait dans les moindres recoins de son être, Boris sortit, se sécha et enfila son pantalon. Il revenait vers sa tente croisant un peu plus d'activité sur le chemin de retour.

Les femmes avaient fait son lavage, et tous ses vêtements étaient pliés et déposés sur sa paillasse. Attachant sa longue chevelure d'un lacet de cuir, prenant pour acquis que son costume de velours bleu serait l'habit de mise, il sortit, c'est le cas de le dire, vêtu comme un roi ! Épée à la ceinture, cape assortie, gants de daim, bottes en cuir noires lui montant jusqu'à mi-jambe, il n'y avait absolument rien qui clochait sur notre dieu grec !

Faisant appeler dix de ses meilleurs hommes, le roi s'était encore introduit dans la chaumière près de sa tente en faisant ressortir les occupants. Les hommes entrèrent et se cordèrent tous en ligne face à lui.

-Messieurs, ce matin, nous repartons vers mes terres. Juste avant que l'on parte, il me reste un petit quelque chose à faire. Rughenbergh, vous informerez tout le monde de plier bagages pour qu'on parte dès mon retour. Je ne m'éterniserai pas en ces lieux. Glinkson et Lafenrsein vous allez me cueillir le fils du forgeron et me l'emporter ici. Linen, Luther vous allez me vider le carrosse et l'emporter jusqu'ici. Les autres, vous allez m'attendre à l'extérieur et vous viendrez avec moi lorsque j'en donnerai l'ordre.
-Bien Sire ! Répondirent-ils en cœur.

Les ordres donnés, les hommes sortis, Boris s'installa le postérieur accoté à la table, croisa les jambes et les bras attendant avec impatience le retour de ses deux soldats qui arrivèrent quelques minutes plus tard accompagnés du fils du forgeron.

-Sire vous avez demandé à me voir ? Demanda le jeune homme.

-Oui. Boris fit un long silence.

C'est que le roi, à peine plus âgé que le forgeron, l'étudiait, le reluquait d'un regard inquisiteur. Il s'agissait d'un jeune homme à la forte constitution, simple et ma foi, très beau garçon. Ce détail, écorcha d'ailleurs la jalousie maladive du roi.

-C'est toi le fils du forgeron qui prendras en noce bientôt la fille du sage ?
-Oui majesté, c'est exact.
-Es-tu épris d'elle ?

La réponse se fit attendre. Le jeune homme dévisagea son roi. Il répondit franchement :

-Comment pourrais-je ne pas l'être…

Cette réponse fit sourire le roi. C'est qu'il n'est point sot ce forgeron !

-Tu as bien raison, comment pourrais-tu ne pas l'être…

Boris fit un autre long silence. Il observait malicieusement le jeune forgeron et se dressa pour se diriger vers une petite fenêtre faisant ainsi dos à son interlocuteur. Le regard plongé dans le vide Boris continua.

-Et la jeune demoiselle est-elle éprise de toi ?
-Oui, Sire !

Toujours le regard vers l'extérieur, Boris releva un peu la tête. Un silence d'église s'installa pendant quelques instants. Éric attendait. Car il était visible que le roi allait dire quelque chose et que cet interrogatoire menait sûrement quelque part, mais où ?

-Si je te disais que je vais repartir ce matin vers mon château et que je ramène Mira avec moi, qu'en dirais-tu ?

Éric comprenait que l'irrésistible charisme de Mira avait fait son œuvre. Voilà où tout cela menait. Il n'en fallait pas plus pour que le jeune homme comprenne la portée des paroles du roi. Son cœur se brisa en mille morceaux. Le roi se retourna vers lui. Son regard se perdait dans le sien et les deux hommes s'observaient froidement. Éric rétorqua :

-Soit ! elle est très douce, mais elle n'acceptera jamais gentiment de vous suivre. Elle m'a donné son cœur et ça personne ne peut me l'enlever même pas le Roi !

La furie se lisait très bien dans les yeux des deux hommes qui étaient maintenant face à face. Boris d'une voix enragée lui répliqua :

-Tu crois ça ! Sache que ce que le Roi désire il le prend et ce n'est pas un petit forgeron de province qui m'empêchera de cueillir la femme qui sera assise près de moi sur le trône !
-Non, majesté… Je la connais beaucoup mieux que vous. Elle est tendre, douce et fragile, c'est un véritable trésor d'honnêteté et de sagesse. Vous lui briserez le cœur si vous l'emportez sans son consentement. Ne l'emportez pas avec vous, elle sera malheureuse…

Il fit un court silence, la rage lui déchirait l'âme… Il conclut :

-De toute façon, elle n'acceptera jamais de partager sa vie avec un être aussi tyrannique que vous !

Cette remarque fit sortir Boris de ses gonds.

-Assez ! Qu'on lui attache les mains et vous me le déposez sur le dos d'un cheval.

Deux chevaliers l'empoignèrent et le tirèrent vers l'extérieur. Des prises de luttes furent nécessaires puisque l'agilité du forgeron, sa jeunesse, sa force, eurent pour effet de faire chanceler un et deux et presque trois hommes car il se débattait comme un diable dans l'eau bénite. Boris admirait tout de même l'adversaire du coin de l'œil. Comme ce forgeron aurait fait un guerrier solide. Oui, le jeune homme était solide. Il était tout ce que Boris admirait d'un concurrent. Solide, têtu, physiquement constitué des meilleurs atours, son égal quoi ! Mais rien ne pouvait le surpasser, et encore moins lui être comparé, alors, la jalousie, l'orgueil, le caprice remontaient aux joues de notre tyrannique personnage aussi vite que l'admiration déclenchée par cette force et cette agilité dont faisait preuve le jeune homme.

Boris sortit de la maison sous les yeux horrifiés des paysans qui s'arrêtaient devant cette scène terrible. Les chuchotements provoqués par l'étonnement, faisaient office de musique de fond. Il fit signe aux hommes qu'il avait désignés de le suivre avec le jeune homme finalement ficelé comme un saucisson sur le dos d'un cheval. Les autres soldats assistaient à la scène aussi impuissants que la populace pouvait l'être. Le roi venait encore de faire une crise de colère et ils savaient ce que cela voulait dire. On se tait, on s'affaire à ce qu'on doit faire et c'est tout. Dès que le spectacle imprévu fut hors de vue, chacun, autant les paysans que les soldats se dispersèrent et l'activité matinale reprit son cours. Mais, entre eux, d'un côté comme de l'autre, les discussions prirent une tout autre tournure que celle des matinées habituelles. Le sujet de l'heure fut une question qui revenait sur chaque lèvre : *Que peut bien avoir fait le fils du forgeron pour se retrouver dans cette position face au Roi ?*

Quelques galops plus loin, Boris et ses hommes étaient arrivés audevant de la demeure d'Amik.

D'un pas décidé, le roi fit irruption en la demeure. Personne dans la pièce centrale, personne dans la pièce de droite, personne dans la pièce de gauche. La maison semblait déserte. Cherchant du regard âme qui vive, c'est par la fenêtre qui donnait sur la cour arrière que les yeux noirs trouvèrent ce qu'ils cherchaient. La créature divine se trouvait au fond de la cour où elle étendait du linge sur une corde. Puisque l'homme avait trouvé l'objet de sa recherche, il s'immobilisa admirant dans toute sa splendeur la légendaire Mira.

Chacun de tes mouvements ressemble aux vagues de la mer. Tes cheveux se balancent au gré du vent comme le blé dans les champs d'automne. Ta grâce excelle et pourrait faire trembler les meilleurs sculpteurs. Ce que ta beauté, ce que ton âme peuvent refléter sur le mortel que je suis ! Même le plus beau de mes songes ne peut t'égaler. Ho ! Mira comme je suis amoureux ! Mon cœur s'emballe juste à ta vue !

En effet, le cœur guerrier de notre roi s'emballait. Une sensation qu'il ne connaissait point dans de telles circonstances.

Marchant à pas feutrés, l'hypocrite se dirigeait en ligne droite vers la créature de rêves. Arrivé à point, il s'arrêta. En silence, il attendait qu'elle se retourne. Le spectacle était si agréable. Une légère brise sous un soleil radieux faisait de la chevelure de son ange des filaments d'or qui s'animaient, qui prenaient vie. Le frottement de l'air contre les jupes donnait l'impression que tout ce qui est normalement inanimé, vibrait. Comme la veille, une sensation d'extase s'empara de lui. Cette lumière invisible, cette aura intouchable, cette inexplicable attirance le chamboulaient encore. Ces gestes pourtant si familiers le

98

fascinaient. La délicatesse de ses petits doigts sur des vêtements de paysan transformait la tâche ménagère en véritable ballet.

Une secousse de vent plus forte et brusque que les autres fit virevolter un vêtement que Mira venait à peine de déposer sur la corde et qui dansa un peu avant d'aller s'étendre à ses pieds. Elle se pencha pour le ramasser. L'éclat du soleil sur le cuir noir des bottes du roi reluisait choquant l'œil sur cette herbe verte. Surprise, réalisant qu'il y avait quelqu'un tout près d'elle, poussant un léger cri de frayeur elle se releva brusquement. Son cœur lui donna l'impression d'avoir fait au moins dix tours avant de reprendre sa place. Quel choc ! Elle porta sa main droite à sa poitrine.

-Pardonnez-moi, Madame, de vous avoir infligé une telle peur ! Ce n'était nullement mon intention !

Mira ne répondit rien, figée ! Le cœur s'était presque arrêté quelques secondes auparavant, mais là, il battait à tout rompre et c'était maintenant à la respiration de se mettre de la partie. Le souffle court, la main toujours sur la poitrine, Mira luttait désespérément pour reprendre ses sens.

Encore lui ! Qu'est-ce qu'il veut de si bonne heure aujourd'hui ? Pourquoi est-il là ? J'ai failli avoir une attaque.

-Je suis venu vous apprendre que je repars ce matin vers mon château. Je suis aussi venu vous annoncer que vous ferez partie du voyage.

Mira leva les yeux puisque dans cette panique, son regard s'était détaché de l'objet de sa surprise. Si la vue du roi en était une, cette dernière phrase eut l'effet d'un cataclysme sur le muscle cardiaque de la belle. Sa bouche s'ouvrit légèrement, comme si les muscles de la mâchoire inférieure avaient lâché prise soudainement par cette annonce.

Il me ramène avec lui ? Qu'est-ce que cette histoire ?

-Moi… Mais…

De sa haute stature, le roi regardait les yeux d'azur et posa délicatement son index sur les douces lèvres tremblantes de la belle. Comme si un géant s'était penché sur une brebis.

Comme la frayeur dans ses yeux est enivrante. Elle me craint.

-Chut… ! Dit-il doucement.

Elle se recula précipitamment. La marche arrière était, certes, plus sûre que la marche avant.

Mon cœur va défaillir ! Qu'est-ce qu'il veut dire par « je ferai partie du voyage » ?

Prenant ce qui lui restait de capacités, elle finit par formuler une question et une phrase complètes.

-Pourquoi irais-je avec vous, Sire ? Je n'ai aucune envie de visiter votre demeure ou d'aller chanter à la Cour !

Cette remarque fit rire Boris aux éclats. Cette candeur le charmait encore plus qu'il ne l'était déjà.

-Ha ! ha ! Ce que vous êtes charmante, Mira ! Ha ! ha ! Je ne vous emmène pas avec moi pour que vous veniez visiter quoi que ce soit ou que vous chantiez à la Cour ! Vous pourrez visiter, certes, tout ce que vous voudrez bien visiter même ! Vous pourrez chanter si le cœur vous en dit ! mais je vous ramène avec moi pour une tout autre raison. Je vous ramène avec moi car… Le Roi ne voit personne d'autre que vous pour siéger auprès de lui sur le trône ! Jolie Mira, le Roi de Suède va se marier ! Je vais faire de vous, mon épouse. Vous vous mariez avec le Roi et vous devenez Reine !

Mira était horrifiée. Si cataclysme il y eut quelques minutes plus tôt, là c'était devenu un ouragan gigantesque qui foudroyait Mira.

Il est complètement fou. La Suède est dirigée par un fou ! Qu'est-ce que c'est que cette histoire ? Une paysanne qui se marierait avec un dignitaire, un roi ?

Elle tentait de reprendre ses sens qui se défilaient l'un après l'autre devant l'imposant personnage royal qui lui souriait. D'une voix hésitante elle demanda :

-Votre femme… Sire ? Mais… mais… c'est impossible ! Je suis une paysanne… Je vais me marier dans quelques semaines… avec…

Boris la regardait. La panique perceptible par le tremblement dans sa voix, le tressaillement du corps tout entier de la frêle créature, ses petits pas à reculons qui la distançaient peu à peu de lui, laissait savoir à Monsieur Boris qu'elle se refusait totalement à sa proposition. Son regard s'assombrit, son sourire disparut et furent vite remplacés par un air suffisant et vindicatif.

-Voilà que vous n'êtes plus une simple paysanne et votre famille non plus, la belle !

Il mit la main à son haut de costume et en ressortit un papier qu'il tendit d'une main ferme. L'hésitation d'ouvrir le parchemin marqué d'un sceau de toute évidence royal agaça Boris qui l'ouvrit avec brutalité et en fit la lecture.

-Devant Dieu et par les pouvoirs qui me sont conférés en tant que Roi du Royaume de Suède, Moi, Boris Magnusson je déclare qu'Amik Johanneson est désormais Duc du duché de la Forêt d'Elfe. Les terres de cette partie du comté de Vâlâdalens sont maintenant sous la tutelle de sa seigneurie et ses descendants en porteront les titres et tata tata... Ça vous convient, Madame ? Vous êtes duchesse désormais !

Mira était muette, bouche bée. Le regard affolé et le désarroi étaient cependant un obstacle à la joie que Boris aurait voulu lire dans les yeux de sa chère Mira et cela ne faisait que confirmer que la belle demoiselle ne semblait pas vouloir changer d'avis sur ses intentions.

-Vous décevez beaucoup le Roi, Madame ! J'aurais cru que le fait de devenir d'abord duchesse et de prendre Boris Le Magnifique comme époux vous enchanteraient un peu plus !
-Je... je... je ne... désire pas être duchesse... ni devenir reine... Je...

Comment ose-t-elle se refuser à une proposition aussi alléchante ?

Coupant court à l'obstination de la douce demoiselle, Boris renforça sa démarche délicate passant de ses pas feutrés vers ceux d'un éléphant qui prend d'assaut une verdoyante plaine. À son habitude, il ne ferait plus dans la dentelle puisque, de toute évidence, cela ne donnait rien avec la demoiselle. Il haussa le ton.

-J'ai décidé qu'il en serait ainsi. Je suis le Roi. Madame, votre réticence ne me plaît guère et je vous ramène avec moi, que vous le vouliez ou non.

Mira avait les yeux plein d'eau sur le point d'éclater en sanglots. Son corps tout entier était pris de frémissements.

Mon Dieu ! Il est sérieux... il est réellement fou ? Je ne désire pas du tout le suivre ce roi arrogant et je n'ai rien à foutre des conventions astreignantes de la Cour. J'aime Éric, pourquoi est-ce que j'en marierais un autre ?

Boris s'avança vers elle et la saisit par le bras. Elle offrit de la résistance à ce bras musclé pour alors à le supplier.

-Majesté, non ! Je ne souhaite pas aller avec vous... Je vous en pris... J'aime le fils du forgeron et je veux me marier avec lui. Laissez-moi !

-Éric est ici, il vous attend ; vous pourrez lui faire vous-même vos adieux...

Éric est ici ? Comment il l'a emporté avec lui ?

D'un geste rapide comme l'éclair, elle se libéra de la forte emprise. Relevant jupons, jupe, dentelle, prenant ce qui lui restait de courage pour traverser à la course la petite cour, pénétrant en trombe dans la demeure pour aboutir sur la galerie avant de s'arrêter brusquement. Les yeux écarquillés, elle balayait du regard la scène. Plusieurs soldats du roi étaient assis silencieux sur leur monture. Éric était attaché, bâillonné, se tordait bien retenu par deux gardes du roi. Rien pour remettre à sa place un état de choc qui la traversait de la pointe des cheveux jusqu'aux orteils. Le tortionnaire venait de faire irruption derrière elle juste au moment où elle allait courir vers son amoureux. L'armoire à glace utilisa toute la force nécessaire sur le petit bras pour retenir cet élan.

-Eh ! bien Madame, si vous désirez vraiment améliorer le sort de votre prétendant, il vous faudra démontrer un peu plus de collaboration envers votre Roi !

-Éric... Non !

Mira pleurait. Seule défense qui réussit à surgir de son sentiment d'impuissance.

Dieu du ciel ! Que va-t-il lui faire ? C'est affreux ! Pourquoi ? Qu'est-ce que j'ai bien pu faire pour qu'Éric soit dans cette position ? C'est affreux ! Il faut que cela cesse immédiatement.

On débâillonna le jeune homme qui se mit à crier :

-Ne t'occupe pas de moi ! Ne fais pas ce qu'il te demande… SAUVE-TOI, Mira ! Criait Éric.

-Souhaitez-vous que nous mettions fin à ses souffrances, Madame ? Demanda Boris d'un air placide.

Comme un daim pris au piège, Mira était maintenant en proie à un désarroi, une détresse extrêmes. D'un côté, elle suivait cet ignoble personnage ou de l'autre, restait et voyait les hommes de Boris malmener son amoureux ; un choix facile !

-C'est affreux ! Pleurait-elle la tête entre les mains. Ne lui faites pas de mal, Majesté, je vous en supplie…

-Cela n'en tient qu'à vous ! Si vous venez gentiment avec moi, je le libérerai…

-NON ! Mira… Non. Ne l'écoute pas. Il te ment ! Ne te sens pas obligée de partir avec lui pour sauver ma vie. Ma vie contre la tienne Mira, c'est bien peu… Tu ne mérites pas ça… Mira ! Il te ment… Ne fais pas ça Mira… ! S'époumonait à crier, le jeune forgeron.

-Comme c'est touchant. Je m'attendais à quelque chose de sa part mais sûrement pas à ça, Madame… Il est prêt à mourir pour vous !

-Majesté, je vous en supplie laissez-le…

-Vous venez avec moi alors ?

-NON ! Mira ! Ne fais pas ça ! Il te ment !

-Lâchez-le et je partirai avec vous !

-De gré ou de force Madame ?

-Salaud… ! Lança-t-elle.

On dit que la vérité choque. C'est sûrement ce qui se passa dans l'enchevêtrement émotif de notre jeune roi. Sachant tous comme il pouvait être colérique voire même diabolique, il n'en fallait pas plus pour allumer Boris qui prit brusquement la belle récalcitrante par le bras.

-Bon, puisque vous insultez le Roi ! j'en ai assez, je vous emmène par la force puisque vous ne voulez pas vous soumettre gaiement à ma requête.

Offrant le meilleur de sa résistance, Mira se débattait. Peu efficace ce combat entre un lion et une gazelle ! Perdu d'avance. En moins de deux, la créature en pleurs était enfermée à double tour dans le carrosse. Pas un gémissement, pas un cri, aucune larme n'attendrirait le roi.

Seule une petite ouverture derrière le siège du carrosse permettait d'avoir une vue sur ce qui se passait hors de l'habitacle. C'est à travers des petits barreaux de fer que Mira voyait Éric qui criait à tue-tête.

Mon Dieu c'est affreux… Éric ! Non… je dois sortir ! Ah ! Je suis bien enfermée ! Qu'est-ce que je peux faire… NON ! Qu'est-ce qu'ils font ? NON ! NON ! NON !

Sous l'ordre du roi et sous les yeux horrifiés de Mira, Éric eut la gorge tranchée d'un seul coup par une épée. Il s'effondra tête première sur le sol. Le sang giclait par terre s'éparpillant en une marre rougeâtre. De sa gorge plus un son ne sortirait désormais. Sa chevelure bouclée blonde se mêlait à la marre de sang et son décès ne faisait aucun doute. Le spectacle était horrifiant pour les yeux azur qui n'avaient jamais vu la mort de si près et de façon aussi gratuite. Les cris intérieurs surgirent, telle la plainte d'un loup qui hurle à la lune, de la petite ouverture qui servait de fenêtre barricadée. Ses petits doigts serraient de toutes leurs forces les barreaux à en devenir rouge.

NON ! Éric… Non ! Non…

Effondrée, le cœur serré, enfermée, la gazelle voyait dans ce geste cruel toute la barbarie du Roi de Suède.

C'est ma faute ! C'est ma faute ! Pourquoi est-ce que je ne me suis pas sauvée hier ? Pourquoi est-ce que je l'ai insulté ! Non… non…

Elle se débattait et hurlait à en faire balancer la voiture. Les pleurs, la rage, l'impuissance la transformèrent en tigresse. S'infligeant même des blessures aux jointures, la belle hurlait son désespoir. Mais la voiture était bien plus solide que les petits points et les pieds de la demoiselle. Les murs ne répondaient aucunement aux coups qu'ils recevaient sauf par quelques vibrations. Les forces diminuaient à chaque mouvement. Jusqu'à ce que la belle exténuée s'écroulât sur le plancher du carrosse en larmes.

Amik redescendait du champ ameuté par tous ces cris. Il arriva en trombe à la cour avant de sa demeure. L'étonnement de l'homme fut à son comble lorsque ses yeux se posèrent sur la scène qui s'offrait à lui. Le jeune forgeron gisait dans son sang, les soldats du roi étaient assis impassibles sur leurs chevaux, le roi était sur le point d'enfourcher sa monture, il entendait clairement les pleurs de sa fille qui émanaient du carrosse. Le père et le roi firent un face à face de taille. Amik, l'esquiva, mais Boris tendit son bras et l'arrêta.

-Où croyez-vous aller comme ça ?

-Où est ma fille ? Qu'est-ce que…

-Votre fille ? Elle part avec moi. Je vous annonce que vous êtes devenu le Duc de la Forêt d'Elfe et par le fait même, la duchesse Mira deviendra ma femme. Quant à ce jeune homme, il se dressait entre moi et Mira. On ne se dresse pas entre le Roi et ses requêtes.

-Quoi ? Non ! Ma fille n'ira nulle part. J'entends bien par ses pleurs qu'elle ne désire aucunement vous suivre… je…

-Quel meilleur sort pouviez-vous souhaiter pour votre fille ? Elle sera Reine d'un magnifique royaume. Les plus beaux bijoux, les plus beaux vêtements couvriront son merveilleux corps. Elle aura tout ce qu'elle désire !

-Les bijoux, les vêtements, un titre de noblesse ? Boris seriez-vous devenu fou ? Croyez-vous que ce sont ces choses qui animent ma fille, qui la rendront heureuse, qui lui feront oublier ce que vous venez de faire ?

-Assez ! Je n'ai pas de compte à rendre à un charpentier de campa-gne pour qui j'ai eu de si bonnes attentions en lui donnant un titre et des terres. Quel ingrat, tu fais Amik !

Déjà assis sur sa monture, Boris sonnait le départ. Ce départ était comme si on venait de sonner le glas. L'impuissance d'Amik de lutter contre le roi qui lui enlevait le bien le plus précieux lui arrachant de façon si brutale, le fit tomber à genoux.

Mira ! Non ! Ma fille ! Ce maudit Boris… il est bien celui qu'on m'avait décrit ! Mira… ma Mira ! Non… Non… pas ma fille… pas ma Mira…

Quelques villageois qui avaient eux aussi entendu ce vacarme ac-couraient croisant dans leur course le carrosse, le roi et ses soldats. Distinguant maintenant clairement Éric qui gisait par terre et Amik à genoux qui se tenait la tête à deux mains.

Quant à Mira, elle s'était relevée et accroupie dans le fond du siège. Le carrosse était bel et bien en direction du château du roi et les intentions de Sa Majesté étaient très claires désormais. Le roi l'avait examinée sous tous les angles et avait décidé qu'elle serait sienne. Voilà le prix à payer pour les caprices de l'impétueux Boris. À dix-sept ans, protégée par l'amour paternel et fraternel, exclue des attaques extérieurs jusque lors, ses grands yeux azur voyaient la barbarie, la violence, la déchéance de l'homme dans toute sa grandeur. Le choc de son monde couvert de duvet et de tendres attentions venait de s'ouvrir sur un univers de réalités dures et éprouvantes. Une coupure béante s'était dessinée en son âme et présentait désormais à la douce enfant une facette sombre de l'humanité. Ce réveil brutal, cette entrée dans la vie, cette prise de conscience soudaine, tout ça, assombrissait son esprit, alourdissait son cœur et ses pensées.

Éric, pauvre Éric qui avait perdu la vie seulement parce qu'il l'avait aimée. Comme elle se sentait coupable même si tous savaient qu'elle n'avait aucun reproche à se faire.

Boris menait le convoi, droit, solennel, d'un sérieux de curé. Arrivés au village, ils passèrent sans même s'arrêter. Les compagnons de voyages de Sa Majesté étaient fidèles derrière et suivaient.

Ils avaient quitté le village comme ils étaient arrivés, en impressionnant les villageois qui ne savaient pas encore ce qui s'était passé quelques minutes plus tôt et quelques mètres plus loin.

Boris voyait bien que certains de ces hommes désapprouvaient grandement les gestes qu'il venait de poser

Ils sont tous si silencieux ! Je suis celui qui, après Dieu, décide du sort des gens. Ils le savent et sont mieux de rester muets !

Il ne dit pas un mot pendant un long moment perdu dans ses pensées.

Pourquoi cette femme me résiste-t-elle à ce point ? Je suis son Roi. Je suis beau, élégant, j'ai toujours beaucoup plu aux femmes. Pourquoi elle n'éprouve pas pour moi les mêmes sentiments que j'éprouve pour elle ? Je la désire tellement. Les autres femmes avec qui j'ai partagé les plaisirs charnels me démontraient beaucoup plus d'affection. Leurs caresses et leurs baisers avaient toujours assouvi mes besoins les plus naturels. Et d'elle je n'arrive même pas à obtenir un geste d'affection même le plus petit, un simple sourire !

Cheveux au vent, montures au galop, Ils cavalaient depuis bientôt plus de cinq heures. L'un de ses chevaliers s'approcha de lui.

-Sire, les chevaux sont fatigués et les hommes ont faim, il faudrait nous arrêter.

-Oui. Regarde il y a une clairière plus loin. Arrêtons-nous là.

Le convoi se dirigea vers l'endroit en question. Les hommes descendirent de leur monture et firent le nécessaire pour s'installer confortablement pour prendre un petit repos bien mérité.

Une fois tout le monde installé, Boris se dirigea vers le carrosse qui avait été positionné en retrait.

Il faut que je voie dans quel état elle est. Je n'ai plus entendu ses pleurs depuis que nous sommes sortis du village. Peut-être est-elle déjà consolée ! Ça serait le plus beau présent qu'elle pourrait me faire ! Ce que je suis impatient de revoir ses yeux azur !

Il sauta en bas de sa monture et déverrouilla la porte. Une fois la porte ouverte, il tendit l'oreille, aucun son. Le carrosse situé sous d'immenses arbres qui ne laissaient passer pratiquement aucune lumière assombrissant l'intérieur du véhicule et c'était difficile de distinguer cette frêle silhouette blottie contre la paroi du carrosse.

Il referma la porte derrière lui. Les autres hommes regardaient la scène silencieusement. Quelques instants plus tard, ils se remirent à manger et à discuter tranquillement, sachant très bien qu'aucun d'eux ne saurait ce qui se déroulerait à l'intérieur du carrosse.

Boris s'assit sur le banc faisant face à Mira s'accoudant sur un rebord qui faisait le tour intérieur de l'habitacle. Main gauche sur le menton, silencieux, observant le fragile animal prit dans un coin sombre d'une cage, le roi songeait.

Même les yeux pleins de larmes, elle est superbe. Elle est si effrayée !

Il resta silencieux pendant un long moment.

Qu'est-ce qu'il peut bien observer comme ça ? Je le hais à un point tel que si j'en avais la force, je lui arracherais la tête ! Quel besoin avait-il de tuer Éric ? Il n'avait qu'à faire ce qu'il a fait et m'emmener de force... Éric... pourquoi ?

-Voulez-vous quelque chose à manger ? Voulez-vous sortir prendre l'air ? Nous avons encore plus de trois longs jours à faire avant d'arriver à destination…

Si je sors, ce sera pour m'enfuir, tiens ! Mais, je sais que je ne pourrai aller nulle part… Je me sens incapable de même me lever… Je me sens faible…

Aucune réponse à son questionnement, il persista.

-Cette attitude ne vous mènera nulle part, Madame… Vous devrez bien échanger certaines paroles avec vos semblables un jour ou l'autre !

De grosses larmes coulaient sur ses joues. Elles reflétaient si bien les seuls petits rayons de lumière qui parvenaient à passer par la fenêtre.

Elle est terrorisée, ébranlée, c'est normal. Elle est jeune et ne connaît point les champs de bataille et le sang… Cela fait tellement partie de moi que j'en oublie les êtres comme elle qui vivent simplement, paisiblement ! J'ai peut-être manqué de jugement ce matin avec son Éric, j'aurais dû le faire pendre au lieu de lui faire trancher la gorge devant elle ! Me pardonnera-t-elle ? Si je lui démontre que je ne suis pas un barbare sanguinaire elle comprendra peut-être qui je suis ? Essuie tes larmes ma belle.

Il avança sa main pour essuyer ces larmes qui déferlaient sur les jolies joues. Elle se jeta la tête en arrière et s'accroupit de toutes ses forces fermant les yeux. Ce mouvement rapide ne dissimulait aucunement la frayeur qu'il lui inspirait. Il avança encore plus son bras et sa main finit par atteindre son but. Il essuya tendrement les larmes.

Ah ! Cette peau douce comme celle d'une pêche ! Comme je me sens puissant… comme cette sensation me fait frissonner. Comme sa peau est douce. Comme les traits de son visage sont parfaits. Et le tout emballé dans un écrin si délicat.

-Madame, je ne vous ferai aucun mal. Je voulais juste essuyer vos larmes qui… qui ne changeront rien à votre destin. Votre destinée était de rencontrer le Roi qui ne demande pas mieux que de partager son trône avec vous.

Sur ces mots, il s'agenouilla devant elle, accoudant ses deux bras de chaque côté de ses cuisses et lui prit les mains.

-Madame, le plus grand bonheur que vous puissiez me faire serait de me démontrer un peu d'affection...

Il la regardait fixement.

Mon Dieu ! Ce roi est fou ! J'ai rencontré un roi fou qui s'est épris de moi ! Ne voit-il pas que je n'ai aucun sentiment pour lui si ce n'est qu'une frayeur atroce ! Comment pourrais-je en avoir après tout ce qu'il a fait à Éric ? Si je suis ici c'est que je suis prise au piège... ne le voit-il pas ? Je n'ai aucune possibilité lui échapper. Mais, je peux au moins le repousser... le repousser ?

Elle tenta de se défaire de ses mains robustes qui retenaient les siennes. Boris ne lâcherait pas si facilement prise.

-Regarde-moi, Mira... Regarde-moi !

Avec la plus grande peine elle s'exécuta.

-Tes yeux sont si beaux ! Tu auras tout ce que tu me demanderas Mira, et encore plus.
-Poussez-vous ! Je... je... ne veux rien de ce que vous avez à m'offrir ! Libérez-moi !

L'homme avait un regard d'acier. Sa rage était perceptible. Ce refus catégorique qui augmentait sa frustration faisait redescendre les ardeurs qui lui montaient depuis quelques minutes à la tête. Ses mains serraient avec force les graciles poignets.

-Ça Mira n'y compte pas ! On verra bien si le Roi n'obtiendra pas ce qu'il désire ! On verra bien si la paysanne est plus têtue que Boris, Roi de Suède ! Tu resteras enfermée dans ce carrosse et tu n'en sortiras que lorsque JE le voudrai bien ! Hurlait Boris.

Le gorille au dos argenté sortit dans une rage qui aurait pu valoir au carrosse une réparation sérieuse. La porte fut fermée si violemment que la vibration et le fracas firent sursauter Mira secouant le carrosse comme si les vagues de la mer se déchaînaient.

Qu'est-ce que je vais devenir ? Que va-t-il faire de moi ? Éric...
pourquoi ? Éric... si je m'étais enfuie hier... Pardonne-moi ! Par-
donne-moi Éric...

Des torrents dévalaient les joues de la pucelle.

A peine débarqués et installés, le roi venait vers les hommes qui
étaient soudain sous l'effet de l'inertie la plus totale. C'est vrai que de
voir un tigre du Bengale se diriger vers vous, vous laisse un peu perplexe !

-À vos montures, on repart !
-Mais Sire, on vient juste de s'installer pour manger !
-À vos montures, j'ai dit ! Vous mangerez en chemin ! Et ne vous
obstinez pas avec moi.
-Bien, Sire !

Il tira si fort sur la bride de son cheval que le pauvre gémit et baissa la tête. Devant, cette colère et la manière dont il traitait sa monture,
le tout fut remballé vite fait. Les hommes chuchotaient entre eux. La
frustration se lisait si bien sur les traits royaux de Sa Majesté et il ne
fallait pas le contrarier dans de tels excès de caractère.

Ils repartirent.

Quelques heures après, ils franchissaient les dernières bornes de la
Forêt d'Elfe. L'auberge où ils avaient fait la fête quelques jours auparavant se dessinait doucement à travers les arbres et la végétation. Le
soleil était sur le déclin, la soirée s'annonçait.

-Messieurs, je veux dormir à l'auberge cette nuit. Faites le nécessaire pour vous installer et nourrir les chevaux.

Ce qui fut fait dès qu'ils atteignirent les lieux. Oui, les chevaux
étaient fatigués, pour ne pas dire exténués et leurs maîtres humains
n'étaient guère en meilleur état.

L'aubergiste qui les avait aperçus au loin, les accueillait encore
courbettes devant.

-Votre majesté est de retour ?
-Oui mon brave et je désire manger un bon repas et boire du bon
vin. Mais avant j'ai quelque chose à te dire...
-Je vous dois le double de mon tribut, Sire ?

-Ha ! ha ! Non pas du tout, mon brave ! Tu ne m'avais pas menti. Vas aux cuisines... Fais préparer un de tes meilleurs repas et une de tes meilleures chambres... Tu as de la grande visite ce soir.

-Sire, vous êtes la grande visite !

-Ha ! ha ! Oui, certes, je suis de la grande visite, mais il y a ici ce soir un invité très spécial et je veux que cette personne soit servie comme une reine.

-Monseigneur a piqué ma curiosité, mais je crois savoir de qui il s'agit... Même si elle n'était pas accompagnée du Roi, je l'aurais traitée comme tel car elle est la grâce même. Je ne veux pas vous offenser en disant ces mots...

-Pas du tout mon brave, tu dis encore vrai. Il y a dans cette femme plus de grâce et de sagesse qu'aucune reine que je connaisse... Allez va, dépêche-toi !

L'aubergiste salua le roi, couru aux cuisines et fit sortir sa femme pour qu'elle monte à l'étage préparer la chambre. Boris ressortit de l'auberge se dirigeant vers le carrosse. Chemin faisant les questions lui embrouillaient l'esprit.

Bon, maintenant la belle, tu dois me suivre. Dans quel état vais-je encore la trouver ? J'ouvre. Elle ne semble pas avoir bougé depuis que je suis ressorti en après-midi ! Encore la tristesse qui se lit sur son visage. Non ! Là, il faut qu'elle oublie ce petit avorton ! C'est assez les caprices mademoiselle !

-Madame, nous allons passer la nuit ici. Je vous prierais de descendre, je vous reconduirai à votre chambre.

Mira ne bougea pas d'un iota. La brunante qui passait à travers la fenêtre rendait sa chevelure plus étincelante et l'ombre faisait ressortir le pourtour de son visage. Cependant, cette agréable vision était si immobile, si silencieuse que le roi sortit de ses rêveries de peau douce et de caresses enivrantes.

Bon, je vois que je n'obtiendrai pas de collaboration de la dame. Puisque c'est comme ça, la belle, je vais utiliser la force.

Le roi prit les poignets et tira dessus brusquement. Elle résistait du mieux qu'elle pouvait. Même si sa force était inégale avec ce guerrier sanguinaire, elle lui donnait du fil à retordre. Il finit par se fâcher et la débarqua avec brutalité.

-Cela suffit, Madame ! Que vous le vouliez ou non vous entrerez dans cette auberge et y passerez la nuit dans un confortable lit.

Les hommes plus loin regardaient cette jeune femme avec appétence. Comme ils enviaient tous le roi. On peut toujours rêver ! Jamais l'un d'eux n'aurait la possibilité de lui toucher. Le roi leur restait quand même le privilège de la regarder et ce, bien malgré lui, bien trop occupé à essayer de dresser la demoiselle !

Sortie du carrosse, elle se tenait debout mais souffrait d'immobilisme le plus total. Boris agrippa de nouveau les poignets comprenant qu'elle n'irait nulle part si elle n'y était pas contrainte.

-Bon ! Vous voulez que je vous y emmène de force, c'est ça ?

En disant ces mots, il se pencha et la fit basculer sur son épaule, se releva et se dirigea d'un pas sûr vers l'auberge. Mira ne pouvait rien faire. Cette force herculéenne l'avait soulevée comme une plume.

Entrés dans l'auberge, il la reposa par terre. L'aubergiste et sa femme étaient ébahis. L'aubergiste la dévorait des yeux. Ceci fit sourire Boris. La femme se précipita vers Mira.

-Pauvre petite elle semble si fatiguée, elle a les yeux tout rougis… Venez, je vais vous montrer votre chambre, Madame.

Cette bonne vieille femme l'a pris par les épaules et l'entraîna au deuxième étage. Boris ne perdait rien de la scène. Mira avait toujours son air triste et contrarié.

Comme c'est agréable de voir cette femme déambuler dans une pièce avec toute cette grâce. On dirait qu'elle marche sur un nuage.

Elle disparut cachée par le coin de l'escalier. Boris se retourna vers l'aubergiste qui regardait son escalier comme si une apparition lui avait été dévoilée. Boris s'approcha de lui avec un sourire moqueur.

-Tu ne pourras jamais dire que ton Roi n'a jamais rien fait pour toi !
-Ah ! Sire ! Je l'avais déjà vu, mais elle était enfant et ce soir mes vieux yeux m'ont presque fait croire qu'une apparition était entrée dans mon auberge.
-C'est vrai qu'elle est aussi éblouissante que le soleil de midi… Maintenant… Je veux manger.

-Tout de suite Sire, tout de suite…

Il repartit aux cuisines pour revenir avec un copieux repas et une bonne bouteille de vin. Le roi déjà attablé se laissa servir par l'aubergiste pendant que ses hommes s'installaient dans leur tente dehors. Au même moment la femme de l'aubergiste redescendit. Le roi la regarda, elle lui fit une courbette roi et continua jusqu'aux cuisines. Elle repassa de nouveau avec les mains chargées de vivres et de couvertures.

Son repas terminé Boris se coula une grande coupe de vin. Il mit ses jambes croisées sur la table et s'accota le dos sur le dossier de la chaise. La femme redescendit et Boris la perdit du regard aux dépens du cadre de portes des cuisines.

Après presque une heure d'inactivité et de songeries, il se leva.

Bon, je suis impatient de revoir cette belle récalcitrante, je vais grimper la voir. On ne sait jamais, tout à coup qu'en ouvrant sa porte, elle se jette à mon cou ? Ne rêve pas Boris, il faudrait qu'elle soit saoule ou que quelque chose lui soit tombé sur la tête ! Je vais quand même aller vérifier si elle à tout ce dont elle a besoin.

Il grimpa les marches de l'escalier quatre par quatre. Le corridor du deuxième étage donnait sur trois portes, mais d'une seule émanait une lumière. À pas de fauve, il s'approcha de la porte et l'ouvrit doucement.

Mira était debout près de la fenêtre. Le bruit du verrou de la porte la fit sursauter et elle se retourna brusquement. Comme un chat qu'on prend à faire un mauvais coup, elle ouvrit ses grands yeux azur et entrouvrit un peu ses charmantes lèvres.

Dieu du ciel, lui ! Non…

Elle avait dans les mains un tas de couvertures qu'elle avait nouées de façon à ce qu'elles forment une corde de fortune. Les couvertures prirent le chemin des lois physiques de la gravité. Devinant que la demoiselle tentait de s'enfuir par la fenêtre, la rage de la bête féroce se décupla dans une marche pesante et bruyante vers la demoiselle qui était figée sur place. Visiblement en proie à une colère, Boris avait l'index menaçant et les yeux quasi exorbités. Comme pour faire changement, il se mit à hurler.

-C'est donc comme ça que vous remerciez le Roi d'avoir de si bonnes attentions pour vous !

Mira était pétrifiée.

Je vais m'effondrer... il est si brutal... Il semble si enragé. Qu'est-ce qu'il va faire ? Il doit battre les femmes lui... Je n'ai pas encore reçu de coup... mais là... il... il... est si furieux... les quelques forces qui me restent sont en train de déguerpir et il s'approche de moi de façon si brusque.

Il lui empoigna les poignets et la projeta sans ménagement sur le lit.

-Sachez que toute fuite est impossible, Madame ! Vos larmes ne m'attendriront pas. Vous m'offensez grandement. Serait-il trop dur de vous rappeler que je suis le Roi et que vous me devez obéissance et soumission ? Je vous offre une vie de reine et voilà ce que vous faites de mes bonnes intentions ? Pour vous convaincre de ma puissance, je suis forcé de vous dire qu'une fuite de votre part mettrait en péril la vie de votre père et de vos frères ! Si ! Madame, je n'hésiterai pas à tuer votre père et vos frères afin que vous cessiez d'agir comme vous le faites !

A ces mots Mira éclata en sanglots. Il regardait l'effet dévastateur de ses paroles mais combien efficace puisque la belle se mit à le supplier.

-Majesté... Majesté... je... je... vous en supplie... ne faites pas de mal à mon père... ni à mes frères... Non... Non...
-Il n'en tient qu'à vous ma chère ! Si vous essayez encore de me fausser compagnie aussi cavalièrement, je vous assure d'aucune hésitation de ma part. Vous savez maintenant de quoi je suis capable... L'événement de ce matin ne vous a-t-il point convaincu ?

Était-il nécessaire de lui rappeler ? Elle savait pertinemment qu'il ne mentait pas.

-Ceci étant dit, Madame, vous devriez prendre la nuit pour vous reposer au lieu de perdre vos énergies à de futiles exercices d'évasion. Je vais positionner deux gardes à votre porte et au bas de la fenêtre comme ça, je serai certain que vous ne recommencerez pas.

Tournant sur ses talons, il sortit de la pièce en refermant avec force la porte qui claqua et fit sursauter Mira. Elle s'étendit sur le lit en pleurant.

Pourquoi tant de violence ? Je ne demandais qu'une vie paisible à la campagne près de ceux que j'aime... et Éric mort pour m'avoir aimée... Et ce roi qui ne cesse d'intervenir dans ma vie ! Veut-il réellement m'épouser ? Pourquoi, pour m'humilier davantage ? Pourquoi ne prend-t-il pas ce qu'il veut et ne me libère-t-il pas ?

Elle finit par s'endormir aux petites heures du matin sur le bord du lit, épuisée par tous les événements des derniers jours.

Boris passa la nuit dans la chambre faisant face à celle de sa douce. Fatigué, torturé par une envie folle de faire l'amour à cette femme, il tournait comme une toupie dans le lit.

Pourrais-je faire l'amour à cette femme ? Elle est si réticente ! Elle ne me démontre aucune affection. Devrais-je être obligé d'utiliser la force pour obtenir ce que je suis en droit d'attendre d'elle ? Je l'ai brutalisée plus d'une fois et rien... Elle se renferme derrière ses pleurs et des supplications qui n'ont rien à voir avec les requêtes que je m'attendrais à recevoir d'une femme.

D'habitude si sûr de lui, il ne parvenait pas à répondre à ses questions. Il ne ferma pas l'œil de la nuit.

Au petit matin, il s'habilla et prit soin de ramasser sa longue chevelure. Il se faisait un devoir de toujours apparaître devant la belle sous son meilleur jour. Il sortit de sa chambre. La porte lui faisant face était bien fermée et les gardes se dressaient face au roi qui sortait. D'un signe de la tête, ils furent chassés de leur position et descendirent en silence. Avec mille et une précautions, il poussa doucement sur le verrou et ouvrit la porte afin qu'aucun bruit n'émane de son geste.

La belle était couchée par-dessus les couvertes et semblait bercée par un sommeil paisible. Ses longs cheveux couraient en désordres sur les draps. Ses bras étaient repliés près de son doux visage et ses délicats petits doigts tenaient le rebord de l'oreiller. Ces longues et fines jambes à demie repliées se dessinaient sous sa robe un peu relevée laissant entrevoir ses pieds et ses mollets. Boris s'introduit doucement dans la pièce. Même après de dures épreuves la belle était toujours aussi attrayante ! Son sommeil avait l'air si doux.

Boris s'agenouilla près du lit s'installant de manière à détenir un point d'observation parfait.

Décidément, je ne me fatiguerai jamais de regarder cette merveille de la nature. Oh ! Elle se retourne. Cette poitrine qui se soulève à chacune de ses respirations fait encore monter en moi ce désir de la prendre. Une poitrine si ferme et si généreuse... Non, il ne faut pas dépuceler la belle tout de suite, Boris ! Sur mon beau grand lit au château ça serait encore bien mieux.

Il refoula ses désirs du mieux qu'il pût. Toutefois, une envie irré- sistible de toucher la peau de ses joues, le dévorait. Son geste tendre ne l'était pas assez pour ne pas tirer du sommeil la demoiselle.

Oh ! Qu'il est près de moi ! Non ! Qu'est-ce qu'il fait là ?

Rapide comme l'éclair, elle s'était assise, puis d'un bond s'était levée debout de l'autre côté du lit dans une telle hâte que Boris était resté immobile, figé par la surprise d'une telle souplesse !

-Je regrette de vous avoir effrayée... Vous dormiez si bien... Vous voir dormir, je vous jure, que cela mérite l'arrêt du Roi au chevet de sa future épouse.

Je n'arriverai pas à me faire à l'idée qu'il ne démordra pas de cette fixation qu'il fait sur ce mariage. Je n'éprouve que de la peur et de la haine pour cet homme. Comment pourrais-je être sa femme ? Comment se fait-il qu'il ne voie pas qu'il n'y a rien de moi qui serai à lui ? Comment peut-il ignorer mes repoussements et ma réticence ? Ne ressent-il rien ?

-Nous allons manger et repartir. Descendrez-vous de vous-même ou faudra-t-il que je vous bouscule encore ?

Après quelques instants de silence Mira lui répondit d'une voix menue :

-Non... non... ce ne... sera pas nécessaire, Majesté. Je vais des- cendre moi-même.
-Ah ! Comme c'est bon d'entendre votre douce voix aux premières lueurs du matin. Même si cette voix prend tellement de temps avant d'arriver jusqu'à vos douces lèvres ! Je descends et vous viendrez me rejoindre. À moins que je puisse espérer que vous descendiez avec

moi ! (silence) Je vois bien par ce regard fuyant que vous ne me donnerez pas suite à mes espoirs matinaux. Je descends donc et je vous attendrai fidèlement pour être accompagné d'une charmante personne à ma table ce matin.

Boris avait fini cette phrase avec un sourire malicieux. Il descendit de deux bonds jusqu'en bas. Là, l'aubergiste s'afférait à lui préparer un petit-déjeuner. Il regarda par la fenêtre et vit que la plupart de ses hommes étaient prêts à partir. Il s'assit à table. Il attendait. L'apparition de jolis petits pieds descendant délicatement l'escalier le remplit soudainement d'une sensation de bien-être. Fièrement, il se leva et lui tendit la main.

-Madame, veuillez vous installer confortablement face à votre Roi. C'est un tel honneur pour moi de vous avoir à ma table !

L'aubergiste arriva avec des assiettes remplies à rebord.

-Voilà qui nous aidera à passer une belle journée !
-Désirez-vous autre chose Majesté ?
-Que pourrais-je souhaiter d'autre mon brave ? Des vivres aussi appétissants que succulents et la plus belle dame de Suède pour déjeuner !
-En effet, votre Majesté est comblée ce matin !

L'aubergiste se retira, laissant ses nobles invités apprécier ce moment qu'il pensait divin pour les deux jeunes gens.

-Mira regarde-moi. REGARDE-MOI, Mira ! Ce que c'est agaçant à la fin que tu ne daignes jamais me regarder ! Mira, Pourquoi ne poses-tu jamais les yeux sur moi ? Tu as pourtant de magnifiques yeux ! Oui, les plus beaux que je n'ai jamais vus ! Non, non, regarde-moi… je l'exige !

Dans un désespoir certain, elle ne parvenait pas à se concentrer sur son interlocuteur. Ses yeux étaient plutôt occupés à regarder ce qui se trouvait sur la table. Des assiettes remplies de victuailles appétissantes, du vin, de l'eau et des ustensiles. Des ustensiles… Soudain, une idée lui traversa l'esprit. Aurait-elle trouvé la façon d'échapper à ce tortionnaire ?

Si je ne peux pas m'enfuir physiquement… Cette situation a assez duré je n'en peux plus !

D'un geste rapide et précis, elle prit un couteau sur la table et réussit presque à se l'enfoncer dans la gorge si ce n'était pas d'une poigne de fer qui intercepta le mouvement.

-Qu'ai-je vu Madame ? Auriez-vous l'intention de nous quitter par une autre sortie que la porte ? Hein ? Allez ! Dites-le Mira fille du sage de la Forêt d'Elfe ! Je suis si furieux que vous y ayez même juste songé ! Je n'aime pas beaucoup toutes vos manières de petite sainte-nitouche, Mademoiselle ! Au risque de me répéter, ne vous ai-je pas mise en garde hier ? Ne vous ai-je pas informé de ce qui pourrait arriver aux membres de votre famille si vous me contrariez une fois de trop ? A moins que ce soit ce que vous voulez ? RÉPONDEZ-MOI !

Boris, les dents serrées par une rage terrible, s'acharnait sur ce petit poignet attendant une réponse le serrant à presque lui rompre les os. L'émotion résultant d'une telle intervention fit encore jaillir les larmes de ses yeux azur.

-Lâchez ce couteau ! Lui criait-il resserrant son emprise davantage. Lâchez ce couteau, vous dis-je ! ! ! et ne refaites plus jamais un tel geste devant moi ! Chassez de votre tête toutes funestes escapades !

Il serre si fort ! Je ne veux pas desserrer mes doigts... Non ! Je veux mourir... Non... Il veut aussi m'enlever le droit de vivre ou de mourir ? Mon père et mes frères n'ont rien à voir avec lui et moi... Non... il va me rompre le poignet... j'ai mal...

Elle desserra les doigts et le couteau tomba avec fracas sur la table. Il la tenait toujours aussi fermement et lui répétait :

-Est-ce que c'est ce que vous voulez ? Que vos proches souffrent à cause de vous ?

N'ayant toujours pas de réponse, Boris tira le poignet délicat vers lui, faisant pencher la belle sur la table. Il était fortement contrarié et son impétueuse personne était sur le point de faire surgir une colère hors de l'ordinaire.

-Regardez-moi et répondez-moi, Madame ! Je ne suis pas reconnu pour être le plus patient qu'ait porté cette terre, alors vous allez me répondre ?
-Non... non, majesté...
-Non ? Non quoi Mira ?

-Je… je… ne veux pas… que les membres de ma famille souffrent… comme je souffre…

Encore les larmes qui roulaient comme des torrents sur les joues dont quelques-unes tombèrent sur la main du roi qui était sans aucun doute dans une rage telle qu'il avait toutes les difficultés du monde à prendre conscience avec quelle force il la retenait. Pourtant, les larmes chaudes qui coulèrent sur sa main firent réaliser sa puissante force et il lâcha aussitôt le poignet préférant faire éclater un pot de grès contre le mur pour se dérager.

-Je sors calmer mes ardeurs ! Et vous mangerez avec vos doigts ! J'emporte la coutellerie ! Je sors… Sinon… Je sens que je vous briserais tous les os ! Vous m'avez fait sortir de mes gonds ! Petite intrigante ! Tu n'es qu'une égoïste et une capricieuse Mira !

Mira était assise tête baissée, se frottant le poignet, cachant son visage de sa longue chevelure. L'aubergiste alerté par le bruit et les cris surgit dans la pièce. Son apparition était assise toute frémissante. Le roi était disparu.

-Madame ? Tout… tout va bien ? Vous ne mangez pas ? Cela ne vous plaît pas ?
-Je… je… je n'ai pas faim…

Il faut dissimuler à ce brave homme mes larmes. Il ne comprendrait pas. Que pensera-t-il de moi ? Une paysanne qui fait choquer le roi… Il doit se dire qu'elle ingrate, qu'elle impertinente elle est ! S'il savait… le chagrin et les tourments que ce Boris m'inflige… Il me menace… et je n'y peux rien… rien… Ce n'est pas possible… Quand serai-je libérée de cette emprise ?

L'aubergiste n'était pas sot, il voyait bien que la belle avait de la peine et elle semblait terrorisée. Il n'insista pas et se retira doucement.

Dehors, Boris n'arrivait pas à contenir sa déception, sa frustration, sa rage. Le couteau qu'il avait dans la main se retrouva planté dans le tronc d'un chêne. Le fracas d'une boîte en bois basculée d'un coup de pied, d'une grosse branche d'épinette coupée par un seul coup d'épée, des jurons à tue-tête prouvait bien à ses hommes qui le regardaient que quelqu'un avait contrarié le roi. Ce quelqu'un avait de la chance d'avoir si belle apparence parce qu'autrement ce quelqu'un en aurait payé de sa vie sur le champ.

Gustaveson s'approcha de la bête en furie. Il était d'ailleurs le seul à en avoir le courage. Aucun autre n'oserait s'approcher de lui lorsqu'il était dans cet état. Boris lui lança un regard rempli de frustration.

-Ah ! Les femmes Gustaveson, les femmes ! Et en particulier celle-là. De lui dire Boris.

Toutefois Gustaveson ne s'aventura pas sur ce terrain glissant avec le roi ; pas quand il était dans cet état. Il fallait plutôt trouver quelque chose à dire pour lui permettre de redescendre du sommet de sa tour de furie.

-Sire, les… les hommes sont prêts dès que vous le désirez…
-Bien Gustaveson, nous partons sur le champ !

Quelle envie j'ai d'entrer dans l'auberge et de lui infliger la plus belle correction que je n'ai jamais offerte à une femme ! Elle verrait enfin qui est le maître... Vouloir se suicider... devant moi en plus... Me dire qu'elle souffre ! Elle souffre, je lui offre la royauté, la richesse et le Roi de Suède ! Quelle ingrate ! Je dois reprendre mes esprits. Il n'est pas dit qu'elle aura ce pouvoir sur moi ! Il faut retourner et la cueillir. Elle finira bien par se plier à mes avances. Ça oui ! Elle se pliera ou je ne suis pas Boris, Roi de Suède !

Entrant dans l'auberge avec la même fougue qu'il en était sorti, Boris empoigna le bras de la demoiselle, la soulevant, l'entraînant avec la puissance d'un ours jusqu'au carrosse où elle fut embarquée avec toute la délicatesse d'un troupeau d'éléphants qui traverse une forêt.

Une deuxième journée à cheval qui commençait et qui éloignait Mira de plus en plus de son village et de ses souvenirs.

Quelle brute ! Il faut que je sèche mes larmes. Il doit bien y avoir un moyen de lui échapper. Je suis si faible à côté de lui ! Il fait ce qu'il veut de moi... Que c'est humiliant cette situation. Il faut que je lui échappe ! Mais comment ? Comment si je mets en danger ma famille ? Il n'a fait d'Éric qu'un quartier... Il est capable des pires délits face à mon père et à mes frères ! Il peut prendre ce qu'il veut de moi... Il n'obtiendra rien ! Il n'obtiendra que ce qu'il peut obtenir par la force. Il se découragera sûrement. Je ne lui adresse plus la parole et je ne le regarde plus. Ça l'agace et bien, c'est la seule façon de le contrarier !

Le regard perdu dans le paysage qui défilait par la fenêtre du carrosse, elle se mit à rêvasser à son enfance passée à gambader dans les vastes champs de fleurs et dans cette forêt magnifique avec ses frères se rappelant comme elle aimait monter dans les arbres les plus hauts, monter un cheval sans selle. Comme ses frères la grondaient quand elle était debout sur le dos d'une monture au galop faisant mille et une acrobaties. Que c'était enivrant cette manière de monter à cheval dont elle était la seule de la région à posséder les secrets d'un tel équilibre sur un quadrupède au galop. Ce temps était révolu maintenant et elle le savait que trop bien ! L'équilibre qu'elle devait trouver maintenant était bien plus difficile à soutenir que celui sur le dos d'une monture ! La monture était devenue un étalon pur-sang non dressé...

Comment Père se passera-t-il de moi ? Nous sommes si proches l'un de l'autre... Comme sa douceur et sa sagesse me manquent. Comment pourrais-je vivre loin de lui et de mes frères si plein d'attentions pour moi ? Seraient-ils les seuls avec les hommes de mon village à avoir échappé à la folie meurtrière de ces guerriers sanguinaires qui pillent et saccagent tout sur leur passage au nom d'une conquête ? À lui seul, Boris représente pour moi toute la barbarie de ces histoires qu'on racontait au village. Je me pensais si loin, tellement à l'abri de tout ça ! Pourquoi fallait-il qu'il passe par cette route l'autre matin et me voit au puits ? Oh ! Mon Dieu, aidez-moi à comprendre ce qui m'arrive...

Boris sur sa monture dorée repassait les événements des derniers jours.

Cette rencontre a tout changé dans ma vie, et j'en suis troublé.

Boris Le Grand, Le Magnifique s'était emmêlé dans la toile d'une femme aux yeux irrésistibles et à la chevelure d'un champ de blé. Son charme envoûtant l'avait conquis jusqu'à la moelle des os. Il était sous l'emprise de sentiments dont il ne soupçonnait même pas l'existence. Il était amoureux au point d'en avoir les idées embrouillées.

Gustaveson s'approcha de lui. Boris lui jeta un regard froid.

-Je sais bien, Sire, que vous fuyez ma compagnie depuis l'autre soir et j'en connais maintenant les raisons.
-Je ne souhaite pas en parler Gustaveson.
-Je le sais... Au nom de notre longue amitié Sire, je me permets tout de même d'insister.

-Je sais que vous n'approuvez pas du tout ce que je fais… et vous n'êtes sûrement pas le seul.

-C'est un fait. Majesté pourquoi ne m'avez-vous pas entretenu de vos intentions d'hier ?

-Parce que je savais pertinemment que vous auriez essayé de m'en dissuader.

-Oui, Sire, c'est effectivement ce que j'aurais fait. Vous l'avez enlevée de force ! La dame opposait déjà une certaine résistance au départ et là elle est prise au piège entre votre puissance de Roi et d'homme. J'ai bien vu avec quelle rage vous êtes sorti de l'auberge ce matin et dans quelles circonstances vous l'avez rembarquée dans le carrosse. Elle est si délicate Sire ! Même si elle ne vous présente aucun geste d'affection, vous devriez être plus doux. Vous êtes robuste, un guerrier, un homme d'une telle stature ! Que diront vos ministres de l'arrivée au château d'une duchesse aujourd'hui qui hier était une paysanne et qui deviendra leur reine, Sire ?

-Assez Gustaveson ! Je suis le roi ! Et ce n'est pas une paysanne d'hier ou une duchesse d'aujourd'hui qui fera du moi un pantin ! Elle résiste peut-être mais elle devra bien se plier à mes exigences et quant à mes ministres ils n'ont qu'à bien se tenir car dès mon arrivée son titre de noblesse entrera dans nos livres de quoi leur clouer le bec à cette bande d'incapables !

-Je vous aurai prévenu, Sire… Ce ne sera pas si simple et vous ne le savez que trop bien. D'autant plus que vous avez un problème de bien plus grande taille que d'affronter vos ministres, celui de faire plier une dame, une légendaire dame Sire ! Car tous vos hommes sont maintenant convaincus qu'il s'agit bien de la pucelle annoncée dans la légende… Vous savez comme vos sujets peuvent être superstitieux… Une pucelle d'une grande beauté conduira une armée d'hommes sur un immense drakkar vers une terre lointaine et inconnue et ramènera le trésor de la Forêt d'Elfe libérant ainsi la Scandinavie de toute pauvreté et injustice ! Commencera alors un règne pour tous les Scandinaves d'opulence et de joie faisant rayonner sur toute l'Europe et l'Orient la puissance d'un nouveau monde. Elle est beaucoup plus qu'une simple paysanne et votre effronterie à son égard ne fait que raviver un sentiment de mécontentement dans vos troupes… Et même sous son aspect fragile, enrobé d'une beauté exceptionnelle elle a déjà réussi à faire de vous son pantin…

Boris arrêta net, sa monture. La véracité de la remarque tendait encore une fois toute la musculature de son corps robuste.

-DESCENDEZ DE VOTRE MONTURE, GUSTAVESON ! Que je vous corrige de mon épée pour avoir ainsi osé insulter Boris, Roi de

Suède. Descendez espèce de général de mes deux ! DESCENDEZ IMMÉDIATEMENT ! Hurlait Boris.

Cette altercation verbale fit arrêter tout le convoi, créant une légère cacophonie parmi la troupe d'hommes.

-Voulez-vous vraiment me transpercer de votre épée, Sire ?

Boris l'empoigna le faisant tomber de sa monture et se rua sur lui, épée devant. Une lutte entre les deux hommes s'engagea. Gustaveson, rude gaillard lui aussi, se défendait du mieux qu'il pouvait à esquiver les gestes de son roi qu'il n'aurait jamais osé défier. On ne tue pas son roi. Cette soumission lui fut presque fatale. Ne laissant jamais aucune chance à l'adversaire, Boris lui entailla profondément l'abdomen. Il cessa de bûcher sur son général, ce n'était plus nécessaire, l'adversaire était KO. Il se releva le torse tendu, épée menaçante et d'un regard froid et vindicatif s'adressa au général blessé.

-Par respect pour vos nombreuses années de dévotion auprès de la couronne Suédoise je vous épargne ! Mais sachez monsieur que vous serez confiné aussi longtemps que je le jugerai nécessaire et votre commandement vous est retiré jusqu'à nouvel ordre. Ramassez-le ! Qu'il soit hors de ma vue !

Il remonta sur sa monture essuyant le sang sur le bout de son épée au cou de son cheval et parti au trot indiquant au reste de la troupe de le suivre. Quatre jeunes hommes vinrent ramasser l'homme qui se pliait en deux et lui prodiguèrent les premiers soins. La plaie était profonde et saignait abondamment.

-Gustaveson ! Gustaveson ! que lui avez-vous donc dit pour qu'il s'attaque à vous ?
-Aaaaahhhhhhh ! il ne m'a pas manqué !
-En effet ! Vous avez de la chance, votre plaie est profonde mais il ne vous a pas complètement transpercé de son épée…
-Vite Slavernöck va chercher un linge… Il faut couvrir cette plaie, il ne doit plus saigner.
-Un linge ? mais où vais-je en trouver ?
-Ah ! Idiot, va dans les bagages qu'il y a sur le toit du carrosse et ouvre un sac, il doit bien y avoir un drap quelque chose qui fera l'affaire ! Vite, va !
-J'y cours.
-Vous aurez bien de la difficulté à rester sur votre monture Gustaveson avec cette blessure !

-Ah ! Träkersen, j'en ai vu d'autres. Ne me plains pas… c'est de ma faute, j'ai voulu lui faire entendre raison ! J'ai mal jugé l'intolérance de mon adversaire, c'est tout. J'ai bien mal jugé à quel point il était atteint !

-Atteint ? Atteint de quoi ?

-Notre Roi, mes braves, est éperdument amoureux ! À un tel point qu'il n'y croit pas lui-même !

-On se doutait bien que c'était le cas, avec tout ce qui s'est passé depuis quelques jours ! En plus quand on sait de qui, il n'y a rien de surprenant !

-Le problème c'est qu'il ne sait pas quoi faire de ce sentiment ! Il ne sait pas non plus s'en servir ! La dame semble bien loin de partager ses passions !

-Ça aussi nous nous en sommes rendu compte, Monsieur. Nous étions là, hier quand il est allé chez elle… Nous avons obéi à ses ordres mais…

-Ah ! Träkersen, je sais… on lui obéit tous… Nous sommes ses chevaliers servants ! C'est triste que ce soit comme ça, mais il n'y aurait pas de royaume s'il n'y avait pas d'armée, ni de soldats comme nous pour servir les rois !

-J'ai trouvé une étoffe. Dit Slavernöck revenant essoufflé.

-Accotez-vous sur le flanc du cheval Gustaveson. Nous allons vous enlever votre veste.

-Aie ! Ne tirez pas si fort sur ma veste !

-Oh ! Pardon ! Beurk, c'est vrai qu'il ne vous a pas manqué… Allez, Messieurs, aidez-moi à lui entourer la taille de cette étoffe.

-Aie ! Vous serez trop fort !

-Non, il faut que la plaie soit bien pressée sinon elle n'arrêtera pas de saigner général.

-Bon… bon… je cesse de geindre ! Je suis pire qu'une femme ! ! !

-Hi ! hi ! Il ne manquerait plus que vous pleuriez !

-Tout de même Träkersen ! Faites attention à ce que vous dites !

-Bon… Allez, nous allons vous installer sur votre monture.

L'homme fut propulsé sur son cheval. Cette blessure lui donnait du fil à retordre. Le convoi, ayant repris sa route sur l'ordre du roi, passait derrière les hommes qui portaient secours à Gustaveson. Le carrosse arrivait d'ailleurs à leur hauteur.

-Vous l'avez vu ? Demanda Slavernöck.

-Oui, bien sûr qu'on l'a vu. C'est dur à manquer des yeux pareils !

-Pauvre Mira, fille du sage de la Forêt d'Elfe… Si elle savait qu'elle est la cause de ma blessure ! et ce qui l'attend vraiment !

-Pourquoi dites-vous ça général ?

-Tu verras bien pourquoi je dis ça… Vous verrez tous pourquoi !

Boris s'était calmé. Sa pression, sa tension redescendaient le faisant retomber dans ses pensées intérieures.

Pourquoi m'a-t-il dit une chose aussi terrible ? Je ne suis pas et ne serai jamais le pantin d'une femme ! Même si la femme est belle comme Mira peut l'être, je ne serai pas son pantin ! Si tous pensaient comme lui ? Dit-il vrai ? C'est vrai que cette légende je n'y ai jamais attaché d'importance, mais depuis que je l'ai vu… C'est bien difficile de ne pas faire le lien avec ce que raconte cette maudite légende… Ah ! Mira, je sais que tu conduiras mon royaume au-delà de mes frontières… Pour l'instant, restons calmes. Mes plans d'extension ne doivent pas souffrir de nouveaux éléments qui s'ajoutent… l'histoire suivra son cours… L'histoire ne dit pas si elle se soumettra au Roi… Elle se soumettra ! Elle se soumettra à mes moindres caprices ! Elle est mon caprice à moi et elle devra bien s'y plier. Avec la raclée que j'ai servie à Gustaveson, je ne serai pas la risée de personne. Je suis fort et puissant. Oui, puissant ma belle, tu vas voir à quel point !

-Arrêtez ! Nous allons nous arrêter maintenant. Faites boire les chevaux.
-Mais Sire…
-Quoi ? Qu'est-ce que tu veux ?
-Rien… rien Sire !
-C'est mieux comme ça ! Il ne manquerait plus que vous défiiez un ordre du Roi !

On venait de passer à deux doigts d'une autre colère. Boris empoigna un fruit dans une sacoche de son cheval. Il descendit et prit la direction du carrosse plus vers l'arrière. Une fois à l'intérieur du véhicule, il s'adressa à la dame sagement assise.

-Toujours aussi silencieuse ! Serait-ce trop vous demander de me présenter vos respects quand je daigne venir vous voir ? Regardez-moi quand je vous parle ! Ne soyez pas insolente avec moi, je ne suis guère d'humeur ! Je vous ai emporté de quoi manger ! Malgré ce que vous semblez croire de moi j'ai un cœur ! Vous n'avez rien avalé depuis que nous sommes partis hier !

Il lui tendit une belle pomme rouge. Elle ne bougea pas le petit doigt.

-Ma chère dame, si ma présence vous est désagréable et bien, elle ne le sera que davantage car je ne sortirai pas de ce carrosse avant que vous ayez mangé, même si je dois y demeurer jusqu'à ce qu'on arrive au château.

Je n'ai donc pas le choix ! J'ai l'estomac tellement serré par les émotions je n'ai pas faim, mais je ne désire pas et ce, à aucun prix, faire route avec ce roi ignoble et sans pitié.

Il lui prit la main et y déposa la pomme. Elle tourna la tête et regarda le fruit rouge qui se tenait au creux de sa main. Avec hésitation, sous le regard observateur de Sa Majesté Royale, la pomme fut croquée.

-Je ne sortirai pas non plus avant que vous l'ayez toute mangée.

Elle se résigna à avaler ce maigre repas puisqu'elle n'aurait pas pu en faire davantage. Lorsqu'elle eut terminé, Boris prit le cœur de la pomme et l'engloutit d'un seul trait à la stupéfaction de Mira.

-C'est le meilleur cœur de pomme que je n'ai jamais mangé. Il avait le goût sucré de vos lèvres… Désirez-vous autre chose ?

Mira tourna la tête vers la droite et fit signe que non.

-C'est dommage, je me serais délecté de vos restes, Madame… et voir vos lèvres se déposer si tendrement sur ce fruit… Si seulement vous me donniez un léger baiser, même sur la joue, le voyage serait tellement plus agréable pour vous et surtout pour moi…

Qu'est-ce qui lui passe par la tête maintenant ? Il est culotté ! Un baiser ? Il peut bien rêver ! Je ne lui donnerai rien. Tu as fait de ma vie un enfer Boris et tu n'auras certainement pas mes grâces que je réservais à Éric.

Il se rua sur elle.

-Ah ! Mira, si tu pouvais comprendre comme je suis fou de toi… Comme ta peau est douce sur mon corps de Roi… Ce que tu représentes pour un homme… Te posséder complètement sera mieux que le meilleur des bons vins… Te sentir contre moi… Embrasse-moi !
-Non ! Non… Lâchez-moi !
-Embrasse-moi !
-Non… assez… vous me faites mal !

-EMBRASSE-MOI, MIRA !
-Aie ! Non…

Bien entendu cette lutte était encore inutile puisque perdue d'avance ! Il lui arracha un baiser.

-Mira… Mira… comme tes lèvres sont douces même si elles sont réticentes !

-Non… non… lâchez-moi ! Vous me serrez trop fort !

-Oh ! Oui… ma colombe je te serre fort ! J'ai une telle envie de toi ! Je ne demande pas mieux que de te faire honneur !

-Prenez donc ce dont vous vous languissez depuis quelques jours… et libérez-moi !

-Ha ! ha ! ha ! Mira, Mira ! Ha ! ha ! Si tu penses que je vais prendre la pucelle de la légende de la Forêt d'Elfe sans l'avoir d'abord épousée !

-Comment ? Vous pensez… vous pensez que je suis la pucelle de la légende ?

-Je ne sais pas si tu es la pucelle de la légende… mais tu en as tous les atours Mira…

-Sire… Sire… c'est donc pour ça que… que… vous voulez m'épouser ?

-Non. Tu es peut-être la pucelle de la légende… mais moi… c'est toi que je veux. Je t'épouserais même si tu ne l'étais pas… Tu es ma pucelle à moi !

-Non… Non… vous êtes fou ! Je suis pucelle, mais pas votre pucelle à vous ! Lâchez-moi ! Ça suffit, je n'en peux plus ! Libérez-moi de cette tourmente… Je suis capable de retourner seule jusqu'à chez-moi !

-Vraiment ? Tu es capable de retourner seule chez-toi ? Non !

-Ne vous moquez pas de moi ! Et dégagez-moi !

-Aïe ! Tu m'as entré tes ongles dans la peau du cou !

-Comptez-vous chanceux que je suis si serrée contre vous que c'est le seul endroit que je puisse atteindre !

-Petite impertinente ! Tu serais bien capable de m'arracher les yeux tellement tu es en colère contre moi ! Prépare-toi ma jolie ! Nous serons deux au combat ! Et tu es loin d'être de taille ! Tu vas venir avec moi… Tu vas être ma femme, même si je dois te traîner par les cheveux devant l'autel ! Tu te soumettras… Ça oui ! je te le jure ! Tu as le don de me faire sortir de mes gonds !

C'est par un coup de poing dans le dossier du banc que Boris fit encore une sortie remarquée.

Mira pleurait encore.

Non... non... je le hais ! J'aurais envie de hurler si fort ! J'ai une telle rage, une telle colère qui monte en moi ! Je n'ai jamais ressenti de telles choses avant ! Je voudrais qu'il meure ! Mon Dieu pardonnez-moi d'avoir une telle pensée !

Les hommes qui étaient assis aux premières loges d'un tel spectacle d'affrontements depuis quelques jours ne posèrent aucune question à son passage devant eux. La belle ne cédait pas. Tout le monde s'en apercevait, Boris le premier ! Belle et douce, Mira, légende vivante dont tous avaient entendu parler, était également une femme de caractère ! Gustaveson le regardait. Il marchait d'un pas si raide. Il était visiblement frustré à l'extrême. Combien de temps aurait-il pu résister à cette pression ? Combien d'autres de ses proches aurait-il affronté, blessé ou tué pour passer ce trop plein de frictions ? Gustaveson se disait que la belle paierait un jour ou l'autre pour faire d'un homme comme Boris un amas de tensions si tendues que les veines de son cou étaient sur le point de se rompre.

La troisième journée de voyage en fut une autre de tourments pour Mira. À l'arrêt du midi près d'un petit ruisseau, Boris se dirigeait vers le carrosse avec, cette fois, une assiette de vivres, de fruits et du vin.

Il faut qu'elle mange. Elle n'a pratiquement rien avalé depuis notre départ de la Forêt d'Elfe, si ce n'est que cette pomme... Il faut qu'elle mange.

-J'emporte de quoi manger et boire. Mira, il faut que tu manges. Là, je vais être intransigeant s'il le faut. Je te gaverai comme une oie si tu ne manges pas, je te le jure.

Mira regardait l'assiette et le gobelet de vin avec une telle rage qu'elle s'en mordait les lèvres, faisant la moue.

-Prends bien garde Mira de ne pas me balancer tout ça à la figure. Je vois dans tes yeux que tu désapprouves totalement que je te contraigne à avaler quelque chose. Et là, Mira, ma patience est à bout. Un seul geste de travers et je ne réponds plus de moi ! Je n'ai pas l'habitude d'avertir avant d'agir... alors prends cet avertissement comme tu le veux, mais tu ne pourras pas dire que je ne t'ai pas prévenue.

-Je n'ai pas faim.

-Très bien, Madame. Tu l'auras voulu !

Il déposa l'assiette et le gobelet sur l'autre banquette. La force encore à l'honneur, les poignets saisis, la demoiselle couchée sur le banc et un roi à califourchon sur le ventre, Mira se retrouvait dans une position délicate.

-Elle ouvre la bouche et Boris y insère de la nourriture ! Tiens, un petit morceau de carotte pour commencer...
-Non...
-Oui !
-Non...
-Oui ! Oh ! Oui... Madame va manger ! Tiens... c'est ça, maintenant, la demoiselle ferme la bouche, mâche et avale... Si la demoiselle crache le tout à la figure du Roi... la demoiselle fera le reste du trajet, attachée à l'arrière du carrosse ! Boris, est très très mécontent... Il est sur le point de rompre tous les os de la jolie demoiselle.

Bien entendu, couchée comme ça, sous la contrainte et la rage au cœur, elle s'étouffa. Boris la releva.

-Quoi ? La petite gorge de Mademoiselle ne prend pas la nourriture qui n'est pas mâchée ? Oh ! Comme elle est vilaine la petite Demoiselle. Elle n'écoute pas les bons conseils du Roi ! Allez, tu n'es plus étouffée maintenant, on recommence !
-Non ! Non, Arrêtez... Non...
-Cette fois, un petit morceau de patate.
-Non... arr...
-Ah ! Elle mâche maintenant !
-Arrêtez... Non...
-Bien non, Boris n'arrêtera pas... et c'est parti pour un morceau de jambon.
-Non... ça suf...
-Elle arrivera bien nourrie au château, la Demoiselle ! Il ne sera pas dit que la future reine s'évanouira ayant souffert de famine !
-Lâchez-moi... vous me faites mal... Vous... me faites mal...
-Oh ! La Demoiselle pleure encore ! Mais là encore, les larmes n'attendriront pas Boris ! Oh ! que non ! ni les supplications ! Non ! non ! Boris veut que la Demoiselle mange et la Demoiselle ne veut pas ! Alors, Boris il est très très fâché... Tu as vraiment de la chance d'être aussi belle... Il y a longtemps que je t'aurais étranglée de mes mains !
-Mes... mes poignets... Je vous en prie...
-Elle a mal ? Bien sûr qu'elle a mal. Mais c'est de sa faute si elle a mal la Demoiselle ! Elle n'a pas encore compris que je suis beaucoup

plus fort qu'elle ! Bien sûr que non, elle n'a pas compris. Elle passe la majeure partie de son temps à tenir tête à SA MAJESTÉ, BORIS LE MAGNIFIQUE, ROI DE SUÈDE !

-Je... je... vais... manger. Je vous en prie... desserrez votre poigne...

-Comment ? Je n'ai pas très bien entendu ?

-Je... je vais manger...

-Je vais manger... desserrez votre poigne... votre ?

-Votre... votre Maj... Majesté.

-Bon ! Un peu de politesse, ça ne te tuera point la belle ! Je desserre donc ma poigne et je te remets dans une position confortable pour manger. Je vais tenir ton assiette.

Essuyant ses larmes, la belle œuvrait pour se contenir de ne pas éclater en sanglots après cet affrontement plus violent que les autres. La peur, la frayeur la tenaient, l'empêchant même de penser. La seule sensation dont elle était consciente était celle de chacun de ses battements de cœur qu'elle ressentait dans ses poignets qui venaient d'être mis à rude épreuve.

-Alors on mange, Madame ?

Elle tenta de prendre la fourchette. Opération qui échoua. Le tremblement de sa main était si fort qu'elle n'arrivait pas à tenir l'ustensile.

C'est terrible comme elle tremble ! J'y suis peut-être allé trop fort. Gustaveson a raison, elle est délicate. J'en oublie ma force quand elle me fait sortir de mes gonds. Pourquoi fait-elle ça ? Pourquoi va-t-elle jusqu'à ce qu'elle n'en puisse plus ? Elle est terrorisée ! Ce n'est pas que ses mains qui tremblent mais tout son corps.

-Mira, regarde-moi... Regarde-moi ! Je veux que tu te calmes maintenant. Je t'ai peut-être brusquée, mais tu ne me laisses pas le choix. Je ne veux pas te faire de mal... Tu me pousses à bout... Je t'avais pourtant prévenue ! Tu te mets dans de tels états, Mira et ce, inutilement. Tout ceci aurait pu être évité si tu avais accepté de manger ! Non... je ne veux plus voir de larmes... c'est fini, il faut juste manger ! Tu vas manger froid si tu continues ! Je vais t'aider.

Elle ouvrait la bouche de peine et de misère. Une bouchée et puis une autre, Boris avait encore obtenu quelque chose qu'elle lui refusait pourtant.

Je ne suis qu'une incapable ! Quel moyen pourrais-je donc utiliser pour ne plus répondre à ses requêtes ? Je ne suis pas de taille physiquement... Je le hais... Chaque bouchée qu'il me donne est un échec pour moi... Je suis si humiliée...

-C'est bien ! Tu vois, ce n'est pas si terrible !

-Je... je... n'en peux plus... Maj... Majesté... Je n'ai plus faim.

-Vraiment ?

-Je... vous assure... que... je...

-Bon, tu as mangé la moitié de l'assiette, c'est mieux qu'une pomme. Bois, maintenant.

-Je... je... ne bois jamais de vin, Majesté...

-Ah ! non ? Pourquoi ?

-Je... je n'aime pas ça... Je préfère de l'eau ou du lait.

-Le vin t'enivre ?

-Je... je ne sais pas... Je n'en ai jamais bu assez pour le savoir.

-Et bien il faut goûter ma belle... Le vin est la boisson de Dieu !

-J'ai déjà goûté, je n'aime pas.

-Bon, je vais le boire moi ! Mmmm ! C'est si bon ! Je te rapporte de l'eau.

-Maj... Majesté... j'aurais... j'aurais besoin de...

-Oui ? Tu as besoin de ? Pourquoi tu rougis comme ça ?

-Il faudrait que je sorte...

-Que tu sortes ? Et pour aller où ma jolie ?

-J'ai... j'ai une envie... pressante...

-Elle a une envie pressante ! ! ! Ha ! ha ! Viens, et ne rougis plus quand tu auras besoin de sortir pour ce genre de chose. Une envie pressante est une envie pressante ! C'est tout naturel.

Même après l'affrontement qui avait failli dégénérer en combat singulier entre deux adversaires, Boris était d'une galanterie tout à coup. Il tendit sa main à la dame et la fit descendre délicatement du véhicule. Faisant le tour du carrosse et se dirigeant vers le ruisseau, ils s'engouffrèrent dans la forêt pour être loin des regards indiscrets.

-Madame devra endurer ma présence pendant qu'elle assouvira son envie pressante !

-Vous... vous allez rester là ?

-Ha ! ha ! Oui, je vais rester là ! Mira, tu ne penses tout de même pas que je vais te laisser seule ? Tu me penses sot à ce point ? Tu penses que je ne sais pas qu'après avoir fini, tu ne tenteras pas de t'enfuir ? Même si tu sais ce qui pourrait advenir de ta famille si tu tentes quoi que ce soit !

-Je vous jure… je vous jure que je ne tenterai pas de m'enfuir, Sire. Je vous le jure !

-Ha ! ha ! Il n'y a rien à faire, tu ne me convaincras pas ! Je peux me retourner ! Mais, je ne m'en irai point !

-Bon… alors… retournez-vous.

-Oh ! Quelle déception je lis dans tes yeux ! Mais sache que cette déception n'est rien à côté de la mienne ! J'aurais tant aimé que tu me dises, Majesté ne vous retournez pas, ce n'est pas nécessaire, mes jupons cacheront, de toute façon ce qu'il y a à voir ! Bon ! Bon ! Je me retourne, mon humour ne semble pas partagé, tu es rouge de colère !

Quelques secondes plus tard, le bruit d'une petite fontaine qui coule se faisait entendre. Boris avait une envie irrésistible de rire.

-Quel son doux parvient jusqu'à mes oreilles ! C'était vraiment une très grosse envie pressante !

-Non… ne vous retournez pas…

-C'était non seulement une envie pressante, mais une véritable rivière intarissable ! Bon, je n'entends plus rien maintenant, je peux me retourner ?

-Non… pas tout de suite !

-Mon Dieu, les femmes ! Je n'en peux plus, je me retourne tout ce bruit que vous faites avec vos jupons ! Mira ? Ah ! La petite garce !

L'envie pressante assouvie, la belle en avait profité pour se tailler ! Ce n'est que la pointe de sa chevelure qu'il vit disparaître aussitôt aux dépens d'un immense tronc d'arbre. Elle courrait. Ne perdant pas une seconde, il prit la même direction. Les branches, le feuillage, la trahissaient. Elle n'avait aucune chance, elle n'avait pas assez d'avance pour le distancer. Et ce ne fut qu'une question de minutes avant qu'il ne parvienne à l'agripper par le bras. Comme elle courait à vive allure cette poigne de fer l'arrêta net la faisant trébucher et elle tomba se frappant la tête contre les racines d'un arbre.

-Attends une minute que je t'attrape ma petite ! Tu penses que tu peux me fausser compagnie, hein ? Tu joues encore avec mes nerfs Mira ! Oh ! Arrrrrrr ! ! ! Mira, ça suffit !

Sonnée, les yeux mi-ouverts, tout ce qu'elle voyait c'étaient les grands yeux noirs de Boris.

-Alors, Madame ? On s'amuse à fuir ? Ou plutôt devrais-je dire, qu'on s'amuse à faire courir SA MAJESTÉ ROYALE, BORIS, ROI DE SUÈDE ?

Frappe Boris ! Tu es tellement en colère, finis-en maintenant ! Je n'en peux plus, toutes mes tentatives sont veines.

-Ou peut-être c'est une petite tactique de ta part pour m'exciter Mira ? Parce que si tu ne t'en es pas aperçu je suis un homme... un homme qui te désire... un homme qui prend sur lui pour ne pas te dépuceler tout de suite ! Mais là, tu fais tout pour... pour me rendre la vie impossible Mira ! Étendue comme ça, ta poitrine contre la mienne... qu'est-ce que tu penses Mira... que je pourrai résister long-temps ? Que Dieu m'en garde ! J'ai plus de respect pour toi que tu n'en auras jamais pour le Roi ! Ingrate ! LÈVE-TOI !

Tirée par le bras, elle fut remise sur ses pieds. Le retour à la verti-cale était douloureux. Le coup derrière la tête faisait vite oublier les petits poignets durement éprouvés quelques minutes auparavant. La douleur était la même, seulement déplacée sur son anatomie.

-Tu pourras te tenir sur tes jambes ? Petite sotte... Je suis furieux ! Encore plus en colère que je l'étais tout à l'heure. Je ne sais pas ce qui me retient de ne pas te servir une correction... une correction dont tu te souviendrais le reste de ta vie ! Je suis tellement en colère que tu aies osé ! Tu m'avais juré ! Juré quelques minutes plutôt ! Regarde-toi ! Menteuse ! Tu sais pourtant ! Tu sais Mira ! Hein ? N'est-ce pas que tu sais ! Tu sais comme j'ai mauvais caractère. Tu sais comme je suis terrible quand je veux. Tu m'as plus d'une fois poussé hors de mon contrôle et je t'aurai prévenue petite impertinente ! Cette fois en était une de trop ! Ma patience à des limites qui sont loin d'être aussi indulgentes que le commun des mortels ! Je te promets une surprise de taille à notre arrivée au château. Tu vas voir si on se moque de moi impunément comme tu le fais ! Tu l'auras voulu ! Oh ! Si, je te le jure, Mira, et moi quand je jure, je tiens ma parole, souviens-t-en ! Viens, nous retournons au carrosse.

La poigne de fer sur le petit poignet gauche, le mal de tête, tout ça n'arrangeait guère la dame qui essayait bien de suivre son bourreau qui venait de démarrer une marche forcée vers le carrosse. Les jupons s'emmêlèrent aux petits pieds et voilà Mira à genoux dans les foins tirés par un homme épris d'une terrible colère.

-Ah ! Tu ne peux même pas te tenir debout ! Arrrrrr ! ! ! Je vais te porter !

Propulsée sur l'épaule, il la tenait fermement, se dirigeant d'un pas certain vers le véhicule. Cette arrivée ne passa nullement inaperçue aux yeux de tous. Les chuchotements s'élevaient dans l'air du matin. Boris ouvrit la porte et y jeta brusquement Mira à l'intérieur. La porte refermée, l'animal en furie se retourna vers ses hommes l'index pointé en leur direction et se mit à crier :

-Que j'entende encore ne serait-ce qu'un chuchotement de votre part et je vous coupe tous la tête ! Personne n'a le droit de commenter les agissements du Roi ! Le Roi est le Roi et tous ses sujets, TOUS SES SUJETS, lui doivent obéissance ! Même les beautés légendaires ! Sachez-le !

Aussi inattendue que surprenante, les hommes restèrent aphones à cette démonstration colérique. Rouge de colère, on ne distinguait plus que sa longue chevelure noire qui tournait derrière le carrosse. Il se retira près du ruisseau. Seul, prenant de grandes bouffées d'air cherchant à redescendre des hauteurs de sa rage.

Je ne te libérerai pas Mira ! Pense ce que tu veux de moi. Elle pense encore à cet avorton, j'en suis convaincu. Merde ! Comment peut-elle préférer le forgeron au Roi ? ! J'ai tout pour lui plaire... Je suis riche, je suis Roi, je suis jeune, je suis beau... Qu'avait-il que je n'ai pas ? Même mort, il est encore au travers de ma route. Attends qu'on arrive au château la belle... Tu vas te plier... Oh ! Si... Je vais tout faire pour ça ! Tu ne pourras pas me faire l'affront de me dire non devant l'autel... non... ça, je te le promets !

Pendant les deux autres journées que dura le voyage, Boris n'avait plus démontré aucun signe d'impatience, se contentant de surveiller le carrosse du coin de l'œil comme un précieux trésor.

Au bout de la route qui contournait une colline, les pics des tours du château pointaient vers le ciel gris. Le voyage dignitaire du souverain tirait à sa fin. Ses compagnons de route étaient fort heureux d'entrer au bercail par cette journée pluvieuse.

Malgré les réticences, les affrontements, la déception des derniers jours, Boris ressentait des papillons dans son estomac. Il jubilait juste à la pensée de présenter la marchandise de choix qu'il rapportait dans ses bagages.

Lorsqu'on contournait la colline, le voyageur non averti avait une vue de choix sur cette magnifique construction trois fois centenaires que les différents rois qui s'étaient succédé avaient entretenue comme la prunelle de leurs yeux. Un immense château muni d'un pont gigantesque retenu par deux grosses chaînes qui semblaient avoir été façonnées par un géant. Les parapets, les créneaux carrés, les pinacles et les tours à la toiture d'un bleu royal rendaient à l'œil tout le charme à cette majestueuse demeure. Sur les murs qui servaient de frontières aux enceintes surmontées par d'interminables chemins de garde, on apercevait les gardes de Sa Majesté qui du haut de leur perchoir voyaient au loin leur roi s'avancer vers eux. Une agitation était perceptible et audible. Les clairons ne prirent guère de temps à se faire entendre de par la vaste contrée. Le cortège royal était en vue et tous devaient le savoir.

Enfin de retour en ma demeure. Sera-t-elle impressionnée par un si luxueux habitat ? Elle qui n'a jamais sorti de la Forêt d'Elfe, qui ne connaît pas encore jusqu'où peut se rendre la puissance du Roi ?

Boris dut retenir ses rêveries. Il avait déjà traversé le pont et entrait dans la cour du château. L'un de ses nombreux serviteurs courait vers lui, attrapant la bride de sa monture.

-Bonjour Sire, avez-vous fait bon voyage ? Lui demanda-t-il.
-Tu n'as pas idée mon bon vieux Sylva, tu n'as aucune idée ! Il s'approcha du vieillard et lui chuchota à l'oreille :
-Dans le carrosse il y a quelqu'un de très important. C'est une dame. Elle est très timide. Je veux que tu fasses dire aux femmes de l'emporter vers l'aile nord et lui donner la chambre royale.
-La chambre de feu votre mère, Sire ?
-Oui. Tu diras aux femmes qu'elles la vêtissent des plus beaux atours et la traitent avec toute la délicatesse due à son rang. Qu'on s'assure qu'elle ne sorte pas de cette pièce avant que j'en donne l'ordre.
-Bien Majesté, je m'en occupe tout de suite.

Boris entra dans le château en enjambant les escaliers quatre par quatre et se dirigea sans aucune hésitation vers ses appartements.

Il ouvrit la porte de sa chambre et s'assied sur le rebord de son lit. Il fallait baigner ce corps. Un voyage de retour de quatre jours à travers la Suède ne s'arrêtant que pour manger et dormir avait quelque peu encrassé notre fier roi. L'eau d'un bain ferait son travail et nettoierait toutes les parties, mêmes les plus charnelles, du jeune et fougueux roi.

Le roi possédait d'ailleurs la plus belle baignoire de tout le pays. À la suite d'un retour de voyage, son père avait fait construire un bain turc magnifique. Les architectes avaient suivi scrupuleusement la description de leur souverain ayant gardé un souvenir exact de cette construction appuyé par des croquis précis. D'une longueur de cinq mètres et d'une profondeur de 1,5 mètre, chauffé par un ingénieux système de canaux, ce bain devenait l'extase de celui qui pouvait si plonger et plusieurs autres monarques voisins avaient d'ailleurs démontré leur intérêt lors de leur visite. Autrement dit, ce bain était une attraction.

Boris était d'ailleurs un grand amateur de cet objet de luxe. Il considérait que l'eau était bienfaisante et ne faisait pas que laver le corps, mais détendait admirablement les muscles tendus et fatigués. Il se plongea donc comme tant d'autres fois dans le bain dont l'eau était plus chaude que tiède produisant ainsi une vapeur en sa surface. Il y demeura une bonne heure. Une fois que les sensations de propreté et de relaxation se firent sentir, il sortit de la baignoire, se vêtit convenablement et sortit de ses appartements.

Il était détendu et prêt à faire face à la musique ! Car il se savait attendu au parlement. À son entrée dans la grande salle, tous les grands dignitaires du pays se levèrent et c'est par des applaudissements chargés que le roi fut accueilli. Sa fière allure, son pas décidé pour se rendre jusqu'à son trône, ne laissait aucun doute sur l'assurance dont il pouvait faire preuve. Une fois bien assis, une fois que son regard avait fait le tour des hommes qui se tenaient devant lui, il accouda ses bras sur les accotoirs de son douillet fauteuil.

Cette salle était à l'image du roi : immense, grandiose. Les hauts plafonds, richement décorés de peintures qui représentaient la victoire de Olav 1e sur les terres de la Suède contre les Russes en 1128, les grandes fenêtres qui se perdaient dans les draperies de velours bleu roi attachées par des glands couleur or ornés du sceau royal, les soixante sièges de velours rouge et bleu dans lesquels étaient assis tous les dignitaires du pays, le plancher de marbre blanc importé d'Italie, les grandes portes de bois franc pavées de fleurs et de feuilles recouvertes d'or donnait à cet endroit tous les critères solennels d'un parlement dûment constitué. Le trône était à lui seul si imposant qu'on devait faire appel à plus de six hommes pour le déplacer.

Les hommes de l'assistance s'assirent sur leur siège et c'est le ministre de l'intérieur qui prit la parole. Il fit un léger survol de la situation des nouveaux sujets Finlandais qui avait été conquis quelques semaines plus tôt. L'écrasante armée de Boris Le Magnifique n'avait fait qu'une bouchée de cette parcelle de territoire.

-C'est au nom de tous mes confrères que je souhaite le bon retour à notre très Grande Majesté parmi nous. C'est aussi en leur nom que je me permets d'apprendre à votre Majesté que pendant son voyage, nous avons suivi vos ordres et nous nous sommes enquéris de ce que Gustof, Grand Prince de Russie avait l'intention de faire après la perte subie par son armée à nos dépens en les terres de Finlande.
    -Et qu'avez-vous appris, Messieurs ?
    -Il ne revendique pas la Finlande, Majesté.
    -Comment oserait-il revendiquer une terre qui jadis appartenait à notre Suède ? Non, Gustof Le Grand, Prince de toutes les Russies est bien trop occupé dans le moment avec les Mongoles et les Chinois pour s'arrêter sur une terre qu'il avait enlevée à la Suède dans ses folies de grandeur de l'époque. Il est puissant et possède, certes, une armée supérieure à la mienne... mais Gustof n'est point sot, Messieurs. Malgré qu'il ne semble pas se soucier pour l'instant de cette minime perte, lorsqu'il en aura l'occasion il reviendra à la charge.
    -Majesté, que pourrons-nous faire s'il revient avec son armée, il nous écrasera ! Reprenant non seulement la Finlande, mais toute la Suède !
    -C'est pourquoi, Messieurs, il faut absolument que je me fortifie ! Comme vous le savez déjà je reviens de voyage. Malgré que j'aie bien voulu vous laisser croire qu'il ne s'agissait que d'un simple voyage, votre Roi ne perd jamais de vue que les affaires de l'État sont toujours pressantes et nécessitent un souci constant. Le but de ce voyage était de me reposer, de visiter, mais votre Roi a aussi fait un voyage de reconnaissance.

Il fit un silence qui jeta dans la petite assistance un étonnement qui se traduisait par des chuchotements montant, comme une volée de pigeons, vers les voûtes de cette salle. Boris souriait visiblement content de l'effet qu'il produisait.

-Ne vous ai-je pas prouvé Messieurs que je suis le plus fort ? N'aviez-vous pas maintes et maintes craintes à la prise de la Finlande ? Ne m'aviez-vous pas mis en garde contre Gustof Le Grand ? Qu'il enverrait son armée défendre cette petite parcelle de terre ? Que vous ai-je alors répondu ? Je vous ai dit que Gustof Le Grand n'enverrait aucun renfort à ses troupes de Finlande car il avait bien d'autres problèmes plus urgents à résoudre. N'avais-je pas vu juste ? Je ne suis pas étonné qu'il ne revendique rien maintenant ! Et si jamais il revendique un jour, je serai en position de lui répondre ! Car vous savez désormais que je suis un stratège à toutes épreuves ! Généraux qui êtes venus avec moi levez-vous et précisez au reste de cette assistance ce que je suis allé vérifier pendant mon voyage !

Le général Örtven se leva. Quant à Gustaveson il brillait par son absence. Ceci fit d'ailleurs partie de quelques remarques légères des membres de la Cour.

-Messieurs, notre Roi voulait garder secret le fait qu'il voyageait dans un but bien précis. Celui d'aller jusqu'à la frontière norvégienne voir le Col du Diable.

Chuchotements, cacophonie, de nouveau parmi les membres du parlement.

-Déjà vous savez que Boris Le Magnifique, Roi de Suède veut passer par le Danemark pour conquérir la Norvège. Cependant, en divisant son armée cela facilitera la prise de possession des nouvelles terres. Je vous explique. Une partie des soldats passera par la mer et l'autre passera par les terres, empruntant le chemin de la Forêt d'Elfe et s'engouffrera sur les terres norvégiennes par le Col du Diable. Synchronisant ainsi l'avancée de nos troupes sur deux flancs. Le roi Bjarni ainsi pris en souricière n'aura d'autre choix que de capituler.
-Majesté… puis-je vous demander ce qui advient de tous les avertissements que les rois Bjarni et Etok vous ont déjà fait parvenir ? Demanda l'un de ses ministres.
-Bien sûr mon brave Stranquvërk ! Comme le général Örtven me l'a déjà fait remarquer, veuillez comprendre que vos inquiétudes ne sont pas fondées ! Bjarni et Etok savent que j'ai des projets d'expansion. Cependant, aucun d'eux, n'a déplacé des troupes pour venir en aide à leur voisin Euphrase du Danemark. Je vous ferai remarquer que la Prusse est éloignée des territoires Scandinaves et que le seul moyen pour eux de nous atteindre est par la mer. Or, la flotte d'Etok est toujours en Prusse. Avant d'arriver jusqu'en Norvège, il lui faudra plusieurs semaines. Passons au Danemark maintenant. Euphrase possède une armée peu nombreuse. Tant qu'à Bjarni notre cher voisin Norvégien, il n'a envoyé aucun régiment jusqu'à maintenant pour prêter main-forte à son voisin ! Bjarni garde pour lui toutes ses troupes. Il est, certes, sur ses gardes mais ne soupçonne pas le moins du monde que je vais attaquer sur deux fronts. Il ne soupçonne même pas que je vais attaquer maintenant ! Toutefois, même s'ils ne sont pas

aussi érudits que votre Roi, ils ne sont pas sots pour autant. Il faut donc, agir, et agir vite. Ne laissant ni à gauche ni à droite, l'occasion d'une attaque sur nos terres. Gustof Le Grand pourrait un jour ou l'autre exiger la Finlande. C'est pourquoi je dois avoir sous la main quelque chose pour lui riposter. Après que j'aurai conquis le Danemark, et la Norvège, qui pourrais-je craindre Messieurs ? Je serai puissant, plus que je ne le suis déjà. Mon armée sera trois fois ce qu'elle est dans le moment et je pourrai répondre à qui aura l'effronterie de se présenter aux abords de mes terres !

Örtven se rassit. Chuchotements, encore et encore !

-Il me faut l'accord de tous pour que je déclenche dès aujourd'hui les préparatifs d'un tel projet et croyez-moi, je vous le dis, le plus tôt sera le mieux !

Après plusieurs minutes de délibération entre eux, les membres de l'assistance désignèrent un des leurs pour répondre à la question du roi.

-Majesté, moi, Plorverson, j'ai été désigné pour vous faire part de ce que les membres de cette assemblée ont décidé face à votre projet de conquête du Danemark et de la Norvège. Nous sommes en accord avec votre plan et nous vous épaulerons tout au long de son déroulement espérant qu'il s'agira d'une bonne décision plutôt que d'une épreuve… Oui, une épreuve car malgré la façon dont vous présenter le tout, nous persistons à croire que cette entreprise est fort risquée.
-Je vous remercierai donc tous pour votre confiance. Cependant, il est très important que vous compreniez qu'il n'y a jamais eu de guerre, dans ce bas monde, sans risques. Que ce soit un risque calculé ou non ! Avez-vous d'autres questions concernant ce plan d'invasion ?
-Non, Sire, pour l'instant c'est tout. De lui répondre Plorverson.
-Bon maintenant Messieurs que votre accord m'a été donné pour nos projets d'invasion, le Roi a une autre chose à vous apprendre et ceci est une annonce qui risque fort de vous surprendre…

Ils le regardaient avec épatement. La consternation régnait en maître dans la salle. Qu'est-ce que le roi pouvait bien avoir d'autre de plus surprenant qu'une invasion imminente à annoncer ? Décidément Boris n'avait pas son pareil pour captiver l'attention et faire des coups d'éclat. Ils auraient tous été bien servis sur ce point.

-Messieurs, Messieurs, silence s'il vous plaît, Silence.

Une fois le silence revenu dans les rangs, il ne perdit pas une seconde.

-Je vous annonce que votre Roi va se marier.

Vrai ! Il avait dit vrai. Cette annonce les prit tous par surprise. Tous se regardaient les uns, les autres et de nouveau, les chuchotements, les murmures recommencèrent faisant écho aux oreilles de Boris qui souriait d'avoir encore utilisé sa façon si particulière qu'il avait de communiquer ses nouvelles.

-Messieurs, votre Roi a déjà vingt-trois ans et je n'ai pas encore d'héritier. Il faut pourvoir à la continuité de la dynastie, c'est là un de mes devoirs que j'accomplirai avec plaisir car au risque d'encore vous surprendre, la future reine est déjà en ces murs.

Les hommes dans l'assistance étaient sous le choc. Une surprise n'attendait pas l'autre. Il leur déballait ses petites annonces sans ménagement, jetant parmi la petite assemblée la consternation la plus complète. Tous se demandaient ce qui arrivait à leur roi. D'abord, il n'avait jamais auparavant démontré aucun besoin de se tapiner dans une relation durable avec une dame et ne laissait aucunement sous-entendre non plus, encore moins, le mariage et que cette dame serait déjà au château. Là, vraiment, le plan d'invasion venait de passer au second rang. Voyant dans les yeux de ses hommes des points d'interrogation aussi gros que des pommes, il continua.

-J'ai ramené avec moi votre future reine que j'ai d'ailleurs croisée pendant mon voyage.

Le cardinal qui était resté silencieux jusqu'à lors se leva pour demander au roi :

-Pourrions-nous savoir de qui s'agit-il ? S'agit-il d'une lady, d'une comtesse, d'une duchesse ?
-Cardinal Klavik, il ne s'agit pas d'une lady, ni d'une princesse mais de la Duchesse de la Forêt d'Elfe.

Si Boris continue à ce rythme, plusieurs de ses ministres auront des attaques ! Car encore une fois, il jeta la consternation parmi l'assemblée.

-Sire, à moins qu'un fait manque à mes connaissances, il n'y a pas de duché dans la Forêt d'Elfe. De qui pourrait-il s'agir ? Demanda le cardinal.

-Cardinal Klavik, ne pensez-vous pas que j'étais certain que vous me poseriez cette question ? Laissez-moi vous apprendre que désormais, la Forêt d'Elfe sera un duché sur lequel régnera Amik Le Sage que j'ai moi-même nommé Duc, ainsi que tous ses descendants. À mon passage dans cette légendaire forêt, l'occasion m'a été donnée de rencontrer ce brave homme et de lui remettre des titres de noblesses. Cette forêt est maintenant devenue un endroit stratégique de mon royaume et il fallait bien y nommer un homme digne d'occuper ces fonctions qui, ma foi, relevaient d'un rang de Duc. Après avoir rencontré, en ces lieux éloignés, cet homme à la forte personnalité, il m'a été agréable de rencontrer sa famille constituée de vaillants gaillards et d'une demoiselle qui je crois n'a plus besoin de présentation.

-Sire, voulez-vous dire que la fille d'Amik Le Sage… Mira de la Forêt d'Elfe sera votre future épouse ?

-C'est cela même que je dis Cardinal !

-Mais… Mais… vous parlez de La Légendaire Mira ?

-D'elle-même, Cardinal !

-Mais Sire… des titres de noblesse donnés comme ça sans qu'on ne soit consulté… Je… je… Balbutiait le cardinal.

Boris souriait sachant très bien que le cardinal soulevait là une question d'étique puisque personne auparavant n'avait donné des titres de noblesse de cette manière. Mais Boris était un fin stratège. Il regarda le cardinal et lui dit :

-Vous connaissez aussi bien que moi de quelle façon s'obtiennent parfois ces titres de noblesse. Un vassal qui a besoin d'argent, un suzerain bien intentionné… et voilà qu'on donne des titres de noblesse si minimes soient-ils à une famille qui était depuis lors de simples sujets de la Couronne, surtout lorsqu'il s'agit des titres les moins honorifiques. Étant donné ce que nous nous apprêtons à faire, Monseigneur, il m'apparaissait évident que je devais au moins ça au sage de la Forêt d'Elfe puisque nous utiliserons ce territoire comme passerelle pour guerroyer avec l'ennemi !

-Vous touchez là un point Majesté… Mais…

-Mais Cardinal ? Elle a désormais des titres de noblesse. Vous aurez d'ailleurs la tâche de faire en sorte que Mira, fille du sage de la Forêt d'Elfe ainsi que tous les membres de sa famille soient dûment consignés à l'intérieur de vos livres.

-Qu'advient-il alors de Mira, la fille du sage de la Forêt d'Elfe, la légendaire Mira, la pucelle si elle marie le Roi ? Demanda l'un des ministres.

-Je vois que vous êtes bien informé sur cette fameuse légende de la Forêt d'Elfe… Il est vrai qu'elle est comme l'a dépeint la légende, d'une grande beauté, pucelle… À savoir s'il s'agit bien de la pucelle de la légende ? Je ne saurais vous dire ! Je n'ai jamais vraiment cru à toutes ces balivernes et vous le savez tous. Je suis étonné que vous mentionniez ce point, Monsieur.

-Il n'en reste pas moins, Sire, que vous devriez tout de même y porter plus attention. Depuis son très jeune âge, les sujets de votre royaume sont tournés vers elle. Elle représente pour nous tous un espoir qu'il ne faudrait pas ternir par un mariage ! Renchérit le cardinal.

-Assez Cardinal ! Comment un homme d'Église comme vous peut-il porter un jugement aussi païen ? Une légende reste une légende et je me marierai que vous le vouliez ou non. Qu'elle soit la pucelle annoncée dans la légende ou qu'elle ne le soit pas ne me fera pas changer d'avis !

-Mais, Majesté, on dit bien que c'est une pucelle qui dirigera le drakkar et non une femme mariée ! Vos sujets seront choqués d'apprendre que le Roi a dépucelé la vierge qu'ils attendent depuis si longtemps ! Car sans vouloir vous offenser, Sire… Elle répond à toutes les attentes… On la dit belle comme une rose, douce comme la brise… Quiconque l'aperçoit se sent pris d'un bien-être indescriptible… Si vous dépossédez vos sujets de tous leurs espoirs… Je… je…

-Vous m'offensez Cardinal ! Malgré votre bonne volonté, laissez-moi vous dire ceci : je la marie, je la dépucelle et si le ciel ne me tombe pas sur la tête pendant ma nuit de noces… tout le monde sera fixé ! Cela signifiera que Mira n'est pas la pucelle de la légende !

-Majesté ! Vos sujets sont croyants, autant pour Dieu notre Père que pour les légendes aussi étoffées que celle de la Forêt d'Elfe ! Vos sujets seront effrayés à la seule pensée que votre geste pourrait apporter malédictions et sacrilèges sur leur tête ! Pensez-y, Majesté !

-Étoffée, vous l'avez dit ! Voilà, une légende, Cardinal, reste une légende. Avant de pouvoir en prouver la véracité il faut la mettre à l'épreuve. Ce que je ferai pendant ma nuit de noces… et croyez-moi plus d'une fois ! Quant à ces malédictions et les sacrilèges… Balivernes que tout ça ! Avant mon arrivée au village, elle était déjà sur le point de se marier. Une autre preuve que les paysans n'attachent pas autant d'importance à cette légende que vous voulez bien le laisser croire. Et je dirai même plus ! Ah ! Cessons donc de colporter toutes ces histoires à dormir debout et éduquons notre bon peuple comme il se doit ! Cessons de nous cacher derrière ce genre de récit ! Nous sommes en l'an de grâce 1347 Messieurs ! Depuis la nuit des temps, les âmes fragiles sont gardées derrière des contes, des légendes, des histoires qui font peur, qui font de la masse des troupeaux obéissants et ignares ! Utile me direz-vous de garder la majorité de nos sujets derrière des croyances qui les asservissent... Oui, je vous le concède, mais vous Messieurs, faites-moi grâce, surtout vous, Cardinal, de vos peurs, de vos frayeurs ! Vous êtes tous ici, une élite, des gens cultivés, connaisseurs, alors ne me dites pas que vous croyez à cette légende au point d'empêcher votre Roi de mettre sur le trône une femme qui pourrait bien être notre planche de salut aux yeux des autres monarques ! Oui, Messieurs, comme le dit la légende, elle est pucelle, elle est d'une beauté, vous n'avez pas idée, Messieurs ! Quelle arme plus persuasive aurais-je pu trouver ? En alliant mon esprit bénit de Dieu avec la beauté de cette femme, plus rien ne me sera impossible ! Si en plus, elle engendre peur et frayeur par nos récits légendaires, imaginez un peu quelle puissance animera le royaume Suédois ! La légende ne dit-elle pas qu'elle conduira son Roi vers une éclatante victoire ? Que la Scandinavie sera unifiée ? Puisque vous voulez vous pencher sur l'exactitude de la légende, pourquoi négligez-vous tous ces points ? On ne raconte pas la suite de l'histoire. Alors faites-moi grâce de vos inquiétudes... Cardinal, vous qui êtes un homme de Dieu, vous qui prêchez la parole de Dieu lui-même, vous qui êtes un représentant en chair et en os de Dieu sur terre, vous qui voyez le bon peuple à votre église, vous qui lui parlez, vous qui lui enseignez ce qu'il doit penser, ressentir, voir, écouter, vous êtes dans la position idéale pour amenuiser ce choc. En annonçant à vos ouailles que le Roi se marie avec la légendaire Mira vous avez l'occasion rêver pour leur apprendre avec délicatesse et raffinement une telle nouvelle. Vous leur raconterez la légende dans ses moindres détails en prenant grand soin de ne point oublier la partie où elle conduira le royaume vers la richesse, le bonheur et l'allégresse ! À voir votre regard étonné Cardinal, me serais-je trompé sur vos capacités d'homme de Dieu et d'orateur ?

-Non... non... Sire ! Non... je... je...

-Alors ! Que dit la légende Cardinal ?

-Que la pucelle conduira un drakkar vers une terre inconnue...

-Non ! Non ! Cardinal... Que la pucelle devenue puissante par son mariage conduira un drakkar vers une terre inconnue !

-Oui... Majesté... !

-Serez-vous de taille Cardinal pour une tâche aussi délicate ?

-Oui, votre Majesté s'est très bien fait comprendre !

Boris arborait un sourire démoniaque. Le cardinal se rassit sur sa chaise. Boris était vraiment un fin limier et cette intervention le prouvait encore plus que toutes les autres. Le cardinal en était resté bouche bée et on voyait bien que rien ni personne ne pouvait arriver à museler ce jeune roi à l'esprit tordu.

-Elle vous sera présentée ce soir lors du banquet que je donne en son honneur. Alors, Messieurs si vous n'avez pas d'autres questions, le Roi se retire.

Il venait de clore l'assemblée. De toute façon, tout ceci les avait ébranlés et leur regard hagard démontrait bien à quel point ils étaient tous sous le choc. Seuls le bruit des épées, le frottement du tissu produit par leurs mouvements, étaient audibles car ils se retirèrent silencieusement comme hypnotisés par tout ce qui venait d'être discuté à l'intérieur de cette enceinte. Boris fit de même.

Il accourut à l'aile nord largement satisfait de la façon dont s'était déroulée la réunion. Encore une fois, il leur prouvait tous qu'il était le roi et maître.

Les servantes du roi le saluaient sur son passage. Rendu à son but, il décelait une activité fébrile derrière la porte de la chambre de la Reine Sophia. Une servante qui venait de sortir de la chambre s'adressa à lui :

-Majesté ! Majesté ! dites-moi, dites-moi, qui est cette princesse, comment s'appelle-t-elle, d'où vient-elle ?
-Que de questions, que de questions Froline… Elle vient d'une forêt magnifique, elle se nomme Mira et elle sera ma future épouse.

Boris avait tout défilé d'un trait sans même reprendre son souffle, laissant à son interlocutrice un étonnement sans borne.

-Sire, vous vous mariez ?
-Oui, il est grand temps, je dois avoir des héritiers pour ma couronne.
-Félicitations ! Sire, votre choix est judicieux !
-Comment s'est-elle comportée depuis son arrivée ?
-Elle est si charmante… Aucune exigence particulière. Si timide, Dieu du ciel j'aurais cru, un moment donné, qu'elle était muette.
-Je la reconnais bien là.
-Et nous les vieilles servantes du château, nous étions toutes excitées à l'idée de parer une si jolie dame. Il y a longtemps que nous n'avions pas eu à nous occuper d'une dame de cette qualité.
-Bon, maintenant est-elle prête ?

-Oui Sire, c'est un joli cadeau que vous nous avez fait là, on s'est amusé comme des enfants avec cette chevelure et à habiller cette gracieuse silhouette !

-Bon, pouvez-vous la faire reconduire à l'heure du souper vers la grande salle, il y a un banquet donné en son honneur.

-Bien, Sire, je m'en occupe.

-Ne lui dites pas. Je veux lui faire la surprise.

Boris se retourna et partit vers la chambre de son père. Arrivé sur place il entra dans la pièce.

-Bonsoir Père !

-Boris tu es de retour ?

-Oui, je suis arrivé aujourd'hui de mon petit voyage.

Le vieux anticipait d'interroger son fils sur ce qu'il avait vu et sur ce qu'il avait fait pendant ces derniers jours. Mais il fallait bien lui en parler et d'une manière détournée, il lui demanda :

-As-tu fait bon voyage ?

-L'un des meilleurs que je n'ai jamais fait…

-Je suis heureux qu'il t'ait plu de visiter ta contrée.

-Père vous mourrez d'envie de me demander si je suis allé dans la Forêt d'Elfe !

-Ne sois pas stupide, je n'ai plus l'âge, ni la santé pour jouer à ces petits jeux avec toi.

-Je vais vous libérer de votre tourmente… J'ai visité le royaume du côté Nord-ouest jusqu'à la frontière. J'ai donc fini dans la Forêt d'Elfe.

-Et ?

-J'y ai rencontré beaucoup de nos sujets. Et je suis allé jusqu'à pousser l'audace, ne vous en déplaise Père, jusqu'à me rendre dans la maison d'Amik.

Le vieux roi se mit à tousser et faillit s'étouffer.

-Tu as quoi ?

-J'ai rencontré cet homme et la fille de la légende de la Forêt d'Elfe.

-Boris ! j'espère que tu n'as pas fait de folie ?

-N'ayez crainte Père je me suis bien comporté.

-Non, je ne te crois pas… Tout à l'air trop beau… Je te connais mon fils…

-Bien, il est vrai que j'ai dû me prévaloir de mon titre de Roi pour régler certains petits litiges mais sans plus.

-Certains petits litiges ? Te prévaloir de ton titre de Roi ? Tu veux me faire croire que tu t'es bien comporté ? Je sais que tu me caches quelque chose et je le saurai bien assez vite même si tu ne veux pas me le dire…

-Tiens ! tiens ! voilà qu'on veut recommencer à sermonner son fils… Faites attention Père vous n'êtes plus en mesure de combattre…

-J'aurais bien envie d'avoir ne serait-ce qu'un soupçon de force pour quelques instants pour te corriger comme j'ai dû le faire si souvent…

-Ha ! ha ! Vieux fou ! Vous n'avez jamais pu me corriger… Vous n'avez jamais eu aucune emprise sur moi et vous le savez que trop bien.

-C'est vrai que j'ai été d'une indulgence incroyable envers toi et je le regrette amèrement aujourd'hui, je vois quel homme arrogant et prétentieux tu es devenu.

-Arrogant, prétentieux mais beau bonhomme !

-Ce que tu peux être sarcastique quand tu veux, tu m'agaces et me fatigues ! Pars, tu reviendras quand tu seras décidé à me parler avec respect.

-Je vais revenir ce soir avec une belle surprise…

-Une surprise ? Tes surprises tu sais que je ne les ai jamais vraiment appréciées, nous n'avons pas du tout la même définition de ce qu'est la surprise.

-C'est simple ! vous n'avez pas de sens de l'humour du tout Père, et je ferai fi de vos reproches, je vais revenir ce soir et vous verrez bien. Sur ce, votre Majesté, je vous quitte.

-C'est ça, quitte-moi ! Je te répète que je ne veux pas de tes surprises…

Boris avait disparu derrière la porte.

Ah ! Ursula, qu'a-t-il fait ? Si seulement je pourrais voir mes vieux ministres ! Il m'inquiète… Quelle peut bien être cette surprise ?

L'après-midi était maintenant terminé. Le temps maussade de cette journée faisait place à un début de soirée qui s'annonçait humide et frais. Le ciel se dégageait lentement laissant paraître quelques étoiles par-ci, par-là et un quartier de lune particulièrement brillant. Une légère brise secouait les bourgeons en grappe des branches qui étaient sur le point d'éclore.

Un grand événement s'annonçait. Du moins, c'est ce que ressentait le jeune roi qui se représentait déjà l'effet choc que produirait Mira sur sa Cour. Le cœur de notre roi impatient battait la chamade. Cette animation interne surprenait quelque peu notre guerrier ! D'habitude ces émotions particulières n'avaient été ressenties que quelques minutes avant un combat. Bien assis sur une monture, la main levée attendant le moment opportun pour lancer une attaque sanglante, voilà ce qui avait depuis lors insufflé les raisons de vivre à notre jeune étalon.

Mira serait-elle devenue un combat pour ainsi me donner des palpitations ? Pourquoi suis-je si excité ? C'est vrai qu'elle n'est pas un adversaire comme les autres ! Sa lutte est beaucoup plus subtile et rusée que celles auxquelles j'ai dû faire face... Allez, Boris ! Il faut courir jusqu'au banquet. Tout doit déjà être prêt et les invités déjà tous attablés.

La salle était effectivement, bondée de la grande noblesse de son royaume et des dirigeants de son parlement. À son entrée tous les gens présents firent un salut royal à Sa Majesté le regardant traverser dignement la grande pièce. Les observatrices plus hypocrites que leur équivalent masculin, lançaient des petits regards furtifs déguisant leur appétence pour cette belle pièce d'homme qui marchait d'un pas sûr vers son siège, vêtu d'un costume noir aux effigies royales surmonté d'une grande cape brodée à l'arrière du blason royal de la Couronne Suédoise. Une telle élégance couronnée par un si fier porteur jetait sur l'assistance féminine une attirance muette et secrète.

Après avoir pris place au bout de la grande table, Sa Majesté daigna se lever et s'adressa à son noble monde.

-Mes très chers amis, j'ai une annonce importante à vous faire... Je vais bientôt me marier.

Encore la cacophonie parmi les invités qui n'étaient pas présents à l'assemblée du même jour. Il les fit taire d'un geste de la main.

-Ce soir nous avons l'honneur d'accueillir en ces murs, la future Reine. Oui, mes braves, j'ai ramené avec moi, celle qui sera votre Reine. Le banquet de ce soir est donné en son honneur et je souhaite qu'elle vous soit présentée. Veuillez introduire Mira, Duchesse de la Forêt d'Elfe, future Reine de Suède.

Les regards ne tardèrent pas à se détourner de leur premier point d'intérêt vers les grandes portes closes. La curiosité, l'annonce solennelle, l'intrigue, tout était à son comble dans cette pièce ainsi que les battements de cœur de l'honorable roi de Suède.

Enfin, le mystère tirait à sa fin lorsque les portes offrirent la pleine capacité de leur ouverture. Une dame, jeune et belle se tenait tête baissée, les mains croisées, silencieuse. Une dame vêtue d'une robe en velours bleu roi brodée de fleurs dorées arborant une chevelure de soleil nattée avec soin où se perdait rubans de soie bleue et or. Une dame dont le silence et les rougeurs sur ses joues laissèrent l'auditoire ébloui. Une dame qui releva la tête pour voir enfin ce qui se trouvait derrière les grandes portes où on l'avait amenée sans pour autant lui dire ce qu'elle y trouverait. Elle balayait, de ses grands yeux azur, cette petite foule de curieux qui l'observait.

Je vais m'effondrer ! De quel cœur m'avez-vous dont pourvu Mon Dieu pour que je puisse rester debout malgré le malaise qui me scie les jambes ? Toute cette noblesse qui me regarde et le roi debout qui me dévisage ! Qu'ai-je donc fait pour en être arrivée là ? Tous ces gens... je me sens en grande détresse...

Le silence de l'assistance en admiration fit place à des murmures qui arrivaient aux oreilles de Boris, ébloui à son tour par la beauté qu'il avait si durement éprouvée durant les derniers jours.

« Comme elle est belle ». « Dieu du ciel on nous avait parlé de la légendaire beauté de la Forêt d'Elfe, mais... » « Ce n'est peut-être pas une noble mais elle en a tous les attributs »... Boris se délectait de toutes ces réflexions.

-Mira, Duchesse de la Forêt d'Elfe, le Roi vous invite cordialement à partager ce repas avec tous mes convives. Oh ! Magnifique Mira, future Reine de Suède !

À l'aide d'un domestique elle se rendit jusqu'à la chaise qui lui était destinée. Il était grand temps que quelqu'un s'occupe de la soutenir. Étant sur le point de défaillir à une telle annonce, la belle resta silencieuse apparemment déconcertée par tout ce faste et par des paroles on ne peut plus éprouvantes, connaissant la position délicate dans laquelle elle se trouvait plongée contre son gré ! L'embarras qu'elle éprouvait était presque insupportable.

Que puis-je bien faire ici ? Tous des nobles bien vêtus... Boris dans quel embarras me plonges-tu encore ? Si au moins tu avais la délicate pensée de cesser de me regarder ainsi ! Je dois être aussi rouge qu'une pomme, je sens mes joues en ébullition... Que veut-il de moi, ce roi ? Se marier, mais il aurait très bien pu le faire avec n'importe quelle de ces belles et nobles dames... Il aurait pu prendre de force ce dont il avait besoin et ensuite me redonner ma liberté ! Je ne comprends rien à ses motivations et là je les comprends encore moins...

Boris ordonna qu'on serve le repas. Les gens près d'elle presque tous des hommes du parlement la regardaient avec curiosité et enchantement. L'un d'eux se pencha vers elle et lui demanda :

-Dites-moi Madame, le château vous plaît-il ?

Sa timidité était visible parmi tous ces dignitaires et rien ne semblait leur échapper. Elle se surprit à répondre, considérant qu'elle pensait ses cordes vocales nouées au point qu'aucun son n'aurait pu en jaillir :

-Oui.

C'était une réponse courte et précise. Le château était certes très beau mais elle n'en avait rien à faire surtout que là, le malaise était de plus en plus grandissant ne laissant nullement entrevoir une échappatoire quelconque. Un autre lui demanda :

-La Forêt d'Elfe est-elle aussi belle qu'on me l'a décrite ?

Quelques secondes d'hésitation et de nouveau elle réussit à faire surgir quelques sons :

-C'est une majestueuse forêt, Monseigneur.

Cette question était plus appréciée que la précédente. Un autre lui demanda :

-Madame, y a-t-il d'autres membres féminins dans votre famille ?

Le ministre de la défense pouffa de rire à la question de son acolyte. Ce dernier reprit :

-Qu'as-tu à rire Byorna ? Cela ne t'intéresse-t-il pas de savoir si d'autres magnifiques créatures se cachent au fond de ces bois légendaires ?

La question et son pourquoi firent sourire Mira ainsi que ceux qui étaient assis près d'eux. Boris ne perdait rien de la scène. La voir sourire était pour lui un magnifique présent, c'était là, une des rares occasions où il pouvait voir une autre expression que la tristesse sur ce visage adorable.

Comme elle peut être époustouflante ! C'est un regain d'espoir de la voir sourire. Elle est peut-être guérie de la peine que je lui ai infligée. Qu'a bien pu dire Byorna pour qu'ils rient tous comme ça !

-Mes braves qu'avez-vous tant à rire ? Demanda-t-il.
-Sire, le ministre Karwyar ici présent, veut savoir s'il y a d'autres membres féminins dans la famille de votre future épouse… Il est si laid qu'il espère trouver au fond de ces bois une créature divine qui lui donnerait enfin ce qu'il est obligé de payer lorsqu'il tente de croiser le fer avec la gent féminine ! Ha ! ha !

La tablée tout entière s'esclaffa. Le ministre outragé rétorqua à son interlocuteur :

-Tu as toujours été jaloux de moi Byorna…
-Moi jaloux de toi ? J'ai déjà eu trois femmes et j'ai treize enfants. Je suis aussi riche que toi et jamais je ne jalouserai un laideron comme toi !

Il se rebiffa derrière une grimace à l'intention de son voisin d'en face. Boris prit alors la parole.

-Pour répondre à votre question mon cher ministre, il n'y a qu'une seule Mira et c'est ma future femme… Votre future Reine. J'espère que vous n'êtes pas trop déçu mon ami ?!?

Les fous rires recommencèrent fuselant de toute part.

-Bien sûr que je suis déçu Majesté ! Non pas que Mira soit notre future Reine, oh ! Non ! Mais qu'elle soit la seule de son espèce, ça, Oui !

Byorna éclata de rire.

-Mon Dieu ! La seule de son espèce, franchement Karwyar vous avez une drôle de manière de vous exprimer ! De quelle espèce êtes-vous donc, vous Karwyar, Ministre de Sa Majesté de Suède ?

Boris riait aux éclats et il était loin d'être le seul. Un autre ministre de répondre :

-L'espèce de Karwyar, mes braves, est le résultat d'un croisement entre l'homme et l'ours !

-Ah ! Non ! Si vous vous y mettez tous contre moi ! Vous êtes tous une bande de jaloux... voilà, une bande de jaloux !

Tentant de reprendre son sérieux, Boris termina de façon magistrale cette effusion de rire.

-Je ne sais pas de quelle espèce vous êtes Karwyar, mais Mira, votre future Reine est sûrement le croisement entre la femme et les anges divins !

Cette remarque en fit sourire plusieurs mais noyait Mira dans un état de détresse sans borne, ni limite. Boris avait l'impression de voir les ailes de son ange se replier sur elle comme pour cacher toute la lumière qui émanait de ce corps menu et délicat. Soudainement, elle était passée de la lumière à l'obscurité ténébreuse. Le petit sourire à peine perceptible dont il avait été témoin quelques secondes auparavant avait fait place à une tristesse profonde. Une tristesse qui avait été omniprésente depuis sa première rencontre avec la fragilité de la renversante petite paysanne. Elle le fascinait toujours autant, ce n'était qu'un mystère de plus qu'il n'arrivait pas à résoudre.

Le festin qui occupait la table était appétissant. Les odeurs de viande fumée, de légumes frais, de potages fumants, tout pour nourrir un village en entier se tenait au milieu de la grande table et dans les assiettes des convives de Sa Royale Majesté. Les servantes s'affairaient autour de ces nobles qui buvaient et se délectaient des meilleurs vivres de tout le royaume. Ce faste repas, digne du roi, répugnait pourtant Mira qui voyait dans chaque assiette de quoi nourrir une famille entière de paysans affamés après un dur hiver.

Après s'être empiffrés, la panse bien remplie, la plupart des invités levèrent leur coupe à la future reine. Moment encore déplaisant pour la dame qui ne se voulait guère le centre d'intérêt de cette soirée. Mais le plus audacieux demeurait Boris.

-Madame, nous ferez-vous le plaisir d'entendre votre merveilleuse voix ?

-Comment, Sire, elle sait chanter ? Y a-t-il un don, dont elle n'est pas pourvue ?

-Oh ! Karwyar, je crois qu'effectivement, il n'y a pas de don dont elle ne soit pas pourvue ! Et croyez-moi, Karwyar, si elle pouvait nous faire le plaisir d'entendre cette voix, vous n'écouteriez plus aucun chant de la même façon. Alors, Madame, auriez-vous l'amabilité de nous faire entendre votre divine voix ?

-Sire… Je… je suis si lasse… Le voyage m'a quelque peu fatiguée…

-Je savais que vous auriez encore refusé Madame, mais le Roi est votre obligé et il n'exigera pas de vous une telle prouesse puisqu'il est vrai que ce voyage fut à la fois éprouvant pour vous autant qu'il le fût pour moi ! Allons mes braves, nous allons nous retirer dans la grande salle, nous y danserons !

Boris se leva et tous l'imitèrent. Mira se leva à son tour mais resta immobile, ne sachant pas très bien où elle devait se rendre.

Comment, il faut encore aller dans une autre pièce ? Une autre grande pièce, tout est démesuré ici, tout est grand, haut, riche. Que dois-je faire ? Pourquoi, le roi vient-il vers moi le bras tendu ? Il faut que je le suive ? Non…

-Madame, prenez le bras du Roi, il vous conduira jusqu'à la grande salle.

Elle eut un moment d'hésitation. Boris lui prit alors la main qu'il s'empressa de serrer légèrement et se pencha vers elle.

-Nous savons tous les deux que vous êtes ici sous la contrainte, mais si vous démontrez votre réticence à mon égard devant mes nobles invités, je vous casse vos jolis petits doigts ! Me suis-je bien fait comprendre ?

-Oui… Sire…

-Alors souriez ! Et suivez-moi !

Comment pourrais-je sourire ? Qu'il est bête ! Je le hais… j'aurais le goût de hurler tellement il est bête ! Ce que je peux te haïr Boris ! Quand pourrais-je enfin t'échapper ?

Dans la grande salle, des tables avaient été disposées en rond laissant une grande, très grande place au centre où musiciens, acrobates, danseurs ravissaient les yeux de tous. Le vin coulait à flots et la musique était divine. Boris et Mira prirent place côte à côte.

152

Les discussions allaient bon train dans cette immense pièce aux plafonds aussi hauts que les arbres que Mira escaladait. Les murs de pierres étaient finement décorés de feuilles d'or. Les portes épaisses et lourdes encore plus grandes et plus démesurées que les portes de la salle à manger étaient sculptées dans l'acajou. Cette salle était en forme de demi-cercle et dans la partie arrondie, d'énormes fenêtres drapées de rideaux de velours or donnaient une vue de choix sur un jardin entourant un lac où le quartier de lune jetait ses reflets.

-Madame observe-t-elle à son aise ?

Mira ne répondit pas. Cette question venait de la faire redescendre de ses rêveries. Elle baissa les yeux.

-Madame a-t-elle tout ce dont elle a besoin ?

Elle resta silencieuse.

-Tu auras tout ce que tu veux et plus encore, Mira, il est si simple de me demander. Je t'offrirai les plus belles perles, les plus belles étoffes, les plus beaux voyages… te ferai voir des contrées magnifiques… Demande et je t'offrirai. (silence) Tu as subjugué les membres de ma Cour et de mon Parlement. Mais cela n'est pas une surprise pour moi, tu es tellement merveilleuse Mira, personne ne peut te résister… Demande-moi ce que tu désires vraiment et je te l'apporterai sur un plateau d'argent… Allez ! demande-moi quelque chose ?

D'une voix hésitante, elle finit par formuler sa requête :

-Je désire seulement recouvrer ma liberté, Sire…

Il se pencha vers elle et dans le creux de son oreille il lui rétorqua :

-Tu ne quitteras jamais ce château… et je te mettrai sous bonne garde au cas où tu oublierais le sort que je réserve à ta famille si tu tentes quoi que ce soit pour retrouver ta liberté.

Mira piteuse, tête baissée, venait de se faire rappeler à l'ordre par le roi. Elle ne dit plus un mot. Visiblement irrité par l'attitude de Mira, Boris se leva.

-Mes bons amis, le Roi est fatigué. Je me retire et la dame aussi. Continuez de vous amuser, pour certains d'entre vous nous nous reverrons demain. Bonne soirée ! Amusez-vous bien.

Il se retira traînant Mira par le bras. Une fois dans le large passage lorsque personne ne les observait, il prit brusquement les poignets de la jeune fille et la regarda sévèrement.

-Vous êtes à moi, Madame ! que ça te plaise ou non… Tu seras ma Reine et je ne veux plus jamais que tu remettes en question ta présence ici. Est-ce que tu m'as bien compris ?

Mira était encore au bord du désespoir. Il était si brutal. Une véritable bête enragée. Les larmes lui remontaient à la gorge et elle n'arrivait pas à répondre. Boris devant cette attitude silencieuse était sur le point de hurler sa rage.

-Réponds-moi, bordel de merde, Mira ? Réponds-moi… est-ce que tu m'as bien compris ?
-Oui… oui… Ma… Majesté, oui…
-Demain tu auras une surprise de taille. Je t'avais dit que tu ne continuerais pas longtemps à m'agacer comme tu le fais. Demain, tu verras ce que je te réserve et je suis convaincu que ton comportement de petite fille capricieuse changera… De toute façon tu n'auras pas le choix !

Il avait encore réussi à faire couler ses larmes. Il la regardait si méchamment qu'elle avait de nouveau peur de ses réactions colériques. Il lui lâcha les poignets. Il l'emmena avec lui avec force vers une chambre.

Voilà, mon heure est venue ! Il ne va pas tarder à me dépuceler ! Comme j'ai peur ! Que fait un homme à une femme dans une couche ? Je n'en sais rien. Jamais on ne m'a expliqué les choses de la vie ! J'ai peur !

Mais le geste que posa Boris devant la porte la déconcerta complètement. Il cogna et entra dans la pièce la tirant par le bras.

-Père, je suis venu avec ma surprise.
-Boris, qu'est-ce que je t'ai dit cet après-midi, je déteste tes surprises.
-Père je vous présente Mira fille d'Amik sage de la Forêt d'Elfe.

À sa vue le vieil homme eut une attaque. Ses vieux yeux malades s'ouvrirent.

-Je suis au paradis Ursula tu es venue me chercher…

Il referma aussitôt les yeux et plus un son ne sortit de sa bouche.

-Père, Père… Il est mort ce vieux fossile !

Mira ne comprenait rien à ce qui se passait.

Ursula est le nom de ma mère. Pourquoi le vieux roi m'a-t-il nommé ainsi ? Connaissait-il ma mère ? Et Boris qui ne semble pas affecté plus qu'il ne le faille à la vue du malaise de son père. Qu'est-ce qui… Je ne comprends plus rien !

Boris était sorti de la pièce allant quérir l'aide du médecin et il revint aussitôt. Mira observait la scène. Le médecin entra en fronde dans la pièce, prit le pouls du vieillard et se retourna vers Boris en hochant négativement la tête, signe incontestable que le vieux roi n'était plus de ce monde.

-Toutes mes condoléances, Majesté.
-Merci… Faites le nécessaire, les funérailles auront lieu demain.
-Demain ? Si vite ? Bien, Sire.

Mira ne comprenait rien du tout à ce qui se passait, Boris était d'une indifférence déconcertante devant la mort de son père. Boris sortit de la pièce avec Mira et se tourna vers elle.

-Mira, cela te surprends que je ne sois pas plus affligé par la mort de mon Père ?
-C'est… c'est un fait, Majesté.
-Mon père et moi, avions une vision du monde diamétralement opposée. Nous ne nous sommes jamais vraiment bien entendu. Une vieille querelle de femme. Je ne lui pardonnerai jamais et même après sa mort je continuerai de prétendre qu'il aurait pu faire de son existence quelque chose de mieux que ce qu'il en fait.

Mira, intimidée par ce qui venait de se passer sous ses yeux risqua une question.

-Pourquoi… pourquoi m'a-t-il appelé Ursula, Majesté ?
-Ce nom ne te rappelle-t-il rien ?
-C'est le prénom de ma mère… Mais… mais qu'est-ce que ça veut dire ?
-Ton père ne t'a donc jamais rien dit ?

-Mon père ? Qu'est-ce que mon père a à voir avec votre Père, Sire ?

-Je vois que ce bon vieux Amik s'est bien gardé d'exposer à sa fille sa vraie nature !

-Sa vraie nature ! que voulez-vous dire ?

-Oh ! Mira… Mira… Ton père, ton père… Il y a très longtemps pendant leur jeunesse, ton père et le mien se connaissaient. Amik travaillait comme charpentier au château. Ton père, Mira, était le charpentier du Roi. Il semble qu'un jour une merveilleuse domestique est arrivée, on ne sait trop d'où et d'autres prétendaient qu'elle arrivait de la lointaine Bretagne. C'était Ursula ta mère. Comme tu lui ressembles beaucoup, je comprends mieux maintenant ce qui s'est vraiment passé. Mon Père, le Roi, est tombé éperdument amoureux de ta mère mais voilà, ta mère était amoureuse du charpentier et non du Roi. Amik a donc décidé de partir le plus loin possible pour que cette situation embarrassante se termine de la meilleure façon. Du moins, c'est ce qu'a toujours prétendu mon Père. Ce qui se passa ensuite, il ne l'avait pas prévu. Ton père et ta mère ont quitté le château et se sont mariés. Leur destination était la Forêt d'Elfe car ce territoire est Suédois mais si près de la frontière et si loin de notre château que cet endroit semblait tout désigné pour s'éloigner du Roi. Ni ton père, ni ta mère ne recroisèrent sur leur chemin, le mien. Mais voilà, le mal était fait. Malgré le temps qui passait, malgré son mariage avec la Reine, ma Mère, il n'y avait rien à faire. Mon Père n'arrivait pas à oublier cette femme, Ursula. Il aimait ta mère. Il l'aimait d'un amour fou et dévastateur. Il s'est marié par obligations royales. Il devait avoir une descendance. Il a rempli son rôle sans plus. Il n'était plus que l'ombre de lui-même et malgré toutes ses années, il n'a jamais oublié ni renoncé… Il aimait ta mère. Quant à ma Mère, dès que je suis né, mon Père l'obligea à dormir dans l'aile nord. Ils étaient sous le même toit, mais n'avaient rien en commun. Mère en a beaucoup souffert. Elle est morte depuis trois ans et jamais Père ne lui a démontré aucune affection même dans les derniers instants de sa vie. Je n'ai jamais pu lui pardonner de ne pas avoir fait valoir ses droits de Roi sur ton père lorsqu'il en avait la chance…

Mira n'en croyait pas ses oreilles. Cette histoire était invraisemblable. Boris fit un court silence regardant Mira qui le dévisageait pour la première fois.

-Je dois t'avouer que j'ai entendu parler de toi de ta famille pendant plusieurs années. Malgré la distance qui le séparait de vous tous, Père demeurait collé à tout ce qui se passait dans votre famille. Chaque naissance lui était rapportée. Chaque détail, ou du moins les plus importants, arrivait par l'entremise d'un messager jusqu'à lui. J'ai grandi dans cette haine permanente, car Mère détestait votre famille. Elle avait ses raisons. Moi, je ne haïssais pas ta famille mais le manque de rigueur de Père. C'était lui le responsable de toute cette situation. Il n'avait qu'à prendre position dans le meilleur intérêt du royaume, ce qu'il n'a pas fait et c'est pourquoi j'ai toujours été à couteaux tirés avec lui. Quant à la légende qui vous entoure, chère dame, moi je n'y ai jamais porté aucun intérêt. Alors que Père, c'était tout le contraire. Il connaissait ton existence, mais il s'était lui-même promis de ne jamais pousser l'audace jusqu'à aller te voir. Il ne connaissait de toi que ta réputation, tout comme moi d'ailleurs. En ce qui concerne ton père, je n'ai pas non plus beaucoup de pitié envers lui... Au contraire, je ne l'aime guère. Il se savait charpentier, il savait mon père Roi, pourquoi n'est-il pas parti pour laisser Père vivre une vie heureuse. Je suis certain qu'il aurait été un tout autre homme. C'était au charpentier à s'éclipser et non au Roi. Ça, je ne peux le pardonner à ton père. Il a une dette envers la Couronne, il me doit bien sa fille. D'autant plus que j'avoue que lorsque je t'ai vu Mira... J'avoue que je comprenais... Oui, je comprenais comme il avait été difficile pour mon père d'accepter une telle séparation... Car, mon amour... si tu ressembles à ta mère comme on le prétend... Il a déployé un effort surhumain pour parvenir à la laisser partir... Quant à moi, je ne répéterai pas les mêmes erreurs que lui. Je suis tombé, oui, tombé littéralement sous ton charme, je t'aime éperdument et je n'accepterai pas de te partager avec qui que ce soit. Tu vas devenir mienne sous peu et c'est ainsi que tu apprendras à mieux me connaître, à m'apprécier à ma juste valeur.

Mira baissa les yeux. Lui rappeler sans cesse qu'elle devrait partager sa couche avec lui ne lui plaisait pas. Elle lui dit :

-Votre père était un sage homme...

Boris s'insulta de cette remarque :

-Pourquoi ? Parce qu'il n'a pas su retenir la femme qu'il aimait ? Il était le Roi, il avait tous les droits !

Elle ne répondit pas tout de suite mais Boris voyait qu'elle brûlait de lui répondre quelque chose.

-Majesté, votre père avait compris qu'on ne force pas les gens à aimer... C'est malheureux qu'il ait souffert autant de cette séparation, mais il a fait ce que son cœur lui disait de faire...

-Balivernes ! Je t'ai bien ramenée avec moi… J'ai éliminé les embûches sur mon chemin ! Je suis le Roi et on me doit obéissance. Il aurait pu en faire de même… mais non ! Il a laissé partir l'amour de sa vie et ne s'en est jamais remis !

L'intransigeance de ces mots attaqua Mira droit au cœur. Elle baissa la tête et se mordit les lèvres pour tenter de retenir des larmes qui surgissaient malgré sa retenue. Éliminer les embûches sur son chemin, voulait dire pour le roi qu'il pouvait prendre la vie des gens quand bon lui semble. Boris voyant la désapprobation de Mira s'impatienta encore une fois. Il leva la tête et fit signe à un de ses serviteurs.

-Mon brave reconduisez cette dame à sa chambre. Donnez des ordres stricts de ma part aux gardes devant sa porte. Elle doit y demeurer et n'en sortir sous aucun prétexte. C'est moi qui déciderai quand Madame aura le droit d'en sortir.

Il tourna raide sur ses talons et partit dans ses appartements d'un pas décidé comme c'était son habitude quand il était contrarié. Une fois arrivé à destination, tout en claquant la porte fortement, il s'assit sur son lit et se pencha sur ses genoux la tête entre les mains. Son vieil ennemi venait de rendre l'âme et la femme qu'il aimait ne lui portait pas du tout l'attention qu'il désirait. La frustration était sa compagne des derniers jours et elle était loin d'être celle qu'il souhaitait avoir comme dame de compagnie. Cette frustration était une chose qu'il ne supportait pas et qui le conduisait toujours sur le chemin ténébreux de la rage. La rage, quel sentiment éprouvant et exutoire pour relâcher toute cette tension qu'il éprouvait depuis plusieurs jours ! L'adversaire sous ses dentelles était plus dur que le roc plus résistant que toutes les armées réunies ! De quelle force était donc munie cette mystérieuse femme ?

Je me rends compte qu'elle ne savait pas toute l'histoire entourant sa mère ! Amik quel affreux cachottier tu fais ! Tu as caché à ta fille ton passé et tu sembles lui avoir caché également ce qu'elle représente pour mon peuple. Elle semble totalement ignorante qu'elle est le centre d'intérêt d'une légende qui entretient depuis des générations tout le peuple de Suède ! Amik, tu mérites ta réputation : Sage de la Forêt d'Elfe. Tu t'es bien gardé de lui dire, de lui raconter ! Tu la préserves envers et contre tous, mais tu n'avais pas prévu Boris ! Tu n'avais pas prévu non plus que ta fille serait mienne et que je suis plus fin stratège que tu ne le seras jamais ! Mira ! Petite paysanne aux yeux d'azur et à la chevelure de soleil dans peu de temps tu dormiras près de moi, tu partageras mes nuits et tu feras de moi un des plus puissants rois de la terre que tu le veuilles ou non !

Il se releva, sortit la tête du cadre de porte et fit signe à l'un de ses serviteurs.

-Fais cueillir Anna, dis-lui qu'elle vienne me rejoindre.

Notre jeune roi avait une soudaine envie d'échanger sa rage et sa frustration contre quelques douceurs féminines. Anna était l'une des nombreuses maîtresses de Sa Majesté. Rappelons-nous que depuis plus d'une semaine il n'avait pas partagé sa couche avec le sexe opposé. Chose qui ne lui ressemblait point. Lui, qui parfois partageait sa couche avec plus d'une femme à la fois pour se satisfaire.

Il se dévêtit et s'étendit en costume d'Adam sous les couvertures de son lit.

Quelques minutes plus tard, Anna entra. Anna était plus âgée que le roi et habituée aux exigences parfois particulières de Sa Majesté, elle s'avança vers lui.

Elle connaissait bien Boris. Elle savait qu'il ne fallait rien lui refuser.

-Votre Majesté désire mes caresses ?
-Approche !
-Laissez-moi embrasser votre royal torse !
-Non… Couche-toi.

Boris ne perdit pas son temps avec les préliminaires. Il grimpa sur Anna comme s'il se trouvait au milieu d'un champ de bataille entouré d'ennemis, c'est-à-dire qu'il s'exécutait comme un véritable lapin. Le tout fut de courte durée, laissant Anna surprise que Boris se contente d'une si simple galopade habituée à bien plus d'obligations de sa part.

-Va maintenant… Je veux être seul !
-Déjà Majesté, mais…
-Va ! laisse-moi seul Anna… Je n'aurais pas dû te faire quérir !

Cette dernière phrase laissa Anna pantoise. Il semblait y avoir dans l'intonation de sa voix un soupçon de regret. Anna se revêtit rapidement et sortit de la pièce la tête pleine de question. Qu'arrivait-il à ce chaud lapin ? Anna n'y comprenait rien. C'était sûrement cette mystérieuse femme qui était arrivée au château dans l'après-midi. On lui avait vanté sa grande beauté. On lui avait également raconté que la demoiselle était une pucelle de dix-sept ans. Connaissant Boris comme elle le connaissait, elle se doutait bien que cette jeune dame n'aurait pas laissé indifférent Sa Majesté Royale qui était bien connue pour son penchant pour les jeunes dames. Cependant, il s'agissait d'une première. Jamais Boris ne s'était conduit de cette façon auparavant côté échanges charnels. Jamais, il n'aurait réduit sa forte nature à ce point. Comment pouvait-il ce soir, s'assouvir d'un simple galop qui se terminait par un homme seul dans un grand lit ? Anna, ne reconnaissait plus son roi. Elle partit songeuse vers ses appartements dans l'aile ouest du château où dormaient les domestiques du château.

Quant à notre étalon, il essayait de faire le vide dans son cœur et dans son âme, mais n'y parvenait point. Boris réalisait que plus rien ne serait jamais comme avant. Cette femme avait bien réussi à assouvir un besoin primaire mais il n'en retira aucun plaisir, s'écœurant presque d'avoir osé cette escapade qui ne dura pourtant que quelques minutes. Le point névralgique de ses pensées était fixé sur la femme, sur l'être délicat, sur la légendaire beauté qu'était Mira. Obsédé, il en était tellement épris qu'il ne parvenait pas à comprendre ce qui lui arrivait. C'était si incroyable que cela était impossible à imaginer aux yeux de tous ceux qui le côtoyaient depuis longtemps et lui-même n'y croyait pas. Couché sur le dos, nu comme un vers, les bras derrière la tête, il pensait.

Père est maintenant parti rejoindre Ursula et moi, je suis là, seul dans mon grand lit et Mira est dans mon château enfermée à double tour dans la chambre de Mère. Que cette situation est ridicule ! Comme j'ai envie de me lever et d'entrer dans cette pièce et de la prendre. Je ne pourrai pas lui faire l'amour. Elle se butera encore contre moi et je devrai utiliser la force. Ce n'est pas ce que je désire. L'obtiendrais-je un jour ce que je souhaite ? Je commence à vraiment en douter. Elle est si entêtée ! Elle ne semble pas vouloir déroger d'un cheveu de son idée fixe. Celle-là même qu'elle ne me désire point. Le temps jouera-t-il en ma faveur ? Il faut l'espérer. Je la couvrirai de présents plus fabuleux les uns que les autres. Si elle n'est pas une ingrate, elle me le rendra au centuple. Soyons patients.

Comme il n'avait pas dormi depuis deux jours, il ferma les yeux et le sommeil l'enveloppa doucement jusqu'à ce qu'il se perde dans des rêves décousus.

Le lendemain matin, reposé et dispos le roi se sentait plus serein et se dirigeait vers la chambre de feu sa mère.

Mira avait été réveillée par les servantes du roi. Les convenances de la Cour l'obligeaient. Les ordres étaient stricts et la dame devait être parée avant l'arrivée du roi. Elles l'aidèrent à faire sa toilette matinale et étaient à finaliser la coiffure de la dame lorsque Boris fit irruption dans la pièce. Les servantes se retirèrent aussitôt. Mira était assise devant une petite coiffeuse et la sortie des servantes lui annonçait l'entrée du roi.

Vêtue d'une magnifique robe en taffetas noir, cheveux miel nattés de rubans, le cœur de nouveau en roulement de tambour, Mira resta assise, silencieusement devant la glace. Le son des bottes de cuir sur les dalles de pierres se rendait directement vers l'oreille féminine. À mesure que le bruit se rapprochait, son cœur redoublait d'ardeur.

-Madame ! Comme vous êtes en beauté ce matin ! Il n'y a pas un jour qui passe sans que je t'admire davantage. (silence) Tu vas m'accompagner à la chapelle du château. C'est la cérémonie funéraire.

Immobile, la jeune demoiselle regardait la main qui lui était tendue. Une main, forte, robuste. Trois bagues en or, serties de pierres précieuses entouraient les doigts de la main du roi.

-Ai-je les mains propres, Madame ?

Dieu qu'il est bête ! Se dit-elle soudainement.

Boris se mit à rire.

-Ha ! ha ! Je ne pouvais pas m'empêcher de te dire cette sottise ! Tu regardais ma main avec tant d'insistance. Comme si tu observais pour y trouver quelque chose. (silence) Ce sont mes bagues qui t'impressionnent ? Ne rougissez pas jolie dame ! Regarde Mira, regarde-les… Tiens ! je vais les enlever.
-Non… Ce n'est pas nécessaire… Je…
-Tu en veux de jolies bagues ?

Boris déposa ses bagues sur la coiffeuse et s'agenouilla près d'elle.

-Tu veux des colliers pour orner ton joli cou ? Tu veux des bracelets pleins tes délicats poignets ? Tu veux des boucles d'oreilles pour être encore plus désirable ? Je t'offrirai tout ça et bien davantage Mira. Des robes coupées dans les plus rares et les plus magnifiques étoffes… Tout ce que tu me demanderas, je te l'offrirai. Mais pour ça il faudra être à moi, Mira. Regarde mes bagues, elles sont en or massif et ces pierres sont des diamants, des rubis et des émeraudes. Elles sont belles, dispendieuses, mais je les échangerais sans aucune hésitation contre une seule de tes caresses, Mira. (silence) Non, Mira, ne détourne pas ton regard ! Mira, apprends à me connaître. Aime-moi ! Si seulement tu comprenais ce que je ressens pour toi. Si seulement tu essayais… (silence) Si tu savais quelle peine habite mon cœur quand tu restes silencieuse, quand tu t'éloignes de moi comme tu le fais. Quand tu ne daignes même pas me démontrer un espoir lorsque je te parle aussi tendrement. Tu es encore contrariée, je le vois sur ton visage. C'est trop te demander d'essayer Mira ? (silence) Merde ! Merde !

Il se releva et envoya promener les bouteilles de parfum placées sur la coiffeuse qui éclatèrent toutes en arrivant sur les dalles de pierres.

-Tu as le don de me faire retourner les sangs ! Mon père est mort, je viens te chercher pour que tu m'accompagnes, je t'offre tout ! Tout Mira ! J'ai tout essayé avec toi, la douceur, la force, les disputes, le dialogue et rien ! Je n'ai jamais de toute ma vie, et Dieu m'en est témoin, j'en ai vu des gens dans ma vie, et je n'ai, non, je n'ai jamais vu un être aussi obstiné, aussi ingrat que tu puisses l'être, Mira ! Vas-y pleure, pleure Mira ! Je vais sortir et revenir. Je t'avais dit hier que je te réservais une surprise. Eh ! bien, soit ! J'avais envie d'attendre après la cérémonie, mais tu y as droit tout de suite. Après, on verra bien si tu ne marcheras pas au doigt et à l'œil avec moi !

Le pas décidé, il reprit le chemin de la porte qui fut fermée si violemment qu'un bibelot sur une étagère tomba par terre avec fracas.

Mira leva les yeux et se regarda dans la glace.

Je dois faire mes prières Mon Dieu. J'ai pêché et je ne sais pas quand. Vous m'éprouvez et je n'en connais pas les causes. Une neuvaine de prières vous comblerait peut-être ? Qu'ai-je donc fait pour que vous m'obligiez à supporter un tel calvaire ?

Elle baissa les yeux. Les bagues de Boris étaient restées sur la coiffeuse. Elle en essaya une. Elle la passa à tous ces doigts. La bague était trop grande.

*Avec une main aussi robuste, il pourrait bien me casser le cou !
Quelle surprise me réserve-t-il ? Il ne faut pas y penser... Non, Mira,
n'y pense pas, c'est encore une machination diabolique qui me cause-
ra peine et tourment.*

La porte ouvrit de nouveau. Elle se retourna. Boris entra seul, les
yeux vindicatifs, un petit sourire narquois sur les lèvres, s'avançant
vers elle. Rien de rassurant.

-Alors, Madame se pliera-t-elle à mes requêtes ? Ou faudra-t-il que
Boris sorte son arme secrète ? (silence) Quand je poserai une question
à Madame, daignera-t-elle me répondre ? Ou fera-t-elle comme maintenant, baisser les yeux et rester silencieuse ? (silence) Ah ! Madame
persiste à faire bouillir le sang du Roi ? Soit ! Faites-le entrer.

Mira leva la tête et regarda vers la porte. Deux soldats entrèrent.
Au centre il y avait Roberts, bâillonné, enchaîné, poings et pieds liés.
Mira se leva debout, les mains sur la bouche, les yeux écarquillés.

-Ai-je besoin d'ajouter quelque chose, Madame ? De dire Boris,
les yeux noirs comme les ténèbres.
-Roberts, Roberts... Mon Dieu !
-NON ! Vous ne lui touchez pas, Madame et vous restez sur vos
positions. Vu votre refus de collaboration envers Sa Majesté Royale,
et ce dès les premières minutes quand je suis allé vous cueillir chez
votre père pour vous amener jusqu'ici, j'ai cru nécessaire de faire
retourner quelques-uns de mes hommes pour emporter un des membres de votre famille près de vous. J'ai grand cœur et j'ai pensé que si
vous aviez un de vos proches près de vous, vous seriez, comment
dirais-je, plus... plus... coopérative ! À son arrivée hier, je lui ai payé
le grand luxe, vous savez ! Il a eu droit au meilleur cachot, il a dormi
tout près d'une oubliette sur de la paille qui doit dater d'au moins un
siècle ! J'ai commencé par votre frère, mais je peux continuer avec un
autre et puis un autre et enfin, je peux terminer par le membre culminant de votre grande famille, Amik votre père !
-Non... Non...
-Non, quoi, Madame ?
-Non... Non... Je vous en prie Majesté, laissez-lui sa liberté, dé-
bâillonnez-le et déchaînez-le !
-Ah ! Tiens donc ! Et pourquoi ferais-je une telle chose Madame ?
-Parce que... parce que... c'est affreux... parce que...
-Parce que ?
-Je... je... vous...

-Vous… quoi, Madame ?

-Je… je vous obéirai Majesté.

Roberts faisait des signes de négations avec sa tête et ses yeux étaient presque exorbités tellement il essayait de dire quelque chose.

-Vous m'obéirez ? Vraiment Madame ?

-Oui, je vous le jure Majesté… Je vous le jure !

-Vous êtes si menteuse, Mira ! Il vous est déjà arrivé de me jurer et dès que j'ai eu le dos tourné vous vous êtes défilée comme une voleuse !

-Majesté… Je vous le jure !

-Je veux bien vous croire pour cette fois. Oui, je suis si bon, ça me perdra un jour, je le sais, mais je veux bien vous croire. Cependant, il n'est pas du tout question qu'il recouvre sa liberté, du moins pour le moment. Il faudra faire vos preuves ma chère belle Mira !

-Non… libérez-le ! Je vous jure que…

-NON. Il couchera ailleurs que dans le cachot, mais, il sera sous bonne garde. Et voyez par vos enfantillages ce que vous déclenchez autour de vous, puisqu'il sera fouetté chaque fois que vous me contrarierez… Voilà où nous en sommes à cause de votre petite tête de mule, Madame.

-Non… Non… Majesté, libérez-le. Fouettez-moi, battez-moi, mais laissez-le tranquille.

-Ha ! ha ! Vous fouettez… Je n'y avais pas pensé. Petite sotte, tu penses quoi ! Tu penses que je vais briser ta peau de velours sous l'effet d'un fouet ? Tu es bien plus précieuse que tu le crois et j'ai beaucoup plus de civisme que ça ! Non, c'est bien plus pratique de briser le frère parce que la sœur se refuse une vie de reine ! Sortez-le maintenant et emportez-le dans la salle de torture. Qu'on l'y mette sous bonne garde. Installez-le de manière confortable pour l'instant et qu'il mange convenablement. C'est ce que vous ferez jusqu'à ce que vous receviez d'autres ordres de ma part.

Les hommes sortirent entraînant Roberts qui grouillait comme une fourmi dans sa fourmilière.

-Ai-je de belles surprises ? (silence) Réponds-moi Mira ! Il n'est pas question que tu continues avec ton indifférence et tes silences insupportables !

-Majesté… Je vous en supplie, laissez-le, il a une femme et deux enfants !

-Si tu ne me poussais pas à bout à chaque rencontre que nous avons, ma très chère Mira, je n'aurais jamais déplacé ton frère jusqu'ici !

-Je vous obéirai Majesté !

-Voyons ça tout de suite. Embrasse-moi. (silence) Tu vois ! Tu baisses les yeux, tu prends tout ton temps pour accomplir ce que je te demande ! Deux coups de fouet, pour une première désobéissance, ça te va, Mira ?

-Non… Non… Je…

Elle s'approcha.

L'embrasser, Mon Dieu, y parviendrais-je ? Il faut pourtant que je le fasse. Mon Dieu ! C'est humiliant.

Timidement, sur la pointe des pieds elle posa ses lèvres sur les siennes. Aussitôt fait, aussitôt défait !

-Mieux que ça Madame ! C'est de cette façon que tu embrasses Mira ? Un effleurement de tes lèvres sur les miennes ? Non… non… c'est mieux que tes repoussements, mais c'est loin d'un baiser donné avec passion ! Encore !

Que je te hais ! Pourquoi est-ce que je ne peux pas lui dire à quel point il me répugne ! Si je le faisais je suis certaine qu'il s'en prendrait à Roberts !

De nouveau, se montant sur la pointe des pieds, fermant les yeux, espérant que ce petit caprice du roi cesse dans l'immédiat, elle s'exécuta.

Quelques secondes suffirent à Boris pour être allumé comme une torche. Ses larges bras avaient enveloppé sa déesse de beauté et la passion lui montait à la tête. Avec frénésie il la retenait contre lui, la soulevant de terre et lui infligeant des étreintes plus fortes les unes que les autres.

-Mira… Mira… Je suis fou de toi ! Je ferais des folies ! Si je ne te respectais pas autant, je te prendrais là tout de suite ! Je n'ai jamais ressenti une telle passion pour une femme ! Je t'aime Mira ! Aime-moi ! Aime-moi !

-Majesté… Desserrez votre emprise… J'étouffe !

-Oh ! Pardon ! Je ne me possède plus lorsque je t'ai dans mes bras, j'en oublie ma force ! Tu me pardonnes ?

-Majesté… N'avez-vous pas une cérémonie importante ?

-Coquine ! Tu trouveras toujours un moyen pour t'enfuir de mes bras ! Mais, cette fois je ne t'en veux pas. Par un seul baiser, tu m'as comblé aujourd'hui ! Tu vois, je ne suis pas si exigeant ! Et tu n'es point morte ! En plus, tu as raison, je suis déjà en retard… que dis-je, nous sommes déjà en retard. Allez, viens, prends mon bras et suivez le Roi, Madame.

Ouf ! Je l'ai échappé belle ! Mais pour combien de temps encore ?

Ils sortirent de la pièce ensemble et empruntèrent un corridor, puis un autre, traversant ainsi presque tout le château. Mira sentait qu'elle approchait du but lorsque Boris s'arrêta devant deux grandes portes d'où émanaient des chants religieux. Il fit un arrêt, leva la tête et ouvrit l'une des portes où il s'introduisit, Mira accrochée à son bras. Déjà les cardinaux et les hommes d'église étaient sur place devant l'autel. Une foule d'âmes se retournèrent sur leur passage. La dépouille mortelle était au centre de la grande allée posée sur un brancard richement décoré. Les dignitaires, la Cour… Tous y étaient. Mira et Boris se rendirent jusqu'au-devant de l'église où deux chaises royales les attendaient. Tout au long du voyage, Mira regardait subtilement tout ce beau monde qui constituait, sans aucun doute, la noblesse de toute la Suède ou du moins celle qui demeurait le plus près du château. Car il faut le dire, Boris ne voulait pas que cette cérémonie ne s'éternise sur plusieurs jours. Dès la mort de son père, il avait envoyé plusieurs messagers qui avaient pour mission de répandre l'information que les premiers arrivés pourraient assister aux funérailles et que si les autres n'arrivaient pas dans un délai de vingt-quatre heures, ils devraient se limiter à envoyer des marques de sympathie. Oui, notre roi était pressé. Il devait partir sous peu pour guerroyer, impatient de conquérir. Mais encore plus impatient de conclure sur son mariage avec Mira. Tout le pressait. Cette cérémonie pourtant protocolaire avait été organisée à la hâte selon les désirs de Sa Majesté elle-même.

Arrivés à destination, les deux personnages royaux s'assirent et sans plus tarder, les grands prêtres débutèrent la cérémonie. De leurs langages célestes, aucun des hommes de Dieu ne réussit à intéresser le jeune roi dont l'intérêt n'était captivé que par sa voisine de droite. Il ne paraissait nullement endeuillé. Bien au contraire, Boris faisait son deuil à sa manière, c'est-à-dire en parlant à son père par l'entremise de ses pensées.

Père, vous n'avez pas pris le taureau par les cornes comme moi. Si vous me voyez d'où vous êtes, vous devez bien voir à quel point je n'ai aucun regret de l'avoir emportée avec moi et que malgré ses réticences, j'ai réussi où vous avez si lamentablement échoué. Oui, elle est à moi, rien qu'à moi. Elle sera entièrement à moi. Même sous la menace et la contrainte elle finira par se donner. Une question de temps, seulement, avant qu'elle apprécie ce que je suis. Mira, je t'aime. Tu es la plus belle chose qui ait pu m'arriver.

Deux longues heures durant, la messe dirigée par le cardinal, en latin, continua dans un cérémonial funéraire royal. Le cardinal descendit les marches de l'autel et se dirigea vers la dépouille mortelle qu'il bénit. Boris prit le bras de Mira et se leva. En tête de cortège, suivi par les nombreux occupants de la chapelle, Boris donnait le pas à la suite de la dépouille mortelle. Cette file qui gagnait facilement un demi-kilomètre se dirigeait vers le cimetière familial. Arrivés sur les lieux, on descendit vers la fosse le corps de Slavürko. Le cardinal y alla d'une autre lecture en latin de versets bibliques et finit en disant :

-Oh ! Roi Slavürko, toi qui fus notre guide pendant de si longues années, tu reposes enfin au Royaume Éternel, puisse ton exil être à l'image de ton règne, fidèle, digne et respectueux.

Comme si le discours final du cardinal sur son père l'agaçait, Boris prit une poignée de terre dans ses mains et la lança vers la fosse. Le cardinal se tut. Un silence suivit et Boris donna le signe de départ. Des chuchotements se firent entendre car l'étiquette dans un pareil cas était loin d'être suivie par Boris. On voyait bien qu'il voulait en finir au plus vite. Boris arrêta la cadence et se retourna. D'un regard foudroyant, il dévisagea quelques gens qui n'affrontèrent pas ces yeux glacials et le silence revint comme par enchantement dans les rangs. Il n'appréciait guère qu'on lui rappelle, même de façon subtile, qu'il ne suivait pas le protocole. Cela ne passa nullement inaperçu aux yeux de tous qui le trouvaient impassible, insensible devant l'enterrement de son père qui était jadis leur roi. Mira était dans un embarras visible surtout par le pourpre de ses joues.

Il reprit le chemin du château suivi par une foule devenue aphone. Tous savaient le pourquoi d'une telle attitude de la part du fils de Slavürko. On savait que Boris avait toujours été en désaccord avec les politiques soignées et discrètes de son père. Tout le monde savait quelle différence de caractère existait entre les deux hommes. D'un côté, l'honnêteté, la franchise, la droiture, la simplicité, la diplomatie et de l'autre la stratégie, la menterie quand elle assouvit les caprices, le faste, la témérité, la dictature, la tyrannie. Un contraste aussi évident que le noir et le blanc sans zone grise. Alors, que restait-il de la grandeur d'un souverain enterré et enseveli ? Rien qu'une lueur d'espoir. Oui, une lueur d'espoir pour les membres de la Cour, les sujets et Mira. Mira espérait échapper aux griffes du fauve et les membres de la Cour de Boris espéraient eux qu'elle réussisse à le contenir.

Ils entraient maintenant au château. Boris dirigeait toujours la marche et rien ni personne ne l'aurait fait déroger de sa route. Si tous les chemins mènent à Paris, ceux de Boris en cette matinée, menaient plutôt vers la salle à manger.

-Entre Mira.

Elle reconnaissait la salle dans laquelle elle avait été introduite pour le souper la veille. Mais cette fois, il n'y avait personne. Boris ferma soigneusement l'immense porte derrière eux et tira un siège au bout de la grande table. Invitation évidente à s'asseoir. Elle prit place en silence. Boris tira le siège juste à côté.

-Nous allons nous sustenter. Lirdogne ? Lirdogne ? Où est donc passé ce maudit domestique.
-Oui… Majesté ?
-Ah ! Enfin, nous désirons dîner, alors sers-nous !
-Tout est prêt Majesté, tout de suite… Mille excuses je ne vous avais pas entendu arriver.
-Tu es sourd comme un pot, pas étonnant que tu ne m'aies pas entendu entrer ! Va.

L'homme obèse sortit aussitôt et revint les mains chargées de plats qu'il déposa au-devant d'eux.

-Tu souhaites faire quelque chose de spécial aujourd'hui, Mira ?
-Non… Majesté.
-Tu souhaites avoir quelque chose en particulier ?
-Non… Majesté.
-Tu sais dire autre chose que non, Mira ? (silence) Et t'arrive-t-il de sourire parfois ?
-Je… je souris quand il faut sourire, Majesté.
-Quand il faut sourire ! ! ! Ha ! ha ! Il ne le faut pas souvent, semble-t-il depuis les derniers jours ! Et tu picores dans ton assiette comme un petit oiseau. Tu n'as pratiquement pas mangé depuis que tu es partie de la Forêt d'Elfe. Vous n'aurez pas d'enfant fort à manger à

ce rythme-là, Madame... J'aimerais bien que tu souries un peu et que tu poses les yeux sur ma personne...

Ces requêtes, Mira les avait entendues si souvent depuis les derniers jours qu'elle en faisait presqu'une indigestion. Il recommençait à vouloir de l'attention de sa part. Elle leva les yeux et cette fois soutint le regard du roi.

-Comme c'est agréable, Madame, de voir vos yeux... Surtout quand je peux y lire que tu es fortement contrariée !

Boris fit un sourire malicieux qui choqua davantage Mira. Elle rebaissa les yeux sans rien dire.

-Bon puisqu'il n'y aura sûrement pas de changement d'attitude de ta part aujourd'hui, je vais donc vaquer à mes occupations de Roi. Je te ferai reconduire dans tes appartements... et comme une petite fille qui n'est pas sage tu y seras confinée jusqu'à ce que j'en décide autrement. Moi, je vais au Parlement rencontrer mes ministres pour prendre d'importantes décisions pour tout notre royaume. Je vous laisse le bonjour, Madame !

Il se retira de la pièce en fermant, comme à son habitude, la porte avec fracas et ce geste prouvait sans l'ombre d'un doute qu'il était encore contrarié. On reconduit Mira dans la chambre où on l'enferma selon les ordres du souverain.

Le roi fit quérir ses ministres et dès que tout ce monde fut installé, une discussion s'entama. Le seul sujet à l'ordre du jour était la conquête du territoire du roi Euphrase et le plan d'invasion de la Norvège. La convoitise de ces terres qui seraient bientôt annexées à son royaume, enflammait Boris. Avide de gloire et de conquête, le jeune roi guerrier sentait son sang bouillir dans ses veines. Il fallait rassembler l'armée et partir dans les meilleurs délais.

Deux jours suffiraient à rassembler tous les soldats et rien ne serait laissé au hasard. Les membres du parlement visiblement satisfaits par la fougue de leur Majesté sortirent en clamant "*Vive le roi, Vive le roi*". Boris était au paroxysme de son pouvoir de monarque. Sa position lui permettait de savourer les guides de la puissance. Même si son père aurait été en parfait désaccord avec ces stratégies meurtrières, il n'avait aucun remords sur la conscience. Le vieux roi n'était plus là pour tempérer les fougues de son fils.

Après la sortie de tout ce beau monde de la grande salle parlementaire, Boris resta assis sur son trône seul dans cette grande pièce. Maintenant il fallait penser aux préparatifs de son mariage avec la belle. Par contre, deux jours c'était bien peu pour offrir à la douce un mariage grandiose comme il le voulait. En plus, lors de son absence la belle aurait pu se faire la malle et il serait revenu glorieux mais bredouille en raison de ses aspirations sur la possession de l'un de ses biens les plus précieux. Il aurait donc utilisé de nouveau son arme redoutable contre la fragile dame. Le chantage émotif était pour lui une façon d'avoir la main mise sur elle. Il se leva et se dirigea vers les appartements de la belle. Il fit déverrouiller la porte et fit reculer les gardes de l'autre côté du corridor. Mira était debout devant la fenêtre, les yeux scrutant le paysage, perdue dans ses pensées. Elle ressentait la présence du roi à ses côtés mais se disait qu'il était bien inutile de tenter de fuir puisque toutes ses tentatives s'étaient jusqu'à lors avérées veines. L'indifférence serait peut-être la meilleure façon pour elle de se sortir de ce cauchemar.

-Madame est-elle dans de meilleures conditions que ce midi ? (silence) À ce que je vois il n'y a pas beaucoup de changements… Madame, je suis venu vous dire que je pars. Dans quelques jours, la conquête des royaumes des rois Euphrase et Bjarni fera partie de l'histoire et je serai encore plus puissant. Dès mon retour nous convolerons en justes noces. Tu auras droit à toutes les attentions reliées à ton rang pendant mon absence… Connaissant ton goût démesuré de te tailler une fuite pour rejoindre les tiens, tu seras cependant sous très haute surveillance, et ce, jour et nuit. Je ne crois pas nécessaire de te rappeler qu'à mon retour, ne pas te retrouver ici vaudrait aux membres de ta famille une fin tragique. Tu sais maintenant que je peux être impitoyable… Déjà qu'un de tes frères répondra en premier de ta bonne conduite ! Est-ce que d'autres précisions sont nécessaires ?

-Non majesté…

Boris l'observait en silence.

Comme je peux détester cette manie qu'il a de me dévisager.

Il se permit de passer sa main sur sa nuque et lui empoigna les cheveux. Avec brutalité il amenait son visage près du sien et avec frénésie il l'embrassait. Mira se rebutait mais rien à faire, cette violente force ne lui permettait pas se défiler. Il avait de ses lèvres touché les siennes, le cœur sur le point de lui sortir de la poitrine, il la serrait fortement dans ses bras et lui dit à l'oreille :

-Si tu savais Mira quelles sensations je ressens quand je te touche… Si tu savais comme tu m'obsèdes… Si tu savais… Si tu savais…

Boris aurait bien profité de la situation mais la précieuse pucelle était tellement importante à ses yeux qu'il lui fallait bien encore attendre un peu… Il desserra un peu les bras.

-Pour ces yeux madame, je vais conquérir des terres dont vous ne soupçonnez même pas l'existence… Si seulement tu pouvais me démontrer un peu plus d'affection.
-Je n'ai… je n'ai pas besoin de conquête, ni de guerre Majesté.
-Ah ! tiens donc ! Et de quoi as-tu besoin Mira ?
-De liberté, Majesté.
-Arrrrrrrr ! Petite impertinente ! NON ! Ta liberté dépend de moi maintenant et si tu ouvres tes lèvres pour me mettre en colère. Ferme-les ! Tu me choques à un point !

Sous l'effet de cette colère soudaine, il l'avait repoussée. Il faisait les cent pas dans la pièce et pointait son index menaçant vers elle tout en utilisant encore sa voix qui portait sûrement au dehors des murs de cette chambre.

-Je vais partir et le seul mot d'encouragement que j'ai de toi Mira, c'est ça ? Que tu peux être ingrate. Si j'emportais ton frère ici dans cette pièce et que je le faisais fouetter sous tes yeux ? Hein ? Qu'en dirais-tu ?
-Non… Majesté… Non…
-Voilà ! voilà que tu pleures encore ! Seules tes larmes sont mes compagnes depuis que je t'ai connue. J'ai peut-être été un peu, disons… brutal, mais je serais en droit d'en attendre beaucoup plus de toi.
-Je vous demande pardon, Majesté… C'est vrai que je vous manque de respect. Je vous demande pardon.
-Comment pourrais-je te pardonner d'être d'une telle effronterie envers le Roi ! Personne avant toi n'aurait osé ! C'est bien ce qui me chagrine… Je suis si généreux envers toi… et je n'ai rien en échange.

Elle se jeta dans ses bras. Un mouvement si rapide et inattendu pour Boris qu'il resta immobile hébété.

-Je vous demande pardon ! Je ferai tout ce que vous voulez… mais ne fouettez pas mon frère. Non ! Je me marierai avec vous, je partagerai votre couche… Vous conquerrez tous les territoires qui vous chantent… Mais ne fouettez pas mon frère.

-Allons ma petite pucelle, cesse de pleurer. Je te pardonne. Te sentir comme ça contre moi me fait déjà oublier ma colère. Tu comprends Mira… Je ne te demande pas la lune ! Je veux juste être bien avec toi et je veux que tu le sois avec moi. Je suis capable de colères terribles, mais je suis aussi capable de tendresse extrême tu sais ! Si seulement tu essayais de me découvrir Mira…

Il la serrait tout contre lui et ce contact le comblait plus qu'il ne l'espérait. Il ne se souciait guère que cette effusion d'affection lui parvienne sous la contrainte. Pauvre Boris qui croyait que la belle finirait par se briser au point de lui donner satisfaction sans qu'il ait besoin de quémander ! Autant il pouvait être calculateur autant il pouvait être maladroit dans ses relations avec Mira. Elle pensait :

Comment lui échapper ? Comment en finir avec tout ça ? Vais-je pouvoir survivre à cette prise d'otage ? Il me serre et j'ai des maux de cœur. Dieu du ciel, rappelez-moi vers vous ! Emportez-moi dans mon sommeil ou en pleine marche mais emportez-moi !

-Alors Madame, je vous retrouverai aussi fraîche qu'une rose à mon retour ?
-Oui… Majesté.
-Tu ne tenteras point de t'enfuir ?
-Non… Majesté.
-J'ai ta parole ?
-Oui… vous avez ma parole, Majesté.
-Je partirai donc le cœur léger et heureux ! Je reviendrai glorieux et impatient de te retrouver la belle ! J'étais déjà sur le pied de guerre avant de te rencontrer, mais là, depuis notre rencontre j'ai une telle sensation de puissance que je ne ferai qu'une bouchée de mes adversaires ! Je suis le plus heureux des rois !

Boris l'embrassa de nouveau. Le cœur et tous les membres aux prises avec une frénésie, il était dans un autre monde à chaque contact qu'il expérimentait avec cette jeune pucelle.

-Il faut que je vous quitte Madame, sinon… Je ne réponds plus de moi ! J'ai un certain contrôle, mais je sens que je vais défaillir si je t'embrasse encore ! Je tiens à ce que tu restes pucelle jusqu'à notre mariage. Mon épouse représente pour moi beaucoup plus que tu ne peux te l'imaginer, Mira ! Je te respecterai jusqu'à ce Dieu nous unisse, Mira. Je pars et souviens-toi que je t'aime, pucelle de la Forêt d'Elfe.

Boris quitta la pièce comme il était entré c'est-à-dire avec prestance et fierté. Mira s'assit sur le très large rebord de pierre de la fenêtre, tournant la tête vers l'extérieur. Enfermée dans sa triste cage de cristal elle avait l'impression que le ciel lui était tombé sur la tête. Une fois de plus Boris lui prouvait qu'elle était bel et bien prise au piège sans aucun espoir d'évasion. Même s'il partait au loin dans ses folies de grandeur, Boris était là avec une main de fer et retenait les brides fermement.

Dans les heures qui suivirent Boris et ses hommes se préparèrent fébrilement à leur départ qui était devenu imminent. Boris donna ses recommandations à sa garde royale. Des ordres stricts, très stricts en ce qui concernait sa future épouse. Nul ne devait la regarder, nul ne devait lui adresser la parole. Des sorties calculées étaient à l'horaire et aucune sortie à l'extérieur de l'enceinte de la cour du château. Il avait réduit au minimum cette garde royale, prenant tout ce qu'il avait sous la main comme soldats. Il voulait que cette expédition guerrière soit un succès. Non seulement aux yeux de ses sujets et de ses hommes, mais aux yeux de la douce et belle Mira. Il devait revenir vainqueur et couvert de gloire, sinon l'orgueilleux personnage aurait à rendre des comptes à tout ce beau monde. Comme la défaite ne faisait pas partie de son existence, il n'accepterait pas d'être ridiculisé devant qui que ce soit et encore moins devant cette pucelle aux yeux d'azur.

Quand ce fut le moment du départ, il ne partit point avant de faire ses adieux en passant en bas de la fenêtre de la chambre de l'aile nord, fièrement assis sur sa monture, en criant :

-Mira ! Mira ! Viens à la fenêtre que je voie tes magnifiques yeux avant de partir. Mira ? Je sais que tu es là et que tu m'entends… Viens à la fenêtre !

Du haut de son perchoir Mira se pointa timidement à la fenêtre. Ce qu'il y avait plus bas l'impressionna. D'abord Boris sur un magnifique étalon noir, vêtu de son armure mais en élargissant son champ de vision, en arrière-plan, une cour remplie de soldats parés d'armure cordés comme des moutons. Certains à pied, certains à cheval. Elle leva le regard vers le pont qui donnait accès au château, l'ouverture de ce grand portail donnait sur la plaine devant le château. Elle distinguait le reste de l'armée d'hommes et de combattants qui se perdait à l'horizon. De toute sa vie, elle n'avait jamais vu, entassés en un seul lieu, ce que l'on pouvait qualifier d'armée. Les seules armées que la pucelle avait pu voir auparavant, se limitaient aux arbres de sa forêt. Car tels ces soldats, la Forêt d'Elfe avait de grandiose la hauteur de ses montagnes, la splendeur des bois regorgeant d'arbres majestueux qui semblaient se perdre eux aussi dans l'horizon infini. Démonstration de pouvoir de la part de notre jeune roi ? Certes, tout ceci était gratifiant pour lui, de voir cette merveille à la fenêtre, les yeux écarquillés devant autant de puissance guerrière.

-Ah ! La voilà ma promise ! Je pars, Madame.

Il se retourna vers ses hommes et d'une voix forte, il cria :

-Généraux, soldats du Roi, n'est-ce pas le présage d'une victoire ? La pucelle vous regarde et votre future Reine vous bénit de son regard ! Allons conquérir pour elle des territoires qui se joindront à moi pour la libération de toute la Scandinavie. Vous serez forts, vous serez vainqueurs et tous ensemble nous ferons trembler le monde.

Il se retourna de nouveau vers elle.

-Le Roi vous embrasse dame de mon cœur. Je vous rapporterai un présent dont vous saurez sûrement faire bon usage car dans vos mains repose le destin de toute la nation.

Un baiser à la volée et Boris tourna sa monture et partit au galop vers le pont. Les hommes à l'intérieur de l'enceinte suivirent le roi dans un bruit infernal de sabots qui galopent sur la pierre et dans un nuage de poussière. Quelques minutes plus tard, la cour était vide et le pont se relevait doucement.

De quel sort de la nation parle-t-il ? Pourquoi va-t-il en guerre ? Quel besoin a-t-il d'affronter d'autres souverains pour leur ravir leurs terres ? Il est fou. Ce roi conduit à sa perte ces hommes qui lui obéissent au doigt et à l'œil. Je n'ai jamais demandé d'avoir entre mes mains quoi que ce soit. Je ne te comprendrai jamais Boris. Je ne connais rien non plus aux décisions des rois ! Seule la folie peut expliquer ses agissements... seule la folie, il est fou !

Une rencontre déconcertante

De l'autre côté de la frontière, le roi Bjarni, digne fils de Magnus VII Eriksson régnait depuis plus d'un an sur les sujets Norvégiens. Presque du même âge que son acolyte, Boris, étant son aîné de plus au moins un an, ces passations de pouvoirs aux seins de ces royaumes, ceux de la Suède et de la Norvège, remplaçant de vieilles générations de roi par leur descendance, étaient précurseurs de changements et de modernité. Quant à Bjarni, son père était mort quand il avait à peine seize ans. Toutefois, le pouvoir ne lui avait pas été cédé pour autant dès le décès du roi. Non. Magnus était un roi stratégique, plein de finesse d'esprit et possédait un large sens de l'organisation. Qui soit dit en passant, était fort utile dans les affaires de l'État, étant donné les manigances si communes autour de l'entourage du pouvoir royal. La traîtrise, l'envie, la malhonnêteté étaient choses quotidiennes et n'étaient pas non plus l'apanage de la seule région scandinave. L'Église avait comme partout ailleurs un pouvoir qui égalisait et parfois dépassait les décisions d'un monarque. Pour cette raison, Magnus avait élevé ses fils dans un souci constant de la bêtise humaine. Il considérait qu'un jeune prince n'avait pas la maturité pour diriger un royaume sans avoir au préalable compris et assimilé les stratagèmes de son entourage immédiat et pour cela, son fils aîné, Bjarni devait faire ses preuves afin de prouver ses capacités de diriger avant d'accéder au pouvoir. Ses instructions étaient fort strictes dans son testament :

"Mon fils aîné, Bjarni, par sa nature et son caractère, est sans aucun doute, le Souverain que je désigne pour me succéder lorsque Dieu m'aura rappelé à ses côtés. Cependant, s'il n'a pas atteint la majorité lors de mon décès, je lègue tous les pouvoirs de la Couronne à mon général en chef de mon armée, le général Mirikof en qui j'ai placé toute ma confiance afin qu'il termine ce que j'avais commencé avec l'éducation de mes fils. Il aura pour tâche d'enseigner ses connaissances à mon fils désigné, Bjarni Eriksson qui me succédera lorsqu'il aura atteint sa majorité soit à l'âge de ses vingt et un ans. À ce moment, il sera couronné Roi de la belle Norvège pays d'hommes de foi et de courage..."

Magnus était un roi prévoyant. Il avait trop souvent assisté à la mort d'un souverain qui avait des héritiers en bas âge et à qui on léguait les pouvoirs, faisant d'eux de véritables marionnettes. Car, les décisions étaient alors sous le joug des conseillers trop souvent corrompus et qui agissaient pour leur intérêt personnel avant celui de la Couronne. Magnus était un homme sage et qui, je pense, était un visionnaire. Lors de son arrivée au pouvoir, le pays était dans un état d'appauvrissement pitoyable et les clans se disputaient le pouvoir, divisant ainsi leur force. Il dut conjuguer avec une négociation constante et malgré les embûches avait réussi contre toute attente à unifier la Norvège. Il avait aussi propagé dans les esprits un esprit d'entraide qui avait été plus que bénéfique pour le royaume. Les preuves faites de son grand talent de médiateur, il allait de l'avant. Si le royaume était plus riche que pauvre, il n'en demeurait pas moins que les pauvres étaient fort nombreux. Il avait réussi à insuffler à ses sujets l'espoir.

Il mourut à la suite de la grande peste qui s'était abattue dans la plupart des pays quelques années auparavant. Bjarni n'ayant pas atteint la majorité, c'est donc, dans cet esprit "protecteur" que le jeune prince eut un comme mentor, moi, le général Mirikof. Selon Magnus, j'avais, depuis bien des années, prouvé mes hautes capacités au sein de la Monarchie Norvégienne. L'ascension au pouvoir, du jeune souverain, s'était donc faite avec doigté, dans un climat de confiance, de calme et de sérénité. Je devins alors pour le jeune prince, non seulement un professeur indispensable, mais un frère, un père spirituel. Forgeant ainsi chez le jeune homme, un être instruit dans la plupart des domaines, mais surtout un homme possédant une ouverture d'esprit exceptionnelle. Je l'avais vu grandir. Et lorsque Magnus partit à jamais, je me sentais un devoir envers ce jeune homme qui me suivait pas à pas questionnant la moindre de mes décisions pour apprendre car il se montrait avide de connaissances. Non pas qu'il ne fût pas capable lui-même de prendre ses propres décisions. Non, Bjarni était comme mon fils et j'étais devenu comme son père. Nous avions une relation si particulière qu'il m'est difficile de la décrire par des mots. Enfin, Bjarni est devenu roi et moi, je suis resté général en chef de son armée. Mais ne vous méprenez pas. J'étais pour lui bien plus important qu'un simple général. Et lui, il était bien plus qu'un roi pour moi. Enfin… c'est à partir d'un événement bien précis que la situation prit une tournure qui scella à jamais nos destins à tous.

Dans l'espace restreint de son petit bureau, Bjarni avait convoqué d'urgence tous ses généraux d'armée car depuis peu, l'un de ses espions revenu de Suède lui avait rapporté des mouvements anormaux de l'armée de son voisin. Depuis plusieurs mois déjà, l'atmosphère était tendue entre les deux royaumes. On sait maintenant pourquoi. Bjarni ne cessait de lui faire parvenir des missives, incitant Boris à la paix durable. Comme il recevait toujours des réponses négatives, il n'avait eu d'autre choix que de se préparer à toute éventualité. Et ceci signifiait qu'il surveillait de près son voisin. Même si Boris avait attaqué la Finlande qui se trouvait bien au-delà de ses territoires, Bjarni restait sur ses gardes. C'est qu'il connaissait bien Boris. De jeunes princes comme eux avaient eu l'occasion dans leur enfance de se côtoyer sur plusieurs années. Donc, à l'arrivée de son espion... de par son discours, il était clair que Boris préparait quelque chose et Bjarni se devait de protéger son royaume.

Nous étions tous autour du secrétaire où on avait déployé une grande carte de la Scandinavie.

-Sire, Boris a attaqué le mois passé la Finlande et ces territoires font maintenant partis de sa Couronne, comme on le sait tous. L'espion nous a rapporté qu'avant son retour vers la Norvège, il y avait grande fébrilité au sein de l'armée de Boris. Devons-nous comprendre qu'il va vraiment attaquer le Danemark pour ensuite se retourner vers nous ? Demanda le général Pikov.
-Même si je sais Boris doté des plans les plus démoniaques, j'ai peine à croire qu'il essayera cette tactique. Je suis perplexe... Pikov. La Finlande est grande mais peu populeuse, quant au Danemark c'est une autre histoire. Certes, ce pays est, comme la Finlande peu populeux, mais plus petit et donc plus facile à conquérir. S'il prenait possession de ce territoire-là, on peut dire qu'il commencerait à me faire peur... Et c'est certain qu'il a le dessein de se retourner ensuite pour nous prendre en étau ; j'en suis certain. Nos espions ont pour la plupart été démasqués et celui qui nous est revenu avec cette parcelle d'information a dû s'enfuir avant de subir le même sort que les autres. Avec aussi peu d'information, je ne sais quoi penser. Comme mes missives n'ont rien donné de probant, il faut faire quelque chose et vite. Le temps nous presse messieurs. Mettre mon armée en marche vers les frontières ne ferait que raviver l'instinct destructeur de Boris car il pourrait nous rendre responsable d'avoir attaqué les premiers. Sacré Boris, il est si vindicatif, il renverserait vite la situation à son avantage. Il faut pourtant faire quelque chose et vite.
-Majesté, Boris est avide de pouvoir... Ses attaques sont sanglantes et barbares. Je crois qu'il se prépare déjà dans ce but et vous avez raison de le craindre.

Bjarni, pointant la carte, mit son doigt sur le Danemark et dit à ses généraux :

-Le roi Euphrase est prêt à maintenir la paix que nous connaissons depuis plusieurs années. Mais, il sait également qu'il n'est pas de taille à affronter Boris. Il nous a demandé de lui envoyer quelques régiments. Je lui ai répondu que ce serait avec plaisir mais étant donné que Boris se retourna, sans aucun doute vers nous aussitôt ce territoire conquis, j'étais dans l'obligation de garder toute mon armée sur mes terres. Cependant, je l'ai rassuré quand je lui ai dit que le roi Prussien, Etok, est également informé des plans d'invasion de Boris. Etok, est comme nous tous. Il sait que Boris, une fois la péninsule Scandinave sous la main, se retournera pour frapper vers ses territoires. Il se joint donc à nous. Ce que Boris peut ne pas savoir c'est qu'Etok a déjà envoyé un bataillon entier de soldats, fins prêts pour l'accueillir au Danemark. Etok, a fait d'abord voyager son armée par la voie terrestre jusqu'aux abords des Pays-Bas. À l'heure qu'il est, ils sont en Angleterre, où le Roi Peters a bien voulu servir d'intermédiaire par le biais de son territoire et de sa flotte afin qu'ils reprennent la mer jusqu'au Danemark. Etok, a préféré faire ce détour pour ne pas éveiller les soupçons de Boris. Il a même été, jusqu'à déguiser ses bateaux en bateaux marchands. Nous avons poussé la ruse jusqu'à faire les faire traverser un bateau à la fois. Euphrase en fut très réconforté. C'est pourquoi Messieurs, Boris ne doit pas attaquer maintenant. Le plus gros du soutien d'Etok est encore en Angleterre à l'heure qu'il est. Il faut que le temps joue en notre faveur, sinon, Boris fera un massacre au Danemark et je crains fort que les troupes d'Etok soient quelque peu en retard, si Boris sort grand vainqueur de cette guerre. Nous aurons fort à faire pour le repousser s'il s'aventure sur nos terres. Je dois admettre que Boris me donne du fil à retordre avec ce plan de guerre qu'il a si soigneusement élaboré. Nos espions ont dû user de mille et un stratagèmes pour arriver à me rapporter ces quelques précieuses informations. À savoir quand exactement, il déplacera ses troupes, ça j'aimerais bien le savoir ! S'il y a grandes activités dans l'armée de Boris, c'est qu'il est prêt, alors que nous, nous ne le sommes pas. Comment faire quelque chose sans envenimer la situation et attaquer les premiers ? Comment pourrions-nous ralentir ses ardeurs ? S'interrogeait le roi.

Nous étions tous absorbés dans nos pensées quand soudainement une petite étincelle me traversa l'esprit.

-Sire, j'aurais peut-être une suggestion… Disais-je.
-Nous vous écoutons Mirikof. Dit Bjarni très intéressé.

-Sire, le temps nous presse. Ceci étant dit, il faudra à Boris plus d'une semaine pour arriver aux abords du royaume d'Euphrase. Il lui en faudra presque autant pour déployer ses hommes selon la seule stratégie possible dans ce cas… une fois qu'il sera arrivé sur le territoire Danois.

-Oui vous avez raison Mirikof, mais que suggérez-vous ?

-Votre espion ne vous a-t-il pas mis au courant d'un événement nouveau et particulier dans la vie du Roi Boris ?

-Quelque chose m'aurait-il échappé ?

-Sire, selon ses dires Boris va se marier.

-Mirikof, quel rapport cela peut bien avoir avec le cas qui nous préoccupe ? Me demanda-t-il avec un certain amusement.

-Sire, connaissez-vous la légende de la Forêt d'Elfe ?

-J'en ai déjà entendu vaguement parler… Mais je ne vois toujours pas quel rapport il y a avec notre plan de défense ?

-Majesté, je suis beaucoup plus âgé que vous et j'ai beaucoup voyagé. Je vous assure que cette légende est dans le cœur de tous les sujets Scandinaves. Un espoir sur lequel reposent les croyances du peuple.

-Je le sais Mirikof… mais encore ?

-Comme je vous l'ai dit, cette légende est si incrustée dans l'esprit du peuple qu'on l'a associée à une jeune beauté : La pucelle de la Forêt d'Elfe. Le Roi Boris a voyagé au fin fond de son royaume dans les derniers jours. Il semble qu'il soit entré en contact avec cette jeune femme. Croyez-le ou non il l'a effectivement ramenée avec lui au château annonçant à tous qu'elle sera sa femme !

-Ha ! ha ! Mirikof… Mirikof ! Un Roi qui épouse une paysanne, laissez-moi rire… Et Boris en plus… Là, je sais pourquoi mon espion ne m'a pas glissé mot sur cette nouvelle ! Il savait sûrement que je ne l'aurais pas cru ! Ha ! ha ! N'importe quoi ! Dites-moi que cette histoire est montée de toutes pièces par les bons soins de nos vieilles commères ! Jamais je ne croirai que Boris épousera une paysanne. Mirikof, vous connaissez aussi bien Boris que je puisse le connaître ! Cela ne vous a-t-il pas paru, quelque peu, invraisemblable ? D'abord, que Boris se marie me surprend déjà, mais là, avec une paysanne… Légendaire ou pas, je n'en crois pas un mot !

Un autre général prit la parole.

-Majesté, Mirikof dit vrai. D'ailleurs l'histoire a fait grand bruit dans toute la Suède et s'est finalement rendue jusqu'à nous. On la surnomme La Promise du Roi. On dit même qu'il a donné des titres de noblesse sur le champ à la demoiselle et à toute sa famille balayant du revers de la main les reproches de sa Cour. On va jusqu'à dire qu'il est tellement épris d'elle que pratiquement personne n'a le droit de poser les yeux sur elle et qu'il l'a, en quelque sorte, enfermée dans son château.

-Ha ! ha ! Je veux bien croire toutes vos inepties ! Bon, Boris me déconcerte souvent, alors une fois de plus ! Même si cette histoire est vraie, dites-moi quel rapport direct avec notre affaire, Mirikof ?

-Sire, nous ne voulons pas faire la guerre avec Boris. Nous désirons garder nos frontières comme elles le sont. Nous sommes tous d'accord sur ce point. Mais Boris est empressé de conquérir. Avant de se lancer dans une guerre sanglante nous aurions peut-être avantage à envisager la possibilité que cette femme est la clé qui nous permettra, à coup sûr, de l'obliger à raviser ses intentions en lui faisant signer un traité de paix. S'il est vrai qu'il en est si épris, il raviserait peut-être ses intentions de guerroyer si...

-Mirikof êtes-vous en train de nous suggérer d'enlever la dame ? La... Promise comme vous l'appelez ?

-Sire, qu'avons-nous à perdre ? Essayons... Vous disiez vous-mêmes qu'il fallait faire quelque chose et vite. Vos missives n'ont rien changé aux intentions de Boris, attaquer serait une grave erreur de notre part, je le concède, mais si nous exigeons la paix en échange de la future reine peut-être que Boris se raviserait ? Si Boris la garde aussi jalousement elle doit en valoir la peine, non ? D'autant plus que si la dame est dans l'esprit de ses sujets la personnification de la pucelle de la légende, Boris devrait conjuguer avec les sentiments de ses sujets et même de son armée, Sire !

Bjarni était visiblement très ébaudi de cette optique des plus particulières. Il réfléchissait à voix haute :

-Enlever La Promise de Boris Le Magnifique... Hum ! Un otage... Une monnaie d'échange...

Il restait songeur et puis il dit :

-D'un autre côté Mirikof, comme vous dites, nous n'avons rien à perdre. Ce n'est qu'une question de temps. Même si cette stratégie s'avérait un échec nous devrions joindre nos efforts avec nos voisins afin d'écraser Boris et il y aura tout de même une guerre... Si Boris la garde si jalousement... Hum !

Bjarni fit un court silence en regardant tous les généraux.

-Qu'en pensez-vous, Messieurs ?

-Sire, Mirikof a là une excellente idée ! Dès que le Roi Boris saurait ce qui est advenu de sa promise, nous serions fixés sur ces intentions ; ou il rapplique ici cueillir sa belle et signe un traité de paix et fini l'envahisseur ou il s'en fout et c'est la guerre.

-C'est une idée complètement farfelue, mais vous êtes si convaincants, Messieurs. Cependant j'ai du mal à croire qu'une femme, surtout une paysanne, peu importe les titres de noblesse qu'il s'est empressé de lui donner, aurait tant de pouvoir sur le Roi Boris, car je le connais bien moi Boris... Il n'y a pas plus despote, prétentieux, ni orgueilleux que lui... Mais nous n'avons rien à perdre d'essayer de préserver cette paix que nous avons si durement acquise au cours des années. Alors comment nous y prenons-nous ?

-Sire, si mes confrères sont d'accord, je crois qu'une centaine d'hommes nous suffirait largement pour se rendre jusqu'à destination. Nous nous introduisons de nuit, maîtrisant les gardes de l'aile nord, car d'après nos informations elle y serait cloîtrée, nous enlevons la dame et nous revenons aussitôt ici. Si notre plan est bien monté, cela prendra plusieurs heures au reste de la garde avant de s'apercevoir de la disparition de la dame. En laissant sur place un billet signé de votre main Sire, Boris n'aura d'autre choix que d'y répondre et peu importe sa réponse, il répondra.

-Vous pensez à prendre... non, je n'aime pas ce mot... Vous pensez à faire votre mauvais coup, de nuit ?

-Hi ! hi ! Mauvais coup, Sire ! Comme cela me donne mauvaise conscience !

-Sacré Mirikof ! ! ! Vous auriez donc une conscience ?

Tous se mirent à rire et moi plus que les autres.

-Sire, vous savez où se situe ma conscience lorsqu'il est question de Boris !

-Oui, je le sais ! Mais je vous ferai remarquer qu'il ne s'agit pas, ici, en premier lieu de Boris, mais d'une jeune demoiselle !

-Vous avez raison, Sire ! Je reconnais bien là votre galanterie légendaire. Dès qu'il s'agit de ces créatures féminines, reines, princesses, baronnes ou paysannes, vous demeurez d'une délicatesse qui fait de vous l'homme charmant que les dames s'évertuent à plaire !

-S'évertuent à plaire ? Ha ! ha ! Mirikof ! Quand même, n'y allez-vous pas un peu fort ?

-N'est-ce pas vrai, Messieurs ? Nous savons tous que notre Roi plaît beaucoup aux dames et que c'est peine perdue pour nous lorsque l'un de nous est désireux d'en conquérir une et que par mégarde Sa Majesté passe derrière nous ? Hé ! Oui, malheureux que nous sommes lorsque nous prenons part à une grande discussion avec une dame et que soudainement on s'aperçoit qu'elle ne nous entend plus, qu'elle ne nous voit plus, seulement parce que votre très Grande Majesté, vient juste de passer. Elles sont hypnotisées et c'est fini pour nos projets futurs !

-Ha ! ha ! Mirikof… Vous avez toujours eu un sens particulier de l'exagération !

-Non… il dit vrai ! ! Sire, sans vouloir vous choquer, il dit vrai ! Certes, je suis mal placé pour dire que vous êtes beau ou pas, mais il y a un fait certain, vous plaisez énormément aux dames ! De dire Pikov.

-Bon, bon, voilà qu'on me passe en procès maintenant !

-Messieurs, délivrons notre Roi de cette tourmente et revenons à nos moutons !

-Je suis d'accord avec vous Mirikof. Qui d'entre vous veut diriger cette opération ?

-Moi, Sire, je veux bien diriger l'opération et je pense que la nuit nous sera clémente, car il est bien plus facile de se dissimuler à la noirceur qu'en plein jour. Disais-je.

-Aucune objection à ce que Mirikof dirige cette opération Messieurs ?

Nous étions tous d'accord. Comme le temps nous pressait, nous avions mis fin à notre réunion sur ce plan. Nous étions sur le point de sortir du bureau lorsque Bjarni nous arrêta.

-Messieurs, il y a longtemps que je n'ai pas fait un petit voyage… Seriez-vous d'accord à ce que j'accompagne votre expédition ?

-Sire, si le cœur vous en dit ! Vous êtes le bienvenu !

-De toute façon, pour le moment, tout est bien organisé et une petite escapade de quelques jours ne devrait pas nuire au bon fonctionnement des affaires du royaume.

-Nul besoin de vous justifier, Sire ! Vous méritez bien de prendre l'air frais et de venir voir "*Mes mauvais coups*". Lui rétorquais-je.

-Ha ! ha ! Voilà que vous me donnez là une très bonne raison de devenir indispensable au bon déroulement de toute cette opération. Vous surveillez, vous, Mirikof, c'est obligatoire ! Je partirai donc avec vous demain matin à la première heure.

Sourires en coin, nous sommes retournés vaquer à nos besognes pour le lendemain.

Tant qu'à Boris il était déjà engagé sur le sentier de la guerre, du pouvoir et de la satisfaction avec ses hommes. Il avait relevé Gustaveson de sa retraite forcée et avait eu une grande discussion avec son général.

-Je vous relève de votre arrêt général. J'ai besoin de votre finesse au combat et de votre stratégie légendaire. Vous partirez donc comme nous l'avions déjà discuté vers le Col du Diable avec la moitié de l'armée.
-Bien Sire, je ferai tel qu'il a été entendu.
-Gustaveson, je n'ai pas l'habitude de m'interroger sur les intentions de mes alliés, mais resterez-vous fidèle à la Couronne Suédoise ?

Gustaveson savait très bien que Boris ne s'excuserait pas de lui avoir transpercé l'abdomen de son épée mais voyait bien que c'était là, sa manière de le faire par l'inquiétude qu'il percevait dans sa question.

-Majesté, nous différons d'opinion sur votre future épouse, mais je suis et j'ai toujours été un fidèle serviteur des intérêts Suédois, alors n'ayez aucune crainte, je vous servirai comme il se doit.

Rassuré, Boris s'était mis en route avec une moitié d'armée et l'autre partie de ses hommes sous le commandement de Gustaveson vers le Col du Diable. Aucun pépin, aucune embûche ne se dessinaient à l'horizon… Tout était parfait selon le plan initial établi depuis plusieurs semaines déjà.

Dans sa cage dorée, Mira était confinée selon les ordres donnés par son souverain. Peu de sorties lui étaient permises. À genoux, mains croisées entrelacées d'un chapelet, les paupières clauses, la prière était la seule échappatoire. De l'aube jusqu'au coucher du soleil, la belle se transportait jusqu'à la voûte céleste où elle communiait avec Dieu. Cherchant à comprendre les raisons de l'être suprême qui l'avaient conduite jusqu'au château du roi de son pays. Nul besoin d'ajouter que cette piété surprenait beaucoup les servantes dévouées à son service, qui entraient et sortaient de la pièce pour apporter repas et soins selon les ordres stricts qu'elles avaient reçus. Jamais le service auprès d'une reine n'avait été aussi facile. Son silence, sa timidité, son inactivité étaient en quelque sorte un repos pour la plupart d'entre elles. Tous les chuchotements, les discours de corridor finirent par venir aux oreilles du cardinal.

L'homme souffrant d'embonpoint, chauve, habillé de sa grande robe rouge décida qu'il serait peut-être bon pour la jeune paysanne de se confesser. Les paysans étaient tous des pécheurs dans l'âme, alors elle devait comme tous les autres avoir certains petits péchés à se reprocher. Malgré sa pieuse activité depuis le départ du roi, il n'en restait pas moins qu'une future reine devait être pure de corps et d'esprit avant d'arriver sur un trône. D'un pas lourd, la bedaine qui fendait l'air sans aucun aérodynamisme, il marchait vers les appartements de la promise. Traverser tout le château pour s'y rendre était un exercice physique éprouvant. Traîner, comme la fourmi plusieurs fois son poids, était loin de faciliter la tâche à un être humain. C'est donc, en sueur, qu'il parvint jusqu'à l'huis de la porte close. D'un signe de tête, les gardes furent conviés à débarrer la porte. Lorsque l'ouverture fut suffisante à laisser passer toutes les parties de son corps, le cardinal s'introduisit dans la chambre et se dirigea vers un être divin. Divin, parce que pendant quelques secondes, le cardinal eut l'impression que la position et le silence dans lesquels se trouvait la promise l'avaient déconnectée de la réalité.

Mon Dieu comme vous avez mis sur terre de belles créatures ! Elle semble descendue directement des cieux !

Doucement, il s'approcha. Toujours aussi silencieuse et immobile, la jeune dame restait agenouillée. Le cardinal l'observait.

Comme une image des Saintes écritures. Elle est aussi belle qu'un ange. Je dois moi aussi me confesser puisque je n'arrive pas à prier avec autant de conviction. Elle est votre envoyée Seigneur ! Je le sais maintenant. Je me flagellerai pour avoir douté de vous !

Il se pencha doucement vers elle en lui posant délicatement la main sur l'épaule.

-Mon enfant ?

Cette voix d'homme près d'elle, la sortie de sa transe. Ses yeux d'azur se posèrent alors sur l'homme qui la regardait avec insistance. Il lui tendit sa main que Mira embrassa.

-Madame, pardonnez-moi de vous déranger pendant votre prière. Aimeriez-vous vous confesser ?
-Oui, votre Éminence !
-Cette chambre n'est point un confessionnal, mais je m'en contenterai pour entendre votre confession car le Roi ne vous permet pas beaucoup de sorties.

Il prit une chaise près du lit et s'y assit ramassant sa robe rouge sur ses genoux charnus. De sa main droite il fit signe à Mira de s'approcher. Elle s'agenouilla devant lui tête baissée.

-Mon enfant, je suis prêt à vous entendre.
-Pardonnez-moi votre Éminence car j'ai péché.
-De quelle nature sont vos péchés ?
-J'ai péché par orgueil et par envie. J'ai même souhaité qu'il arrive malheur à Sa Majesté Royale, Boris de Suède.
-Pourquoi avez-vous souhaité qu'il lui arrive malheur ?
-Je devais me marier votre Éminence, avec un jeune forgeron. Quand le Roi est arrivé au village, il désirait que je le suive pour le marier. Je me suis entêtée et le jeune forgeron est mort par ma faute sous mes yeux.
-Mort ? Comment ?
-Le Roi... le Roi... votre Éminence lui a fait trancher la gorge. Parce que j'étais orgueilleuse. Je pensais que mon cœur était à ce jeune homme et je croyais que le Roi n'avait pas le droit de me forcer à le suivre.

Le cardinal écoutait surpris d'apprendre le sort que Boris avait réservé à ce prétendant mais non étonné par les agissements du roi, il le connaissait bien et ce comportement ne le surprenait guère.

-Oui, continuez mon enfant...
-J'ai aussi envié. J'enviais la liberté des dames de mon village qui n'avaient pas à suivre le Roi, mais à suivre leur cœur.
-Et c'est tout ?
-Non... votre Éminence... Tout au long de mon voyage vers le château, je me suis disputé avec le Roi. Je... je... ne répondais pas à ses désirs et j'avais dans l'âme la rage, la colère, la peine, la douleur qui ne cessaient d'envahir mon esprit.
-Autre chose ?
-Par ma faute un innocent a perdu la vie, par mon effronterie envers le Roi, ma famille est en danger. J'ai pensé mettre fin à mes jours pour éviter à tout le monde de souffrir, mais le Roi m'en a empêchée. Il s'en prendra aux membres de ma famille si je tente quoique ce soit. Même m'enfuir est devenu impossible.
-Oh ! Mon enfant, le suicide n'est pas une solution ! Et vous savez que Dieu lui-même vous bannira à jamais de son Royaume si vous faites une telle chose ! Vous enfuir n'est pas non plus une délivrance. Votre cœur souffre car il n'a pas compris que Dieu vous éprouve afin de vous rendre plus forte, plus puissante. Dieu dans sa grande bonté, nous oblige parfois à emprunter des chemins sinueux et difficiles. Les

embûches que vous rencontrez sur votre chemin mon enfant, sont loin d'être ordinaires. J'avoue que le Roi est le Roi, mais lui non plus, il n'a pas le droit de vie et de mort sur les êtres humains. D'autant plus que lorsqu'il a tué votre futur époux, c'était lui qui péchait par envie. Je n'ai pas le droit de juger les voix tortueuses de notre Seigneur Jésus Christ, mais si Dieu a laissé une telle chose se produire, c'est qu'il y a une raison. Une raison également à votre arrivée ici et à votre rencontre avec le Roi.

-Bénissez-moi, votre Éminence. Depuis plusieurs heures déjà j'essaie d'entrer en communion avec Dieu pour qu'il me fournisse une réponse à mes questions. Si vous me bénissez et parce que je me suis confessée à lui, peut-être me pardonnera-t-il mes erreurs ?

-Je te bénis mon enfant. Tu diras dix *"Je vous salue Marie"*. Ne vous obstinez plus avec le Roi, vous ne parviendrez pas à lui faire entendre raison. Dieu, l'a fait ainsi, il doit toujours avoir le dernier mot ! Je vous quitte mon enfant. Je vais retourner vaquer à mes occupations d'homme de Dieu.

Mira lui embrassa la main et l'homme se leva.

-Levez-vous mon enfant. (silence) Ne craignez plus pour votre famille. Je sais que Dieu est avec vous. Je sais qu'il s'est penché sur vous et qu'il vous aime. Votre cœur est tendre et doux. Soyez courageuse et affrontez avec dignité les épreuves qu'il vous envoie.

-Merci votre Éminence. Je me sens déjà mieux.

-Au plaisir de vous revoir, Madame et si vous voulez encore vous confessez, faites-moi demander.

L'homme à la robe rouge se retourna et se dirigea vers la porte. Mira se sentait soulagée. Elle retourna au prie-Dieu, s'agenouilla de nouveau et commença à réciter ses *"Je vous salue Marie"*.

Le cardinal n'avait pas franchi la porte que les gardes s'empressaient de refermer à clé.

Mon Dieu pourquoi éprouver ainsi cette frêle créature ? Boris est un véritable diable parmi les hommes ! Il a égorgé un jeune prétendant sous ses yeux. Pauvre enfant. Si douce, si tendre, si jeune, comme elle a dû avoir le cœur brisé. Se rendre coupable d'orgueil et d'envie à cause de Boris. Seigneur faites pencher sur moi votre colère, je suis capable de me défendre. Cessez d'éprouver cette pucelle. Elle ne mérite pas le sort que Boris lui réserve. Il ne mérite rien à mon avis ! Pardon, Seigneur...

Le cardinal poursuivait sa route vers ses appartements tout en songeant à cette confession qui l'avait ébranlé.

De l'autre côté de la frontière, Bjarni donna des ordres pour qu'on prépare une chambre pour la dame qu'il devait ramener avec lui prochainement. Un traité de paix fut préparé à la hâte et tenu sous scellé dans le but d'une signature si le plan apportait les résultats escomptés.

Comme il avait été entendu, le petit convoi se mit en route très tôt le lendemain matin dès l'apparition des premières lueurs du soleil. Nous aurions à cavaler pendant plus de deux jours avant d'atteindre notre but. Le chemin emprunté était en ligne droite. Du point A au point B, seule la frontière tracée par mère nature, une chaîne de montagnes, serait notre obstacle. Je connaissais ce passage depuis longtemps pour l'avoir emprunté, maintes et maintes fois. Ce chemin était peu fréquenté et la raison en était bien simple. Les montagnes se dressaient telles des sentinelles silencieuses contre le voyageur qui s'aventurait dans ces parages. Mais ce raccourci était très utile pour traverser lorsque le temps du promeneur était précieux. Je conduisais donc avec prudence les hommes et le roi à travers la forêt et leur exposais chemin faisant les conditions idéales pour franchir l'obstacle en question. Les montures, les bagages et le carrosse devraient être montés et redescendus avec délicatesse. Nous aurions pu emprunter le Col du Diable, route très connue, mais c'était plus au Nord et le détour rallongerait la troupe d'hommes d'au moins une semaine. Passer plus au Sud nous aurait ralentis de plusieurs jours, donc, cette route était la plus courte et répondait mieux à notre plan. Surtout qu'il fallait calculer aussi le retour vers la Norvège. Comme deux plus deux font quatre, ces quatre jours seraient utilisés à bon escient. Il ne fallait surtout pas traîner en chemin. En plus, autre calcul qu'il ne fallait pas négliger était la prise de l'aile nord du château pour en ressortir avec ce que nous étions venus cueillir. Peu de place pour de mauvais calculs, pas de place du tout pour l'erreur.

Pendant notre route, moi et le roi échangions nos points de vue sur les politiques du royaume. Bjarni coupa court à la conversation pour me demander :

-Général, vous pourriez m'en dire plus sur la légende de la Forêt d'Elfe ?
-Bien sûr, Sire.

J'expliquai tout ce que je savais sur la légende, l'histoire du roi Slavürko, du charpentier Amik, d'Ursula et de la jeune fille du sage.

-Ce qui me dépasse dans toute cette histoire, n'est pas la légende en elle-même, mais que Boris ait pu croire à tout ça et qu'il se mariera avec cette pucelle ! Ça, je n'arrive pas du tout à y croire !

-Sire, nous savons peu de chose sur la façon que tout ceci s'est passé. On sait seulement qu'il l'a ramenée avec lui et qu'il en fera sa femme. Peut-être croit-il qu'elle a un poids politique pour ses sujets et que tout ceci lui donnera bonne conscience ? Qui sait ce qui se passe dans la tête de Boris ?

-Vous avez raison Mirikof ! C'est peut-être pour cette raison. Ce qui me dépasse, c'est que l'Église permettra ce mariage… Là, Boris m'épate ! Un Roi qui marie une paysanne, même si depuis munie de titres de noblesse, et l'Église c'est une chose, avez-vous pensé à sa Cour, à ses ministres, à ses nobles dames ? Comment a-t-il passé sa requête sans que personne ne s'y oppose ?

-Sire, vous connaissez Boris ! C'est un vrai filou ! Il a dû encore utiliser une de ses cordes favorites : la ruse !

-Oui, il arriverait à faire croire au Pape qu'il est plus Saint que Sa Sainteté elle-même !

-Hi ! hi ! C'est effectivement Boris ! Cependant, il n'a peut-être pas tout fait tout seul cette fois !

-Que voulez-vous dire Mirikof ?

-Sire, on dit que La Promise est tellement belle, qu'elle aurait des atouts que peu de femmes possèdent.

-Vous pensez qu'elle aurait usé de ses charmes pour abuser tout le monde, même le Roi ?

-Je n'en sais trop rien, Sire ! Mais une chose est sûre, elle a fait beaucoup d'effet à Boris pour qu'il la protège ainsi des yeux des curieux et qu'il décide d'affronter toute sa Cour et l'Église par son projet de mariage avec elle.

-Eh ! Bien, Mirikof nous seront bientôt fixés. Nous jugerons par nous-mêmes lorsque nous la verrons si nous avons fait tout ce chemin pour rien et les raisons qui ont motivé notre cher Boris à faire ce re-mue-ménage dans sa vie sentimentale alors qu'il était plutôt préoccupé par les terres de ses voisins.

-Majesté, j'ai déjà vu sa mère il y a de cela très longtemps lorsque j'étais jeune. J'étais en visite chez le Roi Slavürko et je l'ai vu passer dans la cour, je n'ai jamais oublié ces yeux magnifiques. Je ferme les yeux et je la revois encore. Alors s'il est vrai que sa fille est aussi belle sinon plus, elle doit être un régal pour les yeux, surtout pour de vieux yeux comme les miens !

-Je vous connais depuis toujours Mirikof, mais je n'avais jamais remarqué que vous fussiez si romantique !

Sourire sur les lèvres, Bjarni poursuivait sa route en tête de convoi me gardant à ses côtés.

Nous étions partis depuis presque douze longues heures maintenant et le soleil sur son déclin dessinait dans le ciel des couleurs de pourpre et de rose. La soirée voulait maintenant prendre le relais. Le convoi s'arrêta. Aux pieds de gigantesques montagnes, notre troupe de messieurs discutait.

-Sire, passons-nous la nuit ici, ou désirez-vous franchir les montagnes d'abord ? Lui demandais-je.
-Il nous faudra bien trois bonnes heures avant d'arriver de l'autre côté, non ?
-Oui, sûrement, et si tout se déroule bien.
-Essayons de les franchir. La nuit n'est pas encore tombée. Nous dormirons de l'autre côté. Cela nous donnera de l'avance et demain nous devrions être aux abords du château vers le milieu de l'après-midi, nous permettant d'espionner notre ennemi et de bien planifier la façon d'aborder tout ça.
-Bien.

Je me retournai et me levai sur ma monture. D'une voix forte je donnais mes recommandations.

-Messieurs, nous allons franchir les montagnes et nous installer pour dormir de l'autre côté. Pour réussir l'escalade, il faut que nous nous suivions tous à la queue leu leu. Le chemin est étroit et plus haut il y a un précipice. Soyez vigilants. Gardez vos montures et le carrosse sur la gauche contre la paroi rocheuse.

Je me rassis et passai devant. Tous s'exécutèrent et la montée débuta lentement mais sûrement. Les chevaux, le carrosse, les hommes suivaient le petit sentier sinueux. Nous arrivâmes au précipice dont le regard vers le haut était, certes, plus rassurant que celui vers le bas ! Le précipice qui se trouvait à côté des sabots de nos chevaux avait de quoi faire perdre la raison à celui qui était atteint de vertige. Toutefois, les hauteurs vertigineuses, une douce brise et l'odeur du bois qui imprégnait nos narines, cette vue magnifique des pics rocheux près de nous rendaient le passage plus acceptable. Je fis descendre tout le monde de leur monture. Les roues du carrosse étaient prêtes à dévaler cette pente plus qu'abrupte si un seul sursaut d'une bête, un seul caillou se dérobait. Il faillait donc être méthodique. Cette partie du parcours était courte mais ne laissait place à aucune imprudence de notre part. Silencieux, les hommes passèrent calmement et les chevaux nerveux à la vue de ce trou béant qui effleurait leur flanc nous prouvèrent qu'ils étaient de braves bêtes. Tout se déroulait sans encombre et la montée laissait maintenant place à la descente. Le ciel s'était assombri, et des torches furent allumées pour mieux voir où on posait le pied. Une heure plus tard, nos vaillants cavaliers étaient de nouveau sur le plat de la terre ferme. Les montagnes avaient laissé place aux verts pâturages ! Les tentes, les chevaux, les bagages furent installés convenablement et les hommes s'étendirent sur leur édredon pour se laisser envelopper des bras de Morphée. La nuit nous fournirait un repos nécessaire pour affronter la garde royale de Boris le lendemain. Une nuit fraîche qui tombait sur notre peau et qui rendait le sommeil profond et agréable.

Aux premières lueurs de l'aube, des grognements, des beuglements nous tirèrent de notre sommeil. Nous sortîmes tous de nos tentes. À quelques pas de nous, deux ours se livraient bataille. Deux mâles majestueux se disputaient tels des ivrognes dans une taverne. Nous regardions le spectacle avec intérêt. Les deux mastodontes ne nous voyaient pas, bien plus intéressés à qui serait le vainqueur du combat. Griffes acérées, gueules béantes laissant découvrir leurs incroyables mâchoires, debout face à face pivotant tantôt sur une patte tantôt sur l'autre, ce ballet plutôt gracieux quand on pense à la grosseur d'un ours était plus que captivant. Ce genre de combat ne laisse pourtant aucun doute : il faut un vainqueur et le vainqueur est toujours le plus fort ! C'est alors que l'on sonna la cloche ! Le plus fort des deux avait asséné à son adversaire un coup de patte plus fort que les précédents et l'un des deux déclarera forfait en chignant, la peau de la gueule lacérée, le torse déchiré. Il avait pris la fuite dans les bois qui heureusement se trouvaient à l'opposé de notre campement ! L'autre revint sur ses quatre pattes pour finir assis. Il était essoufflé et visiblement exténué. Il tourna sa grosse tête vers nous. J'imagine qu'il devait se dire : *Qu'est-ce donc que ces moustiques en si grand nombre ?* Car j'avais l'impression d'être un nain à côté de cette force de la nature. Nous restâmes sur nos gardes. Allait-il charger et d'un coup de patte nous envoyer retrouver Saint-Pierre ? Probablement que sa forte nature lui commandait de ne point utiliser sa force meurtrière étant donné qu'il venait d'employer toutes ses énergies à combattre un ennemi de sa race. Il se leva et disparu lentement dans l'épaisse forêt. Dans les chuchotements nous commençâmes les préparatifs de départ en pliant bagages. Lorsque tout fut chargé sur les chevaux, je les rassemblai. À voix basse je m'adressai à tout le monde.

-Messieurs, nous sommes en territoire Suédois. Le bruit de nos montures, notre déplacement pourrait éveiller des soupçons. Nous allons user de délicatesse. Je vous demanderais d'être silencieux. Arrivés près du château, je vous ferai signe. Nous nous replierons derrière la forêt qui entoure la partie nord du château. Ensuite, c'est une question de vitesse. Quand les gardes de l'aile nord nous apercevront à notre entrée en force à la porte de cette muraille nous devrons faire vite. Il faut essayer de faire le tout en silence, c'est-à-dire, le moins de bruit possible. Nous devrons maîtriser les gardes de ce secteur afin que le reste de la garde royale ne soit pas alerté. Il faudra faire preuve d'agilité pour ressortir avec la dame. Aussitôt cette dernière embarquée dans le carrosse, nous cavalerons jusqu'à ce qu'ils nous perdent de vue. Il faut absolument qu'ils n'aient pas le temps d'alerter les autres bataillons de soldats qui se trouvent postés sur le pourtour des terres de Boris. Chemin faisant nous les contournerons. Si tout se déroule comme nous l'avons calculé, nous aurons déjà regagné la Norvège lorsque cette nouvelle leur parviendra. Donc, Messieurs, il est plus impératif que jamais de faire preuve de délicatesse et de doigté. Maintenant à vos montures, nous partons.

Dans cet esprit de coordination, nous reprîmes la route. Nous avancions et nous rapprochions à chaque minute de notre but.

Un fait étrange vint alors éveiller chez le général que je suis un questionnement. Nous étions à la hauteur d'un des premiers bataillons de la garnison royale de la Suède. Le chemin laissait entrevoir entre les arbres, le campement. Du moins, ce qui en restait. Normalement cet endroit aurait dû fourmiller de soldats, de compagnies entières, mais l'endroit était désert. Le vent balayait l'herbe haute et les auvents des bâtiments. C'était là, le seul mouvement perceptible en ces lieux. Aucun cheval, aucun cavalier, il n'y avait rien. Je m'approchai de Bjarni et à voix basse le fis arrêter et par le fait même tout le convoi.

-Sire… Sire ?
-Quoi Mirikof ?
-Ne trouvez-vous pas étrange que nous ne voyions personne dans ce campement ?

Je pointais le camp. Bjarni descendit de sa monture et se fraya un chemin à travers la flore jusqu'à ce qu'il parvienne discrètement aux abords d'une petite dénivellation de terrain. Effectivement, ce camp était désert. Pas de cheval, pas âme qui vive, aucune activité. J'arrivais derrière lui.

-Qu'en pensez-vous, Sire ?

-C'est effectivement bizarre. Normalement sa compagnie Ouest devrait être ici ! Pensez-vous à ce que je pense ?

-J'en ai bien peur, Sire.

-Ah ! Boris ! Cette activité dont parlaient mes espions c'était donc ça ! Il se préparait… Même si je me doutais qu'il ne tarderait pas à faire un mouvement, je pensais bien que je l'aurais découvert avant qu'il ne mette son plan en œuvre. Vite Mirikof, si ce que je pense est vrai, nous n'avons plus un instant à perdre. Nous n'avons plus à contourner ses bataillons puisqu'ils doivent tous être sur le sentier de la guerre. Allons directement vers ce que nous sommes venus chercher et espérons que nous réussirons à le rattraper avant qu'il n'attaque Euphrase. Sinon dans quelques semaines il se retournera vers la Norvège. Faites retourner deux hommes. Qu'ils ameutent mon armée à se tenir prête. Il ne s'attendait pas à ce que je vienne sur ses terres ! Eh ! bien, il est servi maintenant. Il n'avait pas calculé non plus que je lui enlèverais son précieux trésor. Ne faisons plus dans la dentelle, Mirikof, attaquons de front pour arriver rapidement à notre but. Tout ce que j'espère c'est qu'elle est à la hauteur de ce que colporte la légende, sinon c'est l'inévitable Mirikof ! C'est la guerre !

-Sire, je fais le nécessaire.

Deux hommes rebroussèrent chemin et furent chargés de faire le nécessaire afin de mettre notre armée sur le pied d'alerte.

Aucune simagrée ne serait plus nécessaire. Nous nous dirigions désormais en ligne droite vers l'aile nord du château poussant nos montures au maximum.

Sur le chemin, traversant en fronde, villages, campagnes, nous ne laissions nullement à quiconque le choix de nous céder le passage. L'étonnement des paysans et des villageois devait se limiter à esquiver les chevaux et leur maître qui prenaient d'assaut la route, sinon ils périraient sous les sabots de nos chevaux. Ces paysans ignorant tout de ce qui se tramait dans leur royaume et dans ceux de leurs voisins.

Quelques heures plus tard, le château de Boris s'érigeait dans le paysage verdoyant d'un début d'après-midi de printemps. Une petite clairière à traverser et la porte de la muraille nord était devant nous.

Deux gardes positionnés à la vigie se racontaient leurs exploits de la veille.

-Ha ! ha ! Breins, tu veux me faire croire que tu as réussi, toi, à faire dormir dans ta couche, Irma et Serfva !

-Je n'essaie pas de te faire croire quoi que ce soit, je te dis la vérité !

-Menteur ! Tu étais saoul hier soir ! Je t'ai vu moi !

-Oui, j'avais un peu abusé du bon vin, mais Irma et Serfva ont pris grand soin de moi !

-Ha ! ha ! Menteur ! Qu'est ce que... Qu'est-ce que c'est ?

-Quoi ?

-Regarde !

-Saint prêtre ! Des soldats ! Mais... mais... ils... ils nous attaquent ! Ils galopent vers nous à une telle allure, l'épée à la main !

-Ce sont les Norvégiens ! Merde... Vite !

Le jeune soldat se retourna et ameuta la garde royale en claironnant à pleins poumons pour ensuite hurler :

-Attaque à la muraille de l'aile nord, attaque à la muraille de l'aile nord !

Dans une cohue, dans une cacophonie, branle-bas de combat à l'honneur, la garde royale se déployait. Toutes les portes de la muraille qui entouraient le château étaient ouvertes durant le jour pour permettre aux ouvriers de Sa Majesté de faire l'entretien paysager de sa belle demeure. C'est avec dépêche qu'on tentait désespérément de les refermer. Mais notre cavale surprise et à vive allure ne leur en resta, tout simplement, pas le temps. Épées, boucliers levés, un affrontement inévitable s'engagea. Contrairement à ce nous avions calculé, la garde était à son minimum. Boris avait apporté avec lui tout ce qui était potable. Une brèche à travers les gardes royaux fut vite assurée. Bjarni, moi et quelques-uns de nos soldats réussîmes à se détacher de cette lutte entre gardes royaux et soldats du royaume voisin. Parvenus à une porte qui donnait accès aux entrailles du château, nous nous sommes engouffrés à la course en la demeure, telle une bande de coyotes fonçant sur un élan, escaladant le grand escalier, lacérant de nos épées tout garde qui se trouvait là à nous barrer la route. Les servantes, les employés de Sa Majesté couraient dans tous les sens en hurlant, cherchant une sortie à qui mieux mieux.

Toute cette cohue et ce vacarme déclenchèrent à l'intérieur de la chambre de la future reine, la panique des deux servantes qui l'accompagnaient. Le tout se traduisit par leur fuite côté cour, enfermant Mira seule dans cette grande pièce.

-NON ! Non ! ne me laissez pas seule ! Criait-elle apeurée.

Devant nous, la sortie des deux servantes en trombe et les deux gardes qui se tenaient épée levée nous indiquaient clairement que la promise se trouvait sûrement derrière cette porte. Les gardes qui essayaient de braver leur peur devant cette dizaine d'hommes qui arrivaient à la course se regardèrent, prirent leurs jambes à leur cou et prirent la fuite. Quels lâches ! Enfin… ce n'est point à moi de juger l'enseignement donné aux gardes royaux de Boris. Bjarni tenait le loquet de la porte dans sa main, mais elle était verrouillée. Nous avons alors forcé la porte jusqu'à ce que nous ayons parvenu à l'enfoncer de plusieurs coups d'épaule. Quand ce qui nous barrait la route ne fut plus en état de nous contenir, nous nous introduisîmes tous dans la chambre avec hâte.

Comme si un mur invisible nous avait arrêtés net, nous nous sommes tous immobilisés brusquement.

Dans le coin de la chambre qui nous faisait face, une demoiselle effrayée nous regardait les yeux écarquillés, la main portée à sa poitrine. Le souffle court, tremblant de tous ses membres la promise nous était dévoilée. Aucun doute qu'il s'agissait d'elle. Tel un animal fragile blottit contre la paroi du mur avec le regard du désespoir, elle était figée sur place.

Muets, nous la dévisageâmes bouche bée. De vive allure que nous étions depuis que nous avions mis le pied sur les terres de Boris voilà que notre immobilité, notre silence contrastait vivement avec tout le remue-ménage qu'on entendait à l'extérieur produit par le reste de notre compagnie avec les gardes royaux.

Bjarni avait devant lui la promise du roi Boris, la légende physique de la Forêt d'Elfe et le coup d'œil lui coupait le souffle. Devant lui, une jeune femme d'une extraordinaire beauté, l'explication de la raison pour laquelle Boris tenait si jalousement loin des regards de tous, cette magnifique jeune femme. À ce moment précis, ayant pour bruit de fond, les escarmouches entre le reste de nos soldats et des gardes royaux dans la cour, je repris mes esprits et fis à la dame une courbette due à son rang. Tous m'imitèrent y compris Bjarni. Ce qui nous tira tous un petit sourire. Je pris la parole.

-Madame, voici le Roi Bjarni fils de Magnus VII Eriksson, Monarque du royaume de la Norvège et moi, je suis son général, le général, Mirikof.

Bjarni voyant mes efforts, revint à lui et d'emblée dit à la dame :

-Pardonnez-nous cette intrusion dans vos appartements, Madame. N'ayez pas peur de nous, nous ne vous voulons aucun mal. Pourtant il vous faudra nous suivre madame !

Mira déconcertée et visiblement épouvantée finit par formuler une question :

-Vous suivre, mais… mais… pour aller où ?
-Nous n'avons pas le temps de vous expliquer, Madame, vous le saurez en temps et lieu.

Lui répondit Bjarni qui était abasourdi par les yeux magnifiques et affolés qui les regardaient.

Mira eut un instant de panique.

Quitter le château ? C'est impossible ! Boris ne m'y retrouvera pas à son retour et il s'en prendra à Roberts et à Père !

-C'est… C'est le Roi Boris qui vous envoie ?
-Non, Madame. Boris ne sait pas que nous sommes ici ! De lui répondre Bjarni.
-Mais… mais… je n'ai pas le droit de quitter le château… Je…
-Madame, je vous en prie… Le temps nous presse, suivez-nous et je vous expliquerai tout ça en chemin !
-En chemin ? Où allons-nous ?
-En Norvège, Madame.
-Je… ne peux… je…

Bjarni lui tendit la main pour l'inviter à les suivre. Hésitante, la promise restait sur sa position. Bjarni insistait. Comme si un petit éclair lui avait traversé le corps, Bjarni ressentit une sensation étrange lorsque la petite main tremblante finit par aboutir au creux de la sienne. La légèreté, la finesse de ses doigts, la douceur de cette peau, enfin… Bjarni y passerait lui aussi ! Passerait à travers l'amalgame d'émotions que dégageait Mira sur le sexe opposé. Je voyais l'univers dans lequel le jeune roi célibataire se plongeait depuis quelques secondes, je me raclai la gorge invitant ainsi mon roi à revenir parmi les mortels ! Bjarni se retourna, entraînant avec lui la demoiselle frémissante vers la sortie. Juste en sortant de la pièce d'autres soldats de la garde royale arrivaient menaçants. Bjarni prit la jeune femme et la blottit contre lui de son bras gauche et de son épée qu'il avait fait passer à droite, affrontait sans l'ombre d'un doute. Nous maîtrisions facilement ces quelques soldats, les envoyant de quelques coups d'épée cogner aux portes du Paradis. Le corridor était maintenant libre.

-Madame, pardonnez-nous de vous faire assister à une telle violence ! Dit Bjarni, voulant sécuriser la jeune demoiselle qui regardait les hommes qui gisaient par terre dans une marre de sang, le regard affolé.

Il reprit la petite main et suivit par nous tous, il s'engageait à la descente de l'escalier.

Après avoir descendu quelques marches, Mira adressa un regard au roi et là, aussi soudain que inattendu, elle se bascula par-dessus la rampe d'escalier. Sa petite main avait lâché celle du roi. Bjarni surpris par ce mouvement léger et fluide resta immobile happé par ce qu'il voyait. Comme si le temps s'était arrêté pendant quelques secondes, la descente de la belle vers le premier plancher se faisait comme au ralenti, détaillant des mouvements ondulatoires de sa chevelure et de ses jupons produits par la brise d'une chute d'un deuxième vers un premier étage. Dans une gracieuse agilité, elle se posa tel un oiseau sur une petite table du hall d'entrée, se retournant l'espace de quelques secondes pour regarder plus haut si nous la suivions toujours. Lorsque son regard atteignit sa cible, dans une souplesse peu ordinaire elle sauta au bas de la table et prit la fuite vers l'extérieur. Personne d'entre nous n'avait eu le temps de réagir. Même pas le roi qui la tenait pourtant par la main. Elle s'enfuyait. Et nous étions loin d'avoir prévu cette échappatoire peu orthodoxe. Non ! La précieuse colombe qui nous faussait compagnie juste au moment où tout suivait son cours normal. Il fallait à tout prix la rattraper et la ramener vers la Norvège. Bjarni l'imita sautant lui aussi par-dessus la rampe. Les autres hommes moins acrobates que nos deux jeunes gens, préférèrent descendre l'escalier à pleine allure et suivirent le roi dans sa course contre la belle. Mais Bjarni n'avait rien d'aussi gracieux que la jeune pucelle, il lui fallut négocier son arrivée sur la petite table qui se brisa sous son poids. Il faillit perdre pied, mais réussit à se jeter sur le plancher avant de perdre totalement l'équilibre.

Quant à la belle, elle fuyait à toutes jambes, nous avions peine à l'apercevoir car elle traversait la bataille qui se déroulait dans la cour sans même se soucier des hommes et des épées qui s'entrechoquaient. Bjarni me criait de faire avancer les chevaux et la carrosse vers la porte nord, sortant lui aussi en courant, tentant de rattraper la gazelle qui courait et courait. Elle se sentait poursuivie par ces hommes inconnus et traversait à pleine allure la cour, se dirigeant vers la grande porte de l'aile nord, pensant probablement y trouver la liberté.

Comme elle ne connaissait pas la configuration des lieux à l'extérieur du château, elle courait en direction d'un petit précipice qui surmontait une rivière plus bas. Elle s'arrêta brusquement le bout des pieds dans le vide. La marche était un peu haute avant d'atteindre la grève de la rivière plus bas. Elle se retourna. Nous arrivions derrière elle sur nos montures que nous avions enfourchées en passant.

Dieu du ciel ! Je n'arriverai donc pas à les semer ? Mira, il faut descendre. Plus bas, j'arriverai peut-être à les distancer. Je suis perdue si je ne tente pas cette descente.

Du haut de nos montures, nous étions témoins de ce qu'on aurait pu considérer comme un saut de l'ange. La belle disparut sous nos yeux aux dépens du vide de la route qui surplombait cette rivière.

-NON ! Non ! Vite Mirikof, elle a sauté. Cria Bjarni.

Rendus sur le bord du petit précipice, nous nous penchâmes bien angoissés de ce que nous verrions plus bas. La pente de quarante-cinq degrés ne laisserait aucune chance aux espoirs de fugue de la belle. Le sol rocailleux faisait rouler les cailloux sous les petits escarpins de cuir de la demoiselle. Le déséquilibre ainsi créé rendait les jupons trop longs et ce fut une question de secondes avant qu'elle ne perde complètement l'équilibre. Impuissants devant ce spectacle, le cœur de Bjarni faillit lui sortir de la poitrine en voyant finalement les roulades de la belle se terminer par le choc entre sa tête et une grosse roche sur les berges de la rivière. Inerte, ne se relevant pas de sa chute, moi et le roi, nous dévalions la pente prudemment en se penchant de côté pour éviter de subir le même sort que la demoiselle.

-Mon Dieu ! Mon Dieu ! faites qu'elle ne soit pas morte ! Suppliait Bjarni.

Arrivé à ses côtés, Bjarni s'agenouilla le désespoir dans les yeux devant le corps inerte de la jeune dame. Doucement, il la retourna et vu du sang sur son front. Il me jeta un regard rempli d'inquiétude. Pendant un moment, nous crûmes que s'en était fait de notre plan d'enlèvement et de la vie de la dame. Bjarni se pencha sur sa poitrine pour entendre ne serait-ce que le soupçon d'un souffle. Au même instant, de petits gémissements parvinrent à nos oreilles. Quel soulagement, elle n'était qu'évanouie par le coup. En autant que ce coup ne lui avait pas ébranlé l'esprit.

-Vite, faites descendre les chevaux par le sentier là et emporter le carrosse sur cette route. Criait Bjarni aux autres restés plus haut.
-Sire, il faut la transporter jusqu'au carrosse.
-Je sais Mirikof, je sais. Voilà, ma monture arrive, j'embarque. Soulève-la et donne-la-moi.

Je soulevai la belle à demi consciente dans mes bras et la tendis à Bjarni qui avait monté d'un seul bond sur son cheval. Délicatement, je la déposais sur la selle et c'est avec un souci méticuleux que Bjarni prit soin de positionner confortablement contre son épaule la cause de son déplacement des derniers jours. Lentement, Bjarni l'emportait vers le carrosse qu'il voyait arriver dans une course folle, chevaux poussés par leurs cochers et poussière à l'appui. Certains hommes de Boris offraient encore résistance et étaient sur le point d'intercepter le carrosse. À ce moment, un autre affrontement survint entre la garde royale de Boris et notre compagnie. Malgré ces altercations, les bruits de l'acier qui s'entrechoque, la lutte, les cris tout ça indifférait notre jeune roi. Son attention était captivée par quelque chose. Il se perdait dans la contemplation des traits délicats et parfaits de la créature qu'il tenait dans ses bras.

Comme elle est belle La Promise de Boris ! Comme tu es délicate petite paysanne ! Boris à beau être un tyran, il a bon goût !

Les gardes furent encore maîtrisés. Ils n'étaient pas de taille avec ceux que Bjarni avaient triés sur le volet pour cette délicate mission et leur nombre était largement insuffisant face à l'ennemi. Cela facilitait grandement la tâche de notre opération. D'autres accouraient plus loin sur le chemin pour prêter main-forte à leurs confrères qu'ils voyaient s'écrouler sous les épées des Norvégiens.

Sous le regard observateur de Bjarni, les yeux azur s'entrouvrirent charmant complètement le jeune roi. Revenant d'un semi coma, Mira se raidit soudainement.

Qu'est-ce que... Qui est-ce ? Qu'est-ce que je fais assise sur une monture ? Aie ! Ma tête ! Oui... je me souviens... Non... pourquoi suis-je contre lui ? Où m'emmène-t-il ?

Prise de panique, dans un mouvement souple et fluide elle se jeta en bas de la monture. Il était trop tard. Déjà, Bjarni avait atteint le carrosse et elle se trouvait prise en souricière entre le véhicule et les soldats de Bjarni. Elle se retournait cherchant une brèche. Aucune fuite possible. Bjarni descendit de sa monture.

-Madame… Madame… Je vous en prie calmez-vous. Toute fuite est impossible et je vous répète que nous ne vous voulons aucun mal. Faites-nous plutôt l'honneur d'embarquer et de nous suivre jusqu'en Norvège. Vous serez traité avec dignité et selon tous les égards dus à votre rang et je vous informerai chemin faisant du pourquoi de tout ceci.

Bjarni avait ouvert la porte du carrosse.

Comment ? Pourquoi devrais-je monter ? Je ne comprends plus rien ! Que me veulent-ils réellement ?

La panique qui ne faisait aucunement partie intégrante de la vie de Mira avant sa rencontre avec Boris, devenait maintenant un état émotif quasi permanent. Depuis plusieurs jours déjà, ce sentiment qu'elle ne connaissait pas ferait-il maintenant partie de chacune de ses journées ? Du moins, c'était ce qu'elle pensait. Puisque pour une fois encore, ses nerfs étaient grandement éprouvés. Le coup sur la tête, les peurs et les contraintes eurent raison de la belle. Ses jambes ne la supportaient plus. Elle s'écroula. Bjarni eut tout juste le temps de la rattraper. Il la prit dans ses bras et embarqua en toute hâte dans le carrosse.

-Vite, qu'on parte. Rappelez tout le monde. Faites rebrousser chemin aux autres gardes qui arrivent vers nous, point de violence inutile, mais qu'ils ne parviennent pas à nous poursuivre.

Sitôt dit, sitôt fait ! Nous nous retournâmes contre nos poursuivants et de nouveau une altercation sanglante commença. Le carrosse était déjà engagé sur le chemin du retour. Bjarni la coucha sur le banc. Il s'agenouilla.

-Madame ? Madame ? Revenez à vous !

Rien. Elle respirait calmement et à un rythme satisfaisant. Le véhicule roulait rapidement sur la route cahoteuse, rendant la stabilité difficile aux occupants. Bjarni se releva et sortit sa tête vers l'extérieur pour s'adresser aux cochers.

-Ralentissez un peu. Il faut les distancer, mais j'aime mieux qu'on le fasse vivant plutôt que mort !

Lorsqu'il se retourna vers elle, les signes, d'un retour vers la conscience, lui remplirent son cœur inquiet, de soulagement.

-Madame ?

Mon Dieu ! Je suis déjà dans le carrosse... et nous sommes en route !

-Madame ? Vous vous sentez mieux ?

Il s'assit devant elle. La main sur la petite plaie qu'elle avait à la tête, Mira était désespérée. Bjarni sortit, d'une poche de son pantalon, un mouchoir blanc. Il tendit la main pour lui remettre. Ce geste inattendu surprit Mira qui se repoussa vers l'arrière.

-N'ayez pas peur de moi Madame ! Grand Dieu ! Il n'est point de mon dessein de vous faire du mal. Prenez-le. Vous voulez peut-être que j'éponge moi-même ?
-Non...

Ce non catégorique surprit Bjarni.

-Non... ce ne sera pas nécessaire. Reprit-elle timidement.

Elle prit le mouchoir de coton et le porta à sa tête.

-Madame, je suis désolé du déroulement de toute cette affaire. Je vous prie d'accepter toutes nos excuses, au nom de tout le Royaume de Norvège. Je tiens personnellement à m'excuser pour cette manière cavalière dont nous avons usé pour s'introduire auprès de vous. C'était le seul moyen. Il n'était nullement dans nos intentions de vous effrayer de la sorte. Votre fuite et votre chute nous ont beaucoup inquiétés. Si seulement vous aviez voulu nous suivre et avoir les explications du pourquoi de nos gestes, tout ceci ne serait pas arrivé. Vous auriez pu vous blesser sérieusement et nous serions coupables d'avoir été la cause de vos blessures ! (silence) Maintenant, Madame, permettez-moi de vous informer de la raison de notre présence ici aujourd'hui. Vous êtes sûrement au courant que Boris, votre futur époux, est en route pour conquérir le royaume du Roi Euphrase ?

Mira ne répondit rien. Les manigances de Boris ne l'intéressaient guère. Bjarni, continua malgré son silence.

-Sachez, Madame, que nous ne partageons pas les opinions de votre futur époux. Nous avons tenté, et ce à plusieurs reprises, de lui faire entendre raison, de cesser tout invasion hors de son territoire. Mais Boris est un Roi bien têtu, il n'a rien voulu écouter et le mois passé, il a envahi une province voisine l'annexant ainsi à son territoire, mais loin de lui suffire il continue. Moi, les Rois Euphrase et Etok avons de très grandes terres et de grandes armées. Si nous unissons nos efforts, nous écraserons facilement votre Roi. Mais il ne plaît point aux Rois Euphrase, Etok, ni à moi-même de partir en guerre contre Boris. La paix a été durement gagnée au cours des dernières années. Et vous êtes arrivée dans le décor…

Mira leva les yeux vers son interlocuteur, elle ne comprenait pas ce qu'il voulait dire.

-Oui, vous, Madame ! Vous êtes La Promise du Roi et nous avons pensé que puisqu'il semble très épris de vous, à l'annonce de votre enlèvement, il accepterait de mettre fin à son projet et de venir sur mes terres pour signer un traité de paix en échange de votre personne… Cela éviterait de faire couler le sang inutilement. Nous avons espoir qu'il ravisera ses positions car il semble qu'il tienne beaucoup à vous. C'est la seule chance que nous ayons pour qu'il renonce à jamais d'entrer en guerre contre nos contrées. Bien entendu, si nous répondions de la même manière qu'il agit, nous ne nous serions pas souciés de vous enlever et nous serions déjà sur le sentier de la guerre contre votre Roi, Madame. Nous sommes Rois, guerriers, mais nous considérons cet affrontement inutile puisque chacun d'entre nous, est satisfait de l'état des choses telles qu'elles sont actuellement. Or, nous tentons d'éviter à tout prix une guerre qui finirait selon toute vraisemblance dans la mort inutile de soldats puisque Boris sera écrasé de toute évidence. En décuplant nos armées, Boris n'a aucune chance.

Mira baissa les yeux. Bjarni sentait que la pucelle était terrorisée. Il se voulut rassurant.

-Madame, n'ayez craintes, aucun mal ne vous sera fait. Vous aurez droit à tout ce que vous souhaitez et à une certaine liberté compte tenu que vous devrez tout de même respecter un certain périmètre. Vous serez traitée comme une invitée royale et non comme une prisonnière, je vous assure. Et le voyage ne sera pas très long, nos deux châteaux sont près l'un de l'autre…

Toujours dans la même position, Mira ne regardait plus le roi.

Toute cette mascarade doit être encore une ruse de Boris pour me mettre à l'épreuve pendant son départ afin de savoir quelles seraient mes réactions. Ce roi devant moi doit être de connivence avec Boris, ils le sont tous ! Alors pourquoi pas lui aussi ! Boris, qu'as-tu encore inventé pour savoir si je te serais fidèle et si je m'enfuirais avec un autre aussitôt que j'en aurais l'occasion. C'est ça qu'il veut savoir ! Savoir si j'aurais été transportée de joie dès qu'on m'aurait ouvert la porte. Après, si j'avais agi ainsi tu aurais torturé mon frère ! Eh ! bien, tu seras surprise. Ce soi-disant roi, quand il te rapportera mes agissements tu ne pourras pas dire que je n'ai pas suivi scrupuleusement tes instructions. Quelle peste tu es Boris... Tu pars et tu organises des scènes invraisemblables pour que tu me prennes en faute. Après tu me sermonneras. Ce jeu peut se jouer à deux ! Je ne marche pas dans ta combine et il peut bien me raconter mer et monde ce soi-disant roi, je ne marcherai pas dans ta combine.

Bjarni se leva considérant qu'il avait fait le tour de la question. Comme il s'apprêtait à sortir du carrosse pour quémander sa monture, elle lui demanda :

-Combien vous a-t-il payé, Monsieur ?
-Pardonnez-moi Madame ? Payé ? Qui ?

Petite sotte ! Comme s'il allait te l'avouer !

-Je regrette, Madame, mais je ne comprends pas du tout de quoi vous parlez !

Bjarni la regardait. Elle s'était de nouveau renfermée sur elle-même et plus un son ne semblait vouloir sortir de cette magnifique bouche vermeille. Intrigué par la question, Bjarni préféra en rester là plutôt que de la harceler pour en comprendre le sens. La dame avait été largement éprouvée et peut-être divaguait-elle un peu à la suite de ce coup qui aurait pu lui être fatal.

-Madame, je vais vous laisser maintenant et j'espère sincèrement que vous ferez bon voyage en notre compagnie. Reposez-vous, je crois que vous en avez grandement besoin.

Il lui baisa la main pour ensuite passer sa tête hors du carrosse. La totalité ou presque de ses hommes nous avait rattrapés et je suivais derrière.

-Emportez-moi ma monture !

Sans faire arrêter le convoi, il sauta sur le dos du cheval et ferma la porte. Il vint me rejoindre. Bjarni se sentait l'obligation de discuter avec son général. Je le regardais du coin de l'œil, silencieux, sourire en coin.

-Mirikof, est-ce que les gardes royaux sont distancés ?
-Oui, c'est fait. Boris à non seulement utilisé toute son armée, mais il a également pris tout ce qu'il avait de potable au sein de sa garde royale laissant son château une cible facile. Je considère cette tactique imprudente !
-C'est qu'il pensait réellement se jouer de nous avec son plan diabolique sans avoir calculé que Mirikof, le général Norvégien de Sa Majesté aurait lui aussi plus d'un tour dans son sac en suggérant l'enlèvement de sa Promise ! Il n'avait vraiment pas calculé tout ceci dans son plan. Et je suis plus convaincu que jamais que vous avez eu une idée de génie ! Qu'en pensez-vous Mirikof ?
-Vous voulez vraiment savoir, Sire ?
-Oui.
-Je crois que le Roi Boris ne laissera pas sa Promise longtemps entre nos mains…
-Je pense la même chose que vous. S'il tient à elle, et je n'en doute pas une minute, cela jouera probablement en notre faveur. Si cela ne l'empêche pas de faire la guerre, au moins, ça le ralentira. D'une façon ou d'une autre, cela nous suffira pour rassembler tout le monde et là Boris sera bien désavantagé pour passer à l'action.
-Je vous avais dit que sa mère était très belle et qu'il était dur d'oublier un visage tel que celui-là, maintenant vous avez la preuve que je disais vrai.
-J'avoue Mirikof que j'ai douté de votre parole, mais j'admets aussi que je ne croyais pas qu'une telle beauté puisse réellement exister.
-Sire, il faudra être vigilant. Elle ne laisse personne indifférent. Vous n'avez rien à craindre de moi, je suis vieux et ce n'est plus de mon âge, mais certains de vos hommes sont jeunes… Tout comme vous ! Et depuis le calme revenu parmi la troupe vous n'avez pas idée des discussions qui me sont parvenues jusqu'aux oreilles !
-Mes hommes seraient-ils des voyous ?

-Je n'irais pas jusqu'à vous dire ça, Sire. Sans vouloir vous manquer de respect, n'étiez-vous, vous-mêmes, complètement… comment pourrais-je dire…

-Bon ! Bon ! Je vous arrête tout de suite Mirikof. C'est vrai, je l'avoue, j'ai été très impressionné ! Mais sachez que je ne mettrai jamais la paix entre nos contrées en jeu, même si la belle a des yeux aussi doux que le ciel.

-Sire, je n'ai pas voulu vous offenser. Je ne connais pas cette femme et si elle exerce sur vous ou qui que ce soit son charme envoûtant, il faudra s'en tenir loin.

-Merci de me prévenir Mirikof, mais je suis un homme maintenant, je ne suis plus le petit garçon que vous emportiez avec vous et à qui vous avez tout montré de vos tactiques et de vos stratégies !

-Hi ! hi ! Certes, Sire, je viens, je crois de vous piquer au vif ! N'est-ce pas ?

-Ah ! Mirikof ! Vous me connaissez si bien. Vous dire qu'elle m'est complètement indifférente serait un mensonge éhonté. Vous n'en croiriez pas un mot. Mais, vous savez aussi que je suis très respectueux. Je fais membre honorable et j'avoue que pour la première fois, j'envie Boris. Envier Boris… Jamais je n'aurais cru qu'un jour cela puisse m'arriver. Quelle chance il a ! C'est pour cela que je ne trahirai pas mes convictions profondes. J'ai toujours beaucoup respecté le choix des dames et elle est La Promise de Boris. Si tel est son choix, même si je trouve cela dommage pour elle, d'être amoureuse d'un personnage aussi bestial que peut être Boris, je me plie à ses souhaits. Quant aux discussions de nos camarades, Mirikof, laissons-leur le loisir de s'exprimer verbalement ! Tant qu'ils se limiteront à ça, nous n'avons rien à craindre d'eux. De toute façon, ils auront à répondre de leurs gestes devant le Roi, lui-même, si jamais l'un d'eux passait outre les instructions formelles qu'ils ont reçues.

-Avec une dame comme elle, il faut s'attendre à tout, Sire !

-J'ai confiance en mes hommes, Mirikof… N'avez-vous pas confiance en moi ?

-Hi ! hi ! Sire ! J'ai confiance en vous… mais l'appel de la nature est parfois si sournois ! J'en sais quelque chose !

-Tiens donc ! M'auriez-vous caché quelques événements de votre vie sentimentale Mirikof ? Que devrais-je savoir sur votre compte qui vous rende si prudent aujourd'hui ?

-Hum ! Rien qui vaille la peine d'être raconté… Je suis vieux maintenant, mais j'ai déjà eu votre âge, Majesté !

-Et ? Que veut dire ce "*J'ai déjà eu votre âge*" ?

-Ah ! Les femmes Majesté…

-Oui ? Les femmes… mais encore Mirikof ?

-Et... bien... vous qui ne passez jamais inaperçu parmi les dames...

-Ha ! ha ! Voilà qu'il recommence avec ce soi-disant charme que je possède envers la gent féminine ! Ha ! ha ! ! Si vous pensez que je ne sais pas où vous voulez aboutir avec toutes vos petites phrases pleines de sous-entendus ! Ha ! ha ! J'adore les femmes et vous le savez que trop bien, Mirikof !

-Il est vrai et je dois le dire que vous êtes très discret sur vos conquêtes féminines !

-Mes conquêtes féminines ! Ha ! ha ! Suis-je donc perçu, comme le tombeur de ces dames ? Suis-je considéré anormal à ce point ?

-Hi ! hi ! Non, bien au contraire, Sire ! C'est ce que je veux vous dire. Vous êtes le Roi le plus normal qui soit en cette matière. D'une galanterie, d'une délicatesse envers les dames qui vous vaut une réputation de gentilhomme. C'est pourquoi, votre physique aidant, vos vingt-quatre ans, votre rang dans la monarchie... Vous possédez là, un avantage sur nous tous réunis !

-Ha ! ha ! Sacré Mirikof ! Ha ! ha ! Vous faites une telle description de ma personne ! Arrêtez... sinon je pourrais vous croire, vous savez !

-Croyez-moi ! Oh ! Grand Dieu, croyez-moi. C'est pourquoi il vous faudra affronter Miranda à votre arrivée avec cette beauté que vous ramenez avec vous !

-Ha ! ha ! Qu'est-ce que Miranda vient faire dans toute cette histoire ?

-Sire, voyons, vous qui êtes entouré des plus belles dames du pays et qui leur offrez de si délicates attentions ! Ne connaissez-vous pas le mal dont elles sont soudainement tout atteintes lorsqu'elles se sentent menacées par une dame d'une telle beauté ?

-Ha ! ha ! Mais Mirikof, la jalousie doit être alimentée si on veut que ce mal, comme vous dites, les rende quelque peu... disons..."affolées" !

-Hi ! hi ! Voilà ce que j'aime de l'âge que j'ai ! Votre naïveté vous perdra !

-Oh ! Mirikof, ma naïveté ! Moi naïf ?

-Pas dans les autres domaines, mais dans celui-là que oui ! Vous m'en direz tant, Sire ! Vous me direz comment a réagi Miranda à la vue de cette dame... et malgré votre délicatesse légendaire auprès des dames... Vous me direz si elle ne vous a pas fait mille et un reproches !

-De toute façon, Miranda est une dame que je respecte beaucoup. Cependant, je ne lui ai jamais fait aucune promesse que je ne pouvais tenir. Partager sa couche, je l'ai déjà fait, mais je ne l'ai jamais fait sans qu'elle n'y consente ! D'ailleurs, Miranda aime bien partager plusieurs couches… On le sait tous les deux. C'est pourquoi, j'ai cessé de la voir. Elle s'accroche, mais je n'ai jamais non plus laissé miroiter quoique ce soit à cette charmante dame ! Plus d'une fois elle m'a demandé de devenir ma femme. Elle sait qu'elle a été alors ma réponse. Je n'ai jamais songé au mariage, du moins, pas maintenant. Il s'est passé tant de choses que je ne me suis jamais penché sur mon avenir auprès d'une dame qui partagerait ma vie. Il est vrai que d'en parler aujourd'hui me fait réaliser que je devrais peut-être y songer… Je n'ai pas d'héritier et s'il m'arrivait malheur… nous savons tous les deux que dans ce cas, Varek serait fier de prendre ma place !

-Ah ! Sire, faites ce que vous avez à faire, mais Grand Dieu ! évitez que Varek prenne le pouvoir ! Le royaume tout entier serait plongé dans je ne sais quelles catacombes !

-Ha ! ha ! Pauvre Varek, les oreilles doivent lui chauffer. Dommage que mon frère soit si différent de ce que je suis.

-Oui, Sire, dommage !

Bjarni me sourit et il savait que j'avais parfaitement raison au sujet de Varek. Quant à la belle, comment se retenir si elle utilisait ses atouts ? Comment ne pas lui succomber ? Comment réagirait Miranda ? Que faire si un soldat manquait de respect à la pucelle ? Être vigilant, certes il fallait l'être, mais il fallait autre chose pour contenir tout ce monde et faire face à la musique si un événement fâcheux se produisait. Boris n'accepterait pas de signer un traité de paix, s'il savait que la promise eut été, ne serait-ce qu'un instant, aux prises avec quelques revirements de situation par la faute du roi de Norvège qui aurait placé la dame dans une situation délicate du fait que c'est lui qui l'avait enlevée. Enfin, je veillais au grain et Bjarni était un homme honnête. Faire confiance au temps semblait décidément la seule chose raisonnable à faire. Bjarni était plongé dans toutes ses pensées et malgré son épaisse chevelure bouclée, j'imaginais facilement tous ses méninges qui fonctionnaient à tout rompre.

Elle se réserve pour Boris. Elle doit sûrement éprouver pour Boris une attirance puisqu'elle l'a suivi jusqu'à chez lui. Quelle chance il a ! Cher Boris, voilà que je t'envie ! Moi qui ne connais pas l'envie, voilà qu'aujourd'hui tu fais surgir du plus profond de moi-même un sentiment dont je ne savais pas être pourvu ! Qui m'aurait dit qu'un jour je t'envierais et que ce serait pour une paysanne ? Avec une femme comme elle à tes côtés, il me sera difficile de conserver une paix durable. Si la belle demande du territoire, je sais maintenant que tu lui serviras sur un plateau d'argent, comme je le ferais moi-même ! Peut-être est-elle la raison pour laquelle tu as mis à exécution si rapidement ton plan d'invasion ?

Chassant ces pensées de son esprit, tentant de faire le vide, Bjarni poursuivait sa route en compagnie de ses hommes vers la Norvège. Le voyage se déroulait comme prévu deux jours durant. Le passage de la frontière se fit avec prudence et leur arrivée en fin d'après-midi était attendue par plusieurs autres généraux et membre de la cour royale de Bjarni.

Du coin de la petite fenêtre, Mira pouvait observer un autre château. Différent de celui de Boris mais aussi majestueux. Les teintes étaient plus sobres mais d'une élégance raffinée. Le pont semblait beaucoup plus grand et les tours de garde plus élevées.

Une activité fébrile sur les tours de garde ne faisait aucun doute sur l'arrivée du petit cortège.

Lorsque le carrosse fut arrêté, Bjarni vint la cueillir. Elle n'opposa pas de résistance, mais sa timidité était prédominante. Bjarni, fit appeler des servantes qui la reconduisirent dans les appartements préparés tout spécialement pour sa venue.

Une fois la belle dissimulée par les épais murs de pierres du château, les membres privilégiés de sa cour accoururent aux côtés de leur roi.

-C'est donc elle La Promise, Sire ?
-Oui, général Olaf.
-Permettez-moi, Sire, de laisser libre expressions à ce que mes yeux viennent de voir ! Elle est d'une beauté ! À se demander comment une paysanne peut être restée si longtemps terrée au fond des bois sans qu'un noble personnage autre que le Roi Boris ne l'y en déterre !
-Ha ! ha ! Oui, Olaf, vous avez bien raison ! Maintenant Messieurs, entrons, je veux une réunion de tout urgence. Mon armée est-elle déjà en chemin ?
-Oui, Sire, nous avons suivi vos instructions, cependant il faut vous informer de quelques détails, moi foi, plus qu'importants.
-Entrons, allons immédiatement discuter de tout ça.

Accompagné de tout ce qu'il avait sous la main de généraux, Bjarni entra en sa demeure et se dirigea vers son petit bureau. Il aimait cet endroit. La grande salle parlementaire était pour lui trop froide, trop solennelle comparativement à la chaleur d'une petite pièce ayant une relation d'égal à égal avec ses hommes de guerre.

-Asseyez-vous et écoutez-moi bien Messieurs. Nous sommes convaincus que Boris ne laissera pas longtemps la demoiselle hors de son territoire. C'est pourquoi faites partir immédiatement un messager vers les berges de la Suède afin qu'il rattrape Boris. Il faut qu'il l'intercepte avant qu'il ne s'embarque dans sa flotte pour atteindre Euphrase. Selon nos calculs, il doit être à environ quelques jours seulement de son but. S'il faut utiliser des relais afin que le message lui parvienne le plus rapidement possible, que cela soit.

-Bien Sire, j'avais pressenti cette hâte et déjà, un cavalier est prêt. Il n'attend plus que le signal de départ, ce que je fais sur le champ.

Le général Olaf se leva et sortit pour revenir quelques minutes plus tard.

-Maintenant, parlons des ordres que vous avez donnés aux généraux qui sont en tête des pelotons.

-Sire, ils ont respectivement eu l'ordre de ne pas attaquer. De la légitime défense seulement pour le moment. Cependant, Sire, nous avons dû diviser l'armée en deux garnisons.

-En deux garnisons, mais pourquoi ?

-Pendant que vous étiez parti, malgré que vous ayez deviné que Boris était parti pour conquérir, il y a quelque chose que vous ignoriez.

-Eh ! bien parlez, qu'aurais-je du savoir de plus ?

-Boris a divisé son armée. Il est bien en route vers Euphrase, mais une autre compagnie fait route vers le Col du Diable.

-Que dites-vous ?

-Oui, Sire. Malgré toutes les précautions pour que tout ceci demeure confidentiel, des marchands Norvégiens étaient attendus à Storlien et ils étaient en plein marchandage quand ils ont vu venir au loin, une armée complète. Ils se rendirent compte que les Suédois avec qui ils faisaient affaire ne semblaient pas au courant de rien, étant aussi étonnés qu'eux-mêmes à la vue de cette garnison qui s'avançait vers eux. Ils comprirent alors qu'on ne déploie pas une armée par ce chemin dans un but anodin. Comme les États du Nord de la Suède ne sont pas sous la rébellion, quelle autre raison que l'attaque de la Norvège. Ils n'en étaient pas certains ne connaissant pas toute l'histoire qui court entre nos deux royaumes depuis quelques temps. Ils finirent donc leur marchandage et avant l'arrivée de la compagnie, ils quittèrent et firent de leur mieux pour se rendre jusqu'à la garnison du général Hoguesson, celle qui se trouve la plus au Nord. Ce dernier envoya un messager et lorsque vos hommes revinrent avec la nouvelle que Boris était sur le sentier de la guerre, il n'en fallait pas plus pour comprendre ce qu'avait mijoté Boris. Cette compagnie devait passer par le Col du Diable. Probablement, que Boris avait l'intention de nous attaquer sur deux fronts et avec l'effet de surprise, j'avoue que nous aurions peiné à le contenir. Donc, nous aussi, nous sommes divisés en deux, une partie de nos troupes vers les berges de la Norvège et l'autre vers le Col du Diable.

-Boris… Boris… Décidément, je dois admettre, Messieurs, qu'il fait preuve de génie. Mais nous ne sommes pas en reste. Il n'avait pas prévu que nous puissions aussi faire preuve d'ingéniosité. Même s'il y a la guerre messieurs, sachez que nous avons tout fait en notre pouvoir pour que cela ne soit. Sachez tous que je pense tout de même que ce plan d'enlèvement de sa Promise sera une réussite. Je le crois sincèrement. De toute façon, c'est tout ce qui nous reste. Attendons la venue des messagers pour savoir ce qu'il décidera. Tout vient à point à qui sait attendre ! Donc, attendons calmement.

-Sire, n'allez-vous pas rejoindre l'un ou l'autre de vos bataillons ?

-Non. Nous avons ici, une dame qui mérite surveillance. Elle est sous ma protection et la seule monnaie d'échange possible. Il faut que je sois présent si Boris daigne venir la chercher et j'ai le pressentiment qu'il viendra.

-Oui, vous avez raison Sire. De dire le général Hanson.

-Pensez-vous nécessaire que nous allions rejoindre l'un de vos bataillons ? Demandais-je.

-Il est certain que j'ai autour de moi, la plupart de mes meilleurs généraux, mais je crois qu'ils sont quand même sous bonne protection avec les généraux qui leur ont été dévoués.

-Certes, Sire, notre armée est très disciplinée et sous bon commandement.

-Alors, votre présence me sera plus utile ici que ailleurs.

-Auriez-vous des recommandations à nous faire, Sire ? Demandais-je.

-Non… Si ce n'est ce qui m'apparaît la simplicité même, d'assurer une très bonne garde auprès de La Promise afin que rien, ni personne, ne perturbe son séjour parmi nous !

-Nous avions prévu cette requête de votre part, Sire. Tout est paré dans ce sens. De dire le général Olaf.

-Bon, je vais me décrasser un peu. Ce voyage rapide de quatre jours a quelque peu encrassé votre Roi !

-Bon… J'imagine que si le voyage à encrasser le Roi, il doit en être pareil pour un vieux général de mon acabit ! Répliquais-je à la volée.

Les généraux sortirent de la petite pièce laissant Bjarni se rendre vers ses appartements. Maintenant que le silence n'était que entrecou-

pé par le bruit de ses bottes sur les dalles de pierres qui résonnait légèrement sur les murs qui bordaient les corridors qu'il empruntait, les
réflexions intérieures de Bjarni se fixaient sur un sujet unique. Seul
avec lui-même, déambulant dans sa grande demeure, Bjarni finit par
atteindre ses appartements où il s'introduisit. Sa chambre munie de
quatre grandes fenêtres était illuminée par le soleil qui annonçait lentement mais sûrement son déclin. Cette lumière envahissante et
chaleureuse l'invita à s'asseoir sur le rebord d'une des fenêtres où il
avait l'habitude d'élire domicile lorsqu'il réfléchissait. Le regard perdu sur le paysage de sa cour arrière, les questions ne cessaient de se
bousculer sous sa chevelure blonde.

*Devrais-je guerroyer avec Boris ? Ah ! Boris... quelle plaie tu
peux être quand tu t'y mets ! Et ce plan d'enlèvement... Pourquoi est-
ce qu'une histoire aussi farfelue prend maintenant une tout autre
direction ? Moi qui ne croyais pas au départ à ce plan ! Pourquoi,
depuis que je l'ai vue, je n'arrive plus à me la retirer de la tête ? Que
vais-je faire de ce que je cherche à dissimuler ? Je suis envoûté. Je
n'ai qu'une seule envie... courir jusqu'à sa chambre pour encore voir
ces yeux, ce petit nez, cette bouche ! Raisonne-toi Bjarni. Il faut te
changer les idées ! Ce sera difficile, mais il faut être fort ! Ne mets pas
le sort d'une nation tout entière dans l'embarras !*

Il se releva et se prépara un bain pour se détendre. Après avoir
rempli le bain de plusieurs cruches d'eau froide, il se dévêtit et se
plongeant dans l'eau bienfaisante. C'était le moment de détente dont il
avait grandement besoin. La pression de souverain qui prend des décisions, il détestait.

L'après-midi se retirait laissant place à une soirée fraîche et étoilée. Les gargouillements de l'estomac royal rappelèrent à la matière
grise qu'il était temps de se sustenter.

Une fois essuyé, voilà que notre Bjarni ouvrait sa garde-robe. Ses
yeux verts faisaient l'inventaire du contenu. Passant de gauche à
droite, de droite à gauche, de haut en bas et de bas en haut. Que lui
arrivait-il encore ? Jamais auparavant il avait fait un tel plat pour choisir une tenue. C'est donc dans un souci peu coutumier qu'il se surprit
à sélectionner ses vêtements. Son choix se porta sur un costume vert,
brodé de têtes de lion, une cape, des gants, et ses longues bottes de
cuir brun... Sa Majesté sortait ses habits de cérémonie ! Une fois tout
le costume enfilé, voilà encore qu'il se surprit à faire quelque chose
d'inhabituel... Il se mirait dans la glace. Quelques instants plus tard,
se secouant la tête, il cessa cette pratique considérant que le résultat

était satisfaisant. Il se retourna pourtant une autre fois. Pourquoi ce costume lui sied si bien ? Peut-être que c'est parce que tout coordonnait. Était-ce ce vert avec les atours décoratifs de cuir brun, les bottes, les gants ? Enfin, il enleva les gants qu'il avait enfilés et les serra dans sa main gauche pour prendre la direction de la porte, décidé à se rendre à la salle à manger. S'il avait observé davantage, il aurait compris que la couleur de l'habit faisait ressortir le vert émeraude de ses yeux, la blondeur de sa chevelure, longue et bouclée. Le vert forêt rehaussait également le rose de ses joues et ses traits masculins. En mélangeant cet amas de petits détails, on obtenait un jeune roi Norvégien dégageant une allure qui en aurait fait craquer plus d'une. La carrure de ses épaules, son torse svelte et musclé, sa grande taille, tout ce qui peut caractériser les beautés scandinaves, étaient mis en valeur par le biais de son habit.

Il s'apprêtait à sortir lorsqu'on vint cogner à sa porte.

-Entrez !

Une dame venait de franchir la porte. Bjarni lui souriait.

-Eh ! bien… En voilà une surprise !
-Majesté ! Fit la dame tout en se courbant.
-Que me vaut l'honneur d'une telle visite ? Demanda-t-il visiblement étonné.
-Vous ne m'avez pas prévenue que vous deviez partir en voyage et vous n'êtes même pas venu me voir à votre arrivée, Sire.
-Pardonne-moi… Je te fais mes excuses. C'est vrai que j'aurais dû y penser. Sache que si cela n'a pas été fait, c'est que ce voyage a été organisé à la hâte et que dès mon arrivée j'ai dû avoir une réunion d'urgence. Au cas où tu ne le saurais pas j'ai dû envoyer toute mon armée parce que…
-Je le sais… Je sais bien des choses votre Majesté.

La dame faisait le tour du roi tout en exerçant une pression de son index sur d'abord le torse, ensuite les épaules et pour finir dans son dos.

-Comme votre Majesté est élégante ! Vous êtes toujours bien vêtu, mais ce soir vous êtes un ravissement pour les yeux !
-Ah ! bon ! Tu aimes ?
-J'aime l'habit… j'aime aussi l'homme qui se trouve sous le costume… !
-Coquine ! Que me veux-tu ce soir ?

-Ce que je veux ? Je veux savoir pourquoi le Roi est d'une telle élégance ?

-Pour rien. Non… J'ai dépoussiéré ce costume et je l'ai passé… C'est tout !

-Sa Majesté oserait-elle mentir à une dame ?

-Te mentir ! En voilà une idée…

-Ne serait-ce pas plutôt en l'honneur d'une invitée de marque que vous verrez, dans quelques instants, assise à votre table et que vous avez ramenée tel un précieux trésor ?

L'attitude lascive de la dame changea brusquement.

-Ne me prenez pas pour une sotte !

-Miranda… qu'est-ce qui te prends ? Pourquoi te prendrais-je pour une sotte !

-Vous êtes à votre meilleur… Vous êtes comme tous les hommes du château… Qui ne parle plus que d'elle ! Vous voulez me faire croire que ce costume vous l'avez passé seulement parce qu'il se trouvait dans votre garde-robe ? Vous mentez tel un arracheur de dents ! Vous êtes bel homme, même très beau ! De toutes les conquêtes féminines que vous avez eues sachez que je suis la moins idiote. Si vous pensez m'amadouer avec vos paroles mielleuses, c'est bien mal me connaître. Vous pouvez essayer avec d'autres mais pas avec moi. Avouez donc ce qui se passe dans votre pantalon en présence de cette beauté que peut être Mira !

-Ah ! Non ! Je ne te permets pas de me parler sur ce ton !

-Je vous fais toutes mes excuses, Bjarni Roi de Norvège ! Mais, imaginez-vous donc, que j'ai vu la dame à son arrivée cet après-midi ! J'arrive dans votre suite et je découvre que vous vous êtes costumé comme vous ne l'avez jamais fait, sauf pour des occasions très spéciales, et vous osez me dire que cette dame n'est pas l'objet de tout ce déguisement ?

-Oublierais-tu que tu t'adresses au Roi ? Que me valent tous ces reproches ? Ce ton avec lequel tu me parles ! Qu'ai-je donc fait de si mal pour me valoir ta colère ?

-Vous vous êtes entiché d'elle et vous osez me mentir à moi ! Sous mon nez ! Je me demande seulement jusqu'à quel point vous êtes prêt à lui offrir mer et monde ? Y aurait-il quelque chose que je devrais savoir, Sire ? Il vous a bien fallu deux jours dont une nuit pour la ramener jusqu'ici !

-Ah ! Non, Miranda. Là tu vas trop loin. Je ne te permets pas d'insinuer quoique ce soit sur mes agissements envers la dame !

-Voilà ! La vérité choc n'est-ce pas ? Vos yeux sont comme des épées. Est-elle aussi attentionnée dans votre couche que je puisse l'être ?

-Assez ! Ta petite crise de jalousie est extrêmement déplacée ! La dame en question est une vierge et ne t'en déplaise elle l'est encore ! D'autant plus qu'elle est La Promise du Roi Boris, me penses-tu assez idiot pour dépuceler une promise lorsqu'elle représente pour tous mes sujets une monnaie d'échange contre une paix avec les Suédois ?

-Si vous ne l'avez pas fait… Ce n'est sûrement pas parce que vous n'en aviez pas envie !

-Bon, cette fois c'est assez Miranda. J'en ai assez entendu ! J'ai toujours été sincère avec toi. Je te rappelle que je ne t'ai jamais rien promis… Et je dirais même plus… C'est toujours toi qui t'as glissée sous mes draps ! Si tu veux bouder, faire ta jalouse, et bien tu le feras ailleurs qu'en ma compagnie !

-Ah ! Non ! C'est trop facile de dire ça ! Certes, c'est vrai que plus d'une fois je vous ai peut-être suggéré des délices, mais je ne vous ai jamais tordu le bras, Sire !

-Oui ! Tu as raison ! Tu ne m'as pas tordu le bras… et Dieu comme je regrette aujourd'hui que ce ne fût pas le cas ! Je découvre ta vraie nature et j'en suis très choqué !

-Elle est mieux de se tenir loin de vous ! Sinon, je me sens capable de lui arracher les yeux à cette étrangère ! Cette petite garce !

Cette discussion tournait au vinaigre et Bjarni était sur le point de faire éclater une colère. Il prit le bras de la dame avec force et les yeux injectés de sang, il répliqua :

-Oh ! Madame ! Si jamais vous vous avisiez de toucher ne serait-ce qu'à un seul cheveu de sa tête, je vous jure que je serai votre bourreau ! Ne rêvez pas Madame ! Personne dans cette demeure n'aura l'autorisation de s'approcher d'elle sans que j'y consente. Alors, ta petite crise de jalousie va la faire à tes nombreux amants !

-J'ai peut-être beaucoup d'amants… Mais je les éclipserais tous si vous daigniez être à la hauteur pour une fois et me faire votre Reine !

-Voilà pourquoi je ne t'ai jamais donné cette satisfaction… Tu es comme Varek, seul le pouvoir te comble de joie ! Ce soir tu viens de dire tout haut ce que je savais déjà depuis nombre d'années ! Tu as toujours cherché à arriver à tes fins, pensant que tu finirais par me séduire par tes paroles mielleuses et tes caresses ! Je te l'ai pourtant répété plus d'une fois… Celle qui sera Reine ici, sera attentionnée à mon égard et non à ma Couronne !

-Dommage que Varek n'est pas Roi… Lui, il est comme moi ! Il comprend la puissance du pouvoir et tout ce que ça peut rapporter.

213

-Va donc te vautrer dans son lit... une fois de plus. Vous feriez vraiment un couple très assorti, crois-moi ! Et ne pense plus revenir sur la pointe des pieds comme tu le fais si souvent et te glisser de nouveau dans mon lit. Cette fois c'est la bastonnade qui t'attend ! Je suis hors de moi ! Si je ne me retenais pas...

-Ha ! ha ! J'ai réussi à enfin, faire sortir de ses gonds, Bjarni, Roi de Norvège ! Lui qui est si doux, si tendre ! Comme votre esprit et votre corps sont torturés pour que l'homme à la réputation de gentilhomme sorte ainsi de son caractère habituel !

-Je sors... Je sors, sinon je vais lever la main sur une dame !

Il relâcha son emprise puisqu'il était sur le point de ne plus se contrôler et sortit en claquant la porte.

Ah ! Mirikof ! Oui, vous aviez raison. Je suis naïf ! Comme vous disiez vrai sur le caractère féminin ! Elle est jalouse au point de lui faire du mal ! Ah ! Dieu de Dieu ! Déjà que je suis tout renversé par ce contact inusité voilà que la jalousie de Miranda vient raviver mes passions pour cette promise ! Calmons-nous... calmons-nous ! Je vais aller manger, ensuite on verra ce que me réserve le reste de la soirée ! J'espère que cette poussée de colère sera dissimulée par la joie de la revoir !

Le pas rapide, le roi se rendait jusqu'à sa salle à dîner. Il ouvrit brusquement la porte. Ses nerfs qui étaient en boule se dénouèrent presque instantanément. Mira était assise au bout de la grande table et se leva aussitôt pour offrir une courbette à son hôte.

-Relevez-vous, Madame.

Elle était sur le point de se rasseoir quand Bjarni augmenta la cadence pour pousser le siège de la belle. Galanterie oblige !

-Madame, vous plairait-il que je vous accompagne pour votre repas ?

Il est supposé être chez lui ! Pourquoi me demande-t-il ça ? Ce que je suis confuse. Boris... pourquoi continues-tu de me mettre dans de telles situations. Quand toute cette mascarade finira-t-elle ? Je sens mes joues qui rougissent !

-Ne rougissez pas ! Si ma présence vous incommode, vous n'avez qu'à me le dire ! Je comprendrais... vous êtes loin, dans un endroit que vous ne connaissez point et avec le Roi qui vous a contraint à le suivre jusque dans son château !

Voyant la gêne de la dame qui préférait baisser la tête au lieu de répondre il reprit :

-À ce que je sache, je ne vous ai pas fait couper la langue !

Bjarni la regardait amusé de la voir si intimidée. Debout près d'elle, insistant pour avoir une réponse, Mira avait l'impression que pas un son ne voulait sortir de sa bouche.

-Vous avez de jolis petits doigts, mais à vous tordre les pouces comme ça... vous risquez de les fracturer ! Madame, voyons, ne soyez pas si intimidée de me répondre ! Je suis gentilhomme, je ne vous torturerai pas davantage. Je vais manger dans mes appartements et vous laisser seule. À moins bien sûr, que vous préférez manger accompagnée de quelqu'un d'autre ? (silence) Alors ?
-Non... Sire.
-Non ?
-Je... je ne souhaite pas manger.
-Comment ? Vous ne dévorerez pas ce plat appétissant que je vois sur la table ? Ni aucun de ces fruits ?
-Je... je n'ai pas faim, Sire.
-Madame... Ce n'est pas raisonnable. Déjà que vous avez refusé pendant les deux derniers jours de manger ! Il n'est pas dit que vous jeûnerez sous mon toit ! Heureusement que je suis venu à votre rencontre ! Vous seriez restée assise là, seule sans vous sustenter ! C'est ce que vous aviez l'intention de faire ? Attendre qu'on vienne vous cueillir et vous ramener dans vos appartements sans avoir toucher à votre assiette ?
-Je... je vous en demande pardon, Sire... mais... je n'ai... je n'ai pas faim !
-Peut-être ce plat ne vous plaît-il pas ? Igor ! Igor !
-Non... Sire... ne le dérangez pas pour...
-Majesté m'a fait appeler ? Demanda un homme qui entrait dans la pièce nonchalamment.
-Ah ! Igor, approchez.
-Oui, Sire ?
-A-t-on suivi mes instructions ? S'est-on enquéri de ce que la dame voulait avoir pour son repas ?
-Oui, Majesté. La dame n'a rien répondu à notre demande. Le cuisinier a donc décidé de lui préparer ce plat.

-Eh ! bien, Madame, il n'y a pas qu'au Roi que vous refusez de faire entendre votre jolie voix ! Vous désirez avoir autre chose ? Peut-être souhaitez-vous avoir du porc au lieu de ce poulet ou encore du poisson ?

-Je... je suis désolée... Vous n'aviez pas à déranger votre domestique pour moi ! Je n'ai pas faim...

-Très bien Igor... Retournez à la cuisine et apportez-moi mon repas. Je vais accompagner la dame.

Je ne sais plus où me mettre ! Toute cette histoire pour un plat ! Et le pauvre Igor qui fut dérangé juste à cause de moi ! Je suis dans un embarras ! Et cet homme qui va partager son repas à mes côtés...

-Madame, mes domestiques sont à votre service ! Comme je vous l'ai dit, vous êtes ici dans ma demeure. Même si vous y êtes contre votre gré, il n'est pas dit que vous n'y serez pas traitée avec tous les égards ! Puisque vous vous entêtez à ne pas vouloir manger... et bien je me dois de rester ! Vous êtes déjà menue ! Si vous persistez à ne pas vouloir manger on verra à travers vous !

Cette remarque fit sourire Mira.

-Ah ! Comme c'est agréable de voir votre visage s'illuminer d'un sourire !

Cependant, le sourire fut vite relégué aux oubliettes car Igor entrait avec les plats du roi attirant l'attention de la dame. Malgré tous les mouvements prodigués par le domestique pour déposer les plats sur la table et les bruits en sourdine dans les cuisines, Bjarni ne perdait absolument rien des réactions de son invitée assise silencieusement au bout de la table. Ses petits regards furtifs et nerveux, cette contenance dont elle faisait preuve même s'il devinait qu'elle était extrêmement incommodée par sa présence, captivaient toute son attention. Il tenta du mieux qu'il le pût de détendre l'atmosphère afin que la dame se sente plus à l'aise.

-Bon, qui attaque le premier ce succulent repas ? La politesse voudrait que je vous laisse commencer !

Contrainte, la belle prit la fourchette.

-Voilà ! Quant à moi, j'ai bon appétit ! Ce voyage, toutes les émotions que vous nous avez fait vivre, Ma chère ! Je dévorerais un bœuf !

-Les émotions... que je... ?

-Oui, votre fuite, votre saut qui aurait pu vous coûter la vie ! J'ai eu si peur !

Silencieuse, la promise picorait dans son assiette.

-Je comprends que vous ne vous attendiez pas à notre intrusion, mais nous ne nous attendions pas non plus à un tel élan de votre part ! Avez-vous mal à la tête ?

-Non… Sire !

-Vous avez eu de la chance que tout ce qui reste de votre rencontre avec cette roche se limite à des égratignures sur votre joli front ! Déjà on ne voit presque plus rien !

-Je… je voudrais savoir…

-Savoir quoi, Madame ?

-Non… rien.

-Si ! Vous brûlez de me demander quelque chose. Demandez, Madame !

-Sire… combien de… temps resterais-je ici ?

-Cela dépend de bien des facteurs. Selon moi, une semaine ou deux tout au plus. Comprenez-vous maintenant pourquoi je tiens à ce que vous soyez bien pendant votre séjour parmi nous ?

-Aurais-je le droit de… de sortir de mes appartements ?

-Bien sûr que vous en aurez le droit ! Vous êtes peut-être ici contre votre volonté, mais il n'est nullement dans mes intentions de vous enfermer ! Vous serez toujours sous bonne garde, mais il est impératif que vous ayez le droit de prendre l'air et de vagabonder dans ma cour !

-Je vous en remercie, Majesté.

-Ne me remerciez pas ! Déjà que vous soyez contrainte de rester à l'intérieur des murs de cette cour sans avoir le loisir de visiter notre beau pays… Je serais un bien mauvais Roi que de vous obliger à rester cloîtrée dans vos appartements !

Sous l'œil observateur de Bjarni, la dame se contentait d'avaler de minuscules bouchées.

-Ce n'est pas à votre goût ?

-Non… Enfin, oui… c'est délicieux, Sire !

-À vous voir manger avec tant d'appétence… J'en suis renversé !

Il réussit encore par son discours à soutirer un sourire de Mira.

Comme il a une drôle de façon de s'exprimer ! Même si cette situation est loin d'être cocasse, j'avoue que pour une fois, Boris a choisi un homme qui est charmant et dont le physique est très intéres-

sant. Je n'ose pas poser mes yeux sur lui, mais quand il est entré dans cette pièce tout à l'heure, j'admets qu'il m'a fait un certain effet. Ça Boris tu ne l'avais pas prévu ! Je trouve bizarre d'ailleurs que tu me laisses aussi longtemps auprès d'un autre roi !

-Qu'est-ce que c'est ?
-Quoi, qui a-t-il ?
-Là sur votre visage…
-Qu'y a-t-il sur mon visage ?

Mira passait ses mains sur ses joues.

-Ah ! Ce n'était qu'un sourire ! Même si vous vous tâteriez les joues jusqu'à demain… Il est disparu maintenant ! Parti, envolé !

Mira posa ses mains sur la table et sourit encore. C'était plus fort qu'elle, ses muscles faciaux se mirent encore à se contracter pour offrir un large sourire qui aboutit à un rire franc et sans le vouloir attira l'attention de l'interlocuteur sans aucun doute sous le charme.

-Quoi ? Demanda Bjarni ayant de la difficulté à contenir son envie de rire.
-Je vous demande pardon, Sire… C'est que vous… vous êtes…
-Je suis ? Continua Bjarni le regard moqueur.
-Je vous demande pardon, Sire… Je suis un peu surmenée…
-Oui, c'est un fait ! Cependant, Madame, de quoi alliez-vous me qualifier ?
-Vous êtes toujours comme ça ?
-Comme ça ?
-Sans vouloir vous manquer de respect… Je vous trouve amusant !

Laissant découvrir la blancheur de ses dents, Bjarni souriait à son tour.

-Eh ! bien, je suis très heureux de ce qualificatif ! Sachez Madame que c'est un honneur pour moi de vous avoir sous mon toit ! Et puisque vous me trouvez amusant, continuons notre discussion dans le même sens ! Vous savez déjà quelque chose sur le Roi voisin de votre contrée. Serait-il possible de m'informer un peu sur votre personne, Madame ?
-Vous informer ?
-Oui. Parlez-moi de vous.
-Je… je n'ai pas grand-chose à vous raconter sur moi. Rien qui puisse vous intéresser, Sire.

-Ah ! Vous croyez réellement qu'il n'y a rien qui puisse m'intéresser ?

-Je… je ne vois pas ce que je pourrais vous dire sur moi… Peut-être ne… ne savez-vous pas… Je ne suis pas une grande dame… Je… je veux dire… Je n'appartiens pas à la noblesse de mon pays.

-Ha ! ha ! À mon tour de vous complimenter, vous êtes charmante !

-Charmante, mais pourquoi ?

-Votre candeur, votre simplicité, votre humilité. Vous n'êtes pas une grande dame ? Ha ! ha ! Vous serez Reine sous peu et vous ne faites pas partie de la noblesse de votre pays ? Mon Dieu, Madame, être Reine n'est donc pas pour vous être dans les hautes sphères du commun des mortels ?

-Pardonnez-moi, Sire… Je dois vous paraître bien idiote…

-Non, pas du tout. Détrompez-vous ! Je sais quelques brides sur vous, c'est tout. Et je crois que vous ne pensiez pas un jour, être Reine ? Je me trompe ?

Elle baissa les yeux. Cette vérité était donc écrite sur son front pour que le roi près d'elle s'en rende compte à ce point.

-Non, Sire, vous dites vrai.

-Alors, parlez-moi de vous ! Qui est Mira la fille du sage de la Forêt d'Elfe ?

-Que pourrais-je dire… Je… Je suis une paysanne, Majesté. Je serai peut-être Reine, mais je suis d'origines modestes.

-Je sais que vous êtes une paysanne, Madame. Je sais que votre nom est Mira, fille du sage de la Forêt d'Elfe. J'ai entendu parler de la légende de cette forêt. Mais, vous Mira, qui êtes-vous ?

-Je ne suis rien de plus que ce que vous venez de dire, Mira, la fille du sage de la Forêt d'Elfe… Une paysanne Suédoise qui a vu le jour dans les bois de la Forêt d'Elfe, Sire, rien de plus.

-En êtes-vous si sûre ?

-Oui, j'en suis certaine !

-Ne savez-vous pas que l'on vous désigne comme étant la pucelle qui est décrite dans la légende ?

De nouveau, la belle se refermait sur elle-même. Bjarni voyait sur les traits délicats, de la tristesse, de la désapprobation.

-D'après ce que je peux lire sur votre visage, vous êtes au courant depuis peu de tout ceci, n'est-ce pas ?

-Je… je ne suis pas la pucelle de la légende Sire ! Pourquoi, mes frères, mon père, les habitants de mon village, ne m'auraient jamais entretenu du fait que je serais la pucelle de la légende ? C'est illogique et cela me laisse croire que vous faites tous fausse route à mon sujet, je ne suis qu'une simple paysanne, rien de plus !

-Ne vous est-il jamais passé par l'esprit que votre père, sage homme comme il est, ait voulu protéger sa précieuse fille contre les "invasions" de l'extérieur à votre sujet ?

-Pourquoi aurait-il gardé cela secrètement… et mes frères et les gens du village… Ils se seraient tous joués de moi ? Et cette légende… Enfin… Je n'ai rien de plus que les autres… Je ne me sens pas différente… Je… Je…

-Je crois plutôt que tout ce monde a voulu conserver intact votre cœur noble, votre vitalité, votre grandeur d'âme jusqu'à ce que le moment venu votre destinée les conduise vers l'aboutissement de longues années de misère et de dur labeur.

-Je ne suis pas la pucelle de la légende ! Je n'ai aucun pouvoir, je suis la paysanne la plus ordinaire qui soit ! Comment pourrais-je conduire un peuple vers la délivrance ?

Elle s'était levée debout et ses petites mains tremblaient. Bjarni se leva et vint auprès d'elle.

-Voyons Madame, calmez-vous. Vous êtes sur le point de vous effondrer. Ce que je comprends à tout ceci, c'est qu'un beau matin, vous vous êtes réveillé et sans que personne ne vous ait prévenu, vous vous sentiez une responsabilité qui vous pèse. Même si cette légende est un tissu de racontars qui ont fait de nos pays ce qu'ils sont, permettez-moi de vous dire que même si vous n'êtes pas ce qu'on prétend que vous êtes, vous n'êtes pas la paysanne la plus ordinaire qui soit ! Vous êtes une grande dame et même si cela vous surprend, vous êtes quelqu'un qui dégage un intérêt peu commun sur les grands personnages qui règnent sur des royaumes, Mira. (silence) Maintenant, je crois que vous êtes épuisée. Je vous reconduis à vos appartements. Une bonne nuit de sommeil vous fera le plus grand bien. Veuillez me pardonner d'avoir abordé un sujet si délicat. J'ai manqué de tact et vous prie de m'en excuser. Je voulais juste connaître la dame qui sera la future Reine du royaume voisin… J'avoue avoir manqué de doigté.

-C'est à moi de vous présenter mes excuses Majesté… Mais il est vrai que je suis très fatiguée.

-Alors permettez-moi de vous reconduire jusqu'à vos appartements.

Prenant Mira par le bras, il l'entraîna hors de la pièce et s'engagea dans un grand corridor. Mira, curieuse de nature, admirait avec intérêt la demeure dans laquelle elle déambulait. Au bras du roi qui marchait fièrement en sa compagnie, elle regardait la finesse des pierres des murs et les arches travaillées qui surplombaient à raison de deux à tous les trois mètres les plafonds de ce corridor. Quelques gardes placés à des distances rigoureusement égales entre elles, placés à chaque porte qui bordait le long tunnel de pierre, des draperies longues de plusieurs mètres descendant du plafond jusqu'à la bordure du plancher de dalles, des flambeaux allumés qui vacillaient à leur passage, vraiment cette construction était chaleureuse et décorée avec goût.

Chemin faisant, ils firent une rencontre. Mira, toujours en observation sur ce qui l'entourait, n'avait pas remarqué les trois hommes qui allaient à leur rencontre. Mais le pas du roi ralentissait et la sortit de ce petit moment de curiosité.

-Eh ! bien, voilà qui est une agréable rencontre. De dire le jeune homme. Me ferez-vous l'honneur Majesté de me présenter à la dame et de me laisser lui présenter mes respects.

Le jeune homme avait déjà pris les devants sans plus attendre ayant la main de Mira et l'embrassait tout en gardant son regard fixé sur les yeux de la demoiselle.

-Madame, je vous présente, le Prince Varek, frère du Roi. D'où arrives-tu ?
-J'arrive de Turku. Votre très Grande Majesté n'avait pas jugé opportun de m'informer des derniers développements. Alors, lorsque j'ai su, je me suis mis en route pour venir voir si pour une fois, mon génie vous serait utile !

Bjarni, restait de glace devant l'attitude sarcastique de son frère. N'approuvant aucunement les regards indécents qu'il jetait sur la promise.

Varek ! Sale petit morveux ! Pensait Bjarni visiblement agacé par cette rencontre impromptue dans ses corridors

-En plus, on m'a raconté votre plan pour traiter avec Boris.
-J'en discuterai avec toi plus longuement, Varek. Pour le moment, j'allais reconduire la dame à ses appartements.
-Je peux m'en charger moi-même Sire. Ce serait avec joie que je vous libérerais de cette tâche connaissant les nombreuses préoccupations qui vous pèsent par les temps qui courent. Et accompagner la dame serait pour moi une tâche que j'accomplirais avec délicatesse.

Délicatesse, mon œil Varek ! Tu la reconduirais jusque dans ta couche pour profiter d'elle ! Petit hypocrite ! Tu en as de la chance qu'elle soit là ! Je te servirais un de ces coups de poing... Grrrr !

-Désolé, Varek ! J'ai peut-être beaucoup d'occupations, mais c'est le Roi qui la raccompagnera.

Il reprit son chemin avec détermination laissant Varek qui les observait avec parcimonie sans oublier aucun détail sur la dame qui lui faisait dos et qu'il voyait s'engouffrer dans le long corridor au bras de Sa Majesté. Se retournant vers les gardes, il leur dit :

-Vous m'aviez dit qu'elle était belle !
-Oui, prince Varek.
-Elle est plus que belle, elle est sublime ! Et vous avez vu comme elle est gracieuse ? Ouf ! Encore Bjarni qui se réserve les plus belles choses qui puissent exister sur cette terre. Il est déjà Roi, il pourrait en laisser aux autres ! Je ne doute pas une minute que son plan d'enlèvement fonctionnera ! Jamais Boris ne la laissera entre nos mains ! Un plan qui ne doit pas être issu de la tête de Bjarni, mais du général Mirikof ! Seul le général Mirikof peut avoir ce genre d'idée ! Venez, continuons notre route et allons boire un coup ! J'ai soif !

Bjarni continuait sa route et tentait de dissimuler à quel point cette rencontre et l'attitude de son frère le rendaient furieux.

Ah ! Varek ! Que pensera-t-elle de nous ? Elle a bien dû se rendre compte qu'il y a un immense gouffre entre toi et moi ! Pourquoi fallait-il que tu entres à ce moment précis. Bon, c'est le moment Bjarni, nous sommes arrivés à destination. Ah ! Mira, te dire que j'entrerais dans cette pièce avec toi et que je te comblerais de baisers la nuit entière... Te dire que d'être près de toi, c'est comme si les étoiles se frottaient à moi... Te dire que j'aimerais n'être qu'un paysan ce soir et ne pas être Roi... Te dire que je n'ai pas à te conserver pour Boris... Que si tu voulais être mienne, je t'envelopperais d'amour et d'affection jusqu'à ce que j'en crève ! Que je dois prendre sur moi pour retenir mes pulsions qui me dévorent ! Ah ! Douce colombe au plumage aussi étincelant qu'une pierre précieuse, aux yeux aussi profonds que l'océan, je ne me possède plus ! Les gardes sur les côtés de ta porte ont plus de chance que moi ! Ils peuvent au moins t'entendre dormir !

-Majesté ? Majesté ?

Bjarni redescendit de son nuage.

-Pourrais-je ravoir ma main ? Vous la serriez si fort...

-Oh ! Pardon Madame, elle est si gracile que j'avais complètement oublié qu'elle était au creux de la mienne !

Mira se retourna, essayant de dissimuler un sourire.

Comme il est drôle ce roi ! Il est amusant, mais il est, ma foi, d'une distraction ! Oublier qu'il me tenait la main ! ! !

-Madame, aurais-je vu un sourire sur vos lèvres ?
-Moi ? Non, Sire !
-Si… Si… J'ai vu un sourire ! Est-ce que la dame se moquerait du Roi ?
-Non ! Sire… Jamais je n'oserais !
-Alors je vous prie de passer une bonne nuit de sommeil en ma demeure, Madame.

Il prit la main et la baisa. Mira ne put s'empêcher de lui dire :

-Oublierez-vous de me la rendre cette fois ?

Bjarni se releva, s'illuminant de nouveau d'un immense sourire.

-C'est ce que je disais ! Vous vous moquez des distractions du Roi ! C'était un sourire que j'avais bien vu tout à l'heure ! Vous êtes une terrible coquine, Madame !
-Bonne nuit, Majesté et merci pour me laisser dormir avec mes deux mains ! C'est très galant de votre part ! Distrait comme vous l'êtes vous l'auriez peut-être égarée pendant la nuit et je serais retournée dans mon pays avec des morceaux en moins !

Sur ce, elle referma la porte derrière elle et un magnifique parfum vint lui chatouiller les narines. Bjarni se secouait la tête en riait.

Si tu savais pour qui j'étais si distrait tout à l'heure ! Si tu savais Mira ! Et si je pouvais le faire, t'enlever des morceaux, c'est certain que tu retournerais avec des pièces manquantes ! En plus d'être belle comme la lumière du jour tu possèdes un esprit divin ! Va Bjarni ! Va, cours dans tes appartements… Peut-être que Dieu me laissera le loisir de dormir en rêvant à ta peau, à tes lèvres !

L'affrontement

Pendant ce temps, Boris continuait sa route avec son armée vers sa folle conquête. À mi-chemin de la victoire, transporté par le bon fonctionnement de son plan jusqu'à lors, il traversait son pays vers les rivages qui le conduiraient jusqu'à son impossible rêve. Là, sur les berges l'attendait, plus d'une centaine de navires parés à traverser jusqu'au Danemark.

Malgré que ce moment important dans sa vie de conquérant fût fort bien calculé et que chaque rouage de son esprit était bien occupé, il transportait dans son cœur et dans son esprit, un souvenir qui surgissait de façon sporadique sans crier gare. Des yeux d'enfer, un sourire doux, une silhouette de rêve se dissimulait entre les pensées guerrières, entre les généraux, entre les soldats, tel un fantôme que Boris était le seul à voir. Comme surgit d'outre-tombe, elle était là avec lui. Cette pucelle qui le rendait rêveur, qui le rendait aphone, qui lui remplissait le cœur de papillons. Oh ! Mira, douce paysanne, comme il l'aimait.

Comme j'ai hâte de te retrouver ma petite paysanne ! Comme tu seras fière de ton Roi quand il reviendra avec des pays en cadeau de noces. Comme je caresserai chacune des parties de ton corps pendant cette nuit. Ah ! Mira ! Je te comblerai de tout ce que tu me demanderas ! Jamais je n'ai aimé quelqu'un comme je t'aime. Puisses-tu un jour finir par me rendre mon affection sans que je te menace. Ça viendra. Tu seras à moi, entièrement à moi.

Après avoir passé une nuit à se retourner dans son grand lit, à cramponner les oreillers, à livrer bataille aux draps, la chevelure en désordre, Bjarni se leva et se dirigea vers la fenêtre de sa chambre. Nu comme un ver, il observait le ciel. Le quartier de lune disparaîtrait sous peu pour laisser place à un soleil éblouissant. Il ouvrit sa fenêtre. La brise qui lui effleurait le visage comme une douce caresse lui remplissait le cœur d'une énergie, d'un bien être qu'il appréciait à sa juste valeur les yeux fermés. Pendant plusieurs minutes, il resta dans cette position. Après avoir réfléchi sur sa situation, celle de la promise, celle de son royaume, celle de ses soldats, il fit sa toilette matinale.

Encore avec un soin méticuleux, il se rasait. Il avait le système pilaire généreux. Le rasage devait être quotidien sinon, la barbe aurait recouvert ses mâchoires angulaires dans le temps de le dire. Tout ce qu'il conservait de cette toison était une moustache fournie. D'ailleurs, cette moustache blonde lui donnait un petit air viril. Choisissant encore avec précision ses habits pour la journée, il serait vêtu d'un costume aux teintes sobres. De couleur sable, le vêtement était paré de broderies en forme de feuilles et filé au fil d'or. Bjarni était devant la glace.

Je me demande bien ce qu'elle pense de moi ! Est-ce que je lui plais ? C'est vrai qu'elle n'a pas été emportée ici dans le but de s'interroger sur ma personne, mais j'aimerais bien connaître ses pensées intimes sur ce qu'elle pense de moi ! Bon, assez maintenant Bjarni, tu dois aller maintenant ! Il est inutile de perdre ton temps à te demander ce genre de chose. Elle ne pense probablement pas à toi de toute façon. Boris, doit lui manquer et ceci doit toujours te rester dans la tête ! C'est d'ailleurs la seule chose qui me freine. Juste à penser qu'elle sera sienne... Comment peut-elle ? Si douce, si fragile, si délicate. Tout le contraire de cette brute de Boris qui se conduit toujours avec les dames avec une telle vulgarité ! Je doute fort qu'il soit comme ça avec elle. Il doit bien cacher son jeu. Il est si fort en cette matière ! Bon, allez Monsieur vous avez bien des choses à régler et ce n'est point à rester devant votre glace que vous viendront, comme par enchantement, les solutions aux affaires du Royaume !

Il sortit et s'engagea dans le grand corridor. En passant devant les cuisines, l'activité fébrile derrière la porte et le rire des individus qui s'y trouvaient, le sortir de son songe éveillé.

Tiens, je n'ai pas très faim ce matin. Un fruit, n'importe lequel fera mon affaire.

À l'entrée de leur roi, le cuisinier ainsi que les servantes présentes se courbèrent et firent silence.

-Je vous souhaite le bonjour, mes braves.
-Vous de même, Sire. De répondre l'homme menu qui se trouvait devant ses fourneaux.
-Non, Mazserna, ne sort pas un couvert pour moi ce matin. Je n'ai pas très faim, donne-moi plutôt cette miche de pain et quelques-unes de ces tranches de jambon que je vois là.

S'accotant sur une petite armoire en bois, miche de pain et couteau à la main, Bjarni se faisait des tranches qu'il avalait suivi du jambon.

-Que prépares-tu de délicieux aujourd'hui, Svern ?

-Je suis à préparer de l'agneau et un bouilli de légumes dont vous me donnerez des nouvelles, Sire !

-En tout cas, ça sent rudement bon !

-Et ce sera bon aussi… Comme d'habitude, non ?

-Ha ! ha ! Oui, et comme d'habitude j'aurai envie d'en avoir par deux fois ! Tu fais de moi un gourmand ! Et vous, Mesdames, allez-vous vous rendre auprès de notre invitée ?

-Sire, nous suivons vos ordres ! Elle est choyée par nos jolies mains !

-Ah ! Quelle chance elle a !

-Oh ! Sire… ce serait avec joie que nous irions chaque matin vous sortir du lit, mais depuis longtemps vous nous avez chassées de vos appartements, à notre grand regret !

-Écoutez-les, Sire, les femmes ! La peste mise sur terre pour nous rendre toujours coupables de chacune de nos décisions !

-Ha ! ha ! Oui, tu as raison Svern ! Coquines ! Je ne vous ai point chassées ! Je considère que je suis un assez grand garçon maintenant pour m'occuper de moi. Cette tâche en moins a dû d'ailleurs alléger vos journées !

-Certes, Sire ! Mais c'était toujours avec joie que vos vieilles servantes se dévouaient à votre service ! J'en ai eu le cœur brisé. J'ai mis plusieurs lunes avant de m'en remettre !

-Ha ! ha ! Tu m'en diras tant ! Loin de moi, l'idée de t'infliger une telle déception ! Comme je suis cruel ! ! ! Je vais me rattraper… Vous ne vous occuperez pas du Roi, mais d'une charmante dame, une future Reine. Aujourd'hui, je veux que la dame sorte et se promène dans la cour. Dites aux gardes qu'ils se tiennent à bonne distance. Ce n'est pas dans mon intention qu'elle se sente comme une condamnée à qui on accorde son dernier souhait ! Promenez-vous avec elle. Il fera une journée superbe, le grand air, le soleil, lui changeront sûrement les idées. Soyez vigilantes et si vous voyez quelque chose qui vous semble inapproprié, les gardes seront là pour vous venir en aide.

-À se promener dans la cour… Que peut-il arriver, Sire, qui nécessiterait l'intervention des gardes ? De demander l'une des servantes les yeux grands ouverts.

-Ha ! ha ! Non, ne soit pas inquiétée par ce que je viens de dire. Normalement, tout devrait être calme. Mais sache que la dame est une personne importante et que je ne voudrais pas que rien, je dis bien rien, ne vienne entacher son séjour parmi nous ! Je disais ça, comme ça pour que vous soyez informées de l'importance de la dame aux yeux de tout le peuple Norvégien. Bon, moi, j'ai à faire. Sur ce, Monsieur, Mesdames, je vous laisse le bonjour !

Rassasié, sourire aux lèvres le jeune homme sortait des cuisines et se dirigeait vers son bureau. Le jour s'était finalement levé. Le soleil semblait annoncer une journée chaude. Une des premières depuis l'arrivée du printemps. La neige était chose du passé et depuis des semaines les arbres s'étaient recouverts de leurs bourgeons et plusieurs étaient déjà éclos. Les oiseaux s'égosillaient à chanter. Une belle journée. Enfin, l'été pointait.

À travers les fenêtres qui bordaient le long corridor, Bjarni admirait le paysage et l'activité matinale de sa cour royale. Les jardiniers étaient déjà à l'œuvre et les gardes prenaient soin des chevaux. D'autres ouvriers voyaient à effectuer différents travaux de rénovation. Un groupe de femme se dirigeait vers la laverie. Avec des tonnes de vêtements dans de gros paniers en osier. Bjarni continuait son chemin jusqu'à son bureau, sifflant, le cœur léger. Ce petit lieu où il aimait tant se retrouver. Une petite pièce faisant cinq mètres par six et dont les plafonds n'étaient pas aussi hauts que dans la grande salle parlementaire. La pièce était décorée si simplement qu'un étranger qui s'y serait éveillé n'aurait pas cru qu'elle puisse faire partie d'un château. Le nécessaire y était. Une petite bibliothèque, plusieurs sièges, un bureau, de l'encre, des plumes, du papier, les sceaux royaux et deux fenêtres qui laissaient entrer la lumière du jour, du levé jusqu'au coucher du soleil. Bjarni s'installa derrière le bureau et prit une pile de documents qu'il se mit à effeuiller, posant quelques fois sa signature et le sceau royal.

Bourreau de travail, Sa Majesté veillait à faire son devoir royal. Les décisions, les tâches ne manquaient pas. Diriger un royaume est un travail éreintant. C'est dans ce silence seulement interrompu par le bruit du papier et d'une plume qui griffonne que l'avant-midi passa.

Il était presque midi lorsqu'il entendit des rires d'enfants qui le distrayaient de ses occupations. Comme il ne s'était pas levé depuis son arrivée, il se dirigea vers la fenêtre considérant qu'il était temps de faire une pause. Étirant ses muscles du torse et de ses bras, il prit une grande respiration. Soudain, son regard s'arrêta sur quelqu'un qui marchait dans sa cour. Elle était là, accompagnée de deux servantes, étincelante sous le soleil de midi. L'effet de l'astre solaire donnait l'impression de se refléter sur une vague. Comme aveuglé, Bjarni ne voyait plus rien d'autre dans sa cour pourtant bouillonnante d'activités. Décidément, elle lui revirait les sangs. Comme La Madone, elle attirait les enfants. Touchante cette scène qui se déroulait sous ses yeux. Quelques enfants couraient autour d'elle et elle leur rendait bien en riant aux éclats de leurs acrobaties. Les enfants déployaient toute la puissance de leurs cordes vocales à rire de joie. Le bonheur semblait émaner d'elle tel un vent de fraîcheur pendant une chaude journée d'été. Elle semblait heureuse. Pour la première fois depuis sa rencontre avec la belle, Bjarni la voyait rire, la voyait s'animer. Comme elle rayonnait. C'est alors qu'une petite fille s'agrippa sur la jupe de sa robe. Mira la prit dans ses bras et continua sa route en montrant du doigt des arbres plus loin. Tout ceci émouvait Bjarni.

Quand tu marches, cette grâce qui s'échappe de chacun de tes mouvements... J'ai une envie soudaine de te tenir dans mes bras et de te servir une étreinte interminable... Je suis amoureux de toi, belle, Mira. Ouf ! Bjarni ne regarde plus. C'est comme si tu étais dans une salle de torture. C'est inutile. Elle n'est pas pour moi et c'est me sentir dévorer par le feu que de voir une telle richesse appartenant à mon pire ennemi.

Il allait regagner son siège pour se remettre au travail quand il les vit se diriger vers la laverie. Qu'allaient-elles faire dans cet endroit de sa cour ? Il n'y avait pourtant rien d'exceptionnel à y voir. Mira semblait en grande conversation avec la petite qu'elle tenait dans ses bras.

-Ce que tu es mignonne, toi, qu'elle âge as-tu ?
-J'ai quatre ans.
-Où est ta maman ?
-C'est la dame là-bas. Celle qui lave le grand drap blanc. Maman !

Candidement la petite envoya la main à sa mère qui arrêta quelques secondes son travail pour lui rendre son salut par un baiser à la volée.

-Ho ! Et si on allait voir ta maman ?
-Oui.
-Tu sais, Mira a commencé à laver du linge à ton âge.
-Les grandes dames ne lavent pas le linge, Madame ! Ce sont des mamans qui le font pour elles.
-Ha ! ha ! Tu dis vrai petite rose, mais moi, je suis une paysanne et je connais toutes ces tâches que ta maman et les dames qui sont là, font…
-C'est vrai ?

-Si, si, c'est vrai et je peux même te le prouver. Regarde, tu prends le morceau de linge et tu le mouilles, ensuite tu le poses sur ce morceau de bois et tu frottes fort, comme ça... et tu remets encore de l'eau et tu recommences jusqu'à ce que tu ne voies plus la tâche. Si tu suis bien mes conseils tu auras toujours du linge propre.

Mira s'était penché sur le grand bassin où les dames la regardaient avec étonnement.

-Maman, tu as vu, elle sait laver comme toi.
-Oui, ma fille et elle sait comment faire, je peux te le dire !
-Mais la tache n'est pas encore partie, Madame.
-Ha ! ha ! Oui, Mira va te démontrer qu'elle est capable de la faire partir, regarde !

Bjarni qui était toujours à son point d'observation, sentait une soudaine colère l'envahir à la vue des gestes que posaient si naïvement Mira. C'est en fronde qu'il sortit de son bureau dévalant les escaliers quatre à quatre pour arriver dans la cour jusqu'à la laverie en moins de deux. Mira, penchée près de l'enfant toujours en grande discussion avec la petite n'avait nullement remarqué le silence soudain de son entourage.

Comme un faucon qui fond sur sa proie, Bjarni, lui empoigna brutalement les deux poignets la retournant brusquement vers lui.

-Qu'est-ce qui vous prend ? Est-ce là le devoir d'une future Reine, Madame ? C'est ce que vous irez raconter à Boris, que je vous ai fait venir pour laver du linge ? Hein ? C'est ce que vous irez raconter, n'est-ce pas ? Répondez-moi, Madame !

Il la secouait vigoureusement. Mira, muette par la surprise et la peur, baissait la tête et les larmes lui montaient aux yeux aussi soudainement que cette brusque empoignade. Il continuait à l'agiter comme s'il espérait que des paroles sortent par enchantement de la bouche tremblante de la dame.

-Alors, Madame, répondez-moi ? C'est ce que vous voulez raconter au Roi Boris ? Vous voulez ridiculiser le Roi de Norvège devant toute la Suède et devant ses propres sujets ?

Après un ultime effort, des mots finirent par surgir de sa bouche.

-Vous... vous... me faites mal, Majesté...

La peine avec laquelle elle avait réussi à sortir ces quelques mots fit réaliser à Bjarni que son emprise était herculéenne. Son emportement lui avait fait perdre la tête. Lorsqu'il desserra son emprise, comme libérée d'un piège, elle s'enfuit à toutes jambes vers ses appartements, suivie par ses deux domestiques. Sentant une dizaine de paires d'yeux fixés sur lui, il jeta vers les femmes abasourdies par ses gestes un regard d'acier en leur disant :

-Que regardez-vous ? Continuez… !

Voir le roi agir ainsi était loin d'être chose coutumière. Cet événement jeta la consternation dans toute la cour. Lui, reconnu pour être un homme respectueux, calme et dont la galanterie était connue dans tout le pays venait de leur offrir un aspect de sa personnalité que peu pouvaient se vanter d'avoir vu.

Il tourna les talons et repartit vers le château d'un pas décidé. En passant devant un amas de tonneaux de bière, il en bouscula un par un magistral coup de pied qui eut pour effet de le faire éclater contre une balustrade.

Il retourna vers son bureau où il referma violemment la porte derrière lui. Le torse bombé, le souffle arrogant, il s'assied et s'accouda à son bureau tenant sa tête entre ses mains tentant de reprendre son calme habituel.

Qu'est-ce que j'ai fait ? Pourquoi est-ce que je me suis rué sur elle comme un malade ? Ah ! Qu'est-ce que j'ai fait ? Quel idiot ! J'ai bien failli lui écraser les poignets. J'aurai belle allure si elle raconte tout ça à Boris. Mais pourquoi a-t-elle été jusqu'à laver du linge dans ma cour ? Sous les yeux de tous ? Ah ! Mira, savoir que tu racontais ça à Boris, il se moquerait de moi et il en ferait tout un tapage de cette histoire. Boris… maudit Boris ! Je suis un idiot. Il a fallu que j'attende jusqu'à ce qu'elle n'en puisse plus avant de me rendre compte que je lui serrais les poignets à lui broyer les os. J'ai dû lui faire mal. Sans compter qu'elle était si surprise de ma réaction que les mots ne réussissaient pas à sortir de sa bouche. Et ses yeux remplis de larmes… Mon Dieu ! Qu'ai-je fait ?

Plein de remords, le roi resta seul dans son bureau à ressasser pendant le reste de la journée les événements dont il était l'instigateur n'arrivant pas à se pardonner pas cet excès de colère sur une dame aussi gracile et timide. Il fallait qu'il répare. Mais comment réussir à colmater une fuite aussi béante ? Un grand festin en l'honneur de son invité spécial ! Voilà, une occasion rêvée pour se faire pardonner ou, du moins, une entrée en matière pour arriver à lui présenter ses plus plates excuses. Oui, c'était la seule façon de s'immiscer auprès d'elle sans perdre la face. Il sortit de son bureau, alla jusqu'aux cuisines, s'arrêtant aussi à la grande salle de bal où plusieurs domestiques étaient à faire des travaux ménagers. Tous furent informés et c'est dans une activité pressante que les préparatifs furent exécutés et les invitations envoyées.

Mira s'était confinée dans ses appartements et n'en était pas ressortie du reste de la journée. Le cœur en mille morceaux s'interrogeant sur ce qu'elle avait bien pu faire de si mal pour que le roi s'emporte de la sorte.

Pourquoi les rois sont-ils si cruels ? Qu'ai-je fait de mal ? C'était trop beau pour durée. Boris a dû prendre contact avec lui. Je n'aurais pas dû lui dire hier soir que je le trouvais amusant. Je ne suis pas ici pour ça. Je ne vis plus que pour être éprouvée par Boris et il devait trouver que je m'amusais un peu trop. Je ne sais pas quand il va mettre fin à tout ça, mais je crois qu'il veut continuer pour que je finisse par faire ou dire quelque chose qui vaudra des martyres à Roberts. Tu es un tyran Boris. Tu es capable des pires ignominies. Je vais devenir folle.

Les larmes coulaient encore sur ses joues. N'ayant toujours pas compris sa raison d'être entre ses murs, Mira empruntait une mauvaise route. Elle croyait naïvement que Boris était derrière tout ça. Il y avait pourtant beaucoup de vides inexpliqués, mais elle était si terrorisée par Boris qu'elle n'arrivait plus à distinguer la réalité de l'imaginaire.

Les servantes restaient dans la pièce adjacente, attendant que la dame finisse par exiger d'elles une requête quelconque. Les gardes étaient restés, fidèles au poste devant la porte depuis le retour de la gazelle blessée.

Pendant ce temps Bjarni descendit dans les sous-sols de son château, dévalant les marches avec une énergie digne d'un pur-sang. Des gardes, des hommes de maintenance le croisaient. Mais la tornade blonde avait à peine le temps de les saluer tellement il hâtait le pas vers la voûte. Il ne fallut pas attendre la journée pour qu'enfin il arrive à destination. À cette allure, il aurait pu dépasser un cheval au galop ! Il sortit de la poche de son pantalon une grande clé et l'introduisit dans le loquet d'une massive porte de bois. Un bruit sourd se fit entendre signe qu'il pouvait pousser la porte. Cette dernière grinça et s'ouvrit tout en décrivant un sillon sur le sol. Véritable caverne d'Ali baba, la voûte royale se dévoilait. À l'intérieur, les trésors de toute la dynastie des Eriksson. Bijoux, tableaux, robes, livres précieux, armes désuètes, trophées de conquêtes, enfin une pièce pêle-mêle, sans dessous dessus. Il s'y introduisit et commença à déplacer quelques boîtes, quelques objets. Il cherchait quelque chose. Il fronça les sourcils. Tout ce désordre ne lui facilitait pas la tâche. Il est vrai qu'on allait peu dans cette pièce tenue sous clé et qui recelait de véritables petits trésors. Il enjamba une grosse malle et déplaça encore quelques petites boîtes disposées sur des caisses de bois. Ah ! Enfin, il semblait avoir trouvé ce qu'il cherchait. Il tenait une petite boîte rectangulaire couverte de poussière. Il passa sa main sur la surface du boîtier pour la dépoussiérer et l'ouvrit. Il s'illumina d'un sourire. Il avait effectivement trouvé ce qu'il cherchait. Il rebroussa chemin jusqu'à la porte qu'il referma à clé derrière lui.

Sur l'autre étage, les servantes assignées au service de Mira qui étaient toujours assise dans la pièce voisine furent dérangées dans leur bavardage par la venue d'un domestique qui leur annonça qu'elles devaient parer la dame pour le banquet qui se tiendrait sous peu dans la grande salle de bal. Elles se levèrent aussitôt et sortir de la petite chambre, empruntèrent le corridor et firent ouvrir la porte de la grande pièce où se trouvait la pieuse dame. Toujours agenouillée, chapelet à la main, Mira n'avait pas bougé d'un centimètre du prie-Dieu. Les deux demoiselles se regardèrent étonnées de voir que la dame était toujours dans la même position qu'elles l'avaient vu la dernière fois, plusieurs heures auparavant. L'une d'elle se rapprocha en douceur et posa sa main sur l'épaule de Mira.

-Madame… Madame… Pardonnez-moi de vous déranger dans vos prières mais il faut vous lever.

L'air attristé de la belle qui essuyait ses larmes, laissa les deux servantes intimidées.

-Madame, nous devons vous parer.
-Me… me parer ? Pourquoi ?
-Ce soir il y a un grand banquet au château en votre honneur.
-Un banquet ? En mon honneur ?
-Oui, Madame. C'est le Roi lui-même qui donne cette fête afin de vous présenter aux membres de sa Cour.

-Je… je ne veux pas… Dites au Roi que je le remercie d'avoir eu cette pensée, mais que je suis lasse et que… que je ne peux pas aller à ce banquet.

-Madame, c'est impossible, tout est déjà préparé en votre honneur ! Les invités commencent déjà à arriver, les danseurs, les musiciens sont déjà sur place, il ne manque que vous.

-Je… je ne veux pas vous mettre dans l'embarras… mais faites savoir au Roi que je ne peux pas m'y rendre, s'il vous plaît Madame ! Renchérit Mira les yeux implorants.

-Nous sommes désolées Madame, je crains fort que nous devions insister.

Les deux servantes la regardaient fixement et ne pouvaient rien changer au fait que le roi leur avait ordonné de la parer pour cet événement. Consciente qu'elles n'y pouvaient rien et qu'un refus catégorique de les suivre les mettrait dans une délicate situation, elle fit donc un effort surhumain et se releva. Je dis surhumain car ce fut l'impression qu'eurent les deux domestiques. Un peu comme si on lui avait annoncé qu'on la conduirait à la potence. En silence, elle s'assit devant la coiffeuse, se laissant docilement coiffer, habiller. La robe en velours qu'on lui enfila était de couleur coquille d'œuf, parsemée par des centaines de petites perles. Le corsage était caché sous une voilette parcourue par d'autres perles attachées avec des fils d'argent. Un travail de maître. La chevelure fut soigneusement nattée avec des rubans de soie rose et blanc. Après plusieurs minutes, l'œuvre achevé, les dames regardaient leur création, visiblement très satisfaites du résultat.

-Vous êtes magnifique, Madame.

Mira, assise devant la glace, ne regardait pas ce qu'admiraient les servantes. Son regard triste et évasif laissait paraître une soumission dont elle faisait preuve lorsqu'elle était contrariée.

On cogna à la porte. Une des servantes alla s'enquérir du pourquoi. Après avoir vu qui se trouvait derrière, elle appela sa compagne. Elles sortirent aussitôt et restèrent devant la porte pour répondre aux questions qu'on leur posait :

-Est-elle prête ?
-Oui, Majesté.
-Qu'a-t-elle dit au sujet de ce banquet ?
-Majesté, je ne sais pas si je devrais vous le dire.
-Oui, je veux savoir.

-D'abord, elle est revenue de sa promenade aujourd'hui… Heu ! Vous savez…

-Oui, je sais puisque j'y étais !

-Enfin, elle est revenue et s'est agenouillée et n'a pas bougé du prie-Dieu de toute la journée sans même rien avaler. Nous avons dû la tirer de ses prières pour la parer. C'est en nous suppliant qu'elle voulait vous faire savoir qu'elle vous remerciait d'avoir eu cette attention à son égard, mais qu'elle ne désirait pas s'y rendre. Nous avons dû insister.

-Y a-t-il autre chose ?

-Non… si ce n'est que…

-Si ce n'est que ?

-C'est une dame très silencieuse. Elle s'est laissée parée mais, Sire, il y a sur son visage une telle tristesse. Si elle garde cet air jusqu'au banquet…

-Bien, restez ici, j'ai quelque chose à lui remettre, ensuite, vous l'accompagnerez jusqu'au banquet où je veux que vous restiez à ses côtés pendant toute la soirée.

-Bien, votre Majesté.

Bjarni s'introduisit doucement dans la pièce fermant avec précaution la porte derrière lui. S'approchant à pas légers vers la dame qui était toujours assise devant la coiffeuse, tête baissée se retournant les pouces.

La vision d'apercevoir un ange traversa l'esprit du roi. Assise silencieusement, paisiblement, ainsi vêtue, il émanait d'elle quelque chose d'inexplicable. Quelque chose de puissant habitait ce corps frêle et le jeune roi se sentait confronter à cette force sans pouvoir dire de quoi il pouvait s'agir. Car à chaque pas qu'il faisait son cœur battait plus fort, ses muscles se tendaient et il semblait perdre tous ses moyens. Il finit par atteindre son but. Il se trouvait derrière elle. Il se pencha et déposa la boîte dépoussiérée sur la coiffeuse.

Perdue dans ses pensées, elle fut prise par surprise et sursauta.

-Excusez-moi, Madame, de vous avoir surprise. Ce n'était nullement mon intention.

Il se sentait comme un chien battu. Il s'agenouilla près d'elle et essayait de trouver les mots justes pour présenter ses excuses.

-C'est avec un cœur plein de remords que je me rends à vos côtés.

Il baissa la tête et prit quelques secondes avant de reprendre son discours.

-Madame, je suis venu vous demander pardon pour m'être emporté et comporté de façon si odieuse ce midi !

Même si les mots se bousculaient dans sa gorge, il pesait chaque mot de peur qu'il ne commette une gaffe irréparable. C'est donc avec beaucoup de discernement qu'il poursuivit.

-Madame, j'ai très mal agi. Je me suis emporté. Je n'aurais pas dû. Comment vous dire que j'ai mal jugé les gestes que vous posiez à la laverie ? Comment vous faire comprendre que ce qui m'occupait l'esprit alors, était de vous voir raconter à Boris que je vous avais emmenée jusqu'ici et que je vous réservais une tâche qui ne vous est plus réservée désormais ? Je me suis senti humilié avant même que vous ayez songé à commettre cette bêtise qui était en fait, j'en suis sûre, directement issue de ma débordante imagination. Je ne trouve pas les mots pour expliquer ce qui m'a poussé à agir ainsi envers vous. Vous ai-je fait mal ?

Il allait toucher ses poignets mais d'un geste rapide comme l'éclair elle les replia sur sa poitrine.

-Je vous ai fait mal ?
-Non… non… Majesté.
-Je ne vous ai peut-être pas fait mal, mais je vous ai blessé. N'est-ce pas que je vous ai blessé, Mira ?
-Je… je vais bien, Sire.
-Non, Mira, vous n'allez pas bien. Vous mentez aussi bien qu'un arracheur de dents ! Vous tremblez… Vous tremblez de peur, je vous ai non seulement fait mal, mais vous me craignez maintenant. J'ai le cœur brisé ! J'ai très mal agi. J'en suis le seul responsable. Ne me craignez pas Mira ! Grand Dieu, je suis d'une maladresse ! Comment me faire pardonner ? Dites-le moi ?
-Vous… vous êtes le Roi… vous n'avez rien à vous faire pardonner !
-Si, je dois trouver un moyen pour me faire pardonner, même si je suis le Roi. Être le Roi ne veut pas dire que l'on a tous les droits, Mira ! J'ai le devoir de m'excuser auprès de vous et de réparer le mal que j'ai fait.

Mira voulut couper court à cette conversation qui l'intimidait au plus haut point.

-Je… je suis la seule responsable, Sire. J'oublie si vite que je… je ne suis plus une paysanne… J'aurais dû y penser… mais l'enfant était si charmante… Je ne sais pas ce qui m'a pris d'agir de la sorte… c'est plutôt à moi de m'excuser d'avoir posé des gestes qui étaient déplacés par une future Reine.

-Mira… Mira… Vous êtes une femme peu ordinaire ! Je vous brutalise et ce serait à vous de vous excuser ?

-Sire… il faut vous dire que je ne sais pas comment me comporter dans une Cour Royale. Je… je n'ai pas été élevée dans la richesse, les édredons moelleux, la bonne chair, les manières à adopter avec les gens nobles. Je suis ignorante de tout ça. Vous avez peut-être mal agi, mais j'ai été éduquée à être polie et obéissante aux ordres que je recevais. Comment vous dire que c'est plus l'incompréhension de vos gestes qui m'ont blessé que les gestes eux-mêmes ? Ce soir, vous me dites pourquoi. Je suis une ignorante mais pas une idiote, Sire. Je comprends maintenant et vous êtes déjà pardonné…

Bjarni se gavait de ses paroles en souriant. Elle était à croquer cette promise ! Réservée à souhait, respectueuse jusqu'au bout des doigts des gens qui l'entouraient, un trésor que même toute sa voûte et tout un royaume ne pouvaient recéler !

-Il est vrai qu'on vous a jeté dans la gueule du loup sans vous avertir de ce que vous y trouveriez ! Mais mon cœur est plus léger puisque vous me pardonnez !

Il se leva, poussa la boîte vers elle, en lui disant :

-Ouvrez-la !
-Qu'est-ce que c'est ?
-Ouvrez et vous verrez bien !

Elle souleva le poussoir en bronze et l'ouvrit. Bjarni s'extasiait de voir ses petits doigts manipuler avec soin le boîtier et ses grands yeux bleus s'écarquiller devant le contenu qui se dévoilait.

-Cela vous plaît-il ?
-C'est… c'est… magnifique.
-Aurais-je l'honneur de le voir autour de votre cou ?
-Moi… vous voulez que…
-Si vous voulez bien me faire ce plaisir.
-Non… je veux dire… Je ne peux pas… c'est…

-Le Roi lui-même vous en fait cadeau ! C'est un présent de la Couronne Norvégienne pour vos futures noces.

-Non… Je ne peux pas… je ne peux pas accepter…

-Regardez comme il sera beau sur vous.

Il avait retiré le collier, monté sur de l'or et de l'argent, travailler par les orfèvres Norvégiens, sertis de petits diamants et de saphirs, de son écrin. Il lui posait sur le haut de la poitrine et glissait déjà ses doigts sous sa chevelure admirant dans la glace le résultat féerique, émerveillé par la douceur de sa peau.

Mira, comme je me retiens pour ne pas que mes mains s'aventurent ailleurs que sur le fermoir de ce collier. Ce cou… ces épaules ! Cette peau ! Ouf !

-Majesté… Que diront les membres de votre Cour quand ils verront que je porte ce collier ?

-D'autant plus que ce collier était à ma mère !

Mira se leva brusquement, la main droite sur le magnifique bijou, et s'écria :

-Comment ? Non… Je ne voulais pas accepter… mais là… Je ne peux pas accepter… Je…

-Non… ne le retirez pas ! Ce collier était à ma mère c'est vrai. Il dort dans ma voûte depuis plusieurs années. Ma mère n'est plus de ce monde depuis des lunes. Elle était une femme de goût et aurait adoré que je vous en fasse cadeau. Je me demande jusqu'à quel point elle n'a pas, de l'endroit où elle se trouve aujourd'hui, guidé mon choix afin que je vous l'offre. Car sachez que j'en avais même oublié l'existence et tout à coup, comme si j'entendais une petite voix, mes pas, mes gestes étaient guidés vers cette petite boîte. Je suis allé moi-même le chercher aujourd'hui et malgré le fouillis dans cette pièce je l'ai trouvé. N'est-ce pas là un signe ?

Mira le regardait dans l'étonnement le plus total. La façon dont il parlait de sa mère, la toucha. Il avait une mère et en gardait un doux souvenir. Elle qui n'avait pas connu la tendresse de sa mère, était bouleversée par un tel discours.

-N'ayez craintes sur ce que diront les membres de ma Cour, ce qui était à ma mère m'a été légalement légué à son décès et ils n'ont donc rien à redire de ce que je peux bien en faire. Après tout ce que je vous ai fait subir, c'est bien la moindre des choses que de vous offrir un tel présent. Arrivée en Suède, vous en ferez ce que vous en voudrez. J'aurai à vous faire un présent de toute façon pour votre mariage. J'ai pensé que vous en seriez enchantée.

-Mais... Sire... Il s'agit d'un collier qu'a porté votre mère... Ce n'est pas un banal collier... Ne tenez-vous pas à le garder et à l'offrir à votre épouse ?

-Mon épouse ? Je n'ai point d'épouse ! Le Roi de Norvège est comme le Roi de Suède, un vieux garçon ! Oh ! Pardon, je ne voulais pas parler de votre futur époux en ces termes ! Je ne suis pas encore marié et quand je le ferai, j'ai bien d'autres choses à offrir à mon épouse.

-Que dira votre frère, le Prince ?

-Ah ! Lui ! Il n'a rien à redire de ce que je veux bien offrir à la future Reine de Suède. Je suis certain qu'il sera ravi que je vous l'aie offert et il sera comme moi, subjugué par votre grande beauté rehaussée par ce bijou.

-Vraiment ?

-Vraiment ! J'ai été bien maladroit avec vous aujourd'hui et si vous m'enlevez la joie de le voir à votre cou, j'en serai grandement peiné.

-Je... je peux vous faire plaisir et le porter ce soir... mais, je vous le rendrai demain.

-De grâce, Madame ! Acceptez-le... Ne me torturez plus... Vous êtes beaucoup plus forte qu'une troupe de bourreaux réunis ! Je me sens comme sur la table d'écartèlement ! Pire encore dans une salle où les murs et les plafonds sont munis de pics et se referment sur moi... À l'heure qu'il est, je ne suis que de la bouillie pour chats ! Allez-vous attendre que je pousse mon dernier souffle avant de cesser cette terrible torture ?

Mira se mordit la lèvre inférieure pour cacher un sourire qu'elle tentait de dissimuler en voyant le roi qui avait une façon particulière de s'exprimer.

-Elle vient de me donner le coup de grâce ! Elle a souri ! Je suis un homme fini. Je m'écroule. La vie abandonne mon corps. Mon âme monte vers Dieu...

Bjarni faisait le pitre. Une démonstration théâtrale digne des meilleurs comédiens. Il était par terre, la moitié du torse accoté sur le banc de la coiffeuse. Mira avait la main devant la bouche car il fallait absolument essayer de contenir le fou rire qui cherchait à sortir.

-Je répète, je m'écroule. La vie m'abandonne. Mon âme monte vers Dieu… N'y aura-t-il personne pour au moins recueillir mon corps qui gît dans cette pièce ?

-Ha ! ha ! ha !

-Là c'est certain, elle m'a tué. Elle m'a donné le coup de grâce par un sourire et elle m'achève désormais par des rires.

-Ha ! ha ! C'est hilarant ! Si vous vous verriez ! Ha ! ha !

-Détrompez-vous Madame, je suis mort et je me vois ! C'est bien ce qui est le plus désespérant… Voir mon corps par terre comme ça et personne qui daigne le ramasser !

-Ha ! ha ! Majesté ! Levez-vous ! Ha ! ha !

-Vous oubliez que je suis mort et seules vos petites mains réussiront à me sortir de mon sommeil éternel.

-Ha ! ha ! Majesté… Je viens à votre secours.

-Ouf ! J'ai bien failli rester à jamais dans le plancher de cette pièce ! Vous prenez toujours autant de temps avant de secourir les gens ? Ce n'est pas très bon pour la santé, vous savez !

-Ha ! ha ! ha ! S'il vous plaît, Sire, n'en rajoutez plus ! Haha ! ha !

-Bon… puisque j'ai tous mes membres, puisque vos petites mains m'ont sorti du trépas, puisque je me sens en pleine forme, ravivé, je cours à la salle du banquet pour y accueillir mes invités. Viendrez-vous m'y rejoindre ?

-Si je vous dis non… et que vous me faites la même scène que pour ce collier, je sens que c'est moi qu'on devra raviver !

-Sachez que si vous me dites non, la scène sera plus longue et bien pire ! Une fois mort, j'ai tout mon temps, vous savez !

-Ha ! ha ! Non, je ne vous imposerai plus de telles acrobaties !

-Ah ! Quelle délicate attention de votre part… Il n'est pas permis dans mon emploi du temps chargé de me faire un tour de reins ! Je cours à la salle de bal où je vous y attendrai. Mes deux domestiques vous y conduiront et resteront avec vous aussi longtemps qu'il vous plaira. À tout à l'heure, Madame.

Les larmes avaient fait place à un large sourire. Le revirement de situation était inattendu.

Ah ! Bjarni, Roi de Norvège, tu as beau faire partie des plans de Boris, je m'amuse bien à tes côtés. Même si ce midi tu m'as fait une peur terrible, j'admets que tu t'es bien rattrapé. Mira ne rêve pas, ces moments de bonheur ne sont pas de longue durée. Boris te réserve encore d'autres surprises. Il faudrait que je me retienne plus dans mes éclats de rire envers Bjarni, mais il est si amusant… Je n'arrive pas à lui résister.

Les servantes assises dans la pièce latérale regardaient l'air qu'avait le roi en passant devant la porte. Il s'arrêta, les regarda et sans dire mot, il leur fit un petit sourire moqueur et fit sursauter ses sourcils. Les dames croisèrent leur regard et se mirent à rire. Il leur dit :

-Elle va venir au banquet !
-Il n'y a que vous, Sire, pour réussir un tel tour de force ! Elle était si triste.
-J'ai plus d'un tour dans mon sac, Mesdames !

Encore les sourcils qui sautaient, le sourire mesquin, les dames riaient de le voir presque voler tellement le bonheur se lisait sur son visage. Il avait eu l'air si inquiété à son arrivée et là, il était comme transporté de joie.

-Mesdames, dès qu'elle vous fera signe, conduisez-la à la grande salle, le Roi se fera un devoir de la présenter.
-Ce sera fait, Sire !

Il continua son chemin en sifflant. Il était de bonne humeur. Quand le roi sifflait, cela signifiait qu'il était heureux. Les deux servantes et les gardes ne le lâchèrent pas du regard jusqu'à ce qu'il disparût, caché par son entrée dans un autre couloir.

Quelques instants plus tard, une porte s'ouvrit laissant voir un joli et timide petit minois qui du regard scrutait le corridor.

-Mesdames ?
-Oui. De répondre en cœur les deux dames.
-Est-il temps d'aller à la salle de bal ?
-Quand vous voudrez Madame, nous vous y accompagnerons !
-Si nous y allions maintenant ? Demanda Mira.
-Suivez-nous, nous connaissons les couloirs de ce château des souterrains jusqu'au grenier ! Nous vous guiderons !

Mira au centre, les deux servantes à ses côtés et les gardes qui suivaient, cela attirait les regards des employés de Sa Majesté qui les croisait sur leur passage. Mira comprit qu'elle était arrivée quand deux énormes portes de bois couvraient le mur du fond d'un corridor. Les portes étaient entrouvertes et on imaginait une activité de fête à l'intérieur de la pièce. Les voix, les rires, la musique, tout pour annoncer qu'une soirée était déjà entamée.

Je suis nerveuse. Je n'aime pas beaucoup être présentée devant tout un ordre de nobles. Mais je dois affronter ma gêne pour une fois. Ceci fera désormais partie de ma condition et je dois m'en accommoder. Mira, calme-toi. Reste détendue. Ouf ! Que c'est difficile de lutter contre nos propres peurs !

Les deux servantes poussèrent les grandes portes qui offrirent une ouverture maximale. Mira s'arrêta, brusquement happée par la vision de cette foule dont le bruit produit par leurs discussions fit place à des chuchotements à peine perceptibles. Les centaines de visages se retournèrent tous vers elle et leur inactivité soudaine contribua à lui rappeler qu'elle n'était toujours pas habituée à sa rencontre avec une foule d'yeux qui scrutaient et observaient sa personne. Même si la salle était d'une grande capacité, munie de plafonds d'une hauteur vertigineuse, même si les épais murs de briques donnaient à cette pièce toutes les allures d'une cathédrale, même si les draperies des très nombreuses fenêtres laissaient l'impression de faire des kilomètres de tissus si elles avaient été mises bout à bout, la salle était bondée et peu d'espace libre y était accessible. Que de monde il y avait ! Comme si toute la Norvège s'était donné rendez-vous en un seul endroit. Intimidant, impressionnant, c'est ce que le cœur de Mira ressentait et s'activait comme un roulement de tambour à la vue de cette foule. Comment une foule aussi impressionnante pouvait-elle être soudainement si silencieuse ? Comme son entrée était loin d'être passée inaperçue, il y a bien entendu un individu plus que les autres qui s'activait à se frayer un chemin à travers cette populace aphone et immobile. Exigeant le passage, puisque personne ne semblait plus le voir, Bjarni arrivait au-devant de Mira arborant un sourire qui laissait voir sa seine dentition d'un émail blanc immaculé. Quand le face-à-face fut inévitable, le roi servit à tous sa galanterie la plus fine en prenant la main frémissante de la belle pour l'embrasser avec toute la délicatesse d'un papillon qui se pose sur une fleur. Sacré Bjarni ! Il était le seul à posséder le secret de cette élégance qui le caractérisait si bien. Il n'avait pas volé sa réputation de gentilhomme !

-Madame, le Roi vous salue et vous souhaite la bienvenue en terre Norvégienne !

Ne délaissant nullement la main de la promise, il se retourna vers ses invités pour s'adresser fièrement à ses nobles sujets.

-Mes braves, le Roi de Norvège, à l'immense privilège de vous présenter Mira future Reine de Suède, Mira fille du sage de la Forêt d'Elfe. Le Roi voulait vous donner l'occasion de rencontrer celle qui est l'invitée la plus prestigieuse qu'il nous a été donné d'avoir à l'intérieur de ces murs et sur le territoire Norvégien. Alors, festoyons tous ensemble afin que la dame garde un souvenir intarissable de ses voisins de contrée.

À ce moment, il emboîta le pas vers le siège réservé expressément pour la dame. Cette fois, il n'était pas nécessaire de négocier un passage parmi ses invités, malgré qu'ils fussent entassés dans cette pièce, les invités laissaient un passage au jeune couple qui s'avançait gracieusement vers leur place. Le silence fit rompu par des chuchotements qui allaient se frotter contre les poutres élevées du plafond pour ensuite se perdre dans le bruit des chaises et des mouvements des invités qui regagnaient leur place.

Pendant leur marche vers leur place, Bjarni se pencha vers l'oreille de Mira et lui dit à voix basse :

-Madame, je vous sais intimidée par ma Cour, mais il n'y a point de raison. Même si votre main tremble parce que vous vous sentez le centre d'intérêt de tous les regards, je veillerai personnellement à ce que vous soyez à votre aise et il n'est nullement en mon dessein de vous faire subir aucun désagrément si minime soit-il ! Et voici votre siège, Madame.

Mira prit place sur cette chaise qui faisait partie du mobilier de cette pièce. Une table longue d'au moins six mètres qui décrivait un demi-cercle, en bois d'acajou travaillé de plusieurs motifs et qui possédait le pouvoir de faire refléter la lumière des nombreux lustres aux milliers de chandelles qui pendaient du plafond tous symétriquement disposés ! On aurait dit que la table était un ruisseau qui reflétait les rayons du soleil. Jamais auparavant Mira n'avait vu une telle merveille. Quel était donc ce travail d'ébénisterie qui donnait ce lustre aux meubles ? Et les chaises ? Toutes munies d'un dossier haut et large et d'accoudoirs rembourrés et confortables... travaillées elles aussi aux mêmes motifs qui apparaissaient sur les rebords de la table... Et les murs ? Des murs de pierres qui s'élevaient à plusieurs mètres du sol jusqu'aux plafonds, épais, massifs qui semblaient inébranlables décorés d'immenses peintures décrivant chacune un important personnage dans des positions pour la plupart d'hommes d'État... et les fenêtres ? Elles couvraient du plancher jusqu'à environ un mètre du plafond sur une largeur d'environ 2 mètres, laissant voir un paysage nocturne sous une lune d'argent ! Boris avait, sans l'ombre d'un doute, un château magnifique, mais la finesse de la construction et la décoration de bon goût de cet endroit étaient à couper le souffle. Mira dévorait des yeux ces constructions magnifiques qu'étaient les châteaux. Habituée à la simplicité des maisons de paysans, elle s'ouvrait sur les beautés architecturales que le monde pouvait receler.

Son attention fut pourtant détournée par l'arrivée, devant la table, de musiciens, danseurs, magiciens, artistes de tout acabit qui prenaient maintenant la place laissée libre par les nombreux invités qui avaient regagné leur siège. Ses grands yeux azur, ses jolies petites oreilles furent mis à contribution. Les musiciens offraient une prestance digne d'un roi et les danseurs, magiciens, et tout ce qui gravitait devant cette table était un véritable ravissement pour les sens. Religieusement, elle écoutait, regardait, observait, fascinée par des êtres dont elle ne connaissait peu ou pas l'existence et encore moins le talent. Ils défilaient devant ses yeux, la captivant totalement. Cet émerveillement qui émanait de son regard ébahi laissait transparaître une candeur, une fraîcheur telle une enfant ce qu'elle était en fait ! Si jeune, si naïve, si ignorante de ce monde qui l'entourait et qui maintenant se donnait en spectacle devant elle, oubliant même qu'elle était dans cette pièce emportée par les élans acrobatiques des danseurs, la douceur de la musique, les tours de magie plus impressionnants les uns que les autres !

Bjarni avait pris place un peu plus loin, mais ne perdait rien des réactions silencieuses et pourtant presque tangibles de la promise. Il observait, lui aussi, émerveillé par la beauté et la délicatesse de cette jeune personne. Quelle intrigante personne cette paysanne ! Elle était si différente de tous ceux qu'il avait connus dans sa vie. L'amalgame de tous les atours de la belle la rendait carrément irrésistible. Il comprenait mieux désormais la valeur que les paysans, villageois, sujets pouvaient donner à cette jeune femme et surtout pourquoi on la désignait comme étant la pucelle décrite dans la légende. Si inconsciente de son pouvoir de séduction, d'attirance qu'elle déclenchait sur les autres, voilà qui réunissait pour Bjarni une explication sur le fait qu'elle était ce qu'elle dégageait ! Un trésor qui était pourtant celui de son pire ennemi ! Comment Boris pouvait-il posséder un être, un trésor aussi merveilleux ? Lui qui était tout l'opposé de ce que pouvait représenter Mira ! À cette pensée, il s'attrista ! Comment pouvait-elle aimer un homme tel que Boris ? L'attrait du pouvoir, de la richesse n'étaient certes pas les désirs de Mira qu'il découvrait un peu plus à chaque instant. C'était si invraisemblable toute cette histoire. Mais la vie est ce qu'elle est et il avait vu depuis longtemps d'étranges choses. Même si celle-là lui semblait complètement inexplicable, elle était la promise de ce roi, qu'était Boris Le Magnifique.

C'est alors qu'on le sortit de ces réflexions intérieures. Le prince Varek venait d'échanger sa place contre le voisin de Bjarni. Échange n'est peut-être pas le mot exact qu'il faudrait utiliser ! Il serait peut-être plus exact de dire que Varek s'était levé et avait exigé la place près de son frère chassant le baron Tumfart sans même lui laisser le loisir de dire non ! Ce déplacement de voisin avait sorti Bjarni de ses pensées et son regard croisa celui de son frère. C'est à ce moment que Varek se laissa choir dans son siège étirant ses jambes sous la table tournant entre ses doigts sa coupe de vin prenant un air décontracté. Il resta quelques instants silencieux, observant du coin de l'œil son frère. Les deux hommes pourtant de même sang, aux caractéristiques physiques très près l'une de l'autre semblaient séparés par un mur de glace épais et froid. On les aurait séparés par un continent tout entier, ils n'auraient pas été plus loin de l'autre que dans cette pièce assis côte à côte. Alors le frère du roi s'accouda le menton dans sa main, releva la tête et prit la parole :

-Alors Sire, vous avez le fixe ?

Bjarni resta de glace. Varek le relança.

-Eh ! bien, non seulement notre très Grande Majesté à le fixe, mais il serait devenu muet !

Bjarni tourna doucement la tête vers lui et d'un regard inquisiteur, le fixa en silence. Varek se targua alors d'un sourire mesquin et se mit à observer à son tour ce qui captait l'attention du roi. Bjarni attendit quelques secondes et d'une voix calme mais chargée d'animosité lui répondit :

-Varek ne commence pas à m'agacer… Cesse tout de suite ce petit manège, je ne suis pas d'humeur ce soir !

Tel un baveux de la pire espèce, Varek, ne délaissant toujours pas son regard sur un point fixe, se targua à nouveau d'un sourire mesquin.

-Tu arrêtes ça tout de suite où je te fais sortir de la salle. Lui dit sèchement Bjarni.
-De toute façon, Sire, elle ne nous voit pas… Elle semble en transe devant votre troupe de danseurs ! Alors, à quoi bon se cacher pour admirer une telle perfection ! Quel mal peut-il y avoir ? À vous de me le dire, Sire, puisque depuis que vous avez pris ce siège vous êtes vous-même en admiration devant cette jeune paysanne !

Bjarni serra les dents. L'attitude vulgaire de son frère faisait monter une colère en lui.

-Tu devrais cesser de boire, Varek, tu es encore saoul.
-Je suis peut-être saoul votre majesté, mais pas encore aveugle… et tous mes sens sont en éveil devant cette pucelle d'une beauté vraiment… comment pourrais-je dire plus qu'attirante !

Bjarni sentait qu'il allait sortir de ses gonds. Il prit une grande respiration, empoigna fermement la coupe de son frère et la tira doucement vers lui en silence. Varek daigna laisser son observation et affronta le regard menaçant du roi.

-Oseriez-vous m'enlever mon breuvage, Sire ?
-Varek, tu sais que je suis capable de t'enlever bien davantage. Même si je suis clément… ma patience à des limites qu'il ne faut pas dépasser. Alors cesse immédiatement ce petit jeu où je te jure que je te fais sortir de la salle et sans ménagement, tu peux te fier sur le Roi de Norvège !
-Oh ! Majesté est bien méchante envers son petit frère… Je savais qu'elle faisait effet sur moi mais je ne croyais pas qu'elle avait le pouvoir d'en faire autant sur mon frère que je pensais dépourvu de couilles… !
-Varek, ça suffit, je veux que tu sortes cuver ton vin dans ta chambre !

Bjarni allait se lever pour quémander à ses gardes de la sortir, mais Varek ne lui en laissa pas le temps. Il reprit sa coupe des mains de son frère et se leva. Comme il allait partir, il se pencha vers son frère :

-Bon, bon ! puisque mon Souverain me le demande avec tant de délicatesse… Je me retire mais je m'en vais seulement un peu plus loin de votre Majesté afin de ne pas ternir son image de petit Roi modèle !

Varek s'éloignait déjà sans que Bjarni ait eu le temps de réagir. Il se frayait un chemin un peu plus loin pour aller s'asseoir avec d'autres bons buveurs de vin. Bjarni était bisqué. Son frère avait le coude qui levait trop souvent et il ne faisait rien de bon de sa vie. Il profitait largement de son rang de prince et de frère du roi, accumulant bêtises par-dessus bêtises. Décidément, il n'arriverait pas ce jour où les deux frères réussiraient à s'entendre. Aujourd'hui plus que jamais, le fossé entre les deux hommes se creusait davantage. Après cette levée de pression, Bjarni se rassit confortablement sur son siège reprenant ses observations. La montée de pression était vite oubliée quand il voyait les yeux azur émerveillés qui étaient assis à quelques sièges du sien.

La soirée continuait de se dérouler gaiement malgré cette petite anicroche. Bjarni, restait tout de même songeur, se laissant transporter par des rêves fous d'étreintes et de caresses avec cette mystérieuse invitée. Les images de tendresse et de complicité qui lui venaient à l'esprit ne cessaient de le harceler. Poussant au maximum la testostérone d'un jeune homme dans la vingtaine à continuellement se contrôler contre les effets naturels que son corps lui suggérait.

Après un certain temps, les servantes de la belle se levèrent et vinrent auprès du roi.

La première prit la parole :

-Sire, la dame désire se retirer dans ses quartiers. Elle s'est bien amusée mais elle se sent extrêmement lasse et demande votre permission pour se retirer.
-Je vous accompagne.

Il se leva et suivit les deux dames. Il tendit sa main à la dame.

-Vous nous quittez, Madame ?
-Oui, Sire. Non pas que le spectacle n'en vaille pas la peine, mais, je ne voudrais pas manquer de respect à aucun de vos invités en tombant de sommeil, la tête sur la table ! Puis-je prendre congé ?
-Ah ! Madame, vous nous avez fait l'honneur de vous joindre à nous et personne ici ne vous en voudra pour vous en retourner vers vos appartements afin de prendre soin de votre esprit et de votre corps. Le sommeil est réparateur. Je vais vous reconduire.
-Non… Majesté ne laissez pas vos invités pour moi. J'ai deux servantes et deux gardes. Si avec tout ce monde, je n'arrive pas à regagner mes appartements, j'ai un sérieux problème ! Imaginez si c'était le cas, il me faudrait bien tout un régiment pour m'escorter ! Vous voyez ça, un régiment complet qui se déplace à la journée longue dans les corridors d'un château ?
-Ha ! ha ! Votre humour touche le Roi droit au cœur ! Alors, Madame, étant donné que vous refusez au Roi, d'une si charmante façon, son offre, je ne peux que m'incliner et vous souhaitez bonne nuit.
-Bonne nuit, Sire et amusez-vous.
-Sans vous dans cette salle, ce sera un peu difficile.
-Je ne sais pas, Sire qui de vous ou de moi, est le plus coquin ?

Sur cette interrogation et un sourire moqueur elle se retira aspirant du même fait tous les regards d'une centaine d'invités. Bjarni revint s'asseoir comme s'il était aussi léger qu'une plume. Cette femme lui donnait des ailes ! La joie de l'homme était à son comble.

-Cupidon vous aurait-il transpercé d'une de ses flèches ?

-Ha ! ha ! Mirikof ! Qu'est-ce qui peut bien vous faire dire ça ?

-C'est votre démarche pour revenir jusqu'ici. Je vous jure que j'ai eu l'impression qu'il était caché derrière vous, qu'il avait tendu son arc et que la flèche vous avait atteint droit au cœur.

-Ha ! ha ! Mirikof, qu'est-ce qu'elle avait ma démarche ?

-Je suis certain que si les dalles de ce plancher avaient été de l'eau, vous auriez fait comme notre Seigneur Jésus Christ et que vous auriez marché sur les eaux !

-Faites attention que le Cardinal et l'Évêque ne vous entendent point ! Ils pourraient vous excommunier pour faire de telles comparaisons ! Ha ! ha !

-Ah ! Le Cardinal et l'Évêque sont aussi charmés que vous !

-Ha ! ha ! ha ! Mirikof ! Comment vous cacher que cette femme est délicieuse et qu'il est vrai que j'éprouve pour elle… quelque chose de spécial !

-Comme si vous aviez besoin de me le dire ! C'est aussi évident que votre nez au milieu de votre visage !

-Hum ! Ha ! ha ! Hum ! Cependant, cette joie sera de courte durée. Je suis conscient, Mirikof, qu'elle n'est pas pour moi. D'ailleurs, sachez mon brave que c'est avec ça que je lutte depuis que je l'ai vue la première fois.

-Ah ! Sire, je ne le sais que trop bien. Je vous taquine, mais je vois bien que vous gardez les pieds sur terre et je vous en félicite car c'est loin d'être évident. J'irai jusqu'à dire que c'est pathétique.

-Oui, c'est pathétique. Si je l'avais rencontrée avant. Peut-être m'aurait-elle préféré à Boris ? Qui peut savoir ce qui se passe dans le cœur de cette femme ?

-J'ai remarqué qu'elle semble beaucoup vous apprécier !

-Vous trouvez ? Qu'est-ce qui vous fait dire ça, après la bêtise que j'ai fait ce midi !

-C'était une grotesque erreur en effet. Et j'aimerais bien savoir de quelle façon vous vous y êtes pris pour réussir à la ramener jusqu'ici ce soir avec un air joyeux sur le visage comme elle avait lorsqu'elle est entrée ! C'est pour ça que je pense qu'elle apprécie votre présence, Sire. Ne me faites pas répéter ce soir que vous êtes un homme charmant et que les femmes se jettent à vos pieds ! Je vais commencer à croire que vous y prenez goût et que vous vous gavez de mes paroles !

-Ha ! ha ! Mirikof ! Vous êtes impossible ! Je…
-Sire, il se passe quelque chose !
-Quoi ? que dites-vous Mirikof ?

Mon air inquiet, la coupure soudaine de cette conversation, ne laissèrent point indifférent le roi, surtout qu'avec ce qui arrivait en courant, je m'étais levé, ne laissant rien présager de bon au roi qui se retourna pour voir arriver sur lui, une des deux accompagnatrices de Mira, le visage tordu par l'émotion.

Tout essoufflée, la femme se pencha vers nous et dit :

-Majesté, Majesté, nous reconduisions Madame, à ses appartements, quand le Prince Varek a surgi derrière nous et a entraîné Madame avec lui.
-Quoi ? Entraînée, mais où ? Parle !
-Je ne sais pas, il a disparu avec la dame qui criait et se débattait… Je suis aussitôt revenue vous le dire !
-Mais les gardes ? Où sont les gardes qui vous accompagnaient ?
-Je ne sais pas… Tout s'est passé si vite ! Le Prince a bousculé Mserna et j'ai eu à peine le temps de lui échapper. Les gardes n'étaient plus derrière nous…
-Allez, Mirikof ! sonnez vos hommes !

D'un bond, Bjarni était debout et me pressait de le suivre. Ce remue-ménage n'avait pas passé inaperçu parmi les invités qui restèrent calmement assis à leur place jugeant qu'ils étaient plus utiles dans cette position que de produire une émeute. Moi, le roi ainsi que quatre gardes nous sommes sortis en vitesse de la grande salle s'engageant dans le corridor central.

-Si jamais il lui touche, je le tue cette fois ! Oui, je vais le tuer… Je vais le tuer ! VAREK ! JE VAIS TE TUER ! Hurlait Bjarni, emporté par la rage.

Nous courions à travers le couloir s'arrêtant à chaque intersection car dans cette grande construction il y avait plusieurs corridors transversaux qui s'entrecroisaient. Nous cherchions à repérer le prince qui semblait s'être volatilisé puisque les couloirs étaient déserts. Comme on n'apprend pas à un vieux singe à faire des grimaces, l'oreille fine d'un général de guerre, était de loin l'arme la plus efficace dans ces moments. Je me suis arrêté brusquement devant un petit corridor qui menait à la bibliothèque, faisant signe à mes compagnons de se taire.

-Majesté, écoutez !

Une voix masquée par une porte fermée venait de cette pièce :

-Je veux seulement un petit baiser… Un seul… Je t'en supplie jolie Mira…
-Je vous en prie… laissez-moi… Non…
-Hum ! Comme vos lèvres sont douces… Vos seins… Ah ! petite paysanne… je vais te grimper, tu sauras enfin ce que c'est un homme, un vrai…

Je les avais trouvés et nous nous précipitâmes vers la porte qui fut enfoncée sans même que l'on se donne le soin de l'ouvrir. Mira était fortement retenue contre le mur et Varek la tenait contre lui. Ses mains baladeuses avaient relevé la jupe de sa robe dénudant ses cuisses. Bjarni se rua sur son frère et je libérai Mira de cette position indécente. J'utilisai un doigté de maître pour qu'en douceur la dame sorte de la pièce. Je fis signe aux gardes d'en faire autant. Les hommes avaient tous compris que le roi réglerait lui-même l'affront que son frère venait de commettre. Les hommes se retirèrent. Ils restèrent derrière la porte ayant comme bruit de fond, une querelle entre les deux frères.

-JE VAIS TE TUER, VAREK ! ESPÈCE DE SALAUD ! Hurlait le roi.
-Voyons, vous n'oseriez pas tuer votre gentil petit frère Majesté !

Bjarni fou de rage le balança contre le mur. Le dos du prince frappa de plein fouet le mur. Il était sur le point de perdre l'équilibre quand Bjarni s'approcha de lui avec un regard menaçant et l'index pointé en sa direction.

-Je vais me gêner ! Tu es encore saoul ! Espèce de petite ordure ! Je te mets aux arrêts… Tu n'aurais jamais dû faire ça ! Tu vas me le payer !

Bjarni l'agrippa par le col de son costume et lui balança plusieurs coups de poing. Varek, se raidit et riposta.

-Petit salaud si tu penses que tu vas venir à bout de moi ! Criait Bjarni qui boxait sur son frère, fou de rage.
-Arrête ! Arrête, je crois que tu m'as cassé le nez, Merde !

Effectivement, le prince saignait abondamment et il se retenait le nez à deux mains.

-Te casser le nez ? Je vais te broyer les os ! Je te jure que tu vas me la payer celle-là ! Gardes ! Gardes ! Mettez-moi ce fumier au cachot jusqu'à nouvel ordre !

Les hommes empoignèrent le jeune homme et le sortirent de la pièce.

-Lâchez-moi, je suis le Prince… Lâchez-moi ! Protestait Varek

Bjarni donna un coup de poing sur une statuette qui éclata en mille morceaux. Il sortit un mouchoir de son pantalon et essuya les jointures de sa main droite qui saignaient à la suite des coups qu'il avait assénés à son frère. La colère lui avait presque fait perdre la tête. Il essuyait sa main et tentait de reprendre son calme. Il serrait les dents et se jurait que Varek paierait pour cette bêtise. Varek partit vers le cachot, Bjarni prit la direction des appartements de la promise en courant. Quant à moi, je faisais les cent pas devant la porte de la chambre de la belle où je l'avais fait entrer accompagnée de ses dames de compagnie. Voyant arriver le roi, je l'arrêtai.

-Sire… Sire… reprenez vos esprits, nous sommes arrivés à temps…
-Comment va-t-elle ?
-Les servantes sont avec elle. Elle a eu plus de peur que de mal… Tout va bien maintenant. Calmez-vous. Rien ne sert d'agrémenter davantage tout ce qui vient de se passer, par votre esprit torturé.
-Je veux la voir.
-Certes, Sire, mais pas dans l'état où vous êtes.
-Tu as raison. Je dois me calmer.
-Où est le Prince ?
-Au cachot, pardi !
-Dans quel état ?
-Je ne sais pas trop. Je crois que je lui ai cassé le nez ! Peu m'importe, il est dans un bien meilleur état que celui dans lequel il a plongé la dame !
-Sire, je vous félicite.
-Vous me félicitez, mais pourquoi donc ?
-Vous vous êtes contrôlé ! Je ne pensais pas que vous le pourriez. J'étais certain que Varek avait signé son arrêt de mort !
-C'est vrai qu'après que le sang m'ait enrobé la main, j'ai repris conscience. Soyez assuré Mirikof, qu'il n'a peut-être pas signé son

arrêt de mort, mais qu'il a signé sa réclusion. Dès demain, j'y veille-rai !

-Personne ne vous en voudra ! Varek est pire qu'une maladie contagieuse !

-Je vais entrer maintenant. Je veux aller voir quels ravages il lui a causés.

Il entra dans la pièce. Les dames le regardèrent et se retirèrent si-lencieusement dans la pièce adjacente. Assise sur le bord du lit Mira était silencieuse. Bjarni s'agenouilla devant elle.

-Madame… Décidément votre passage parmi nous aura été mar-qué des pires ignominies… et moi qui ne sais pas quoi vous dire pour vous réconforter si ce n'est que le geste de mon frère était franche-ment déplacé. Je… je vais faire augmenter la garde à votre intention et je vous assure qu'un événement aussi malheureux ne se reproduira plus. Je vous le jure !

Bjarni était impressionné par ce silence dont elle faisait preuve. Elle avait le regard fixé sur les dalles du plancher et le seul mouve-ment perceptible était celui de quelques larmes qui coulaient le long de ses joues. Même si elle était silencieuse, il pouvait entendre ses cris intérieurs. Il lisait un terrible désespoir sur son visage et cette vision le blessait profondément impuissant devant la tournure des événements. Il porta ses mains à ses frêles épaules.

-Madame… Je veux que vous tentiez d'oublier ce fâcheux inci-dent. Je veux que vous vous reposiez. Demain je reviendrai vous voir. N'ayez craintes, mon frère sera sévèrement puni pour ce geste… Je vous donne la parole du Roi de Norvège.

Il avait devant lui une femme désarmée, démunie, sans défense, vulnérable, blessée, aux prises entre sa propre fragilité et la brutalité des hommes. Une femme aphone, peinée qui ne demandait rien. Il aurait bien pris la promise dans ses bras pour la consoler mais il s'en sentait incapable. Incapable, parce que s'il l'avait fait, il aurait passé la nuit auprès d'elle.

-Voulez-vous qu'une servante dorme avec vous ?

Elle ne répondit pas tout de suite à sa question. Elle posa son re-gard sur la main droite du roi qui saignait. Elle lui prit la main.

-Vous saignez, Sire ?

-Oh ! Ce n'est rien, Madame… ce n'est qu'une égratignure !

Elle leva les yeux vers lui.

-Mon Dieu ! Sire… Vous êtes-vous battu avec votre frère ?

Bjarni était visiblement mal à l'aise.

-Madame… Parfois les hommes et même les frères en viennent à se disputer ! Les hommes ne se querellent pas de la même manière que les dames… Il arrive que certains événements nous fassent déborder et que la violence devienne notre seule arme…
-Est-il… ?
-Mort ? Non. Je dois avouer que j'ai dû user de tout le contrôle possible pour ne pas en venir à ça, mais… son geste ma profondément choqué. Il n'aurait jamais dû vous faire subir une telle épreuve. Vous a-t-il… Vous a-t-il fait mal ?
-Non… Sire… J'aimerais… j'aimerais être seule.
-Bien ! Je comprends. Je vais vous laisser Mira. Sachez cependant qu'à toute heure du jour ou de la nuit, n'hésitez pas à me faire venir si vous en ressentez le besoin. Vous êtes ici, la plus précieuse invitée que je n'ai jamais eue et je serai un bien mauvais hôte que de vous refuser quoi que ce soit. Le Roi de Norvège est votre tout dévoué, Madame, ne l'oubliez jamais.

Sachant très bien qu'elle ne demanderait rien de ce genre, Bjarni avait tenté de la sécuriser avec le seul moyen qu'il avait trouvé. D'abord lui sur l'heure du midi, et maintenant son frère le soir. Bjarni, se secouait la tête en voyant dans quel état était la demoiselle. Il se retira de la pièce ne pouvant pas apporter un meilleur support à la belle. J'étais là, accoté au mur du corridor devant la porte. Quand il ouvrit la porte, je m'enquerrai de l'état de la dame.

-Sire, comment va-t-elle ?
-Comme on peut aller quand un fou furieux se jette sur vous !
-Quel geste absurde… Le Prince a bien failli tout gâcher…
-Il ne perd rien pour attendre !
-Rien de cette histoire ne devra être répété à Boris, sinon…
-Je sais Mirikof… Je sais… Espérons que la dame est ce qu'elle reflète, la réserve incarnée ! Si jamais elle raconte à Boris tout ce qu'elle a vécu aujourd'hui, nous pouvons dire adieux à notre échange et tout ce qui va avec !
-Si j'avais su que tout ceci aurait pris cette tournure, je ne vous aurais jamais suggéré un tel plan.

-Ne vous sentez pas coupable Mirikof, je suis responsable des gestes idiots que j'ai posés ce midi et Varek est responsable des gestes odieux qu'il a posés ce soir. Mon frère est peut-être allé trop loin, mais nous sommes responsables si tout ceci n'aboutit pas positivement conformément à votre idée géniale que vous avez eue pour réaliser une paix durable entre la Norvège et la Suède. Nous devons laisser à la providence le soin de déterminer quelles seront les conclusions de toute cette histoire. Allez ! venez, nous allons tenter de regagner nos appartements et de dormir.

-Oui, Sire. On dit que la nuit porte conseil.

L'échange

Le messager de Bjarni, le jeune Barlson, cavalait depuis plus de deux jours à la rencontre du roi Boris ayant dû changer sa monture dans un relais car elle s'était blessée à une patte. Il était escorté d'une dizaine de soldats aux effigies de la Couronne Norvégienne. Le message transporté était d'importance et il fallait absolument qu'il atteigne son but avant que l'armée du roi Boris n'atteigne les rives de la Suède pour s'embarquer dans les drakkars en direction du Danemark. Tout reposait sur l'arrivée de ce message. Quelques minutes, voire même quelques secondes plus tard et l'enlèvement de la belle aurait été vain. Ma stratégie reposait uniquement sur le temps. Il fallait à tout prix rattraper Boris dans sa course pour savoir qu'elles auraient été ses intentions après qu'il aurait pris connaissance du contenu du message.

Inlassablement, nos cavaliers poursuivaient leur route ne s'attardant pas sur leur passage, prenant à peine le temps de manger et n'avaient point fermé l'œil depuis leur départ. La vue de la grande bleue en fin d'après-midi du haut des collines les réconforta tous. Aucun bateau en vue, si ce n'était que de petites embarcations de pêcheurs. Arrivés sur la plage, ils bifurquèrent vers la gauche prenant d'assaut les rivages sablonneux comme route principale vers la Suède. Ils étaient parvenus à la frontière et emprunteraient le seul chemin plausible pour le passage d'une armée. Traversés de l'autre côté de la frontière, ils avaient calculé que normalement une demi-journée leur suffit pour arriver à la rencontre des Suédois qui devaient, eux aussi, être sur le point d'atteindre les berges. Plus questions de changer de monture, plus question de les faire arrêter pour les faire boire ou manger. Le cheval étant un animal robuste, maniable et obéissant, les hommes devraient faire confiance en ses capacités, son endurance.

Ils avaient quitté les sentiers sablonneux et empruntaient la seule route praticable et s'engouffraient à l'intérieur des terres suédoises. Soudain, ils distinguèrent au loin un nuage de poussière. Un signe encourageant puisqu'un tel nuage de poussière ne pouvait être que le résultat d'un déplacement de quelque chose de gros, de pesant ou de nombreux. Barlson sortit son drapeau blanc et l'attacha tout en haut de son étendard à l'effigie de la Couronne Norvégienne. Ces hommes courageux savaient qu'ils allaient tout droit à la rencontre de leur destin. Car la rencontre était inévitable. Comment auraient réagi les soldats de Boris à leur vue ? Leur aurait-on donné le temps de livrer le message ou les aurait-on piétinés à mort sans même se soucier de savoir ce qu'ils faisaient sur leur route ? Ceci ne les empêcha point de pousser leur monture afin que n'aboutisse cette mission.

Après une courbe sur la route, les hommes de Bjarni avaient en visuel l'armée de Boris qui avançait vers eux. Le face-à-face était inévitable avec le peloton de tête. À leur vue, la grande marche s'immobilisa. L'étonnement des soldats au premier rang fut à son comble quand ils reconnurent les étendards Norvégiens. Dans les deux camps on restait immobile considérant être à distance raisonnable avant de venir s'enquérir de part et d'autre le pourquoi de ce face-à-face. D'un côté comme de l'autre, on s'observait. L'inégalité entre les soldats de Bjarni et ceux de Boris, firent sourire plusieurs qui étaient sur les premiers rangs. Un général, fit le tour des premiers hommes de la rangée et s'avança vers le groupuscule qui leur barrait la route.

-Général Örtven. Messieurs ? Que peuvent bien vouloir les soldats du Roi Bjarni avec à leur étendard muni d'un drapeau blanc ?
-Général, nous avons une missive de la plus haute importance à remettre à votre Roi.
-Remettez-la-moi, je la lui porterai !
-Non, général, nos ordres sont clairs, cette missive sera remise au Roi Boris lui-même.
-Bien ! Attendez, je vais revenir.

Retournant sur ses pas avec son cheval blanc, le général disparu à l'intérieur des soldats avec la tête pleine de question.

Comment se fait-il que les soldats de Bjarni sachent que nous sommes ici ? Et pourquoi les a-t-il envoyés si peu nombreux ? Il y a quelque chose qui a dû nous échapper, Boris, sera très mécontent ! Se disait le général qui faisait tasser les soldats pour se frayer un passage jusqu'au milieu de la troupe où il savait Boris.

Après quelques minutes de bataille avec les boucliers encombrants, les épées, les arbalètes et bien entendu le genre humain qui faisait du mieux qu'il pouvait pour laisser passer le général qui était à contre-courant, ce dernier parvint auprès de Boris qui était selon toute vraisemblance contrarié par cet arrêt forcé de ses troupes.

-Qu'y a-t-il général ? Pourquoi nous sommes-nous arrêtés.

-Majesté, descendez de votre monture et venez avec moi.

Ne demandant pas son reste, Boris descendit avec hâte et suivit son général vers les bords de la route sous les regards étonnés des soldats qui se regardaient, se retournaient pour d'autres, faisant monter dans les bataillons un murmure qui ressemblait plus à un léger grondement qu'à des hommes qui s'interrogent à voix basse.

-Général, qu'y a-t-il, pourquoi dois-je me retirer avec vous, parlez qu'est-ce que tout ce mystère ?

-Majesté, il semble que nous ayons un énorme problème.

-Un problème ? Expliquez-vous général !

-Ce qui nous a fait arrêter, c'est que nous avons croisé sur notre route, une dizaine de soldats de Bjarni.

-Quoi ?

-Oui. Ils barraient la route avec un drapeau blanc à leur étendard.

-Quoi ? Vous n'aviez qu'à leur passer dessus ! Ne sommes-nous pas assez nombreux pour les écraser tel de vilaines coquerelles ?

-Heureux que nous ne l'ayons pas fait, Sire !

-Comment général ? Nous allons à la guerre et vous vous arrêtez pour une dizaine de morveux ? Qu'est-ce donc cela général ? N'êtes-vous pas à la tête de mon armée… Je vous ordonne de…

-Ils sont venus ici dans un but bien précis, Sire !

-Mais encore ?

-Ils sont les porteurs d'une missive à votre attention, Sire.

-Une missive ? Au fait, comment savaient-ils que nous étions sur cette route ?

-C'est justement ce que j'appelle un sérieux problème. Si ces soldats ont été envoyés jusqu'ici, c'est que Bjarni sait que nous sommes en route vers le Danemark ! Et s'il savait aussi qu'il y a une partie de votre armée qui passe par le Col du Diable ? Et s'ils ne sont que dix aujourd'hui, ne pensez-vous pas que Bjarni nous attend de pied ferme avec toute une armée ?

-Merde ! Bon Dieu de Merde ! Non, ce n'est pas possible ça ! Comment aurait-il découvert tout ça ? Nous avons pris toutes les précautions afin qu'il ne sache pas vraiment que nous étions sur cette route. Certes, il se doutait bien que je tramais quelque chose, mais comment pouvait-il savoir que je viendrais jusqu'ici ? Merde ! Merde ! Que dit cette missive, général ?

-Je n'en ai aucune idée, ils ont refusé de me la remettre prétextant qu'ils avaient eu l'ordre de vous la remettre personnellement.

-Merde ! Maudit Bjarni ! Merde ! Merde !

Boris se passait la paume de la main sur le front et avait l'autre à sa taille se déplaçant de long en large devant son général frappant de ses bottes les cailloux qu'il envoyait promener dans toutes les directions ne se préoccupant guère qu'ils frappaient certains de ses hommes arrêtés aux bordures de la route. Le général n'avait pas besoin d'un dessin pour voir que le roi était fortement contrarié.

-Sire, que dois-je faire maintenant ?
-Allez leur dire qu'ils viennent jusqu'à moi. Je ne veux pas aller plus loin pour le moment, cela dépendra de ce que contient cette missive. Je préfère savoir d'abord.
-Bien, Sire.

Le général rebroussa chemin encore au travers des soldats qui ne comprenaient point ce qui se passait. Arrivé au-devant des messagers de Bjarni, le général les informa de le suivre.

La route se dégageait un peu. Les hommes se déplaçaient vers une clairière faisant une pause forcée. Tranquillement, les hommes de Bjarni commençaient à distinguer une silhouette imposante qui était assise fièrement sur une magnifique monture. Il n'y avait pas de doute, il s'agissait de Boris, Roi de Suède accompagné par plusieurs hauts commandants de son armée. Le regard d'acier ne disait rien qui vaille aux messagers qui voyaient dans quel mécontentement il pouvait être.

-Messieurs, Boris, Roi de Suède. Vous aviez un message à lui transmettre, vous êtes invités à le faire maintenant. De dire le général.

C'est Barlson qui avait cette tâche. Il descendit de sa monture et alla fouiller dans l'une de ses sacoches de cuir pour en ressortir un document roulé tenu par un ruban rouge feu estampillé du sceau royal. Il s'avança vers le roi et lui remit.

-Tu peux retourner à ta monture. Lui dit sèchement Boris.
-J'y retourne en attendant votre réponse, Majesté.
-Ma réponse ? Qu'est-ce que ce maudit Bjarni me veut encore. Grommela-t-il bêtement.

Il ouvrit le document et commença la lire. Après seulement quelques lignes, il descendit de sa monture et attrapa le bouclier d'un de ses généraux et le lança dans les bois. Son haut commandement se demandait ce que pouvait contenir le document pour faire un tel effet au roi car il était en proie à la rage.

-Espèce de petit salaud de Bjarni ! Espèce de…

Il balançait tout ce qu'il pouvait au bout de ses bras épée, bouclier, sacoche. Il faisait une crise sous les yeux de tous. La plupart de ces généraux descendirent de leur monture. L'un d'eux tenta une approche.

-Sire, que se passe-t-il ?
-L'espèce de roi de pacotille ! L'espèce d'enfant de pute ! Il me le paiera ! Maudit sois-tu Bjarni !

Il hurlait. Il se retourna vers son général qui avait les yeux implorants une explication.

-Général, vous voulez savoir ce qui se passe ! Non seulement il sait où nous sommes et où nous nous dirigeons mais de plus, il a enlevé Mira et veut nous l'échanger contre un traité de paix… Merde ! Comment cela est-il possible ? Comment peut-il le savoir ! Êtes-vous tous une bande d'incapables ! Comment un plan si méticuleusement tenu secret a-t-il pu lui parvenir dans tous les détails ! Je vais tous vous trancher la gorge !

Il se rua sur son général et allait effectivement lui trancher la gorge de son épée quand les autres généraux s'interposèrent libérant ainsi le pauvre qui tentait de reprendre son souffle sous la main d'acier qui l'avait empoigné. Ils durent se mettre à six pour maîtriser Boris qui était devenu hors de contrôle. Il cessa de se débattre et leur jeta un regard injecté de sang.

-Lâchez-moi ! Si jamais vous vous avisez encore d'intervenir quand je veux rendre justice, je vous tuerai l'un après l'autre ! Hurlait-il.

Örtven prit la parole.

-Majesté, je vous en conjure calmez-vous. Je me dois de vous le demander. Il ne servira à rien de tuer tout votre commandement ! Il faut tenter de comprendre ce que tout ceci signifie… Bjarni ne sait peut-être pas tout ! Que dit exactement la missive ?

Boris le regarda et mis de côté son air arrogant et lui tendit sèchement la missive. Örtven était un général d'expérience, avisé et beaucoup moins fougueux que son roi. Il lit la missive et releva la tête vers son roi.

-Il est vrai, Sire, qu'il sait où nous sommes puisqu'il a envoyé ses hommes à notre rencontre. Il est vrai également qu'il n'est point idiot et qu'il sait quels sont nos desseins quant à la conquête du Danemark. Il est vrai également qu'il a en sa possession la future Reine de Suède et qu'il l'échangera contre la ratification d'un traité de paix. Mais ceci n'explique en rien comment il a pu apprendre tout ça. À mon avis, il a eu vent de quelques déplacements et c'est chemin faisant pour se rendre enlever la promise qu'il s'est rendu compte de l'absence de toute votre armée, Sire. Une armée absente de son territoire ne passe pas inaperçue et ceci expliquerait bien mieux la situation que vos accusations sur l'incapacité de votre commandement à faire la guerre !

Örtven était dans le vrai. Il avait même mis le doigt sur la vérité même ! Pour une fois Boris ne pouvait pas le nier. Cette explication le calma et malgré son tempérament orgueilleux, il devait admettre que son général avait raison et que d'ouvrir des gorges n'était pas la solution, bien au contraire, il avait besoin plus que jamais de tous ses hommes. Les soldats de Bjarni avaient assisté à cette scène reconnaissant dans ces gestes le roi de Suède reconnu pour son sal caractère. C'est alors qu'un autre général posa une question qui déclencha chez l'esprit malicieux du roi une idée ingénue !

-Majesté… qu'avez-vous l'intention de faire ?

Il se retourna vers les messagers et se dirigea vers eux à vive allure. Les soldats se regardaient ne sachant quelle attitude adopter ayant assisté à ses débordements. Il agrippa Barlson et le jeta en bas de sa selle. Les autres eurent le réflexe de sortir leur épée ce qui entraînât un effet en chaîne. Boris releva avec force le jeune soldat d'une seule main par le col de son costume et menaçant lui dit :

-Tu en as de la chance que je ne puisse pas t'arracher les yeux ! Tu pourras dire que tu dois la vie à une… Je vais répondre à ton Roi, mais tu pourras lui dire que le Roi Boris n'a nullement apprécié un tel geste de lâcheté de sa part !

Il lâcha le messager qui remettait son haut de costume à l'ordre faisant signe à ses copains de route de remettre dans leur fourreau les épées menaçantes qui étaient maintenant sorties de part et d'autre.

-Retournez-vous en un peu plus loin ! Je ne veux plus vous voir. Je vous enverrai ma réponse dans quelques minutes par l'entremise du général. Criait Boris qui retournait vers la vingtaine d'hommes du haut commandement qui l'observaient bouche bée.

Les messagers se déplacèrent, restant cependant dans le champ de vision de Sa Majesté.

-Sire vous n'allez pas mettre en jeu notre mission pour une femme ? De dire l'un de ses commandants.

Boris se dirigea vers lui, l'agrippa à la gorge et le souleva de terre.

-Monsieur le commandant, cette femme c'est votre future Reine, et vous le savez aussi bien que moi qu'il ne s'agit pas de n'importe quelle femme… Changez votre façon de vous exprimer quand vous parlez d'elle ou vous ne vous exprimerez plus très longtemps.
-Bien, Sire… bien Sire…

Boris relâcha son emprise sur le cou de son commandant et faisait encore les cent pas devant les hommes qui décrivaient des mouvements de la tête, tantôt vers la droite, tantôt vers la gauche suivant ainsi les aller retours de Boris Le Magnifique. Le roi réfléchissait et l'idée ingénue qui avait commencé à germer quelques instants auparavant prenait forme. Il n'était plus de mise de n'émettre aucun commentaire. Quelques dizaines de pas plus tard et beaucoup d'exaspération, Boris s'immobilisa devant eux.

-Il faudra bien répondre aux désirs de Bjarni. Je n'ai pas le choix. En plus, qu'il sait que je suis ici ! Merde ! Bjarni, je ne te maudirai jamais assez, puisse le diable t'emporter ! Soyez sûr Messieurs que je ne suis pas plus emballé que vous à l'idée de mettre fin à nos plans. Toutes les dépenses qu'a engendrées cette guerre… Il faut prendre une décision réfléchie. Mais il a en sa possession tous les atouts… Non ! Peut-être pas tous ! Il est vrai que son armée combinée avec celle d'Etok nous écraserait rapidement étant plus nombreuse. Il détient la future épouse du Roi… Il échange la fin de notre conquête avec ma promise… Ai-je le choix Messieurs ?
-Sire, Il est vrai que s'il se joint au Roi Etok nous n'aurons plus aucune chance… Mais ne nous avez-vous pas dit qu'Etok était toujours en Prusse ?
-Oui… C'est vrai. Et cette missive n'en parle point. Selon moi, Etok n'a pas bougé nous aurions vu passer des bateaux de guerre, pardi ! Nous ne sommes pas si idiots !

-Sire, tout ceci change radicalement nos plans !

-Je sais ! Mais il n'est pas dit qu'on me déjoue aussi facilement. Etok n'a pas bougé, j'en suis convaincu. Bjarni, sait depuis peu les grandes lignes de mes plans. Mais il ne sait pas tout ! Même s'il avait envoyé prévenir Etok, avant que ce dernier traverse jusqu'à nous avec son armée, il lui faudra plusieurs jours, voire quelques semaines.

-Majesté qu'allons-nous faire ?

Les yeux sombres étaient de nouveau partis en un regard flou vers une stratégie qui sinuait à travers sa matière grise. Son cerveau d'homme de guerre faisait de telles prouesses intérieures qu'on aurait pu voir sa chevelure de corbeau se mettre à danser sur son crâne. L'organe de la pensée, du savoir, du souvenir, de la parole, du gestuel était en pleine effervescence. Eurêka ! Une solution était surgie des tréfonds nébuleux de l'esprit royal.

-J'ai une idée pour avoir le meilleur des deux côtés de la médaille…

Boris demanda de quoi écrire. On courut chercher une plume et de l'encre.

-Commandant tournez-vous ! Et tenez-moi ce pot d'encre.

Le dos du commandant servirait de secrétaire. Boris griffonna quelque chose au bas du message et signa le document qu'il referma en attachant le ruban rouge. Il se tourna vers son général.

-Allez leur porter ceci.

Il lui tendit le parchemin. Le général prit le document et monta sur son cheval pour se diriger vers les messagers.

Boris cueillit sa monture et partit au galop vers le fond de ses troupes et fut imité par la plupart des membres de son haut commandement qui ne savaient toujours pas quelle était la décision du roi. Arrivé à l'arrière au dernier bataillon de son armée, Boris s'arrêta attendant qu'ils viennent le rejoindre. Une fois toute l'équipe au complet, Boris s'adressa à eux.

-Bjarni pense peut-être me connaître mais il se trompe. Messieurs, je vais lui poser un lapin. Demain matin à la première heure, je veux cinquante hommes pour m'accompagner. Le reste de l'armée restera sous votre commandement. Général Fipps vous serez le grand commandant en chef. Général Slokopjef et général Gjuivarno vous serez les deux sous commandants et vous prendrez chacun vos directions au point de jonction, tel que prévu. Vous marcherez donc avec notre armée vers notre objectif premier. Tant qu'à moi je vais retourner sur mes pas et répondre aux attentes de Bjarni. Je signerai ce traité de paix et je récupérerai la promise.

-Sire, n'avez-vous pas peur que Bjarni ne passe à l'action lorsqu'il découvrira la vérité ?

-Il le fera sans aucun doute… mais le temps joue en notre faveur, Messieurs. Il nous reste à peine deux jours avant d'arriver à destination. Quant à moi, j'ai trois jours à faire avant d'arriver chez lui ainsi que ces messagers qui viennent de repartir. Ensuite je vais retourner au château où je vais procéder à mes noces. Il croira sans aucun doute que j'ai ramené mon armée avec moi. Car messieurs, écoutez-moi bien : Si Bjarni laissent des espions ici pour voir si on embarque pour le Danemark, tout ceci sera au vu et au su de tous, à une différence près. Nos hommes se débrayeront de leur armure de leur attirail de guerre. Ils embarqueront sur les drakkars en faisant grand bruit qu'ils regagnent leur port d'attache pour revenir à la maison. Vous aurez pour tâche d'embarquer sur un drakkar tout leur attirail. Ainsi nous esquiverons les soupçons ! Pendant ce temps, vous, Messieurs, le reste de mon armée qui passe par le Col du Diable, notre plan est maintenu comme il l'était au départ à quelques petites différences près. Il ne parle pas dans sa missive de mes hommes qui sont sûrement déjà engagés sur ses terres. Quant à Etok, même prévenu depuis quelques jours de notre invasion prochaine du Danemark il lui faut plus d'une semaine pour traverser de la Prusse jusqu'au Danemark. Donc, agissons vite et sur le champ. Dans trois ou quatre jours tout au plus, vous aurez déjà conquis le Danemark et ainsi annexé les hommes du Roi Euphrase à notre armée, avec ce nombre d'hommes de plus nous pourrons faire face à nos adversaires.

-Majesté… c'est tout simplement génial !

-Merci Gjuivarno ! Mais je le sais déjà. Quant à ce traité de paix, je le signerai… Mais qui a dit que je suis obligé de le respecter ?

Il fit son petit sourire malicieux. Ils le regardaient fixement. Il était vraiment démoniaque. Mais les hommes devaient reconnaître qu'il frisait parfois le génie, surtout en ce qui concernait les stratégies guerrières.

-Par contre Messieurs, dès que vous avez conquis il faut absolument que vous rapatriiez tous les hommes vers la Norvège. Il faut continuer notre plan comme prévu. Bjarni s'apercevra peut-être du subterfuge, il faudra être prêt à lui répondre. Car il le saura un jour ou l'autre. Je le sais naïf mais pas idiot à ce point !

-Parfait ! Sire, nous avons tous compris et nous suivons scrupuleusement vos ordres.

Dans la cour du Roi Bjarni, le lendemain d'un banquet qui s'était terminé par une tragédie qui flottait encore dans les corridors puisque alimentée par les commérages de tous les membres de la cour royale, du noble à la simple servante courant sur les murs et à travers les ouvertures comme des milliers de fourmis affairées à leur fourmilière.

Bjarni assis sur le rebord de sa fenêtre scrutait l'horizon comme pour y trouver quelques mots, quelques solutions inespérées, se demandant bien de quelle façon il pourrait trouver réparation auprès de la promise pour le geste de son frère. Aurait-elle répété à Boris tout ce qui s'était passé depuis son arrivée ? Et ce frère devenu plus que gênant qu'allait-il en faire ?

Sa fragile monnaie d'échange était frappée par des événements fâcheux qui se multipliaient. Cependant, la dame silencieuse, la dame timide, la future reine, la promise, la paysanne, la légende incarnée n'était pas une femme bavarde. Se fiant sur cette caractéristique peu commune chez une femme, il se leva et se devait de sortir au plus vite de sa chambre pour voir au sort de Varek et aux réparations auprès de la demoiselle.

À bien y penser, le frère attendrait. Il était bien dans le cachot sous bonne surveillance, à quoi bon s'en soucier maintenant. Son tour viendrait bien assez vite et dans un cachot sombre et humide, sans vin pour s'enivrer, Varek serait en mesure de bien mieux réfléchir à son avenir et à ses péchés passés. Non, le plus urgent, c'était de voir au bien être de la douce Mira. Cette tâche était d'ailleurs, bien plus agréable que celle de décider du sort de Varek. C'est donc, vers les appartements de Mira que se dirigeait d'un pas décidé Bjarni.

Quelle ne fut pas sa surprise lorsqu'il parvint à son but et qu'on l'informa que la belle était déjà sortie dans la cour.

Je suis heureux d'apprendre qu'elle a demandé enfin quelque chose ! Il parait qu'elle est partie au jardin. Je vais t'offrir mes plus belles roses Mira ! Quand tu verras l'invention dans mes jardiniers, tu en seras sûrement épatée.

Situé dans la cour arrière du château, le jardin paraissait d'abord inaccessible. Il était bordé d'immenses pins taillés avec savoir donnant ainsi l'impression au visiteur qu'il s'agissait d'une clôture de plusieurs mètres infranchissable. Seul un arrangement savamment étudié de fleurs et de verdure placer en forme de porte laissait entrevoir une ouverture assez grande pour qu'on s'introduise entre les pins. Une fois traversée, ce qu'on y découvrait était un ravissement pour le sens olfactif et visuel. Ce jardin était un exploit des connaissances horticoles de plusieurs de ses jardiniers. Un travail de plusieurs années et qui était toujours en chantier. Les petits sentiers conduisaient tous à un point central, où sapins, pins, bouleaux, mélèzes, etc., étaient agencés avec goût et taillés selon un ordre strict. Les fleurs commençaient à peine à faire voir leur couleur puisque l'été ne faisait que frapper à nos portes. Des bancs en marbre bizutés par des mains de sculpteurs donnaient à l'endroit un cachet particulier. Bjarni traversait cette flore prenant la direction d'un banc plus particulièrement qu'un autre.

-Laissez-nous seuls, s'il vous plaît Mesdames. Dit le roi aux deux servantes assises de chaque côté de la dame.

Mira allait se lever.

-Non, ne vous levez pas, c'est à moi de vous saluer, Madame.

Ce qu'il fit sans attendre en lui prenant la main, l'embrassant.

-J'ai peur de vous demander comment vous allez ce matin.
-Je… je vais bien, Sire !
-Je ne veux pas tourner le fer dans la plaie, mais, Mira, dites-moi ce que vous ressentez vraiment.
-Je… je vais bien, je vous assure.
-Ce qui me fascine dans votre attitude, c'est que vous ne me demandiez pas la tête de Varek pour vous avoir ainsi manqué de respect.
-De… demander la tête de quelqu'un ? Je… je ne formulerai jamais une telle requête !
-Que faut-il donc vous faire pour se valoir votre colère, Madame ?

Elle ne répondit pas à cette question.

-Je vois que cette question vous a embarrassée. Pardonnez-moi, ce n'était point mon intention. Changeons-nous les idées… il est inutile de ressasser toute cette histoire. Pourquoi êtes-vous venue dans mes jardins ce matin ?
-Je n'en avais pas le droit, Majesté ?

-Ha ! ha ! Non, ce n'est pas ce que je voulais dire. Bien entendu que vous en avez le droit. Mais pourquoi n'avez-vous pas demandé avant de voir mes jardins ?

-Ce… ce n'est pas mon idée, ce sont vos servantes qui m'ont suggéré de venir ici.

-Ah ! Je vois. Et qu'en pensez-vous ?

-C'est… magnifique, Majesté. Tous ces arbres, ces fougères, ces fleurs.

-Et nous ne sommes qu'au début de la saison, au mois de juillet, c'est rempli de couleurs et d'arôme, partout, partout ! Venez, je voudrais vous montrer quelque chose.

Entraînant la belle derrière un mur de cèdres qu'ils contournèrent pour arriver devant un bâtiment de bois et de verre, Bjarni ouvrit la porte et invita Mira à y pénétrer.

-Quel est cet endroit, Sire ?

-Nous lui avons donné le nom de "æternam florẽo".

-Comme il fait chaud ici !

-Oui ! Mais est-ce seulement cela que vous remarquez, Mira ?

-Non… bien sûr que non. Il y a des fleurs partout et elles sont toutes écloses ! Comment est-ce possible ? Vous le disiez tout à l'heure, nous ne sommes qu'au début de la saison !

-L'æternam florẽo sert à retenir la chaleur des rayons du soleil. La fondation est chauffée pendant tout l'hiver par un système ingénieux de petits foyers. Les jardiniers ne se croisent pas les pouces l'hiver. Non, ils ont à déblayer chaque centimètre de la toiture en forme de demi-cercle afin que la neige ne vienne pas cacher les rayons lumineux. Les vitres empêchent la chaleur de s'envoler et la condensation produite par les plantes est redistribuée sous forme d'eau qui s'écoule le long de ses petites parois. Un système complexe, mais si simple quand on y pense. Les fleurs ainsi préservées contre le froid, bien soignées par les mains des jardiniers, se conservent presque éternellement. D'où le nom d'æternam florẽo !

-C'est merveilleux.

-D'autant plus que nous pouvons, non seulement, conserver des fleurs, mais nous avons commencé un autre æternam florẽo beaucoup plus grand un peu plus loin et que nous prévoyons y transplanter des arbres fruitiers. Imaginez, si nous réussissons, nous aurons des fruits frais pendant tout une année. C'est un projet que je chéris et s'il est concluant, j'en ferai construire dans tout le pays. Mes sujets pourront récolter toute l'année et aussi faire le commerce des fruits. Les familles seront mieux nourries et la famine sera durement combattue dans mon royaume. C'est encore un projet, mais qui semble vouloir se concrétiser.

-C'est une idée géniale !

-Continuez… Ne vous arrêtez pas, vous étiez si bien partie !

Mira se mordit la lèvre inférieure.

-Essayez-vous encore de dissimuler vos rires ?

-Non… Sire !

-Je commence à vous connaître, Mira fille du sage de la Forêt d'Elfe ! Quand vous vous mordez la lèvre c'est que vous tentez de vous retenir de sourire !

-C'est vrai ? Je me mords la lèvre ? Je n'ai jamais remarqué que je faisais ça !

-Eh ! bien, moi, si ! À quatre-vingts ans vous aurez la lèvre inférieure d'un singe, si vous continuez !

-Ha ! ha ! Et je ressemblerai aussi à un singe !

-Ha ! ha ! Je doute vraiment que vous puissiez un jour ressembler à autre chose qu'à une rose !

Cette phrase avait mis Mira dans l'embarras. Bjarni, souriait voyant que la dame était intimidée par les compliments que l'on faisait sur sa personne.

-Restez ici.

-Que faites-vous ? Pourquoi passez-vous ces gants ?

-Une petite minute. Curieuse ! Elle veut tout savoir, tout voir ! Retournez-vous ! Si, si… retournez-vous, regardez vers l'extérieur et ne trichez pas ! Vous vous retournerez seulement quand je vous en donnerai la permission !

Mira regardait du coin de l'œil. Tout ce qu'elle réussissait à voir, c'était ce que ses yeux avaient dans leurs angles, des fleurs, des feuilles. Elle entendait des ciseaux qui taillaient, des bruits de feuilles, du papier… Du papier ? Que faisait le roi avec du papier dans un æternam florëo ? Avec fierté, Bjarni passa derrière elle et de son bras droit lui présenta un immense bouquet de roses blanches, roses et rouges enrobé dans un papier qu'il avait soigneusement noué d'un ruban vert.

-Madame est servie !

-Oh !

-Vous le prenez ce bouquet ? J'ai les bras faibles, je ne peux pas rester longtemps les bras tendus. Probablement que je n'ai pas assez mangé de petits pois quand j'étais un jeune enfant ! (silence) Vous l'avez encore fait !

-Quoi ? Qu'ai-je fait Majesté ?

-Vous mordre la lèvre ! Quelle fâcheuse habitude ! Tut ! Tut ! Tut ! Moi, je n'ai pas assez mangé de petit pois et vous vous en avez trop mangé !

-Ha ! ha ! Majesté. Donnez-moi ce bouquet ! Ha ! ha ! Vous êtes impossible !

-Moi ? Impossible ? Vraiment ? Parce que je n'ai pas mangé assez de petits pois ?

-Ha ! ha ! Majesté, votre sens de l'humour est… est exquis !

-Madame ! Arrêtez ! Moi, exquis ?

-Non… votre sens de l'humour, Sire.

-Ah ! Je me disais aussi qu'il y avait quelque chose qui clochait dans ce que vous disiez !

-Ha ! ha ! Vous continuez ! Majesté ! Vous me faites penser à mon père !

-Ah ! Je ne suis pas exquis, mais j'ai un sens de l'humour exquis, bon. Par contre, je peux me vanter que je ressemble au sage de la Forêt d'Elfe ! C'est trop d'honneur pour moi ! Venez que je fasse envoyer cette nouvelle à travers toute la Norvège !

-Majesté ! Vous êtes coquin !

-Moi ! Jamais de la vie !

-Mais si vous l'êtes !

-Ah ! Bon, puisque vous le dites. Je ne m'obstinerai pas avec une dame ! La nuit serait tombée que je n'aurais toujours pas réussi à avoir raison !

-Ha ! ha ! Est-ce donc ce que vous pensez des femmes, Sire ?

-Si vous saviez tout le bien que je pense d'elles ! Ne vous en ai-je pas fait la preuve en vous offrant ce bouquet ?

-Vous ne répondez pas à ma question… ou plutôt si… mais d'une façon détournée et j'avoue que le moyen choisi est charmant ! Et ces roses sont magnifiques.

Un jardinier entra, la vue cachée par ce qu'il avait dans les bras. Deux gros sacs remplis de terre noire. Il entrait avec précaution ne voulant pas que la porte de bois cogne sur les murs de verre.

-Tiens ! tiens ! Valdorson ! Où allez-vous de la sorte chargé comme un mulet ?

-Sire ? Pardon, je ne vous avais pas vu. Oh ! Madame, pardonnez-moi, je ne savais pas… je vais revenir plus tard.

-Non ! Valdorson, entrez et passez-moi un sac, je vais vous alléger. Où allez-vous donc avec cette terre ?

-Déposez-le ici. C'est pour ajouter dans le fond là-bas. Des fleurs de Jérusalem vont arriver bientôt et je prépare le terrain.

-Des fleurs de Jérusalem ? Demanda Mira étonnée.

-Oui, Madame, non seulement nous cultivons des fleurs connues de notre pays, mais aussi des fleurs rares et qui viennent de pays lointains.

-Ah ! Comme c'est intéressant !

-Vlardorson, nous allons vous laisser préparer votre petit coin, je vous enlève la présence de la dame, nous allions sortir quand vous êtes arrivé. Venez, Madame.

Mira sortit bouquet dans les bras avec le roi. Elle se retourna pour admirer l'étrange construction qui recelait de véritables merveilles. Bjarni la reconduit à l'intérieur du château ne perdant pas l'occasion de l'avoir près de lui pour son petit-déjeuner. L'avant-midi se déroulait sans anicroche et les événements passés semblaient vouloir reprendre le chemin des oubliettes.

Dans l'après-midi, Mira poursuivit son périple dans les enceintes de la cour. Le soleil était encore de la partie et comme la journée précédente, brillait de toutes ses forces réchauffant les cœurs, les corps, la pierre, la terre, l'air. Bjarni était retourné vaquer à ses occupations. Mira déambulait dans la cour, accompagnée de ses deux servantes qui étaient bien plus que de simples domestiques pour la dame. Elles étaient arrivées à la hauteur des écuries. Mira avait le cœur qui battait. Des chevaux ! Oui, une écurie remplie de bêtes racées. Des écuries royales, quelle merveille. Le bâtiment à lui seul faisait plusieurs mètres de longueur et se mariait bien avec la grande galerie juste en face qui bordait la façade nord du château. Il y avait beaucoup d'activités. Des palefreniers, des garçons d'écurie, des chevaux sortis de leur étable pour se faire choyer, enfin, tout ça était inhabituel pour Mira mais si coutumier pour tous ces gens.

Les servantes qui l'accompagnaient parlaient de tout et de rien, entre elles. À mi-chemin entre la galerie et l'écurie, Mira surprit une conversation entre deux hommes bien malgré elle. Un homme qu'elle avait déjà vu, oui, l'homme qui s'était présenté le premier à elle dans le château de Boris… *Quel est son nom ? Ah ! Je ne m'en souviens plus.* L'homme en question qui était à bonne distance, se pencha sur la rampe et appela un autre homme.

Mira fut distraite de la discussion de ses voisines quand l'homme attira son attention par ce qu'il demandait à l'autre. Faisant mine de rien, Mira tendait l'oreille. L'homme de son perchoir ne pouvait pas les voir et ne se soucia guère qu'il puisse l'être se sentant en toute sécurité dans le château royal quant au discours qu'il pouvait tenir.

-Sébason ! Sébason ! Viens ici. Approche !
-Oui, général Mirikof ?
-Avez-vous des nouvelles des messagers ?
-Non, rien de plus que ce que nous vous avons déjà dit. Ils se sont bien rendus jusqu'en territoire Suédois. Cette partie du parcours s'est bien déroulée. Dès qu'ils seront sur le chemin du retour, je vous le ferai savoir. Il leur fallait bien trois jours au moins pour atteindre les berges de la Suède et trois autres pour en revenir, ils devraient revenir d'ici peu avec la réponse du Roi Boris.
-Je pensais que peut-être nos vigies les auraient aperçus.
-Non, pas encore. Ne vous inquiétez pas si dans trois jours, ils n'ont pas été vus, là, il faudra en conclure que Boris leur a réservé un mauvais accueil !
-Oui, c'est bien ce que je crains avec Boris de quoi pouvons-nous nous surprendre ! Espérons que notre plan d'enlèvement l'aura fait réfléchir ! Et qu'il daignera répondre à notre missive selon nos calculs sinon, c'est la guerre, Sébason.
-Général, ne vous inquiétez pas, dès que nous avons la moindre petite nouvelle, vous serez informé aussitôt !
-Merci, Sébason.

L'homme retourna par où il était sorti et Sébason aussi. Mira n'entendait plus les servantes qui jacassaient auprès d'elle. Une prise de conscience soudaine vint lui scier les jambes. La discussion entre les deux hommes s'était déroulée à leur insu et Mira était aux premières loges. Spectatrice d'une scène qui venait de lui remettre les événements des derniers jours à la place qu'ils avaient toujours occupés, mais que Mira par mauvaise compréhension avait quelque peu déplacés. La vérité lui crevait l'esprit. Boris, l'avait si souvent induite en erreur, l'avait tellement menacée, que dans son âme de pucelle, de paysanne soumise par la force des choses, elle n'avait pas cru qu'elle soit victime d'un enlèvement. Bien au contraire, Boris était derrière tout ça ! Voilà ce qui avait traversé son esprit depuis les derniers jours. Avec cette parcelle de discussion entre deux hommes qui n'avaient nullement intérêt à inventer une histoire pareille, Mira réalisait l'ampleur de sa naïveté. Ce que le roi Bjarni lui avait raconté était la vérité.

Dieu du ciel ! Ce n'était pas une mascarade orchestrée par Boris. J'ai réellement été enlevée ! Ce n'était pas un test pour m'éprouver mais réellement un plan pour sauvegarder une paix ! Dieu ! Dieu ! Si les messagers l'ont rattrapé... C'est affreux ! C'est affreux ! Croira-t-il à cet enlèvement ? Moi, qui ai voulu le fuir plus d'une fois, qui lui ai toujours démontré ma hargne et mes repoussements ! Mon Dieu ! Roberts, Père ! Ils sont en danger ! Il pensera que c'est moi qui ai organisé tout ça pour le fuir, pour lui nuire et il reviendra à son château pour mieux se dérager sur eux ! Comment prendra-t-il le fait que je suis dans le château d'un autre Roi et de son ennemi ! Mon Dieu ! Je suis certaine qu'il croira que j'ai tenté de m'enfuir et que je n'ai pas été enlevée, mais que j'ai demandé l'aide de son ennemi ! C'est terrible ! Il faut que je fasse quelque chose ! Quelle sotte ! J'ai perdu tout ce temps ! J'ai encore une chance. L'homme a dit trois jours avant qu'ils ne reviennent. Il n'y a que deux jours d'ici au château de Boris. Mira... vite.

L'esprit quelque peu troublé de Mira était fort compréhensible. Du moins, à mon point de vue de général. Comment peut-on réagir autrement quand on vous sort du fond de votre forêt, qu'on vous dit que vous êtes une figure légendaire, que vous serez promue à un des plus hauts titres de la hiérarchie, que vous avez dix-sept ans, que vous êtes pucelle et que le tout vous a été imposé avec une violence physique et psychologique, exécuté avec une main de fer comme celle de Boris ? C'est vrai que lorsqu'on regarde tout ça d'un point de vue d'observateur, on se dit que nous, on aurait fait ceci, cela. Critiques que nous sommes ! On se regarde le nombril et l'on croit posséder la science infuse dans de telles situations. Qu'en est-il lorsque les événements se bousculent vous plongeant profondément dans une situation délicate et inconfortable sans même vous laisser le temps de réfléchir et d'avoir des réactions sensées ? Il faut vivre les événements pour les comprendre. Les comprendre n'est pas toujours évident sur le moment. Ce qui arrivait à Mira, était comme une route sur laquelle on vous a déposé et où il faut avancer sous la contrainte sans se retourner parce que cela vous a été interdit. Le destin est cette route où chacun de nous sommes les passagers et pour lequel une force obscure nous guide bien malgré nous. Mira n'était pas mieux outillée que n'importe lequel d'entre nous pour se sortir de ce cauchemar. J'aurais été comme elle, moi. Dans ce monde inconnu qu'était la monarchie pour une paysanne, avec des émotions inconnues pour un cœur de jeune adulte n'ayant rien, ni personne sur quoi se reposer pour faire face à ce qui lui tombait dessus. Quand une pluie de météorites géantes vous tombe dessus et que vous n'avez qu'une petite ombrelle pour vous protéger, vous êtes certain d'être heurté, blessé, voire même tué. Voilà comment se sentait notre jeune héroïne. Déracinée, violentée, éprouvée, et je pourrais en ajouter bien d'autres. Tout le dictionnaire ne suffirait pas à exprimer ce qu'elle pouvait ressentir, ce qu'elle pouvait vivre.

C'est donc dans un état de délabrement émotif le plus total qu'elle se résigna à la seule solution qui réussissait à sortir de sa matière grise qui faisait tels des rouages des grincements, des bruits insolites sous son épaisse chevelure blonde.

Les dames qui l'accompagnaient cessèrent leur discussion voyant la dame immobile, le regard perdu, la poitrine haletante. Quelque chose avait perturbé la gracile demoiselle.

-Madame, vous vous sentez bien ?
-Non… Je veux rentrer.
-Que vous arrive-t-il ? De quel mal êtes-vous donc la proie si soudainement ?
-Je… je… ne sais pas ! Je veux juste rentrer. Je vais dormir. Peut-être suis-je fatiguée ?
-Venez, nous allons vous reconduire.

Sans perdre un instant, les deux servantes inquiètes de ce malaise soudain se dépêchèrent prenant Mira par les bras. Arrivées dans la chambre Mira s'étendit sur le lit.

-Madame, voulez-vous boire de l'eau ? Manger quelque chose ?
-Non… Non… Je vais dormir.
-Nous allons cueillir le médecin.
-NON ! Ça va maintenant… Je vais dormir c'est tout. Ne vous dérangez pas pour moi et n'allez surtout pas sortir le médecin de ses activités pour un simple malaise de fatigue. Il a sûrement bien mieux à faire !
-Mais Madame, nous…
-Non, je vous dis… ça va déjà mieux. Un peu de repos et je serai ravivée demain.
-Bien… Puisque vous insistez !
-Serait-il possible qu'on ne me dérange pas jusqu'à demain ?
-Bien… Nous allons voir ce que nous pouvons faire… mais soyez assurée que nous viendrons voir à la tombée de la nuit si vous vous portez bien !

Les dames la bordèrent et sortir de la pièce. Dans le lit, Mira ferma les yeux. Une heure ou deux de sommeil lui apporterait l'énergie nécessaire pour le plan qui avait surgi de la profondeur de ses yeux d'océan.

Les lueurs du soleil étaient sur leur déclin et la nuit s'annonçait chaude et humide. L'extinction des feux avait été sonnée et tout était calme entre les murs de pierres de cette construction gigantesque. Bjarni, intrigué par l'absence de Mira à sa table pour le souper fut informé du malaise de la belle. Il avait exigé qu'on envoie son médecin. Cependant, après avoir été renseigné des requêtes de la belle à ce sujet, considéra que c'était là sa volonté et qu'une surveillance des servantes était suffisante. Après tout, n'avait-elle pas été lourdement éprouvée la veille par Varek ? Elle avait dû passer une nuit blanche et tous ces événements avaient contribué à épuiser la frêle dame. Bien normal après tout qu'elle soit alitée pour passer une bonne nuit.

Dommage, par contre, que je n'ai pas eu la chance de la revoir aujourd'hui ! Ses rires et ce petit nez délicat, baignés dans des yeux aussi doux que la soie ! Bjarni ! Je recommence. Assez ! Tu en as eu beaucoup plus que tu n'aurais jamais espéré ! Tu la vois tous les jours, tu discutes avec elle, tu lui prodigues toutes les attentions que tu réservais à ton épouse ! Je devrais m'en contenter. Pourtant ! Les nuits sont si longues... Pervers ! Décidément, je me découvre des états ! C'est bien fait pour toi ! Dieu me punit ! Je devrai attendre jusqu'à demain pour la revoir. J'ai un peu abusé de sa présence et me voilà bien servi ! Au lit, Majesté ! Comme dit Mirikof, la nuit porte conseil. Si la nuit pouvait me porter autre chose pour une fois ! Ah ! Assez ! C'est de l'automutilation ! Je me torture moi-même !

Dans cette lutte entre son diable et son Dieu, le roi regagnait ses appartements pour la nuit.

À la lueur des chandelles, sur la pointe des pieds, les servantes ouvrirent la porte pour voir si la belle dormait. Dans cette pénombre, les dames s'approchèrent à pas de loup vers la promise qui dormait à point fermé. Elles ressortirent avec les mêmes précautions qu'elles avaient déployées pour entrer satisfaites de voir que la dame dormait.

Tôt le lendemain matin, Bjarni, vêtu d'un pantalon, torse nu, pomme à la main, s'assied sur le rebord de sa fenêtre. Les brumes du matin transportaient une telle fraîcheur et des odeurs agréables !

Il fera encore une journée superbe aujourd'hui ! J'espère qu'elle s'est remise ! Si ce n'est pas le cas, qu'elle le veuille ou non, le médecin sera son compagnon de chevet ! Si elle est mieux ! Ah ! Si elle mieux ! Mira... aujourd'hui, je t'emporterai en ballade. Oui, une ballade sur les bords de la rivière et un repas sur les berges ! Oui. Je suis certain qu'elle aimera et ça la changera de l'enceinte de cette cour.

La porte ouvrit brusquement le tirant de ses rêveries. J'entrais et me pressais vers lui. Bjarni se leva, jeta son cœur de pomme par la fenêtre.

-Majesté, Majesté elle s'est enfuie…

-Quoi, qu'est-ce que tu dis ?

-Cette nuit, elle s'est enfuie, Sire…

-Comment ?

-Venez les chevaux sont sellés… il faut la retrouver !

-Quoi ? Comment a-t-elle pu s'enfuir Mirikof ? C'est impossible ! Il y a des gardes partout !

-Sire, elle a noué plusieurs draps ensemble. Elle est descendue le long de la façade.

-Voyons Mirikof ! La fenêtre de la chambre est au deuxième étage, il y a plusieurs coudés avant d'arriver en bas !

-Je vous dis qu'elle s'est enfuie.

-Mais les gardes dans la cour, aux portes ?

-La nuit, il fait noir, Sire ! Et vous savez aussi bien que moi que la dame est plutôt discrète… Elle s'est faufilée par je ne sais quelle ouverture avec une monture qui manque à l'appel aux écuries. Toujours est-il qu'elle est introuvable dans tout le château et dans toute la cour.

-Elle ne doit pas être bien loin, Mirikof ! Comment une bête de la taille d'un cheval a-t-elle pu passer inaperçue aux yeux de nos gardes ! Je n'arrive pas à comprendre. Éclairez-moi !

-L'un de vos gardes à la porte nord a bien vu la bête passée. Cependant, il n'y avait pas de cavalière sur le dos du cheval. Il s'est précipité pour le rattraper, mais avant qu'il réussisse à l'atteindre le cheval partait au galop. Ils se sont mis à plusieurs pour tenter de le rattraper mais en vain. La bête avait pris les bois. Ils n'ont pas trouvé nécessaire de vous éveiller pour une bête qui s'était enfuie, jugeant que ce matin, le cheval serait dans les parages et remis aux écuries.

-C'est peut-être pendant cette distraction que Mira est sortie de nos murs ?

-Sûrement ! Venez, vous savez qu'il faut la retrouver avant l'arrivée de Boris, sinon, il aura raison de nous écorcher vivants.

-Ahhhhhh ! Pourquoi s'est-elle enfuie ? Je suis extrêmement contrarié par son geste !

Bjarni empoigna son haut de costume et sortit en vitesse accompagné de Mirikof. Quatre chevaliers attendaient sur leur monture. Nous partîmes à toute vitesse avec les hommes. La seule direction possible était vers le Nord-ouest.

Le soi-disant cheval égaré n'était pas non plus dans les alentours. Bizarre. Une bête normalement domestiquée qui sort comme ça pendant la nuit, seule. Bizarre également que le cheval ne soit pas revenu ou resté à brouter de l'herbe. Balayant du regard les fourrés, la terre sur la route, nos cavaliers cherchaient un indice quelconque. La rosée du matin avait laissé le sol humide. Bjarni nous arrêta tous.

-Une minute. Regardez les traces.
-Majesté, il y a des traces partout. Les gardes ont piétiné pendant la nuit cette route essayant de rattraper le cheval. Disais-je.
-Oui, mais avançons lentement. Observez bien. Les gardes ne se sont pas rendus jusqu'en Suède cette nuit Mirikof ! Dans quelques instants on devrait voir les sabots de notre cheval errant. Ses traces sont fraîches. Aurons-nous la chance aussi d'apercevoir de petits pas ? Il faut qu'il y en ait. La dame ne s'est sûrement pas volatilisée !

Scrutant le sol, avec le regard perçant d'un faucon, nos hommes étaient au ralenti sur leur monture espérant que le roi puisse dire vrai. Quelques pas de sabot plus loin, le piétinement de quelques chevaux, ceux des gardes de la nuit, s'arrêtait. Ils avaient cessé leur poursuite à cet endroit. Nous distinguions les empreintes des sabots d'un cheval au galop, mais aucune empreinte de petits pieds. Perplexe, le roi s'arrêta de nouveau.

-C'est impossible ! Quel autre chemin aurait-elle bien pu prendre ? Impossible qu'elle soit descendue vers le Sud-ouest. Je ne comprends pas !
-Oui, vous avez raison. Quelle autre direction aurait-elle choisie ? Elle ne s'est pas enfuie pour une autre raison que pour retourner d'où nous l'avions enlevée ! Et prendre par le Col du Diable, c'est plus loin et trop long. Je ne comprends pas moi non plus, Sire.
-Attendez ! Je pense que je viens de trouver ! Oui. C'est ça. Oui, j'en suis certain. Le garde vous a dit Mirikof que le cheval n'avait pas de cavalier sur son dos, n'est-ce pas ?
-Oui, c'est exact.
-Du point de vue où il était, il ne voyait pas de cavalier sur son dos, mais le cavalier se tenait couché et penché sur l'autre flanc. Le garde ne pouvait pas le voir ce cavalier en jupons. Et nous ne trouverons donc pas de traces de petits pas puisqu'une fois sortie du portail, la dame s'est sauvée à dos de cheval au galop. Je suis certain que la dame a utilisé toute cette ruse pour réussir à nous filer entre les pattes.
-Sire. Ce que vous dites est plausible. Mais n'oubliez-vous pas qu'il s'agit d'une dame et que pour s'agripper ainsi sur le flanc d'une bête il faut être agile. Sans compter qu'il est fort improbable que la

dame réussisse à faire obéir une monture de la sorte. C'est une dame, je vous le rappelle et une dame si délicate.

-C'est vrai que cela peut vous semblez impossible, mais voyez-vous une autre explication, Mirikof ?

-Non... non... mais...

-Je pense que la dame est beaucoup plus agile et plus futée qu'elle ne le laisse voir. Première chose, elle a été élevée en campagne. Peut-être son père faisait-il commerce de chevaux ? Ce qui expliquerait son habilité à se faire obéir par la bête et ses connaissances aussi question chevaux. Autre chose. Son agilité. Souvenez-vous Mirikof de quelle façon elle nous a échappé la première fois.

-Oh ! Oui. Lorsqu'elle s'est passée par-dessus la rambarde et qu'elle a fait un saut... oui... oui...

-Elle est retombée sur ses pieds comme un chat sur ses pattes. L'escalier était quand même d'une hauteur vertigineuse. Elle est arrivée sur une table sans même la faire renverser, dans une souplesse telle qu'il ne lui fallut pas plus que quelques secondes pour s'enfuir à pleines jambes.

-Oui... oui... d'ailleurs je n'avais pas emprunté cette manière de descendre considérant que j'étais trop vieux et malhabile pour réussir.

-Moi, je l'avais suivi. Souvenez-vous que la table s'était brisée sous mon poids et que si je n'avais pas emboîté le pas rapidement je me serais retrouvé sûrement avec quelques membres cassés ! Ensuite, hésitante, oui, mais son saut en bas de la pente raide ? Elle est tombée, oui, mais qui ne serait pas tombé à cette vitesse et sous le sol qui vous dégringole sous les pieds ? Souvenez-vous que pour parvenir auprès d'elle, nous avons dû prendre toutes les précautions pour y arriver en un seul morceau ?

-Oui... Vous dites vrai, Sire ! La dame est agile et rapide. Elle connaît sûrement très bien les montures. Oui, là, je commence à croire que vous dites vrai Majesté et que la dame nous a emprunté un cheval. Nous n'avons pas un instant à perdre, suivons les traces avant que l'activité matinale de nos sujets ne vienne embrouiller tout ça.

Ne perdant pas de vue les traces des sabots, la petite cavalerie que nous étions, suivait au galop la route. Bjarni se tut serrant les dents et les rênes de son cheval.

Ah ! Mira ! Pourquoi t'es-tu enfuie ? Varek t'a manqué de respect j'en conviens, mais tu mets non seulement ta vie en danger, mais l'avenir de tout mon Royaume. Je suis choqué. Je n'accepte pas cette façon cavalière que tu as prise pour nous fausser compagnie. Tu savais que la paix reposait sur toi ! Je ne t'ai pas si malmenée ! J'ai fait une erreur et je m'en suis largement excusé ! Tu as accepté mes excu-

ses et tu m'as même pardonné ! Ne serais-tu qu'une petite hypocrite ?
Oui, c'est ça ! Oui, tu t'es joué de moi ! Tu m'as séduit, tu m'as char-
mé, tu t'es moquée du Roi ! Sous tes airs de douceur et de fragilité, tu
caches une intrigante ! Je suis énormément choqué de m'être laissé
berné comme un jeune adolescent, rêvant de tes caresses et de tes
étreintes ! Je suis un idiot ! Boris est son amant. Elle est sûrement la
raison première de la marche des guerriers de Boris. Ça doit être à
cause de toi, Mira, que Boris a décidé de mettre ses troupes en mou-
vements, parce que tu lui as demandé ! Voilà la raison qui te motive à
courir à travers bois. Tu veux m'obliger à combattre contre lui. Tu
veux mettre en péril mon plan de paix ! Sans compter que tu dois être
impatiente d'être dans son lit ! Ah ! Si tu crois que je vais me laisser
mener en bateau plus longtemps. Ton jeu est découvert, ma petite ! Je
suis bon, mais j'ai le cœur en feu ! Tu as, cette fois, un peu trop attisé
ma flamme. Je vais te ramener par les cheveux jusque dans tes appar-
tements. Non, tu n'auras plus tes appartements. Le donjon sera plus
approprié pour le genre d'envoûtante personne que tu es. Tu
n'enjôleras plus personne jusqu'à ce que j'aie la réponse de Boris. Tu
n'en auras plus l'occasion.

Bjarni croyait vraiment qu'il avait été manœuvré. Ce qui était iro-
nique dans toute cette histoire, est le fait que Mira pensait avoir été
victime d'un démentiel jeu de Boris jusqu'à ce qu'elle réalise
l'ampleur de sa méprise et que Bjarni de son côté pensait que Mira se
vouait corps et âme pour Sa Majesté Royale Boris de Suède ! Ah ! Ce
que l'esprit peut parfois être vilain, au point de masquer complètement
la vérité.

J'escortais le roi tout en remarquant l'attitude changeante de mon
partenaire de route au fur et à mesure que nous nous enfoncions dans
les profondeurs de la Norvège. Il se passait quelque chose dans la tête
du roi, mais à ce moment, je n'arrivais pas à savoir s'il s'agissait
d'une inquiétude face aux dangers qu'aurait pu rencontrer la promise
ou si c'était sa fuite qui le mettait dans tous ses états ou les deux.

Déjà en route depuis quelques heures, et toujours pas de Mira en
vue, les traces étaient entrecoupées par des passants sur la route. Des
marchands, des villageois qui se dirigeaient vers le village voisin, des
bûcherons, enfin, une panoplie de gens qui empruntent une route pour
diverses raisons. Cela compliquait et de beaucoup la tâche. Conti-
nuait-elle sur la route principale, où empruntait-elle des sentiers
secondaires pour dissuader ses poursuivants ? C'était devenu difficile
de faire la part des choses avec tout ce monde qui prenait la route et
qui utilisait les sentiers. Ce monde questionné dès leur rencontre ne

donnait guère plus de résultat. Personne n'avait vu de cavalière. Personne n'avait rencontré quelque dame suspecte ou qui aurait attiré l'attention de façon particulière. Non, rien, ni personne de spécial qui répondait aux caractéristiques de Mira. C'était étrange. Ils savaient pourtant qu'elle avait emprunté cette route du moins en bonne partie. L'intrigante Mira devait se cacher à chaque fois qu'elle entendait venir au-devant d'elle. C'était la seule explication raisonnable. La colère rongeait les abîmes intérieurs de notre jeune roi qui laissa sortir un juron.

-Faux prêtre !

-Dieu du ciel ! Sire… ne blasphémez pas ! Lui dis-je, surpris tout à coup que le roi s'exprime soudainement de cette manière.

-Je vais blasphémer si ça me plaît ! Comme si j'ai le temps et l'énergie à mettre à courir après les jupons de cette promise !

-Majesté, calmez-vous qu'est-ce qui vous prend tout à coup ?

-Ce qui me prend est que plus j'avance et plus la rage me gagne ! Elle s'est jouée de nous tous Mirikof ! Cette femme aux allures charmantes et délicates, n'est en fait qu'une petite intrigante et une arriviste de première ! Elle n'attendait que l'occasion pour se tailler une fuite pour nous empêcher de mener à bien notre plan de paix !

-Sire… Calmez-vous ! C'est vrai que cette idée m'a traversé l'esprit ce matin, mais sachez que ce plan de paix, elle ne pouvait pas en connaître tous les aspects, puisque c'est nous qui l'avons enlevée. Et ce plan, Sire, a été décidé sur le tard. Même si aujourd'hui, elle en connaît toutes les coutures, il faut admettre que si elle n'existait pas, il y aurait eu guerre de toute façon. N'oubliez pas que nous avons opté pour cette opération afin de l'éviter. Si, en ce jour, elle a mis en péril notre plan, dites-vous que vous aurez tout tenté pour en finir avec les désirs de conquête de Boris.

-Oui, tu dis vrai ! Mais qu'avait-elle besoin de nous mettre dans une telle situation ? Hein ? Dites-le moi Mirikof ?

-La dame voulait peut-être qu'il y ait une guerre, comme prévu !

-C'est ça ! Il faut la retrouver ! Elle peut bien galoper, je vais la retrouver, foi de fils de Magnus, je vais la retrouver et la ramener coûte que coûte au château ! Boris sera bien obligé de se plier à nos requêtes ! Sinon, je coupe le cou de sa Promise devant lui ! Et il ne sera pas dit qu'elle me ridiculisera de la sorte !

-Grand Dieu ! Sire, vous êtes en colère !

-Je suis plus qu'en colère, le sang bouille dans mes veines ! Je sens que je vais exploser tellement j'ai la rage qui me monte à la tête.

-Sire, je comprends votre colère, mais reprenez-vous ! Faire du mal à la dame ne sera pas une solution ! (silence) Je… je me trompe peut-être, mais vous êtes blessé, n'est-ce pas ?

-Je suis en colère !

-Certes, mais une partie de cette colère ne serait-elle pas imputable au fait que la belle dame ne vous est pas indifférente ?

Bjarni ne répondit pas. Préférant garder sa réponse derrière ses lèvres closes.

-Vous avez l'impression qu'elle a joué de ses charmes pour vous attendrir, non ?

-Mirikof ! Taisez-vous ! L'important pour le moment est de la retrouver !

-C'est ce que je disais ! Prenez garde que votre jalousie ne vous fasse faire quelques bêtises ! Dans la colère où vous êtes, il vous faudra tout un contrôle pour ne pas vous déchaîner !

Bjarni faisait la moue. Je me tus espérant que mes conseils portent fruits. Le roi était dans un tel état qu'une étincelle aurait pu l'enflammer telle une torche.

Nous étions maintenant à la hauteur d'une petite colline. De l'autre côté une petite rivière traversait la route surmontée d'un pont de bois ronds. Juste avant d'atteindre cette petite colline, l'épée de l'un des hommes sortit de son fourreau et tomba en carillonnant par terre. Ce son attira l'attention de la petite troupe, s'arrêtant pour laisser le temps au cavalier de descendre de sa monture et de reprendre son arme.

L'homme se pencha et ramassa l'objet. En se relevant, les mouvements dans les bois verdoyants sur le fait de la petite colline l'intriguèrent. Il fronça les sourcils, observa quelques secondes et finit par comprendre ce qui faisait balancer les branches et les fougères juste à côté de la route. À voix basse, il s'écria :

-Sire, Sire je la vois… !

Bjarni se retourna comme l'éclair et regarda dans la direction que l'homme pointait du doigt. Effectivement, la belle avait quitté la route et marchait aux côtés de la bête tentant de se frayer un chemin à travers la forêt. Bjarni, ne perdit pas une seconde. Cette vision alluma la mèche ! Il se retourna vers ses hommes comme l'éclair.

-Descendez la route jusqu'au pont, je vais aller moi-même la chercher !

Le ton sur lequel il l'avait dit ne m'inspira pas confiance. On venait de mettre le feu à la poudre. Avec sa monture qu'il fouettait de sa cravache pour en faire augmenter la cadence, il gravissait le flanc de la petite colline, gêné par les arbres et l'épaisse flore qui montait jusqu'au ventre de la bête. Mira, toujours à pied à côté de sa monture, continuait tant bien que mal l'escalade de la colline pour en débuter la descente car de l'autre côté, elle voyait une petite rivière et il serait plus facile de longer les berges que de couper à travers bois comme elle le faisait. Elle faisait gaffe de ne pas toujours rester sur la route pour éviter non seulement de mauvaises rencontres, mais aussi pour brouiller les pistes. Elle se sentait plus en sécurité de cette manière. Bjarni, se mit à lui crier :

-Madame ! Mira ! Arrêtez-vous au nom du Roi ! Je vous sème de revenir ici sur le champ ! C'est le Roi, lui-même qui vous l'ordonne ! Hurlait-il.

Elle se retourna.

Dieu du ciel ! Ils m'ont retrouvé. Non... Non...

Le roi descendit de sa monture. Le cheval n'en pouvait plus ! Loin, de lui obéir, la dame se retourna aussitôt, lâchant les brides de sa monture et commença une course folle à travers l'épaisse forêt. Bjarni était furieux. Cette fuite ne faisait qu'aggraver la situation.

-MIRA ! Arrêtez tout de suite ! Ça suffit ! Vous êtes découverte maintenant ! Courir à travers bois comme ça ! Merde ! Mira ! Revenez ici immédiatement ! Petite idiote ! Je vais vous tordre le cou !

Mira commençait la descente de la petite colline et Bjarni derrière qui n'arrivait pas à la rattraper sentait bouillir la rage dans ses veines. Elle courrait vite et avec agilité déjouant sur son passage les branches et les obstacles naturels qui encombraient royalement Sa Majesté avec sa carrure d'épaules imposante et sa souplesse qui laissait à désirer si on la comparait à celle de Mira. Y allant de quelques jurons et de sons plus inimaginables les uns que les autres, Bjarni était en furie. Plus bas, arrêtés sur le pont qui surplombait la rivière, les hommes regardaient le spectacle les yeux grands ouverts. Voir le roi dévaler la pente en injuriant tout ce qui pouvait être injurié et la dame qui arrivait à la course sur les berges de la petite rivière, était tout simplement captivant. Mira traversa la rivière et trébucha sur une roche enduite de mousse. Sa chute dans l'eau froide, mouillant, les manches et tous les jupons, l'avait ralentie. Bjarni pensait qu'elle se serait arrêtée mais non ! Se relevant elle persista dans sa course et traversa de l'autre côté. Elle remontait une pente qui donnait sur une toute petite clairière où les bûcherons déposaient leurs cordes de bois. Bjarni traversa la rivière à la course poursuivant la belle. Les gardes royaux se regardèrent tous sourires en coin.

-Elle est aussi rapide qu'un cerf, La Promise ! De dire l'un.
-Et Sa Majesté est loin d'être aussi agile ! De répondre l'autre.

La course folle se poursuivait. Mira, arrivée près d'une corde bois, s'arrêta. La main sur le côté droit, elle devait reprendre son souffle. Un point dans ses côtes lui indiquait qu'elle avait peut-être un peu trop exigé de son petit corps. Bjarni s'en trouvait avantagé. Il connaissait chaque recoin de ces bois et la belle semblait épuisée. Fatigué qu'elle lui file entre les pattes, il fit un détour pour se dissimuler derrière le tronc d'une immense épinette. Il la voyait, accotée sur la corde de bois, qui reprenait son souffle scrutant du regard derrière elle. Plus de poursuivant. L'aurait-elle semé ? L'assaillant n'était plus là. Court répit, il fallait reprendre la course et se cacher quelque part. Elle reprit sa route, mais dès qu'elle passa tout près du tronc d'épinette, le roi sortit de sa cachette. Elle se buta contre son torse. Surprise, elle fit un pas en arrière. Il se tenait debout devant elle et elle comprenait par son regard qu'il était dans une rage folle.

-Alors Madame, ça vous amuse de faire courir le roi ? Hein ? Dites, ça vous amuse ? Vers où couriez-vous de la sorte ? Vers le lit de Boris ? Courir vous vautrer dans sa couche ?

Il lui servit une violente gifle qui la fit trébucher sur la corde de bois derrière elle. Elle tomba, tentant en vain de s'éloigner du roi qui avançait d'un pas lourd vers elle. Il se pencha sur elle.

-Mettre en jeu la paix d'une nation tout entière, ça ne semble pas vous tenir à cœur, Madame ? Votre petite personne est bien trop importante, n'est-ce pas ? Mettre votre vie en péril, la dignité du Roi, ça vous importe peu, n'est-ce pas ?

Il hurlait sa déception, sa frustration. Il lui empoigna les poignets et la retourna vers lui avec force.

-J'ai bien envie de vous infliger une correction dont vous vous souviendriez le reste de vos jours ! Regardez dans quel état vous êtes ! Quelle monnaie d'échange puis-je espérer maintenant ! Si Boris vous voyait, là, tout de suite, que pourrais-je répondre à ses reproches ?

Que trouverais-je comme excuse pour que ne s'abatte sur moi et tout mon Royaume, sa colère ? Dites-le moi ? On ne se joue pas de moi comme ça, Mira !

Il serrait de toutes ses forces les poignets et la secouait vigoureusement.

-Dis-moi Mira que je te fais mal ! Dis-moi que je te fais mal ! Comme tu peux me faire du mal ! Réponds-moi !

Il lui servit une autre gifle qui la renversa face à la corde de bois.

-Tes pleurs n'y changeront rien ! Tu es une... une... catin, la putain de Boris !

Il se tut. Il lâcha prise sur les poignets presque renversés. Agenouillée par terre face contre la corde de bois, trempée jusqu'à la moelle des os, les petites mains sur les bûches, elle ne bougeait plus.

-Tu t'es moquée de moi, Mira ! Tu as tout fait rater ! Tu vas payer pour ça. Je te jure que tu vas me le payer !

Il claqua de sa cravache les petits doigts posés sur les bûches de bois. Une douleur intense traversa tout le corps transit de la belle. Sa main devenait le point névralgique de tout son corps meurtri. Ce coup de cravache était sournois. Le seul moyen de défense de la belle fut de cacher ses petites mains flageolantes contre son torse.

-Je t'ai fait mal Mira ? Montre-moi ? Montre-moi ? Montre au Roi comme il peut être méchant !

Il se pencha de nouveau sur elle et passa sa main pour attraper les poignets qu'elle dissimulait. Brusquement, il la retourna de nouveau.

-Montre-moi ! Montre-moi ! Montre au Roi ce qu'il est obligé de te faire pour que tu comprennes l'ampleur de tes bêtises !

Les petits doigts frigorifiés de la main droite étaient tous marqués d'un trait rouge tirant sur le pourpre, enflés à l'extrême.

-Regarde ! Regarde !

Ses cheveux en bataille recouvraient son visage. Bjarni lui empoigna la crinière et lui releva la tête. Il voulait qu'elle regarde. Ce geste lui valut la possibilité d'admirer le résultat de sa rage. Sa lèvre saignait. Ses joues étaient couvertes de larmes et ses yeux rougis étaient à demi clos. Sa furie avait dépassé la raison. Devant la dame agenouillée, en perte certaine de ses forces, la détresse qui se lisait sur tout son corps tremblant et cet écart de force physique, Bjarni se raisonna. Prenant conscience avec quelle brutalité, il s'était acharné sur elle. J'arrivais à ce moment avec la monture du roi. Je voyais le roi s'acharner sur la demoiselle et je pris le bras qui tenait la crinière de la dame et calmement je dis :

-Sire, je crois que ça suffit maintenant…

Le roi relâcha toute emprise et se releva. La dame se plia en deux dissimulant sa main blessée. Bjarni tourna son regard vers moi. La rage faisait place à un dégoût de ses manières. Il ne dit plus un mot et partit à toute vitesse en direction du château. Ses autres hommes toujours en position sur le pont le regardèrent passer. Les regards s'entrecroisèrent, sans pour autant comprendre pourquoi le roi était si pressé et ne s'arrêtait pas.

Il cavalait poussant sa monture au maximum et brusquement tira sur les brides, ce qui fit ruer le cheval. Calmant l'animal qui ne faisait que répondre aux désirs de son maître, il emprunta un chemin secondaire. La bête ne galopait plus. Son maître s'était calmé et le fit même arrêter près d'un petit champ bordé par de gros rochers. Il descendit, s'assied sur l'une des roches et ferma les yeux. Son examen de conscience commençait.

Qu'ai-je encore fait ? Pourquoi me suis-je emporté encore envers elle ? J'étais gonflé à bloc quand je l'ai vu grimpant cette colline. Mira… Mira… pourquoi m'as-tu tenue tête ? Pourquoi cherchais-tu encore à t'enfuir malgré que je t'aie retrouvée ? Si tu t'étais arrêtée ! Non, Bjarni, ne te mens pas ! Tu étais tellement en colère que même si elle s'était arrêtée tu aurais tout de même perdu la tête ! A-t-on idée de perdre la tête à ce point envers une femme ? Moi qui n'ai jamais molesté une dame, voilà que je le fais et je remets ça avec la même ! Même si elle s'est jouée de moi, je n'avais pas à lui servir de tels châtiments ! C'est indigne, ignoble et inutile ! Si je ne lui ai pas broyé les os des poignets je n'en étais pas loin ! Mon Dieu ! Pourquoi l'ai-je frappée ? À deux reprises en plus ? Et ses petits doigts, j'ai bien failli lui couper ! S'ils sont encore d'un morceau, j'ai bien dû les casser. Qu'ai-je fait ? Cette fois, c'est certain, jamais elle ne me pardonnera un tel affront ! Elle était déjà épuisée, trempée et j'ai bien achevé le tout ! Ce visage ! Mon Dieu ! Cette petite bouche qui tremblait que j'aie blessée avec mes grosses mains ! La peur qui lui traversait tout le corps ! Elle n'a même pas dit un mot ! Elle ne cherchait qu'à m'éviter… Éviter ce que je lui infligeais ! Elle cachait sa petite main tout contre elle ! Elle n'a même pas crié ! Mon Dieu ! Mon Dieu ! Serais-je capable d'affronter son regard ? Cette fois, je suis dans de beaux draps et par ma faute ! Si Boris arrive et qu'il la voit dans cet état ! Ce n'est plus elle qui a mis quelque chose en péril, mais moi ! C'est ma jalousie qui a réussi à me transporter de rage ! J'ai moi-même contribué à l'échec d'un plan en mélangeant mes sentiments personnels avec les affaires de l'État. Quel imbécile je fais !

L'arrivée au château des gardes, accompagnés de la promise enveloppée dans ma cape, attira l'attention.

Je n'avais qu'à lancer des regards autour de moi, nul n'avait besoin d'explications sur ce que mon regard signifiait. Les gardes recommencèrent leurs occupations, les jardiniers leur jardinage, les menuisiers leurs travaux… Je descendis de ma monture et pris délicatement Mira que je transportai dans ses appartements. Donnant l'ordre que les servantes viennent veiller à lui prodiguer tous les soins. Mon prochain trajet était en direction du bureau du roi. La porte close, me laissait présager qu'il y était. Le bureau était pourtant désert. Le roi n'était pas encore arrivé. Après réflexion, c'est vrai que je n'avais pas aperçu sa monture dans la cour. Qu'à cela ne tienne, je l'attendrais sagement assis dans un fauteuil.

Plus d'une demi-heure plus tard, l'activité dans la cour me laissait présager que le roi entrait au bercail. Comme je le présumais, les pas dans le corridor semblaient se diriger vers le bureau. Quelques minutes suffirent et la porte ouvrit. Je me levai.

-Majesté ! Où étiez-vous ?
-J'ai pris un autre chemin. J'avais besoin de réfléchir. Pour réfléchir à mon aise, il m'aurait fallu me rendre jusqu'en Afrique !
-Majesté, il faut que je vous parle.
-Oui, je sais. Et je peux vous dire que je sais d'ambler ce que vous me direz !
-Qu'est-ce qui vous a pris ? Quelle mouche vous a piqué ? C'est à mon tour d'être furieux. Et cette fois, c'est contre vous !
-Je n'ai pas de raisons valables à vous donner Mirikof ! Je suis un imbécile de la pire espèce !
-Sire, vous avez non seulement molesté cette dame, mais vos agissements pourraient nous coûter la colère justifiable de Boris ! Sans

compter la dame, première concernée, qui pourrait exiger réparation… et va savoir ce qu'elle pourrait exiger de nous !

-Que pensez-vous qui ait pu me trotter dans la tête depuis ? J'ai essayé de comprendre cette folie qui s'est emparée de moi quand je l'ai rattrapée. Je n'ai pas d'excuses, je n'ai pas de belles phrases toutes faites à vous servir. Je plaide coupable et je supporterai les conséquences de mes actes, croyez-moi !

-Je suis d'autant plus choqué que si la dame est ici, c'est à cause de moi ! J'avais vu à la protéger, mais, je ne peux la protéger contre un Roi et un Prince démoniaques ! Vous me décevez tous les deux ! Varek passe toujours, il m'a toujours déçu, mais vous, Sire, jamais je n'aurais cru !

-Ne pensez-vous pas que je ne me suis pas surpris moi-même ? Ai-je dans le passé démontré une telle hargne envers une dame ? Non… Non… jamais. Je me disais justement que Mira n'était pas comme les autres ! Il faut être différente pour faire du Roi considéré gentilhomme, un Roi aussi imbécile que je puisse l'être maintenant !

-Je présentais aussi que vous ne pourriez vous contenir ! Ne vous ai-je pas mis en garde !

-Je me souviens lui avoir dit que j'étais offensé parce qu'elle mettait en péril la paix de mon pays… mais, Mirikof… Tout ce qui me traversait l'esprit, c'était de la voir courir vers Boris. Je ne me connaissais pas ce sentiment : la jalousie ! Ne me regardez pas ainsi Mirikof… J'ai réellement perdu la tête. Je sais qu'elle n'est pas à moi. Qu'elle ne le sera jamais. Mais… la garder le plus longtemps possible près de moi… Cela m'a choqué quand je me suis rendu compte à quel point elle tenait à lui. Au point de s'enfuir pendant la nuit. J'ai été si grossier avec elle ! Allant jusqu'à lui dire qu'elle courait se vautrer dans le lit de Boris !

-Quel gâchis ! C'est pratique en temps de guerre comme ça, avec un traité de paix sous les bras, une Promise molestée et des messagers qui sont probablement sur la route du retour avec la visite prochaine du Roi ennemi ! On est dans une belle position et permettez-moi de vous le dire : par votre faute. Même si la dame s'est enfuie, ce qui n'était pas prévu, il faut admettre que vous avez réussi de main de maître à faire d'un événement anodin un véritable fiasco !

-Que puis-je vous dire Mirikof ! Vous avez raison, j'ai eu tort et je suis coupable, entièrement coupable.

-Bon… Il faut trouver un moyen pour réparer. S'il y a un problème, il existe une solution ! Cependant, Sire, il faut me donner carte blanche et suivre à la lettre tout ce que je vais vous dire.

-Je suis mal placé pour vous dire non.

-Bon… Réfléchissons !

Je m'assis ayant terminé de faire les cent pas dans la petite pièce. Bjarni leva les yeux vers moi et me demanda :

-Avant que vos méninges ne chauffent… Je peux vous poser une question ?

-Je sais ce que vous voulez savoir. Il ne faut pas être devin pour ça ! Elle va bien. Elle aura peut-être un rhume, trempée comme elle était… Cependant, votre coup de cravache sur les doigts !

-Je lui ai cassé les doigts ?

-Je ne sais pas… Heureux que vous ne lui ayez pas tranchés ! Des doigts si délicats !

-Alors… ses doigts ?

-Elle ne peut plus les plier tellement ils sont enflés… Vous espériez quoi ?

-Elle… Elle… a dit quelque chose sur le chemin du retour ?

-Quand je l'ai ramassée, tout ce qu'elle faisait c'était de cacher sa main ! À part trembler comme une feuille en se recroquevillant comme une enfant, prenant son autre main pour essuyer son visage et sa lèvre qui saignait, pas un son, pas un mot. J'ai fait la guerre, j'étais sur des champs de bataille et les gémissements des blessés sont une complainte que je ne souhaite pas laisser entendre à personne. Elle est beaucoup plus courageuse que bien des hommes ! Parce que je sais qu'elle avait mal. Quand j'ai vu le résultat de votre rage, Sire…

-J'aurais bien mérité que vous me raisonniez à coups de poing et je ne vous en voudrais pas si vous vouliez le faire tout de suite.

-Ah ! Ce n'est pas l'envie qui me manque ! Mais… vous marchez comme un chien fautif. Inutile d'en rajouter sur toute cette histoire.

-Elle a demandé quelque chose depuis son arrivée ? Elle n'a pas demandé de voir quelqu'un ?

-Non. Comme je vous l'ai dit. Rien depuis le chemin du retour jusque dans la chambre. Son silence et sa réserve sont les deux plus grandes qualités que possède cette dame ! Êtes-vous rassasié ?

-Oui… si on veut ! Je sais ce que je voulais savoir… à ces questions… mais j'en ai tant d'autres !

-Je sais. Mais il faudra lui demander à elle ! Je ne suis pas dans son corps et dans son esprit.

-Aurais-je le courage de me présenter devant elle ?

-Il le faudra bien ! Vous vous devez d'aller lui présenter vos excuses. Même si je doute qu'elle puisse pardonner ce que vous lui avez infligé, il faut que vous tentiez de réparer cette terrible erreur.

-J'y cours !

-Non… Halte là, jeune insouciant ! Ne pensez-vous pas qu'elle vous a assez vu aujourd'hui ? Elle est aux soins de vos servantes. Elle a besoin de repos. Demain seulement. Et en fin d'après-midi ce serait encore mieux. Il faut laisser la dame digérer un peu l'objet de ses douleurs.

-Oui… Vous avez raison !

Cette discussion dura encore une bonne heure. J'avais trouvé un moyen pour estomper au maximum les erreurs de mon jeune et fougueux roi ! Bjarni marchait au doigt et à l'œil sous mon aile protectrice qui lui était d'un secours inestimable étant donné l'énorme bévue qu'il avait quelques heures auparavant commise et multipliée par cent sous l'effet de la rage et de la jalousie.

Le lendemain, aux petites heures du matin, je fus sorti de mon lit par un garde.

-Général, Général, sortez de votre lit !
-Oui… oui… j'arrive.

Je sautais dans mon pantalon et torse nu, j'ouvris la porte.

-Général Mirikof, je…
-Barlson ! Vous êtes de retour ?
-Oui. Avec la réponse du Roi Boris !
-Donne !

Le messager me remit le parchemin.

-Merci ! Va… tu dois être épuisé, va dormir tu l'as mérité et la même chose pour tes compagnons de voyage. Ils sont tous revenus avec toi ?
-Oui, il n'en manque pas un !
-C'est déjà ça ! Profite de ce que le ciel t'a conservé et va dormir !

Barlson me sourit et partit se frottant le front et les yeux. C'est vrai que dans toute cette dépêche, lui et ses compagnons, n'avaient pas beaucoup mangé, presque pas dormi. Une nuit de sommeil même durant le jour qui s'élevait, c'était bienvenu.

C'était au tour de Bjarni de se faire tirer du lit. Je cognais à sa porte en lui ordonnant de se lever de façon audible qui aurait jeté le meilleur des ronfleurs par terre.

Comme moi, c'est en sautant dans son pantalon que le roi échevelé ouvrit la porte. Je tenais le parchemin dans mon dos et le regardais d'un air moqueur :

-Sire, allez, attachez votre crinière de lion ! Si vous sortez de vos appartements dans cet état, vous déclencherez la fuite de toute votre garde royale !

-Ha ! ha ! J'y vais, entrez !

Bjarni se rendit devant son miroir et pouffa de rire en se voyant.

-Je n'ai pas dormi de la nuit ! Voilà ce qui arrive quand on joue à la toupie dans son lit…

-Vous avez raison Sire, la toupie c'est un petit jouet qu'on fait tourner sur une table ou sur le plancher… Dans un lit ce n'est pas conseillé.

-Ha ! ha ! Bon… Je me peigne ! Pourquoi m'avez-vous sorti du lit de si bonne heure ?

Je sortis le document et le montrai à Bjarni qui en voyait le reflet dans la glace. Il se retourna et partait pour le prendre quand je l'arrêtai.

-Si vous ne finissez pas ce que vous étiez en train de faire, j'ai peur que les pattes de mouches sur cette missive prennent la fuite par votre fenêtre !

-Ha ! ha ! Bon… bon… je termine !

Bjarni ramassa son épaisse chevelure à l'aide d'un cordon de cuir. Je lui remis le document qu'il ouvra aussitôt. À la lecture rapide que Bjarni en faisait passant visiblement à l'essentiel, j'attendais.

-Mirikof, il sera ici dans deux jours ! Il ne pouvait venir avant car il devait faire remonter ses troupes dans les drakkars et rapatrier tout son attirail de guerre vers le Nord ! S'il est ici dans deux jours Mirikof, cela voudra dire que nous avons gagné !

-Oui ! Que dit-il d'autre ?

-Qu'il viendra signer notre traité et cueillir la belle mais aussi que je suis un bel enfoiré !

-Ha ! ha ! Hier, j'aurais dit qu'il avait raison, mais aujourd'hui j'ai changé d'avis ! Ça ne prend que Boris pour écrire des sottises pareilles !

-Tout est paré, n'y a-t-il pas quelque chose que nous ayons oublié ?

-Non, je ne crois pas. Le traité est prêt. Il faudrait peut-être penser à envoyer quelqu'un prévenir Euphrase et Étok.

-Est-ce bien prudent Mirikof ?

-Pas maintenant bien sûr, mais dans quelques jours, après la ratification de cette entente mutuelle.

-Oui… mais je me méfie de Boris. Il est préférable de laisser Etok se rendre chez Euphrase. Il a déjà fait beaucoup de route, un mois de plus de moins ne fera pas une grande différence. Nous enverrons quelqu'un mais pas maintenant.

-Je suis content de retrouver mon Roi comme je l'avais connu !

-C'est-à-dire Mirikof ?

-Un homme sensé, logique, Sire !

-Je m'en veux tellement… Si vous saviez !

-N'en parlons plus. Aujourd'hui est un autre jour et vous savez ce que vous avez à faire ! Vous avez la réponse et vous avez la charge d'aller lui annoncer ! Cela vous servira d'entrer en matière pour vous excuser. Une bonne nouvelle suffit peut-être à mettre un baume sur ses plaies !

-Je le souhaite Mirikof, je le souhaite !

-Bon, maintenant que vous êtes présentable, je vous laisse annoncer au reste de vos hommes cette nouvelle, quant à moi, je vais déjeuner, j'ai faim.

-Je vous rejoindrai Mirikof.

Document en main, Bjarni sortit de ses appartements et alla rejoindre ses généraux qui l'attendaient dans son bureau. La nouvelle se répandit à l'intérieur des murs de la demeure comme une traînée de poudre. Sous peu, le Roi de Suède, Boris Le Magnifique serait aux portes du château venu chercher La Promise et signer la paix. Tout entrerait dans l'ordre et chacun retournerait dans sa cour. Plus de conflit à l'horizon, plus de guerre inutile. Le plan initial issu de mes méninges semblait vouloir se concrétiser et finir comme je l'avais au départ présagé. Il n'y avait plus de doute, La Promise avait contribué à rejoindre deux ennemis qui avaient été sur le point de se livrer bataille. La Promise, une légendaire dame, gracieuse et belle, douce paysanne. Les sujets de Bjarni ne parlaient plus que d'elle dans tout le pays. Elle n'avait pas encore délivré la Scandinavie de ses misères, mais elle arrivait déjà à éviter une guerre. C'était bien la pucelle de la légende. À quand son grand voyage et son retour glorieux ? C'était devenu le sujet du jour. Dommage qu'elle ne soit pas future Reine de Norvège ! Mais, elle serait leur Reine voisine. Elle était prédestinée à être Reine quelque part et la Suède c'était mieux que la Russie, l'Arabie, quelques pays d'Europe, ou n'importe où ailleurs. La Suède était Scandinave, c'était suffisant pour les emballer.

Dans le château de Bjarni, la journée s'était passée dans l'esprit des préparatifs. Préparatifs pour l'arrivée d'un autre Roi. Un lieu d'échange avait été prévu pour l'objet de cette visite royale, la garde augmentée, la cour et le château nettoyés et les vigies prévenues qu'au moindre mouvement, ils devaient prévenir. On attendait Boris pour la fin de l'après-midi le lendemain ou le matin du surlendemain. Tous étaient dans l'attente, Bjarni y compris.

La soirée était tombée. Le ciel était étoilé et la demi-lune pointait décrivant son parcours régulier. La nuit serait encore chaude et humide. Le mois de juin pointait ramenant avec lui ses chaudes journées.

Bjarni prit son courage à deux mains et se rendit affronter ses démons. Il fallait qu'il renonce à tout jamais à ses sentiments envers La Promise et qu'il réussisse en même temps à obtenir d'elle, le pardon. Si ce n'était pas le cas, il devait au moins obtenir la garantie qu'elle ne parlerait pas de sa mauvaise expérience à Boris. Tout reposait sur l'omerta. Si la belle racontait à Boris, même après que ce dernier ait signé le traité, il aurait été en droit d'exiger l'annulation de l'entente puisque sa Promise avait été molestée. Tout s'était bien déroulé, côté plan, jusqu'à maintenant, il fallait pour la paix entre les contrées que la douce Mira se taise.

Il cogna à la porte. L'une des servantes vint lui répondre. Il lui fit signe de sortir en silence.

-Que fais la dame dans le moment ?
-Elle prit Majesté. Elle ne cesse de prier que pour manger et dormir. C'est une femme très pieuse.
-Comment va-t-elle ?
-Bien, Sire. Elle a beaucoup dormi. Cela lui a fait du bien. Les marques sur sa joue sont presque parties et sur ses poignets aussi. Il ne reste que ses doigts. Ils ont désenflé, mais ils sont bleus.
-Fais sortir tout le monde de la chambre je veux m'entretenir avec elle. Ne lui dis pas que je suis là.

La dame entra dans la pièce pour en ressortir avec sa compagne de travail. Bjarni prit une grande respiration et entra. Elle n'était plus sur le prie-Dieu, elle était assise sur le rebord de la fenêtre et regardait vers l'extérieur. Dès qu'il ouvrit la bouche pour prononcer un son, elle sursauta et cacha sa main.

-Madame… Pardon, je ne voulais pas vous surprendre ! Je pensais que vous m'aviez entendu venir vers vous.

290

Bjarni ne savait pas par où commencer. La tâche était ardue. La demoiselle ne le regardait pas et il ressentait une frayeur qui transcendait la frêle créature d'un bout à l'autre. Ce geste d'autodéfense ne lui facilitait pas la tâche. Ce visage d'ange portait les traces sur une joue d'un abus physique ainsi que sur le coin de la lèvre supérieure. Les poignets étaient cachés par les manches de sa robe. La main qui cachait l'autre laissait tout de même voir les bouts des petits doigts qui étaient bleus. Un rappel discret du comportement violent du roi. Bjarni était si mal à l'aise qu'il pensait ne plus pouvoir sortir un mot.

Il faut faire un homme de toi Bjarni ! Vas-y, il faut lui dire.

-Madame, je suis venu vous dire que je… je… Pardonnez-moi… Il faut que j'arrive à formuler des phrases sensées… je… je suis venu… Mira, vous n'avez plus de raison de me craindre. Ma colère s'est apaisée. Je vous demande pardon… Jamais… jamais je n'aurais dû lever la main sur vous… et jamais plus… je… je… ne le ferai. Que vous ne me pardonniez jamais, je comprendrais. J'ai été odieux. Je n'allongerai pas inutilement votre tourment, ma présence doit vous être intolérable. Mais c'est mon devoir de Roi de venir vous porter la bonne nouvelle. Jamais plus vous n'aurez à tolérer ma présence puisque votre calvaire tire à sa fin. Ce que j'ai à vous annoncer vous réjouira. Boris, sera ici demain en fin d'après-midi ou au plus tard le lendemain matin et vous pourrez repartir avec lui vers la Suède. Il accepte de signer le traité de paix et ainsi vous retournerez en sa compagnie vers votre contrée et pourrez convoler en justes noces. La paix a été préservée grâce à vous et la Norvège vous sera éternellement reconnaissante. Sachez Madame que ce fût un honneur pour moi ainsi que pour tous mes sujets d'avoir en ces murs une dame telle que vous et que votre passage parmi nous restera à jamais gravé dans nos cœurs. C'est donc sur ces mots que je me retire, Madame.

Il la salua et sortit de la pièce, la laissant seule. Bjarni retourna dans ses appartements. Il se dirigea vers la fenêtre et d'un regard vague regardait la soirée étoilée qui lui laissait l'opportunité de se recueillir.

Il se sentait d'une tristesse à déchirer l'âme.

Je n'ai pas su lui dire les paroles qui l'auraient réconfortée. J'étais si mal dans ma peau que ce court entretien ne lui a pas fait voir à quel point elle est importante pour nous tous. J'ai fait ce que j'ai pu. J'avais le cœur dans la gorge. Me pardonnera-t-elle un jour ? Elle partira et jamais je ne saurai. Si jamais elle lui disait ce que j'ai fait… Il serait capable de revenir et de me mettre son poing en pleine figure… Et j'admets que je l'ai mérité. Si je l'avais seulement ramenée dans ses appartements sans faire de moi un idiot tout ceci ne me préoccuperait plus aujourd'hui. Elle est si silencieuse, elle n'a rien dit. Peut-être ne lui dira-t-elle pas ? Je l'espère sinon Adieu le traité et notre plan. Quel idiot je suis !

Perdu dans sa remise en question, Bjarni restait debout devant la fenêtre sans arriver à se consoler de la voir partir. Que la vie fait parfois les choses d'une drôle de manière. Quelques semaines auparavant, il ne connaissait pas cette femme et voilà qu'aujourd'hui, elle obsédait les moindres de ses pensées.

On vint cogner à sa porte, le sortant par la même occasion de la mélancolie dans laquelle il s'enveloppait depuis plus d'une heure déjà.

-Majesté, puis-je vous voir un instant ?

Il ouvrit sa porte et devant lui se tenait l'une des domestiques qui accompagnait Mira depuis son arrivée au château.

-Entrez. Il referma la porte derrière elle le regard plein de questions.
-Sire, excusez-moi de venir vous déranger dans vos appartements, mais je ne sais plus quoi faire…
-Que se passe-t-il ? Il n'est rien arrivé de fâcheux à La Promise ?
-Non… non… Sire, je sais que vous êtes allé la voir ce soir et je ne veux pas connaître la teneur de votre entretien mais…
-Mais ? Parle !
-Vous savez, Madame est une femme discrète et silencieuse. Depuis son arrivée parmi nous, il est vrai que bien des choses se sont passées… Si elle se perdait dans la prière… Je crois qu'elle espérait retrouver un réconfort, une échappatoire pour contenir sa peine. Souvent, quand nous arrivions près d'elle, elle essuyait ses larmes et les dissimulait pour que nous ne la voyions pas dans cet état mais nous ne sommes pas sottes. Mais ce soir…
-Qui a-t-il ? Dis-moi ! ! !
-Ce soir depuis que vous êtes allé la voir, je ne sais ce que vous lui avez dit… Elle est sur le prie-Dieu et n'arrive plus à se contenir. Elle pleure d'un tel cœur et malgré nos tentatives, elle nous a seulement demandé d'être seule. Je vous assure que ce sont des torrents de larmes. Loin de moi l'idée de vous faire des remontrances, Sire, mais peut-être pourriez-vous retourner la voir car je crains que si elle ne cesse, elle ne soit pas présentable devant le Roi Boris.

Bjarni dévisagea la domestique ne comprenant pas ce qui avait pu déclencher tout ceci chez la dame. Son esprit faisait mille et un tours sans arriver à comprendre la raison du pourquoi. La dame le regardait et son roi était fixé sur elle, muet.

-Sire… Peut-être que je n'aurais pas dû vous déranger avec mes inquiétudes ?
-Non… non… Tu as bien fait. J'avoue que je ne comprends pas. Ce que je lui ai dit aurait dû la rendre heureuse… Je ne comprends pas. Va… retourne et fait sortir tout le monde de cette pièce. Je vais faire le nécessaire. Je me suis sûrement mal exprimé.
-Bien Sire.

Il referma la porte. Pendant quelques minutes, il resta immobile. Il ne trouvait aucune explication pouvant expliquer ce qui arrivait à Mira. Il sortit de sa chambre, courut jusqu'à son bureau. Il cherchait la missive. Sa recherche fut de courte durée, elle était placée sur le dessus du traité de paix. Il la prit dans ses mains et couru jusqu'aux appartements où il savait Mira. Il arrêta sa course devant la porte prenant une grande respiration avant d'ouvrir la porte délicatement.

Derrière cette porte clause, la jeune demoiselle se trouvait devant le prie-Dieu en larmes. Il s'avança doucement. Comme la domestique l'avait expliqué, elle peinait à se contenir ayant dans la respiration des soubresauts résultat d'une crise de larmes qui ne semblait jamais vouloir se terminer. Cette scène lui brisa le cœur. Il s'approcha et se mit à son tour à genoux près d'elle lui mettant une main sur l'épaule.

-Mira ? Mira ?

Elle se détourna de lui n'arrivant pas à dissimuler quoi que ce soit. L'immense peine dont elle était affligée déconcertait Bjarni.

-Madame… Je… je… Vous aurais-je offensé tout à l'heure par mes paroles ?

Elle tentait de reprendre son souffle et y parvenait difficilement le corps aux prises avec des spasmes essayant de se cacher le visage de ses mains.

-Mira… Je vous demande pardon si je suis la cause de ce qui vous accable à ce point, je me suis peut-être mal exprimé… Je n'ai pas pensé que vous ne me croiriez pas sur parole. J'ai ici avec moi, la missive signée par Boris… Regardez Mira… C'est sa signature… Il vient réellement vous chercher et vous repartirez loin de tout ce calvaire.

Il n'y avait rien à faire, elle demeurait inconsolable. Il déposa la missive près de lui et la prit par les épaules afin de la retourner face à lui.

-Mira… Je vous en prie… Je ne vous mens pas. Boris viendra réellement vous reprendre ici et vous partirez. Si vous voulez que je lui dise que vous vous êtes enfuie, je lui dirai… Je lui dirai tout. Même si cela peut mettre en péril tout notre plan de paix… Je lui dirai.
-Non… ne lui dites rien. Il ne doit pas savoir… Il… il… vous en voudra et vous fera ce qu'il fait à ma famille… Non… ne lui dites rien.

Bjarni resta aphone. Elle se releva et se dirigea vers la coiffeuse sous le regard ahuri de Bjarni qui nageait en plein mystère.

-Sire… Partez… Vous ne pouvez rien pour moi. Je vais… je vais faire ce que vous attendez de moi.

Il se releva et se dirigea vers elle.

-Mira… J'avoue ne pas comprendre. Si seulement vous m'expliquiez pourquoi au lieu de vous réjouir de la venue de Boris, vous êtes dans un tel état ?

Elle lui tourna le dos. Il insista en se plantant devant elle. Du regard, il questionnait.

-Mira… Que voulez-vous dire par « il me fera ce qu'il fait à votre famille » ?
-Sire… J'ai compris trop tard que j'avais été réellement enlevée…
-Mais enfin Mira, je vous l'ai dit dès le premier jour…
-Je sais… Je ne suis qu'une imbécile et toutes mes tentatives se sont avérées veines pour réussir à sauver ma famille de la mauvaise posture dans laquelle je l'ai placée.
-De quoi parlez-vous Mira ?

Elle se mit à pleurer de plus belle. Bjarni se mit à la fixer, à la dévisager et cru comprendre tout à coup ce qui était l'évidence même.

-Mira… Seriez-vous en train de me dire que Boris vous retient contre votre gré et qu'il se sert des membres de votre famille pour vous tenir en laisse ? Serait-ce là la raison de votre fuite ? Cherchiez-vous à protéger quelqu'un ?

Elle ne répondit pas. Il resta de glace pendant quelques instants laissant mijoter cette épouvantable hypothèse dans sa tête et la rage lui fit faire demi-tour. Il se dirigea vers la fenêtre, la respiration courte, les poings serrés.

-Quel idiot ! Comment est-ce que cela ne m'a pas crevé les yeux ? Il vous menace ? Dites-le moi Mira ! Hurla-t-il.

Elle reprit son souffle mais ne répondit pas à sa question. Mais la vérité vibrait au même rythme que coulaient ses larmes.

-Espèce d'enfant de pute ! Comment ai-je pu être aussi bête ! Comment est-ce que je n'ai pas vu que la tristesse que vous aviez dans le regard était en fait une détresse extrême ? Comment pourrais-je le voir devant moi sans avoir l'envie de l'étrangler de mes mains ? Comment ai-je pu penser qu'une femme telle que vous aurait pu avoir le moindre sentiment pour cet être abject ? Si seulement vous me l'auriez dit plus tôt Mira !
-Je… je vous croyais de connivence avec lui… Je sais que tout ça vous semble ridicule… mais… si vous saviez tout ce qu'il… qu'il a fait… Je suis terrifiée… J'ai peur de lui… de ce qu'il peut faire… Je l'ai vu à l'œuvre… Il… il est capable de choses dont vous n'avez pas idée…
-Mira… détrompe-toi ! Je sais ce dont il est capable. Ce lâche, c'est un monstre Mira. Regarde ce qu'il a fait de toi ! Il te tient et il ne te lâchera pas ! Et moi… et moi qui suit impuissant à te sortir de ce bourbier dans lequel je t'ai enfoncée davantage… Dis-moi ce qu'il t'a fait !
-Y tenez-vous vraiment ? À quoi bon… C'est sans importance pour vous…
-Si ça l'est ! Je veux savoir comment il a pris possession de Mira la fille du sage de la Forêt d'Elfe… Comment il a pu tomber si bas… DIS-LE-MOI !

Elle hésitait à lui raconter mais il frappait de son poing le rebord de la fenêtre.

-Je veux savoir Mira… Dis-le-moi !

Elle essuya ses larmes et se décida enfin à révéler ce qu'elle tenait secret.

-Il... Il visitait sa contrée. Nous savions tous qu'il serait au village et mon père... mon père ne désirait pas que personne d'entre nous ne le rencontre. Il a fait monter les hommes aux champs et comme à mon habitude, je devais me rendre au puits et remplir les jarres... Je m'afférais à faire mon travail lorsqu'il est apparu avec quatre de ses hommes et là... là, il s'est présenté et m'a obligé à monter sur sa monture... Il a exigé que je ne travaille plus... Le soir il avait fait organiser une fête au village. Mon père ainsi que mes frères ont refusé de s'y rendre et bien entendu moi aussi. Il a envoyé des soldats me quérir et mon père a presque eu la gorge tranchée... Mais je me suis rendue espérant que cela lui suffirait... Le lendemain, il s'est présenté chez-moi. Il m'a dit que j'étais désormais la Duchesse de la Forêt d'Elfe et que je devais le suivre car il souhaitait que je devienne son épouse... J'ai refusé mais il avait... Il... avait... Mon Dieu...

Elle se mit à pleurer mais réussit à reprendre son souffle.

-J'étais sur le point de me marier avec le fils du forgeron du village, Éric... Il l'avait amené jusqu'à chez-moi, bâillonné, ficelé. Il voulait que je le suive de plein gré... et j'ai fait une bêtise, je l'ai insulté. Il s'est fâché et m'a embarqué de force dans un carrosse et sous mes yeux... Il... il a fait égorger Éric... À partir de ce moment, je n'ai plus eu de contact avec mon père. Tout au long du voyage jusqu'à son château, je lui ai tenu tête... J'ai essayé de m'enfuir par tous les moyens possibles et c'est là qu'il a commencé à me menacer de faire du mal aux membres de ma famille si je ne répondais pas aux moindres de ses caprices. Juste avant qu'il ne quitte pour guerroyer, il a fait prisonnier mon frère Roberts et le fouetterait devant moi à chaque fois que je lui refuserai quelque chose. Quand vous êtes arrivés au château... Étant donné qu'il m'avait fait promettre d'être là à son retour... Je ne pouvais pas m'enfuir avec vous. Malgré mon escapade que j'ai lamentablement échouée, vous m'avez emportée jusqu'ici. J'ai cru que vous étiez tous de mèche avec lui pour me mettre à l'épreuve... quand j'ai découvert que j'avais été réellement enlevée et que vous disiez vrai... J'ai paniqué... S'il ne me retrouvait pas au château comme il me l'avait ordonné... J'ai pensé que Roberts serait le premier à payer... Depuis... Je sais que votre cause est noble et que je n'avais pas à mettre en péril un traité qui représentait pour vous et tous les Norvégiens la paix durable entre nos deux pays... Quand vous êtes venu ce soir m'annoncer qu'il venait me quérir... J'ai paniqué encore une fois... Il devenait évident que s'il devait renoncer à guerroyer à cause de moi… Que me demanderait-il en échange ? Je… ne voulais pas vous mêler à tout cela… Vous avez déjà suffisamment de soucis… mais je n'arrivais plus à me contrôler… Et les larmes sont mes seules défenses depuis les dernières semaines… J'ai manqué de courage pour affronter tout ça… Vous vouliez savoir… vous savez maintenant et vous n'y pouvez rien, je le sais… Toutes ces émotions m'ont épuisée… Je ne désirais pas que ma vie insignifiante soit mise au grand jour devant un autre Roi… surtout que je vous savais impuissant devant tout ça… et à quoi bon vous mettre au courant… Je ne suis que peu de chose et mes lamentations n'y auraient rien changé…

Bjarni la regardait des larmes pleins les yeux. Boris était un être monstrueux. Comment avait-il pu être aussi ignoble avec elle. Mais par-dessus tout, il comprenait que le seul sentiment qu'elle éprouvait pour Boris était la peur. Ça changeait tout ! Il s'avança au-devant d'elle. Son cœur parlerait pour lui.

-Mira… Ta vie n'est pas insignifiante… Mira, je ne suis pas Boris et mon cœur saigne de savoir que j'aurais dû trouver un autre moyen pour rétablir la paix au lieu que de te réduire en une monnaie d'échange car tu représentes bien plus pour moi… Sache que si tu courais aveuglée par le sort des tiens, moi je courrais pour rattraper la dame qui a bouleversé ma vie… Je savais que le jour viendrait où je devrais me séparer de toi douce petite paysanne, mais voilà que tu devançais ce jour et je croyais que tu courrais vers lui, alors que moi je savais que jamais tu ne courrais vers moi… Ma jalousie, mon envie m'ont aveuglé au point où j'en ai oublié toute galanterie, toute gentillesse. Depuis le jour où je t'ai vue dans la chambre du château de Boris, ma vie a basculé. Je me surprenais à envier Boris. Envier, moi ? Jamais je n'avais connu ce sentiment… Et lorsque ta main s'est posée au creux de la mienne pour descendre l'escalier… Je ne peux pas décrire les sensations qui se sont emparé de moi. Te serrer contre moi jusqu'au carrosse… Ah ! Mira, si les gardes royaux n'étaient pas intervenus me sortant de ce songe éveillé, je crois que j'aurais fait tout le voyage en te serrant contre moi… C'est pourquoi Mira, lorsqu'il viendra te réclamer, mon cœur sera, à jamais, déchiré et mon impuissance à te retenir ne fait qu'aggraver ce sentiment d'échec qui m'envahit. Savoir qu'il te torturera, savoir qu'il exigera de toi des faveurs que tu lui refuseras sera un véritable calvaire. Et je sais, d'ors et déjà, qu'il ne te laissera jamais en paix, car tout comme moi, Boris est follement amoureux de toi. Si ces méthodes n'ont rien de communes avec les miennes, je sais qu'il fera tout ce qu'il pourra pour gagner ton cœur et tes faveurs, car dans tes yeux, douce Mira, on se noie, sur tes lèvres on se perd, de ton cœur on s'abreuve des plus doux délices…

Il baissa la tête et s'interrompit. C'était au tour de Mira d'être estomaquée. Ce roi était éperdument amoureux. Malgré les événements d'hier, malgré les événements à venir, les confidences de Bjarni la faisaient chavirer. Elle le regardait voyant enfin l'homme et non le roi. Elle s'approcha de lui et de sa main, effleura sa joue.

-Que la vie est cruelle ! Et je vois que la cruauté n'est pas seulement réservée aux paysannes… Mais qu'un cœur de Roi peut aussi souffrir.

Il prit sa main et l'embrassa laissant courir ses lèvres jusqu'au bout des petits doigts. Leur regard se croisa.

-Je ne suis point douée pour ce que je vais entreprendre, mais je vous dois bien quelque chose Roi de Norvège.

Elle s'avança vers lui et déposa tendrement ses lèvres sur les siennes. Bjarni ferma les yeux et l'enveloppa de ses bras. Ce geste inespéré et inattendu, le bouleversa. Son cœur se gonfla d'une indescriptible sensation qu'il chercha à exhorter perdu non plus sur les lèvres de la belle Mira mais dans son cou et sa chevelure aux odeurs de jasmin et de lavande. Cette étreinte lui rappelait la fragilité de cette femme et l'inexorable destin vers lequel il l'a retournerait dans peu de temps.

-Oh ! Mira… Pourquoi es-tu venue jusqu'à moi ?
-Parce que je voulais que le souvenir que vous garderez de moi soit celui-là et non toutes les larmes que j'ai déversées…
-Comment pourrais-je oublier quoique ce soit de toi, belle Mira ?

Il desserra son emprise.

-Vous pleurez Sire ? Dit-elle en lui essuyant le coin de l'œil. Suis-je à ce point incapable d'embrasser les lèvres d'un homme qu'il en verse des larmes ?
-Oh ! Mira détrompe-toi… Tes lèvres sont plus douces que la brise… je suis ému par ton geste. Et je dois mettre fin à tout ça… Je ne dois pas me laisser emporter par mes sentiments… J'ai peine à me contenir quand je te tiens entre mes bras.
-Allez-vous me faire votre coup de l'homme qui meurt et que je dois secourir comme l'autre jour ?

-Ha ! ha ! Comment peux-tu penser à des choses pareilles dans de tels moments ?

-Il faut bien détendre l'atmosphère qu'il y a dans cette pièce, Sire ! Nous avons tous deux vidés nos cœurs ce soir… et je ne sais pas pour vous, mais moi, je me sens libérée… ou peut-être parce que vous m'avez serrée si fort que je suis morte et que je ne m'en suis pas rendue compte ?

-Ha ! ha ! Petite coquine ! C'est vrai que je me sens envahi de papillons et que j'ai peut-être serré un peu fort votre gracile silhouette… Que n'oublierions-nous pas lorsqu'on vous touche, Madame ?

-Et que dire de vous, Sire ? J'ai oublié de pleurer. Je ne pleure plus… Vous avez un don, celui de consoler les jeunes demoiselles.

-J'aimerais tant faire plus Mira… Te sortir de tout ça et ne voir que sourire et rire sur ton visage…

-Il faut que nous cessions de penser à toute cette histoire… Il faut se changer les idées… Le mauvais sort nous rattrapera bien assez vite…

-Tu as raison belle Mira.

Elle se libéra de l'emprise du roi.

-La soirée est jeune et je dois attendre l'arrivée de Boris… Je n'ai plus envie de perdre un temps précieux. Puis-je vous faire une requête, Sire ?

-Avant tout Mira, plus de Sire avec moi… Je préfère de loin Bjarni. Alors que veux-tu me demander ?

-J'ai réellement besoin de prendre l'air… Dois-je rester cantonnée dans cette pièce jusqu'à ce qu'il arrive ?

-Bien sûr que non Mira… Si je ne peux te soustraire à cet échange, sache que je ne te refuserai rien d'autre. Tu demandes ce que tu veux, tu l'obtiendras…

-Puis-je me rendre jusqu'à vos écuries ?

-Mes écuries ? Quelle drôle de requête ! Bien sûr, je t'y amène.

-Non… vous êtes un homme bien occupé, Sire… Heu ! Bjarni et je vous ai déjà beaucoup retenu, je pourrais m'y rendre accompagnée des servantes.

-Jamais de la vie ! Je suis, certes, bien occupé, mais j'aurai tout le temps qu'il me faut pour vaquer à mes occupations après que tu seras loin de moi. Ce serait un honneur pour moi de t'y accompagner ! Et jamais je ne laisserai le plaisir d'être en ta présence à personne d'autre ! Mais pourquoi mes écuries ?

-S'il y a une chose que les rois possèdent et que les paysans n'ont pas, ce sont bien de magnifiques montures… et j'adore les chevaux !

Il sourit.

-N'as-tu pas eu l'occasion de visiter mes écuries hier ?

Elle pencha la tête et rougit à la remarque du roi.

-Je… je… me suis rendue jusque dans vos écuries… mais… il faisait noir et j'ai emprunté la première bête que j'ai pu attraper… Je n'ai pas eu le loisir de les voir, de les observer.
-Viens, prends ma main… il fait déjà noir dehors, mais le train train aux écuries n'est pas terminé, tu pourras les observer à ta guise.

Il l'avait par la main et sortait en courant et en riant. Les gardes à la porte se regardèrent.

-Que lui a-t-elle fait pour que le Roi coure comme ça ?
-Tu le demandes ? Serais-tu niais ?

Ils se mirent à rire.

Bjarni descendait l'escalier à vive allure, Mira derrière qui tenait ses jupons en riant tels deux enfants. Je m'apprêtais à entreprendre une montée, levai la tête et du faire place aux deux énervés qui descendaient prenant presque toute la largeur de l'escalier. Ils me laissèrent à peine le temps de me pousser contre le mur. Bjarni me dit :

-Pardon, Mirikof !
-Pardon, Mirikof ? Répétais-je, voyant le coup de vent qui me passait sous le nez et qui prenait d'assaut la porte du hall d'entrée vers la sortie.

Dieu du ciel ! Et la belle aussi excitée que le roi. Que lui a-t-il fait pour qu'elle rie aux éclats comme ça et le suive dans cette course ? Bjarni, tu étais si prévisible, et maintenant tu m'étonnes à chaque jour ! Tu auras droit à une série de questions demain ! Pourquoi demain ? Je vais voir où la jeunesse court comme ça ! Me disais-je tout en empruntant la même voie de sortie que les deux jeunes gens qui m'avaient bousculé dans l'escalier.

Tout le monde qui les rencontrait se retournait sur leur passage. Le roi si joyeux et la belle qui le suivait jupons au vent dans des éclats de rires qui fendaient l'air nocturne en cette nuit de début de juin où la lune éclairait les habitats de la cour royale.

Ils arrivèrent aux écuries. L'écurie royale était bien entretenue. Plusieurs ports, des chevaux de bonne lignée, de l'avoine, de la paille, de l'eau, des selles, des harnais, enfin tout ce qui fait d'une écurie, une écurie. Des bêtes par dizaines, des juments, des poulains, des pouliches, des étalons, des hommes d'étable qui se chiffraient au moins à une bonne dizaine sur place à finir le train de la journée avant d'aller faire comme les bêtes gagner un sommeil bien mérité. Mira regardait comme un enfant tous ces chevaux. Majestueux, ils étaient tout simplement majestueux. Elle lâcha la main du roi et s'approcha d'une très belle bête. Un étalon noir comme l'ébène.

-Attention, Madame, c'est Réfusse. Personne n'a jamais vraiment réussi à le monter. Il est rebelle.
-Éloignez-vous un peu…
-Voyons, Madame, je ne vous laisserai pas près de lui, il pourrait vous tuer d'une ruade, il est vicieux ce vieux Réfusse !
-Reculez-vous, Sire, je vous assure que je n'ai rien à craindre de lui…

Bjarni leva les bras vers le ciel et s'éloigna un peu.

-Bon ! bon ! Je m'éloigne, mais je vous surveille de près ! N'est-ce pas, Messieurs, qu'on la surveille de près ?
-Oui, Sire, Réfusse n'a qu'à bien se tenir ! De dire l'un des palefreniers qui arrivait derrière le roi. Les autres sortaient de leur port accourant pour voir ce que le roi et la belle dame faisaient aux écuries.

En compagnie de ces magnifiques bêtes, Mira semblait envahie par une assurance que l'on ne lui connaissait pas. Cette timide dame était transformée à leur contact. Elle ne s'arrêta pas pour se cacher d'être le point de mire car elle n'en avait pas conscience. Cet étalon était bien trop attirant. Racé à souhait, une robe noire unie, un poil luisant, un cou fort et musclé, des pattes agiles et un corps fuselé. Des oreilles qui allaient dans tous les sens et des yeux qui regardaient de côté la petite main qui s'approchait de lui. Mira passa ses mains sur le dos dénudé du cheval pour ensuite les glisser sur son cou et sur son museau. À leur grande surprise, l'étalon ne semblait pas fougueux comme à son habitude… Étonnamment, le cheval se laissait caresser et paraissait aimer le traitement qu'on lui prodiguait. D'un signe de doigts le cheval baissa la tête. C'était un véritable miracle ! Le cheval répondait à ses demandes. Ensuite elle prit la bride du cheval, le sortit doucement de son enclos. Bjarni était ébahi, il était loin d'être le seul. Moi, j'arrivais et apercevais la belle entraîner la bête vers l'extérieur.

Bjarni suivait. Suivit à son tour par son personnel d'écurie. Il s'accota sur le cadre de la porte les bras croisés. Obstruant presque la vue aux autres qui se bousculaient pour arriver à voir par-dessus, par-dessous, cherchant une toute petite ouverture pour admirer, le tout en se disputant la meilleure place ce qui fit retourner Bjarni vers eux en fronçant les sourcils. Comme des enfants qu'on réprimande, les hommes se turent instantanément. Je vins me joindre au roi, bloquant complètement ce qui pouvait rester de champ de vision.

-Général, c'est une honte ! Pardon ! dit l'un des hommes se tapant sur la bouche en se rendant compte de l'impolitesse qu'il venait de faire face à un supérieur.

Le roi et moi, nous nous regardions, sourire aux lèvres et nous installâmes bras croisés comme deux pans de mur obstruant complètement toute la vue. Un des hommes courut vers une des fenêtres. Il fut vite imité par ses compagnons.

Mira, au milieu de la petite cour avec son ami quadrupède, le regardait toujours en passant ses mains sur son dos et son cou. La bête était là attendant quelque chose. D'un calme déconcertant, l'étalon ne bougeait plus que ses oreilles. Et puis d'un bond Mira embarqua sur son dos. Bjarni eut peur et d'un geste nerveux se dirigea pour aider Mira. Elle se retourna et lui dit :

-Non Sire, chut… Regardez…

Bjarni regardait, ça pour regarder il regardait, il ne perdait rien de ce qu'elle faisait. Les vigies, les gardes attirés par une activité non commune dans cette partie de la cour à cette heure, eux aussi observaient. Plusieurs étaient penchés sur les parapets et attiraient les autres plus loin d'un signe de main. Il y avait quelque chose à voir. Tous accouraient curieux comme des belettes. Aussi surprenant que cela puisse paraître, la Mira timide, réservée était comme transformée en Amazone sur le dos de cette bête. Elle dit tout haut :

-Vas-y Réfusse, montre à tous ces Messieurs que tu n'es pas ce qu'il pense de toi !

À ces mots comme par enchantement, Réfusse se mit à trotter. Un trot élégant, raffiné… Ensuite vint le galop tout aussi exceptionnel que le trot. La bête aurait été dressée pendant des années qu'elle n'aurait pas été aussi parfaite. Le cheval s'en donnait à cœur joie monté par une véritable déesse capable des plus inimaginables prouesses.

Mira se mit à rire. Les rires féminins et délicats montaient le long des murs qui bordaient cette partie de la cour résonnant comme l'écho des montagnes. Réfusse se laissait non seulement monté, mais répondait au doigt et à l'œil à sa cavalière. Mira ne tenait plus les brides et d'un seul bond était debout en équilibre sur le dos de la bête en mouvement, les bras tendus lui faisant décrire de grands cercles.

-Dis-leur Réfusse que tu es content !

La bête hochait la tête en hennissant. Bjarni, ainsi que tout le public était tout simplement en proie à une admiration sans borne devant cette grâce, cette prouesse digne des meilleurs spectacles. Nous étions tous sous le charme envoûtant d'une dresseuse incroyable. Nous étions épatés.

-Ramène-moi Réfusse ! Je reviendrai demain te voir !

La bête obéissante se remit au trot et s'arrêta juste devant moi et Bjarni. Nous étions hypnotisés, les yeux grands ouverts, bouches bée, pensant avoir été victimes d'une hallucination. Mira toujours debout sur la bête leur dit :

-Sachez que désormais, quiconque voudra monter cette bête en sera capable. Réfusse a compris.
-Il… il a compris ? Demanda Bjarni encore sous un certain effet.
-Oui, il a compris que l'homme n'est pas son ennemi, Majesté, si l'homme qui veut bien le monter, le fait avec respect.

Du haut de son perchoir la belle se mit à rire.

-Ha ! ha ! Majesté, si vous verriez la tête que vous faites !

Voulant me rattraper et ne voulant surtout pas être pris au dépourvu comme l'était Bjarni, je dis :

-C'est vrai ça, Sire, vous avez une tête à faire peur !

Les préposés aux écuries, les vigies, les gardes, moi et même Mira, nous nous mîmes à rire. Bjarni essayait de dissimuler son envie de rire en serrant les lèvres.

-Ah ! Non ! Voilà que toute ma Cour se moque de moi… Et c'est à cause de vous Madame ! Vilaine coquine ! Descendez, je vais vous aider.

-Non ! Je suis capable toute seule.

D'un bond elle était par terre.

-Dieu du ciel, Madame, êtes-vous une femme ou un chat ? Demanda Bjarni.

-Ha ! ha ! Oui ! Je suis un chat… ! Ha ! ha ! Attention que je ne mette à grogner et que je sorte mes griffes ! ! !

-Vous êtes d'une souplesse ! Où, diable, avez-vous appris à monter de cette manière sur une bête ?

-À la campagne, on ne fait pas que laver du linge, Majesté.

À cette phrase, je me retournai pour dissimuler mon envie de rire, sauf que je ne pouvais dissimuler mes épaules sautillantes. Cette remarque ramenait le roi à la scène de la laverie et je trouvais bien cocasse que la dame ait répondu de cette manière au roi. Bjarni, le regarda et répondit à mon rire dissimulé :

-Ah ! Non ! Ah ! Non ! Mirikof, je vous en pris ! Si en plus mon premier général se joint à la dame pour se moquer de moi !

-Réfusse tu as le droit de rire toi aussi, tu es le seul ici qui ne le fasse pas ! De renchérir Mira.

Le cheval ouvrit la bouche laissant voir sa dentition chevaline avec un hennissement qui rendit la scène hilarante. Plus personne ne pouvait se contenir. C'est dans les rires de tout ce monde que Bjarni regardait Mira lui aussi sur le point d'éclater. Avec son petit air espiègle, La Promise, les yeux fixés sur le roi, était tout simplement à croquer ! Ah ! Bjarni lui aurait sauté au cou et couverte de baisers ! S'il avait été seul avec elle… Ah ! Mira ! S'il avait pu échanger tout son royaume contre te prendre dans ses bras, c'est certain qu'il l'aurait fait à ce moment-là.

-Voyez ! Qui ne vaut pas la risée d'un cheval ne vaut pas grand-chose, Sire ! De dire Mira d'un ton joyeux.

-Ha ! ha ! J'aurai tout vu et tout entendu dans ma vie ! Madame ! Madame ! Diantre ! Les Suédoises sont vraiment des dames bien spéciales ! Je dois valoir beaucoup puisque le cheval a ri et que c'est la première fois, que nous voyons ici une telle chose ! À moins que je sois le seul qui n'aie jamais eu la chance de voir un tel spectacle. Vous avez déjà entendu un cheval rire, vous Mirikof ?

-Non, Sire ! Et je n'aurais jamais cru l'homme qui m'aurait raconté une histoire pareille... Si je ne l'avais pas vu de mes yeux et entendu de mes oreilles !

-Alors, Mira fille du sage de la Forêt d'Elfe petite cachottière, d'où vous viennent tous ces dons ? Demanda le roi.

-Ce ne sont pas des dons, Majesté. Je n'ai aucun don. J'ai été élevée dans un milieu d'hommes. J'ai trois frères. J'ai dû me démarquer des autres, au moins à quelque part...

Ah ! Mira, tu n'es pas une paysanne... Tu es un miracle de contradictions arrivé dans un monde qui se croyait maître de l'univers. Mais l'univers c'est toi Mira... Se disait le roi admirant la simplicité et la candeur de ses explications.

-Vous démarquer ! À mon avis vous vous êtes largement démarquée ! Il n'y a pas un homme dans tout mon Royaume qui puisse faire d'un cheval ce que vous en faites ! À moins qu'en Suède ce soit monnaie courante, mais j'en doute, j'en aurais entendu parler. N'est-ce pas Mirikof ?

-Vous avez raison Sire. Jamais entendu parler de telles prouesses et j'ai pourtant beaucoup voyagé et je connais bien nos voisins Suédois.

-Et bien Réfusse est un cheval Norvégien, n'est-ce pas ? Demanda Mira.

-Oui... il a été élevé ici depuis qu'il est venu au monde, dit Bjarni.

-Alors, épatez-vous de votre cheval Norvégien et non de la Suédoise que je suis. Réfusse va dormir, il est tard. Poussez-vous, Réfusse est beaucoup plus imposant que vous ne l'êtes Messieurs et il ne passera pas dans la porte si vous y demeurer !

La bête passant devant les deux hommes en les regardant, entra dans l'écurie, seule sans avoir à se faire guider jusqu'à son enclos.

-Que diable lui avez-vous fait, Madame ? Lui a-t-on demandé en cœur.

-Rien ! La douceur, la gentillesse sont parfois beaucoup plus convaincantes que le fouet.

Cette remarque était d'une sincérité et venait du fond du cœur.

Mira ! Comme ta présence d'esprit est un divin présage de ce que tu es ! Mira ! Je suis fou de toi ! Se disait le roi ébloui par un trésor dont il ne pourrait jamais ouvrir le coffre.

-Mirikof ! Sortez de votre rêve ! Eh ! Oh !

Bjarni me passait les mains devant le regard. Le vieux général que j'étais, était stupéfait par la dame.

-Oui, Sire… Quoi ?
-Il est tard… et nous avons fort à faire demain. Faites aller au lit tous ceux qui le doivent et faites reprendre aux autres leur poste qu'ils ont tous laissé depuis plusieurs minutes, la dame et moi on va rentrer à moins que ce ne soit pas votre désir Madame ?

Demanda Bjarni en se retournant vers Mira. Je souris. Il y avait de quoi. De voir, le roi qui demandait l'avis de la dame, c'était cocasse.

-Oui, j'avoue que Réfusse est venu au bout de mes forces !
-En êtes-vous sûr ? J'ai plus l'impression que c'est lui qui est au bout de ses forces !

La bête était couchée au fond de son enclos, calmement, prête pour dormir.

-Eh ! Bien Sire ! C'est la première fois que je vois Réfusse dans cet état ! Disais-je. Bon, moi, je vais accomplir vos ordres. Allez, vous autres ! Finissez votre train aux écuries et allez, hop ! dans vos lits.

Je sortis et partis vers les tours de garde. Bjarni prit Mira par la main et l'entraîna dans le hall du château où il profita qu'il n'y eût pas de regards indiscrets pour lui prendre les mains.

-Laissez-moi embrasser ses mains de velours. Réfusse est comme moi, vous l'envoûtez lorsque vous le touchez, le regardez, personne ne peut vous résister, Mira.
-Majesté, n'exagérez pas… Je ne suis qu'une jeune fille de dix-sept ans… qui ne connaît pas grand-chose à la vie…
-Une très belle femme de dix-sept ans qui n'a rien à apprendre de la vie, vous voulez dire…

Mira lui sourit.

-Et maintenant que voulez-vous faire ? Lui demanda-t-il.
-J'avoue que j'ai un peu faim, cette ballade à cheval m'a ouvert l'appétit et vous, Sire ?
-Tout ce que vous souhaitez, Madame, Venez…

Il lui tendit son coude. Elle s'y accrocha et Bjarni était fier d'avoir à son bras cette merveille. Direction la salle à dîner. À table Bjarni s'assied sur une chaise pour être face à face avec la belle. Les ayant entendu arriver, un domestique s'approcha d'eux.

-Sire, vous ne prenez pas votre place ?
-Sylvestriof je sais qu'il s'agit de la place du Roi au bout de cette table, mais je suis capable de m'asseoir ailleurs si je le désire. Je souhaite contempler la belle dame, tu n'as rien contre ? Demanda Bjarni d'un air moqueur à son serviteur.
-Non, bien sûr que non, Sire… et je vous comprends.

Cette petite interruption les fit sourire tous les trois. Mira resplendissait malgré les moments difficiles passés et ceux qui ne tarderaient pas à venir. Attablés face-à-face le jeune roi et La Promise s'échangeaient des anecdotes, des histoires rigolotes, un peu de leur court vécu, riant aux éclats, chuchotant parfois, mais appréciaient à sa juste valeur ce moment de bonheur réciproque.

Lorsqu'ils eurent terminé leur repas, la dame se sentant lasse, exténuée par tous les événements demanda de regagner ses appartements. C'est avec plaisir que Bjarni acquiesça à sa requête et se fit le guide qui la reconduirait jusqu'à sa porte. Arrivés à destination, Mira eut tout de même une dernière demande.

-J'aimerais que vous veniez avec moi sur le balcon, Sire Heu ! Bjarni. C'est possible ? Vous avez peut-être d'autre chose à faire, vous m'avez consacré beaucoup de temps ce soir, je comprendrais si vous refusiez.
-Refuser une telle invitation serait bien mal élevé de ma part, Madame ! Venez.

Bjarni se laissa tenter par cette invitation et les rampes très larges les invitaient à s'y asseoir. Il se serait bien laissé tenter par ce que son corps suggérait à son esprit mais galanterie et gentillesse requièrent de répondre aux demandes d'une dame et non de lui en suggérer ! Il savait très bien qu'il était inutile de mettre la belle dans une situation encore plus délicate qu'elle ne l'était déjà. Lui manquer de respect et savoir que Boris se déragerait sur elle pour assouvir sa blessure d'homme trompé serait désastreux. Il réalisait qu'elle représentait un trésor inestimable et beaucoup trop précieux pour se laisser aller à une subtile nuit torride entre les draps avec une pucelle promise à un autre roi qui arriverait sous peu réclamer son bien.

-Bjarni, j'ai une autre requête à vous faire… Ce soir, je suis terriblement exigeante… Mon Dieu ! Je ne cesse de vous demander des choses…

-Demandez belle dame ! Je vous l'ai dit, je suis votre chevalier servant.

-Je ne sais pas… Non…

-Mira ! Petite coquine ! Je vois dans tes yeux que tu désires quelque chose, demande, Bjarni tentera d'exhausser ton vœu.

-Je pourrais… Je pourrais m'asseoir près de vous. Ce serait inconvenant ?

-T'asseoir près de moi n'a rien d'inconvenant ! C'est ça ta requête, Mira ?

-Oui.

-Je veux plus que ça moi !

-Comment ?

-Tiens… Je me pousse un peu. Viens t'asseoir entre mes jambes, si tu veux, je te tiendrai dans mes bras.

-Et c'est à moi que vous dites que je suis coquine !

Il lui sourit ouvrant grand ses bras.

-La Norvège vous tend les bras Madame !

Mira lui sourit, incapable de refuser à son tour une telle invitation. Elle s'assied voyant la Norvège se refermer sur elle ! Comme la sensation qui monta en elle était agréable. Le dos bien accoté sur le torse du jeune homme, entourée par ses bras musclés qui pourtant ne serraient point, la chaleur de cette poitrine dure et bombée, ces jambes longues et robustes qui la retenaient lui donnaient l'impression d'être au creux d'un édredon moelleux. Cette voix profonde qui émanait de l'homme était apaisante. Bjarni lui expliquait les détails de l'échange calmement pesant chacun de ses mots se faisant sécurisant. Admirant du coin de l'œil cette chevelure d'or qui lui chatouillant les narines. Ce qui était loin d'être désagréable, agrémenté par un parfum qui lui montait à la tête lui faisant ressentir un bonheur qu'il savait passager mais combien inoubliable. Mais cette chaleur, cette sécurité eurent raison d'elle. Elle s'était doucement endormie.

-Alors demain il faudra… Mira ?

Bjarni sourit se rendant compte qu'elle s'était paisiblement endormie contre lui. Il se leva le plus délicatement possible, utilisant tout un stratagème de souplesse pour ne pas la réveiller et minutieusement, il la transporta jusqu'au lit.

308

Avec des précautions hors du commun il la déposa avec habileté sur le lit. Il s'assied près d'elle se perdant dans une profonde contemplation. Il admirait les traits graciles et parfaits, l'air paisible qui se dégageait de son visage, cette longue chevelure dorée qui parsemait les draps tels des vagues sur la mer, ce corps délicat mais combien généreux en formes féminines, cette perfection faite femme étendue là si facile à prendre. Malgré les beautés qui lui couraient sous les yeux et ce que l'on pourrait imaginer qu'un homme aurait fait dans un tel moment, Bjarni eut soudain un serrement de cœur. Car la fragilité de cette femme était si contrastante avec ce qui lui venait soudainement à l'esprit. Pourquoi fallait-il qu'il la renvoie vers ce calvaire ? Pourquoi Dieu avait-il choisi un tel destin après avoir créé une créature aussi magnifique ? Pourquoi avait-il besoin d'éprouver à un tel point cette brebis ?

Dans quelques heures elle ne serait plus là... Dans quelques heures Boris repartira avec elle... Dans quelques jours la fraîcheur de cette pucelle s'envolera sous les cris et les pleurs... Je sais que Boris prendra avec force ce que tu lui refuses, Mira. Je suis convaincu que Boris deviendra un très grand monarque avec une femme comme toi à ses côtés. Slavürko, digne Père de Boris, ce pauvre vieux Roi qui a vécu la même chose que moi et qui est mort sans avoir oublié l'amour de sa vie. Je subirai le même sort... Que ma vie me semble maintenant sans intérêt... Je sais que lorsque je te verrai partir demain, j'en serai démoli à jamais...

Envahi par cette prise de conscience subite, en proie à un désarroi certain, Bjarni essuyait des larmes qui surgissaient résultant à la fois par un sentiment de rage et d'impuissance. En présence de l'innocence, de la naïveté, de la grâce, de la délicatesse, de la fragilité à l'état pur qui étaient étendues sous ses yeux, il n'arrivait pas à se consoler face aux événements vers lesquels il enverrait la belle dans quelques heures en parfaite connaissance de cause. Le sentiment d'impuissance qu'il ressentait, le grugeait de l'intérieur. Il quitta la pièce doucement et regagna sa chambre. Une fois arrivé à l'intérieur, sans même se dévêtir, il s'étendit sur son lit. Tourmenté, le sommeil ne lui venait pas... Il ferma les yeux pour mieux revivre sa rencontre avec la légendaire Promise revoyant son entrée dans cette chambre au château de Boris avec ses hommes et leur surprise lorsque La Promise leur fut dévoilée, le regard effrayé, se tenant dans le coin de cette grande pièce comme une bête racée prise au piège, prête à sacrifier sa vie au nom de la liberté. L'expression de désespoir de son regard aussi profond que l'océan, la lumière qui émanait d'elle telle une auréole qui les avait tous éblouis. Quel roi aurait pu résister à tant de charme ? Sachant très bien pourquoi maintenant Boris était si pressé de conquérir… Il offrirait monde et merveilles à la douce sans même qu'elle ne le demande… Même s'il était un tyran, Mira était sa faiblesse… comme elle l'était devenue pour lui.

Cette nuit fut un véritable cauchemar. Il ne put fermer l'œil de la nuit et se perdait dans ses pensées essayant par tous les moyens de trouver une manière de contrer cet échange. Mais Dieu ne lui insuffla aucune solution. C'est donc dans cet esprit tourmenté que le lendemain matin, Bjarni fut sorti du lit par trois hommes, des généraux, dont je faisais parti et son conseiller personnel. Une réunion d'urgence avait été convoquée. Il fallait vérifier la synchronisation de nos gestes pour que l'échange soit un succès… En bon général j'avais tout organisé selon les directives. La réunion fut courte et brève, chacun savait ce qu'il avait à faire. Je remarquai les traits tirés de notre roi. Sans même en savoir toutes les causes, je devinais qu'il était préoccupé par le sort de la promise. Je le vis se retirer avec l'impression que la tristesse avait pris possession de son corps.

Une fois sorti du bureau, Bjarni se dirigeait vers les appartements de Mira. Il augmenta la cadence. Il savait qu'il lui restait peu de temps pour être en sa compagnie. Chaque moment comptait, aujourd'hui plus que jamais. Comme une récompense, c'est avec un sourire délicieux qu'il fût reçu dans les appartements de Mira. Aussi fraîche qu'une rose, elle lui tendait les bras où il se réfugia. Cette étreinte n'avait pas le goût sensuel de la veille, mais plutôt celui de l'inquiétude, du désespoir. Bjarni fermait ses yeux retenant ses appréhensions face à ce qu'il allait être obligé de faire dans quelques heures. C'est à ce moment qu'ils décidèrent de passer leurs derniers moments ensemble à cheval se promenant ensemble dans l'immense cour du château côte à côte comme des jumeaux inséparables. Dans son magnifique jardin, Bjarni l'avait entraînée et sous un arbre attacha les chevaux et fit descendre Mira. Ils s'assirent côte à côte.

-Mira, puis-je espérer que tu auras parfois des pensées pour moi ?
-Bjarni, je ne ferai que ça. Il faut que vous sachiez que l'enfer vers lequel je me dirige maintenant sera tellement insupportable qu'il n'y aura pas une journée où il ne faudra pas que je transporte mon esprit près de vous pour supporter ce qui m'arrivera… J'emporterai votre présent et chaque fois que je sentirai la peine m'envahir, je le serrai contre mon cœur.
-Ah ! Mira, si seulement j'y pouvais quelque chose… Si seulement les affaires de l'État ne mettraient en péril la sécurité de tant de gens,

comme je te garderais avec moi… Comme je suis déchiré de savoir que Boris… ce qu'il exigera de toi…

-Je sais Bjarni, je sais maintenant que vous êtes impuissant devant la machine de guerre que Boris peut être. Je sais aussi que Boris est imprévisible… Soyez prudent, Majesté, ne croyez pas tout ce qu'il vous dira… Et quant à moi… il faudra bien que je subisse mon sort… ma famille en dépend…

-Ah ! Mira… Je le connais. Même si je ne partage pas du tout sa manière d'être avec toi, je comprends pourquoi il est si attaché à toi… Il a entre les mains un être exceptionnel et même s'il est un tyran… il n'en reste pas moins qu'il est un homme intelligent et de goût. Je suis Roi, comme lui… cependant, jamais je n'exigerais d'une femme un tel sacrifice… Mais s'il te possède, moi je dispose d'une armée puissante et d'amis aussi puissants que moi. Il devra respecter ce qu'il signe aujourd'hui… Sinon il devra répondre de ses actes devant ses propres sujets… et surtout devant nous tous !

-Espérons, Bjarni, que vous dites vrai et qu'il n'y aura aucune guerre… Et…

-Et ?

-Je ne sais pas si je devrais vous raconter…

-Quoi donc, Mira ?

-Bjarni, j'ai un mauvais pressentiment…

-Ah ? Dis-le, Mira…

-Bjarni, la nuit dernière, j'ai fait un étrange rêve… Non… Je préfère ne pas en discuter… Ce ne sont que des songes.

-Mira, si tu ne souhaites pas en parler, je comprends, mais si ce n'est que pour me préserver de quoi que ce soit, n'hésite pas…

-Bjarni… il ne s'agit que d'un étrange rêve et je crois que vous avez assez de préoccupations… mes élucubrations n'y changeront rien.

-Tes élucubrations, comme tu dis, j'aimerais les entendre. Je considère que la pucelle de la Forêt d'Elfe a peut-être reçu un message et qu'elle hésite à tenter de le déchiffrer. N'est-ce pas là ton inquiétude ?

-Bjarni… Je suis une pucelle. Une pucelle de la Forêt d'Elfe. Je vous l'ai déjà dit, je ne possède aucun pouvoir et encore moins celui de recevoir des messages. Ce n'était qu'un mauvais rêve.

-Et de qui était-il question dans ton mauvais rêve ?

-De vous, de toi, Bjarni.

-Serait-ce que tu rêves de moi ?

Mira eut un petit sourire.

-La nuit passée, oui, j'ai rêvé de toi.

-Et rêvé de moi, ce sont de mauvais rêves, Mira ?

-Ha ! ha ! Sire, ce que vous êtes coquin. Non, rêver de toi ne signifie pas mauvais rêve. Mais la nuit passée, tu étais aux prises avec des hommes qui te voulaient du mal. Tu tentais désespérément de te défaire de leur emprise, mais tu n'y parvenais pas. Et là, Boris est apparu te brandissant son épée au visage. Je me suis éveillée. Je n'ai pas aimé ce que j'ai ressenti lorsque l'épée t'a crevé le côté droit.

-Le côté droit ?

-Un rêve est un rêve Bjarni, et même s'il pointait son épée vers ton visage, c'est ton côté droit qui fut transpercé. C'est pourquoi, je me suis levée avec un mauvais pressentiment ce matin. Prends garde à ce qu'il voudra bien te faire croire.

-Je m'en souviendrai, Mira. N'aie crainte, Boris, je le connais si bien que je pourrais même te dire quelles seront ses paroles à son arrivée.

Bjarni lui tenait la main et cette discussion prit fin abruptement car j'arrivais en courant.

-Sire, je vous cherchais… Oh ! Pardon, Madame, je ne vous avais point vu !

Je pris une grande respiration.

-Sire le moment est venu…

Bjarni n'avait nullement besoin d'avoir d'autres explications. Il savait Boris déjà assis dans son bureau. Il me regarda sérieusement et se retourna vers elle.

-Madame, Mirikof va vous reconduire. Je vous reverrai d'ici quelques minutes… Mirikof, laissez-moi avec la dame juste un petit moment.

-Je me retire, Sire !

Bjarni s'approcha d'elle.

-Voilà que le grand moment est arrivé… Mira, j'aimerais te serrer contre moi. J'aimerais t'embrasser… Mais je ne peux pas… Si jamais Boris avait mis un de ses hommes pour observer ce qui se passe dans la cour… Il s'en prendrait d'abord à moi, mais juste à penser qu'il pourrait s'en prendre à toi ! Ne lui dis rien sur mes sentiments envers toi… Je crains fort qu'il aurait une réaction terrible…

-Bjarni… Pardon, Sire…

-Non, appelle-moi Bjarni… à tes côtés ma belle je ne suis guère plus qu'un troubadour.

-Bjarni, je ne mettrai pas votre sécurité, ni la mienne dans les mains tordues de Boris… N'aie crainte… Je ne lui confirai rien de ce qu'il y a au fond de mon cœur. Et ce qu'il y a maintenant au fond de mon cœur, c'est toi !

-J'aurai au moins cette consolation dans mes longues nuits à contempler la lune en pensant qu'à quelques bornes d'ici, il y a une merveilleuse dame qui me tient dans son cœur. Mira, je… je t'aime et je suis l'homme le plus malheureux du monde aujourd'hui, et ce, malgré que Boris est ici pour signer un traité de paix qui n'aurait jamais vu le jour sans toi. C'est si paradoxal et pathétique cette histoire.

-La vie nous réserve tant de surprises… parfois bonnes… parfois mauvaises. Si je suis votre surprise, puis-je être la bonne.

-Ah ! Mira… Mira… Je suis affligé d'un mal terrible et le seul remède s'en va loin de moi !

-Bjarni… va maintenant… ne le fais pas attendre. Il est si impatient. Il pourrait te piquer une crise juste à cause de ça.

-Je pars… Je te reconduirai moi-même auprès de lui tout à l'heure, mais je ne pourrai pas te dire… te dire…

-Ne dites plus rien, Roi de Norvège ! Le sort en est jeté et nous n'y pouvons rien.

Il lui embrassa la main mais lui posa une dernière question.

-Que lui diras-tu pour ta main Mira… Elle est toujours bleue ?

-Puisque mes autres marques sont disparues, je pourrais lui dire que je suis tombée d'une monture… Boris ne sait pas lui, quelle cavalière, je suis, il ne m'a jamais vue à l'œuvre !

-Petite coquine ! Et le pire dans tout ça, c'est qu'il te croira ! Surtout si tu le regardes comme tu me regardes dans le moment.

-Retournez aux affaires de l'État, Roi de Norvège, où ce sont les affaires de l'État qui se rendront jusqu'à vous !

Il lui sourit restant quelques secondes en admiration sur ce qu'il allait troquer avec son ennemi. Une femme courageuse malgré son jeune âge, sa modeste origine, sa fragilité. Il partit et quelques pas plus loin se retourna et lui dit :

-Madame, ce fut un délice exquis de vous connaître, jamais le Roi de Norvège ne vous oubliera…

Sur ce, Bjarni partit vers son bureau. Quelques instants plus tard, je ressortis du château et vins cueillir la belle et l'emportai avec moi. Je me sentais l'obligation de m'entretenir avec elle.

-Madame, j'aimerais que vous sachiez que je suis non seulement le premier général de Bjarni, mais un ami de longue date. Vous ne serez donc pas surprise si je vous dis qu'en tant qu'ami du Roi, hier, votre changement d'attitude, votre bonne humeur m'ont beaucoup intrigué. J'ai donc rencontré le Roi et je lui ai posé mille et une questions à votre sujet. Il est resté discret sur certains détails, Bjarni est un homme discret en ce qui concerne les dames, mais il m'a tout expliqué. Cela vous choque-t-il que le Roi se soit confié à moi ?
-Non, pas du tout. La seule personne à qui je ne confierais pas ces tendres moments est le Roi Boris.
-Je tiens à vous dire Madame, que le Roi Bjarni doit à chaque instant lutter contre une envie terrible d'envoyer paître Boris et de vous garder près de lui. Si ce n'était pas de l'importance de votre échange, il n'y procéderait pas !
-Je le sais général. Que pouvons-nous contre Boris ? J'ai toujours cru que je n'arrivais pas à lutter contre lui, parce que je suis une dame et une paysanne de surcroît mais aujourd'hui je réalise que même les Rois ont parfois de dures et tristes décisions à prendre et qu'ils ne font pas tout ce qui leur plaît. Le seul qui semble échappé à cette condition, est Boris.
-Détrompez-vous ! Voyez ce matin, il a dû rapatrier son armée en Suède et il signera un traité qui l'empêchera de poursuivre ce qu'il avait entrepris il y a quelques jours.
-Vous dites vrai, général. Vous venez de me rappeler que…
-Madame, vous vous sentez bien ?
-Oui… pour le moment ! Je viens de me souvenir que je suis la cause de la fin de sa conquête ! Je me demande bien de quelle façon il me demandera de lui rendre la monnaie !
-Pardonnez-moi ! Je ne voulais pas vous effrayer, Madame, loin de moi cette idée !

Nous poursuivions notre route vers un petit peloton d'hommes qui nous attendaient assis sur leur monture. Je la fis monter sur Réfusse. Mira regardait la bête.

-Et bien Réfusse, tu me conduiras jusqu'en enfer !

Le cheval brassa sa tête. Mira sourit. Je n'ajoutai rien à cette phrase pleine de sens qui venait de sortir des lèvres d'une dame visiblement ébranlée par les événements qui ne cessaient de déferler sur elle. J'avais l'impression de la reconduire jusqu'à l'abattoir où je la livrais à la hache du pire bourreau. Après que tout ce beau monde était installé, prêt à partir lorsque j'en donnerais l'ordre, je les quittai pour revenir au bureau du roi.

Bjarni, quant à lui continuait son chemin à travers les couloirs jusqu'à son bureau où il savait déjà que Boris l'attendait. Le cœur émietté, la rage en arrière-plan, la déception amoureuse sur le bord des lèvres, le déchirement de son âme qu'il pensait maudite, l'esprit torturé, il marchait. Allant livrer l'agneau au lion. C'était la pire décision de sa vie de roi qu'il devait affronter ce matin. Jamais une décision ne lui sembla aussi ardue que ce qu'il s'apprêtait de faire.

Toujours engagé à sinuer les corridors, peu à peu apparurent, dans son champ de vision, les gardes de Boris qui attendaient cordés comme des moutons le long du corridor près de la porte du petit bureau. Bjarni ne fit, ni un, ni deux. Ne regardant personne, il ouvrit la porte du bureau et entra dans la pièce où généraux, ministres, Suédois et Norvégiens étaient entassés. Bjarni se fraya un passage à travers tout ce monde qui laissait le passage de peine et de misère tellement la pièce était bondée. Il finit par atteindre son siège, voyant distinctement Boris qui était déjà fort bien installé, les jambes croisées avec son air condescendant, ça va de soi ! Leur regard se croisa le temps que Bjarni passe derrière son bureau. Juste assez longtemps pour mettre la petite assistance mal à l'aise. L'atmosphère qui se dégageait entre les deux hommes aurait pu prendre forme tellement elle était lourde. Bjarni s'assied. Boris de son habituel sarcasme commença avec arrogance.

-Eh ! bien, Sa Majesté se fait attendre !

Bjarni lui jeta un regard rempli de haine. Les deux souverains se regardaient de plus belle avec des yeux remplis d'éclairs, assis l'un en face de l'autre.

-Je n'ai pas l'habitude de faire attendre les invités de marque, Boris.
-Ne commence pas à m'étriller ce matin ! Je suis venu jusqu'ici dans un but bien précis. Je n'aurais pas mis les pieds dans ton château de merde autrement et tu le sais ! Mais, je suis curieux, qu'est-ce donc ou qui est-ce qui retenait ainsi le Roi ?
-Tout et personne. Je veillais aux derniers préparatifs.
-Dis-le donc que tu étais à frelater avec ma Promise !

-Bon, puisque l'humeur de Sa Majesté, Boris Le Magnifique est à ce point à fleur de peau, je vais tout de suite tomber dans le vif du sujet.

-C'est ça, Bjarni, ne me fais plus perdre mon précieux temps et évite mes questions... J'ai les narines sensibles et je trouve que ça pue ici !

-Je n'embarquerai pas dans ton petit jeu, Boris, on y passerait la journée, voire la semaine et on serait encore ici. Je tenais juste à te rappeler que tu n'as pas écouté nos missives... Tu as attaqué la Finlande et aujourd'hui tu marchais vers le Danemark. Sans compter ta demi-armée que tu avais envoyée par le côté Nord vers mes terres.

-Tu devrais me connaître mieux que ça, Bjarni ! Comme à ton habitude, tu ne me féliciteras pas d'avoir eu une idée de génie.

-Je te le concède Boris, c'était bien pensé de détourner l'attention avec toi à la tête de la moitié de ton armée vers le Danemark pendant que l'autre s'aventurait sur un autre chemin. Cependant, ne crois-tu pas que j'ai fait preuve de génie, moi aussi, quand j'ai monté ce plan d'enlèvement qui, soit dit en passant, t'a déplacé jusqu'ici et fait rebrousser chemin à ton armée vers la Suède ?

-Moi, je devrais te complimenter pour ça ? Ha ! ha ! Cher Bjarni ! Si je n'avais pas commencé le bal, tu n'aurais jamais pu le finir ! Preuve que je te bats toujours par une longueur d'avance.

-Toujours aussi couleuvre que lorsque je t'ai connu enfant ! Tu te faufiles en serpentant...

-Peut-être, mais j'ai quand même une longueur d'avance sur toi !

-Bon... J'aime bien que tu le penses. Pendant que tu penses à ça, tu ne peux pas penser à autre chose ! Ceci étant dit, Boris, qu'as-tu donné comme ordre à tes hommes plus au Nord ? Parce qu'ils sont toujours sur place en face des miens !

-Ils ont reçu l'ordre de revenir en Suède comme les autres. Tu dois comprendre que mes messagers sont venus jusqu'ici en même temps que moi et ont continué leur route ce matin, il leur faudra bien encore quelques jours avant qu'ils n'arrivent à destination. Pardonne-moi si je ne suis pas Dieu et que je ne peux pas être partout à la fois !

-Ah ! voilà que Boris Le Magnifique admet qu'il n'est point Dieu !

-Je ne suis pas Dieu et je n'ai jamais prétendu l'être ! (silence) Cependant, si je ne suis pas Dieu, je suis tout de même en contact direct avec lui. Ce qui n'est pas ton cas Bjarni pauvre toi !

-Bon, assez de théologie pour moi ce matin, je n'embarquerai pas non plus dans cette discussion avec toi. Je te le concède, tu es le plus contrariant des êtres que je connaisse sur cette terre et je n'ai pas le goût ce matin de m'éterniser à m'obstiner avec toi, surtout sur ce sujet. Je le saurai bien assez tôt si tu laissais tes hommes sur mes terres. Sache qu'ils seront repoussés jusqu'à la frontière si jamais tes soi-

316

disant messagers n'arrivaient pas à leur livrer le message dans un délai raisonnable.

-J'ai au moins réussi à faire quelque chose de toi, tu es devenu d'une méfiance envers moi, Bjarni, c'est presque un miracle !

-Ne parle pas de miracle ! Tu l'as dit tu n'es point Dieu.

-Je ne suis pas Dieu, mais je suis le seul monarque digne de ce nom ici bas !

-Toujours aussi imbu de soi-même, comme je peux le voir…

-Ha ! ha ! Et toi toujours aussi impuissant à mettre ton Royaume sur la carte ! Tu n'es qu'un lâche Bjarni… Enlever une faible femme et l'utiliser comme monnaie d'échange…

-Je suis peut-être lâche, comme tu dis, mais il n'en reste pas moins que tu es ici aujourd'hui pour venir cueillir la faible femme… et signer un traité de paix t'obligeant par le fait même à remballer toute ton armée vers la Suède !

Ces mots avaient profondément offusqué Boris.

-C'est vrai, mais tu as dû constater qu'il ne s'agissait pas de n'importe quelle femme, n'est-ce pas Bjarni ?

Bjarni le regardait fixement dans les yeux. Boris observa un court silence et poursuivit sur la même note :

-Je te préviens que tu es mieux de l'avoir traitée convenablement ! Je veux la récupérer aussi fraîche que lorsque je l'ai quittée, sinon ton petit traité de merde tu pourras l'oublier… et te le mettre où je pense !

-N'aie crainte, Boris, elle a été traitée selon tous les égards dus à son rang…

Boris se tourna vers ses hommes.

-Sortez, je veux être seul avec Bjarni.

Les hommes hésitaient. Mais l'insistance de Boris à leur égard ne leur laissa pas le choix. Bjarni en fit de même avec ses hommes. Ils sortirent tous dans le corridor. Une fois tout le monde sorti dans des bruits de frottements de bottes sur les dalles du plancher, le froissement de leur costume, les uns contre les autres, et le claquement de la porte confirmant qu'ils étaient maintenant réellement seuls, dans un face-à-face inévitable, Boris se retourna vers son adversaire et débuta un combat verbal.

-Je tenais à te dire, face-à-face, Bjarni que si jamais je découvre qu'il lui a été fait quoique ce soit… Tu entends, quoique ce soit, je reviendrai moi-même ici, t'égorger et je répandrai ton sang infect sur tous tes sujets !

-Je n'aurai donc pas la mauvaise surprise de te rencontrer de nouveau dans mes corridors ! Et puisque tu me menaces, j'aimerais te retourner tes compliments ! J'avoue que ta Promise est une femme d'une exceptionnelle beauté, d'une grâce, d'une intelligence, d'une élégance et j'en passe, mais je sais maintenant qu'elle ne s'est pas rendue de son plein gré jusqu'à toi ! ALORS NE VIENS PAS ME MENACER SOUS MON TOIT D'AVOIR ABUSÉ D'ELLE DE QUELQUE FAÇON QUE CE SOIT, BORIS ! Hurlait Bjarni.

Boris se leva l'index menaçant. Élevant le ton lui aussi.

-COMMENT ? C'est elle qui t'a raconté ça ? Tu l'as cuisinée ? Si jamais tu as mis tes sales pattes sur elle, Bjarni, je te préviens ma colère sera terrible…

-NON ! Non ! Je ne suis pas comme toi, moi, Boris ! Je ne saute pas sur tout ce qui porte jupon !

-Ça par contre, c'est vrai… Tu ne sautes pas souvent… N'est-ce pas Bjarni ?

-AH ! ASSEZ ! Boris, ne viens pas ici en face de moi me narguer avec tes manières cavalières de prendre les femmes ! Je sais très bien comment tu procèdes et je n'ai jamais apprécié. Quant à Mira…

-Mira ? Tu l'appelles par son nom ? Comment oses-tu ?

-Je suis Roi, moi aussi, imagine-toi donc ! J'ai les mêmes privilèges que toi, ne t'en déplaise ! Je l'appellerai par son nom, que ça te plaise ou non ! Je disais… quant à Mira, ce n'est point elle qui m'a informé de tout ça… Tu devrais le savoir, comme elle est secrète… Non, mon cher Boris, ce sont mes espions qui m'ont rapporté cette histoire en même temps que la nouvelle de tes futures noces. Alors n'essaie pas de me faire la leçon, Boris dit Le Magnifique, et sous mon nez en plus.

-Comment l'as-tu traitée durant son séjour ici ?

-Comme une future Reine ! Que pensais-tu ?

-C'est mieux d'être vrai… Elle est mieux d'être encore…

-Ah ! BORIS, C'EST ASSEZ ! Comme si je ne savais pas que si ta Promise n'était pas restituée dans le même état que je l'ai enlevée, je ne m'attirerais pas tes foudres ! Tu m'as toujours considéré comme un Roi médiocre au lieu de me considérer comme ton égal, Boris, alors que tu sais très bien, que je suis capable d'autant sinon plus que toi. Alors, Boris Le Magnifique, votre petite scène du mari jaloux est terminée ?

-JE NE SUIS PAS JALOUX ! Criait Boris

-Si… et c'est même écrit dans ton front ! J'aurais honte, moi à ta place, Boris… Toute cette scène, tout ce déplacement d'armée, ta conquête remise au placard… Tout ça pour une femme ! Mon Dieu, Boris Le Magnifique qui se cache derrière les jupes d'une dame ! Mon Dieu ! Si tu n'étais pas en face de moi, je penserais que je suis en train de rêver !

-Bon… D'accord ! Tu veux me ridiculiser ! ROI DE PACO-TILLE ! Espèce de… Je me tais… je me tais… Sinon… Mais, je vais tout de même procéder à une petite vérification avant de quitter défini-tivement ta demeure.

-Une vérification ? Quelle vérification ?

-Tu ne pensais tout de même pas que j'allais te croire sur parole, Bjarni !

-Me croire ? Mais sur quoi ?

-Voyons… Voyons ! Ha ! ha ! Si c'est marqué sur mon front que je suis jaloux, bien laisse-moi te dire que c'est marqué sur le tien que ma Promise est loin de t'être indifférente.

-Tu ne vas toujours pas insinuer que j'ai…

Bjarni s'arrêta et du même coup dévisagea Boris avec un regard si intense que ce dernier baissa les yeux et se retourna vers la porte. Une fois cette dernière atteinte, c'est comme un coup de tonnerre qu'il ouvrit la porte et se mit à crier :

-Qu'on fasse venir la sage-femme.

Les hommes qui attendaient dans le corridor dans des chuchote-ments certains, se turent et on entendait des pas dans le corridor bondé en direction du petit bureau. J'étais accoté sur le mur et je voyais pas-ser deux des gardes de Boris accompagnés d'une femme d'un âge certain. Les chuchotements recommencèrent de plus belle semant la consternation dans la petite foule qui attendait devant la porte.

Sacré Boris ! Je devais admettre que celle-là, je ne l'avais pas vue venir ; aucun de nous d'ailleurs. Je faisais confiance à Bjarni, mais le doute s'installa tout de même dans mon esprit. Si jamais, Bjarni s'était laissé emporter par sa passion et qu'il aurait manqué à son devoir de gentilhomme, s'en était fait de tous nos plans. J'espérais sincèrement qu'il n'est pas failli devant ses ardeurs passionnelles. J'avais les mé-ninges qui bouillaient tellement l'activité de mes pensées était intense. De toute façon, nous aurions tous été fixés dans peu de temps.

La dame entra dans le bureau. Bjarni était dans une colère intérieure telle, qu'il était muet, étranglé par une autre épreuve que devrait subir Mira avant de partir et celle-là se ferait sous son toit. Boris se retourna vers lui et lui dit :

-Voilà une sage-femme qui connaît bien la virginité. Ma bonne dame, Bjarni, Roi de Norvège se fera un plaisir de vous faire reconduire jusqu'à la dame en question et vous laissera faire votre vérification dans un endroit discret. N'est-ce pas Bjarni que tu vas faire le nécessaire ?
-Boris, j'ai envi de te tordre le cou !
-Tiens donc ! Serait-ce que le Roi de Norvège aurait quelque chose à se reprocher ?
-C'EST ASSEZ ! Boris, je n'ai rien à me reprocher, ni moi, ni aucun de nous !

Il s'élança à pas rapides vers la porte qu'il ouvrit comme un coup de tonnerre lui aussi. Il me fit venir. Dans le creux de l'oreille, je fus chargé d'aller cueillir Mira et de la ramener vers ses appartements. Il fit signe à la dame qui me suivit accompagnée des deux gardes de Boris.

Il fallait maintenant expliquer à Mira qu'on devait faire un examen de sa virginité car Boris voulait être certain qu'elle était dans le même état qu'il l'avait laissé quelques semaines auparavant et il prouvait, sans l'ombre d'un doute, qu'il ne faisait nullement confiance à Bjarni.

Pendant ce temps, Bjarni et Boris étaient, de nouveau, seuls dans le bureau. Bjarni regagna sa place, s'assied et accota ses pieds sur le bureau, s'accoudant sur le bras de la chaise en faisant la moue et en se frottant la moustache. Le silence était le seul moyen de garder à l'intérieur, les foudres qui voulaient sortir pour étrangler Boris qui lui servait son petit air moqueur.

-Sacre Dieu ! Bjarni, que tu as mauvais caractère... Si tu te voyais !
-Ferme-là !

Bjarni s'était penché sur son bureau et cognait de son poing sur le bureau.

-Ça ne sera pas très long... et si comme tu le dis tu n'as rien à te reprocher...
-J'ai dit : FERME-LA !

-Toi, Bjarni tu dis au Roi de Suède, de la fermer ?

-Oui, je te dis de la fermer et si tu persistes à me défier sous mon toit, tu ne pourras plus jamais ouvrir ta grande gueule !

-Ha ! ha ! ha ! Hou ! Comme j'ai peur !

Bjarni se leva debout. Il était sur le point de lui sauter au visage.

-Bjarni, calme-toi ! Voyons je t'étrille… Mes plaisanteries sont peut-être de mauvais goût, mais ce sont, tout de même, des plaisanteries.

-Le grand Roi de Suède aurait-il peur que je sois comme je l'ai toujours été ? Vainqueur de nos combats, même s'ils étaient amicaux à l'époque ce matin c'est autre chose…

-Un combat, juste toi et moi ?

-Oui, juste toi et moi… que je puisse enfin te mettre une raclée dont tu te souviendrais toute ta vie, Boris !

-L'invitation est alléchante. Car si tu as toujours été vainqueur dans nos singuliers petits combats, Bjarni, il faut que tu saches que je t'aie toujours laissé gagner…

-À la bonne heure ! Toi, tu me laissais gagner ? Ha ! ha ! Laisse-moi donc rire… N'as-tu jamais laissé gagner quelqu'un Boris ? Encore ce matin, tu veux tout diriger, tu veux tout contrôler, jusqu'à la virginité d'une sainte ! Oui, une sainte, je ne vois pas comment je pourrais l'appeler autrement… Juste d'avoir à t'endurer et être prise pour se marier avec toi, elle a déjà sa place à la droite de Dieu !

-Si seulement Bjarni tu m'avouais franchement qu'elle est loin de t'être indifférente… Si seulement tu avouais ça. Je ferais mon bout de chemin aussi et j'avouerais qu'effectivement il lui faudra bien du courage pour affronter l'homme que je suis.

-Je n'avouerai rien car je n'ai rien à avouer. Je t'ai dit tout à l'heure que tu ne m'entraîneras pas dans tes petits plans machiavéliques.

À ce moment, on vint cogner à la porte. Bjarni ne perdit pas une minute et s'élança vers la porte. Il fit entrer la sage-femme accompagnée des deux gardes.

-Eh ! bien, ma chère bonne dame, dites-nous ce que vous avez vérifié ? Dit Boris tout en se levant.

-Majesté, la dame est toujours une pucelle.

Bjarni regarda Boris en hochant de la tête avec les lèvres serrées.

-En êtes-vous bien certaine Madame ? Demanda Boris.

-Absolument Majesté. Je pratique ce métier depuis de si longues années, une vierge ça ne trompe pas, Sire.

-Bien, vous pouvez sortir.

-Satisfait, MAJESTÉ ? Demanda Bjarni arrogant.

-Oui, je suis satisfait. Tu sais Bjarni, moi aussi je sais reconnaître une vierge quand je la dépucelle… Mais je voulais m'en assurer avant d'être avec elle dans mon lit. Je n'aurais pas apprécié une mauvaise surprise…

-Fais-moi gré de tes prouesses charnelles Boris… Je n'ai nul besoin de savoir que tu la dépucelleras et que tu en abuseras, maudit sois-tu !

-En abuser ? En es-tu si sûr Bjarni ? Et si la dame appréciait mes caresses ? J'ai beaucoup d'expérience avec les dames Bjarni… Elle en profitera largement !

-ASSEZ BORIS ! Cette fois tu dépasses les bornes ! Je ne veux plus rien entendre… Tais-toi !

-Bon, bon ! Le roi de Norvège n'a jamais aimé savoir que je plaise énormément aux dames. Je comprends ! Alors, signons ce traité que je quitte à jamais ce lieu de perdition. Je sens qu'il était grand temps que j'arrive la cueillir sinon, vous lui auriez souillé l'esprit de vos inepties de Norvégiens !

-D'accord Boris ! Parfait, même ! Moi, aussi, ma patience est à bout et je suis sur le point de ne plus me contenir.

Bjarni passa près de lui, le regardant droit dans les yeux d'un regard placide et se dirigea vers la porte, faisant entrer de nouveau les hommes qui y étaient quelques minutes auparavant. Une fois que tous avaient repris leur place respective, Bjarni demanda à un de ses généraux d'emporter le traité.

Un long document fut soumis sous ses yeux. Il le lut puis apposa sa signature. Bjarni en fit autant. Les deux hommes devaient se serrer la main mais Boris se retourna et sortit de la pièce en jetant un regard de rage à Bjarni. Après sa sortie théâtrale et l'évacuation de ses hommes, Bjarni dit aux autres occupants de la pièce :

-Messieurs, il nous reste une dernière étape vous savez ce qu'il vous reste à faire…

Bjarni sortit en même temps que tous, se dirigeant vers Mira et le petit peloton qui les attendaient calmement assis sur leur monture. Silencieusement, commença le court trajet qui les mènerait vers le lieu de l'échange. Un peu plus loin sur la route, Boris et ses hommes attendaient l'objet de l'échange, bien positionnés sur le fait d'une colline qui surplombait une petite clairière. Le petit convoi de Bjarni s'avançait vers eux. On apercevait Boris et ses hommes à cheval qui attendaient patiemment. Bjarni se sentait pris de serrements de cœur. Le moment qu'il aurait aimé repousser était maintenant là, il ne pouvait plus reculer. Mira à cheval aux côtés de Bjarni voyait Boris et la panique s'empara d'elle. Avait-il tué sa famille ? Aurait-elle la chance de revoir Bjarni un jour ?

Les hommes et Bjarni s'arrêtèrent à une distance raisonnable. Bjarni avait la rage qui le tenait aphone. C'est alors que je pris la parole :

-Madame, ne nous oubliez pas !

Mira baissa la tête et à contrecœur, descendit de sa monture et s'avança dans le foin qui montait à mi-cuisse, laissant un sillon derrière son passage. À mi-chemin elle se retourna vers Bjarni. Boris qui dévalait la pente à pleine allure avec sa monture, happa Mira. Elle fut soulevée dans les airs brutalement, pour se retrouver assise au-devant de sa selle. Cette façon cavalière et brutale de la faire monter choqua Bjarni qui ne pouvait que se contenter de serrer les dents et les poings sur les guides de son cheval. Boris arrêta sa monture. Il embrassa sa Promise dans le cou tout en fixant Bjarni droit dans les yeux. Une preuve irréfutable, une prise de possession, un fauve qui dispute sa proie à un adversaire, voilà ce que ces gestes représentaient. Puis, comme rassasié, il se redressa sur sa monture et fit demi-tour grimpant la colline. La longue chevelure blonde passait par-dessus l'épaule de Boris et vagabondait au gré du vent et des secousses du cheval au galop. Le seul au revoir que pouvait apercevoir Bjarni. Sur le fait de la colline Boris s'arrêta au milieu de ses hommes se retournant vers Bjarni. Ses huit cavaliers levèrent leur étendard royal pour repartir vers l'autre versant de la colline. Doucement, leurs silhouettes disparurent aux dépens des hautes herbes.

Bjarni resta quelques instants le regard dans le vide. Ce regard perdu dans le néant, ce silence, cet homme désormais démuni, ce roi imposant par son physique mais désarmé par les événements déchirants de sa vie restait là, immobile. Je pouvais voir, j'irai jusqu'à dire que je pouvais lire les mots, les phrases, les paroles qui lui passaient dans les yeux. Un roi amoureux qui voyait à jamais son amour partir au loin sans aucun espoir de retour. Ce roi que je connaissais depuis sa naissance, celui-là même dont j'avais guidé les pas vers l'avant faisait soudainement un recul considérable anéanti par une femme qu'il ne connaissait pas il y avait de ça si peu de temps. Le cœur d'un homme comme Bjarni, qui est blessé, qui saigne laisserait des cicatrices. Le jeune roi était devenu un homme qui ne pourrait plus s'épanouir. La lumière lui avait été révélée et elle s'éteignait au fur et à mesure que s'éloignait La Promise de sa vie. Je me suis approché de lui.

-Sire, il faut repartir maintenant.

Bjarni fit faire demi-tour à sa monture et, accompagné de ses hommes, pour regagner sa demeure. Lentement, silencieux et visiblement peiné par le départ de la femme de sa vie, le Roi Norvégien se séparait à chaque seconde d'un trésor qu'il avait lui-même remis aux mains de son ennemi. Songeur, c'est en cours de route qu'il délaissa ses cavaliers et prit un chemin transversal qui menait à un cap surplombant la plaine. Je fis signe aux autres de le laisser s'éloigner et de continuer leur route vers le château. Il avait besoin d'être seul.

Au galop dans cette route dont il connaissait l'aboutissement, Bjarni avait entrepris une course effrénée atteignant finalement son but. Une dernière chance pour voir la belle perdue à jamais.

Plus bas, dans la pleine aux herbes blondes qui se secouaient, telles des vagues sous l'effet de la brise, le carrosse, quelques soldats, et Boris qui arrivait avec les derniers souvenirs que Bjarni verrait de la future Reine de Suède. Boris, lui ouvrit la porte et au moment d'embarquer, comme par miracle, elle se retourna. Sur le fait d'une montagne un cavalier sur sa monture, observait cheveux et cap au vent. Le cavalier fit cambrer son cheval en guise d'adieu. Boris pressait la dame d'entrer. Quelques secondes plus tard, le cortège se mettait en route. C'était la fin. Deux êtres qui se séparaient, qui s'éloignaient l'un de l'autre, qui n'avaient pour se rattacher qu'un seul souvenir, celui d'un amour interdit.

Boris avait pris place dans le véhicule et s'était confortablement assis devant Mira. Quant à Bjarni, il resta quelques instants à regarder défiler à travers sa plaine norvégienne, le carrosse qui emportait La Promise. Elle était partie et ne reviendrait jamais. Jamais plus, il ne verrait ces yeux, cette bouche vermeille, n'entendrait son petit rire joyeux et son esprit divin. Jamais plus il ne verrait le spectacle d'un chat sur le dos d'un cheval. C'est avec un air atterré qu'il regagna son château où je l'attendais.

-Sire, tout s'est passé comme nous l'avions calculé du moins presque tout.
-Oui... on peut dire ça, Mirikof...

-Sire, j'ai pris la liberté d'avertir le Roi Etok.

-Pourquoi ? Déjà ?

-C'est vrai qu'après que nous ayons eu notre petite discussion à ce sujet, j'ai pensé qu'il fallait prévenir Etok de la réponse que Boris nous avait fait à notre invitation à lui faire signer un traité de paix moyennant l'échange de sa Promise. J'ai reçu sa réponse ce matin. Etok, était déjà débarqué au Danemark. Il ne restait que quelques-uns de ses hommes en Angleterre. Il nous répond qu'il quittait le Danemark avec son armée et qu'il désirait vous voir avant de retourner dans son pays.

-Me voir ? Qu'a-t-il fait de son armée ? Il l'a retournée vers la Prusse ?

-Non... C'est ce que je n'ai pas compris. Il vient vers nous et reste son armée au Danemark.

-Bon. Il sera ici dans quelques jours tout au plus ! Je saurai en temps et lieu pourquoi il garde son armée chez Euphrase. Il croit peut-être que Boris ne respectera pas sa signature ?

-Je crois qu'il préfère prévenir le déplacement de ses troupes maintenant. Si dans les prochaines semaines tout se déroule comme nous l'avons prévu, son armée retournera vers ses terres. Euphrase, quant à lui, a été sécurisé par la présence d'Etok. Etok arrivera avec un paiement de la part de tous les Danois en guise de remerciement pour leur avoir prêté main-forte contre Boris.

-Mirikof, si jamais Boris ne tient pas parole, je t'assure que je me chargerai personnellement de lui...

-Je comprends... La séparation vous pèse déjà, n'est-ce pas, Sire ?

-Mirikof je préfère ne pas aborder le sujet. Nous allons plutôt régler le sort de Varek, maintenant...

-Bien, Majesté, je vais vous rejoindre au bureau.

-Tu feras venir tous les conseillers nécessaires à cette deuxième épreuve pour moi aujourd'hui...

-Bien, Sire.

Bjarni se dirigea vers son bureau, y pénétra et s'assit seul. Une mine déconfite se lisait sur son visage et la douleur lui grugeait le cœur.

Pourrais-je survivre à tout ça ? Vais-je pouvoir m'en remettre ? Je suis las, je n'ai plus l'énergie... Mira, tu es partie depuis quelques minutes seulement et je suis déjà en manque de toi ! Et ce maudit Boris, que va-t-il faire de toi ? Comme si je ne savais pas qu'il va te faire du mal, qu'il va tellement t'écraser que tu en crèveras ! Dieu, pourquoi ? Pourquoi ? Prenez-vous-en à moi, à lui, mais pas à elle !

La porte de son bureau s'ouvrit le sortant de sa complainte. Les hommes de Loi, d'Eglise, certains ministres et hauts fonctionnaires s'introduisirent dans le bureau royal. Une discussion s'entama sur l'avenir du frère du roi. Varek était depuis longtemps gênant pour la lignée royale. Il avait toujours été exubérant, intrépide et un prince capricieux. Il fallait que cela cesse et sur le champ. Sa dernière bêtise était la goutte qui avait fait déborder le vase. Tout s'était précipité, dégénérant le lien entre les deux hommes depuis le couronnement du roi. Il n'acceptait pas être le fils cadet et de rester prince toute sa vie. Quant à Bjarni il avait accepté son rang de fils aîné et prit la couronne comme le voulait la tradition. C'était là, la loi de la succession au trône. Varek, homme très différent de Bjarni, ne rêvait que de pouvoir. Son rang princier lui concédait une certaine puissance mais incomparable à celui d'un souverain.

Après une discussion animée, la décision tomba. Le caractère torrentueux du prince, lui valut d'être confiné à ses appartements avec liberté surveillée ou de choisir l'exil. Le jeune prince fut informé de ses droits et obligations par le roi lui-même qui l'avait fait venir dans son bureau et s'entretenait seul à seul avec lui.

-Varek, tu dois comprendre que c'est toi qui as tissé la propre toile dans laquelle tu es prisonnier aujourd'hui. Tu es allé trop loin avec la belle Promise... Je ne pourrai jamais te pardonner ce geste.
-Votre Majesté est offusquée de mon geste ? Votre Majesté avait elle-même bien envie d'en faire autant !
-Ça suffit Varek ! Je désire cette femme, je ne peux m'en cacher mais jamais je n'aurais osé lui enlever quoi que ce soit sans son consentement... On appelle ça le respect Varek, mais toi le respect tu ne connais pas !
-Je ne connais que le respect dû à un prince qui ne sera jamais roi...
-Je ne reviendrai pas sur cette vieille histoire avec toi aujourd'hui. Je veux seulement que tu te décides entre les deux options que nous t'offrons...

Varek contrarié par la décision prise par le roi et les hauts dirigeants du royaume comprenait désormais l'ampleur de toutes ses bêtises. Il resta silencieux quelques instants.

-Bjarni, si je décide de rester confiné dans mes quartiers avec liberté surveillée, est-ce une condamnation à vie ?
-Si tu fais preuve de bonne volonté, nous sommes disposés à te laisser deux ans afin que tu changes ton comportement. Il faudra ces-

ser de boire, de te saouler à la moindre occasion. Ensuite pendant une autre année tu seras sous surveillance mais tu auras beaucoup plus de liberté… Après si tout va bien, tu recouvreras ton entière liberté. J'ai même demandé que tu sois réintégré au sein du Parlement.

-Bon.

-Que décides-tu ?

-Et si je m'exile, quel pays me verra arriver ?

-La Prusse sous la surveillance d'Etok.

-Etok ! Non ! Pourquoi est-ce que je ne peux choisir moi-même un pays ?

-Parce que tu as déjà beaucoup plus qu'on ne peut espérer, Varek. Tu as le choix et tu sais très bien que j'aurais pu être beaucoup plus intransigeant !

-Un choix, un choix… Ah ! Bjarni, est-ce un choix que de me confiner ou de m'envoyer dans cette maudite Prusse ?

-Capricieux, voilà ce que tu es, Varek. Non seulement tu devrais te réjouir que je ne t'aie pas fait couper le cou, voilà que tu rouspètes sur ce que je t'offre, je peux changer d'avis immédiatement si tu veux et te faire goûter à la hache du bourreau !

-Ai-je vraiment le choix ? C'est un mirage que de penser que j'ai le choix !

-Alors que décides-tu ?

-Je vais essayer de rester ici.

-Bon, je vais aller faire part de ta décision aux personnes concernées.

Le roi ressorti de la pièce agacé par l'attitude de son frère qui se butait derrière une moue hors de l'ordinaire. Visiblement, le jeune prince n'acceptait pas du tout ce qui avait été décidé et Bjarni n'en avait que faire des tourmentes de son jeune frère où il s'était lui-même plongé.

La prise de possession

Pendant ce temps, Boris poursuivait sa route de retour assis dans le carrosse avec sa belle promise. Silencieuse et réservée comme toujours, Boris admirait son trésor qu'il venait de réclamer à son pire ennemi. Car loin d'être idiot, Boris savait qu'elle avait fait un effet bœuf sur son voisin et se gavait de voir son acolyte aussi déconcerté. Elle était à lui, rien qu'à lui. Malgré que son enlèvement l'ait mis dans une colère à prime abord, maintenant il savourait ce que Bjarni avait fait. Car Bjarni connaissait maintenant Mira et il était sûrement accroc. Juste cette pensée le faisait saliver ! Ah ! Quelle victoire incomparable. En plus de lui ravir bientôt son royaume, l'homme était sur le point de perdre son trône, tous ses privilèges et devrait embrasser la couronne Suédoise, sans compter que sa reine serait celle dont il rêverait sans répit toutes les nuits. La boucle était complète pour Boris, la satisfaction était à son summum pour ne pas dire à son paroxysme ! Après ces réflexions qui le plongeaient dans des rêves incroyables, Boris se pencha vers elle.

-Madame, votre enthousiasme à me revoir, me transporte de joie !

Mira ne répondait pas aux désastreuses entrées en matière de son interlocuteur.

-Madame est toujours aussi réservée ? Dites-moi, la belle, puisque vos démonstrations d'affection à mon égard sont toujours aussi dénuées d'expression, dites-moi au moins si on vous a traité convenablement au pays des rebelles ?

Mira ne répondait toujours pas. Ce silence ne faisait qu'agrémenter le mauvais caractère de Boris. Il se leva et s'assied à côté d'elle passant son bras autour de ses épaules et d'une main lui souleva le menton.

-Serait-ce trop difficile de répondre à son Souverain, Madame ? Que s'est-il passé, je veux savoir si on a abusé de toi ? Tu vas me répondre ? J'ai fait une longue route pour venir te cueillir et je n'accepterai pas que tu n'as pas plus de reconnaissance que ça pour ton futur époux…

La retenant avec brutalité avec son regard d'acier, il faisait ressurgir ses débordements aussi facilement que ses paroles mielleuses.

-Sire, on m'a bien traitée… vous devriez le savoir !
-Qu'est-ce tu insinues par "*vous devriez le savoir*" ?

Elle ne répondit pas.

-Ha ! ha ! Tu n'as pas apprécié que je fasse vérifier ta virginité ?
-Était-ce vraiment nécessaire, Sire ?
-Non seulement c'était nécessaire, mais primordial. De quoi aurais-je eu l'air s'il s'était avéré que quelqu'un d'autre s'était prévalu d'un droit que je me réserve depuis déjà si longtemps ?

Elle serait les dents sur le point de se rebeller.

-Oh ! Madame comme je sens que ce que je viens de vous dire, vous choque ! Qu'à cela ne tienne, tu n'as rien à redire de mes méthodes, très chère ! Je connais les Norvégiens et particulièrement le Roi Bjarni… Il a beau être réputé pour être un gentilhomme, mais sachez, ma chère dame, que près de vous, j'ai l'impression que les hommes se transforment en tigre ; et le Roi Bjarni est mieux d'avoir retenu ses élans pour toi… je le connais et je te connais. C'est pourquoi que dès que nous arriverons au château nous procéderons à notre mariage, tout est prêt on n'attend plus que nous, ma jolie…

Il l'empoigna brutalement et l'embrassa sur la bouche.

-Si tu savais comme ces deux prochains jours qui nous emportent vers le château me paraîtront interminables… J'ai tellement envie de toi… Ton regard, ta peau…

Soudainement, il vit la petite main bleue. Attrapant le poignet avec autant de délicatesse qu'un ours qui vous donne la patte, il la regarda droit dans les yeux.

-Qu'est-ce ? Ta petite main est bleue comme mon costume ! On t'a battu ?
-Non… non… Sire… Je me suis fait mal.
-Tu penses réellement que je vais croire ça ? Tu me prends pour un crétin, Mira ?

-Non… non… Sire… C'est vrai. Je me suis fait mal. Je suis tombée…

-On ne se fait pas une main comme ça en tombant. Tu me mens !

-Non… Sire… Écoutez-moi… Je suis tombée d'une monture et le cheval dans son énervement est parti au galop et m'a écrasé la main.

-Cette marque, c'est la marque d'un sabot ?

-Oui, Sire !

-Que faisais-tu sur une monture ?

-Pour me distraire, on m'a emmené à la cour. J'ai vu les chevaux et j'ai demandé si je pouvais monter.

-Tu montes à cheval, toi, ma jolie ?

-Oui… Je ne suis pas une bonne cavalière, mais je m'ennuyais et j'ai pensé que de faire une ballade à cheval me changerait les idées.

-Vous vous ennuyiez ? Vraiment ?

-Sire… J'ai été enlevée, je ne connaissais personne, je n'étais plus en Suède, j'étais loin de tous ceux que je connaissais… Je…

-Ah ! Je me disais aussi, qu'il était bien improbable que ma Promise daigne me dire qu'elle s'ennuyait de moi ! Pauvre Boris, j'ai bien failli avoir une attaque ! Montre-moi encore cette main.

Il examinait la main. Mira espérait qu'il crût à cette histoire. Il le fallait, elle n'en avait pas d'autre à lui fournir.

-Diantre, Mira, ce cheval a bien failli te couper les doigts !

-Oui… Les dames qui étaient avec moi ont eu plus peur que moi !

-Ça te fait mal ?

-C'est sensible, mais ce n'est plus enflé et je peux plier mes doigts.

-Ils ont tué le cheval ?

-Non… Bien sûr que non. Pourquoi l'auraient-ils fait, Sire ?

-Parce qu'il est presque parti avec une partie de votre main, Madame ! Je n'aurais jamais accepté que l'une de mes bêtes puisse vivre après vous avoir fait mal de la sorte, je l'aurais tué sur le champ ! C'est bien les Norvégiens ça ! Une bande d'incapables !

Mira baissa les yeux.

Oui, Boris, tu l'aurais tué sur le champ. Comme tout ce que tu touches. On meurt tous. Le cheval aurait eu plus de chance que moi. Moi, c'est à petits feux que tu me tues.

-J'ai encore dit quelque chose qui a blessé le petit cœur sensible de la dame ? Hein ? Mira ? Tu as retiré ta main, tu baisses la tête… Je te connais, tu sais ! Dis-le ce qui t'a choqué dans ce que je viens de dire.

-Rien, Majesté.

-Petite menteuse ! Embrasse-moi !

Non, il ne va pas recommencer ! Ce que j'étais bien en Norvège avec cette bande d'incapables comme tu dis Boris !

-Tu sais ce qui attend ton frère… et puisque nous sommes à deux jours de mon château et bien ça lui fera deux jours de plus à passer sous mon fouet.
-NON ! Non… Ne me menacez plus, ne le menacez plus…
-Tiens donc ! Et pourquoi cesserais-je la belle ?
-Parce que ce n'est pas bien… ce n'est pas…
-Ce n'est pas bien ? Dis donc, la belle, ta petite vacance en Norvège t'a donné de l'aile ! Tu oses me dire ce que je dois faire ? Non… Je ne sais pas ce qu'ils t'ont fait, mais tu vas tout de suite t'excuser pour t'avoir adressé au Roi de manière si folichonne ! Allez, excuse-toi ! Tout de suite !
-Je… je vous demande pardon, Majesté.
-Mieux que ça ! Tu oublies quelque chose de très important.

Il fallait se résigner. Elle ferma les yeux, approcha ses lèvres des siennes et voilà qu'il n'en fallait pas plus pour allumer la forte nature du roi. Il se rua sur elle. Sa passion débordante lui faisait oublier qu'il la serrait fortement contre lui à lui couper le souffle. Il s'arrêta brusquement quand il entendit la belle pleurer.

-Tu n'es pas plus attirée vers moi que vers un précipice ! Tu pleures encore ! Je pensais que notre petite séparation t'aurait rapprochée de moi, je vois que c'est tout le contraire. Tu es plus réticente que jamais. Je suis outré ! Ingrate !

Boris était insulté.

-Non… Non… Majesté… Pardonnez-moi… Vous m'avez serré si fort…
-Ah ! La belle excuse, Mira… Tu pourrais trouver mieux ! Ton frère sera fouetté pour ton manque de politesse envers moi.
-Non… Sire… Je vous assure… vous m'avez écrasé la main… C'est fini, j'essuie mes larmes, je vous demande pardon ! Ne faites pas fouetter mon frère parce que je me suis blessée à une main et que… et qu'elle est sensible… Je vous demande pardon.

Boris la regardait.

Dois-je la croire ? C'est vrai que je l'ai serré fortement contre moi et que cette petite main est rudement bleue !

-Bon très bien ! C'est très bien. Ce serait donc à moi à m'excuser de t'avoir fait mal ? N'est-ce pas Mira ?

-Non… Sire, ce n'est pas nécessaire, vous ne vous rendiez pas compte que…

-C'est vrai que quand je t'ai dans mes bras, je ne me rends plus compte de rien Mira !

Il s'approcha doucement et lui donna un doux baiser sur les lèvres. Il passait tendrement ses mains dans ses cheveux. Il mit fin abruptement à ses élans.

-Le Roi s'est excusé ! Et il sort parce qu'il risque encore de perdre la tête.

Juste avant qu'il ne ressorte, elle lui demanda :

-Maj… Majesté ?

-Oui ? Tu veux quelque chose ? Serait-ce que tu veux que je reste dans ce carrosse près de toi et que je t'embrasse encore et encore ?

Ce qu'il peut être bête ! J'ai autant envie de tes baisers que l'on me pique avec des fourchettes ! Idiot ! Ce que j'aimerais pouvoir te le dire Boris ! Te dire à quel point ton petit sourire moqueur, ton humour, me flatte autant que si l'on me frottait avec le dos d'un porcépic ! Imbécile que tu es ! Et il fallait que ça tombe sur moi ! L'idiot du village est plus intelligent que le Roi de la Suède !

Elle se dépêcha à lui formuler sa question qui n'avait aucun rapport avec ce que Boris avait derrière la tête.

-Non… non… je… je… voulais savoir si mon père était…

-Mort ? Pas encore, ma douce Ha ! ha ! Tout à l'heure, tu m'as presque fait tomber à la renverse, ma jolie. J'ai été sot de croire que tu pouvais avoir un seul petit désir pour moi ! Mais je t'assure que si tu ne démontres pas plus de bonne volonté… je lui rendrai une petite visite à ton cher père ! En attendant, j'ai toujours ton frère qui peut me servir ! N'est-ce pas ?

Boris s'était encore tapissé le visage de son sourire narquois. Il se retourna, ouvrit la porte, sortit la moitié de son corps du véhicule en marche et fit venir son cheval. C'est dans un véhicule en marche qu'il quitta la belle. Enfin, elle était enfin seule et pouvait désormais penser librement à celui qu'elle venait de laisser quelques heures auparavant.

Est-il déchiré par les événements comme je le suis ? Cet adieu qu'il m'a fait sur le fait de cette montagne... Mon Dieu ! Que c'est dur... Ah ! Bjarni, pourquoi nous sommes-nous rencontrés si c'était pour nous briser davantage ? Si tu savais comme j'aurais voulu te supplier de ne pas me laisser repartir vers ce calvaire ! Mais le sort de milliers de Norvégiens est bien plus important que le sort d'une seule personne. Je n'avais pas le droit d'exiger de toi un tel sacrifice. Le sacrifice c'est moi qui le ferai... Vais-je pouvoir l'affronter le moment venu... Je ne m'en sens pas la force ! Père, aidez-moi ! Donnez-moi le courage que vous aviez le don de m'insuffler quand j'étais près vous !

Elle porta la main à son corsage et en ressortit le magnifique collier que lui avait donné Bjarni. Elle frottait délicatement les pierres précieuses. Seul souvenir qu'il lui restait de son passage auprès de lui. Elle regardait avec insistance le bleu des saphirs comme si elle espérait en voir sortir un génie qui l'aurait délivrée de sa tourmente.

Pendant le court voyage de retour, qui dura à peine deux jours, Boris s'était tenu à l'écart de Mira. Sûrement plus par prudence que par raison. Oui, notre Boris était un homme passionné par les femmes et particulièrement par une beauté de dix-sept ans, pucelle et gracile comme Mira. Se sentant sur le point de ne plus se contenir il préférait penser que le mariage était sur le point d'être prononcé et d'attendre le moment venu pour batifoler avec elle. C'était une sage décision que de se tenir loin d'une tentation aussi appétissante.

Le château montrait ses pics par-dessus la cime des arbres. On approchait de la prison dorée.

Dès leur arrivée, l'activité à l'intérieur du château était signe de préparatifs pour un grand événement. Pendant toute la journée les servantes s'étaient afférées près d'elle.

Toute cette mascarade pour un mariage que je ne souhaite point. Demain, je serai mariée ! Mariée avec le plus imbécile Roi qu'il y a sur la terre ! Boris tu m'as bien prise dans tes filets. J'aurais envie de crier comme un loup sans espoir mais à quoi bon... Le sort en est jeté maintenant je dois faire face à ce cruel destin.

Boris quant à lui avait réuni tous les membres de son parlement, les quelques généraux et les hauts dignitaires de sa cour. Il leur faisait le compte-rendu de sa mission.

-Messieurs, à l'heure actuelle, mes hommes continuent leur marche vers le Danemark. Ils sont déjà à bord de drakkars et prendront sans ménagement ce territoire. J'ai également appris une excellente nouvelle lors de mon arrivée chez Bjarni. Le Roi Etok qui était arrivé chez Euphrase est reparti dès qu'il a su que j'allais signer un traité de paix. Quels idiots, lui et Bjarni. Pensaient-ils vraiment se jouer de moi comme ça !

-C'est effectivement un point qui nous sécurise Majesté. Parce que nous devons vous dire que lorsque nous avons su que vous ne rameniez pas vos hommes avec vous, nous ne comprenions plus rien. Nous avions su, sur le tard, qu'Etok était en route vers le Danemark. Si Bjarni n'avait pas enlevé La Promise, et que vous auriez continué votre route, Sire… Vous auriez été massacré !

-Oui… Au début, j'étais insulté que Bjarni ait pu utiliser un tel plan pour me faire revenir sur mes pas, mais il s'est lui-même coupé l'herbe sous le pied. Déstabilisant Euphrase qui est maintenant vulnérable.

-Que feront nos autres troupes plus au Nord, Sire ?

-Ils ont l'ordre de se replier derrière la frontière. Ha ! ha ! Que c'est amusant ! Dans une semaine, ils chargeront de nouveau. Cette fois, le Danemark sera à moi et mon plan initial sera de nouveau le seul possible. Bjarni sera coincé entre l'arbre et l'écorce et je me retournerai contre Etok, le traître qui est venu en aide aux Danois et aux Norvégiens au lieu de s'affilier avec moi. Ils vont payer pour avoir osé se frotter à moi ! Pendant, ce temps, moi, je vais me la couler douce. Mon mariage fera le tour des Cours Royales et tous soupçons sur ce qui se trame sera balayé par cette noce avec la légendaire Mira.

Les hommes présents à cette réunion devaient admettre que leur roi était plus diabolique que le diable lui-même. L'homme était sur le point de savourer une pucelle, de conquérir, de devenir un empereur, d'être plus important que le Grand Prince de Russie qui était bien affaibli par des guerres civiles à des milliers de kilomètres de là. Le Grand Prince n'avait point le temps de se retourner contre Boris, déchirer par des problèmes internes de la plus haute importance. Et Boris, qui frappait à qui mieux mieux dans ce petit intermède pour se tailler une place de choix à travers les difficiles chemins de l'accession au pouvoir suprême. Le Grand Prince de toutes les Russies était sa prochaine victime. À ce rythme-là, rien ne semblait pouvoir arrêter la machine de guerre qu'était Boris et qui avait toute l'énergie nécessaire pour sustenter les désirs inassouvis du Magnifique !

Le lendemain, le grand faste royal se déployait pour le mariage. Mira quant à elle arborait une mine déconfite dévastée par ce qui allait la lier à jamais attendant calmement le dur verdict de la prononciation de ses vœux devant l'autel de l'église.

Je ne m'en remettrai jamais. Je suis angoissée à l'approche de ce moment fatidique.

Lorsque la porte ouvrit et qu'on vint la chercher pour se rendre à la chapelle royale, c'est comme si on avait sonné le glas. Elle se dirigeait vers ces hommes et ces femmes qui regarderaient avec indifférence sa prise de possession par leur roi.

Vêtue d'une robe blanche, de voiles, de bijoux, elle déambulait à travers les corridors escortée par deux servantes et une dizaine de gardes royaux habillés eux aussi de costumes de circonstance pour le mariage de leur roi.

Je vais m'effondrer ! Dieu du ciel, venez-moi en aide ! Donnez-moi le courage que vous avez eu lorsqu'on vous a imposé le chemin de croix, la crucifixion... C'est vraiment ce que j'ai l'impression de vivre une crucifixion... Pardonnez-moi, oh ! Seigneur ! Si je ne suis pas La Promise, la pucelle de la légende, je me sens abandonner de tout courage.

Elle eut un malaise. Les dames la soutirent et les gardes se pressèrent autour d'elle.

-Laissez-lui de l'air, Messieurs, poussez-vous, disait l'une des servantes. Madame ? Madame ? Il fait chaud aujourd'hui. Donne-moi ton éventail.

La dame faisait de l'air, les gardes se poussèrent un peu et Mira revint à elle.

-Madame ? Ouf ! Elle revient à elle ! Madame, vous nous avez fait peur ?
-Qu'est-ce que...
-Madame, nous allons vous asseoir.

Les gardes se bousculèrent pour laisser les dames passer jusqu'à une chaise qu'il y avait dans un petit vestibule plus loin. Elles restèrent près d'elle. Mira revenait d'une évasion physique. Malheureusement, la réalité reprenait vite sa place et l'évasion de courte durée ne l'avait pas emportée au pays des morts. La dame présentait maintenant un état physique satisfaisant et il leur aurait tous été mortel de ne pas l'obliger à continuer sa route jusqu'aux pieds de l'autel où l'attendait le roi, impatient qu'on prononce les vœux. Les escortes relevèrent la dame et la traînèrent bien malgré son consentement jusqu'aux grandes portes de la chapelle. Encore des portes derrières lesquels, Mira verrait une foule qui se retourne vers elle, des portes qui scelleraient à jamais son destin. Une des servantes cogna à l'une des portes et revint sur ses pas. Les portes s'ouvrirent dans un grincement, laissant voir plusieurs centaines de personnes debout devant leur banc, se retourner. L'allée centrale était déserte jusqu'au bout où se tenait Boris vêtu d'un magnifique costume blanc, paré de broderies royales et de cordons or. Il était debout le regard noir attendant avec impatience que l'ange qui venait de faire son apparition vienne le rejoindre. Mira avançait seule dans l'allée, le cœur serré. La légèreté de son pas, la grâce du mouvement de sa robe, les dentelles qui volaient autour de ses voiles, la rendait irrésistible. Ce passage vers l'enfer lui sembla une éternité. Dès son arrivée près du roi, il ne perdit pas une minute pour lui tenir la main et l'invita à s'asseoir.

Le cardinal débuta la cérémonie en faisant asseoir le reste de l'assistance. Debout derrière l'autel, l'homme de Dieu, ouvrit une bible énorme et commença une lecture assidue d'un passage. Le tout en latin. Ce petit manège dura pendant presque deux heures. Le mariage est un sacrement particulier et il l'est bien davantage quand il s'agit d'un mariage royal. Les évêques, les cardinaux, les prêtres, les généraux, les plus hauts dignitaires de la Couronne et de certains autres pays étaient bien entendus tous de la cérémonie. Et puis, le moment tant attendu par Boris arriva. Le cardinal s'avança vers eux.

-Roi Boris Magnusson fils de Slavürko prenez-vous pour épouse Mira fille du sage Amik ici présente, et jurez-vous de la chérir, de lui rester fidèle pour le meilleur et pour le pire jusqu'à ce que la mort vous sépare ?
-Oui, je le veux.

Boris ne regardait pas du tout le cardinal. Non, de toute la cérémonie, il n'avait pas laissé Mira des yeux. Ce regard insistant, cette impolitesse, ce manque de délicatesse, rendait Mira plus vulnérable que jamais.

Voyant se pencher vers elle, le cardinal, elle se recula de quelques centimètres présentant sans équivoque une forte hésitation. Boris lui serra la main à presque lui rompre les doigts. Le cardinal posa la question… oui la question que redoutait Mira plus que tout au monde. N'y aurait-il pas quelqu'un qui lui viendrait en aide dans l'assistance et se lèverait soudainement se dressant contre cette prise de possession ? Non, il n'y aurait personne.

-Mira fille d'Amik sage de la Forêt d'Elfe, prenez-vous pour époux Boris Magnusson fils de Slavürko ici présent ?

Elle hésita quand même quelques secondes. Assez pour que Boris resserre davantage son emprise et qu'elle faillit tressaillir.

-Oui, je… je le veux.

Boris empressé d'embrasser la belle devant tout ce monde leva son voile et l'empoigna. Mira avait l'impression que le cœur allait lui sortir de la poitrine. C'était fait maintenant, elle était mariée.

-Vous êtes maintenant, mari et femme sous l'œil de Dieu. Dit le cardinal.

Le roi se retourna vers l'assistance et leva le bras vers eux.

-Applaudissez la plus belle des reines, Mira, Reine de Suède !

Les gens se levèrent debout et applaudissaient à tout rompre. Mira ferma les yeux. Le cardinal n'était pas très content de la tournure des événements. Un lieu Saint n'était pas un parlement où l'on acclame les bonnes prises du roi. Il se racla la gorge invitant le roi à prendre l'allée et sortir. Boris se foutait totalement des convenances, il prit l'allée, mais c'était pour mieux se rendre jusqu'à la grande salle de bal. Les nouveaux mariés étaient donc engagés pour se rendre vers un endroit de festivités et de bonnes victuailles suivis par leurs nombreux invités. Dès leur arrivée dans la salle, Boris fit asseoir Mira et resta debout attendant patiemment que les gens s'installent. Dès que tout ce beau monde fut assis et confortablement installé, Boris leur dit :

-Il est dans nos coutumes, que les mariés restent à festoyer avec leurs invités. Cependant, le Roi est désireux de s'entretenir avec sa Reine. Vous ne verrez donc, aucune mauvaise intention de ma part, si je vous invite à festoyer à notre santé. Boris, Roi de Suède et Mira votre nouvelle Reine vous demandent de bien vouloir les excuser, ils vont se retirer et vous rejoindront un peu plus tard.

Il tendit sa main à Mira. Avait-elle un autre choix que de le suivre ? Oui, elle aurait pu faire une scène et s'attirer la colère terrible de Boris et le fouet pour Roberts. Préférant éviter tout cela, elle se leva et c'est dans des chuchotements qui s'élevaient dans la grande pièce que Boris sortit avec Mira, laissant les hommes de l'assistance se raconter quelques commérages entre eux.

-Sa Majesté est pressée de consommer son mariage avec la belle Mira… Dit l'un
-Vous le seriez vous aussi si votre douce moitié était une jeune beauté de dix-sept ans ! Dit l'autre.
-Je l'ai même trouvé raisonnable. Il a attendu tout ce temps… On connaît tous les penchants de Sa Majesté pour les femmes !

Ces hommes riaient ensemble. Tant qu'à Boris il avait entraîné Mira avec lui dans sa grande chambre royale.

Il ouvrit la porte et la fit entrer. Le bruit d'une porte qui se referme, le verrou qui tourne, rien de rassurant. La pucelle était en panique intérieure.

Je ne pourrai pas ! Non… il s'approche… Non !

Elle se recula jusqu'à ce que le mur de pierre l'arrête. Boris s'approcha d'elle et de toute la pression de son corps, la colla contre le mur. Il releva doucement son voile. Derrière ce voile, des yeux fermés, une tête baissée, des petites larmes qui coulaient le long des joues.

-Ah ! Ma belle… comme je suis heureux. Tu n'as pas idée. J'ai tellement attendu ce moment. Ne sois pas triste, ne pleure pas. Je te comblerai de caresses… tu seras la Reine la plus caressée de tout l'univers. Je serai doux… je ne te ferai pas de mal… Je serai aussi doux qu'un agneau, n'est pas peur, Mira.

N'ayant aucune autre réaction de la pucelle apeurée que celle qu'il avait déjà sous les yeux, il la prit dans ses bras et l'emporta sur le grand lit. Il commençait ses préliminaires sur un bloc de glace.

-Ne te refuse pas à moi ! Non ! J'ai attendu, je t'ai respecté… J'ai tellement envie de toi… Laisse-moi t'aimer… ! Mira… Je ne te ferai aucun mal… Je serai doux, n'aie pas peur !

Il commença à la caresser, à l'étreindre. Plus son désir croissait, plus la belle se rebutait jusqu'à ce que la panique s'emparât d'elle au point où dans les larmes elle lui dit :

-Non… Majesté… Je ne pourrai pas ! Non… enlevez-vous ! Je ne peux pas… Je ne supporte pas vos mains sur moi ! Arrêtez ! NON !
-Mira ! Tu es ma femme maintenant ! Cesse de t'agiter comme tu le fais ! Tu es mariée et tu feras ton devoir d'épouse et de femme du Roi ! J'ai été patient, j'ai attendu… Ça suffit maintenant ! Arrête, je te dis !

Elle s'agitait, elle le repoussait, elle tentait désespérément de se libérer du poids du corps qui était étendu sur elle.

-Non ! Non ! Ne me touchez pas ! Je ne peux pas ! Vous me répugnez, LAISSEZ-MOI !

Au même moment, de sa petite main, elle griffa le roi au visage. Boris s'arrêta net. Devant ce refus catégorique, il entra dans une furie terrible.

-Non ! Madame, vous n'auriez pas dû ! Vous n'auriez pas dû me griffer ! Ne suis-je pas votre Roi ? Je ne vous plais donc pas du tout… ou est-ce que c'est la mémoire de cet Éric ? C'est ça ? Hein ? Vous n'auriez pas dû me défier, Madame… puisque je suis en position de prendre ce qui est maintenant à moi, vous l'aurez voulu.

D'un geste rapide et brutal, il déchira le corset de la belle avec ses grosses mains sans se soucier de la violence avec laquelle, il opérait. La poitrine dénudée, les poignets retenus, la pesanteur d'un corps dont tous les muscles étaient tendus à l'extrême par un mélange de déception, de rage, de colère, de passion, le roi savourait les mamelles de cette poitrine généreuse avec agressivité. Il se vautrait sur elle avec une frénésie démesurée. La dame n'avait plus aucune force de résistance à offrir au tigre qui se délectait de son jeune corps. Emporté par son désir de la prendre, Boris remontait les jupons avec ses genoux et rapidement baissa son pantalon pour enfin arriver à atteindre de son gland en forte érection, les parties génitales de la pucelle. Le contact de son sexe contre celui de Mira augmenta sa passion qui redoubla d'ardeur. Avec force et violence, il la pénétrait sans se soucier qu'elle soit vierge. Sans pouvoir faire autrement, elle comblait les pulsions sexuelles de Sa Majesté qui prenait plaisir à lui asséner des coups de son organe sexuel sans relâche jusqu'à ce qu'il atteigne l'orgasme.

Comme s'il avait perdu la raison durant quelques minutes, Boris n'avait pas entendu les gémissements de douleur sous cette prise violente. Une fois sa semence évacuée, la jouissance atteinte, il se laissa tomber entièrement sur elle. Son corps était un fardeau supplémentaire pour la belle qui venait d'être violée et dont la virginité était partie dans un écran de douleur… Boris lui desserra les poignets passant ses bras autour d'elle. Son thorax se soulevait… L'essoufflement d'une bataille inégale venait d'être livré et La Promise avait déclaré forfait. Il resta silencieux, couché contre sa poitrine pendant un moment et comme si tout à coup les remords le prenaient d'assaut, il lui dit :

-Mira… j'aurais tant voulu que tu te donnes à moi… j'aurais tant voulu que tu ne me repousses pas… J'aurais tant voulu que tu m'aimes comme je t'aime… Je t'aime Mira, je suis fou de toi…

Tentant de rattraper tout le mal qu'il venait de faire, il essayait de l'embrasser. Il y parvenait facilement, elle ne bougeait plus. Prenant cet épuisement comme un autre refus, Boris se releva et remit son pantalon. Les remords venaient de prendre la porte de l'oubli et la rage de nouveau lui montait à l'esprit.

-Puisque vous voulez me défier on verra bien qui sera le vainqueur, Madame ! J'ai déjà obtenu une partie de toi même si c'était par la force, je continuerai jusqu'à ce que tu cèdes. Je sors et je vais revenir… Tu es invitée à ne pas bouger de ce lit, sinon… Et qui c'est ce que le Roi peut faire quand il est aussi contrarié ! Tu es ma femme, MERDE !

Il sortit de l'appartement en claquant fortement la porte. Mira était dans un état lamentable. Elle se roula sur les draps du lit pour cacher sa demi-nudité. Le seul réflexe était les pleurs.

Il m'a ouvert le bas du ventre ! J'ai si mal ! Quelle brute ! Je saigne, j'en suis certaine. Mon Dieu ! Qu'ai-je donc fait pour mériter ça ! Que l'homme est barbare pour prendre ce qu'il veut. N'y a-t-il que les hommes de mon village qui semblent être des humains ? Bjarni… toi qui est Roi, toi qui m'as démontré affection et tendresse, fais-tu aux femmes ce genre de choses ? Devrais-je subir ces affrontements à chaque fois qu'il partagera ma couche ? Je ne survivrai pas à tout ça ! Qu'on me tue !

Boris sortit de la pièce et traversa le corridor vers un petit salon où il alla labourer les cousins d'un divan à grands coups de poing. Ce remue-ménage dans le petit salon attira l'attention de quelques servantes qui étaient non loin de là et accoururent vers les bruits insolites. Le roi se retourna, les yeux remplis de colère. Elles reculèrent.

-Puisque vous êtes là ! Au lieu de me dévisager, courez me chercher de l'eau et venez soigner ma plaie.

Les servantes se reculèrent, sortirent du champ de vision du roi. Il était tellement en colère que le moment aurait été bien mal choisi pour ne pas obéir. Elles revinrent quelques minutes plus tard avec un plat, des débarbouillettes de coton.

-Toi… Nettoie-moi le visage et les autres, allez-vous-en !

Elles ne demandèrent pas leur reste et partirent sur le champ. La servante estompa les petites égratignures sur la joue du roi. Rien de sérieux. Son amour propre était plus blessé que cette écorchure superficielle qu'il portait au visage.

Pourquoi se refusait-elle encore à moi ? Je suis beau, je n'ai jamais éprouvé de problème au lit avec mes conquêtes féminines. Ma demeure, mes cadeaux, ce mariage, rien ne parvient à ouvrir le cœur de cette femme qui m'obsède ! Pourquoi m'a-t-elle dit que je la répugnais ? Jamais je n'aurais cru qu'elle aurait été jusqu'à se refuser après qu'elle devienne Reine !

Notre jeune coq pensait que l'amour d'une femme était comme tout le reste, il s'achetait, il se prenait, il s'obtenait facilement. Il ne comprenait pas ce qui lui arrivait, lui a qui on ne refusait rien. Cette paysanne venue du fond de son royaume et qui était de force physique inférieure à la sienne aurait dû être facile à écraser de son orgueil et de ses caprices.

Après avoir reçu les soins vite fait relativement à la blessure superficielle dont il souffrait au visage, il ordonna à la servante d'entrer dans la pièce d'en face et de prodiguer des soins à la dame si c'était nécessaire.

-Va la voir. Je n'ai pas fait dans la dentelle… Elle l'a bien mérité. Prodigue-lui des soins et tais-toi. Si jamais tu parles de tout ceci à qui que ce soit, c'est moi-même qui me chargerais de te couper la langue.

La dame s'inclina et se retira pour entrer dans l'autre pièce. Mira était assise sur le bord du lit et tenait son corsage déchiré entre ses mains. La dame déposa son plat d'eau et les débarbouillettes sur un petit bureau près de la porte. Faisant le tour du lit, elle se rendit jusqu'au-devant de la reine décoiffée dont le visage était caché par sa longue chevelure.

-Majesté ? Majesté ?

La dame s'agenouilla et de ses mains ouvrit la chevelure pour voir son visage.

-Majesté ? Je suis venue prendre soin de vous ! Laissez-moi vous retirer ce qu'il reste de cette robe.

La promise restait muette, des larmes pleines les joues. La dame embarqua sur le lit et à califourchon s'installa derrière pour retirer doucement ce qui pouvait rester du corsage. Avec délicatesse, elle réussit à délier les lacets et posa ses mains sur les épaules de sa reine pour faire baisser le vêtement. À ce seul contact, Mira se raidit. La dame enleva ses mains.

-Je vous ai fait mal, Majesté ?
-Non… Non…
-Levez-vous, Majesté, il sera plus aisé de vous retirer tout ça.

Mira se leva. La dame debout derrière elle, la mit à nu. Mira croisait ses bras sur sa poitrine. Cette marque de pudeur fit comprendre à la dame ce que La Promise ressentait. Jeune, belle, vierge, non désireuse d'avoir des relations sexuelles avec le roi et prise avec violence par un enragé. Elle fit le tour de Mira et lui dit :

-Majesté, ne soyez pas intimidée avec moi. Je suis une femme moi aussi. J'ai été jeune et dépucelée. Soyez bien à l'aise avec moi. Je comprends ce que vous ressentez. Étendez-vous sur le lit, je vais vous laver.
-Me laver ? Non… non… Je peux le faire moi-même !
-Je sais, Majesté. N'aimeriez-vous pas que je vous prodigue des soins ? Je le ferai avec douceur. Je pense que vous en avez grandement besoin.

Mira hésita. Elle n'avait plus la force de combattre avec qui que ce soit. Elle s'étendit sur le lit et la dame vint à son chevet avec le plat d'eau et les débarbouillettes. Elle lui lava le ventre, les cuisses, mais quand elle s'aventura dans l'entrejambe, Mira s'assit soudainement.

-Non… Non… Madame… Pas… Non… Je le ferai moi-même.
-Majesté… Laissez-moi voir ce qu'il vous a fait !
-Non… c'est… trop intime !
-Bon, très bien, je vous laisse le faire vous-même.

La dame se retourna, devinant très bien que la jeune demoiselle était intimidée par ses soins. Elle crut bon de lui parler des choses de la vie.

-Majesté… J'aimerais vous poser une question ?
-Oui… que voulez-vous savoir ?
-Saviez-vous ce que l'homme fait à la femme dans une couche ?

La question resta sans réponse. Devant ce silence, la dame d'âge mûr compris que personne n'avait expliqué à la future épouse ce qui l'attendait. En plus, connaissant, Boris, comme elle le connaissait, qu'il n'avait pas fait dans la dentelle, elle devinait que la dame avait passé par des épreuves troublantes.

-Il vous a fait mal, Majesté, n'est-ce pas ?

Mira se mit à pleurer à chaudes larmes. La dame se retourna vers elle et s'assit près d'elle.

-Majesté… Ne pleurez pas. Le dépucelage est parfois douloureux. Et je sais que le Roi vous a prise avec violence. Comment pourrais-je vous dire que je vous comprends. J'ai été moi-même violée quand j'étais jeune. Je n'ai jamais oublié, mais j'ai découvert que je pouvais quand même aimer. Quand j'ai rencontré mon mari, je me suis épanouie. Si je vous dis ça, c'est que j'ai espoir que vous connaissiez l'amour un jour. J'ai espoir que vous rencontrerez un homme avec qui vous pourrez partager l'amour… et vous verrez que ce n'est pas du tout pareil à ce que vous venez de vivre. Si, je puis me permettre un conseil à votre très belle Majesté, il est inutile de vous butter contre Boris. Il est un homme fort et puissant. Si vous ne voulez pas qu'il vous déchire le bas du ventre, Majesté, il faudra que vous vous laissiez étreindre. (silence) Je sais… je sais… vous ne l'aimez pas et son corps sur le vôtre vous répugne. Je ne le sais que trop bien. Mais… mais puisque pour le moment vous n'avez pas d'autre échappatoire, laissez-le se contenter. Il sera moins violent et vous en souffrirez moins.
-Qu'ont donc les hommes entre leurs jambes, une épée ?

La dame d'expérience sourit à la candeur de cette question. Mira avait été blessée dans tous les sens du terme. Elle se contenta d'explications vagues sur les relations sexuelles, mais fit comprendre à Mira qu'il était dans son intérêt de ne plus lutter contre le roi. Mira baissa la tête. La dame, lui démontrait de l'empathie et comprenait. Comment réussir à surmonter tout ça, sachant très bien qu'elle n'était pas au bout de ses peines et que Boris ne laissait pas entrevoir qu'il lâcherait prise. La dame reprit son plat d'eau, ses débarbouillettes et enveloppa la reine dans un drap. Elle sortit comme elle était entrée, en délicatesse sur la pointe des pieds.

Boris, toujours seul sur le divan, lui cria quand il l'a vu passer en se relevant.

-Viens ici.
-Sire ?
-Tu en as mis du temps pour la soigner ?
-Elle... Elle est fragile, Sire...
-Que veux-tu dire ?
-Sire... C'était une pucelle...
-Que veux-tu insinuée ?
-Sire... Vous êtes un homme robuste... Ai-je besoin de vous en dire davantage ?

Il la regardait du haut de son mètre quatre-vingt quinze et resta silencieux devant cette remarque. La dame allait lui tourner le dos quand il l'arrêta.

-Dis-moi... l'ai-je blessée ?
-Oui... Sire... Tout ce que je peux vous dire... c'est qu'il faudra être plus doux... sinon vous risquez de...
-De quoi ? Parle, dis-le !
-Vous risquez de ne plus pouvoir...
-J'ai compris. Va.
-Sire... vous êtes un homme qui connaît bien les femmes... Mais elle n'est pas comme vos autres conquêtes...
-Je sais ! Elle est si différente ! Va au banquet et fais savoir aux invités que le Roi et la Reine ne reviendront pas ce soir. Invente une excuse. Moi, je retourne dans ma chambre et je ne veux pas être dérangé.
-Bien Sire.

La dame se retira et Boris traversa de nouveau le corridor. Il réfléchissait maintenant à la violence avec laquelle il avait dépucelé la douce. Les remords de conscience le minaient.

Il ouvrit la porte. Elle était, là, assise sur le rebord du lit, couverte de longs draps drapés autour d'elle, immobile. Il jeta son haut de costume par terre et à genoux traversa le lit jusqu'à elle. Il s'étendit derrière elle.

-Je t'ai fait mal ?

Mira restait silencieuse. Boris continua :

-Je sais que je t'ai fait mal. Je ne voulais pas que ça se déroule ainsi. tu me pousses à bout, Mira… Tu devrais me connaître un peu mieux maintenant. Tu devrais savoir que le Roi à horreur d'être contrarié. Tu me repousses depuis notre première rencontre. (silence) Mira, je suis amoureux de toi… Je t'aime, même si tu penses de moi que je suis un être répugnant. Mira, j'ai eu beaucoup de conquêtes féminines, je ne te cacherai pas que j'ai partagé ma couche avec beaucoup d'entre-elles. Que tu me crois ou non, je n'ai jamais aimé personne comme je t'aime. Je t'aime peut-être mal, certes, je suis d'une maladresse avec toi. J'en conviens. Mais, tu ne m'aides pas beaucoup. Je ne te plais pas du tout ? Réponds-moi, Mira.

Comme elle ne répondait toujours pas, il reprit :

-Il semble que les femmes, en général, me trouvent plutôt bel homme, je ne comprends pas ce que tu me reproches, Mira ?

Mira tenait fermement les couvertures contre elle et ne bougeait toujours pas. Boris agacé par ce silence, l'a pris par le corps et l'a fait basculer à côté de lui. Il était devant elle et la regardait dans les yeux encore avec un excès de colère.

-Ne fais pas la muette avec moi ! Réponds-moi, Mira.
-Je… je ne veux pas vous répondre.
-Tiens ! que te disais-je ? Écoute-toi, Mira. Tu ne veux pas me répondre, tu ne veux pas que je te touche, tu ne veux pas de moi ! J'ai tout compris ça et depuis longtemps… Ce que je n'arrive pas à comprendre, c'est pourquoi ? Ne suis-je pas séduisant, riche, Roi, jeune, puissant ? Que te faut-il Mira pour te combler ?
-Je… je ne vous répondrai pas.

-Merde ! Bon Dieu de Merde ! Tu me vexes ! C'est Éric ? C'est ça ? Tu n'arrives pas à me pardonner ? Il le faudra bien pourtant. Il n'est plus Mira. Et toi, tu es ma femme maintenant. Il faudra t'y faire.

Il se coucha à ses côtés. Il resta dans cette position quelques instants pour se pencher de nouveau sur elle.

-Tu ne veux pas me donner ce que je suis en droit d'attendre de toi. Eh ! Bien soit ! Je suis le Roi… Puisqu'il faudra que je le prenne de force à chaque fois, cela sera !

En proie à une autre envie sexuelle débordante, le roi recommençait son manège, violant la belle une autre fois. Cette fois Mira n'offrit aucune résistance. Elle savait que c'était peine perdue.

-Tu es si désirable… Ah ! Mira… donne-toi à moi… Caresse-moi…

Son orgasme fut tel qu'il avait l'impression de n'avoir jamais connu une telle jouissance auparavant. Il demeura près d'elle l'a retenant dans ses bras musclés en fermant les yeux et lui dit :

-Mira, tu ne pourras jamais m'échapper maintenant que je sais que tu es celle qui partagera pour toujours ma vie… Comme il doit être doux de sentir tes caresses… J'attendrai le temps qu'il faudra, mais je t'assure qu'un jour tu m'aimeras toi aussi…

Elle restait de glace…

Tu peux toujours rêver Boris, je n'ai aucun désir pour toi. Je te vomirai dessus avant de me donner à toi ! Mon corps est peut-être dans cette chambre mais mon esprit et mon cœur sont bien loin d'ici. Si tu savais où ils se trouvent dans le moment, tu fouetterais Roberts sans relâche. Ce Roi, ton ennemi, t'a ravi le cœur de ta Promise et tu l'as bien mérité… jamais je ne te pardonnerai pour Éric.

La confrontation

Dans le royaume voisin, un homme esseulé était assis sur le rebord de la fenêtre de sa chambre. La nouvelle qu'on célébrerait le mariage du Roi Boris dans quelques heures était parvenue jusqu'aux rebords de cette fenêtre, semblable à un coup de tonnerre. Bjarni, le regard perdu dans le paysage de sa belle Norvège restait songeur et s'imaginait à la place de Boris devant l'autel avec une pucelle gracieuse et douce qu'il aurait caressé jusqu'à l'aube. Attendant avec patience que la dame lui donne elle-même la permission de prendre sa virginité. Il fermait les yeux humant les arômes de l'air ambiant, espérant y retrouver le parfum délicat de la femme de ses rêves. Le temps était à l'orage et aucun parfum ne lui parvenait rappelant à l'homme la douceur et la gracile demoiselle. Rien de tout ce rêve n'était réalité. La réalité était tout autre et il le savait bien. Imaginant, maintenant, avec horreur, un tigre sur sa proie dévorant sans vergogne la pucelle qui ne pouvait pas s'enfuir. Aucune autre femme ne pourrait désormais combler ce vide. Ce qu'il redoutait se produisait. Il serait un roi dont l'inertie n'aurait d'égal que sa douleur.

Je le voyais, mon roi, triste, affaibli par un combat qu'il avait perdu. À chaque heure qui passait, il dépérissait. Ses yeux rieurs, son large sourire qui laissait entrevoir sa dentition parfaite, rien de tout ça ne semblait plus jamais vouloir faire partie de la personnalité pourtant si enjouée de Bjarni. J'étais plus vieux que lui. J'avais connu la peine moi aussi. Seul le temps réussirait à amenuiser ce cœur fendu par l'impuissance dont il se culpabilisait. Mais pour en arriver là, il faudrait qu'il souffre encore. Et pour dire vrai, je n'étais pas certain que dans ce cas, il s'en remettrait vraiment. Car, Mira, était une femme peu ordinaire, qui dégageait quelque chose pour l'homme qu'il m'est difficile encore aujourd'hui à comprendre.

Comme le temps arrange bien les choses, l'arrivée de quelqu'un au palais, saurait sûrement, du moins pour un moment, changer les idées à notre jeune roi. Je me rendis cogner à sa porte et entrai sans plus attendre.

-Sire. Etok est arrivé. Et il n'est pas arrivé seul, Majesté.

Boris se retourna et me regarda étonné.

-Non Sire, je dois vous informer que Boris nous a menti…
-Menti… Non ! Expliquez-toi !
-Il est revenu chercher sa Promise, mais n'a jamais rappelé son armée. Bien au contraire ses guerriers ont continué leur route. Ils ont emprunté leurs drakkars non pas pour rapatrier les hommes mais pour livrer bataille. Ils ont sauvagement débarqué au Danemark et un affrontement inévitable et sanglant s'est produit. Par contre, Étok est un fin stratège. Il avait laissé à Euphrase suffisamment d'hommes pour répondre à l'assaillant. Ils ont fait de l'armée de Boris, des prisonniers. Mais avant de retourner la nouvelle à Boris, Etok s'est embarqué et s'est dirigé vers nous avec tous ses hommes. Il est venu ici dans le seul but que vous vous retourniez contre Boris. Si vous voulez bien me suivre, nous sommes tous réunis dans votre bureau, nous vous attendons pour savoir quelle sera votre décision.

-Je vous suis, Mirikof… Il ne s'en tirera pas comme ça !

Pendant ce temps, au château du roi Boris, la fête du mariage s'était terminée sans revoir le roi ni la reine. Toute la nuit durant, Boris était resté aux côtés de sa nouvelle acquisition qu'il avait très allégrement utilisée. Il avait plusieurs fois grimpé la belle sans lui laisser trop de répit. Il avait fini par s'endormir aux petites heures du matin exténué de la lutte qu'il avait fait à sa douce. Mira quant à elle, désarmée, brûlée par le labour dont elle avait été victime, se leva discrètement et se rendit vers la baignoire royale. Elle devait laver ce corps, meurtrie par les excès passionnés du roi… Pourrait-elle enlever toute la saleté dont elle se sentait imprégnée ? Elle s'assit dans la baignoire que lui avaient fait délicatement couler les servantes qui voyaient bien le sort qui avait été réservé à cette fragile jeune femme. Se relaxant autant qu'il était possible de le faire dans un tel moment, Mira était doucement accotée au fond du grand bain, les yeux clos, elle tentait de faire le vide. Elle était presque endormie lorsqu'elle ouvrit les yeux et vu Boris devant elle. Il était là, debout, dans la baignoire et la regardait fixement. Elle hocha la tête et ses yeux étaient marqués de dégoût et de frayeur.

Il ne s'arrêterait donc jamais ? N'en a-t-il pas eu assez… Toute la nuit, il s'est soulagé sur moi ! Non…

Il se pencha vers elle et s'agenouilla. Il ne la quittait pas des yeux. Mira, baissa la tête. Inutile de penser à sortir de la baignoire… il l'aurait encore attrapée. Il s'approchait silencieusement. Il passa sa main derrière sa nuque et l'attira vers lui. De nouveau, le roi passionné embrassait avec énergie sa femme posant ses énormes bras autour d'elle, s'acharnant encore avec toute la fougue et la puissance sexuelle d'un jeune homme de vingt-trois ans, lui proférant des mots obscènes aux oreilles.

Non… quand ce cauchemar prendra-t-il fin ? Il me prend encore une fois.

Faisant l'amour à un corps inerte, sa frustration n'était assouvie que par le viol de cette femme qui l'obsédait. Lorsqu'il atteignit un autre orgasme il se recula et se mit à l'observer silencieusement. Mira se repliait sur elle-même et versait des torrents de larmes. Comme elle n'appréciait aucune de ses marques d'affection, Boris sortit de la baignoire.

-Si tu penses que tes larmes m'attendriront Mira ! Si tu penses que je vais m'arrêter, tu te trompes. Je dois sortir pour rendre visite à mes ministres, mais je vais revenir… et je te prendrai encore et encore… autant de fois qu'il le faudra… Tu es à moi ! Tu entends ? À MOI !

Il hurlait ces dernières paroles qui faisaient écho sur les murs de la petite pièce faisant ressentir à la douce qu'elle était sous la torture. Il sortit et repartit dans sa chambre, furieux. Il passait ses vêtements avec violence et les bruits qui en émanaient laissaient savoir que Monsieur était frustré à l'extrême. Puis la porte claqua avec fracas la faisant sursauter. Il était parti.

Se frottant avec vigueur, pleurant des torrents de larmes, déchirée par les événements, la belle s'acharnait maintenant sur elle-même. Une des servantes sachant le roi parti se rendit voir ce qui advenait de la douce. Elle entrouvrit la porte donnant dans la salle de bain. Elle voyait cette jeune femme se frotter à s'en arracher la peau. Elle entra et se pencha sur elle, lui empoignant la main droite. Mira, les yeux rougis par les pleurs, releva la tête. La femme la regardait avec tendresse. Une femme dans la quarantaine avancée.

-Majesté, il faut que vous vous reposiez… Vous êtes épuisée. Il faut que vous cessiez de vous frotter comme ça, votre peau est toute rouge. Vous êtes propre maintenant. Sortez du bain. Je vais vous brosser les cheveux et vous sécher.

Mira la regardait. En entendant cette douce voix, elle éclata en sanglots. La bonne dame se pencha davantage sur elle et la prit dans ses bras.

-Allez, pleurez ! C'est tout ce qui vous reste pour vous défendre. Les hommes sont des idiots… roi ou pas, ils sont tous les mêmes salauds.

Mira n'arrivait pas à s'arrêter. Ces torrents de larmes se renouvelaient sans cesse. Cette femme qui semblait tout comprendre de sa détresse et qui la tenait dans ses bras empêchait Mira de se contenir. Pendant de longues minutes elles restèrent dans cette position. Cette femme était comme une mère qui se penche sur son enfant. Cette courte compréhension de son état, avec la petite visite de la veille, donnait l'impression à Mira qu'il y avait quand même un espoir dans ce monde cruel.

-Madame, il faut vous reprendre en main. Il ne faut pas qu'il voie vos larmes comme ça. Le Roi est un homme qui aime bien avoir le pouvoir sur les gens et particulièrement sur vous. Je sais qu'il n'est pas fier de lui. Il est bien trop orgueilleux pour l'admettre mais il est rongé par les remords. Croyez-moi, je le connais que trop bien. Je trouve qu'il a vraiment trop abusé de vous. Vous êtes si délicate ! Il n'aurait pas dû. Il le regrettera pendant longtemps et Dieu le fera payer pour ça. Venez maintenant… je vais prendre soin de vous.

Mira l'écoutait et la suivait comme si elle était la seule personne à qui elle pouvait s'accrocher. Elle l'assit devant la coiffeuse.

Prenant son courage à deux mains, Mira essayait de se contenir. La servante s'attaqua à la longue chevelure. Séchant la crinière d'une épaisse serviette. Une fois la chevelure asséchée, la servante prit toute la patience et la finesse nécessaires pour arriver à la démêler. Le roi l'avait tout emmêlée de ses grosses mains.

-Comme votre chevelure est belle Majesté ! Vous êtes si belle ! Je dois vous sembler bien impolie de vous dire toutes ses choses. Pardonnez-moi.
-Pourquoi me demandez-vous pardon ? Parce que vous me prodiguer soin et affection ? Parce que vous êtes une personne qui parle d'un discours sensé et honnête ? Madame… je n'ai rien à vous pardonner vous n'avez rien fait à mon égard qui m'ait choquée ou blessée… Vous n'êtes pas comme…

Elle se tut. Un trémolo dans sa voix trahissait sa peine.

-Majesté, il faut tenter de l'oublier. Du moins, pendant qu'il n'est pas près de vous. Ce qui attire les hommes vers vous c'est non seulement votre grande beauté, c'est votre simplicité, votre intelligence, votre grâce, votre humilité. Le Roi Boris n'est pas différent des autres… Il est passionné. Il vous désire. Il voudrait bien posséder la femme que vous êtes. Comme vous résistez, il s'acharne. Je ne veux pas vous décourager, mais il ne s'arrêtera pas là. Oh ! Non. C'est pourquoi, je tiens à vous dire, Madame, que je serai toujours là. Je vous supporterai du mieux que je peux. Je ne suis qu'une servante, mais j'ai été placée à votre service et tout ce que je souhaite c'est de vous voir sourire et être heureuse. Je sais que ça sera difficile pour vous, mais il faut que vous luttiez, que vous combattiez ce jeune Roi impulsif.

-Mais… mais comment lutter contre lui ? Il… il…

-Pour le moment vous n'y pouvez pas grand-chose… mais il devra se rendre à l'évidence que de vous violer continuellement ne lui apportera rien du tout. Tout ce que j'espère c'est que vous surviviez à ce calvaire car il est tenace.

Elles se regardaient par l'entremise de la glace. Les yeux de la belle étaient encore remplis de larmes. Comme il était bon de savoir qu'une autre femme la comprenait et partageait un peu sa souffrance. Elle lui dit :

-Je n'ai pas connu ma mère… mais elle devait beaucoup vous ressembler !

-Ha ! ha ! Votre mère ! Vous me faites tout un honneur de me comparer à elle. Je ne l'ai pas connue. Saviez-vous qu'elle a déjà travaillé ici ?

-Oui… Je le sais mais depuis peu.

-On dit d'elle qu'elle était comme vous, une beauté et un ange de bonté. Elle a laissé derrière elle, une magnifique jeune femme pour laquelle je vais travailler jour et nuit, s'il le faut.

-Je n'exigerai jamais de personne qu'il travaille jour et nuit pour moi. Vous êtes si bonne pour moi ! Ce que je voulais dire toute à l'heure c'est que…

-Je sais ce que Madame voulait dire… mais l'atmosphère est si lourde dans cette pièce que j'essaie de l'alléger du mieux que je peux.

Mira lui sourit. La femme lui brossait les cheveux et ce doux mouvement sur sa chevelure lui donnait une sensation de bien-être.

-Voilà, votre magnifique chevelure a repris ses formes initiales.

-Pourriez-vous me dire s'il y a un endroit autre que la chapelle pour se recueillir ?

-Oui, bien sûr, il y a une petite pièce au bout du corridor où il y a un autel et un immense crucifix de bois. Vous voulez y aller ?

-Si ce n'est pas trop vous demandez de m'y reconduire j'aimerais prier.

-Ce n'est pas trop me demander ! Majesté, je vous aide à vous habiller et nous y serons dans quelques minutes !

Elle sortit une magnifique robe rouge et la tendit à Mira qui l'enfila. Quand la reine fut en état de sortir, la servante la guida jusqu'à une petite pièce à quelques chambres de celle du roi et ouvrit la porte.

En effet, la pièce était petite. Un petit escalier surmonté par un magnifique autel et dans le coin droit un crucifix énorme taillé dans de l'érable clair. Le Jésus était sculpté avec détails dans de la pierre blanche. Trois petites fenêtres ovales munies de vitraux colorés ornaient les murs et laissaient entrer des rayons lumineux très colorés.

Mira regarda la servante. Cette dernière prit congé et lui dit qu'elle reviendrait dès qu'elle en ferait la demande. Mira entra dans la pièce et referma la porte derrière elle. Elle s'agenouilla tout près du crucifix.

Dieu, Roi parmi les hommes, aidez-moi à surmonter l'épreuve que vous m'avez choisie. Je... je n'y arrive pas... Je n'ai que des souvenirs d'horreur. Cette nuit... j'ai manqué à mon devoir. Je n'ai pas pu... faire toutes ses choses. Le Roi que vous m'avez choisi, me répugne... Je n'y arrive pas... Pardonnez-moi. Je ne suis pas une de vos meilleures brebis et je vous prie de me pardonner... Mon frère payera sûrement mon effronterie envers le Roi. Je ne suis pas digne d'être votre fille. Accablez-moi d'une maladie terrible... Je sais que c'est tout ce que je mérite...

Elle se jeta à genoux s'accrochant à deux bras sur le pied de la croix, la serrant de toutes ses forces éclatant en sanglots. Plus elle demandait du courage à Dieu, plus les larmes diluviennes lui brouillaient la vue. Elle ne se consolait plus.

La porte derrière elle s'ouvrit doucement. Boris n'avait pas pu se rendre auprès de ses ministres. Les remords le rongeaient. Il avait aperçu Mira se rendant dans ce petit lieu de recueil et se demandait bien ce qu'elle pouvait y faire. Le spectacle qui s'offrait à lui, le déconcerta. Il voyait la douce et belle Mira à genoux, agrippée à la croix, la tête sur les pieds du Jésus en larmes. Cette scène était loin d'être celle à laquelle il s'attendait. Voyant la désolation dans laquelle elle se trouvait, Boris Le Grand, Boris Le Magnifique, eut un serrement au cœur. Cette frêle créature était si pathétique. Son injustice, son impétuosité, sa force, sa violence envers elle avaient contribué à faire de la dame une épave. Il s'avança sur la pointe des pieds et s'accroupit près d'elle. Elle pleurait d'un cœur ce qui ne facilitait nullement la tâche qui lui était maintenant dévolue, celle d'essayer de réduire au maximum les effets dévastateurs qu'il avait causés. Délicatement, il passa ses mains sur ses épaules. Elle sursauta se pensant toujours seule, cessant sa crise de larmes presque aussitôt. Il lui dit :

-Mira… Mira… relève toi Mira… Je t'en prie.

Elle desserra un peu son emprise sur la croix ne voulant pas trop se hasarder et se retourner vers lui.

Que me veut-il encore ? Aussitôt que je vais me retourner, il poussera peut-être son audace jusqu'à me prendre dans ce lieu saint ? Je le crains, je ne sais jamais ce qu'il peut faire. Il est si imprévisible.

-Mira… Regarde-moi… je t'en supplie Mira… regarde-moi !

Il tendit son bras et délicatement tourna son visage vers lui. Il hochait négativement la tête.

-Mira… je sais que j'ai été ignoble avec toi. Mira je veux que tu cesses de pleurer. Dieu ne pourra pas t'aider. C'est lui qui t'a mise sur ma route ! Il veut que tu m'aimes autant que je peux t'aimer. Je ne veux plus te voir pleurer. Je te donnerai tout ce que tu souhaites, Mira. Je te couvrirai de bijoux, des plus belles robes, tu auras tout de moi. Je t'aime Mira, si seulement tu pouvais comprendre ça… Je t'aime… Je n'ai pas été tendre avec toi. Je le sais… mais je peux tout te donner. Demande-moi ce que tu veux ! Si tu veux vivre ailleurs, si tu veux que je te fasse construire un plus grand palais, tout est à toi ! Tu veux que j'agrandisse mes terres ? Demande Mira, je le ferai pour toi ! Moi, je te demande seulement une chose… Je veux que tu m'aimes.

Il la tira vers lui, la serrant contre lui.

-Ah ! Mira ! Ma beauté, ma douce, je suis fou de toi ! Demande-moi ce que tu veux, je te l'offrirai.

Elle le repoussa, essuyant ses larmes. Quand elle se releva, Boris en fit autant. Elle s'apprêtait à quitter la pièce quand il l'empoigna par le bras.

-Où vas-tu comme ça, Mira ?

Silencieusement, elle tenta encore une sortie qui lui valut un resserrement au niveau du bras droit.

-Réponds-moi Mira ? Où vas-tu comme ça ? Et fais-moi au moins le plaisir de me regarder…

Elle s'exécuta mais avec toutes les misères du monde essayant de soutenir ce regard inquisiteur. Peine perdue, elle n'y parvenait pas.

-Tu pleures, Mira ! Tu ne veux pas me regarder dans les yeux… Tu te refuses encore à moi. Je t'offre tout et voilà comment tu me remercies ? Tu ne veux même pas rester à mes côtés… Tu ne réponds même pas à mes questions ! Je t'ouvre mon cœur et toi tu t'enfuis aussitôt que tu en as l'occasion. Comment penses-tu que je peux réagir à ça ? Tu es ma femme maintenant Mira…

Pourquoi me le rappeler Boris. Tu en as largement profité cette nuit du fait que j'étais ta femme.

Tentant de nouveau de s'esquiver et de sortir, Boris bloqua, de façon sûre et définitive la route de son corps imposant.

-Pourquoi Mira ? Pourquoi ? Dis-moi pourquoi tu te refuses à moi ? Que tu me fuis comme un pestiféré ? Je veux le savoir… Dis-moi pourquoi ?

Avec insistance il restait au-devant d'elle. Il fallait bien lui répondre pour assouvir son besoin de savoir.

Si je lui dis, je serai libérée. Il me laissera peut-être enfin revenir vers les miens.

-Je… je… ne vous… je…
-Mira, dis-le ! Tu ne sortiras pas de cette pièce avant que tu me l'aies dit… et regarde-moi, bon Dieu !
-Ma… Majesté… Je ne vous aime pas… voilà pourquoi ! ! ! Je n'éprouve que de la haine à votre égard. C'est inutile, je n'arrive pas à

vous aimer… J'ai essayé, vous me répugnez. Ne comprenez-vous pas que jamais je ne serai à vous ?

Profondément blessé par les déchirantes et pourtant sincères paroles que ces yeux d'azur transportaient jusqu'à lui, profondément déçu de l'échec écrasant qui s'abattait sur lui après avoir fondé l'espoir qu'une fois son trône partagé avec la femme de sa vie et lui avoir offert ses richesses, elle se serait finalement donnée à lui, Boris se sentait bafoué par une paysanne qui ne le gratifierait pas de ses caresses ni de son amour. Sa seule réaction possible était la colère écrite dans ses yeux.

L'homme se gonflait le torse, le regard furieux et dévisageait la dame aux prises avec une soudaine crise de panique intérieure voyant que sa réponse venait de frapper un dur coup droit au cœur du roi.

Il la poussa avec violence, la faisant trébucher sur la première marche de l'autel. La machine de guerre avait été déployée et rien ne semblait pouvoir l'arrêter. Il se pencha, la ramassa par un bras la soulevant comme une feuille, la repoussa encore la faisant de nouveau tomber avec force. Tentant de l'éviter, elle se hissait sur les marches de l'autel. Il l'empoigna brutalement.

-NON ! NON ! Jamais je n'accepterai que tu me dises de telles horreurs ! NON ! NON ! Tu es à moi ! À moi… La petite paysanne pense qu'elle se moquera impunément du Roi ? C'est ça ? Dis-le Mira que tu te moques du Roi et de tout ce qu'il t'offre ?

En crise de larmes, n'arrivant pas à prononcer un mot, terrorisée, elle comprenait l'ampleur de ce qu'elle venait de déclencher.

-Tu trembles ! Tu pleures encore… Si tu penses qu'on se moque comme ça de Boris, tu n'as rien vu ma petite ! Je te ferai payer pour l'affront que tu viens de me faire…

Par les cheveux, il la sortit de la pièce en la traînant sur les dalles du plancher. Sa furie était telle qu'il ne se rendait plus compte de ce qu'il faisait. Il avait pris la direction de sa chambre avec un corps qu'il malmenait violemment. Arrivés à la porte, il la releva toujours avec rudesse.

-Relève-toi ! Petite ingrate ! RELÈVE-TOI ! Ah ! On veut se moquer du Roi !

Il ouvrit la porte et la poussa à l'intérieur. Ayant déjà toutes les difficultés du monde à se tenir à la verticale, il lui asséna le coup de grâce lorsqu'il lui infligea une gifle extrêmement violente. Elle s'effondra sur le plancher. Le guerrier était déchaîné, hors de lui-même. Il se pencha et la balança sur le lit. La belle à demi inconsciente et souffrant de tous les membres de son corps ne pouvait plus rien, pensant sa dernière heure venue. Il se mit à genoux par-dessus elle.

-Et maintenant Madame ? Vous vous moquerez encore du Roi ? À moins que tu en veuilles encore ? Je pourrais te briser tous les os… J'aurais presque envie de te tordre le cou ! Petite salope ! Voilà ce que tu es : une petite salope ! Moi qui t'ai tout donné… Moi qui t'offre une vie de château… et la petite traînée elle ne daigne même pas aimer son Roi ! Et si le Roi disait à la petite paysanne qu'il va encore prendre ce qui lui est du ? Qu'est-ce qu'elle oserait répondre ? Hein ? Qu'est-ce qu'elle oserait encore dire à son Roi ? Hein ? Allez, vas-y Mira, dis-le ce qui te brûle les lèvres ? DIS-LE, MERDE !

Elle ouvrait les lèvres… elle tentait de dire quelque chose mais sans y parvenir.

-Quoi ? Elle n'a plus rien à dire ? Ha ! ha ! Je pense plutôt qu'elle a envie d'une autre gifle ! Hein ? C'est ça qu'elle veut la petite salope… Une correction s'impose !

Avec force il lui infligea une autre gifle. La tête de la belle tourna brusquement et ses longs cheveux balayèrent son visage. Incontrôlable, dans une rage démesurée, il arrachait les vêtements qui partaient en lambeaux. Il se jeta sur elle, la violant de plus belle encore une fois.

Quand le corps de l'homme eut déchargé sa rage en même temps que sa semence dans les entrailles de la femme, la pression redescendait ramenant peu à peu les sens du roi. Essoufflé par ce combat inégal, la prise de conscience fut plutôt difficile. Inerte, le corps couvert de marques tirant du rouge vif au mauve, dans un silence d'église entrecoupé seulement par une respiration difficile, Boris réalisait. Il avait perdu la tête et s'en voulait à mort s'écœurant d'avoir été si loin. Même sur un champ de bataille, il fallait qu'il y ait affrontement. Ici, le petit soldat n'avait pas tenté une riposte, seulement une fuite sous les coups répétés. Voyant quel labour il avait fait de ce corps, il s'assit dans le lit.

-Mira… Mira… Dis-moi quelque chose !

358

Elle était inconsciente. La panique s'empara de lui. Il remit son pantalon et sortit en vitesse pour quérir le médecin.

Quelques instants plus tard le médecin entrait dans la pièce. Le spectacle qu'il avait devant les yeux ne le réjouissait guère. La reine était couchée, les yeux fermés, les petites mains de chaque côté de la tête. Elle semblait dormir. Il s'approcha.

-Majesté ? Je suis le médecin du Roi !

Les paroles de l'homme lui firent reprendre conscience. Dans un effort surhumain, elle réussit à ouvrir les yeux.

-Puis-je me permettre de vous examiner, Majesté ?

Elle referma les yeux, n'ayant pas la force de répondre. L'homme voyait dans quel état désastreux la dame était ne comprenant pas pourquoi Boris avait bûché sur un corps aussi frêle. Il la connaissait comme une femme réservée et discrète. Pourquoi le roi avait-il fait un tel massacre d'une femme si douce ? Il regardait la joue, les poignets, les bras, la cuisse, les mollets. La désolation, un village dévasté après le passage des troupes auraient été comparables à ce qu'il examinait méticuleusement. Lorsqu'il passa ses mains sur les côtes gauches, un petit gémissement à peine perceptible attira son attention. Il repassa de nouveau.

-Vous avez mal, Majesté ?

Il n'obtint pas de réponse, mais le sourcillement qu'il percevait sur son visage le convint qu'elle avait peut-être une côte cassée ou fêlée. Il posa délicatement des couvertures sur le corps dénudé de la reine.

-Majesté, je crois que vous m'entendez. J'ai... j'ai terminé. Vous allez dormir. Même si les forces vous reviennent, je ne veux pas que vous vous leviez avant que je vous aie examiné de nouveau. Je reviendrais demain. Dormez, Majesté, vous en avez besoin.

Il ne dit plus rien pendant un moment. Il reprit :

-Majesté, je vais parler au Roi. Il ne faut plus qu'il... qu'il... enfin... je vais tenter de le raisonner. Dormez, je vais donner des indications afin qu'on ne vous dérange pas.

Il sortit. Une fois au dehors, quatre servantes inquiètes l'attendaient.

-Docteur, comment va-t-elle ?

-Mesdames, l'une d'entre vous ira dans cette chambre. Lavez-la et prenez bien garde, soyez délicate. Elle a été… enfin… Elle est en piteux état. Couvrez-la, il ne faut pas qu'elle prenne froid. Une grippe, un rhume par-dessus ça… et votre Reine ne sera plus. Il faut absolument qu'elle dorme. Après que l'une d'entre vous se sera chargée de sa toilette, il ne faut plus la déranger. Sous aucune considération, je ne veux qui que ce soit entre dans cette pièce.

-Si le Roi veut y entrer, nous sommes bien mal placées pour l'en empêcher !

-Le Roi, je m'en charge. Il n'aura pas plus le droit que vous. À moins qu'il ne veuille achever ce qu'il avait commencé ! Je reviendrai aux premières heures demain matin. En attendant, l'une la soigne et ensuite plus personne dans cette pièce, c'est compris ?

-Oui, Docteur. Répondirent-elles.

Il partit retrouver le roi. Boris était assis dans un salon, seul, songeur. Le médecin entra et referma la porte derrière lui. Le brave homme se tira un siège et s'assit en face du roi.

-Sire, j'ai examiné la Reine.

Il s'arrêta. Boris voyant son hésitation lui demanda :

-Qu'est-ce que vous hésitez tant à me dire ?

-Eh ! bien, Sire, elle n'est pas mourante… du moins pas encore, mais…

-Mais ?

-Vous l'avez fortement rudoyée, Sire. C'est une femme délicate… Elle pourrait en rester marquée… Son visage… ses poignets sont si graciles… Elle a… elle a aussi une côte fêlée, si elle n'est pas cassée. Si je peux me permettre, Sire… il ne faudrait pas la toucher… pendant quelques jours ! Et… ne m'en voulez pas, Sire, mais il est défendu à quiconque d'entrer dans cette chambre avant que je l'aie réexaminée demain.

Boris, le regardait avec ses yeux noirs, imposant sur l'homme un certain mal à l'aise.

-Je sais que vous venez de vous marier… et il est bien normal que… mais… je crains qu'elle ne supporte davantage votre… votre manière…

-Ma manière ?

-Sire… si vous la rudoyer encore… elle… risque d'en mourir. Je suis même étonné qu'elle… qu'elle… enfin vous comprenez ?

-Je t'ai compris. Va maintenant… J'ai su ce que je voulais savoir.

-Bien, Sire.

Le médecin se prosterna et ressortit de la pièce.

Seul avec ses remords, Boris s'empoigna la tête à deux mains. Lui qui était sûr de lui.

Pourquoi est-ce que depuis que j'ai rencontré cette femme, je ne suis plus sûr de rien ? Pourquoi est-ce que je perds la tête avec elle ? J'aurais pu la tuer et je ne m'en serais même pas rendu compte ! Je n'ai fait que des bêtises, des maladresses avec elle. Comment pourrais-je réparer tout le mal que je lui fais ? Arrivera-t-elle à me pardonner tout ce que je lui ai fait endurer depuis le premier jour ? J'en ai beaucoup trop fait… Elle est douceur, mais elle n'arrivera pas à me pardonner tout ça.

On vint lui rendre une autre petite visite. Bien inattendue celle-là. La dame entra silencieusement et s'assit en face du roi qui sortait de ses pensées à la vue de la dame sagement assise devant lui.

-Que me veux-tu ?

La dame lui sourit. Elle se campa confortablement dans le fauteuil et se mis à observer son interlocuteur silencieusement. Boris était agacé par l'attitude que prenait la dame et il ne prit pas la journée pour lui faire savoir.

-Je t'ai posé une question ! Est-ce un mal qui touche toutes les dames de ce château que de ne pas répondre aux questions que je pose ?

-Non, Sire. J'admirais seulement l'homme que vous êtes devenu depuis nos dernières…

-Tais-toi ! Je n'ai pas envie de parler de mes relations charnelles avec toi ce soir…

-Je sais. Je ne suis pas venue vous ennuyer avec ça. J'admirais c'est tout !

-Qu'y a-t-il à admirer ? Qu'ai-je donc de différent ?

-Malgré que… Sire… Pardonnez-moi, mais vos problèmes de… de… d'autorité font le tour de la Cour.

-C'est ça que tu admires ? De savoir que j'ai pris femme et qu'elle est aussi récalcitrante qu'une mule ?

-Non, Sire. Je vous connais bien et depuis si longtemps. Ce que j'admire c'est que le Roi que je connaissais était un homme qui aimait… toutes les femmes. Depuis que vous avez rencontré la Reine, vous nous avez toutes écartées de votre lit. Si on m'avait dit qu'un jour, vous seriez aussi sage, j'aurais traité de menteur celui qui me l'aurait dit. Malgré que vous éprouviez des problèmes avec votre épouse, il n'en reste pas moins que vous avez mûri sur ce point.

-Ah ! Tais-toi donc. Je suis le même que j'ai toujours été !

-Ne vous mentez pas à vous-mêmes, Sire !

-Je ne mens pas moi… Vous les femmes, vous êtes expertes dans ce domaine ! Et malgré que je sois le Roi, je ne vous arrive pas à la cheville du pied !

-Par contre, votre emportement est toujours le même ! Vous n'avez pas encore réussi à vous corriger de ce petit trait de caractère !

-Ne commence pas… Ne me dis pas comment je dois être. Je suis ce que je suis et c'est ce qui fait de moi, un Roi craint et respecté.

-Sire… ne prenez pas cette remarque comme étant une manière de vous dire ce que vous devez être. Non. Je suis venue ici ce soir, parce que je tenais à vous parler. Vous parler de la Reine.

-Que peux-tu me dire sur la Reine que je ne sache pas déjà ?

-Sire… La Reine est une femme de dix-sept ans. Elle était paysanne. Vous l'avez emportée jusqu'ici sans son consentement, vous l'avez prise en noce et vous l'avez obligée à partager votre couche.

-TAIS-TOI ! Je n'ai pas à entendre ça. Surtout venant de toi. Taistoi et sort.

-Sire… J'étais simplement venue vous dire…

-SORS !

-Non, je ne sortirai pas ! Même si je dois en payer de ma vie. Il faut que vous m'écoutiez. Sire. Ne pensez-vous pas que je pourrais être jalouse d'elle ? Elle est belle comme une rose, délicate, gracieuse… Je l'ai admirée… et je me suis dit que si j'étais un homme, je serais comme vous, Sire… Débordant de passion, d'amour. Nous avions toutes une petite blessure au cœur quand on l'a vue et qu'on s'est aperçu qu'elle avait fait de vous son chevalier servant. Mais, après qu'on l'ait un peu mieux connu… du moins un peu mieux observée… La réserve dont elle fait preuve, le manque total d'ambition sur votre richesse, vos terres, votre Couronne, nous a laissé découvrir une pucelle comme la décrivait la légende. Une femme belle, intelligente, douce et dépourvue de tous caprices.

Boris écoutait avec attention toute la description qu'Anna faisait de sa Promise.

-Sire, si je suis venue vous voir ce soir, ce n'est pas pour vous juger, ni vous dire ce que vous devez faire. Je voulais juste vous souligner que cette violence avec laquelle vous tentez de la soumettre ne vous vaudra rien avec une dame comme elle. Sire, ne posez plus de gestes que vous pourriez regretter le reste de votre vie. La dame est fragile et vous êtes capable d'une force herculéenne. Avant que vous vous morfondiez le reste de vos jours... pour un geste de trop... Je voulais vous faire savoir, que la Reine est pour nous tous, le symbole de la pureté, de la justice, de la richesse de l'âme. Je vois bien comme vous regrettez amèrement ce qui se passe depuis votre rencontre avec elle. Vous ne l'avouerez pas et je ne vous en voudrai pas pour ça. Mais elle, le sait-elle qui vous êtes ? Soyez plus attentif, plus tendre... Sinon, elle ne pourra jamais apprécier l'homme, le Roi... Un jour viendra où elle comprendra que sous vos airs de bourreau, vous n'êtes pas ce que vous annoncez... Surtout que je sais maintenant que votre cœur lui appartient.

La dame se courba et ressortit, laissant le roi bouche bée devant ce discours qui lui crevait le cœur d'encore plus de remords. Même Anna, qui avait partagé plus d'une fois sa couche, était l'ambassadrice du bien être de Mira.

Perdu dans ses pensées, il s'endormit assis dans sa chaise les pieds accotés sur une petite table.

Dans le lit, après que la servante eut répondu aux directives du médecin, Mira tentait de dormir constamment réveillée par la douleur lancinante qui lui venait du côté gauche. Seule dans ce lit confortable, abritée jusqu'au cou, incapable de bouger, elle se contentait de fermer les yeux puisque le sommeil lui était refusé.

Le lendemain matin tôt très tôt, Boris se réveilla. Engourdi, courbaturé par sa position, il se leva et sortit du salon. Il fallait qu'il aille au chevet de la belle expier ses fautes. Il se rendit jusqu'à la porte close de sa propre chambre où étaient assises quatre servantes qui se levèrent à l'arrivée du roi.

-Le médecin est-il passé ?
-Non, pas encore, Sire.

-Que fait-il ! Qu'on aille me le cueillir ! Qu'il vienne examiner la Reine.

-Bien Sire, j'y vais tout de suite.

Quelques instants plus tard, le docteur échevelé courait dans le corridor et sans dire un mot passa outre les curieux qui étaient devant la porte et entra sans plus attendre. Passant même devant le roi, sans même le saluer.

Des minutes qui parurent interminables pour Boris. Il s'était retiré dans le petit salon près de sa chambre, écoutant avec intérêt les chuchotements des servantes.

-Tais-toi ! disait l'une à l'autre. Il pourrait nous entendre. Parle plus bas !

-Il est trop loin pour nous entendre…

-Fais attention, il a l'ouïe plus développée que tu ne le penses.

-Il n'a pas que l'ouïe qui soit développée ! Il est développé de partout !

-Ah ! Idiote ! Ce n'est ni le moment, ni l'endroit pour parler de ces choses. Il y a une dame à l'intérieur qui est à moitié morte à cause de lui et tu te permets de dire des sottises.

-Oui, pardon. Tu as raison. La pauvre… s'être frottée à lui ! Il n'y a pas été de main morte non plus. Si ses sujets savaient ce qu'il en a fait de La Promise, de la légendaire Mira ! Je ne suis pas certaine qu'on lui pardonnerait son excès de colère surtout quand on sait pourquoi il agit ainsi !

Boris était à nouveau aux prises avec une rage intérieure. Les servantes disaient la vérité et il ne pouvait le nier. Son orgueil en prenait pour son rhume. Son jugement personnel était amer envers lui-même, mais le jugement d'autrui était beaucoup plus acre et la saveur n'avait rien d'agréable.

Que je suis imbécile ! Comment arriver à faire taire ces commérages qui vont sortir des murs de ce château ? Quel, imbécile je suis ! J'aurais dû comprendre que Mira était le point de mire de tous depuis son arrivée ici et que de lui faire du mal m'aurait apporté les pires misères. Si au moins j'arrivais à me contrôler en sa présence ! Si au moins elle me démontrait juste un peu d'affection. Je commence à croire qu'elle ne se pliera jamais à mes désirs.

364

Le bruit d'une porte qui s'ouvre, le saisi et il se releva sortant du petit salon. Le médecin était juste là et se retourna pour le voir arriver sur lui.

-Docteur ? Comment va-t-elle ce matin ?

-Elle est un peu fatiguée. Elle n'a pas dû beaucoup dormir pendant la nuit. Mais, les marques sur son corps sont déjà dissimulées derrières des couleurs plus tendres. C'est presque un miracle. Je n'ai jamais vu une guérison aussi rapide ! Elle est faible, mais elle va beaucoup mieux.

-Puis-je la voir ?

-Eh ! bien… je… je…

-C'est oui ou c'est non ? Ma question est pourtant simple !

-Je ne suis pas certain qu'elle souhaite vous voir, Sire… sans vouloir vous manquer de respect.

-Ça, ce ne sont pas de tes affaires ! Si je peux entrer, j'entre !

Le médecin n'avait pas eu le temps de répondre que le roi était déjà entré et la porte refermait derrière lui. Laissant pantois, les servantes et le docteur tous ahuris de voir resurgir de nouveau, malgré les événements de la veille, le caractère impétueux du roi.

Dans la chambre silencieuse, la belle semblait endormie. La position qu'elle avait dans le lit, la veille, était la même. Comme si elle n'avait pas bougé le petit doigt du reste de la nuit. Il avança doucement une chaise et s'assit près d'elle. Il lui prit une mèche de cheveux la passant entre ses doigts. Il observait le visage angélique de sa femme. Des paupières closes qui se dessinaient sous un arc sourcilier délicat. Des cils longs et fournis qui semblaient aussi doux que le duvet. Un petit nez gracile dont les proportions étaient parfaites. Des lèvres rouges qui se perdaient dans la couleur pêche de sa peau de velours. Les remords d'hier étaient mis à rude épreuve devant la beauté silencieuse qui reposait sous ses yeux. Miné par ses actions indécentes, violentes et inutiles, le roi cherchait en vain des mots, des phrases, pour réussir à exprimer le dégoût qu'il avait de lui-même. S'en voulant éperdument, le roi s'agenouilla près du lit passant ses doigts sur les sourcils de la demoiselle. Ce touché fit son effet. Elle ouvrit doucement les yeux mais pour les refermer aussitôt. Boris avait les yeux remplis de larmes. Il fallait pourtant lui dire, lui dire Boris que tu regrettais. Même si cela n'aurait rien changé à ce que tu avais fait, il fallait lui dire. La peine qu'il avait et qui débordait maintenant de ses yeux le fit parler.

-Mira ! Mira ! Je te demande pardon. (silence.) J'ai perdu la tête. Je t'ai dit et fait des choses que je regrette. J'ai eu peur. Je devrais pourtant savoir que je suis trop fort pour toi. Tu es si douce, Mira ! Comment est-ce que je pourrai me faire pardonner ? Mira… Je t'aime tellement ! ! ! J'en deviens fou ! ! ! Tu m'as brisé le cœur hier. Je me suis vengé… oui pour ça je me suis vengé ! Je regrette tellement… Mira je t'aime vraiment. (silence) Je ne pensais pas que l'amour pouvait être aussi difficile. Je n'ai jamais aimé que moi-même. Je suis maladroit. Tellement maladroit avec toi. Je m'en veux à mort. D'entendre de tes douces lèvres que tu ne m'aimes pas, que je te répugne, ça m'a profondément blessé. Cela n'excuse pas ce que je t'ai fait mais je suis dévasté. Tu te refuses à moi… Tu ne veux pas de mes présents… Je ne sais plus quoi faire pour te conquérir, Mira. Je suis un Roi démuni. Démuni de tout argument. Moi, qui suis reconnu pour faire d'une guerre un jeu d'enfant, me voilà en plein milieu d'un combat contre un soldat désarmé et qui pourtant me blesse de ses armes secrètes. Je t'aime Mira. Je t'aime… si tu savais comme je peux t'aimer. Je ne sais pas te l'exprimer. Je suis un Roi capricieux. Un enfant gâté. Un imbécile ! Mais ce capricieux, cet enfant gâté, cet imbécile est fou de toi. Dis-moi ce que je dois faire ? Dis-moi comment je peux arriver à ton cœur. Dis-moi Mira… Dis le moi, je t'en supplie !

Il posa sa tête sur le lit tout près d'elle en larmes. Il lui passait les mains dans les cheveux espérant qu'elle lui réponde quelque chose. Mais Mira resta silencieuse, fidèle à sa personnalité reconnue pour être secrète. Il resta près d'elle tout l'avant-midi. Devant l'interminable silence de la dame qui ne bougeait pas et gardait les yeux fermés, il dut quand même se résigner à la quitter pour veiller à ce qu'on lui apporte un bon repas. C'est tout ce qu'il y avait à faire dans de telles circonstances. Il se retira donc en donnant des ordres aux servantes toujours assises à la porte.

Dans l'après-midi elle réussit à s'asseoir dans le lit avec l'aide des servantes. Sa domestique personnelle s'approcha d'elle.

-Majesté, voulez-vous manger un peu ?
-Non… non… je n'ai pas faim du tout… merci.
-Majesté, faites-moi plaisir, avalez au moins cette soupe ! Je l'ai moi-même préparée pour vous.
-C'est gentil… vous n'auriez pas dû vous donner tout ce mal… J'ai si mal au côté… je ne suis pas certaine que j'arriverai à avaler quelque chose.
-Madame, il faut manger, juste un peu, pour me faire plaisir !

Mira la regardait. Une servante au cœur d'or, un cœur rempli de bonnes intentions. Elle accepta le bol que la servante lui déposait sur les cuisses. Elle prit la cuillère et la porta à ses lèvres. Ce bouillon, chaud avait un délicieux arôme.

-C'est à votre goût Majesté ?
-Oui... oui... bien sûr... vous cuisinez très bien... puis-je vous demander quelque chose ?
-Bien sûr, Majesté !
-Pourriez-vous m'appeler Mira... Je ne suis pas... je ne...
-Si c'est là votre souhait, je vous appellerai Mira.
-Merci... et moi... je... je ne sais même pas votre nom !
-Je m'appelle Ingrid.

Elle prenait des gorgées de soupe sous l'œil bien veillant de cette bonne servante. Ingrid regardait cette jeune femme qui avait encore subi les fougues du roi. Cette petite joue enflée, les poignets rosacés marqués par la force surhumaine qui l'avait brutalisée. Comme elle aurait voulu pouvoir rendre l'appareil à ce maudit Boris. Une si délicate et douce enfant ! Si seulement elle l'avait vu la traîner par terre vers la chambre, elle se serait interposée. Même si elle savait que Boris lui aurait sûrement fait subir le même sort. Elle avait vu telle-ment souvent un tel spectacle. Elle aurait voulu dire à la reine combien elle la comprenait. Mais elle se disait que le moins possible elle parlerait du sujet, mieux la reine s'en porterait. Par le passé, elle avait perdu sa fille aux mains d'un homme violent et alcoolique. Elle revivait auprès de Mira les derniers moments qu'elle avait vécus au-près de sa fille qui avait été battue à mort par son mari. Elle aurait voulu partager son indignation, mais Mira était déjà si affaiblie par ses propres douleurs qu'elle resta silencieuse sur les événements qui l'avaient secouée plusieurs années auparavant. Mira avait presque terminé son bol. Elle s'approcha d'elle.

-Je suis si heureuse que vous ayez fait honneur à ma soupe ! Vou-lez-vous ces bons fruits ?
-Non, non, merci. Votre soupe était vraiment délicieuse... mais j'ai dû faire un effort énorme pour l'avaler. Je n'ai plus faim. Merci, Madame Ingrid.
-Ho ! ho ! Madame Ingrid ! Vous dites ça comme si j'avais soixante-quinze ans ! Dites seulement Ingrid, Majesté !
-Pardonnez-moi... je ne voulais pas...
-Ne vous excusez pas non plus, Majesté ! Douce Mira... votre simplicité est tout simplement déconcertante. Vous êtes d'une poli-

tesse ! Nous devrions tous envoyer nos enfants vivre dans cette Forêt d'Elfe ! Lorsqu'ils seraient grands, ils seraient comme vous, polis et bien mieux élevés !

Mira baissa la tête et rougit. Cette dame lui offrait de la compassion, de l'amitié, de l'affection et la divertissait. Ingrid prit le bol presque vide et s'en allait sortir lorsque Mira lui demanda :

-Madame ? Reviendrez-vous ce soir ?
-Je vais revenir. Je serai souvent à vos côtés ma belle enfant !
-Merci ! Je… j'apprécie beaucoup votre présence !
-Moi aussi Mira ! Il faut vous reposer maintenant. Un autre petit somme ne vous fera aucun tort, je vous laisse et si vous désirez quoi que ce soit, appelez-moi, vous avez une clochette là tout près du lit. Elle sonne dans les cuisines… et c'est la seule qui est reliée à votre chambre. Alors, je saurai que c'est vous !

Elle se retourna avec le plateau. Elle s'approchait de la porte et était loin d'avoir dit la vérité à Mira sur son supposé retour du soir. Elle connaissait trop bien Boris. Elle savait qu'il serait revenu et n'aurait pas accepté sa présence dans la chambre le soir venu. Elle ne voulait pas effrayer la jeune femme qui avait déjà subi tant de revers. Elle sortit laissant Mira seule.

Elle se sentait mieux ayant repris quelques forces et ses membres ne renvoyaient pas avec autant d'efficacité les douleurs à chaque mouvement. Seule sa douleur sur le côté la faisait encore souffrir. Elle se laissa aller dans les oreillers. Cette soupe chaude et ce lit douillet étaient les seuls réconforts dont elle disposait pour l'instant. Elle essayait de dormir. Un sommeil qui tardait à venir car elle ressassait tous les événements de ces derniers jours et se demandait sans cesse combien de temps elle aurait pu supporter tout ça.

Plusieurs heures plus tard Boris se présenta à la porte de sa chambre. Il n'était plus revenu de la journée et comme il était tard, il pensa que de passer la nuit à ses côtés serait peut-être réconciliateur. Il entra. Aucun son, aucun mouvement, tout n'était que silence dans cette grande pièce obscure. Avec aisance et agilité il se déshabilla et se glissa sous les couvertures. Son poids avait fait bouger le matelas et Mira se réveilla. Il lui dit :

-Non, dors, Mira… continue de dormir… Je veux juste te prendre dans mes bras… je vais te laisser dormir.

Il la prit avec délicatesse et posa sa tête sur sa poitrine. Cette position était inconfortable. La douleur qu'elle ressentait du côté gauche lui coupait le souffle. Elle n'osait pas lui dire, il se serait peut-être encore choqué. Elle ferma les yeux endurant sa difficulté à prendre son souffle dans cette position. Boris se rendit compte malgré son silence qu'elle respirait avec peine.

-Tu as mal Mira ? Tu n'es pas confortable comme ça ! Je le sens bien. Pourquoi tu ne me dis jamais ce que tu ressens, Mira ?

Il l'installa près de lui, prit bien soin de placer les oreillers pour qu'elle soit bien.

-Tu es mieux comme ça ?

Elle ne le regardait et ne lui répondait toujours pas.

-Tu baisses encore les yeux Mira. Tu ne réponds pas à mes questions. Tu es si silencieuse ! Comment puis-je savoir ce qu'il y a dans cette jolie tête ? Si tu me disais ce qui se passe dans cette tête, je serais peut-être un meilleur mari Mira ? C'est difficile pour moi de deviner ce que tu aimes, ce qui te rend heureuse. Tu ne demandes presque jamais rien et depuis notre première rencontre je ne t'ai vue sourire qu'une seule fois. En plus, ce sourire ne m'était pas adressé. Je t'aime Mira. Si tu me disais ce qu'il faut que je fasse pour te le prouver… je le ferais sur le champ.
-Sire… Je… je suis très… très… fatiguée… je voudrais seulement… dormir !
-Écoutes Mira… écoutes ce que tu réponds à mes questions. Tu t'esquives toujours par de douces paroles qui n'ont rien à voir avec ce que je te demande… Tu es de loin la femme la plus spéciale qu'il m'ait été donné de rencontrer. Comme si tu avais un secret enfoui et qu'il ne faut absolument pas que personne ne le découvre. Je commence à mieux te connaître Mira. Ton indépendance à mon égard ne fait qu'augmenter ma curiosité… Mais puisque tu veux encore me laisser dans le doute et le mystère, je m'incline. Madame, veut dormir et bien Madame, dormira. Boris se contentera de rester près de vous.

Mira était surprise de voir que Boris s'inclinait aussi facilement. Elle ne dit plus rien et ferma les yeux. Il s'installa près d'elle. Pendant plusieurs minutes ils restèrent immobiles.

Cependant, la forte nature de Boris le travaillait. Resté près d'elle sans avoir une envie folle de la caresser et de l'embrasser, c'était demandé l'impossible. Il essayait tant bien que mal de se raisonner mais c'était peine perdue. Prenant sa petite main dans la sienne, il la porta à ses lèvres et se mit à l'embrasser… puis ce fut le poignet, l'avant-bras, le bras, le cou et ses mains fureteuses étaient maintenant à caresser doucement la poitrine de la dame. Déjà son envie s'était transformée en véritable ordre de ses pulsions sexuelles et se retenant de ses bras pour ne pas tout mettre tout son poids sur elle, il était passé au-dessus de la demoiselle. Mais comme il allait la grimper, elle se jeta hors du lit traînant une couverture en guise de vêtement. Boris surpris, la regardait étonné. Elle fit quelques pas pour s'accroupir dans un coin. Sa côte fêlée était la raison d'un si court parcours. Elle se mit à pleurer. Boris se leva et s'accroupit près d'elle.

-Mira ! Mira ! Il ne faut pas te lever… tu vois tu as mal… Viens !

Comme il arrivait pour la prendre elle se repoussa contre le mur.

-Non… non… ne me touchez plus… Non… N'en avez-vous pas eu assez ? Non… non…

Elle sanglotait. Boris voyait bien que l'inertie dont elle avait fait preuve quelques heures auparavant n'était qu'une façon détournée de le fuir. Mais, là, la belle en avait assez. Elle leva les yeux vers lui et lui dit d'une voix larmoyante :

-Sire… pourquoi n'achevez-vous pas ce que vous aviez commencé hier ?

Boris la regardait hébété.

-Que veux-tu dire Mira ? Je ne comprends pas ?
-Majesté… Finissez-moi ! Achevez-moi ! Vous n'aurez pas de peine… à le faire… Vous êtes fort… Portez-moi… je vous en supplie… un coup fatal… Vous en serez… soulagé… et je vous… pardonne d'avance… vous n'aurez donc pas à porter… ma… ma… mort sur la conscience… Terminez… donc… ce que vous aviez entrepris hier… J'implore vos coups… Je vous en supplie !

Boris était sous le choc. Il la regardait impuissant devant ce qu'elle venait de lui demander. Il hochait la tête de gauche à droite. Il ne pouvait pas croire ce qu'il venait d'entendre. Elle était si malheureuse qu'elle voulait en finir. Il ne pouvait plus dire un mot. Boris qui n'avait pas du tout l'habitude d'être sans paroles était pourtant muet. Elle recommença à le supplier :

-Sire... je vous en prie... Vous n'obtiendrez pas ce que vous voulez de moi... Pourquoi n'en finissez-vous pas toute de suite de cette salope qui se moque de vous... Quelques minutes vous suffiront... Je... je... ne pourrais pas supporter... longtemps... Je vous en supplie... Ce sera facile... pour vous... Je sais... je sais que... vous en êtes capable... Sire... Vos points sont robustes... Un seul coup... vous sera nécessaire... Abattez-moi... comme un minuscule roseau... Sire... je vous en prie...

Elle était face contre terre le suppliant à genoux. Boris avait la gorge serrée. Il était sur le point d'éclater lui aussi en sanglots. Il se pencha et la prit dans ses bras tentant de la relever. Elle se rebutait.

-Non... Non... Sire... Je ne veux plus... non... Je ne vous ai jamais rien demandé... c'est... ma seule requête... Vous disiez pouvoir tout me donner... Je sais... je sais... que vous serez libéré de la traînée que je suis... Sire, si c'est vous qui le faites... vous, vous... ne pourrez pas vous en prendre à... ma famille... Frappez-moi... encore... Je suis déjà si affaiblie... Je vous jure... que... je ne vous... résisterai pas...
-Mira ! Mira ! Non arrête ! Arrête ! Ah ! Mira, c'est affreux... Je suis un monstre ! Mira ! Mira ! S'il te plaît arrête tout de suite ! Ne dis plus rien... Toutes ses paroles... Je suis effondré de douleur... Je n'aurais pas dû te battre hier... et je te l'ai dit... Mira ! Jamais plus je ne lèverai la main sur toi ! Même si tu m'accables de supplications Mira, je ne pourrai jamais faire ce que tu me demandes ! Mira, tous ces mots injurieux que je t'ai dit hier, je ne les pensais pas. Tu n'es pas une traînée. Tu n'es pas une salope. Tu ne te moques pas de moi. C'est moi qui te veux à tout prix. Je suis un salaud, un orgueilleux, une merde, Mira. De te voir si malheureuse à cause de moi, j'en suis écœuré. Mira, viens... relève-toi ! Tu vas dormir... Je te jure sur la tête de ma mère que je ne te toucherai pas. Seulement si tu me le demandes Mira. Viens !

Il la prit dans ses bras et la coucha sur le lit. Il la borda, essuyait les larmes sur les joues de la douce. Elle ne disait plus rien et lui avait la gorge serrée par les émotions.

-Mira ? Mira ? Regarde-moi.

Elle ouvrit les yeux.

-Mira… J'aurais juste une chose à te demander ? Mira, ma douce Mira… devrais-je aller dormir dans une autre pièce ou me laisseras-tu dormir à tes côtés ?

Elle baissa les yeux et se mordillait la lèvre.

-Je t'ai juré sur la tête de ma mère que je ne te toucherais pas Mira… Ma mère était la femme la plus importante dans ma vie avant toi. Je ne te demanderai pas davantage que d'entendre ton souffle, de me retourner et de te sentir près de moi, d'ouvrir les yeux demain et de pouvoir t'admirer…
-Vous… vous… m'aviez pourtant dit la même chose quelques heures plus tôt et… vous… vous avez recommencé !
-Oui… je n'ai pas tenu promesse… Mais là, j'ai juré sur la tête de ma mère !
-Si… si… vous voulez vous contentez de ça… Vous pourrez dormir ici, Sire !

Il se leva fit le tour du lit et se glissa de nouveau sous les couvertures. Il réinstalla les couvertures autour d'elle.

Son rêve de possession était dévolu et il le savait. Il était tellement épris d'elle qu'il aurait donné tous les joyaux de sa couronne pour qu'elle change d'avis sur lui. Il avait bien inutilement abusé d'elle. Elle n'avait pas cédé et ne semblait jamais vouloir le faire. Elle ferma les yeux tentant de trouver le sommeil après toutes les émotions troublantes qui avaient traversé son esprit et son cœur.

Il tint promesse. Il ne la toucha plus de la nuit. Il ne ferma pas les yeux non plus. Comme cette paysanne était mystérieuse. Une seule requête et c'était de mourir de ses propres mains. Un refus total d'abandon aux plaisirs de l'amour. Un amas de douceur, de fragilité, de beauté et d'inexplicable. Elle recelait tant de secrets qu'il aurait voulu percer. Même s'il connaissait maintenant ce qu'elle éprouvait pour lui, il continuait d'espérer. Peut-être qu'avec le temps elle aurait su l'apprécier ? Il aurait tout fait pour ça. Ses désirs pour elle étaient gonflés à bloc. Il était encore en excitation, mais cette fois il se contrôlerait.

Le lendemain matin, Mira ouvrit les yeux aux petites heures du matin. Elle tourna la tête vers lui. Il la fixait de ses grands yeux marron.

-Vous ne dormiez pas Sire ?

-Non… Je n'ai pas pu fermer l'œil de la nuit… J'étais en admiration !

Elle baissa les yeux. Il avait toujours les mots pour l'intimider. Cette réserve dont elle faisait preuve, l'intriguait toujours autant. Il s'accouda.

-Mira… Comment te sens-tu ce matin ?
-Je… je me sens mieux… Ce sommeil m'a… m'a fait beaucoup de bien.
-Tu veux déjeuner au lit ?
-Si tôt le matin, Sire ? Je n'ai pas tellement faim…
-Mira, j'ai une autre chose à te demander ?

Elle posa ses yeux sur lui.

-Je ne veux plus que tu m'appelles, Majesté… j'aimerais que tu m'appelles Boris. Tu es ma femme et tu as le droit de m'appeler par mon nom.

Il s'assit dans le lit bien accoté sur les oreillers derrière lui.

-Dis-moi si tu désires quelque chose Mira ? Je veux savoir s'il y a quelque chose que je peux t'offrir là tout de suite. Ça me ferait tellement plaisir !

Elle savait que de lui demander de la laisser partir pour la Forêt d'Elfe ne lui aurait pas plu. Même s'il avait promis de ne plus lever la main sur elle, il n'aurait sûrement pas accepté. Elle n'avait que cette idée en tête.

-Tu ne changes pas d'avis Mira ? Tu ne veux rien me demander ? Comme je suis triste. J'aimerais tant t'offrir quelque chose, n'importe quoi. Quelque chose qui te ferait sourire. Qui te rendrais heureuse. Lire le bonheur dans ces yeux magnifiques comme ça doit être merveilleux.
-J'aimerais… J'aimerais… bien que…
-Quoi ? Quoi ? demande Mira.

Il était tout excité comme un enfant. Elle allait lui demander quelque chose. Il était tout ébahi.

-Boris… Vous… vous voulez libérer mon frère ?

Il resta silencieux. Puis, il répondit :

-D'accord. Je vais le faire libérer. Mais à une condition.

Il la regardait droit dans les yeux.

-À la condition que tu ne cherches pas à t'enfuir Mira. Tu es Reine maintenant, tu es ma femme. Si tu t'enfuis je ne pourrai rien pour ta famille… Je devrai sévir…
-Non, non, je ne m'enfuirai pas, je vous donne ma parole.
-D'accord, je suis prêt à te croire. C'est effectivement une demande, Mira, mais elle n'est pas pour toi. Je veux que tu me demandes quelque chose pour toi. Demande, tu dois bien vouloir quelque chose ! J'aimerais t'offrir quelque chose que tu souhaites… Demande-moi Mira, je t'en prie !

Boris était curieux, regardant Mira qui restait silencieuse. Puis, comme s'il pouvait voir dans cette petite tête, il sentait qu'une question allait surgir de ses jolies lèvres.

-Vous… Vous avez…
-Demande Mira, pour l'amour du ciel, demande, je suis suspendu à tes lèvres… Fais-moi, fais-toi plaisir, Mira. S'il te plaît !
-Vous avez des livres dans ce château ?
-Tu veux un livre ? Lequel ? Combien tu en veux ? Sur quel sujet ? J'ai une grande bibliothèque. Je les ferai tous emmener ici… ils sont tous à toi !
-Non, non… Boris ! J'en veux juste un.
-Lequel veux-tu ?
-Je voudrais un livre de poèmes.
-Si c'est ce que tu veux Mira, tu l'auras… Tu m'étonnes beaucoup ! Non seulement cette requête est étrange mais tu sais lire ! Je ne savais pas que les paysannes savaient lire.
-C'est un vieil homme qui habitait au village qui m'a montré quand j'étais jeune. Il s'appelait Figün. Il n'était pas d'ici. Il avait beaucoup voyagé et il était venu finir ses jours dans notre village. Il trouvait ce coin de pays magnifique. Il était d'une grande culture. Comme il venait souvent chez-moi pour voir mon père, il s'est aperçu que je m'intéressais à ses récits d'aventures. Alors un jour, il m'a apporté un livre. J'étais jeune, je n'avais jamais vu de livre avant. Il s'est assis au bout de la table et il m'a patiemment montré. Les jours suivants, il revenait et il continuait. Je l'aimais beaucoup. La petite fille que j'étais, le voyait comme un savant. Il connaissait tant de cho-

ses sur les astres, les pays, les langues. Quand il est mort, j'ai beaucoup pleuré sa perte.

-Mira, il a non seulement appris à lire à une paysanne mais il l'a fait avec la plus belle de toutes !

Mira se tut. Boris recommençait à se perdre en compliments sur sa personne et elle ne voulait pas qu'il s'emballe à parler de ses atours.

-J'aurais aimé que tu me demandes des bijoux, des robes que sais-je encore, mais si c'est un simple livre que tu veux, je vais aller tout de suite t'en chercher un. Pour toi, je ferais le tour du monde !

Il se leva, s'habilla et avant de partir lui envoya un baiser de sa main. Elle resta sous les couvertures. Boris tenait promesse et ne semblait pas vouloir se défiler. Le temps que ça durerait elle en était bien aise. Il revint quelques minutes plus tard avec les bras chargés de livres. En le voyant entrer, Mira sourit. Il avait eu de la difficulté à refermer la porte et quelques livres s'étaient retrouvés sur les dalles du plancher.

-Boris, j'avais dit un !
-Qu'est-ce que j'ai vu ?
-Quoi ? Qu'avez-vous vu ?
-J'ai vu… un miracle !
-Où ?
-Là sur ton visage !

Elle porta ses mains sur son visage. Elle était intriguée.

-Qu'est-ce qu'il y a sur mon visage ?
-J'ai vu un sourire quand je suis entré ! Je n'arrive pas à y croire !

Il laissa tomber tous les livres sur le lit. Mira rougit. Elle ne s'était pas rendu compte qu'elle avait souri en sa présence.

-Je pense que je vais retourner et revenir avec la bibliothèque au complet ! D'autant plus que cette fois, ce sourire était pour moi !

Elle ne voulait pas donner l'aval aux blagues de Boris. Il aurait pu croire qu'elle lui cédait. Elle prit un livre et regarda le titre. Boris souriait, la regardant changer de sujet par de simples gestes. Il s'assit près d'elle dans le lit.

-Tu as choisi mon préféré, Mira.

Elle faillit changer de livre. Elle se ravisa et l'ouvrit. Boris se mit alors à citer un passage qu'il savait par cœur.

-De ma main je toucherais ce visage d'ange,
-De ma bouche, j'embrasserais ces lèvres exquises,
-Pouvoir atteindre cette femme belle et étrange,
-Pouvoir la faire devenir ma promise…

Mira, livre en main, était paralysée par cette citation. Boris voyait bien qu'il était parvenu à la toucher par ce passage poétique de circonstance.

Il m'étonnera toujours un peu. Il connaît la poésie. Qui l'aurait cru ? Lui, si barbare, il connaît la poésie.

Elle resta quelques minutes figée et n'ajouta rien à ce qu'il avait récité. Il la reluquait.

Comme je peux être fou de toi, petite paysanne aux yeux d'azur. Ce que je donnerai pour que tu te jettes à mon cou. J'ai réussi à te prendre pour femme, c'est mince compensation vis-à-vis mes désirs mais je m'en contenterai pour le moment.

-Ne rougis pas, Mira. Même si tu es belle à croquer quand tu rougis. Je me souvenais de ce passage et je trouvais qu'il me ressemblait tellement… Il fallait que je te le récite ! Je t'embrasse sur le front, jolie rose ! La plus éclatante de mon jardin ! Je te laisse lire… peut-être t'inspirera-t-il plus de tendresse à mon égard… Je reviendrai plus tard.

Après son court baiser, il se leva et sortit de la pièce.

Je suis si troublée. Il a le don de me chavirer. Si violent et ensuite doux comme un agneau. Je ne le comprends pas. Il a un comportement contrariant. Lis donc, me perdre dans la lecture sera bien plus pour moi un réconfort que d'essayer de comprendre cet homme.

Quelques heures plus tard Boris était de retour. Elle était sagement assise dans le lit. Elle avait presque lu en entier l'œuvre littéraire. Boris s'approcha, prit les livres qu'il avait laissé tomber sur le lit et les plaça sur une petite commode. Il vint s'asseoir près d'elle dans le lit. Au même moment Ingrid entrait avec un plateau. Elle le tendit à Boris qui le déposa entre lui et Mira. Ingrid ressortit pour revenir avec un autre plateau et une carafe de vin rouge. Boris installa le tout et leva les yeux vers elle.

-Tu veux une cuisse de poulet, Mira ?

Elle fit signe que non. Boris lui enleva délicatement le livre des mains. Il demeura coi tout en préparant une assiette de vivres pour Mira. Il la déposa sur ses cuisses.

-Mira, il faut que tu manges. On m'a dit que tu avais, à peine, avalé une soupe hier et sous l'insistance d'une servante. C'est déjà le début de l'après-midi et tu n'as rien voulu ce matin. Je suis désolé, mais là, j'insiste.

Sous le regard observateur de Boris, elle n'avait pas le choix de répondre à sa demande. Elle se sustentait sans réellement en avoir l'appétit. Boris l'accompagnait. Ils mangeaient aphones. Boris finit son repas et se tourna pour déposer son assiette. Ensuite, il lui dit :

-Mira, j'ai parlé au médecin tout à l'heure et il dit que tu peux sortir et marcher pour prendre l'air. Je veux que tu te lèves, que tu t'habilles et que tu viennes avec moi au jardin. Je resterai avec toi. Si tu te sens fatiguée je serai là et je te ramènerai.

Elle poussa son assiette.

Je veux bien sortir Boris, mais pas avec toi. Si je te demandais de sortir avec Ingrid... Non... Tu es si imprévisible. Ça lui vaudrait peut-être la bastonnade... Qui sait ce qui peut te passer dans la tête Boris !

Boris voyait qu'elle était contrariée.

-Qu'est-ce qu'il y a Mira ? Je vois bien que cette proposition ne t'enchante guère !
-J'aurais... j'aurais voulu...
-Quoi Mira ? Tu voudrais quoi ? Dis-le !
-J'aurais voulu aller avec...

Boris comprenait qu'elle ne souhaitait pas du tout rester avec lui. Il était encore frustré. Il avait envie d'envoyer tous les plats balader au bout de ses bras. Il prit un grand soupir pour se maîtriser.

-Mira, je ne sais pas avec qui tu voulais sortir, mais là, tu devras te contenter de moi. J'ai été gentil, avenant, mais il ne faudrait pas abuser de mon obligeance, ma belle. Je t'ai laissée seule tout l'avant-midi et je ne demande que de rester quelques heures avec toi. Alors tu vas me faire le plaisir de répondre à ma demande.

Mira gardait la tête baissée. Le roi avait parlé. Elle savait qu'il était mécontent. Elle avait bien failli voir un Boris emporté de rage. Elle ne dit plus un mot. Il se leva et sortit une robe de velours rose.

-Je vais sortir. Ingrid t'aidera à passer cette robe. Je te la passerais bien moi-même, mais je suis certain que tu ne veux pas.

Il sortit de la pièce. Ingrid entra aussitôt.

-Vous êtes mieux, Mira, aujourd'hui ?
-Oui.
-Venez, je vais vous coiffer et passer cette robe.

Mira s'avança vers elle. La femme l'aida à serrer le corsage. Mira poussa un petit gémissement.

-Pardon, Majesté ! Je vous ai fait mal ?
-Non… non… Je suis sensible c'est tout.
-Je vais moins serrer. Voilà c'est fini. Venez vous asseoir je vais brosser cette magnifique chevelure.

Mira se laissait faire. Elle ne se sentait pas très bien, mais prendre l'air lui ferait du bien. Elle regardait sa joue totalement désenflée et la marque mauve était presque devenue invisible. En poussant les brosses sur la commode, Ingrid aperçut un petit fermoir qui se pointait le bout du nez sous un mouchoir vert. Elle le prit délicatement et le sortit.

-Oh ! Madame comme c'est beau !
-Quoi donc Ingrid ?

Mira sourit en le voyant.

-Comme ce serait beau si vous le portiez !
-Tu crois ?
-Laissez-moi faire je vais vous le mettre.

Ingrid le passa et regardait avec ravissement son œuvre finale.

-Vous êtes à croquer !

Mira passait ses doigts sur le collier et souriait. Ce souvenir rapporté de Norvège était la seule chose qui lui restait de ses quelques moments joyeux de son existence depuis les dernières semaines. Elle souriait en ayant une pensée pour Bjarni qui s'était sûrement remis de son absence, pensait-elle.

Quand Ingrid eut terminé, elle se retira poliment. Boris ouvrit la porte et s'accota sur le cadre de porte les bras croisés. Restée assise, c'est en levant les yeux dans la glace qu'elle l'aperçut en pleine contemplation.

-J'attends Madame ! Si elle veut bien se lever et prendre la peine de marcher jusqu'à moi afin que j'admire cette opulence de beauté !

Il l'avait encore mise dans l'embarras. Avec réticence elle se leva et s'avança vers lui. Boris avait les yeux rivés sur elle. Cette robe rose brodée de fleurs et de fils d'or lui allait à merveille. Ingrid lui avait natté les cheveux avec un ruban bleu ciel qui faisait ressortir les fleurs bleues de la robe et la profondeur de ses yeux. Boris était extasié. Les yeux de la belle avaient suffi à ce qu'il ne remarque pas le magnifique collier qu'elle portait. Il souriait et lui tendit son bras auquel elle s'agrippa. Il marchait lentement, l'entraînant à l'extérieur.

Dehors, il faisait un soleil radieux. Boris l'emporta au jardin.

Je suis si fier de défiler devant toute ma Cour avec une merveille à mon bras. Mes petits regards jaloux sur mes gardes qui baissent les yeux, ce que j'aime qu'elle voie ma puissance.

Mira regardait tous ces arbres taillés et ces fleurs colorées qui étaient sortis depuis peu d'un hiver rigoureux. Boris l'observait du coin de l'œil. Il savait qu'il avait un très beau jardin et qu'il plairait à Mira. Il sentait sa petite main trembler.

-Tu te sens bien Mira ?
-Oui.
-Pourquoi tu trembles alors ?

Elle était un peu faible. Elle ne comprenait pas pourquoi. Elle avait été rudoyée, mais, elle avait mangé, dormi. Elle posa sa main droite sur son côté.

J'ai encore ces lances dans le côté. Reprends-toi Mira, il ne doit pas voir ta faiblesse.

Malgré les tentatives pour dissimuler sa douleur, Boris étant un fin observateur et ce malaise ne passa pas inaperçu. Il la fit asseoir sur un banc.

-Pourquoi tu ne me dis pas quand tu te sens mal Mira ? Tu pourrais t'effondrer, tu pourrais mourir au bout de ton sang, tu pourrais être foudroyée par la pire douleur et c'est à peine si je m'en rendrais compte ! Les femmes ont toujours la margoulette ouverte pour nous faire les pires reproches, nous empoisonner la vie et toi tu es muette, réservée, à un point tel que si on ne savait pas que tu es dans une pièce on ne te verrait pas parce qu'on ne t'entend pas ! Mira, regarde-moi et dis-moi pourquoi ?
-Je… je suis… comme ça. Les autres ont bien… assez de leurs problèmes. Je ne vois pas pourquoi… j'attirerais leur attention sur moi.
-Ha ! ha ! Mira ! Mira ! Tu es adorable ! Exquise ! *"attirer leur attention sur moi"* Ha ! ha ! Mira… Tu es la révélation que nous devrions tous avoir un jour ! Et tu le dis si sincèrement ! Ha ! ha ! ha !

Qu'a-t-il à tant s'amuser ? Je n'ai pas à geindre à la moindre petite douleur. Je sens que je rougis encore.

Cet homme assis près d'elle et qui se délectait de ce qu'elle pouvait dire, l'agaçait. Ce roi capricieux aurait été bien incapable, lui, de ne pas se plaindre à la moindre petite souffrance. Il commandait tout par un simple regard. Elle ne le comprenait pas du tout. Boris était sous le charme.

-Mira, tu rougis encore ! Ha ! ha ! Cette gêne est déplacée. Tu n'as pas à rougir parce que je trouve drôle la manière dont tu vois les choses. C'est seulement admirable de t'entendre. Tu as une conception des gens et de la vie bien particulière. Tu es tendre et si naïve ! Tu penses toujours que les gens sont bons et honnêtes… Crois-moi il n'en est rien ! Rare, c'est très rare que les gens le soient !
-Je… J'ai pourtant connu un… Roi qui était tendre et honnête lui…

Elle porta sa main à sa bouche effrayée par ce qui venait de lui sortir de la bouche bien malgré elle. Boris ne riait plus. Au contraire son regard s'assombrit. Il la regarda avec une telle rage soudainement.

Elle se leva et partie en courant. Boris se leva à son tour et la poursuivait.

-Mira ! Mira ! Reviens ici tout de suite.

Elle courrait. La douleur qu'elle ressentait sur le côté lui coupait le souffle. Pliée en deux elle dut s'arrêter. Ce qui n'arrangea pas sa petite fugue vers ses appartements, Boris l'agrippa. Il l'a pris et la fit basculer sur son épaule et monta d'un pas décidé vers la chambre. Il avait un compte à régler.

Sotte, que je suis sotte ! Il est si fâché ! Je vais payer pour avoir dit une telle chose…

Elle était encore dans une fâcheuse position. Il ouvrit la porte pour la refermer avec fracas. Il la déposa sur le lit. Elle était congelée sur place. Il était debout devant elle et la regardait de haut. Le torse qui se gonflait à chacune de ses respirations, le tout agrémenté d'un regard agressif et sur le point de sortir hors de ses gonds.

-Mira ! Tu recommences à me fouetter le sang ! Serait-ce Bjarni qui se tient entre nous deux ? Réponds-moi ! Bordel de merde ! Cette fois tu vas me répondre ! RÉPONDS-MOI ! Hurlait-il.

Mira était affolée. Pourquoi s'était-elle échappée devant lui ?

-Et qu'est-ce que c'est que ça ?

Il agrippa le collier avec une telle violence que le fermoir céda.

-Qu'est-ce que c'est que ça, Mira ?
-C'est… c'est un présent…
-Un présent ? De qui et pourquoi ?
-C'est un cadeau de noce, Majesté.
-Un cadeau de noce ! Qui donc a les moyens d'offrir un cadeau d'une telle valeur, Mira ?

Elle hésitait à répondre étant donné les circonstances.

-Réponds-moi ! BORDEL DE MERDE !
-C'est un… présent de la Couronne… Norvégienne Sire…
-Quoi ? Comment… NON !

Il lança le collier contre le mur de pierre. Boris était encore sur le point d'éclater.

-J'aurais dû m'en douter ! Ce maudit Bjarni ! C'est lui n'est-ce pas qui se dresse entre nous ? Il n'a pas dépucelé La Promise mais il a utilisé tous les moyens pour la séduire ! Hein ? Mira ? Qu'est-ce qu'il a fait ? Dis-le ! Il t'a couvert de cadeaux… alors que tu ne veux même pas des miens ! Il t'a embrassé ? Il a posé ses sales mains sur toi ? C'est ça Mira ? Et toi tu lui as répondu ? Bien sûr qu'elle lui a répondu ! Elle lui a donné ce qu'elle refuse à son propre Roi ! Et si elle n'avait pas eu si peur du roi Boris, elle lui aurait donné bien davantage ! Bien davantage Mira… Tu lui aurais tout donné à Bjarni ! Jusqu'à ta virginité ! Tes larmes n'y changeront rien. Je suis mis au parfum maintenant ! Tu es découverte ! Petite hypocrite ! Ton silence en dit long… mais tu vas me le dire ! JE VEUX L'ENTENDRE DE TA BOUCHE, MIRA !

Il avait empoigné son menton d'une main et il faisait encore preuve de force. Il s'était agenouillé sur elle et se penchait sur son visage.

-Dis-moi ce que tu caches Mira ? Dis-le ! Il t'a embrassée ? Je veux le savoir !
-Non… non… il ne l'a pas fait !
-Menteuse ! Petite hypocrite ! Tu aimerais que je frappe hein ? Tu aimerais que je frappe hein ? Tu mens ! Tu n'es qu'une menteuse ! Tu le protèges… Tu protèges un lâche. Il se cache sous tes jupons ! Je sais qu'il la fait…
-Non… non… Il… Il a même levé la main sur…
-Quoi ? Tu veux me faire croire ça, Mira ? Trouve autre chose ! Je ne suis pas un parfait idiot ! Je veux que tu le dises ! Dis-le qu'il t'a prise dans ses bras et qu'il t'a embrassé. Il a fait autre chose que je devrais savoir ? Hein ?
-Oui… oui… il m'a prise dans ses bras et il m'a embrassé… et… et… c'était doux… merveilleux ! ! !

Là, il était fou furieux ! Il frappait sur l'oreiller à grands coups de poing. Sa crise de jalousie était à son apogée. Il retira son veston. Il déchira avec virulence la robe rose. Il enleva son pantalon vite comme l'éclair. Il passait sa rage, sa frustration, ses envies de la seule façon qu'il connaissait. Il la grimpait avec frénésie.

-Non… non… Boris vous aviez juré… NON…

-J'avais juré oui, mais c'était avant de savoir qu'un autre aurait pu avoir ce que tu dédaignes me donner ! Et je vais continuer… recommencer… continuer… ! Tu es à moi ! ! ! Toute à moi ! ! ! Rien qu'à moi ! ! ! Et ce n'est pas Bjarni qui a eu le plaisir de te dépuceler ! Je l'ai fait… je t'ai prise… Tu es à moi ! Et tu le resteras. Vois qui est le maître Mira ! Il te grimpe, il te prend, il te baise ! Jamais Bjarni n'aura cette chance, tu entends… JAMAIS !

Sous l'emprise d'un dément, dont le viol semblait être la seule arme contre le cœur fermé de la femme, la promise du roi recevait à grands coups la rage, la frustration et la crise de jalousie dans son intimité sans pouvoir arriver à se défaire de la poigne de fer qui s'abattait encore sur elle.

Il finit sa besogne. Il se releva et se rhabilla sortant de la pièce sans dire un seul mot.

Le Boris que Mira avait toujours connu était de retour. Fini la poésie, les petites balades et la gentillesse de l'homme.

Boris se retira dans ses appartements en maudissant Bjarni.

Si je ne me retenais pas, j'irais t'arracher la queue ! Maudit Bjarni. Tu ne l'avais pas dépucelée, mais tu as pris son cœur. Maudit, que tu sois maudit !

Quelques heures plus tard on fit sortir Mira dans le jardin. Ce n'était point son avis d'y être, mais les servantes avaient terriblement insisté. Être au jardin ou confinée dans sa chambre à attendre les fougues de Boris, ça ne pouvait pas être pire.

Un fait bizarre vint la sortir de ses pensées.

-Mesdames ? Mesdames ?

Où sont-elles passées ? Bizarre… on me laisse seule ?

Elle n'eut pas trop le temps de se poser mille et une questions. Tout à coup deux jeunes soldats empruntaient le petit sentier, bavardant ensemble attirant par le fait même, l'attention de la jeune demoiselle.

-Oh ! Svern !

Les deux jeunes gens se prosternèrent devant leur reine.

-Majesté ? Que faites-vous là, seule ?

-Je… je…

-Permettez-moi de prendre votre main et de vous reconduire jusqu'à vos appartements.

-Non… Je… je suis capable de m'y rendre moi-même.

-Ce n'est pas prudent Majesté que de rester seule comme ça. N'est-ce pas Svern que ce n'est pas prudent ?

-Non, Majesté, ce n'est pas prudent… Le Roi est loin d'être prudent. Il ne devrait pas vous laisser dans sa Cour remplie à craquer de jeunes soldats comme nous. Il pourrait vous arriver de rencontrer des jeunes gens mal intentionnés.

Les deux soldats faisaient le tour de Mira agissant de manière à faire monter en elle une certaine inquiétude, leurs discours n'étaient pas rassurants.

-Svern a raison, Majesté. Vous êtes si belle… Comment résister à une dame comme vous, sans avoir une envie irrésistible de vous prendre dans nos bras !

Svern l'agrippa et Tolkievson se jeta sur elle. Mira était tellement paniquée par cet assaut aussi soudain qu'inattendu qu'elle poussa un cri strident. Les deux jeunes hommes continuaient à la peloter. Mais ce fut de courte durée. Boris et quelques gardes royaux arrivaient. Dans tout ce remue-ménage, les deux jeunes hommes s'arrêtèrent et lâchèrent la malheureuse dès l'apparition du roi dans leur champ de vision.

-Eh ! bien ! Emportez-les au donjon où ils paieront leur audace. De dire le roi.

Juste avant que les gardes les emportent, Boris les arrêta.

-Une minute, Attendez. À moins, Madame que vous préfériez qu'ils ne continuent ce qu'ils avaient commencé.

Comment peut-il me demander ça ! Tu es un sot Boris ou quoi ?

-Alors ?

La tête baissée, les larmes plein les joues, une rage indescriptible qui lui montait dans les veines, Mira tentait, tant bien que mal de se contenir. Boris souriait. Comme à son habitude, il avait ce sourire narquois, inquisiteur, qu'il était le seul à faire aussi bien ressortir comme expression.

-Emmenez-les et enfermez-les au cachot. J'irai plus tard me charger de leur bien être.

Une fois seul avec elle, Boris s'approcha.

-Comment se fait-il que vous vous retrouviez dans cette situation, Madame ?

La rage lui faisait serrer les lèvres et sa poitrine se gonflait.

-Depuis quand te promènes-tu seule ?
-Je… Je n'étais pas seule !
-Ah ! non ? Mais où sont donc les gens qui vous accompagnaient, chère dame ? Je ne vois personne !
-Je… je… ne sais pas… Elles ont soudainement disparu.
-Disparues ? Tu es magicienne ?
-BORIS ! Ne vous moquez pas de moi !
-Oh ! Je n'ai nullement envie de me moquer de toi ! Et le ton sur lequel tu me réponds ! Seriez-vous fâchée, Madame ?
-Si je suis fâchée… Vous me reprochez encore quelque chose que je n'ai point fait. Je n'étais pas seule… Je ne sais pas où sont passées vos servantes qui m'ont amenée jusqu'ici et que vous me croyez où non, ça m'est complètement égal. Je suis si choquée que si je ne me retenais pas… Je vous… je vous…

Boris se recula. Encore son air agaçant plein l'expression de son visage et comme pour darder davantage il ouvrit les bras, comme une invitation. Là, c'en était trop. Elle se rua sur lui à coup de poing.

-JE VOUS HAIS ! CE QUE JE PEUX VOUS HAÏR !

Boris lui attrapa les poignets. Elle était déjà exténuée et s'effondrait en larmes.

-Mira… Mira… ça suffit maintenant. Arrête. Tu te fais du mal pour rien. Tu ne m'aimes peut-être pas, mais je sais que la colère te fait dire des choses que tu ne penses pas. Ça suffit, j'ai dit. Comment penses-tu que je puisse réagir à une telle aventure. J'entends tes cris, j'accours et je te retrouve à te faire assaillir par deux de mes soldats. Je te libère de ce mauvais pas et la seule chose que tu penses à me dire c'est que tu me hais… C'est vrai Mira que nous nous sommes disputés à qui mieux mieux. Mais là, tu me brises vraiment le cœur. Au lieu de me remercier tu te jettes sur moi et tu me martèles de tes petits poings. Si je n'étais pas arrivé, Mira… Que penses-tu qu'ils auraient fait de toi ? Les hommes sont des hommes Mira. Ceci te prouve que je ne suis ni mieux, ni pire que les autres… Sauf que moi, c'est l'amour que j'éprouve pour toi qui m'a fait faire toutes ces bêtises à ton égard.

Elle ne tenait plus sur ses jambes. Boris l'a pris dans ses bras et la transporta à l'intérieur. Une fois arrivés dans la chambre, il la coucha sur le lit et s'assit près d'elle.

-Tu vas dormir maintenant. Je te laisse penser à tout ça et je vais revenir te rejoindre. Tout ce que j'espère, c'est que cette mésaventure te fera réfléchir Mira.

Réfléchir à quoi ? Les hommes ne pensent qu'à me violer ! Ai-je donc été mise sur cette terre pour cet unique dessein ? Que la vie dans une Cour Royale est donc laide, affreuse, impossible, mesquine… Va-t-en Boris… Si tu penses qu'à ton retour je serai plus mielleuse… Que tout ce monde est bête ! Pourquoi m'avoir sortie de force d'un endroit où tout était si beau. Je n'ai jamais vu de tels agissements chez les miens… Non, les hommes sont tendres et bons. Leurs épouses sont bien mieux traitées que la Reine de leur pays…

Elle s'endormit finalement exténuée. Quelques heures plus tard, Boris faisait son entrée à pas de loup dans la chambre sombre. Il se faufila sous les draps avec un soin peu commun. La belle dormait. Il se colla contre elle.

-Mira, ma petite rose, dis-moi que cette nuit je suis le bienvenu dans ta couche…

Elle ne répondit rien.

-Mira, je te protégerai mieux à l'avenir. Les servantes ont été démises de leur fonction et les deux soldats…
-Qu'avez-vous fait ?
-Que pensais-tu que j'aurais fait Mira ? Faire un tel affront à la Reine de Suède… Je ne pouvais laisser passer ça !
-Non… non… Vous n'aviez pas à…
-Mira, de tous mes trésors tu es le plus précieux. Jamais je n'accepterai que quiconque ose te faire du mal… Tu sais comme je peux être intransigeant, je ne le suis pas qu'envers toi, la belle. Je suis

le Roi et on me doit obéissance. Je n'ai nullement apprécié les gestes posés par mes soldats et les servantes n'avaient pas le droit de te laisser seule.

-Non… vous n'aviez pas à…

-Chut ! Ça suffit… là Mira, c'est moi le maître ici. Encore plus dans ma Cour que dans tout mon pays. C'était un affront et je n'accepterai aucun affront sous mon toit encore moins quand il concerne mon précieux trésor.

Elle allait dire quelque chose, mais Boris l'embrassait et la serrait si fort. Il recommençait son manège. Son désir de la prendre était très perceptible sur la cuisse gauche de la dame.

-Non… laissez-moi… Je ne veux pas que… Non…

-Tu ne veux pas Mira ? J'ai une telle envie de toi ! ! !

-Vous avez toujours envie de moi ! Quand vous en lasserez-vous ?

-Ha ! ha ! Comme si c'était possible pour moi de me lasser de toi ! Souvent, on se dispute, je te prends malgré tes repoussements, mais Mira, je ne pourrai jamais me lasser de toi ! Et ce soir comme les autres nuits, tu ne me donneras pas ce que j'aimerais tant obtenir de toi… Alors, Mira, je prends… oui, je prends et je continuerai à prendre jusqu'à ce que tu te donnes à moi ! ! !

-Vous pouvez toujours rêver à ce jour… Seriez-vous niais ? Ne comprenez-vous pas que vous vous êtes trompé sur moi ? Jamais vous n'obtiendrez ce que vous souhaitez tant !

-Tant pis… si je n'obtiens pas ce que je souhaite. Et je suis tout sauf niais, Mira. C'est pourquoi, ce soir, Madame fera son devoir conjugal et contentera le Roi. C'est peu, mais c'est beaucoup tout de même quand j'y pense. T'embrasser le cou… toucher ta poitrine, poser mes mains partout… surtout dans ton jardin secret… Ah ! Mira… Tu fais du Roi un homme comblé malgré tes repoussements… Je vais encore te prendre et encore je ressentirai cette magnifique sensation dans tes entrailles… Il n'y a pas de guerre, il n'y a pas de trésors, qui puissent égaler ce que tu peux me faire ressentir… Mira.

C'était peine perdue. Boris était déjà à l'action et Mira devrait effectivement contenter le roi. Comme pour faire changement, Boris remit ça à plusieurs fois durant la nuit.

Le lendemain matin, Boris était déjà levé et Mira n'en était qu'à sa toilette du matin, seule devant la glace ayant chassé les nouvelles servantes mises à son service. Ingrid n'était plus là.

Il m'enlèvera même mes rêves les plus secrets. Ingrid était une mère pour moi. Elle n'était pas là hier, quel besoin avait-il de la chasser. Il s'est sûrement rendu compte qu'elle avait de l'importance pour moi. Comment fait-il pour deviner même ce que je dissimule, ce que je cache avec tant de soin.

La porte ouvrit, chassant ses pensées.

-Comment tu n'as pas encore fait ta toilette ? Où sont les servantes ?
-Je les ai renvoyées, Majesté. Je suis capable moi-même.
-Sûrement... mais tu mets plus de temps.
-J'en ai à revendre du temps... Qu'est-ce qui presse tant ?
-J'ai une surprise pour toi et je veux que tu voies ça.
-Une surprise ?
-Oui... et je crois qu'elle va te plaire. Dépêche-toi. Habille-toi. Tu veux que je t'aide ?
-Non !
-Bon, bon ! Très bien, j'ai compris. J'attendrai dans le petit salon, viens m'y rejoindre.

Une surprise... quelle surprise ? Une surprise que je vais aimer... Sais-tu ce que j'aime Boris ? J'en doute. Car ce que j'aime tu ne l'aimes pas...

Elle arriva quelques instants plus tard dans le petit salon. Boris se leva et s'avança vers elle.

-Gardes allez quérir le jeune homme.
-Le jeune homme, Boris ?
-Oui, attends, ne sois pas si impatiente. Je suis certain que ça va te plaire.

Elle s'assied dans un fauteuil, gardant ses genoux joints. Boris la regardait silencieux. Un petit moment et des pas se faisaient entendre dans le corridor. À la vue des gardes et du jeune homme, Mira se leva, entrouvrit la bouche et se rua sur l'homme.

-Oh ! Roberts... Roberts...
-Mira.

Le frère et la sœur se serraient, fermant les yeux, retenant leurs larmes.

-Alors Mira, n'ai-je pas tenu ma promesse ? De demander Boris.

-C'est vrai, Roberts, il t'a libéré ?

-Oui, Mira, je vais partir aujourd'hui. Je dois partir, Mira. Comme j'aimerais t'emmener avec moi... mais...

-Mais Mira restera ici ! Coupa abruptement le roi.

-Quand aurais-je le droit de revoir ma famille ? Demanda Mira.

-Ceci fait aussi partie d'une autre surprise Mira... Si je te dis quand, ce n'en sera plus une ! De répondre le roi.

-Au moins, je suis libéré Mira et je vais retrouver ma femme et mes filles. Je suis si heureux de te voir...

Mira se mit à pleurer dans les bras de son frère.

-Mira... ne pleure pas...

Il leva les yeux vers le roi.

-Quel homme êtes-vous donc pour faire pleurer Mira, si douce, si tendre ?

Le roi jeta un regard froid à celui de Roberts.

-Non... Roberts tais-toi, va... Tu es libre toi... Va rejoindre ta famille, ne dis plus rien... Je suis heureuse que ton calvaire soit fini... Tout ça à cause de moi... Va...

-Oui, il part. N'est-ce pas que vous partez, Roberts ? Dit le roi avec dans les yeux des éclairs.

-Oui... Je pars. Je t'embrasse petite sœur. Puissent mes baisers t'aider à supporter tout ça.

Il l'embrassa sur le front et parti, laissant Mira les yeux plein d'eau. Boris s'approcha d'elle.

-Mira, j'ai tenu promesse. Je l'ai libéré. Dis-moi que tu es contente ?

-Oui, Majesté, je suis heureuse que vous l'ayez fait.

-Et ?

Elle leva les yeux vers lui. Il voulait plus.

-Et je vous en remercie, Sire.

-Ah ! Elle m'a remercié. Tu me remercieras encore ce matin. J'ai autre chose à te montrer. Viens.

Il l'entraînait à travers sa Cour. Ce grand château avait d'énormes pièces et c'était à si perdre si on ne connaissait pas bien les lieux. Boris l'amenait à travers des pièces, des petites cours, pour aboutir devant une immense porte qu'il ouvrit. À l'intérieur des escaliers, d'autres pièces. Cet endroit était humide et sombre. Parmi les bruits de leurs pas sur les dalles, on entendait des gémissements, des fers, des chaînes. Boris se tourna vers Mira qui frissonnait devinant que cet endroit lugubre était sans aucun doute la tour, les donjons.

-N'aie pas peur Mira, je suis avec toi.

Que c'est donc réconfortant Boris ! Qu'est-ce qu'il a tant à faire ici que je doive voir ? Quel genre de surprise puis-je espérer voir dans les donjons ?

Il arriva finalement devant une fenêtre qui donnait accès à un petit balcon. Il tira les rideaux. Deux jeunes soldats, ceux même d'hier qui l'avaient assailli, se balançaient au bout d'une corde.

-Regarde Mira, ils ont payé de leur audace ce qu'ils t'ont fait hier et j'ai moi même choisi le châtiment.

Mira horrifiée, ouvrit la bouche et s'effondra sur le plancher. Ça perte de conscience avait été si soudaine que Boris n'avait pas eu le temps de l'attraper et c'est avec fracas que sa tête frappa sur les dalles de pierres.

-Mira… Mira… Non… Mira !

Boris tentait de la ranimer.

-Mira, je voulais bien que de les voir pendus cela te ferait un effet, mais pas celui-là… Non… Mira… Reviens à toi !

Il l'a pris dans ses bras et courut vers ses appartements. Ce qui était inquiétant, c'était qu'elle ne reprenait pas conscience. Passant en coup de vent devant des gardes, il leur ordonna d'aller cueillir le médecin. Un des jeunes gardes s'empressa et cette panique qui se lisait sur le visage de Boris sema un véritable branle-bas de combat dans le château.

Arrivé dans la chambre, Boris la déposa délicatement sur le lit.

-Mira… Mira ! Mon Dieu ! ma douce gazelle, reviens à toi !

Le médecin entra sans crier gare.

-Que lui est-il arrivé, Sire ? Qu'est-ce qui s'est passé ?

-Je ne sais trop… Je lui ai montré quelque chose et elle a perdu conscience…

-Elle est tombée ?

-Oui… Ça s'est fait si rapidement, je n'ai pas eu le temps de la rattraper.

-Où étiez-vous Sire ?

-Dans les donjons.

-Dans les donjons ?

-Oui, quoi ? Qu'est-ce que ça peut bien faire que nous étions dans les donjons ?

-Je… je voulais juste savoir où elle était tombée… Sa tête à dû se heurter aux dalles du plancher.

-C'est certain, qu'est-ce que tu crois… Imbécile !

-Sire, ça suffit ! Je ne suis pas un imbécile, mais un médecin qui veut savoir exactement où elle est tombée. Et ça commence à bien faire ! Vous m'appelez à la rescousse, alors que vous êtes vous-même l'instigateur de ses malheurs. D'habitude on se tait devant votre forte autorité, Majesté, mais là… J'ai le sang qui bouille. Vous l'avez encore éprouvée de je ne sais quelle épreuve… Ne vous ai-je pas dit qu'elle était fragile… Si vous continuez à ce rythme-là… Adieu la belle ! ! ! À moins bien sûr que c'est là votre dessein ?

Le docteur était profondément choqué. Son audace verbale devant le roi le démontrait bien. Et Boris resta pantois devant les mots pleins de sens du médecin.

C'est vrai Mira qu'à ce rythme-là, je vais t'achever… Ma douce Promise, comme je suis idiot. Comme j'aurais dû penser que ton cœur tendre ne supporterait pas de voir encore la mort… même celle d'hommes qui te veulent du mal ! Ce docteur a bien raison…

Le médecin se pencha sur elle et tâta la tête.

-Elle a une sérieuse bosse sur le crâne. À se demander si elle ne restera pas dans un coma pendant plusieurs jours… et si elle en reviendra indemne !

-Que voulez-vous dire ?

-Si le sang se propage au cerveau, si la boîte crânienne est endommagée… si… Je me tais… C'est trop affreux… Il ne faut pas ! Elle ne mérite pas ce sort. Non, pas elle.

Le médecin se retourna et alla dans sa trousse prendre un petit bocal.

Boris était sous le choc. Il ne se targuait plus de son autorité, ni de sa froideur légendaires.

Le docteur revint près du lit avec le petit bocal qui était rempli d'une substance extrêmement odorante. L'odeur piquait les narines. Il le passa sous le nez de la belle. Elle gémissait et tournait la tête de gauche à droite lentement.

-Mira… Mira…
-Laissez-la revenir à elle, Sire ! Poussez-vous un peu… Il lui faut de l'air.

Comme par enchantement, l'énorme cadavre de Sa Majesté se retira un peu plus loin suivant les ordres du médecin. Elle ouvrait les yeux. Le docteur se pencha doucement sur elle.

-Madame ? Madame… dites quelque chose.
-Ahhhh ! Comme j'ai mal à la tête !
-Madame, me reconnaissez-vous ?
-Oui… pour… pourquoi cette question ? Vous êtes le médecin du Roi.
-À la bonne heure ! Comme le médecin du Roi est heureux de voir que votre coup sur la tête ne vous a pas dérangé l'esprit ! Disait-il sourire aux lèvres.
-Mira… Mira… Je suis là !

Boris s'agenouilla près du lit.

-Ce que tu m'as fait peur !
-Moi, je vous ai fait peur ?

Le médecin s'en retourna vers sa trousse et s'apprêtait à sortir lorsqu'il s'arrêta et dit :

-Sire… Je veux vous voir immédiatement.
-Ça ne peut pas attendre… J'aimerais rester avec Mira. Rétorqua Boris avec un ton d'enrager.
-Non, ça ne peut pas attendre. C'est primordial pour la santé de la Reine… À moins que ça santé ne vous tienne pas à cœur !

Boris, lui envoya un regard qui aurait traversé les murs de pierres. Il se leva et l'entraîna hors de la pièce.

-Monsieur, avant toute chose, votre arrogance à mon égard, mériterait…

-Mériterait un châtiment, je sais, Sire ! Pardonnez-moi d'avoir autant d'audace, mais il faut absolument que vous compreniez, Sire… Elle est revenue à elle, elle semble en possession de toutes ses facultés, mais elle doit avoir du repos… Me fais-je bien comprendre ?

-Je n'ai pas l'habitude d'avoir besoin de mille et une explications, Docteur !

-C'est vrai, mais dans ce cas bien précis… il semble que vous ayez réellement besoin de vous faire répéter à maintes reprises que vous êtes de loin de taille, de poids, de force supérieure à une dame qui est d'une fragilité extrême. Si vous ne tenez pas à la garder dans un état… disons…"normal", sachez que vos sujets, eux le souhaitent. Si jamais malheur lui arrivait… et que vous en étiez responsable, Sire… Je ne donne pas cher de votre peau ! Vos détracteurs s'en serviront allégrement contre vous ! Sur ce, je vous laisse aller au chevet de la Reine.

Il tourna sur ses talons et parti d'un pas décidé dans le corridor sans même attendre que le roi ne lui réplique.

Comme Anna, le médecin venait de lui faire part du pouls de son peuple en ce qui concernait Mira. Il réalisait à quel point, elle était importante dans le cœur de ses sujets. Mais… mais… mais… Boris était si orgueilleux. Admettre qu'il avait tort et que les autres avaient raison… quelle faiblesse ! Se laisser dicter sa conduite… Nous le connaissions tous comme le plus intransigeant, le plus tyrannique de nos contrées. C'était beaucoup demander, même friser l'utopie que d'espérer que Boris se laisse ainsi bercer par le désir de ses sujets.

Il revint dans la pièce. Mira était assise sur le bord du lit.

-Mira ? Que fais-tu ? Recouche-toi immédiatement ! Tu dois te reposer… le médecin…

-Quoi ? Pourquoi est-ce que je me recoucherais, on est en plein après-midi !

-Mira… tu te sens bien ?

-J'ai un affreux mal de tête… mais… ça va.

-Tu ne te souviens de rien ?

Elle leva ses grands yeux azur vers lui et le dévisagea. Les yeux marron regardaient eux aussi la mer qui faisait des vagues et qui finit

393

par déferler sur les joues rosées. D'habitude les yeux azur se dissimulaient derrières les larmes, mais là... les yeux gardaient le cap sur le roi.

-Mon coup sur la tête ne pas point rendu sénile... Comme j'aurais aimé le devenir !

-Mira, voyons ! Ne...

-Taisez-vous ! Quel besoin aviez-vous de les faire pendre... J'ai défailli. Oui, mais j'ai un cœur de bœuf puisque j'ai résisté à ce spectacle macabre. Quel besoin avez-vous donc de me démontrer que vous êtes le maître incontesté de ces lieux ?

Boris baissa les yeux et resta silencieux devant les reproches clamés haut et fort par la frêle créature qui battait de ses poings l'édredon du lit royal.

-Ils n'avaient pas été charmants à mon égard, je vous le concède, mais vous, votre très Grande Majesté, l'avez-vous été davantage ? Vous a-t-on pendu pour autant ? On ne pend pas le Roi... Bien sûr que non, on ne pend pas le Roi... même s'il se conduit comme le plus odieux des personnages ! Le Roi a tous les droits ! Celui-là même de vie et de mort sur ses subalternes, sur ses sujets, sur sa femme ! Que Dieu ait pitié de votre âme pour avoir autant de prétention ! Une prétention que Dieu seul a le droit d'exiger de nous ! Je ne vous hais plus... Non, c'est beaucoup trop vous donner d'importance !

Elle s'était levée debout et criait sa disgrâce à qui voulait bien l'entendre. Boris, quant à lui, restait de glace, ses yeux rivés sur la femme qui exprimait librement son mécontentement. Elle finit par lui jeter un regard de dégoût qui blessa énormément notre cœur orgueilleux. L'émotion dans cette pièce était à son comble. Mira se retourna, ouvrit le loquet de la porte et sortit. Boris resta assis silencieux, songeur.

Mira, ce que j'ai fait, je l'ai fait pour toi ! Je ne sais pas comment faire pour te faire comprendre ce que tu représentes pour moi... Tu me bouleverses... Arriverons-nous un jour à nous entendre ? Tu es si différente de moi. Si différente des autres femmes que j'ai côtoyées... Je ne sais plus quoi faire

Chemin faisant, dans les longs corridors, elle passa devant la grande salle de bal où des domestiques étaient afférés aux travaux ménagers. Quelle ne fut pas sa surprise de voir Ingrid en train de laver les dalles dans un coin de la grande pièce. Elle courut vers elle.

-Ingrid ! Ingrid ! Vous êtes ici ?

-Oh ! Majesté… Oui, je suis ici !

-Comme je suis heureuse de savoir qu'il ne vous a pas chassée !

-Il m'a déplacée, mais pas chassée, Madame.

-Je suis si heureuse de vous voir !

-Madame, il ne faut pas que vous soyez trop démonstrative… Il m'a fait mettre à ce service car il voyait quelle importance j'avais pour vous… S'il découvre que vous vous entretenez avec moi, il me chassera définitivement du château.

Mira baissa la tête.

-Oh ! Madame, ne soyez pas triste. Vous n'avez qu'à être plus rusée que lui et venir discrètement vers moi.

-Oui, mais c'est si triste… Je ne peux même pas avoir d'amie. Il faut que je me surveille tout le temps, c'est trop injuste.

-Vous dites vrai… d'autant plus qu'il est spécialiste dans l'injustice. Ce qu'il a fait subir à ces deux jeunes soldats qui avaient pourtant suivi ses ordres ! Il est le diable même !

-Quoi ? Que venez-vous de dire Ingrid ?

-Qu'il était le diable ! Je ne devrais pas dire ça !

-Non ! Qu'avez-vous dit au sujet des deux jeunes soldats ?

-Qu'il leur avait fait subir un bien triste sort malgré que les soldats aient suivi à la lettre ses ordres, Madame !

-Comment ? Je ne comprends pas, Ingrid…

Ingrid la regarda et se tut. Se pencha de nouveau sur son travail silencieusement.

-Ingrid, vous ne me dites pas que Boris a monté toute cette mascarade et qu'ensuite il a pendu les deux jeunes gens ?

Ingrid ne relevait plus la tête s'acharnant avec sa brosse sur une dalle du plancher.

-Ingrid, je vous en prie…

-Oh ! Madame, je croyais que vous aviez compris ! J'étais certaine que votre malaise d'aujourd'hui à la vue de ces jeunes gens… Boris a monté cette histoire de toute pièce, Madame… Les servantes vous ont amenée dans le jardin où elles avaient l'ordre de vous laisser seule… et les gardes… ils avaient eu celui de vous assaillir et de s'arrêter lorsque le Roi viendrait vous délivrer… Boris voulait… il voulait vous faire voir qu'il n'était point le seul à être aussi… mais… d'abord et avant tout, ce qu'il voulait, c'était être votre héros... et que vous vous jetiez à son cou. Ce qui n'était pas prévu c'est qu'il irait jusqu'à pendre ces malheureux pour vous impressionner davantage ! J'étais si sûre que vous aviez compris aujourd'hui... Je... Je n'aurais pas dû vous le dire ! Je vois bien quelle peine vous avez !

-Comme je suis sotte... Comment est-ce que cela ne m'a pas sauté aux yeux !

Elle se mit à pleurer à chaudes larmes. Les autres servantes s'arrêtèrent toutes et se regardèrent. Ingrid fit ce qu'elle put pour la retenir, mais Mira retournait d'où elle était arrivée.

Elle ouvrit brusquement la porte de la chambre, Boris s'apprêtait à sortir de la pièce quand elle entra et se rua sur lui.

-Soyez maudit, Boris Roi de Suède... Soyez maudit !
-Par la barbe d'Éric le rouge ! Calmez-vous, Madame, qu'est-ce qui vous prend ?
-Vous êtes un salaud !
-Ça suffit ! Calmez-vous, qu'est-ce qui te prends, Mira ? Ça suffit ! Arrête !

La petite crise fut de courte durée lorsque les grosses mains saisirent les graciles poignets.

-Ça suffit j'ai dit ! Mira ! C'est assez aussi, d'insulter le Roi, de le maudire et de l'injurier comme tu le fais ! Qu'est-ce qui te prends ?
-Vous n'êtes qu'un salaud ! Pourquoi... pourquoi ?

Elle était encore sur le point de s'effondrer. Boris la prit et la mit sur le lit.

-Mira, ça suffit ! Tu es épuisée ! Tu te mets encore dans des états... Je ne sais pas quelle mouche t'a piquée, mais tu es entrée comme tu es sortie ! Hors de toi ! et là, tu me sembles encore plus hors de toi que toute à l'heure... Qu'est-ce qui me vaut cet assaut ? Ces injures ?
-Boris, tu as monté toute cette mascarade dans le seul but de te rendre intéressant à mes yeux et tu as osé tuer les gardes qui avaient suivi tes ordres... Quel salaud ! Soit maudit !

Boris resta silencieux un long moment retenant la dame couchée. Il ne la lâchait pas du regard. Sa petite mise en scène était découverte. Celui ou celle qui avait ouvert sa grande trappe en paierait de sa vie. Il étudiait avec minutie les mots, les phrases qu'il utiliserait pour s'expliquer devant Mira. La découverte de son plan ne devait pas lui faire perdre la face. Il était quelque peu désarmé et il lui fallait absolument se trouver une arme secrète pour se défendre. Il se sentait attaqué sur ce qu'il avait de plus cher et là, il ne fallait pas faire de quartier.

-Sache Mira que ce que j'ai fait, je l'ai fait pour toi ! Rien que pour toi !

-Combien vous faudra-t-il de victimes, Sire pour comprendre ?

-Autant qu'il te faudra de temps pour enfin m'ouvrir ton cœur Mira !

-Comment pourrais-je ouvrir mon cœur à un être maudit... à un tyrannique Roi qui se joue de la vie ! Comment ouvrir mon cœur à un homme qui tue avec autant de facilité qu'il puise l'air qu'il respire ? Quelle confiance puis-je espérer avoir dans un être aussi diabolique ?

Boris la lâcha et s'assit dans le lit un air de tempête dans les yeux. Son torse se gonflait sous la rage.

-Voyez dans quelle rage vous êtes ! Prêt à bondir sur moi et m'achever de vos poings !

-Si je suis choqué, Mira, ce n'est point dans le but de t'achever... Tu es bien plus forte que moi à ce petit jeu-là !

-À ce jeu-là ? C'est donc un jeu pour vous ?

-Détrompe-toi... Ce n'est pas un jeu pour moi... C'est de ma vie dont il s'agit ici ! Et je ne suis pas diabolique... je te retourne le compliment... c'est toi la diablesse Mira. Tu m'as jeté un sort ! Tu m'as ensorcelé...

-Quoi ? Dites-le que tout ce qui est arrivé est de ma faute... dites-le donc ! Je suis responsable de la mort de ces jeunes soldats... c'est ça ? Je suis responsable ? C'est ce que tu voudrais que je te dise Boris !

-Ah ! Je ne dis pas que tu es responsable... du moins juste en partie !

-Je suis responsable en partie ? Mais c'est un comble ! ! ! Là seule responsabilité que j'ai, c'est que j'aurais dû fuir à toutes jambes le jour où vous êtes arrivé au puits... Si j'avais su... Si j'avais su que le Roi était assis sur une monture et qu'il s'intéressait ne serait-ce qu'à un cheveu de ma tête, comme j'aurais fui, car je sais depuis longtemps quel type d'homme vous êtes... à ce sujet votre réputation n'est plus à faire ! ! !

-Ça suffit ! Tu m'insultes Mira ! J'ai mauvaise réputation et je le sais et cela ne m'a jamais dérangé jusqu'à maintenant ! Je ne changerai pas pour te faire plaisir, j'ai un pays à gouverner et les Rois qui ne gouvernent pas de façon brutale sont un jour ou l'autre écarté du pouvoir de façon odieuse… Ce pays est à moi et je le gouvernerai vers la gloire, vers un royaume immense avec une Reine qui est à moi ! Dieu du ciel ! Mira… avec une Reine comme toi, un Roi peut espérer la victoire à coup sûr… Aucun ennemi ne saurait m'affronter ! Tu es non seulement l'amour de ma vie… oui, car malgré les apparences, je suis fou de toi à en faire des bêtises que je croyais ne jamais commettre. Tu es mon univers Mira. Tu me reproches de t'aimer… Je ne fais que ce que je crois capable de te faire changer d'avis à mon sujet. Mais je m'enfonce… je m'enfonce… si profondément qu'il ne me reste qu'une seule main hors des sables mouvants et tu ne me tends même pas la main pour me venir en aide, tu me donnes les derniers coups de grâce. Comment puis-je te faire enfin comprendre que je t'aime et que si tu voulais Mira, je n'utiliserais pas tous ces stratagèmes pour essayer de te séduire !

Elle ne dit plus un mot. Décidément, les jeunes époux n'étaient pas sur le point de s'entendre, restant chacun sur leur position.

Boris finit par sortir de la pièce et ne revint qu'à la tombée de la nuit. Mira était restée dans la chambre et s'était recroquevillée sous les draps, semblant dormir d'un sommeil imperturbable. Il se dévêtit et prit place près d'elle. Toute cette histoire l'avait perturbé. Il se contenta de se blottir contre elle sans en exiger davantage et s'endormit à son tour.

Quelques heures plus tard une brise qui faisait tourbillonner ses longues boucles noires, le sortit des bras de Morphée. Ouvrant les yeux pour savoir d'où provenait ce petit vent chaud, il aperçut Mira qui s'était levée et se tenait devant la fenêtre.

Elle avait ouvert les volets.

Elle était debout immobile le regard fixé sur la nuit étoilée. Son état était indescriptible. Elle semblait en extase. Quelques minutes auparavant, une voix avait tiré du sommeil la jeune dame et l'invitait à se rendre à la fenêtre. Une fois les volets ouverts, la beauté de ce qu'elle trouva dans l'air de la nuit l'a remplie d'une béatitude, d'un bien être inexplicable. Une apparition lui était révélée. Une femme vêtue d'une robe étincelante voltigeait dans le noir de la nuit bercée par la brise. La femme lui souriait dans la légèreté de ses voiles qui voguaient tels des vagues sur la mer. Une lumière incandescente bleue entourait la dame et se diffusait jusqu'à Mira, l'enveloppant de paix, de douceur. Un bonheur transcendait de la dame vers elle et Mira fermait les yeux dégustant avec toute la délicatesse les émotions positives que la femme lui insufflait.

"Mira, ma fille, je suis venue jusqu'à toi parce que ton cœur souffre. Tes pleurs m'accablent. Ta mère est là mon enfant. N'aie plus peur... bientôt tu seras délivrée de tes chaînes et ton cœur pur montrera le chemin à tes semblables... Va... ne crains plus la main de Dieu, ne crains plus la main de l'homme, tu vivras une aventure qui t'es destinée et qui t'apportera vers le bonheur... Mira, souviens-toi que le cœur d'une mère n'oublie jamais, même dans l'au-delà. Je t'aime et souviens-toi que l'amour est la seule chose qui importe dans le monde des mortels."

Maman ? Oh ! Mère !

Mira lui tendait ses bras. La sensation de paix intérieure la soulevait presque du sol sentant une légèreté inexplicable l'envahir. Sa mère était là, devant ses yeux, belle, jeune, les cheveux et les rubans qui flottaient dans le vide de l'air. Cette lumière qui émanait de la femme était éblouissante mais n'aveuglait pas les yeux azur qui regardaient avec attention les détails du visage de sa mère qu'elle n'avait jamais connue. Dans un nuage de lumières, nourri d'un sourire inoubliable, elle disparut, laissant à la voûte étoilée toute sa splendeur habituelle.

Maman ! Ne pars pas ! Oh ! Maman ! Je t'aime !

Mira était debout devant la fenêtre, tenant les volets ouverts de toute l'envergure de ses bras. Mira était dans la pièce devant les yeux de Boris mais semblait à mille lieux. Qui avait-il derrière la fenêtre qui face bercer Mira et qui la fasse parler seule la nuit ? Qu'est-ce qui semblait venir du ciel ? Tout ceci intrigua l'homme qui l'entendait balbutier des mots incohérents. Il se rendit jusqu'à elle.

-Mira ? Mira ?

Tirée de ce moment de forte émotion, Mira se tourna vers lui et le regarda fixement.

-Qu'est-ce qu'il y a Mira ?

De ses yeux azur émanait une lueur, un je-ne-sais-quoi qui impressionna Boris. Elle était debout devant lui avec une assurance qu'il ne lui connaissait pas.

-Sire… Vous ne pourrez plus m'atteindre désormais. Je n'ai plus peur de vous. Du haut des cieux, Dieu vous a observé et vous a jugé, sa sentence est tombée. Vous ne pourrez y échapper. Vous serez conquis et perdrez votre Couronne. Cette nuit votre Reine recouvrira sa liberté et tous les Suédois seront libérés de votre emprise.
-Mira ! Tu divagues ? Tu as fait un cauchemar ? Qu'est-ce qui te prends ? Tu n'es pas dans ton état normal… Viens, retourne dans le lit… Tu dois dormir…

Il n'avait pas terminé sa phrase qu'on cognait avec insistance à sa porte.

-Sire, Sire ! Je vous en prie levez-vous, il faut que je vous parle immédiatement.

Boris, laissa Mira et sauta dans son pantalon pour aller voir ce qu'on pouvait bien lui vouloir, pour ainsi faire irruption au milieu de la nuit sachant très bien qu'il aurait pu pratiquer son sport favori. Il ouvrit la porte et sortit effrontément de la pièce.

-Général… Vous ici ? N'êtes-vous pas au Danemark ?

Le général baissa la tête. Boris le regardait avec curiosité.

-Qu'est-ce qui se passe ? Ne devriez-vous pas être avec vos hommes ?
-Sire, j'irai droit au but… Regarder par votre fenêtre et vous comprendrez pourquoi je suis venu vous déranger !

Boris cessa son regard interrogateur et ouvrit la porte de sa chambre se dirigeant en courant vers la fenêtre.

C'est alors qu'il distinguait dans la nuit étoilée, telles des mouches à feu, des flambeaux par centaines, par milliers. Ces lumières étaient en mouvement vers le château et progressaient à toute vitesse.

Il comprenait maintenant l'inquiétude de son général. Une armée considérable s'avançait et dans peu de temps, elle aurait atteint la grande muraille. Au premier regard, il jugea le nombre de soldats à plusieurs milliers de combattants. Aucun doute, il s'agissait d'une attaque.

Il ne fit ni un ni deux, se retourna vite comme l'éclair pour sortir de la pièce. Mais, le regard insistant de la belle, l'arrêta. Sur son visage se lisait une étrange expression. Jamais, depuis sa première rencontre, il n'avait vu Mira dans cet état. Debout, sûre d'elle-même, comme rassurée par quelque chose d'inexplicable, comme s'il flottait autour d'elle une armure invisible qui la protégeait. Il s'approcha d'elle mais l'insistance du général resté dans le corridor et le soudain remue-ménage de sa garde qui œuvrait dans sa cour l'obligèrent à partir. Il sortit précipitamment de la chambre ayant incrusté dans sa mémoire une image mystérieuse de la femme de ses rêves.

Son cerveau de guerrier se mit en branle. Rien ni personne n'aurait raison de lui. Il poussa son général ne demandant pas le passage et sortit de la pièce en fronde. Le général le suivait du mieux qu'il le pouvait, car le jeune roi décuplait son allure dans le grand corridor torse nu vers les écuries.

-Sire, ce sont les armées des rois Boris et Etok qui sont à nos portes… Etok et Euphrase nous ont vaincus au Danemark et j'ai ramené tout ce qui restait de potable parmi mes soldats pour venir ici vous prévenir mais j'ai eu beau faire le plus vite que j'ai pu… Etok a été plus vite que moi… À se demander comment il a fait !

Boris s'arrêta et se tourna vers son général essoufflé.

-J'aurais dû rester avec vous… Voilà ce qui arrive lorsque je ne suis pas où je devrais être ! J'éclaircirai plus tard toute la question. Le temps presse général. Vite ! Retourne sur tes pas et caches la Reine en lieu sûr… Mais d'abord dis-moi où se trouve mon armée ?
-La plupart des soldats ont été faits prisonniers ! J'ai réussi à réchapper quelques bataillons et sur le chemin du retour nous avons réussi à esquiver les soldats de Bjarni, mais la riposte inattendue d'Euphrase a fait des ravages parmi vos troupes, Sire… plusieurs ne sont pas en état de combattre… Quant à ceux qui étaient plus au Nord, de ce que je sais à l'heure actuelle… Sire… ils ont été massacrés. Je n'ai pas grand-chose sous la main.
-Comment se fait-il que ces nouvelles me parviennent juste maintenant ?
-Nos espions ont été découverts… et l'imprévisible force de frappe d'Euphrase et d'Etok nous a pris par surprise… Les messagers ne pouvaient être plus rapides que votre armée en fuite, Sire.

-Rends-toi immédiatement auprès de la Reine cache-là... Ils auront peut-être mon château, mais n'auront pas la Précieuse ! Car je sais ce que vient chercher Bjarni ! S'il croit qu'il aura à la fois la victoire et le trésor, c'est bien mal me connaître !

Le général étonné par cette remarque, resta immobile quelques instants ; le regardant se frayer un chemin vers les écuries. Même au-devant d'une défaite éminente, le jeune homme faisait preuve d'un sang-froid à toute épreuve. Les muscles tendus de ses bras, sa chevelure noire qui se balançait dans son dos, cette démarche sûre et décisive laissaient entrevoir un combattant hors du commun, un guerrier de très haute gamme ! Il laissa son observation pour retourner en courant vers les appartements du roi.

Pendant ce temps, Boris arrivait dans la cour où on sonnait la garde face à l'envahisseur qui était sur le point de franchir la grande muraille. La garde royale se déployait dans une hâte et une désorganisation les plus complètes. Les chevaux étaient sortis des écuries avec peu de délicatesse. Le bruit des boucliers, des épées, des armes de combat se faisait entendre.

Le roi entra dans l'écurie, prit la bride de son cheval et d'un bond il s'assit sur le dos de la bête nerveuse dû à toute cette agitation autour d'elle. Les écuyers qui couraient dans tous les sens pour parer les soldats de leur armure arrivaient à peine à fournir à la demande. Cependant, Boris étant le roi, certains généraux et soldats furent délaissés pour que l'on vêtît le roi de sa cotte de mailles, son armure. On lui passa son armet qu'il enfila sans demander son reste. Il arracha des mains d'un jeune écuyer son bouclier et prit sans permission l'épée de son voisin. Il était vêtu, prêt à l'attaque. De la visière de son armet les yeux sombres transperçaient de leurs reflets le bâtiment de l'écurie. Il jeta un regard vers ses hommes et s'élança avec sa monture vers le pont. Je dois admettre que malgré l'être infâme qu'il pouvait être, Boris était un guerrier d'un courage déconcertant. Car il savait parfaitement qu'il n'était pas de taille à nous affronter. Qu'à cela ne tienne, il chevauchait à pleine allure, épée en main vers nos troupes sans aucune hésitation.

Pendant ce temps, Mira restée seule dans la grande chambre royale se dirigea calmement vers la fenêtre. Dans la nuit noire, une armée de soldats, des archers, des cavaliers, des hommes par centaines et par milliers avançaient dans les plaines entourant le château avec leur torche à la main, les épées menaçantes, les boucliers sur leur torse, les armures qui étincelaient à la lueur de leur feu… un spectacle dont ses yeux azur observaient tous les mouvements.

Elle fut sortie de son observation par le bruit de pas de quelqu'un qui court dans le corridor. Elle tendit l'oreille. Les pas s'arrêtèrent non loin de sa porte. Des voix, des cris… Et les pas s'éloignèrent et de nouveau le silence dans le couloir. Elle tourna de nouveau son attention vers ce qui se passait plus bas dans la cour.

Les murs des enceintes de la cour étaient pris d'assaut par des soldats qui vus de cet angle ressemblaient à une armée de fourmis qui montent sur le tronc d'un arbre. Déjà, la garde royale ne suffisait plus à la tâche. L'armée de fourmis dévalait maintenant les murs vers l'intérieur de la cour et les grands portails s'ouvrirent sous la force titanesque qu'on leur imposa. La brèche étant ouverte, c'est par centaine que les soldats entraient dans les entrailles de la cour écrasant sur leur passage la garde royale telles de vulgaires mouches. Certes, l'affrontement était inégal mais Boris possédait de vaillants guerriers qui livraient bataille partout dans la cour.

Mira délaissa son observation et troqua sa robe de nuit pour une qu'elle attrapa au vol avant de sortir de la pièce en courant. Les corridors désertés par les gardes étaient cependant le spectacle de servantes et de domestiques en proie à une panique qui couraient dans tous les sens. Les cris, les épées qui s'entrechoquent, le hennissement des chevaux, des corps qui tombent, tout ce bruit assourdissant perçait l'ouïe. Son instinct vint à la rescousse et elle se mit à courir vers le grand escalier. Comme elle descendait, quelle ne fut pas sa surprise lorsqu'elle fit face à ses trois frères qui grimpaient quatre à quatre les marches du grand escalier de pierre.

-Qu'est-ce que…
-Mira nous n'avons pas le temps de t'expliquer, viens suis-nous.

Ce qu'elle fit sans poser de questions. Ils se dirigèrent vers l'extérieur du château par le hall d'entrée. La cour était devenue un véritable champ de bataille. L'aurore faisait son apparition.

Lorsqu'elle arriva sur la galerie principale du château escortée de ses trois frères, le combat singulier de deux hommes juste en bas des marches de l'escalier principal capta totalement son attention.

-Maudit sois-tu ! Je vais te transpercer de mon épée… Tu gagneras peut-être la guerre mais tu n'auras jamais ce que tu es venu y chercher !

-Sache que ce que je suis venu chercher ne t'a jamais appartenu ! Et que tu perdras ce trésor par ta faute ! ! !

-Je vais te trucider ! Petit avorton de mes deux ! Fils de pute ! Maudit sois-tu ! ! !

Boris injuriait à qui mieux mieux son adversaire qui lui donnait du fil à retordre car il s'agissait cette fois de deux adversaires de même calibre. Malgré la supériorité dont Boris aimait se qualifier, il savait Bjarni excellent soldat, un guerrier hors pair. Comme si le conflit qui opposait les deux camps se limitait à ces deux guerriers, rien autour d'eux n'existait plus. C'était devenu une guerre à finir entre les deux hommes et personne n'intervint dans ce combat.

Au-devant de la large galerie de pierre, ils s'affrontaient vigoureusement. Leurs épées s'entremêlaient, leurs boucliers s'entrechoquaient, leurs cotes de mailles contenaient à peine leurs muscles décuplés par l'effort. Tous deux faisaient preuve d'une souplesse remarquable compte tenu de leur attirail de combat pour esquiver les coups de l'autre. Les deux rois s'affrontaient depuis plusieurs minutes et d'un côté comme de l'autre le sang coulait tantôt d'un poignet, tantôt du bras, tantôt d'une cuisse, résultat de coups d'épée. Boris se rua sur Bjarni avec son bouclier. Bjarni le repoussa. Boris fit passer son épée dans sa main gauche et décrocha un coup de poing sur l'armet de Bjarni qui le fit presque perdre l'équilibre. Mais, il ne perdait rien pour attendre, Bjarni se donna un élan et de sa jambe droite atteignit la poitrine de Boris. Il recula de plusieurs pas et faillit basculer. Décidément, il était difficile de dire qui serait le vainqueur de ce combat, ils étaient de force égale et décuplaient vraiment toute leur vigueur à se livrer bataille.

Malgré qu'ils essayassent chacun de leur côté de deviner la tactique de l'autre, leur attention se détourna finalement car quelqu'un les regardait avec insistance et se sentant épiés, ils tournèrent leur regard vers la grande galerie. Elle était là, debout, immobile, horrifiée par toute cette violence, ses yeux azur posés sur les deux hommes. Ils restèrent figés n'ayant pour seul mouvement que leur torse essoufflé. Comme si le temps s'était arrêté pendant quelques secondes, ils la regardaient, la belle Promise. Leur cœur de guerrier faisait une pause le temps d'admirer. Mais Boris étant ce qu'il est, profita de l'inattention de Bjarni. D'un geste précis et brusque, il transperça le côté droit du corps de son adversaire de son épée qui ressortit dans le dos de son ennemi, entachée de sang. Bjarni tourna alors la tête vers Boris, porta sa main sur l'épée de son adversaire, resta quelques secondes debout et juste avant qu'il ne s'effondre, Boris la retira violemment. Voyant que son ennemi était vaincu, Boris regarda sa belle Promise. Elle était pétrifiée devant le spectacle. Bjarni gisait dans une marre de sang sur les dalles des premières marches de la galerie. Boris allait emboîter le pas vers Mira quand ses frères l'empoignèrent et la soulevèrent de terre pour la soustraire à ce tortionnaire. Elle disparut comme elle était apparue sur la galerie. Ses frères la séparaient à chaque pas de lui. Boris tenta sans succès de les poursuivre. La bataille n'était pas encore finie et toute l'agitation dans sa cour fit en sorte qu'il les perdit de vue aux dépens de la multitude de soldats qui se livraient bataille. Il tentait par tous les moyens de se frayer un chemin mais c'était en vain. Surtout qu'il constatait l'ampleur des dégâts. Il ne pourrait pas contenir avec si peu d'hommes l'armée qui les assaillait de toute part. Il devait battre en retraite et sauver le peu d'hommes qu'il lui restait. S'il avait conquis la Finlande facilement, aujourd'hui aussi facilement il était vaincu ! Il sonna la retraite. Le peu d'hommes qui répondirent à l'appel en disait long sur ses lourdes pertes.

Boris Le Magnifique était en fuite pourchassé par une garnison qui le talonnerait jusqu'au delà les frontières Finlandaises. Il n'avait pour compte qu'une poignée d'hommes qui lui étaient restés fidèles et dépossédé de ses biens, le roi, l'homme n'avait plus de quoi demander son dû ! On perdit sa trace aux abords du territoire Russe.

De son côté, Mira, protégée par ses frères, étaient en direction de la Forêt d'Elfe. Ayant fui eux aussi, la cohue générale et cette guerre qui n'était pas la leur. Tout s'était passé très vite. Mira essayait de remettre de l'ordre dans ses idées. Après quelques heures à cheval, ils firent une pause.

-Dites-moi maintenant ce qui se passe ? Comment se fait-il que vous soyez venus me chercher au château de Boris ?
-Mira, Père n'a cessé de s'inquiéter pour toi depuis que le Roi t'a prise de force avec lui. Ni lui, ni nous, y pouvions quelque chose, il est le Roi et nous sommes que de simples paysans sans armée. D'ailleurs Roberts a vite su ce que les gardes royaux venaient faire chez lui. Quand tu l'as fait libérer, il regagnait notre village quand il a appris chemin faisant que nous étions partis. Il est revenu sur ses pas, attendant un signe pour nous rejoindre.
-Oui, c'est vrai, Mira. J'ai attendu au village et j'ai eu la chance de les retrouver par un heureux hasard. Là, je savais ta libération proche.

-Lorsque la nouvelle de ton enlèvement par le Roi Bjarni nous est parvenue, Père nous a demandé de nous rendre à sa Cour. Il savait que Bjarni avait fait cet enlèvement dans le but de faire renoncer à Boris ses folies meurtrières. Mais lorsque nous sommes parvenus jusqu'au château du Roi Bjarni il était déjà trop tard. Tu avais été échangée contre un traité de paix. Bjarni nous a accueillis, comme on accueille un frère. Nous sommes restés quelques jours en sa compagnie. Il nous a informés de toute l'histoire dans ses moindres détails…

-Dans ses moindres détails ? Demanda candidement Mira.

-Oui… Dans ses moindres détails. Ne sois pas gênée de savoir qu'il t'aime. C'était bien plus désolant de voir dans quel était il était. Cet homme a lutté contre les démons pour te remettre à Boris, je t'assure. Mais, la paix devait passer par ce chemin et nous l'avons tous compris. Quand nous allions le quitter pour revenir auprès de Père, la nouvelle de l'attaque du Danemark nous est parvenue. Le pacte avait été violé et rien ne pouvait plus arrêter Bjarni. Boris savait que s'il ne respectait pas son arrangement, la guerre serait inévitable. Etok a tout simplement été plus prévoyant que Boris ne le pensait. Bjarni, nous a chargés de te récupérer des griffes de Boris et de t'emporter dans la Forêt d'Elfe où il te savait en sécurité.

Mira s'assit en boule par terre et se mit à pleurer. Ses frères étonnés s'approchèrent d'elle.

-Je suis si heureuse de vous voir et de savoir que vous êtes sains et saufs… Mais Boris a tué Bjarni… il m'a violée à plusieurs reprises et je suis maintenant une femme souillée à jamais, mariée à un Roi qui… Pourquoi, qu'ai-je fait de mal ? Pourquoi… pourquoi ?

Elle pleurait avec tant de vigueur que ses frères se regardèrent ne sachant trop comment la consoler. Roberts prit la parole.

-Il est certain que nous aurions voulu faire plus vite, mais les distances nous en empêchaient et moi enfermé dans sa tour, j'étais bien mal placé pour te venir en aide Mira. Cesses de pleurer à cause de ce maudit Boris… Il devra répondre de ses actes un jour ou l'autre… Tu es toujours notre petite sœur adorée et peu importe ce qu'il a pu te faire, tu restes pour nous et Père la tendre petite Mira. Nous avons encore quelques jours avant d'atteindre notre humble demeure mais cette fois tu y seras en sécurité. Je suis certain qu'il a perdu la guerre et à l'heure qu'il est, il doit être sous jugement car il est impossible qu'il ait pu sortir vainqueur de cet affrontement. Il était sur le point de rendre les armes juste avant qu'il… (silence) Il est certain qu'il ne pourra revenir sur son trône maintenant, les deux armées rassemblées, sa Couronne n'est plus… Son pouvoir n'est plus… Dépossédé ainsi, il sera sûrement envoyé en exil. Quant au Roi Bjarni… C'est dommage car il me semblait un Roi prometteur…

Il s'arrêta. Il n'en dit plus davantage car ses mots semblaient avoir l'effet d'un couteau sur le visage meurtri de Mira.

-J'ai eu si peur pour vous. Il ne cessait de me menacer. Si je ne faisais pas ceci, pas cela… vous en auriez payé de vos vies… Je vous aime tant.

-Mira, il ne faut plus penser à ça. Reprenons notre route. Nous sommes des hommes, Mira et tu n'aurais pas dû te sacrifier comme tu l'as fait pour nos vies. Il a bien pris Roberts, mais c'était par surprise. Tu sais comme on est de bons cavaliers… Nous aurions pu fuir… Qu'il soit maudit de t'avoir fait souffrir, petite sœur au cœur d'or !

Ils s'étreignirent tous et ils reprirent leur route vers la maison.

En la demeure du Roi Boris, une fois le calme revenu, la cour débarrassée de ses cadavres, le château nettoyé, une certaine autorité instaurée, un réaménagement, une passation des pouvoirs s'organisait. La victoire avait aisée de notre côté, peu de perte. Ce n'était pas le cas de la garde royale de Boris ni de son armée… Du moins, ce qui en restait. Les Suédois étaient inquiets de leur sort. Ils n'étaient pas préparés à une telle défaite. Boris les avait vraiment entraînés vers le bord du précipice. Je me souviens encore comme si c'était hier quelle pagaille il y avait au sein de la noblesse Suédoise. Tout ce monde avait été convoqué à se rendre dans la grande salle du château. Ils chuchotaient entre eux allant même jusqu'à se disputer l'un, l'autre. Quelques minutes suffirent à ce que je fasse revenir le calme parmi ses âmes affolées. Je pris la parole de ma plus grosse voix.

-Messieurs, Mesdames, je suis Mirikof, principal conseiller et général de l'armée du Roi Bjarni. Nous tenons à vous dire que cette guerre aurait pu être évitée si votre Roi avait respecté la signature du traité qu'il avait ratifié quelques jours auparavant au Royaume du Roi Bjarni. Il aurait conservé son Royaume, ne vous aurait pas exposé à cette guerre. Il s'est enfui, comme un lâche. Il vous a abandonné. Vous savez maintenant que vous avez perdu beaucoup plus que vous y auriez gagné. Votre capitulation est évidente et vous subirez tous les conséquences des agissements de votre Roi et de votre appui à ses stratagèmes de guerre.

Je me raclai la gorge laissant à mon auditoire le temps d'absorber le choc. Des visages remplis de tristesse, dévastés par la défaite me dévisageaient. Je continuai avec autant de clarté que possible.

-À la suite d'une entente entre les Rois Bjarni et Etok nous vous annonçons qu'un réaménagement complet des titres, des fonctions et des privilèges de chacun sera établi. N'ayant aucune prétention sur votre territoire, le Roi Étok se dédommagera à même les coffres de la Couronne Suédoise. Cependant, ayant perdu la guerre sous le glaive de l'envahisseur qui est la Couronne Norvégienne, la Suède deviendra un duché de la Norvège. Vous serez donc à partir de maintenant sujets de Sa Majesté Royale de Norvège, Bjarni fils de Magnus Eriksson. Unifiant ainsi la Finlande, la Suède et la Norvège sous une même Couronne. Cette nouvelle alliance portera le nom de la Norsufinde. Une nouvelle ère commence et vous êtes partie intégrante de tous les changements que cela comportera. Si le Roi Boris revient sur ces terres il sera jugé pour crimes de guerre.

Un des ministres de Boris prit la parole.

-Général Mirikof, nous sommes vaincus et nous subirons les conséquences de ce qu'est une défaite aux mains de l'ennemi. Cependant, étant donné que le Roi Bjarni a été tué, pourrions-nous savoir quel sera le nom de notre nouveau souverain ? S'agirait-il de son frère, le Prince Varek ?
-Monsieur, Mesdames, le Roi Bjarni a été sévèrement blessé pendant la prise de votre Royaume mais il n'est point mort.

Cette annonce laissa l'assistance consternée. Je dus de nouveau utiliser mon autorité pour faire taire la cacophonie qui s'élevait soudainement.

-Messieurs, Mesdames, s'il vous plaît, silence. Il subit présentement des traitements prodigués par les meilleurs médecins et il semble se remettre de sa blessure. Vous serez informés des développements sur la santé du Roi en temps et lieu. Ceci étant dit, vous devrez vous présenter aux officiers se trouvant aux portes de cette salle afin de décliner vos identités et remettre tous les documents demandés à ces hommes de loi dans les prochains jours. Pour le moment, ce sont les seules informations dont vous disposerez, le reste suivra son cours et vous saurez tout en temps et lieu lorsque nous le jugerons nécessaire. Veuillez vous retirer, et le faire de manière courtoise.

Je marquai la fin de mon discours en me retirant de la pièce. Cette défaite, ces nouvelles qui arrivaient à la vitesse d'un éclair jetaient la consternation parmi la foule. Ils s'étaient préparés à une victoire et devaient maintenant faire face à une énorme défaite. Boris les avait tellement subjugués que la plupart d'entre eux avaient encore de la difficulté à gober le déroulement des événements qui se précipitaient sur eux comme la misère sur le pauvre monde.

Ironie du sort, nous étions toujours dans la demeure de Boris qui serait désormais la propriété de la Norsufinde.

Je prenais la direction de la chambre du roi où on le soignait pour cette blessure plus que sérieuse. J'empruntais les larges corridors de notre ennemi pour me rendre auprès du blessé. J'étais si inquiet. Quand je l'avais quitté, il n'avait pas repris conscience et j'angoissais, juste à penser que j'aurais pu entrer dans la pièce et qu'on m'aurait annoncé qu'il avait passé l'arme à gauche. Ses propres médecins et les médecins de Boris étaient à son chevet. Le jeune homme avait perdu beaucoup de sang. Il était faible. Je m'enquerrai de la santé du roi au premier médecin que je croisai :

-Comment va-t-il ?
-Il est faible parce qu'il a perdu beaucoup de sang. Mais votre intervention rapide lui a probablement sauvé la vie, Monsieur. La plaie est profonde, mais selon nos opinions aucun organe n'a été atteint. Quelques centimètres de plus et il mourrait sur le coup. Pour le moment, son état est stable. Il devra rester couché pendant plusieurs jours. Ce qui est encourageant c'est que sa plaie a cessé de saigner et qu'il a repris conscience. Il répond bien aux traitements. C'est encourageant, mais encore trop tôt pour se prononcer.
-Merci mon brave… continuez à lui prodiguer vos bons soins.

Bjarni pencha la tête et faiblement il s'adressa à moi :

-Mirikof… Mirikof… approchez !
-Sire, vous ne devriez pas parler, vous êtes trop faible…
-Non… dis-moi… où est-elle ?
-Sire, ne vous inquiétez pas, ses frères ont fait le nécessaire comme prévu, elle est en direction de la Forêt d'Elfe à l'heure qu'il est, elle est probablement déjà rendue.
-Sait-elle que je ne suis pas mort ?
-Je ne crois pas, Sire. Tout s'est passé si vite… mais je vais envoyer un messager lui porter la bonne nouvelle…
-Non… non… Mirikof, je veux y aller moi-même…

-Vous n'y pensez pas, Sire ! Vous ne pouvez aller nulle part dans cet état !

-Peut-être Mirikof. Je veux faire ce que j'avais promis... j'avais dit à ses frères que j'irai moi-même demander sa main à son père et il en sera ainsi... même si je dois attendre quelques jours... Je ne veux pas qu'elle sache... Je veux lui faire une surprise... Vous comprenez Mirikof ?

-Ce que je comprends, Sire, c'est que même à deux doigts de la mort, dans un moment pareil vous pensez à elle si fort ! Mais si votre Majesté veut garder le secret sur son état de santé il en sera ainsi... J'ai peut-être sous les yeux un jeune Roi blessé mais j'ai également sous les yeux un jeune Roi au cœur de lion !

-Il faut... il faut que vous sachiez ceci Mirikof.

-Quoi donc Sire ?

-Mira est la pucelle de la légende, j'en suis convaincu maintenant...

-Sire vous êtes faible et...

-Non... Mirikof, je suis faible, mais j'ai toute ma tête... Elle savait que je me serais fait blesser... Elle me l'avait dit.

Il me rendait mon sourire découvrant la blancheur de ses dents. Je me retirai de la pièce laissant le roi penser ses plaies. Il était si faible. Pourquoi me disait-il que Mira l'avait prévenu ? J'aurais tout le temps d'éclaircir ce qu'il me racontait plus tard et pourquoi il pensait qu'elle était la pucelle de la légende. Il était si faible, sans doute, divaguait-il !

Quant à Boris, son impétuosité lui avait coûté son royaume. Seul dans les territoires du Grand Prince de toutes les Russies avec une poignée d'hommes restés fidèles, n'ayant plus de couronne, plus de terres, plus de richesse, il était face à un destin qu'il n'aurait su prédire. Désormais, Boris, devrait apprendre à vivre en homme, en commun des mortels. Sa vie d'homme choyé par le pouvoir était révolue. Avec ses hommes, il quémanda à un seigneur de ces terres lointaines, le gîte et le couvert en prenant garde de s'identifier. Ayant tout perdu, il se sentait plus démuni et dévalorisé qu'un paysan. Mais, sa plus grande perte n'était pas une de prestige ou de richesse, mais une de cœur. Mira, qui l'avait subjugué depuis le premier jour, n'était plus sa Promise, n'était plus à ses côtés. Elle n'avait jamais été à lui et ne le serait jamais plus. Il savait que de revenir sur ses terres lui aurait valu un jugement dont il savait déjà l'aboutissement. De passer devant jury c'était une chose, mais de se montrer devant la belle dans un tel état de délabrement physique et mental serait pire que la hache du bourreau. Il ne pouvait tout simplement pas affronter les yeux d'azur après avoir tué le Roi Bjarni, après avoir abusé d'elle, après avoir tant convoité et tout perdu. Son orgueil d'homme lui interdisait. On lui avait décidément tout enlevé, même son rayon de soleil, sa raison de vivre. Il faisait face à un état dépressif qui lui faisait prendre conscience des événements douloureux que peut nous réserver la vie, même quand on est roi. Sa seule consolation, c'est qu'elle ne serait pas à Bjarni. Le roi qu'il avait assassiné de ses propres mains ne convoiterait pas son trésor. Qui d'autre pourrait y prétendre ? C'était pour lui un calvaire, mais cette mince consolation que ce ne serait Bjarni était tout de même mieux que rien du tout. En exil, le roi défait, aux prises avec ses démons faisait maintenant partie intégrante de l'histoire et son règne s'était terminé comme il avait commencé... Par un coup d'éclat. On tirait un trait sur sa vie et c'est ainsi qu'on n'entendit plus parler de Boris, Le Magnifique. Les hommes avaient fait de sa défaite, ce qu'ils avaient fait de son pouvoir... Des lignes dans les livres d'histoire poussiéreux des bibliothèques.

Le revenant

Mira était maintenant arrivée à l'orée des bois de la Forêt d'Elfe. Coin de pays qu'elle ne pensait jamais revoir. Malgré sa vie depuis brisée par d'interminables revirements tragiques, elle se sentait revivre à l'odeur de ces bois, à la vue de ces arbres et de ces champs magnifiques. En silence, elle s'interrogeait sur la vision réconfortante de sa mère qui, pensait-elle, était venue la libérer. Mais elle restait méfiante sur l'accueil qu'elle recevrait des gens de son village et de son retour dans la maison paternelle.

Comment Père m'accueillerait-il ? Je suis devenue bien malgré moi, une femme mariée et possédée. Même s'il était un ange de bonté, me reprocher-t-il de ne pas avoir su fuir correctement le fouet qui m'a éprouvé pendant ces dernières semaines ?

Accompagnée de ses frères elle s'engouffrait sur la petite route sinueuse qui menait à son village. Quelques jours plus tard, ils atteignirent enfin leur destination. La prise du pouvoir par le Roi Bjarni les avait devancés et c'est non seulement le retour glorieux des leurs qui les animaient, mais un nouveau règne qui commençait sous le signe de la paix et de la réconciliation avec leurs voisins Norvégiens et Finlandais.

Les hommes, les femmes, les enfants, tous étaient au centre du village. On entendait les musiciens joués et des chœurs de demoiselles chanter à travers les bois. À leur vue, les enfants accoururent suivis de près des femmes et de plusieurs hommes. À la vue du forgeron du village, Mira arrêta sa monture et en descendit s'élançant dans les bras du père d'Éric. Mira en pleurs déconcerta tout le monde qui se turent. Le brave homme se desserra de son emprise et lui dit :

-Mira, Mira, voyons ! Ne pleure pas comme ça. Nous savons tous ici que tu n'es pas responsable de ce qui est arrivé. Éric t'aimait. Tu l'aimais toi aussi. On le sait tous ça. Ce maudit Boris n'a pas le droit de faire encore couler tes larmes et de te faire sentir coupable de ce qu'il m'a sauvagement arraché. Soit en paix avec toi-même et bon retour parmi nous, Majesté !

-Bon retour parmi nous Majesté ! Crièrent en chœur les autres.

-Non… Non… mes bons amis ne m'appelez comme ça ! Je n'ai jamais souhaité être la femme du Roi Boris. Je suis toujours l'une des vôtres et le Roi Boris n'étant plus sur le trône… Je ne suis plus Reine. Je suis ce que j'ai toujours été, Mira, la fille d'Amik de la Forêt d'Elfe.

La cavalière et ses frères étaient assaillis de toute part par les villageois curieux de leurs aventures dans les enceintes des cours royales. Des questions sur les châteaux pour les uns, des questions sur les Norvégiens pour les autres, des tas de questions pour tous ! Un homme se démarqua du reste de la petite foule et se rendit jusqu'au-devant de Mira.

-Te voilà enfin mon enfant ! Je suis si heureux de voir que tu es en un seul morceau.

Mira fondit en larmes sur son épaule.

-Père, Père je suis désolée ! J'aurais tant voulu que rien de ceci n'arrive…

-Ne pleure pas mon enfant. Tu n'y es pour rien. Ta vie a dû être impossible et je ne tiens pas à ce que tu ressasses de mauvais souvenirs, ici tu es chez-toi et nous t'aimons tous. Si un jour tu repars, mon seul souhait est que tu partes consentante et en paix avec toi-même.

-Père, savais-tu que les Rois Bjarni et Etok ont pris possession du territoire ? Lui demanda son fils cadet.

-Je sais, je sais. Je sais aussi que le Roi Bjarni en a payé de sa vie. Il me semblait un Roi prometteur et bien plus sensé que Boris.

À ces paroles, les larmes de Mira redoublèrent d'ardeur.

-Mira… Mira… Ne pleure pas comme ça ! Viens, on va rentrer.

Il fit signe à ses frères de les laisser seuls ainsi qu'à tous les villageois. Il la tenait par les épaules et se mit à lui parler tendrement.

-Mira, je ne veux plus que tu pleures. Arrête ! Je sais que tu as vécu ces dernières semaines, les pires événements qu'une personne ne vivra peut-être jamais dans toute sa vie mais… mais Mira, il faut absolument que tu saches quelque chose. Je t'aime et peu importe ce qu'il a pu te faire, tu resteras à jamais ma petite fille à moi.

-Père… Le Roi Bjarni… Il était… il était…

-Je sais. Il n'était pas comme Boris... c'est ce que tu veux me dire, n'est-ce pas ?

-Oui. Au début, il ne me semblait pas tellement différent ou si peu... mais, après... j'ai apprécié sa présence... Il était attentionné, délicat...

-Tu l'as aimé ?

-Je sais que je ne devrais pas... Après qu'Éric fut tué. Je ne me sentais pas le droit d'avoir des sentiments pour un autre... mais... il était si charmant... Père... Je suis honteuse.

-Pourquoi ? Parce que tu as aimé un autre homme, même après qu'Éric soit mort ? Voyons, Mira ! Tu es jeune, belle comme le jour. Tu dois bien avoir quelque chose de particulier puisque les Rois s'arrachent ton cœur ! Non... L'amour Mira, est un sentiment qui ne se commande pas. Et tu n'as aucune honte à avoir. Éric, tu l'aurais aimé jusqu'à ton dernier souffle. Je le sais. Mais voilà, il est arrivé des événements incontrôlables et comme si ce n'était pas assez, on t'a gardé la tête sous l'eau pendant tout ce temps et le seul qui t'a prêté main-forte était un Roi aux aspirations bien différentes de celles de Boris. Je comprends que tu aies pu éprouver pour lui certains sentiments. Mais, voilà, le sort s'acharne sur toi... Comme si Boris ne t'avait pas fait suffisamment souffrir, il a fini son règne en beauté, t'enlevant non seulement ta virginité, mais l'amour en tuant Bjarni. Les hommes Mira, ne sont pas tous des Boris !

-Je le sais maintenant. Mais la première fois... je vous ai tous mis dans le même bain.

-Moi aussi ?

-Non, vous êtes le seul qui n'y ait pas eu droit.

-Bon ! Je suis heureux de le savoir ! Ma petite fleur veut-elle se donner la peine d'entrer dans mon humble demeure ?

-Père, ne commencez pas... Je n'ai qu'une demeure et elle est peut-être humble, mais c'est la plus chaleureuse, la plus douillette, la plus belle qui soit. En plus, j'ai la chance d'y avoir le meilleur père de toute la Suède. Rien ni personne, ne remplacera la chaleur de vos étreintes, de vos attentions envers moi.

Ils entrèrent. Mira ne pleurait plus et Amik était comblé de joie par le retour de sa fille au bercail.

Les jours qui suivirent furent des jours de retrouvailles pour Mira et sa famille. La vie semblait vouloir reprendre son cours normal. Elle était revenue dans son village et avait repris ses activités d'antan.

Des envoyés de Sa Majesté Royale couraient dans tous les coins du nouveau pays pour annoncer les nouveaux virages que prenaient désormais l'unification de la Finlande, la Suède et la Norvège faisant de cette partie du continent un immense pays. Des instructions strictes avaient été données aux messagers afin que la Forêt d'Elfe soit épargnée de ces nouvelles. Ce n'était point une mince affaire connaissant bien les commères qui sillonnaient toute la contrée. Bjarni ne démordait pas du fait qu'il devait s'y rendre lui-même et annoncer en personne à Mira qu'il était toujours de ce monde. La jeunesse à ses raisons que la maturité d'un homme mur comme je l'étais ne comprenait pas. Je comprenais ce que voulais faire Bjarni, mais laisser la belle dans une peine qui durait depuis quelques semaines me semblait un peu injuste après tout ce qu'elle avait déjà vécu. Enfin… Le cœur de notre roi était plein de projets que je ne m'évertuerais pas à contrecarrer.

Bien entendu, il était prévisible que la belle n'arrivait pas à tourner si facilement les pages de ce chapitre qu'elle venait de vivre. Elle ne parvenait pas à oublier les cris d'Éric, ses pleurs dans la chambre royale, ce dépucelage violent, les affrontements répétés avec Boris, la mort inutile des deux jeunes soldats qui n'avaient pourtant que répondu aux ordres du roi, les yeux de Bjarni quand il avait été atteint de l'épée de Boris, la vision bouleversante de sa mère… C'était beaucoup demandé et je crois sincèrement que nous aurions tous été dans un état lamentable après ces événements qui l'avait littéralement chavirée.

Je deviens folle. Seigneur, tout ceci ne serait-il qu'un affreux cauchemar plus vrai que réel ? Et cette légende ? Pourquoi, Père ne m'en a jamais parlé. Et cette révélation que je conduirais mes semblables sur le chemin de bonheur… Je deviens folle ! Si j'en parlais avec Père, malgré sa grande sagesse, je suis certaine qu'il penserait que sa fille est possédée. Je ne dois pas le dire à personne. Je risque d'être excommuniée… et je serais une honte pour ma famille. Et Boris où es-tu ? Reviendras-tu encore me hanter ? Malgré la joie des paysans de la tournure de cette guerre, moi, je n'arrive pas à m'en réjouir… Pourquoi ? De quoi dois-je encore avoir peur ? Vais-je réussir à oublier tout ça ?

Elle montait à la rivière en empruntant un petit sentier peu fréquenté. Une marmotte lui passa entre les pieds et la fit sursauter.

Ce que tu m'as fait peur ! Viens ! Ah ! Tu te sauves maintenant, bon…

Le sentier débouchait sur une fosse profonde de la rivière. Seule une petite berge de grosses roches laissait au visiteur un endroit pour s'asseoir. Le vert émeraude des eaux apaisait un peu le cœur troublé qui venait mettre ses petits pieds dans les eaux froides. Elle prit place sur une grosse roche qui lui servait à la fois de fauteuil et de point d'observation sur les profondeurs de la fosse limpide. Ressassant des idées noires, elle remuait l'eau lascivement à l'aide d'une petite branche de bouleau. N'y voyant que son triste reflet elle agitait la branche pour brouiller cette image. Dès que les ondes de l'eau se calmaient au point qu'elle voit son reflet, elle recommençait perdue, oui littéralement perdue dans ses pensées. Elle y était depuis plusieurs heures déjà, regardant cette eau limpide profonde qui coulait sans arrêt, infatigable, et écoutait les clapotis de l'eau sur les rochers qui se mariaient avec les chants mélodieux de petits oiseaux. Mère nature fait parfois des beautés qu'il est difficile d'ignorer. Ce lieu était à la fois calme, apaisant et débordant de vie.

Elle remuait du bout de la branche la surface de l'eau ; dès qu'elle cessait l'eau reflétait son visage, elle faisait ce petit manège depuis déjà plusieurs heures mais un événement étrange se produisit. Le reflet sur la surface l'eau de la carrure imposante de Bjarni, son sourire, sa chevelure blonde en bataille, l'homme en entier se tenait là juste à côté du sien. Elle était folle ! Elle avait d'autres visions maintenant ! De son bâton elle remua vivement l'eau attendant que l'eau ne se calme pour voir la vision disparaître. La vision ne disparaissait pas. Bien au contraire elle semblait s'animer !

Je suis folle ! Je n'ai pas vu ma mère. Je suis folle. Je vois Bjarni maintenant ! Mon Dieu, je suis réellement folle !

Elle avait beau remuer l'eau de toutes ses forces, dès que l'eau reprenait son chemin, Bjarni était toujours là. Elle se retourna brusquement.

Je suis folle… Je le vois debout devant moi. Le soleil a dû me taper sur la tête… !

Elle se leva aussitôt pour s'immobiliser. Cette apparition lui semblait plus réelle que jamais. Bjarni lui prit doucement les poignets. Face à face avec lui, elle ouvrit la bouche.

-On jurerait, Mira, que tu viens de voir un fantôme ! Si tu voyais l'air que tu fais !
-Je… non… Vous… vous… vous êtes vivant ?

-Je suis vivant. Touche, je suis en chair et en os !

D'un geste rapide, elle le toucha du bout du doigt.

-Ha ! ha ! Mira ! Je suis vivant. Je ne suis pas un fantôme venu vous hanter jolie demoiselle ! Je suis bien là devant toi. Ha ! ha ! Si tu te voyais ! Ha ! ha ! Tes yeux comme ça… sur moi ! Tu me regardes avec tant d'insistance que je suis un peu intimidé… Je l'avoue… Tu as un si beau regard… vous me troublez, Madame.
-Pardon ! Je… je…

Elle baissa les yeux et se rendant compte de son impolitesse.

-Non ! Ne détournez pas votre regard… Madame ! Je pensais être complètement rétabli… mais je me rends compte que de te revoir… ça me chavire.
-Ça vous chavire un peu ? Mais… mais… qu'est-ce que vous pensez que ça puisse me faire à moi, de vous revoir… vivant en plus !
-Ha ! ha ! Oui… c'est vrai. Tu me pensais mort, n'est-ce pas ?
-Oui… Je vous ai vu… vous… vous êtes effondré sous mes yeux… je…
-Oui… Sous tes yeux, je m'effondre toujours un peu non ?

Elle porta sa main à ses lèvres. Bjarni avait le don de dire des phrases loufoques à des moments qui occasionnaient des fous rires à Mira.

-Non ? Et si vous continuez, je vais encore tressaillir sous vos yeux, Madame ! Surtout quand je vois que tu dissimules encore un sourire derrière ta petite main. Rire du Roi, ainsi… Tut ! Tut ! Tut ! Mauvaise fille !
-Ha ! ha ! Majesté ! Je ne sais pas comment vous faites… mais vous réussissez toujours à me sortir des rires dans les pires moments ! Ha ! ha !
-Les pires moments ? Mon Dieu ! Je suis "*un pire moment*" moi ? Et bien je vais devoir en parler avec mes ministres de tout ça. Tu soulèves un point… Je vais me pencher sur la question. Où est ta question déjà que je me penche dessus ?

Bjarni cherchait autour de lui. Il était si théâtral dans sa manière d'être. Mira se mit à rire aux éclats.

-Ha ! ha ! Majesté, vous êtes impossible ! J'étais surprise. Veuillez m'en excuser... Ha ! ha ! Mais, je me rends... c'est bien vous... en chair et en os et en humour !

-Bon, enfin ! elle m'a reconnu ! Je ne portais pas de déguisement pourtant ! Attends de me voir dans un bal masqué ! Ah ! Là, tu ne me reconnaîtras pas... et j'en profiterai allégrement ! Petite coquine !

Il s'approcha d'elle.

-Maintenant que vous avez reconnu le Roi... Il se demande si la dame que vous êtes, va bien ?

-Je... je vais bien, Sire.

-En êtes-vous certaine, Madame ? Quand je suis arrivé vous paraissiez si triste... assise là seule à remuer l'eau, le regard perdu...

-Je... Je vais bien, je pensais... c'est tout !

-J'ai bien envie de te demander à quoi, ou à qui, mais je ne serai pas d'une telle indiscrétion. Le plus important pour moi est que la belle Mira est vivante, qu'elle est revenue près des siens et qu'elle semble en bonne santé. Donne-moi ta main. Nous allons marcher un peu.

-Juste un peu, la berge ici est plutôt petite.

-Tu as raison Mira, il faudra donc que je fasse vite. Mira, regarde-moi.

Les grands yeux azur se posèrent sur l'interlocuteur de façon candide.

-Mira, depuis notre séparation les choses ont bien changé. Boris est en fuite et je suis le Roi de toute la péninsule Scandinave, et ce, bien malgré moi, car jamais je n'ai eu la prétention de rafler la Suède à Boris. Est-ce que tu me crois Mira ?

-Je le sais, Sire... Vous n'avez pas à vous expliquer devant moi.

-Il y a pourtant une chose que je dois te dire Mira. Il est vrai que Boris n'a pas facilité les choses, mais Mira j'avais une raison supplémentaire pour attaquer Boris. Et cette raison c'est toi Mira ! Je t'avais laissé repartir et je m'en voulais énormément. Je m'en suis voulu tu ne peux pas savoir, encore plus quand j'ai appris que Boris n'avait pas respecté son traité. Là, Mira, c'était comme si les feux de l'enfer me brûlaient, tellement j'étais furieux contre moi.

-Sire, Non ! Ce n'est pas de votre faute... Il fallait que je le fasse... Vous...

-Mira, je n'aurais jamais dû te laisser repartir avec Boris. Heureux encore qu'aujourd'hui tu sois libérée de ton calvaire... car je sais

Mira… Je sais quel fut tes épreuves et si jamais j'apprends où se cache Boris, je te vengerai Mira, sur mon honneur, je te vengerai !

Elle baissa la tête.

-Mira, ne sois pas triste… Il t'a fait beaucoup trop de mal pour qu'aujourd'hui encore tu sois triste à cause de lui, je tenais juste à ce que tu saches que je m'en suis voulu amèrement et que je réparerai la sottise que j'ai faite en te laissant repartir avec lui.
-Sire, c'est inutile de venger les choses du passé… Elles resteront tout de même imprégnées dans notre cœur et malgré les victoires, les batailles, les guerres, le cœur n'oublie pas… Mais le cœur arrive à se trouver d'autres chemins… des routes qu'il ne connaissait pas et voilà qu'il rebat à nouveau et que la vie lui semble moins terrible. Il ne lui faut que du temps… et parfois, il faut beaucoup de temps… Sire…
-Mira, regarde-moi et dis-moi si… tu me pardonneras un jour ?
-Vous pardonnez ? Vous pardonnez quoi, Sire ? Aviez-vous le choix ? Non et moi non plus. Je n'ai rien à vous pardonner… Il faut faire le vide, Sire… Ce n'est point facile, mais il faut y parvenir.
-Mira… Dis-moi si quelques fois tu penses à moi ?
-Je… j'ai si souvent pensé à vous, Sire… et depuis, je vous croyais mort.
-Et depuis ?
-Depuis, je n'espérais plus grand-chose de l'amour. J'ai eu le cœur brisé beaucoup trop souvent. J'ai été si déçue…
-Si, je suis là aujourd'hui, Mira, c'est pour une raison toute particulière…

Il fit silence. La dame le dévisageait et il se troublait à voir ces yeux effarouchés qui l'examinaient. Il formula sa question d'un seul trait.

-Mira, veux-tu m'épouser ?

Les yeux azur s'agrandirent, s'écarquillèrent. La bouche s'entrouvrit. La question avait semé tout un émoi intérieur chez la dame qui restait muette.

-Alors, la dame veut-elle épouser le Roi Bjarni, Roi de la nouvelle Norsufinde ?
-Mais… mais Sire, je suis déjà mariée… Je ne suis plus…
-Chut ! Seul ton consentement effacera ton mariage avec Boris…

Mira baissa la tête comme un chien battu.

-Majesté, je ne suis plus pucelle… je ne peux pas être…

-Chut ! Belle colombe ! Je sais tout. Tu ne lui as rien donné du tout… Il a peut-être eu de toi des faveurs qu'il a exigées, mais il n'a rien obtenu de toi, ai-je tort ?

Mira était déconcertée. Elle ne savait plus quoi dire, c'était si inattendu.

-Non, Sire, il n'a rien obtenu de moi !

-Alors ne partages-tu pas le même sentiment que j'éprouve pour toi ? Pourtant, lorsque nous nous sommes quittés, je pensais que tu m'avais fait une petite place dans ton cœur ?

Elle le regardait droit dans les yeux pour se jeter contre son torse. Il fit une petite grimace de douleur.

-Oh ! Ha ! ha ! Je suis rétabli mais encore sensible, Madame !

-Excusez-moi, Sire…

-Ne t'excuse pas ma colombe aux yeux couleur de la mer. Cette étreinte est douce, même si mon corps y est extrêmement sensible… Alors dois-je comprendre que vous me dites oui, Madame ?

-Sire, si vous êtes prêt à vivre avec une femme dont le passé est déchiré par une prise de possession par un autre Roi que vous… Ma réponse est oui, Majesté. Toutefois…

-Toutefois ?

-Sire… Boris n'est pas mort… du moins, on ne le dit pas… Je ne suis pas veuve… Comment l'Église…

-L'Église, le Roi de la Norsufinde s'en occupe ! Je suis le plus heureux des hommes ! Je t'aime Mira et si je n'ai pu éloigner de toi tout ce calvaire la première fois, je t'assure que les jours qui suivent seront remplis de l'amour que j'éprouve pour toi et ce n'est pas l'Église qui viendra me ravir l'amour que j'ai déjà laissé filer une fois !

Il la serra tendrement dans ses bras en l'embrassant. Comme ce baiser était doux et bon. Pour les deux amoureux plus rien n'existait autour d'eux. Mère nature n'avait qu'à remballer son arsenal de sons et de beautés car ici maintenant les retrouvailles des deux tourtereaux surpassaient de loin ce qu'elle offrait !

Il l'embrassa encore et encore étreignant le corps fuselé de Mira. Après quelques minutes, Mira lui tira sur la couette de cheveux. Bjarni releva la tête et sourit.

-Vous tirez les cheveux du Roi, Madame ?

-C'est… que… Sire… Je vais manquer de souffle si vous continuez à m'embrasser comme ça !

-Bon, bon ! Le Roi a compris ! Il vous libère… Tut ! Tut ! Pas si vite Madame… Si le Roi vous disait qu'il veut que vous manquiez de souffle dans ses bras ? Qu'il vous aiderait volontiers à le reprendre ?

-Majesté ! Vous êtes un incorrigible coquin ! Qui l'aurait cru !

-Ah ! Et je ne fais qu'une bouchée des petites paysannes ! Oui, je suis un incorrigible coquin, le pire qu'il vous a été donné de rencontrer ! Et je vais vous dévorer !

Il l'empoigna et se mit à l'embrasser à qui mieux mieux dans le cou produisant un chatouillement qui déclencha les rires de Mira.

-Arrêtez, Majesté… Je suis très chatouilleuse !
-Tu n'aurais jamais dû me le dire…

Il persistait. Elle riait à en perdre le souffle.

-Ah ! Si vous pouviez défaillir… Comme j'aimerais vous réanimer !
-Ça suffit ! Ha ! ha ! Non…

Elle riait et n'arrivait plus à se tenir sur ses jambes. Il se pencha et la ramassa dans ses bras transportant la belle comme un sac de plumes. Elle ne profita pour se lover contre sa poitrine.

-Vous voyez Madame ce que vous faites faire au Roi ! Il vous embrasse, il vous fait rire, il vous transporte, il fait tant de choses pour vous ! J'espère que vous êtes quelque peu reconnaissante et que vous me rendrez mes baisers ! Je n'aime pas travailler pour rien !

-Majesté ! C'est donc un travail pour vous de m'embrasser ?

-Mais si ! Et c'est un travail plutôt difficile ! J'ai mis plusieurs années à parvenir à ces techniques et je tiens bien à ce qu'elles soient performantes ! C'est difficile… embrasser une dame au point qu'elle ne puisse plus se tenir sur ses jambes, c'est très difficile… en tout cas, moi, je trouve !

-Je me le disais aussi que vous êtes fin filou ! Et où m'emmène le fin filou de Roi ?

-Il vous transporte jusqu'à la route. Après vous irez bien où vous voudrez !

Elle se jeta en bas de ses bras et le regarda droit dans les yeux.

-Je vais donc où je veux !

Comme une gazelle elle se mit à courir en riant, poursuivie par le jeune homme qui ne demandait pas mieux. Cependant, la dame se révélait très rapide et avait déjà pris de front l'escalade d'un tronc quand il la rattrapa.

-Dieu du ciel, Mira ! Où vas-tu ?

-Je vais où je veux ! C'est le Roi lui-même qui l'a dit !

-Ha ! ha ! Tu es espiègle ! Je ne te connaissais pas ce petit trait de caractère ! Mais, comment tu fais pour monter aux arbres aussi vite ? Et fais attention Mira ! Si tu tombes… tu es à une hauteur !

-Si je tombe, vous me rattraperez ?

-Oui… bien sûr… mais !

-Comment ? Déjà des mais ? Et nous ne sommes pas encore mariés ? Ceci est un test Majesté ! Il faut que je sache si je peux avoir confiance en vous et si vous êtes prêt à risquer votre vie pour moi !

-Ha ! ha ! Je me rends ! Oui, tu m'as vaincu ! Ha ! ha ! tu peux avoir confiance en moi et je risquerai ma vie pour toi ! Ça vous va Madame ?

-Heu ! Je ne sais pas… C'est sorti si facilement de votre bouche ! Ce ne sont que des mots ! Il n'y a aucune preuve dans tout ça !

-Ah ! Tu veux qu'on entame une négociation ?

-Oui… Ne vous en déplaise, Majesté ! Il faut bien que vous gagniez un peu ce que vous avez si facilement obtenu tout à l'heure avec vos belles paroles !

-Ha ! ha ! Je ne pourrai jamais négocier avec vous ! Madame, vous avez tous les arguments de votre côté… Je vous dis… Je suis vaincu ! Je vous laisse, ma Couronne, mes terres, mes richesses, et même mon corps ! Ça par contre c'est un véritable trésor ! Vois ce que tu m'obliges à faire !

-Qu'il est coquin ce Roi ! Je vais donc aller vérifier ce trésor de mes propres yeux… puisque la négociation est toute à mon avantage, je descends…

Bjarni, regardait la demoiselle descendre, se permettant quelques regards indiscrets sous les jupons.

-C'est de votre corps dont il s'agit Majesté… veuillez donc vous retourner et ne point essayer de voir sous mes jupons… Il est vicieux en plus ! Oh ! Quel Roi est-ce qu'on a mis sur le trône… C'est affreux !

Cette petite scène turbulente entre les deux amoureux épris l'un de l'autre rendait irrésistible leur attirance mutuelle. Découvrant l'un de l'autre un puissant sens de l'humour. Bjarni était comme Mira au sommet du bonheur. Enfin, la vie semblait leur sourire. Plus rien ne semblait pouvoir les déranger de leur route commune l'un au côté de l'autre.

Nous étions en attente plus bas sur la route. Tous impatients de les voir apparaître, espérant tous secrètement qu'enfin la belle nous apparaisse et que le roi soit en sa compagnie sourire aux lèvres. Nous n'allions pas être déçus, les jeunes tourtereaux arrivaient. À leur vue, je me levai debout sur ma monture et faisant un signe du bras nous entamions tous le même discours :

-Vive le Roi et la Reine ! Vive le Roi et la Reine !

Bjarni avait oublié, pendant un court moment, qu'il était venu accompagner de quelques hommes et des frères de Mira. Ils se regardèrent tous les deux et se mirent à rire. Bjarni prit sa belle par la main et la fit monter avec lui sur son cheval. De là, nous nous rendîmes jusqu'à la maison d'Amik.

Comme s'il savait déjà la réponse de sa fille, Amik était prêt assis sur son cheval pour se rendre jusqu'au château de Bjarni pour célébrer la noce.

La joie, le bonheur se lisaient si bien dans ses magnifiques yeux azur qui étaient illuminés par des étincelles et son radieux sourire la rendait irrésistible. L'épanouissement soudain de la réservée Mira rendait les deux hommes de sa vie heureux.

Elle embarqua avec Bjarni dans un carrosse. Cette fois, elle y montait heureuse et sans contrainte. Le voyage de retour durant plus de six jours pour rejoindre la Norvège. Six jours où Bjarni attentif et respectueux n'avait fait qu'agrémenter le voyage de sa charmante personnalité de farceur et de l'image d'un roi digne de ce nom.

Dans la joie et l'allégresse, nous poursuivions notre route vers le château de Bjarni. C'est en fin d'après-midi, à travers les nombreux sujets de Sa Majesté qui s'étaient entassés le long de la route que nous nous frayâmes un chemin jusqu'au pont. Les clairons se faisaient entendre à tue-tête. Cette euphorie remplissait le cœur de la jeune dame qui saluait tout le monde. Quant à Bjarni il était subjugué de voir toute cette foule acclamer le retour du roi vainqueur et de leur future reine. Jamais auparavant une victoire et la vue d'une dame n'avaient autant suscité d'intérêt et enflammé le cœur de ses sujets. Il sentait son cœur battre à tout rompre devant cette foule en délire. Il comprenait que son choix était acclamé non seulement par ses sentiments personnels, mais qu'il l'était tout autant de tous ses sujets. Sa vie d'homme, de roi, prenait un autre tournant. Le tout était couronné d'une femme non seulement belle, mais dont l'intelligence et la simplicité transformeraient à jamais son nouveau royaume. Il était conscient maintenant que son règne serait grandiose aux côtés d'une parcelle de lumière aussi étincelante que l'astre solaire lui-même. Devant tant de cris et de gens qui se ruaient littéralement sur le carrosse pour toucher la dame, les gardes avaient beaucoup à faire pour éloigner les paysans qui barraient presque le chemin au cortège, Bjarni resplendissait.

Une fois à l'intérieur des murs du château, les hommes s'arrêtèrent pour descendre et souffler un peu après leur passage dans une foule en exaltation. Mira était comme un aigle royal. Souriante, sûre d'elle-même, racée au regard perçant et joyeuse. Bjarni ne se lassait pas de la regarder. Il semblait émaner de cette femme une force indescriptible. Une force dans un corps si gracile comme le contraste était admirable. Il exaltait quelque chose d'étrange et de mystique de cette paysanne aux origines simples.

-Bjarni, n'es-tu pas heureux d'être revenu chez-toi ? Lui demanda-t-elle candidement.
-Si je suis heureux ? Si tu pouvais voir à travers mes yeux à quel point je me délecte de ta présence et de ta puissance Mira !
Mira le regarda étonnée.

-De ma puissance ? Bjarni que veux-tu dire ?
-N'entends-tu pas cette foule, ne vois-tu pas tous ces hommes ? Ne vois-tu pas à quel point mon retour est triomphal, mais anodin à côté de ta seule présence ici, Mira ?

Elle détourna son regard et silencieusement elle regardait. Comme elle pouvait amuser Bjarni lorsqu'elle réalisait qu'elle était le centre d'attraction. Ses yeux d'azur qui s'ouvraient et timidement comme elle reprenait vite conscience qu'elle s'était laissée emporter par la vague. Elle se reculait au fond du carrosse et se cachait.

-Mais ces cris sont pour toi Bjarni, tu es leur Roi victorieux… qui unifie un immense territoire !

-Ha ! ha ! Mira, tu es si délicieuse… Ha ! ha ! Il est vrai que mon peuple est fier que leur Roi soit revenu vainqueur, mais jamais, au grand jamais, je n'ai eu un accueil comme celui d'aujourd'hui ! Et je sais que c'est parce que tu es avec moi ! Tu es de loin, la plus grande victoire qu'un homme puisse espérer, ma belle paysanne.

Mira rougissait.

À dix-sept ans, Reine, au passé nébuleux de paysanne, je saisis toute l'ampleur de ses paroles. Je comprends qu'il dit vrai et cette position me met dans l'embarras. Pourquoi les sujets de la Couronne me donnent autant d'importance ? Ne suis-je pas une étrangère ? N'ai-je pas été l'épouse de leur ennemi ? Je ne comprendrai jamais les affaires de l'État et les pensées des sujets d'un royaume.

-Ne rougis pas Mira ! Tu es ce que tu es. Tu es née comme ça ! La lumière qui se dégage de toi nous éblouit et nous sommes tous tes serviteurs. Tu n'as pas à en éprouver de malaise. Tu es la Reine et bien plus encore !
-La lumière qui se dégage de moi ?
-Ha ! ha ! Ton inconscience est plus dévastatrice Mira, je t'assure ! Tu seras la plus grande Reine que la terre ait connue Mira, quand je t'ai vue la première fois, j'en étais presque persuadé, mais aujourd'hui j'en suis convaincu plus que jamais.
-Bjarni, cesse de te moquer de moi ! Ça suffit maintenant… Je ne pourrais plus sortir de ce carrosse… Tu… tu…
-Comment pourrais-je me moquer de toi, douce sirène ? Je ne fais que voir ce que tu ne vois pas, Mira.

Il s'approcha d'elle et lui donna un tendre baiser sur les lèvres. Mira fermait les yeux. Ce que la vie lui offrait maintenant c'était un billet direct pour le ciel. Elle sentait son corps se soulever sans qu'elle ne bouge un seul de ses membres. Elle n'entendait plus maintenant cette foule ni les hommes qui approchaient de leur carrosse. Elle ne sentait que des lèvres masculines sur les siennes et des bras qui semblaient l'emporter loin, bien loin, dans des endroits où elle n'était jamais allée auparavant. Bjarni continuait voyant que la belle était dans un état d'extase quasi total, au seul contact de ce toucher si simple et naturel. Il était lui aussi transporté par tout ce qui semblait envahir l'habitacle soudainement.

Les hommes à l'extérieur se demandaient bien pourquoi leur roi et leur future reine étaient si longs à débarquer. Plusieurs se doutaient et personne n'osait aller frapper à la porte. Même si la foule était bruyante, le silence qui semblait avoir gagné le carrosse était inhabituel et surprenant. Je me penchai sur mon voisin et lui dis :

-Si le Roi voulait se marier dans un carrosse pourquoi ne me l'a-t-il pas dit ? J'aurais fait le nécessaire ! ! !

-Vous pensez que… ? Vraiment… ? Vous pensez qu'ils sont en train de…

-Klainkson ! Avez-vous vu la Reine comme il faut ? L'avez-vous regardé ? Ou vous êtes du genre « j'aime les hommes » ?

-Oh ! Mirikof, qu'insinuez-vous là ? Bien sûr que je l'ai vu, bien sûr que je l'ai regardé… mais…

-Mais quoi Klainkson ? Vous n'êtes pas aveugle, non ?

-Non, loin de là ! C'est une beauté rare !

-Bon ! Alors, pourquoi pensez-vous que le Roi prend tout son temps à descendre, dois-je vous faire un dessin ?

-Ah ! Mirikof, ce que vous pouvez être bête quand vous voulez ! Bien sûr que je prendrai mon temps moi aussi… et même tout mon temps !

-Bon enfin ! Ouf ! J'ai eu peur pendant quelques instants que vous n'aviez pas saisi les sens de mes phrases et que vous ne compreniez pas les motifs du Roi ! Vous m'avez fait peur Klainkson et je suis vieux, il ne faut pas jouer comme ça avec mon cœur !

-Ah ! Mirikof, vous ne changerez jamais, vous dites tant de bêtises qu'il est difficile de vous suivre parfois ! Je m'en vais, vous avez le don de toujours me mettre en colère.

-Oui ! Allez brave Klainkson… Et ce soir vous demanderez à votre femme qu'elle vous explique ce que vous devez faire dans un lit !

Ceux qui nous entouraient se mirent tous à rire. Klainkson secouait la tête rouge de colère. Je le connaissais bien, ce Klainkson. Je savais comment le faire déborder et peu de temps après je lui disais d'autres folies, comme d'habitude il n'aurait pas pu résister aux fous rires que je lui infligeais si souvent et il revenait vers moi.

Ce court intermède de rires se termina par la sortie du roi du carrosse. Tous regardaient ce beau et jeune couple royal descendre. Mais le centre d'intérêt était cette jeune paysanne. Un silence aussi soudain qu'inattendu mit Mira dans l'embêtement. Plus de clairon, plus de cris de foule, plus d'hommes qui parlent… juste un silence insupportable pour la belle. Bjarni nous souriait du coin des lèvres entraînant Mira vers le château. Mira était si intimidée qu'elle ne regardait personne. Je me levai sur mon cheval et fis un signe de la main. Tous les gens présents à l'intérieur des murs de la Cour se mirent alors à scander d'une seule voix :

-Vive la Reine Mira ! Vive le Roi Bjarni !

Bjarni souriait, il voyait bien que Mira ne s'attendait pas du tout à ça. Le silence, c'était donc pour ça ! Pour allier leur voix et crier leur joie à leurs souverains. Mira fit même un petit sursaut lorsque cette petite bande d'hommes et de femmes se mirent à crier ces mots. Bjarni était si heureux, cette femme était délicieuse. Nous ne cessâmes de crier ces mots jusqu'à ce que le couple fût entré dans le château. Une fois à l'intérieur Bjarni la regardait et s'arrêta dans le hall.

-Eh ! bien Madame, j'espère que mes hommes vous ont fait un digne accueil ?

Mira baissa les yeux et rougit encore. Mais cette fois elle eut un petit sourire mesquin. Bjarni la découvrait encore. Ce qu'elle pouvait le surprendre. Il n'était pas au bout de ses surprises aux côtés de cette jeune femme dont la vie ne faisait que commencer.

Bjarni avait depuis quelques jours, reçu un document de Rome que l'évêque lui transmit en toute hâte. Sa Sainteté, le Pape Jérôme II, stipulait que le mariage de l'ex-Roi, Boris Le Magnifique, de Suède avec la Reine Mira fille d'Amik était annulé. L'annulation de ce mariage s'était discutée dans les enceintes de la basilique Saint-Pierre avec les hauts ecclésiastiques. Ayant été mis au parfum des arrangements plutôt malhonnêtes de Boris, le Saint Père considérait que la jeune dame avait dû consentir sous la menace pour prendre époux. Il n'en aurait pas été ainsi si la demande était parvenue par quelques barons, ducs, ou autres nobles ! La demande venait de la nouvelle unification la Norsufinde et d'un nouveau et jeune roi puissant qui avait été par le passé et le serait sûrement dans l'avenir, d'une générosité face à notre Sainte Mère l'Église. Je ne cacherai pas mon dégoût pour les tractations du Vatican quant à ce qui concernait certaines décisions qui penchaient bien souvent du côté du plus fort et surtout du plus riche. Enfin, le Pape donnait sa bénédiction afin que Bjarni puisse convoler en justes noces avec la dame. Mais le Pape exigeait en retour que notre jeune roi, lui fasse don, d'une rondelette somme en écus d'or. Tout se marchande, tout se paie, surtout dans les hautes sphères de la Sainteté. Bien entendu, Notre Grâce, avait fait sa demande de façon déguisée, prétextant qu'elle avait besoin de cette somme pour faire des rénovations importantes et fort coûteuses dans la basilique et avait suggéré qu'il aurait été galant de la part du nouveau roi de la Norsufinde de bien vouloir fournir quelques sommes pour que les travaux puissent avoir lieu déchargeant l'esprit de ces tracas pour mieux se pencher sur la question. Bah ! L'Église parfois, moi... Je les aurais envoyés balader... Mais, nous avions d'autres chats à fouetter et Bjarni était devenu fort riche, pour Mira il aurait vidé ses coffres ! L'Église avait accepté et Bjarni était heureux de pouvoir libérer Mira de l'emprise de son mariage avec Boris.

Bjarni n'avait pas perdu une seconde, après avoir reçu l'avale de l'Église, il avait donné des instructions quant aux préparatifs sur son futur mariage qui étaient maintenant fins prêts pour la célébration.

Le lendemain, les deux futurs époux étaient séparés comme le voulait la coutume et se reverraient aux pieds de l'autel. Mira avait été préparée avec soin par les doigts de fée des servantes qui avaient pris plaisir à lui enfiler une robe d'un blanc immaculé, brodée de perles et de rubans satinés.

Assise devant la glace, elle se regardait perdue dans ses pensées. Dans l'espace de seulement un mois et demi, elle s'était mariée deux fois et avec des rois de surcroît. Si quelqu'un lui avait raconté une telle histoire jamais elle ne l'aurait cru. Pourtant l'impossible ne semblait pas faire partie de son destin.

Le moment était venu de se rendre vers son époux qui l'attendait impatient et nerveux aux pieds de l'autel. Il ne cessait de se retourner, tordant sans arrêt ses gants de cuir dans ses mains. Il n'était plus, non il n'était plus le jeune prince que j'avais si souvent gardé sous mon aile. Il était devenu un roi, un homme accompli qui allait prendre en noce une merveille.

Mira poursuivait son chemin accompagné de filles d'honneur vers les portes de la grande chapelle du château. Derrière, elle y trouverait toute la Cour de Bjarni et le plus important, son père qui n'avait pu assister à son premier mariage. Boris l'avait formellement interdit. Les portes s'ouvrirent. Au bout de l'allée, Bjarni attendait. Vêtu lui aussi d'un magnifique costume blanc orné de fils d'or. Il était d'une élégance ! Il souriait laissant découvrir ses blanches dents. Elle progressait lentement vers lui. Bjarni ne la laissait pas du regard, épaté, comme nous l'étions tous par un ange qui serait descendu dans les allées sacrées de la chapelle royale. Pour Bjarni, il n'y avait qu'elle dans tout l'univers. C'était si évident qu'il ne remarqua même pas les yeux envieux de Varek qui les regardait. Elle finit par rejoindre le jeune roi qui attendait impatient de la voir assise près de lui. Comme le voulait l'adage, le mariage fut célébré en latin pendant près de deux longues heures. Des heures qui parurent bien interminables pour le jeune roi. Il n'écoutait plus le prêtre, il ne voyait plus rien. La belle l'avait entièrement accaparé. Il voyait cette beauté assise sagement près de lui, le regard fixé sur l'évêque. Il étudiait avec détail chacun de ses traits fins et délicats.

La cérémonie terminée, Bjarni et Mira se levèrent et s'embrassèrent au grand bonheur de tous. Bjarni sourit et tendit son bras à la belle, débutant ainsi la marche de sortie de la chapelle vers la salle de bal.

Tous les invités arrivaient. Une longue file s'embourbait à la porte, c'est que la coutume norvégienne voulait que l'on embrasse la mariée chacun son tour. Bjarni était debout aux côtés de Mira surveillant avec amusement les hommes qui se bousculaient pour embrasser cette magnifique femme. À chaque fois qu'un homme embrassait Mira, Bjarni lui faisait signe de tête de faire vite. Cela amusait tout le monde et Mira aussi. Mais arrivée à la moitié de la file, un de mes confrères généraux, laid affreusement laid, et dont tous les hommes aimaient bien se moquer amicalement, n'eut pas le temps d'embrasser la belle. Bjarni le poussa, se mit à sa place pour embrasser Mira. Le général protesta et les rires du roi et des autres enterrèrent ses protestations. Mira était amusée comme tous mais elle se pencha vers le pauvre homme et lui donna un petit baiser sur la joue. Il dit alors au roi :

-Sire, je vous envie d'avoir autant de beauté et de grâce autour de vous !
-Ce n'est pas ton cas, Igor. Lui dit son voisin de droite en lui tapant sur l'épaule.

Tous s'esclaffèrent. Un seul curieux personnage assis au fond de la pièce ne semblait pas partager ces éclats de rire et de joie. Le prince Varek était assis près de deux gardes et ne perdait absolument rien de ce qui se passait. Il avait les yeux rivés sur Mira. Il aurait bien aimé se lever et se diriger directement au-devant d'elle et la prendre à bras-le-corps pour la couvrir de baisers mais une telle conduite ne lui aurait rien valu qui vaille. De son point de vue, il admirait toute même toute la splendeur de la femme de son frère. Comme elle était attirante et déconcertante cette jeune paysanne. Comme sa vie aurait été différente, s'il avait été roi et avait partagé son trône avec une femme comme elle. Il n'acceptait pas son rang princier, mais là il avait envie de crier son indignation face à son frère qui possédait là une merveille. Une merveille qui ne laisserait pas une chance à ce jeune prince dévoré par la haine et la jalousie. Malgré les regards attentionnés du jeune prince, Mira ne remarqua pas sa présence, du moins pas tout de suite.

Quand le cérémonial des bisous fut terminé et que tous avaient regagné leur place, c'était au tour de nos deux jeunes mariés de prendre la place d'honneur. Mira se retourna main dans la main avec son époux et s'avança vers leurs chaises royales pour consommer un bon repas. Son regard finit par croiser celui insistant du prince.

Que fait-il au fond de cette grande salle assis en compagnie de deux gardes ? Ce regard rempli de jalousie et d'amertume je l'ai déjà vu chez quelqu'un d'autre ! Comme son attitude me rappelle celle de Boris. Je ne dois pas faire paraître mon malaise. Oui, il ne rend mal à l'aise. Il me rappelle soudain de si mauvais souvenirs. Je me demande bien ce que lui a réservé le Roi après mon départ ? Il a sûrement décidé quelque chose puisqu'il n'est pas assis à la table d'honneur comme le voudrait l'étiquette collée à sa position royale.

La fête continua pendant plusieurs heures. Bjarni et Mira prirent congé de leurs invités et se retirèrent dans la grande chambre du roi.

Une fois à l'intérieur, Bjarni s'assit sur le lit positionnant Mira debout devant lui. Quelques instants où il l'admirait, l'observait, la regardait silencieusement les yeux dans les yeux. Il la prit par la taille et la fit basculer sur le lit.

-Mira comme tu peux être belle, comme je peux t'aimer… Ma colombe ! Je t'aime. Je suis l'homme le plus heureux du monde ce soir.

Il passait tendrement ses doigts sur la douce peau des joues de la femme.

-C'est presque incroyable que tu sois là ce soir avec moi ! J'ai peine à y croire !
-C'est vrai, Sire que c'est un cadeau du ciel que nous soyons enfin réunis.
-Appelle-moi Bjarni… pas de Sire, ni de Majesté entre nous, surtout ici dans ma chambre, dans mon lit.

Il la contemplait touchant sa chevelure, ses joues, ses sourcils.

-Tu sais je comprendrais si ce soir tu ne désirais pas dormir à mes côtés. Je ne veux pas que ta mauvaise expérience auprès de Boris te fasse croire que je suis comme lui…
-Bjarni… Tu n'as pas envie de moi ?

-Ha ! ha ! Comment peux-tu penser à une telle chose ? Ce n'est pas ça, ma douce colombe, tu dois bien sentir comme mes muscles sont tendus… Je suis dévoré par une envie indescriptible… Je ne veux tout simplement pas te brusquer… je ne veux pas que tu te sentes obligée de me donner quoi que ce soit…

Elle regardait son homme.

Quelle délicate attention, Bjarni, tu me prodigues compréhension et délicatesse. Tes yeux verts sont comme la cime des arbres de la forêt, tes cheveux blonds bouclés livrent une telle bataille pour réussir à descendre le long de ton visage, ton corps lourd et athlétique à demi allongé sur moi… Comme je suis amoureuse de toi !

Certes, le jeune homme plaisait aux dames. Je le taquinais tellement à ce sujet. En silence, elle perdait son regard dans le sien voyant l'homme qu'elle venait d'épouser comme un trésor de gentillesse, d'affection et de tendresse. Il faut dire que Bjarni faisait partie de ce qu'on pourrait appeler "les beautés scandinaves". Une beauté aux caractéristiques propres aux peuples du Nord. La blondeur de la chevelure, les yeux souvent bleus ou verts, l'athlétique de leur corps, le visage dont les traits masculins frisent la perfection.

C'est en examinant tout ça que Mira passait sa main sur son visage et ensuite dans son cou l'attirant vers ses lèvres. Bjarni se laissait entraîner et l'embrassait si tendrement. Si doucement. Elle sentait un sentiment incontrôlable l'envahir. Les frissons lui couraient sur tout le corps. Quelle sensation ! Elle passait ses mains dans cette chevelure épaisse et douce. Bjarni se contenait à peine ayant l'impression que son corps ne lui répondait plus. Il déshabillait la belle si doucement, qu'à chaque contact de sa main sur la peau douce et parfaite de la belle, il fermait les yeux et savourait chaque seconde de cette expérience sensuelle qu'il n'avait jamais connue. Elle lui répondait par les mêmes attentions. Dénudés, l'un contre l'autre, Bjarni se plaisait à contempler ce corps de femme si généreusement pourvu, si parfait. L'amour leur prit bien une bonne partie de la nuit où ils échangèrent leur passion et dégustaient chacun des gestes qu'ils s'échangeaient. Mira était au paroxysme du bonheur.

Elle goûtait à un amour partagé et enivrant. Elle savait maintenant ce qu'étaient les plaisirs de l'amour… ou du moins, qu'ils existaient réellement, voulant renouveler l'expérience pour en découvrir davantage. Comme cette sensation était merveilleuse et spéciale. Toute la nuit ils demeurèrent enlacés l'un contre l'autre. Pendant plusieurs jours les amants se découvraient, appréciant chaque minute, chaque seconde passées ensemble.

Les semaines passaient. Le temps se déroulait tel un tapis rouge sur l'allée du destin. Bjarni, Mira, nous tous étions heureux, la vie nous offrait un intermède de bonheur et nous marchions sur une route qui semblait vouloir nous conduire vers la réussite, la paix durable.

Rien ni personne ne faisait plus allusion au roi Boris à voix haute. Nous avions tous un petit tiroir dans notre esprit qui gardait bien enfoui toutes les questions qu'on se posait à son sujet. Mais moi, mon tiroir était défectueux, il ne se fermait jamais. Je me demandais continuellement : Où est-il ? Avait-il été déchu par ce qui lui restait d'armée ? Avait-il trouvé un endroit convenable pour son orgueilleuse personne ? Je n'étais pas le seul qui avait un tiroir qui fermait mal, Bjarni aussi. Dans le secret le plus complet, il me faisait venir dans son bureau et demandait régulièrement si on avait eu des nouvelles. Il faisait envoyer de façon sporadique, des messagers aux quatre coins des contrées afin qu'ils lui rapportent quelques nouvelles. Ils revenaient tous les mains vides. Il avait disparu. On avait perdu sa trace et même celle de ces quelques soldats qu'il avait réussi à emporter avec lui. C'était bien mystérieux tout ça. Toutes ces précautions avaient pour but de ne pas ameuter Mira pour qui le seul nom de Boris était un véritable calvaire et Bjarni dans toute sa délicatesse ne voulait pas l'offenser de quelque façon que ce soit.

L'autre versant de l'histoire

Une fois les noces consommées, la fête terminée, les époux mariés en bonne et due forme, un remaniement des fonctions de la plupart des hauts dignitaires de l'ancienne cour de Boris et de ceux de Bjarni organisé, les anciens et les nouveaux sujets du roi célébraient leur roi et reine communs appartenant désormais à un tout nouvel empire. Le rêve de Boris lui avait glissé entre les doigts aux dépens de son ennemi qu'il aurait tant voulu écraser. Cette union regroupait effectivement les trois anciens pays en un seul et permettait au roi d'être beaucoup plus imposant sur la scène mondiale. Ce qui eu pour effet d'inquiéter le Grand Prince de toutes les Russies. Déjà affaibli par des guerres intestines, il apprenait avec désespoir que ses voisins s'étaient unifiés et qu'ils représentaient maintenant une force de frappe redoutable. D'autant plus que le Danemark et la Prusse étaient des compagnons non négligeables qui avaient contribué de près ou de loin à l'échec de Boris. L'Europe, l'Asie, l'Arabie se retournaient vers leurs voisins nordiques observant les moindres détails de cette unification laissant craindre un mouvement des peuples du Nord.

On a toujours peur d'une unification surtout quand elle représente une force de frappe brute. Les peuples du Nord étaient depuis les Vikings reconnus pour être de redoutables guerriers. Combattants de premier ordre, endurants, disciplinés, braves et extrêmement courageux. Il est vrai que nous n'avions peur de rien ou presque. Mais Bjarni n'avait pas l'intention de se servir de tous ces qualificatifs pour se retourner contre l'un de ses voisins. Il avait fort à faire dans son propre royaume nouvellement unifié et ça lui prenait tout son temps.

Cependant, le moral était à son comble chez les sujets de Sa Majesté. La Scandinavie reprenait un peu ses heures de gloire, rappelant à tous son passé Viking, maîtresse des océans, inventive, intelligente, légendaire.

Voilà dans quel état d'âme nous étions. Bjarni qui venait de prendre en noce cette jeune beauté, vivait dans l'allégresse. Il avait permis à Amik d'aménager au château et avait même invité ses fils à en faire autant. Cependant, ces derniers refusèrent prétextant qu'il fallait bien quelqu'un pour rester au petit village de la Forêt d'Elfe pour s'occuper de leur lopin de terre. Amik avait décidé après maintes supplications de Mira de rester auprès d'elle.

Les jours passaient… Mira prenait connaissance des moindres coutumes de ce coin de pays et s'amusait beaucoup à galoper cheveux au vent dans les sentiers près du château. Mais son existence ne devrait pas se limiter à de si futiles choses se disait-elle. Un vide dans son existence la rendait morose. Elle était insatisfaite du rôle qu'elle devait jouer auprès de ces dames de la cour avec qui elle n'avait aucune affinité ou presque.

S'ennuyant à mourir devant tout ce faste et toutes les discussions vides et inanimées qu'elle pouvait avoir avec elles, la jeune reine trouvait que malgré son existence auprès de Bjarni, elle était dénudée de piquant. Les nobles dames étaient, certes, très charmantes et gentilles, mais Mira sentait un précipice entre elle et cette vie de château. Tant de misère, tant de problèmes à régler, tant de travail à accomplir et elle ne pouvait y participer car ses fonctions devaient se limiter à recevoir d'autres dignitaires, d'autres rois, d'autres personnages royaux. C'était son époux qui était dans le feu de l'action, qui passait ses journées avec les hommes d'État, les généraux, donc qui participait à régler le sort des sujets. Exclue, elle avait une sensation d'inutilité la plus complète.

Qu'à cela ne tienne, Mira n'était pas au bout de son destin et la vie lui réservait encore bien des épreuves et bien des surprises qui l'auraient largement occupée.

Par un beau matin de juin, elle prit son cheval favori, Réfusse. Cette bête était devenue son compagnon de tous les jours et restait de loin, celui qui semblait le mieux remplir ce vide. Une petite complicité les liait l'un à l'autre sans que personne ne puisse expliquer clairement ce que la belle pouvait bien faire à la race chevaline pour être ainsi comprise d'un animal qui parfois peut s'entêter autant qu'une mule. Or donc, par ce beau matin de juin, Réfusse et Mira partaient de l'écurie accompagnés par quelques gardes royaux car Bjarni lui interdisait de se balader seule en dehors des murs qui bordaient la cour du château. Précaution, oblige. Une reine seule dans les bois… les voleurs, les bandits auraient vite fait de se l'accaparer et d'en demander une forte rançon. La rançon c'était l'excuse favorite du roi.

Mais voilà, Mira était quelque fois prise d'espièglerie et faisait de la surveillance étroite de ses gardes, une partie de cache-cache. Oui, elle leur faisait faux bond presque à chaque fois, s'amusant à les voir la chercher à travers bois et revenir bredouille au château. Réfusse, complice se cachait, les emmenait sur de fausses pistes et la dame voyait tout ça du haut de son perchoir sur la plus haute branche d'un arbre. Ce qu'elle aimait par-dessus tout, c'était de les voir se faire sermonner par leur supérieur.

-Bandes d'incapables ! Vous perdriez un éléphant dans une cage ! Retournez et retrouvez-la ! Et que ça saute ! Si le Roi apprenait ça ! Vous ne seriez pas mieux que morts !

Quand elle revenait… seule, les supérieurs des gardes courbaient la tête et la laissaient passer sans dire un mot. À chaque fois, elle se penchait et leur chuchotait à l'oreille :

-Messieurs, je ne suis pas certaine que vous feriez mieux que vos gardes ! Soyez indulgents et ne les grondez plus. Je resterai muette sur tout ça et vous aussi j'espère !

Elle pensait sans doute être à l'abri du fait que les supérieurs ne se plaindraient pas de ses escapades au roi.

Mais ce matin de juin n'annonçait pas le même scénario. Bien entendu son petit manège de fausser compagnie aux gardes fonctionna à merveille, comme d'habitude. Encore déroutés par son agilité et sa disparition à cheval, les gardes tournaient en rond. Comme elle adorait ces petites scènes. Elle faisait du travail de ses surveillants, un véritable enfer. À se demander comment elle y parvenait. Car depuis, ils avaient l'habitude. Malgré leurs multiples précautions, il n'y avait rien à faire, elle réussissait à se faufiler, parfois entre deux arbres, parfois au milieu de fougères si denses qu'elle disparaissait comme par enchantement. Elle le faisait par amusement, mais surtout pour se retrouver seule. Dans les bois, il y avait un quelque chose qu'elle ne retrouvait pas ailleurs. Sans doute, mère nature lui offrait-elle une évasion au travers des sons parfois d'un moineau, parfois d'un daim qui venait en galopant, parfois juste par le vent qui faisait trembler les feuilles. Seule avec Réfusse à admirer et à humer les odeurs diverses, la belle se sentait en communion avec les arbres, la terre, le vent, l'astre soleil. De toute façon, galoper à cheval, grimper aux arbres était considéré inconvenable pour une dame de son rang, ce qui la poussait à fuir.

Donc, ne faisant pas exception à son comportement de fugueuse, une fois les gardes éloignés, elle escalada un sapin géant. En haut de celui-là, le coup d'œil sur la plaine et le village était saisissant. Une fois arrivée à la dernière branche qui pouvait supporter son poids, elle s'assied s'accotant le dos contre le tronc et laissant pendre ses jambes de chaque côté. Elle ne s'était pas trompée. La vue en valait vraiment la peine. L'espace d'un instant, elle se sentait comme un faucon qui survole très haut dans le ciel. Quelle sensation enivrante. Le paysage offrait un spectacle de couleurs et de lumières que le soleil de cette journée rendait presque tangible. Les eaux du grand lac qui bordait le village à sa droite dansaient sans se lasser. Les montagnes plus loin, s'étendaient tels d'interminables bras à l'horizon. Les habitations du village ressemblaient à des boîtes de bois peintes de couleurs vives, tantôt rouges, tantôt vertes. Le château sur son monticule bordé par les douves s'élevait tel un géant de pierre dont la chevelure était les drapeaux sur la tour de garde. Une image d'une pureté, d'une beauté renversante. Tous ces tons de vert, de rouge, de bleu, de rose, de jaune, laissaient suggérer qu'un peintre avait secoué ses pinceaux et que les gouttelettes s'étaient éparpillées sur ce qu'elle voyait de son perchoir

Réfusse, quant à lui, broutait de l'herbe au pied de l'énorme sapin. Attendant patiemment que sa maîtresse daigne en descendre pour galoper de nouveau crinière au vent.

La contemplation de mère nature fut toutefois troublée. Elle entendait des voix d'hommes qui passaient plus bas sur un sentier qui se rendait au village et le discours qu'ils tenaient capta son attention. La forêt fournie l'empêchait de les distinguer. Pour le moment, seules leurs voix lui parvenaient distinctement et depuis quelques instants elle entendait pleurer une jeune fille. Son intérêt pour mère nature venait d'être déplacé vers ce qu'elle allait enfin apercevoir sur le sentier qui passait inévitablement par la clairière un peu plus loin. Enfin, ils apparurent dans son champ de vision. Trois hommes et une jeune fille qui tentait d'échapper à ses trois larrons.

-Petite sotte ! Tu croyais vraiment te rendre au village, seule ? Ha ! ha ! Dit l'un.
-Allez donne-nous un petit baiser et laisse-nous te toucher un peu. Dit l'autre.
-Arrêtez, laissez-la donc tranquille… elle est terrifiée, vous ne voyez pas ! Dit le troisième.
-Regardez-moi ce galant jeune homme qui prend la défense de cette petite traînée !

La jeune fille tentait bien de fuir, mais à chaque fois les deux plus intrépides la rattrapait et la ramenait violemment vers eux. Le troisième était, certes mieux intentionné que ses compagnons, mais n'arrivait pas à leur faire entendre. La jeune fille était désespérée et pleurait, les suppliant de la laisser partir. Spectatrice malgré elle de cette scène, Mira eut un serrement de cœur. Cette jeune fille n'était guère plus vieille qu'elle et tout ceci lui rappelait soudainement des souvenirs qu'elle avait enfouis dans une partie de son subconscient depuis plusieurs semaines. Les mauvais souvenirs refaisaient surface et la douleur ressentie n'était pas du tout agréable. Son cœur se mit à battre, la rage, la frustration, la colère se joignaient toutes ensemble dans un amalgame de sensations plus épouvantables les unes que les autres. Non ! Il fallait faire quelque chose pour la jeune dame qui aurait peut-être vécu elle aussi les soubresauts de ces messieurs visiblement excités d'avoir trouvé une victime sur leur chemin. Mais que faire ? Comment combattre ces garnements de grand chemin ? Comme si la solution lui avait été soufflée, elle descendit de son perchoir et embarqua sur Réfusse. Elle n'était pas de taille, certes, à lutter contre un homme, mais elle possédait par contre un atout dans sa manche. Le galop de Réfusse à pleine allure, la cavalière bien installée sur sa monture, elle arrivait sur eux par l'arrière.

Les galops de Réfusse s'entendaient d'autant plus que le cavalier qui arrivait par-derrière semblait être pressé au point qu'il ne semblait pas vouloir ralentir. La réaction de ce petit monde sur le sentier fut des plus naturelles se retournant pour voir ce qui arrivait à pleine allure sur eux. Ils eurent tout juste le temps de voir s'avancer vers eux une tornade blonde qui les passait à vive allure. La jeune fille fut happée par cette cavalière inhabituelle et aussitôt déposée sur le devant de la monture pour s'arrêter quelques galops plus loin, faisant pivoter Réfusse et regarda droit dans les yeux, les trois hommes qui arrivaient en courant cherchant à voir ce qui venait d'enlever la demoiselle. Ils s'arrêtèrent brusquement surpris et déconcertés. La cavalière avait un regard d'acier et les trois hommes bouche bée ne s'aventurèrent pas à demander leur reste. Dès que l'effet escompté fut à son apogée, Mira considéra qu'il était mieux de reprendre la route. Elle repartit en poussant Réfusse au galop emportant avec elle la jeune dame qui était si impressionnée que son silence rappelait vaguement quelqu'un. Les trois hommes se regardaient hébétés.

-Tu as vu ça ?
-C'était la Reine Mira, Zinklo ! C'était la Reine !
-Dieu du ciel ! ce qu'elle est belle, tu as vu ses yeux ?

-Nous avons tous vu ses yeux, mais elle aussi elle vous a vu Messieurs malmener cette pauvre fille. Et avec le regard qu'elle nous a lancé, je crains que nous ayons la cavalerie royale sur le dos !

-Je n'en reviens pas… La Reine, seule en plus… d'où venait-elle ? Le Roi est-il si inconscient de la laisser galoper seule dans les bois ?

-Il n'est pas inconscient, il n'a peut-être pas le choix ! Je ne pense pas qu'avec une femme comme elle, un homme qu'il soit roi ou pas, ait bien le choix ! Je pense qu'elle fait ce qu'elle veut bien faire. Une telle cavalière, même seule dans les bois, n'a pas à avoir peur surtout de deux grands fainéants comme vous !

-Tu l'entends Zinklo, ce jeune avorton qui n'a pas de couilles ! Si tu t'étais montré plus collaborateur tout à l'heure rien de tout cela ne se serait arrivé ! On aurait pris la belle petite dans les fourrés plus bas et la Reine n'aurait rien vu et tu aurais passé du bon temps, tu n'es qu'un idiot !

-Assez ! Triintovich ! Laurentio à raison, nous avons été ignobles avec cette petite. Il y a bien des femmes au village qui nous donneront volontiers ce que nous aurions bien voulu avoir de la petite. Elle était effrayée et Laurentio le voyait bien, il est moins sot que nous deux, c'est tout !

Mira galopait. La demoiselle en détresse avait été délivrée de son cauchemar et elle lui en était bien reconnaissante, à cette dame qui l'avait arrachée aux mains de ses malfrats. Quant à Mira elle rageait intérieurement.

Pourquoi les hommes sont-ils si rustres avec les femmes ? Sals cons ! Ce que les hommes peuvent être imbéciles !

Maintenant qu'elles étaient toutes deux en sécurité, Mira fit ralentir Réfusse.

-Tout va bien maintenant, je ne vous ai pas fait mal, mademoiselle ?

-Non, Madame… Heu ! Majesté…

-Appelle-moi Mira. J'ai un nom et il n'est pas disparu le jour ou je suis devenue Reine.

La jeune demoiselle timide d'être en compagnie d'une dame aussi connue se tut. Mira connaissait bien cet état d'être et voulut détendre l'atmosphère en lui demandant :

-Comment t'appelles-tu ?

-Isabella, Majesté… Heu ! Madame Mira.

Mira sourit au mal à l'aise que présentait la jeune fille.

-Où allais-tu avant que ces… ces hommes ne t'abordent ?

-Je me rendais au village, Madame, ma mère est très malade et j'allais lui chercher des herbes rares qu'on ne trouve que chez l'apothicaire.

-Je vais t'y reconduire. Comme ça, je serai certaine que tu arriveras à bon port sans anicroche !

-Oh ! Madame, ce n'est pas nécessaire ! Nous y sommes presque et je suis certaine maintenant qu'il n'y a plus de danger.

-Plus de danger ? Non, il y a toujours du danger ! il y a des hommes partout et à ce que je peux voir, ils ont presque tous en commun une fâcheuse habitude ! Non, je vais t'y reconduire.

Mira pesait chacun de ses mots pour ne pas hurler son indignation face au sort que semblait s'acharner sur les femmes de ces contrées.

Mira sur sa magnifique monture aux blasons royaux ne passa pas inaperçue. Son passage dans la route principale du village faisait fuseler les regards de toutes parts, les chuchotements, les retournements, l'arrêt des activités. Mira se sentait tout à coup investit d'une mission et elle avait bien l'intention de la mener à terme peu importe, cette fois ce que le roi aurait dit qu'elle aille au village seule avec sa monture.

-Où est-ce la boutique de l'apothicaire, tu le sais ?

-Oui, juste devant vous, là.

Une fois la jeune fille descendue, Mira lui demanda :

-Est-ce que tu as quelqu'un pour te raccompagner ?

-Oh ! Oui, Majesté… j'ai un cousin qui vit ici et il sera heureux de venir me reconduire.

-Bon, et bien maintenant je te quitte et fais bien attention à toi, la prochaine fois, fais-toi accompagner de quelqu'un, les bois ne sont pas sûrs, tu le sais désormais !

-Merci, Majesté.

Elle lui fit une courbette si gracieuse que Mira eut un petit sourire. Que cette enfant était charmante.

La boutique de l'apothicaire se trouvait presque au centre d'une grande place, balayant du regard les lieux qui l'entourait, Mira débusqua ce qui semblait être une compagnie royale qui était aux arrêts devant ce qui ressemblait à une taverne. Son regard se fixa sur cette petite troupe d'hommes qui avaient tous une coupe à la main. Les regards se croisaient. C'était réciproque dans les deux camps, de part et d'autre on s'observait. Les hommes ayant reconnu la cavalière peu commune et la cavalière ayant bien saisi qu'il s'agissait là d'une des nombreuses compagnies de Sa Majesté.

Tiens, tiens ! Ces messieurs semblent avoir bien du plaisir ! C'est donc à ça qu'ils passent leurs journées ? Boire du vin, se raconter des blagues et regarder les femmes ? Hé ! hé ! Je vais briser vos petites habitudes ce matin, Messieurs. Il ne sera pas dit qu'on se promène sur les routes imprudentes pendant que vous vous la coulez douce !

Elle prit son courage à deux mains et s'avança vers les soldats du roi. La voyant ainsi s'approcher d'eux, la plupart déposèrent leur coupe sur les tables et se dressèrent solennellement. Lorsqu'elle fut à leur portée, ils lui firent une salutation due à son rang. Tout était si silencieux tout à coup on aurait entendu une mouche volée !

-Qui est le supérieur de cette compagnie ?
-C'est moi, votre très Grande Majesté. Commandant Trochquev-son pour vous servir, Madame.

Les soldats se lançaient encore des petits regards de biais et avaient presque tous un petit sourire en coin. Leur commandant n'avait pas l'habitude de si bien se présenter surtout quand il ramassait un malin, c'était toujours à coups de pied au cul !

-Serait-ce trop vous demander de prendre quelques hommes avec vous et de me suivre, commandant ?
-Bien sûr, Majesté. Soyez assurée, Madame que nous sommes vos serviteurs les plus dévoués !

Il n'eut pas le temps de se retourner pour interpeller ces hommes que plusieurs se bousculaient contre lui pour les accompagner, créant une petite cacophonie ce qui la fit sourire.

Ce que les hommes pouvaient être bêtes quand ils veulent ! Tantôt, ils agressent et tantôt ils se bousculent pour répondre aux désirs des dames ! Arriverais-je un jour à les comprendre ? J'en doute... Ils me font penser à des bêtes cornues qui essaient tant bien que mal de tous conduire en même temps un troupeau ! Ils sont d'une maladresse ! Dieu, de Dieu ! Qu'avez-vous mis à la place de leur tête ? Mira... c'est péché de penser comme ça !

-Soldats calmez-vous ! J'en veux dix avec moi et c'est tout. Pardonnez-leur Majesté, ils n'ont pas l'habitude de vous voir d'aussi près. Dix hommes, Madame c'est suffisant ? Je peux tous les prendre si vous voulez !

-Non… Je crois que dix ça sera sûrement suffisant pour ce que vous avez à faire.

-Et où allons-nous, Majesté ?

-J'ai besoin que vous me suiviez car chemin faisant j'ai rencontré trois hommes qui se sont fort mal conduit envers la jeune dame que je viens tout juste de reconduire. Je désire qu'ils soient emmenés au château et là, ils seront jugés pour leurs agissements indécents.

Le général baissa les yeux et eut un petit sourire qui se communiqua allégrement à tous ceux qui se trouvaient autour.

Quoi ? Pourquoi sourit-il ? Il semble même avoir besoin de mettre sa main devant sa bouche pour dissimuler son envie de rire !

-Qu'ai-je dit de si risible, commandant ?

-Oh ! Majesté ! Pardonnez-moi ! Mais c'est la raison pour laquelle vous avez besoin de nos services… Excusez-moi mais je dois vous informer que nous les emmènerons au château comme vous le souhaitez, mais je crains fort que votre Majesté, ne connaisse pas très bien les lois de notre contrée.

-Que voulez-vous dire exactement, Monsieur ?

-Et bien, c'est qu'il n'y a pas de loi, ni de jugement rendu pour ce genre d'écart de conduite, Majesté. Pas un juge ne fera un procès à un homme sur ce délit. Sachez bien que je vous en informe sans vouloir vous offenser, Madame.

-Je suis très offensée, Monsieur ! S'il n'y a pas de loi pour ce genre d'écart de conduite, comme vous dites, Monsieur, et bien il y en aura, c'est moi qui vous le dis. Et puisque j'ai dit la vérité et que la vérité dans ce cas ne semble pas faire de différence entre ce qui est bien ou mal, vous n'aurez qu'à mentir à son honneur le juge. Vous lui direz que ces manants tentaient de voler quelque chose afin qu'il paie pour leur effronterie ! Parce que pour ça je suis certaine qu'il y a des lois, n'est-ce pas, Monsieur ?

-Heu ! Oui, Majesté… Le vol est punitif !

-Que les lois sont idiotes ! On vole une pomme parce qu'on a le ventre creux et on vous donne cent coups de bâtons mais on viole, on bat des femmes et il n'y a rien à faire, je suis outrée ! ! !

-Je suis désolé d'avoir offensé votre Majesté. J'espère que votre Majesté me pardonnera puisque je ne suis qu'un simple serviteur et qu'il m'était obligé de vous en informer.

-C'est à mon tour de vous demander pardon, ce n'est pas vous qui m'avez offensé mais ce manque de conscience collective qui semble gagner toute cette contrée.

-Mais nous allons répondre à votre requête, Majesté, nous vous suivons et nous reconduirons ces messieurs au cachot… Ce qu'il adviendra d'eux, nous le laissons au bon jugement du Roi lui-même.

-J'attends, Messieurs !

-Tout de suite votre Majesté, nous vous accompagnons.

Les quelques hommes choisis et leur supérieur s'empressèrent de prendre leur monture et de la suivre. Tout le village était sous l'impressionnante vision de la reine et de son discours.

Les hommes cavalaient à sa suite et ils ne prirent pas plus de quelques minutes pour apercevoir les trois hommes à pied sur le petit sentier. Devant les gardes de Sa Majesté en leur direction, il ne leur fallait pas une ni deux avant de comprendre qu'ils allaient être arrêtés. Ils tentèrent de se frayer un chemin hors du sentier battu dans l'épaisse forêt mais celle-ci les empêchait d'entrer profondément dans ces entrailles et allait même jusqu'à les faire reculer par le biais de branches d'épinette et de sapin particulièrement récalcitrantes à se plier aux exigences d'un passage. Ce fut donc un jeu d'enfant de leur mettre la main au collet et de les ramener sur le sentier. Ils furent rapatriés devant Mira qui était restée stationnaire sur sa monture les yeux fixés sur les trois hommes.

-Monsieur, pas celui-là, il n'a rien fait.

-Lâchez-le ! Dit le commandant à ses hommes.

-Oh ! Merci votre Majesté, votre clémence n'a d'égal que votre beauté.

Mira était décontenancée maintenant. Ce jeune homme venait de lui faire réaliser qu'elle était seule parmi un groupe d'hommes qui la dévorait tous des yeux. Sa timidité légendaire refaisait surface faisant de l'ombre du même coup à la Mira intrépide d'il y a quelques minutes. Elle fit un signe de tête au jeune homme et retourna seule à pleine allure vers le château. Les hommes la regardaient s'éloigner cheveux au vent et elle disparut au premier tournant. Le supérieur regardait ses hommes et les trois malfrats.

-Eh ! Bien Messieurs, je ne crois pas que vous vous attendiez à ça ce matin ? De voir, ni de galoper avec la belle Reine Mira ?

-C'est vraiment une très belle femme ! Dit l'un.

-Si elle n'était que belle cela serait plus facile à ignorer, mais elle est une femme vraiment très spéciale notre Reine, une femme dotée d'une intelligence et d'une grâce qui ne sont pas données à toutes pour ainsi faire déplacer les garnisons royales pour vos petites entourloupettes Messieurs. Finit par dire Laurentio en regardant ses compagnons de route et le commandant.

Cette phrase scella les lèvres de tous et la petite cavalerie reprit son chemin avec les deux amis de Laurentio qui, lui, continuait sa route seul vers le village la tête remplie de fantasmes déclenchés par l'apparition qui lui avait été dévoilée en cette matinée.

Mira revenait en pleine vitesse vers les écuries considérant que son escapade matinale avait été assez chargée en émotions. Entré dans son enclos, Réfusse attendant avec impatience de se faire brosser. Il s'énervait hennissant, décrivant des pas de côté, des coups de tête. Cette agitation inhabituelle était due au fait que Mira restait immobile à la vue de Bjarni qui entrait aux écuries et venait directement la rejoindre.

-Ça suffit Réfusse, je vais m'occuper de toi, une petite minute ! Dit-elle comme exaspérée qu'il soit aussi capricieux.

Prenant la brosse pour lui prodiguer le traitement qu'il réclamait c'est avec inattention qu'elle faisait des mouvements de haut vers le bas sur le dos de la bête. Bjarni arrivait sourire aux lèvres mais sa venue dans les écuries juste quand elle arrive lui laissait présager qu'il se doutait de quelque chose.

-Réfusse est d'une exigence ce matin, n'est-ce pas Mira ?

-Je ne sais pas ce qui lui prend. Juste quelques secondes d'inattention et Monsieur s'exaspère déjà !

-Hum ! Peut-être parce qu'il sait ce que je suis venu te dire Mira… Ne le gronde pas, il cherche peut-être seulement à me distraire.

Mira baissa les yeux et continua de brosser comme si cette remarque n'avait aucune importance.

-Dès que je t'ai vu arriver je suis venu à ta rencontre ma belle !

De son air taquin, Bjarni l'empoigna et l'a couvrit de baisers.

-Votre Majesté est affectueuse ce matin !

-Comment Madame ? Ne le suis-je pas toujours ?

-Heu ! Oui ! mais est-ce vraiment ce que vous aviez à faire dans l'écurie ce matin ?

-C'est effectivement la première chose qu'il m'était donné de faire, mais j'y suis venu pour une tout autre raison ma chère ! Parce qu'on est venu me raconter toute une histoire ce matin…

Bjarni avait le regard posé sur elle et attendait une réaction. Seules les joues rougissantes, les yeux qui s'esquivent, la tâche de brosser l'étalon furent donnés en guise de rétorque à ce qu'il venait de dire. Bjarni offrit un large sourire à la vue de Mira qui tentait par tous les moyens de le distraire.

-Je me disais aussi qu'on ne m'aurait pas raconté de si incroyables mensonges à votre sujet, ma belle !

Il secouait la tête. Mira relevait les yeux pour croiser son regard.

-Que vais-je bien pouvoir faire de toi, Mira ? Tu n'écoutes pas mes conseils, tu te balades seule en forêt faisant faux bond à mes gardes, tu te rends seule au village, tu dépêches mes soldats, tu pars seule avec eux, et tu reviens ici comme si rien ne s'était passé !

-Mais, Bjarni… je n'ai rien à craindre dans les bois, je suis une bonne grimpeuse, une bonne cavalière et… et…

-Et il pourrait t'arriver bien des mésaventures, Mira. Et la jeune demoiselle qui faisait comme toi, ne lui est-il pas arrivé une mésaventure ?

Mira restait silencieuse espérant que Bjarni ne la sermonne pas trop à ce sujet.

-Tu n'es plus une simple paysanne maintenant, tu es la Reine d'un grand pays. Beaucoup d'hommes pourraient vouloir t'enlever, te séquestrer, et que sais-je encore ? Si je ne veux pas que tu ailles seule en forêt ce n'est pas de toi que je doute, mais bien de tous les brigands qui y passent des jours et des nuits entières ! Même en étant la meilleure cavalière du monde, tu ne pourrais rien y faire si on te tendait une embuscade Mira, ai-je tors ?

-Non… Bjarni… J'ai déjà passé par ce type d'événement souviens-toi !

-Ah ! Si je me souviens, bien sûr que je me souviens, Mira… Tu as été contrainte de me suivre et tu étais pourtant sagement recluse dans une chambre gardée par des soldats alors tu comprends mieux maintenant mon inquiétude ? Je ne t'ai jamais défendu quoi que ce soit et j'ai toujours passé sous silence tes petites fuites, car je sais depuis longtemps que tu te sauvais des gardes... je suis le Roi, on est venu maintes fois me le dire ! Mais ce matin, c'est différent.

L'homme la regardait sérieusement et ces petits reproches lui serraient le cœur.

-Tu t'en es bien sortie jusqu'à aujourd'hui mais, Mira, si mes hommes me sont dévoués, il n'en reste pas moins que ce sont des hommes et des soldats qui plus est ! ! ! Je n'ai pas la prétention d'avoir sur eux un parfait contrôle... S'ils s'étaient mal conduits envers toi... Tu étais seule parmi une compagnie complète... Une fois le mal fait... j'aurais pu sévir par la suite, mais ça n'aurait rien changé aux blessures immondes que j'aurais dû panser ! Et ces trois hommes qui malmenaient une jeune demoiselle, j'avoue que ce comportement me choque, mais tu ne pourras pas toujours sauver la veuve et l'orphelin Mira ! ! ! Si tu n'avais pas réussi ton petit plan, que se serait-il passé ? Et ces hommes déjà excités par une petite villageoise, tu penses qu'ils ne l'auraient pas été davantage en ta présence ?
-Ah ! Bjarni... je ne voulais pas te causer d'inquiétude... je te demande pardon... je suis... je suis...
-Tu es douce Mira, tu as un cœur grand comme l'univers, il faudra comprendre que ce n'est pas tous les gens qui sont comme toi, je dirais même plus... il n'y en a pas beaucoup... Tu devrais le savoir Mira... ! Après tout ce qui s'est passé, tu devrais le savoir...
-Je comprends Bjarni... mais... mais...
-Mais ?
-Mais j'ai besoin de liberté Bjarni, j'ai besoin de me retrouver seule... Je m'ennuie à la Cour... je... je...
-C'est donc ça ! Voilà, je viens de savoir le pourquoi de ces petits nuages que je voyais dans tes yeux jour après jour... pourquoi ne me l'as-tu jamais dit Mira ?
-Bjarni, tu es Roi... tu es très occupé, qu'est-ce que l'ennui d'une dame à travers tous les tracas que tu peux avoir dans une journée ? Un tracas de plus... et je trouve que cela aurait été bien capricieux de ma part de t'accaparer avec mon ennui ! Je cherchais à faire des choses qui me plaisaient sans penser que cela te causerait des ennuis supplémentaires... J'avoue que je n'avais pas songé à tout ce que tu viens de me dire... excuse-moi ! ! !
-Ah ! Mira... si tu penses que je vois l'ennui de la femme que j'aime comme un caprice et un tracas supplémentaire ! Tu te trompes. Depuis que nous nous sommes retrouvés, nous avons eu bien le temps

de vivre des choses merveilleuses, mais lorsque je voyais cette petite frimousse s'évader dans les nuages, je me demandais bien ce qui se passait dans cette petite caboche, belle à croquer ! ! ! Je le sais maintenant et tu vois, je vais faire en sorte que tu trouves un équilibre auprès de l'homme qui se meurt d'amour et d'envies de toutes sortes pour toi ma belle petite sirène ! Et tu pourras faire des choses qui te plaisent, qui t'animent, Mira, parce que c'est comme ça que je t'ai connu, moi… songeuse et effrayée… là aussi je n'ai rien pu faire sur le moment, mais je me suis vite repris, du moins je le crois. Et depuis j'ai vu à plusieurs reprises, une femme belle et extraordinaire s'animer et s'enivrer de plaisir à mes côtés… c'est de loin la Mira que je préfère. Celle dont les rires et la joie transcendent les matins ensoleillés et les nuits noires et chaudes.

-Bjarni… Bjarni ! ! ! Je ne sais si Dieu t'a mis sur mon chemin pour que je sache réellement faire la différence entre le bon et le mauvais, mais tu es un homme si doux, si attentionné pour moi… je ne sais pas quoi te dire… je ne trouve pas les mots !

-C'est qu'il n'y a rien à dire ! Tu n'as qu'à me laisser t'aimer ma belle ! Tu sais que je te donnerai tout ce que je peux et encore plus ! C'est à moi que Dieu a imposé une femme sur ma route, pour me faire voir la grandeur d'un être si délicat et si fort à la fois. Avant de te connaître, Mira, j'ai toujours vu dans les femmes, des êtres beaux et doux, mais j'avoue que je n'y attachais aucune importance… Tu nous ouvres les yeux et tu nous ouvres le cœur… Tu fais de nous ce que tu veux et je sais que tu le fais sans même le savoir… douce beauté Suédoise !

Elle se lova tout contre lui. Elle considérait qu'elle avait bien de la chance de partager sa vie avec un être aussi profondément toucher par sa petite personne.

La petite cavalerie, menée par le commandant qu'elle avait dérangée à la taverne, passait dans la cour attirant les deux tourtereaux vers les fenêtres de l'écurie.

-Ce sont les deux hommes que tu as vus ce matin avec la petite villageoise ?

-Oui… et je ne sais pas ce que tu vas en faire… car j'ai appris que les lois de ton royaume ne régissaient pas ce genre de délit.

Bjarni eut un petit sourire sentant la pointe d'ironie dans ce qu'elle venait de dire.

-Il est vrai qu'avant que tu n'arrives parmi nous ma belle, jamais une femme ne s'était plainte de ce genre de comportement !

-Et parce qu'elles ne se sont pas plaintes… vous pensiez que c'était normal ? C'est plutôt difficile de se plaindre Bjarni quand il n'y a personne pour débattre de votre cas et quand tout le monde semble s'en foutre totalement ! ! !

Bjarni la regardait et il avait encore son petit sourire, seule réaction qu'il eut face à cet emportement soudain.

-Tu souris ? Tu trouves ça drôle toi, d'être attaquée par des hommes ? Et de savoir qu'en plus de ne pouvoir rien faire, personne ne désapprouvera leurs gestes ?

-Ha ! ha ! Oui… je ris Mira ! Excuse-moi ! Ce n'est pas du tout pour la raison que tu sembles croire. Excuse-moi ! C'est le petit éclair qu'il y avait dans des adorables yeux, là, tout de suite ! Tu es délicieuse… Je devrais t'enfermer à double tour, Mira, car pas un homme ne pourrait résister à ça je t'assure !

-Ho ! Bjarni, comment peux-tu être si désinvolte dans un moment pareil ?

-Hum ! Je te demande pardon Mira… Mais c'était irrésistible ! Ha ! ha !

-Non ! Arrête, si tu continues… Tu devras voter une loi contre moi car je sens que je vais te grimper au visage !

-Bon, bon ! Je m'excuse encore ! Je voterais bien des lois contre toi ma douce… Interdit de sorties pour le reste de tes jours… embrasser le Roi à longueur de journée ! Le caresser aussi !

-Je sens que je vais perdre patiente si tu continues Bjarni ! ! ! Tu as beaucoup plus important à débattre que de me dire des sornettes pareilles. Je te parlais de quelque chose, moi, de femmes qui se complaisent dans un silence à cause des hommes qui les entourent et les malmènent.

-Ah ! Mira, ne te fâche pas contre moi ! Je sais… et je sais aussi qu'il faudra maintenant changer des choses car tu as parfaitement raison, il manque des paragraphes, que dis-je ! Des pages entières dans nos textes de lois… et elles semblent toutes parlées du même sujet. Je t'assure que je vais y voir. J'y vais même tout de suite. Si je peux me libérer d'une si charmante compagne… c'est très difficile !

Mira avait de nouveau le regard posé sur lui. Elle eut un petit sourire en coin sachant très bien que Bjarni s'était rendu compte du manque de compassion sur le sort réservé aux femmes de son propre royaume. Elle avait semé la graine qui aurait dû germer et éclore un jour ou l'autre. Elle espérait vraiment que ces lois changent le comportement de certains individus. Du haut de ses dix-sept ans, elle croyait sincèrement qu'il suffisait de voter des lois pour qu'elles soient appliquées à la lettre et que les hommes se plieraient aux exigences énumérées dans les textes. Son utopie sur la question lui aurait causé bien des déceptions et elle aurait beaucoup à faire pour surmonter tout ça. Pauvre enfant ! Comme si les lois étaient faites pour être respectées ! J'avais tant vu dans ma vie de général des pages entières s'effacer comme par enchantement lorsqu'un homme de pouvoir voulait qu'il en soit ainsi. La candeur et la naïveté de Mira étaient tout à fait normales. C'est l'expérience de la vie et d'autres revirements tragiques qui lui feraient saisir la nature humaine dans son ensemble, surtout dans les hautes sphères de la monarchie.

Les semaines s'écoulaient et Mira restait fidèle à elle-même, volontaire cherchant des moyens efficaces pour éradiquer la violence faite aux femmes et aux enfants. Faire le nécessaire pour les textes de lois, voir à ce que tout ceci change une fois pour toutes mais voilà que ses questions recevaient des réponses vagues car le souverain était très occupé avec la réorganisation territoriale, les postes stratégiques, l'unification du pays, le sort des bandits de grand chemin et que sais-je encore !

C'est alors que surgit une idée géniale dans la tête de notre reine. Pourquoi ne pas faire construire une université ? Cette idée fut d'abord accueillie par la plupart, même de Bjarni, comme farfelue. Mais bon, Mira savait y faire quand elle s'y mettait pour convaincre même le plus incrédule. En exposant son projet, elle faisait miroiter les bienfaits de l'éducation. N'y avait-il pas à Alexandrie une bibliothèque qui avait été un trésor de connaissances visitée par les nobles, les érudits, les savants, les philosophes ? Une bibliothèque qui était vite devenue un centre d'attraction pour quiconque digne d'intérêt venait y faire des séjours afin d'y parfaire ses connaissances. Une bibliothèque tellement connue qu'elle avait traversé les époques et avec elle on avait vu naître des penseurs, des génies. La connaissance, l'éducation n'étaient-elles pas un signe de prospérité ? L'éducation ne distinguait-elle pas l'homme de la bête ? Pourquoi la nouvelle Norsufinde devrait-elle s'en passer ? Pourquoi ? Les habitants de ces territoires étaient-ils sans intérêt, sans intelligence ? Un peuple bien éduqué, bien nourri de l'esprit n'était-il pas d'intérêt considérable sur le plan national ? Bien entendu, présentée de cette manière, une université était un manque flagrant dans les territoires de cette nouvelle unification. Avec de l'éducation et de la connaissance, Mira pensait que les hommes seraient plus aptes à avoir de meilleurs comportements.

Bien entendu, il fallait voir à ce que l'Église ne s'oppose pas à une telle construction. Car la connaissance était leur cheval de bataille. Seuls les ecclésiastiques et les nobles recevaient de l'éducation et de la connaissance. Le peuple lui devait se contenter de rester sur ses positions qui se limitaient bien malheureusement à fournir à tout ce beau monde, nourriture, soins et services ! Mira voulait que cet état de chose change. On dit : Ce que femme veut Dieu le veut ! Il faut croire que c'est vrai puisque la construction de l'université commença ici à Trodhiem et porterait le nom d'université d'Orlitza. Le tout débuta, le 6 juillet de l'an de grâce 1347. Une construction gigantesque. Depuis longtemps on n'avait pas mis en chantier une aussi grande construction. Une immense bibliothèque, des chambres, des couloirs, des petits salons, des salles, c'était ce que les architectes avaient concoctés durant ces trois semaines travaillant sans relâche jour et nuit se relayant seulement pour dormir et manger. Il faut dire que l'idée qui avait été d'abord innée par la matière grise de la reine fut vite proclamée comme une idée novatrice du roi. Mais Mira ne s'en soucia point. L'important ce n'était pas ce que l'on croyait mais ce que l'on en faisait. Des ouvriers de partout vinrent prêter main-forte et tout un arsenal de métiers divers se croisait sur le chantier. Selon les prévisions, il faudrait bien au moins cinq ans avant que les premiers cours, les premiers livres, les premiers étudiants arrivent sur le site, mais c'était déjà beaucoup quand Mira y songeait, c'était un pas gigantesque par rapport à ce qu'elle voyait de ses contrées si peu disposées à la connaissance.

Tout vient à point à qui sait attendre ! Mira, distraite par ce projet d'envergure, fut toutefois happée en plein travail par sa condition de femme. Eh ! Oui, par un beau matin ensoleillé de juillet, elle courait vers le bureau de son époux. Le roi était seul penché sur une quantité gigantesque de paperasse. Sa petite main tourna la chevillette et ouvrit doucement la porte. Levant les yeux pour voir qui s'introduisait dans son bureau, Bjarni arbora un large sourire à la vue de ce petit minois qui se dirigeait vers lui avec un air espiègle.

-Que me vaut cette agréable surprise ce matin, Madame ? N'avez-vous pas mille et une choses à faire avec la construction de votre université ?

Mira, souriante, avançait toujours arborant à son tour un large sourire faisant le tour du bureau, poussant l'homme contre le dossier de la chaise pour mieux prendre place sur ses genoux. Assise confortablement, les yeux dans les yeux, Bjarni agréablement surpris se mit à rire.

-Qu'est-ce qui prend à ma douce moitié ce matin pour ainsi s'introduire auprès du Roi et l'empêcher d'accomplir la lourde tâche qu'il doit terminer le plus vite possible ?

-Sire, j'ai une nouvelle à vous apprendre !

-Cesses de m'appeler Sire ou Majesté, tu sais que ça m'agace petite coquine !

-Eh ! bien, Bjarni, je disais que j'avais une nouvelle à t'apprendre.

-Voyons voir ! Réfusse t'a confié un secret ? Ou on vous a engagé sur le chantier pour tailler les pierres ?

-Ne soit pas bête ! Non ! j'ai vu le médecin ce matin et il n'y a aucun doute…

-Non… ! Tu es… Tu es enceinte ?

-Oui !

La joie de cette nouvelle ne se fit pas attendre. Bjarni se mit à la serrer contre lui.

-Mira, je suis si heureux ! Est-ce possible d'être aussi heureux ? Près de toi, il est impossible de se sentir autrement ! Tu es si merveilleuse… Je t'aime !

Il lui offrit un long baiser passionné. Sur ce, j'entrais dans la pièce et devant la surprise d'un tel spectacle, ma seule réaction fut de me racler la gorge pour signifier ma présence.

-Je vous demande pardon, je vais revenir. Disais-je embarrassé.

-Non ! Mirikof ! Ne partez pas, j'ai une merveilleuse nouvelle à vous apprendre. Tenez-vous bien : Votre Reine est enceinte !

-Comme je suis content d'apprendre une aussi bonne nouvelle, Sire !

-Moi donc, Mirikof, moi donc… Je suis tellement heureux…

-Bon, je vais partir et vous laisser entre hommes maintenant. Dit-elle heureuse de l'effet qu'avait eu sa surprise sur le roi.

-Non ! Ne t'en vas pas ! Reste avec moi !

-Mirikof, voyez comme votre Roi peut être enfantin parfois !

Elle s'éclipsa tout de même vers la sortie lançant un petit regard moqueur à Bjarni.

-Vous avez vu Mirikof comme cette dame fait ce qu'elle veut du Roi ?

-Je le vois bien ! C'est fantastique que ce soit elle parce qu'elle ne profite jamais de sa position pour vous nuire, Sire ! En plus elle commence à vous donner des héritiers. C'est vraiment merveilleux. Si je n'étais pas si vieux !

-Mirikof, je suis tellement content que ce soit le cas. Je n'aimerais pas du tout lutter contre vous !

-Sire, votre humour me touche !

-Je préfère que ce soit mon humour qui vous touche car si c'était mes poings, je pense qu'on aurait tous les deux un problème !

Effectivement, l'humour du roi me fit rire car il avait une mine resplendissante, pleine d'excitation. Avec cette beauté qui déambulait dans les corridors du château depuis quelques mois déjà, un véritablement ravissement pour mes vieux yeux il n'y avait rien de surprenant au fait que le bonheur transpirait même à l'extérieur du château. Les affaires de l'État s'en ressentaient. Elle était l'expression même de la vie et du bonheur.

Quatre mois s'écoulèrent dans l'allégresse et la joie pour les deux amants. Mira avait dû mettre ses projets de construction sur la sellette quelque temps. Son état l'exigeait. De toute façon, les ouvriers étaient expérimentés et suivaient les plans à la lettre. D'ailleurs le bâtiment s'élevait déjà dans la plaine laissant présager une construction d'envergure.

De son côté, la belle organisa avec minutie la chambre de son futur poupon comme une mère oiseau qui apporte brindille après brindille sa contribution à la construction du petit nid douillet. Passant des journées entières à broder, confectionner de la literie, des petits vêtements. Ce qui en surprit plus d'un. Une reine avait les moyens financiers pour voir aux préparatifs et n'avait pas à lever le petit doigt si c'était là son désir. Mira était bel et bien issue d'un milieu modeste et cette frénésie à préparer elle-même chaque chose de ses mains prouvait sans aucun doute qu'elle trouvait tout naturel que ce soit elle-même qui s'en charge. C'était si étonnant pour les dames de la Cour qui n'y comprenaient rien. Pourquoi se donner tout ce mal ? La réponse était si simple dans le fond quand on y pense. Mira restait fidèle à elle-même. Simple et complètement désintéressée par les richesses qu'elle avait pourtant sous la main.

Elle franchirait pourtant une autre étape avant de mettre son enfant au monde celle-là même de vieillir d'une autre année. Eh ! Oui, notre reine allait sur ses dix-huit ans et Bjarni n'allait pas passer sous silence un tel événement. C'est avec l'aide de ses orfèvres qu'il dessina les esquisses d'une magnifique parure à l'image de celle qu'il aimait je crois plus que lui-même. Parée de pierres précieuses, un travail délicat monté sur de l'or jaune et rose, un œuvre d'art sans pareil.

Quand la date arriva enfin, c'est dans le secret le plus complet que fut organisé un banquet. À l'heure du souper, lorsque Mira entra dans la salle à dîner, elle fut surprise d'y trouver autant de monde. Des invités qui se levaient, qui la saluaient et Bjarni tout au bout de la table qui affichait un sourire qui laissait voir sa dentition parfaite.

-Mes chers invités, levons nos verres en l'honneur de votre Reine qui a aujourd'hui dix-huit ans.

Tous s'exécutèrent. Mira, surprise par le fait qu'on pense à souligner son anniversaire, resta figée sur place. Bjarni avait bien gardé son secret dévorant avec appétence la réaction de Mira dont les rougeurs gagnaient ses petites joues et regardait ce petit ventre devenu rond. Bjarni était encore en extase et savourait entièrement chacun de ces moments. Ne voulant pas faire durer cette situation plus qu'il n'en faut, Mira s'empressa de remercier tout le monde de cette charmante attention. Le roi se leva et se dirigea vers elle avec une boîte richement décorée.

-Ma Reine voici le cadeau du Roi ! Un pâle clin d'œil à votre grande beauté et au bonheur dont vous agrémenter si agréablement mon cœur et toute cette Cour.

Elle regardait avec étonnement Bjarni. Il lui tendit la boîte.

-Madame, allez-y ouvrez-la !

Mira l'ouvrit avec délicatesse. Ses yeux s'écarquillèrent en voyant un magnifique ensemble d'une beauté presque renversante.

-Maj… Majesté… comme c'est beau !
-Je n'ai pas droit à un gros bisou ?

Mira sourit, ainsi que les membres de l'assistance. Elle se leva et embrassa le roi au grand bonheur de ce dernier et des personnes présentes qui applaudissaient. Bjarni s'empressa de passer le collier au cou de la belle. Tous regardaient cet ouvrage magnifique qui allait si bien avec la personne qui en était parée. C'était si beau, oui beau, merveilleux de sentir ces deux êtres partagés un tel bonheur que je croyais rêver. Tant de cris, tant de pleurs, tant de peine les avaient déjà séparés et même après ses durs moments, cette sérénité qui flottait partout autour d'eux, c'était merveilleux. Rien ne pouvait égaler ce que j'avais sous les yeux. Moi qui avais vu tant de choses dans mon existence et malgré tout aujourd'hui, je réalisais à quel point ils étaient heureux simplement de s'aimer. Ils l'étaient à un tel point que j'avais l'impression que j'aurais pu tendre le bras et toucher à ce bonheur qui les entourait. C'était peut-être les trois coupes de vin que je venais d'engloutir qui me rendait si nostalgique sur ma propre existence, mais il n'en reste pas moins que ce bonheur était un état qui avait pris une telle ampleur que je les enviais presque. Ils avaient tout, la jeunesse, la richesse, la beauté, l'amour et prochainement leur propre progéniture. Mira me tira de mes pensées quand elle dit au roi :

-Votre Majesté n'aurait pas dû… Votre seule présence est pour moi un cadeau à chaque jour qui passe.

Bjarni regardait les gens attablés et dit :

-Voyez-vous pourquoi, votre Reine est une très grande dame et pourquoi votre Roi en est fou ? Ma seule présence est un cadeau pour elle. Mira, votre simplicité vaut tous les colliers, tous les bijoux, tous les trésors du monde ! Emportez-moi ma chaise je souhaite rester près de la Reine pour dîner ce soir.

Le souper se déroula dans les éclats de rires et de joie.

Après cette fête, les jours se succédaient à rythme fou, s'empilant en semaine et en mois sans que rien ne semble vouloir venir ternir ce bonheur.

La reine radieuse plus belle de jour en jour portait fièrement son ventre rond qui selon les dires des dames était l'annonce de la naissance d'un garçon et non d'une fille. Je n'ai jamais vraiment compris comment elles pouvaient déterminer ça, mais enfin, un garçon c'était, certes, assurer la dynastie et Bjarni, en secret, serait fort heureux que son premier né soit un fils.

L'hiver rude se faisait montrer la porte de sortie par le printemps qui était plus tôt cette année. Les rayons flamboyants du soleil sur la neige, la faisaient disparaître à vue d'œil. La vie qui s'était suspendue pendant un moment s'étirait comme sortie d'un long sommeil et se pointait sous la forme de bourgeons, de perce-neige, de retour de nuages de milliers d'oies. Les hommes n'y échappaient pas non plus. Mère nature avait cette façon de nous ragaillardir les membres comme si des fourmis nous courraient dans les veines.

Les travaux de réfection au château qui débutaient, la construction de l'université qui reprenait, l'animation qui nous gagnait tous, me faisaient penser aux ficelles des pantins que l'on secouait vigoureusement. Mars était là et nous indiquait que le mois d'Avril était sur le point de le supplanter. Et la roue de la vie tournait inlassablement, nous emportant vers d'autres lieux, vers d'autres saisons. Oui la roue tournait depuis si longtemps sans même que ses engrenages ne faillent jamais, nous guidant avec son éternelle et discrète domination.

En ce treizième jour du mois de Mars de l'an de grâce 1348, l'aurore était sur le point de rejoindre le jour lorsque Mira tendrement endormie sur le torse de Bjarni se réveilla en sursaut. Bjarni se réveilla instantanément.

-Qu'est-ce qui se passe Mira ?
-Je ne sais pas, j'ai eu une crampe… Ahhhh !
-Déjà, tu es déjà prête pour nous laisser voir cette petite frimousse, tu ne devais pas avant un bon mois. Est-ce possible ?
-Je ne sais pas… Ahhhh ! Bjarni je n'ai jamais eu d'enfant !
-Je vais aller chercher le médecin et la sage-femme… Tout de suite… Attends-moi, ne bouges surtout pas, reste couchée.

Bjarni s'habilla en vitesse et sortit pour revenir quelques minutes plus tard avec le médecin et la sage-femme. Elle était déjà en plein travail. Le médecin fit sortir le roi et assista la belle dans cette épreuve naturelle.

Bjarni se mit alors à faire les cent pas. Passant et repassant devant la porte de la chambre entendant quelques fois des petits cris de douleurs qui le rendaient particulièrement nerveux. Amik était assis silencieux se remémorant son premier né auprès d'Ursula et souriant aux gestes d'impatience de Bjarni, ça lui rappelait vaguement quelqu'un.

Des servantes sortaient et entraient avec des plats remplis d'eau, des serviettes. Cette circulation n'avait rien d'anormal, mais inquiétait tout de même le papa. C'était une première pour lui et ce sentiment il ne savait qu'en faire. Tout ce qu'il ressentait c'était encore cette impuissance qui lui mettait les nerfs en boule. Ce n'est qu'après six longues heures d'attente que le médecin sortit enfin de la pièce mettant fin à cette attente interminable.

-C'est un garçon en excellente santé, Sire !

-Mirikof, Amik vous entendez, c'est un garçon ! La dame est-elle… ?

-La mère se porte bien, Sire, très bien même étant donné que c'est son premier enfant et qu'il s'agit d'un assez gros garçon.

Bjarni ne portait plus terre. La joie se lisait sur son visage. Il me serrait les bras à me couper la circulation et en faisant de même à Amik. Ce fut de courte durée. Un nuage apparu dans les yeux du médecin qui se pencha à l'oreille de Bjarni et lui dit à voix basse :

-Sire, puis-je vous parler en particulier ?
-Pourquoi ?

L'air déconfit qu'avait le médecin sur le visage assombri le bonheur de Bjarni. L'inquiétude se lisait en toutes lettres sur son front royal. Il entraîna le médecin dans une petite pièce un peu plus loin.

-Majesté… Je… je…
-Mais parlez bon sang, qu'y a-t-il, vous m'inquiétez !
-Étant donné que vous êtes marié avec la Reine depuis environ huit mois, je m'attendais à ce qu'elle accouche dans seulement quatre semaines. Comme il arrive parfois que des enfants naissent prématurément, j'ai pensé que c'était le cas étant donné que cela arrive souvent aux jeunes mères. Mais un enfant prématuré est facilement reconnaissable, Sire. Votre fils Majesté il est à terme… À moins qu'un détail m'ait échappé, sans vouloir vous offenser, Sire. D'autant plus que le petit…
-Quoi ? Qu'est-ce qu'il a ? Il n'est pas normal ?
-Oui… oui… il est normal… Je vous l'ai dit… Il est en excellente santé, c'est un beau et gros garçon !
-Bien dites-le ! Docteur… vous me troublez… Dites-moi ce qui vous chicotte !
-Ce fils tant attendu par votre Majesté… Ce ne peut pas être le vôtre !
-Quoi ? Qu'insinuez-vous ? Je suis certain de la fidélité de la Reine !
-Vous ne me comprenez pas, Sire. La Reine ne vous a pas été infidèle… Elle était déjà enceinte lorsque vous l'avez mariée… Ce fils est celui de Boris.

Cette annonce frappait de plein fouet le roi et sans ménagement. Balayant sa joie, son bonheur par la même occasion. Bjarni silencieux dévisageait le docteur cherchant à comprendre. Il se laissa choir dans un fauteuil. Il n'arrivait pas à faire le point. Il restait aphone. Son cerveau bouillonnait jusqu'à ce qu'il demande au médecin :

-Comment pouvez-vous en être certain ?

-Sire, voyez-vous… La reine… enfin, Boris… il l'a engrossée Sire. Elle ne pouvait pas savoir… Lorsque vous l'avez prise en noce… Vous avez vous aussi… Dois-je tout vous expliquer ?

-Non… Je ne suis pas sot ! C'est vrai que tout s'est passé si vite… D'abord Boris, ensuite moi… Mais comment pouvez-vous être certain qu'il s'agit du fils de Boris ?

-Sire… Vous êtes blond, la Reine est blonde… Il a les yeux, une tête chevelue aussi noire que le plumage d'un corbeau. Je connaissais Boris, Sire. C'est son fils. Il n'y a aucun doute, Sire… Il n'y a aucun doute, la ressemblance est troublante.

-Je vois… Je vois. La mère est-elle informée de ces détails ?

-Sire, en le voyant elle s'est aperçue que quelque chose n'allait pas, elle m'a regardé, je lui ai laissé l'enfant et je suis sorti vous voir…

-Docteur je compte sur votre entière discrétion… Pour le moment, il n'est pas question que quiconque sache. Vous voyez ce que je veux dire ?

-Sire, n'ayez crainte, je ne dévoile jamais ce qui se passe entre moi et mes patients, encore moins ce qui concerne notre bien aimée Reine.

-Très bien, va maintenant… Laisse-moi seul !

Le médecin sortit. Il fallait digérer cette déception. Bjarni resta plusieurs minutes seul dans la pièce. Sentant que quelque chose de pénible venait de se passer, je m'avançai pour aller voir le roi et lui parler, mais Bjarni me fit signe qu'il souhaitait rester seul. Quelque chose n'allait pas. Bjarni semblait si soucieux, si désemparé. Pourtant le médecin avait dit que le garçon était en bonne santé et que la mère se portait bien, je ne comprenais plus rien. Je me retirai, me gardant à l'écart avec quelques servantes.

Boris tu lui auras empoissonné la vie jusqu'à la dernière minute. Maudit sois-tu ! Ah ! Mira ! Quelle tragédie ! Et moi qui désirais tant un fils. Pourquoi ? Tout était trop beau ! Il fallait bien que tu mettes ton grain de sable à l'engrenage, n'est-ce pas Boris ? Maudit sois-tu ! Peu importe où tu es, si tu es vivant ou mort, je te maudis ! Se disait Bjarni.

Il sortit finalement de la pièce et se dirigea vers la porte de la chambre d'où une servante sortait avec l'enfant. À la vue de ce dernier, elle lui montra le bambin emmitouflé dans des édredons. C'était, en effet, un magnifique bébé en parfaite santé. Bjarni le regardait ce petit être innocent qui avait pour mère la fragilité et pour père un roi tyrannique déchu. Ce bambin qui avait grandi dans les entrailles de Mira, qui devait ses premières minutes d'existence aux viols répétés de sa mère. Après avoir bien regardé l'enfant, Bjarni entra dans la pièce. Mira était seule et pleurait, s'étant caché la tête dans les oreillers. Bjarni s'approcha d'elle avec délicatesse.

-Mira, je t'en prie ne pleure pas. C'est un merveilleux bébé.

-Sire, je comprendrais si vous cherchiez à vous débarrasser de la mère et de l'enfant… !

-Ne dis pas de sottises, Mira, personne ne se débarrassera de personne… Tu étais mariée… Tu…

-J'aurais dû me douter, il m'a violé pendant plusieurs jours… Comme j'ai été sotte de croire que Dieu ne m'aurait pas puni.

-Mira, Dieu ne pourra jamais te punir d'avoir été la victime d'un Roi qui ne cherchait qu'à s'assouvir sur toi, c'est plutôt moi qu'il punit… Si j'avais fait plus vite… Si je t'avais gardée auprès de moi… Tout ceci ne serait pas arrivé… Je ne t'en veux pas Mira, j'élèverai cet enfant comme s'il était le mien. Tout ce qui vient de toi, Mira est tellement magnifique…

-Tu es trop bon, Bjarni ! Que diront tous tes ministres… Que penseront les sujets de Sa Majesté puisque leur Reine n'est même pas capable de leur donner l'héritier du trône… Elle leur offre un bâtard, mon Dieu, c'est horrible !

-Ils ne diront rien car personne ne saura. J'en informerai Mirikof, je sais que je peux lui faire confiance…

-Que ferez-vous lorsqu'il grandira et que ses yeux, sa chevelure, sa ressemblance trahiront notre secret ?

-Je suis certain qu'il y a un moyen d'éviter qu'on ne fasse le lien, Mira… Tu as bien un de tes frères, Roberts… Il n'est pas aussi blond que vous tous. Ton père non plus d'ailleurs… On dira que c'est de famille. Je ne sais pas mais il y a un moyen d'éviter tout ça. Ne précipitons rien Mira… Calme-toi ma colombe… Je n'aime pas te voir dans cet état.

-Bjarni je suis si déçue… !

-Eh ! Bien tu ne devrais pas, tu as travaillé dur pour avoir cet enfant… et je peux recommencer quand tu veux… Cette fois il aura les cheveux blonds et tes yeux magnifiques !

-Bjarni je t'aime ! Mais survivras-tu à ça Bjarni ? Je sais que tu es déçu même si tu cherches à me le cacher… Il lui ressemble tellement ! Comment feras-tu lorsque tu seras pressé de questions ? Bjarni ! Non… Je n'ai pas été digne de te donner un fils… un fils à toi ! Tu ne pourras pas survivre à ça Bjarni ! Non…

-Mira... Mira... Tu as bien survécu toi... à bien pire que cette déception qui m'afflige aujourd'hui ! C'est vrai, je suis déçu, mais pas pour les raisons que tu crois, Mira !

-Survivre... à quel prix Bjarni ! Oui, j'ai survécu aux atroces moments auprès de Boris... Mais... mais... aujourd'hui, cet enfant vient de me faire basculer de nouveau dans la douleur... C'est affreux !

-Mira... Je t'en prie... calme-toi ! Écoute-moi... écoute-moi ma colombe. Ce fils ne changera rien aux sentiments que j'éprouve pour toi. Tu n'en as jamais parlé... Tu ne m'as jamais dit ce qui s'était réellement passé au château pendant ces jours qui ont bien dû te sembler interminables avant que nous arrivions avec Etok... Pourtant Mira, ça serait bien mal me connaître que de penser que je ne savais pas... que je ne savais pas ce que Boris avait bien pu faire pendant tous ces jours, toutes ces nuits avec toi. Et pourtant, j'ai marché sur lui, je l'ai vaincu... et je suis allé te chercher jusqu'à la rivière au fond de la Forêt d'Elfe. C'est vrai que je ne pensais pas qu'il avait pu te faire un enfant... mais c'est bien normal quand j'y pense... Mira, il t'a violée à maintes reprises... Mira... Je t'en prie... ne pleure plus ! Je t'aime toujours... aujourd'hui plus qu'hier ! Je ne t'abandonnerai pas... parce que tu as été victime de Boris ! Et ce fils, je suis déçu qu'il ne soit pas le mien, mais ça s'arrête là ! Je le sais, tu le sais, le docteur le sait... Mirikof et ton père le sauront. Nous serons les seuls. Je ne peux pas le faire disparaître... Je ne suis pas d'accord avec ce genre d'idée, ce n'est pas de sa faute à lui, mais celle de Boris. Et le peuple qui sait que tu attendais un enfant... Je ne peux pas cacher son existence et je ne veux surtout pas paraître au balcon et lui dire que tu as eu un enfant mort-né. Ils sont croyants et c'est un mauvais présage pour un premier héritier. Non... Il faut que j'aie un fils... et il sera le mien. Nous... devrons être prudents, c'est tout.

-Petit bébé deviendra grand Bjarni ! Et en vieillissant il lui ressemblera davantage. Que pourras-tu leur dire ?

-Mira, on verra à ce moment... Pour l'instant, un bambin, c'est facile à dissimuler sous des couvertures ! Je ne sais pas moi ! Et je vais tout faire pour peser sur le fait que c'est de famille... ton frère, ton père. Je t'assure qu'ils n'y verront rien d'anormal, surtout si notre joie leur clou le bec, aux mauvaises langues !

-Tu... tu ne... me laisseras pas ?

-Moi, te laisser ? Voyons... Quel fou serais-je ? N'ai-je pas la plus belle femme de toute la Norsufinde ? Que dis-je de tout l'univers ?

-Bjarni ! Je dois être affreuse... J'ai eu si chaud... et maintenant j'ai froid.

-Toi affreuse ? Même avec de la paille à la place des cheveux, un nez rempli de verrues, tu serais belle à croquer !

-Bjarni, comment peux-tu blaguer dans des moments pareils ! Tu es décidément la seule belle chose qui me soit arrivée dans toute ma vie.

-Maintenant nous sommes deux !

-Deux ?

-Oui, moi et le joli poupon que tu as mis au monde. Il n'est pas de moi, mais tu l'as bien réussi. Un garçon fort, beau… n'est-il pas, malgré tout ça, un bel événement dans ta vie ?

-Je suis fatiguée… Je ne suis même pas une bonne mère… Je suis si déçue que…

-Ah ! Mira, ne te dévalorise pas si facilement ! Laisse-toi une chance, tout ceci t'a secouée… tout ceci m'a secoué… Mais nous sommes deux et même trois maintenant. Nous sommes forts, ma colombe ! Pas une armée ne nous vaincra !

Elle se consolait devant ces paroles réconfortantes. Il lui ordonna de se reposer, elle en avait grand besoin. Tout son petit corps était exténué.

J'étais assis dans le petit salon ressassant toutes les possibilités qui me semblaient logiques pour expliquer le passage d'un homme heureux, transporté de joie quelques minutes auparavant vers un homme avec un air déconfit après la naissance de son fils tant attendu. J'essayais de trouver ce qui pouvait bien accrocher ainsi puisque l'enfant était en parfaite santé et la mère aussi. J'aurais enfin su ce qui n'allait pas, Bjarni de sa carrure imposante coupait toute la lumière qui se glissait par l'ouverture de la porte du petit salon où je m'étais retiré. Avec un regard plein de tristesse, il ferma la porte derrière lui et se laissa vachement choir dans le fauteuil devant moi, tira sa tête vers l'arrière passant ses mains dans sa chevelure épaisse. Je n'aimais pas du tout l'image qu'il projetait. Il était pour ainsi dire effondré. Un homme si grand, si fort et pourtant il semblait fragile comme un petit oiseau. Voilà ce que je voyais assis devant moi. Il était fortement ébranlé. Je le connaissais si bien. Je l'avais vu dans cet état qu'une seule fois et c'était lorsqu'il avait laissé repartir Mira auprès de Boris. Qu'est-ce qui le chavirait encore à ce point dans la naissance de son fils ? Il se décida enfin à échanger avec moi toute sa tourmente.

-Mirikof, ce fils que j'attendais avec tant d'impatience n'est pas le mien.

-Que dites-vous Sire ?

-C'est le fils de Boris.

C'était à mon tour d'être frappé de plein fouet. Comme si l'on m'avait asséné un coup de poing en plein visage, j'étais moi aussi sous le choc. Voilà donc ce qui accrochait et quel accroc ! Il reprit :

-Mirikof, je dois régler tout ça et vite. Je vous fais confiance Mirikof. Vous êtes le seul sauf le médecin qui soit au courant… Dites-moi ce que vous pensez de tout ça ?
-Qu'en dit la Reine ?
-Elle est effondrée. Elle ne savait pas. Tout s'est passé si vite… d'abord Boris qui la marie, ensuite quelques jours plus tard nous guerroyions, après je la marie… Elle pensait sincèrement, tout comme moi, que l'enfant qu'elle portait était de moi.
-Comment avez-vous fait pour vous en apercevoir ?
-Un père et une mère qui sont blonds et un enfant avec les cheveux aussi noirs que Boris peut l'être, vous voyez ce que je veux dire ? Et je l'ai vu l'enfant, Mirikof, comme si le sort s'acharnait sur nous, c'est une réplique exacte de Boris… Un Boris en miniature, il n'y a pas de doute !
-Oui je vois Sire. Qu'avez-vous l'intention de faire ?
-J'ai l'intention de reconnaître ce fils comme le mien, et tant qu'à la mère il est sûr et certain que je ne m'en séparerai pas…
-Je trouve que votre geste est très noble, Sire.

Mes méninges se mirent à fonctionner plus qu'à l'ordinaire. Je pensais. Comment parvenir à cacher les origines de cet enfant ? Comment faire pour que personne ne se rende compte qu'il était le fils de Boris et non celui de Bjarni. Il venait tout juste de venir au monde et déjà le médecin, Mira et Bjarni l'avait débusqué ! Ce n'était pas facile de faire avaler aux mauvaises langues leurs commérages qui cette fois auraient été légitimes puisque l'enfant était en quelque sorte un bâtard même s'il était le fils d'un roi qui depuis était déchu et en fuite. Et le trône revient à un héritier de la Couronne, ce qui n'était pas le cas ici. Bjarni n'était pas le père. C'était très délicat.

-Majesté, si vous optez pour cette façon de faire les choses, il faudra être extrêmement prudent, il ne faudra jamais que personne ne sache, et comme on est sans nouvelle de Boris depuis longtemps, il ne faudra jamais que la nouvelle lui parvienne s'il est toujours vivant, il pourrait vouloir votre trône pour son fils et il serait en droit de l'exiger.
-C'est pourquoi Mirikof je vous en parle. Vous avez toujours été de si bon conseil pour moi.
-La reine est-elle rassurée depuis votre discussion avec elle ?

-Pas vraiment. Vous savez depuis que je l'ai retrouvée, jamais elle n'a mentionné le nom de Boris et elle n'a jamais parlé non plus de ce qui s'était passé entre le moment où elle nous a quittés et celui où nous sommes arrivés. Aujourd'hui elle m'a dit qu'elle aurait dû se douter… Elle a ensuite avoué avoir été violée pendant plusieurs jours… J'ai été très choqué par cette nouvelle. D'apprendre que Boris avait autant voulu profiter de la situation privilégiée dans laquelle il se trouvait alors. Je savais que Boris avait des mœurs plutôt légères côté femme, mais je ne pensais pas qu'avec Mira il aurait osé et ce de façon si abusive. C'est horrible quand je pense au cauchemar qu'elle a dû vivre pendant toutes ses heures interminables… Bien entendu, je m'en doutais… mais jamais je n'aurais cru… Pas étonnant qu'elle fût déjà enceinte lorsque je l'ai mariée. Maudit Boris, maudit soit-il !

-Je comprends votre dégoût face à Boris. C'est légitime. Il aura vraiment été abominable jusqu'au dernier moment.

-Abominable n'est pas suffisant pour définir Boris. Et nous qui ne savons rien de ce qu'il est advenu de lui. Si je l'avais en face de moi, là, maintenant, je lui trancherais la gorge !

-Peut-être est-ce mieux ainsi que nous ne savons pas où il est. Car si nous l'avions capturé, il serait dans un cachot à purger sa sentence et si cette nouvelle lui était parvenue, il aurait pu demander réparation pour son fils. Il vaut peut-être mieux ne pas savoir ce qu'il est devenu. Quant à la Reine, elle doit se sentir coupable de vous imposer par la force des choses un fils qui n'est pas le vôtre. Me permettez-vous d'aller la voir et d'en discuter avec elle… Elle se sentira peut-être plus en sécurité ?

-Vous avez as ma royale permission ! Essayez de lui faire comprendre que cela ne changera rien aux sentiments que j'éprouve pour elle, je lui ai dit, mais elle était si bouleversée, je crois qu'elle ne m'entendait plus.

-Sire, je vais aller lui parler. Un vieux loup comme moi qui pourrait être son père, elle aura confiance.

-Merci Mirikof, je ne pourrai jamais assez vous remercier d'être d'aussi bons conseils à mon égard !

-Je suis honoré de le savoir…

-Maintenant, comment dois-je m'y prendre avec ce fils ?

-Sire… Le médecin est-il informé de garder le secret ?

-Oui… Il a très bien compris qu'il n'avait pas intérêt à en parler. Les servantes, il faut absolument leur clouer le bec. Certaines ont dû remarquer l'attitude du docteur et de Mira… Il n'y a pas grand-chose qui leur passe sous le nez. Vous le savez !

-Oui… Ça, je m'en occupe. Pour ce qui est de l'enfant, c'est un enfant en bonne santé ?

-Oui… oui… en parfaite santé même. Un magnifique garçon. Son seul défaut est de ressembler trait pour trait à Boris.

-Bon. Écoutez bien Sire, je crois que le mieux serait de faire comme si de rien n'était. Si, les membres de votre Cour, vos ministres, vos généraux, vous voient heureux, vous, Mira, que le poupon est choyé… Ils n'y verront pas de différence. Du moins, pas tout de suite.

-C'est ce que je pensais. Je n'ai pas l'intention d'étaler cette histoire sur la place publique.

-Bon. C'est un point de gagner. Si l'enfant grandit en ressemblant à Boris… oui… que pouvons-nous faire ?

-Avant que tout ceci nous frappe de plein fouet, il n'en reste pas moins, que nous avons tout de même quelques années devant nous ! De quoi trouver une solution d'ici ces temps-là !

-Oui… C'est un fait. Nous lui tiendrons les cheveux courts… très courts… Même si ses yeux le trahissent…

-J'avais pensé…

-Quoi, Sire ?

-Le père de Mira et son frère Roberts… ils ne sont pas tellement blonds… et Amik a les yeux bruns. Du moins, il me semble !

-Oui… oui ! Vous avez raison. C'est vrai. On pourrait plaider la ressemblance familiale du côté de votre beau-père. Ça ne tiendra peut-être pas la route pendant des années, mais ça fera toujours l'affaire pour quelque temps.

-Voilà. Je me pensais plus sot que je ne suis !

-Ha ! ha ! Sire ! Non… votre idée a du bon.

-Ça tiendra le temps qu'il faudra… si le scandale nous éclabousse un jour et bien on verra bien ce que le bon peuple en pensera à ce moment-là !

-Le peuple Sire, il ne se rebutera pas contre vous et encore moins contre Mira. Quant à cet enfant, s'il est aussi doux que la mère… Le bon peuple ne pourra pas lyncher un enfant avec des qualités pareilles. Ce n'est pas à lui que je pense. Mais plutôt à vos ministres, les autres commandants de l'armée, au clergé à toute cette petite clique d'hommes qui se dévoreraient entre eux pour un peu plus de pouvoir. Eux… ils ne feront pas de quartier. Varek pourrait aussi se mettre de la partie… Ça, il faut absolument l'éviter. Oui, éviter à tout prix qu'il ne l'apprenne. Il est si avide de pouvoir. De plus, il a été confiné dans ses quartiers depuis… Hum ! Ça, Sire, il faut vraiment faire attention. Il faut absolument que vous réussissiez à ne rien faire paraître. Soyez heureux Sire. Il le faut… c'est même une obligation.

-Je n'aurai pas de problème avec ça. Je suis heureux. J'avoue que j'étais un peu déçu que ce fils ne fût pas le mien… mais je ferai avec. Il est de Mira. C'est déjà un point pour lui ! C'est vrai que je n'avais pas pensé à Varek... S'il apprenait ça, adieu, nos plans de dissimulation.

-Sire, votre fils ne doit pas être souvent exposé aux regards de tous. Prétextons qu'il a une santé fragile même s'il n'en est rien. Petit comme il est, dissimulons-le sous des couvertures ne laissant pointer que son petit nez et sa bouche. Je connais bien quelques vieux ripoux qui me donneront conseil quant à savoir comment on change la couleur des cheveux. Il existe des herbes, je ne sais pas lesquelles, mais je sais que ça existe et ça change la couleur des cheveux. Ce n'est rien de permanent, mais je crois savoir que prodiguer souvent ça finit par nous en mettre plein la vue... Enfin... je ne sais trop mais il y a sûrement des moyens qui ne me viennent pas à l'idée dans le moment, mais votre vieux général veillera à ce que ça vienne au bon moment.

-Ah ! Mirikof que serais-je sans votre aide et vos conseils si précieux !

-Il y aurait un autre Mirikof pour vous guider, Sire !

-J'en doute... Voyez-vous Mirikof, si je suis si bien organisé c'est grâce à tout ce qui m'a été enseigné et quand on sait que c'est vous qui fût le bras droit de mon père et qui fût également mon mentor tout au long de ma jeunesse. On ne s'étonne pas que le Roi de la Norsufinde soit aussi équilibré. D'autres Monarques aussi ont leur mentor, mais aucun ne vous arrive à la cheville !

-Que puis-je rajouter à ceci, Sire ! Si vous continuez à me complimenter je ne sais pas si je vais pouvoir ressortir par la porte tellement j'aurai le vent dans les voiles !

Il me sourit. J'aimais mieux son état en sortant qu'en entrant. Il semblait soulager de notre discussion. Je demeurai encore quelques minutes dans le petit salon ressassant mes idées pour que jaillisse enfin celle qui serait la plus lumineuse. Cette histoire était une tragédie. J'avais des boules dans la gorge juste à penser que Boris avait réussi malgré son absence à faire à sa victime un tel gâchis. Mira... Il fallait que je la réconforte que je la soutienne dans cette épreuve car il devait s'agir pour elle d'un véritable chemin de croix. Depuis sa sortie forcée de la Forêt d'Elfe, il n'y avait eu qu'un petit intermède dans laquelle elle s'était glissée se pensant à l'abri des événements qui vous bouleversent qui vous transportent dans des lieux qui se rapprochent d'un véritable calvaire. La petite paysanne n'était pas au bout de ses peines. Qu'avait-elle fait pour que le sort s'acharne ainsi sur elle ? L'enfant lui rappellerait à chaque jour sa prise de possession, son incapacité à lutter, son impuissance. Franchement, je ne savais pas comment elle aurait pu surmonter tout ça encore une fois. Allons, Mirikof, il fallait lui donner cette énergie dont elle avait tellement besoin.

Le médecin fut rencontré. Il fut informé de toute la délicatesse de nos plans. C'était un homme bien, le médecin du roi. Depuis, longtemps il était au service de la Couronne Norvégienne et ses services avaient toujours été de grand secours. Cette fois plus que jamais ça devait être le cas.

C'est donc pour cette raison qu'il prétexta que l'enfant avait une jaunisse sévère et une seule servante eut la permission de prendre soin du jeune poupon. C'était la sage-femme qui avait aidé le médecin à mettre au monde l'enfant et qui connaissait le secret qu'on tentait tant bien que mal à dissimuler qui prit cette charge. Mira se remit vite de son accouchement et prenait soin de l'enfant jour et nuit. Bjarni jouait bien son rôle de père comblé.

Le poupon était continuellement emmitouflé dans des draps de coton ne laissant paraître que son petit visage rond. Lorsqu'on le présentait on attendait toujours le moment où il dormait. Et cet enfant était un dormeur invétéré. Son sommeil semblait imperturbable même si on aurait sonné la cavalerie. C'était pratique. Les yeux fermés, les cheveux d'ébène cachés par les couvertures, il était plutôt difficile au visiteur de s'aventurer à dire à qui ressemblait l'enfant. Ce petit manège dura plusieurs mois. Plus il grandissait, plus son épaisse tignasse frisée noire devenait difficile à camoufler.

Pour ma part, j'étais allé voir un vieil ami, un très vieil apothicaire. Comme j'étais blond quelque peu grisonnant sur les tempes, je lui avais rendu visite prétextant que j'étais trop jeune pour voir des cheveux blancs ! Il s'était beaucoup amusé de me voir si soucieux, tout à coup, de mon physique car il me connaissait plutôt comme ce général qui n'avait jamais attaché aucune importance à ces petits détails. J'avais beaucoup insisté ce qui donnait véracité à toute cette histoire. S'il avait su que c'était pour une tout autre utilité que je voulais entendre ses connaissances en la matière, il n'aurait pas ri autant ! Le henné était la solution. Selon ses dires, cette herbe avait la propriété d'éclaircir la couleur de la chevelure mais il ne me garantissait pas que ça aurait pu cacher mes cheveux blancs.

Cette pratique eut un tout autre effet sur la crinière frisée de notre jeune prince. Car c'est par cette méthode qu'on avait décidé de dissimuler la chevelure de notre jeune protégé. La tignasse du jeune enfant passa graduellement d'un noir très prononcé à un marron profond et plus on répétait l'opération plus ses cheveux devenaient roux ! Eh ! Oui, notre jeune prince était devenu roux. Nous ne pouvions rien faire pour les yeux mais ces cheveux étaient devenus une tignasse de feu ! Même si la blondeur ne voulait pas se frayer un chemin sur cette petite tête nous avions tout de même réussi à transformer l'enfant en bel écossais ! Il grandissait et passait déjà aux étapes des premiers pas et nous ne pouvions plus le dissimuler sous des couvertures. Cette étape était révolue et il fallait continuer sans qu'aucun soupçon ne vienne alarmer qui que ce soit. Mira était toujours sur le qui-vive.

Nous avions plus de chance que nous l'avions espéré. L'arrière-grand-mère de Bjarni était une rousse. Comme c'était cocasse d'entendre les vieilles commères de la Cour s'adresser au Prince en lui disant qu'il retenait cette chevelure de son aïeul ! Comme je savais que c'était bel et bien le fils de Boris et que sa ressemblance était troublante, je m'amusais de voir que personne ne s'était réellement rendu compte de ces traits physiques pourtant si évidents. Il faut dire que je connaissais très bien Boris et que la plupart d'entre eux le connaissaient vaguement et depuis qu'il était sorti de la monarchie on l'avait oublié.

Le réveil

Mira vivait et prospérait… Aux côtés de Bjarni, ses jours troublés semblaient faire partie de souvenirs lointains. Éric grandissait. Éric était le prénom du petit prince. Malgré le temps qui passait, elle n'avait pas oublié son premier amour et se disait qu'elle lui devait bien cette marque de reconnaissance. L'ironie, c'est que cet enfant était le fils de Boris qui avait lui-même mis fin aux jours du prétendant de la belle.

L'enfant était devenu un petit homme et marchait depuis quelques semaines déjà. Mais par ce matin pluvieux de mai une autre étape venait d'être franchie. Éric avait fait une phrase complète. Il parlait ! Comme pour les premiers pas du jeune prince Mira se précipita vers le bureau de Bjarni pour lui apprendre la nouvelle. Les domestiques lui apprirent qu'il venait tout juste de quitter son bureau pour se rendre vers sa chambre. Elle changea donc de direction pour se rendre en courant vers sa chambre.

Au fait que fait-il dans notre chambre en plein après-midi ? Lui qui ne sort pratiquement jamais de son bureau sauf pour visiter ses Seigneurs ? Étrange ! Il est peut-être souffrant ? Pensait-elle.

La porte de la chambre était fermée et elle entra sans crier gare. Elle s'arrêta pourtant dans sa course, figée. Son sourire se transforma en étonnement le plus complet. Elle referma aussitôt la porte et resta accotée au mur quelques secondes pour repartir en courant vers les jardins.

-Mira ! Mira ! Non… Merde ! criait Bjarni. SORS D'ICI IMMÉ-DIATEMENT. Hurlait-il.
-Pourquoi sortirais-je ?
-Tu avais préparé ton coup ! N'est-ce pas Miranda que tu avais préparé ton coup ! Tu es entrée ici en te jetant sur moi… Tu…
-Oh ! Majesté ! Que ne faut-il pas entendre ! Je suis entrée dans cette pièce et vous ne m'avez pas chassée !

-NON ! NON, JE NE T'AI PAS CHASSÉ… PARCE QUE J'ÉTAIS CONVAINCU QUE C'ÉTAIT MIRA ! Il hurlait de plus belle.

-Sire… pourquoi ? Pourquoi, vous réservez-vous pour elle ? Vous avez le droit d'avoir des maîtresses ! Tous les Rois en ont ! Et certains en collectionnent… Pas vous ? Vous êtes différent des autres ?

-SORS ! GARDES… GARDES !

Les cris rapatrièrent quelques gardes qui arrivaient à la course vers l'origine de la demande.

-EMPAREZ-VOUS D'ELLE ET JETEZ-LA AU CACHOT ! JE NE VEUX PLUS LA VOIR !

Les gardes l'empoignèrent et la dame fut sortie sous un tollé de protestations. Bjarni ne demanda pas son reste et sortit en courant comme un damné.

-Vous avez vu la Reine ? Demandait-il à tous ceux qu'il rencontrait sur son chemin.

-Non, Sire…

-Oui… moi, je l'ai vu. Elle entrait en courant vers les jardins.

Bjarni ne faisait ni une ni deux. Ne demandant pas le passage à qui se trouvait au travers sa route. Il accourut vers les jardins. Mais… pas de Mira. Il regardait partout, faisait tous les sentiers, rien elle était introuvable. Paniqué, Bjarni tournait sa tête de gauche à droite cherchant à travers cette flore quelques signes de sa colombe. Les oiseaux chantaient. Les branches des arbres dansaient balancés par une petite brise. Tout était calme. Il fit le tour… puis revint sur ses pas. Elle était peut-être repartie vers le château. Il allait quitter les jardins quand il passa devant l'une de ses nombreuses "aeternam floreŏ" et aperçut un brin de jupon qui tombait juste à côté du tronc d'un palmier. Il entra et se dirigea complètement à l'arrière de la serre. Elle était assise contre le tronc de l'arbre, la tête sur les genoux, les bras croisés en larmes. Il s'accroupit.

-Mira !

Elle sursauta et leva la tête.

-Mira ! Ma colombe… Ce n'était pas…

-Ne dites rien… Laissez-moi seule…

-Non… Mira ! Ce n'était pas du tout ce que tu crois.

-Votre Majesté a le droit d'avoir des maîtresses… Laissez-moi seule.

-Mira… Ce n'était pas du tout ce que tu crois… Je te le jure ! Je n'ai pas de maîtresse !

-Sire, je ne suis qu'une sotte… Je sais pourtant que tous les Rois ont des maîtresses. J'ai eu un enfant et je ne suis plus la jeune demoiselle fraîche que… Je suis juste honteuse de vous avoir surpris et d'avoir cru que j'étais la seule pour vous ! Je ne suis qu'une sotte !

-Mira ! Ce n'est pas vrai. Tu n'es pas une sotte… et tu as raison d'avoir cru que tu es la seule. C'est peut-être vrai que beaucoup de Rois ont des maîtresses, mais pas tous. Moi, je te jure que je n'en ai pas.

-Sire… Ne me mentez pas… Elle était déjà là bien avant moi… Elle me l'a dit.

-Quoi ? Comment Mira ? Elle s'est déjà adressée à toi ?

-Oui… Souvent.

-La petite salope !

-Non… ne la dénigrez pas… Ce n'est pas bien.

-Que si que je vais la dénigrer ! Que si Mira ! Je suis dans une colère à cause d'elle ! En plus, elle te fait pleurer ! Je vais la faire châtier pour avoir osé !

-Non… Non… ne faites pas ça ! Elle a eu beaucoup de peine Sire parce que vous l'avez laissée après notre mariage… Vous l'avez si souvent demandé pour qu'elle vous aide à passer vos nuits… Elle ne mérite pas ça !

-Quoi ? C'est ce qu'elle t'a raconté ?

-Sire, je ne vous en ai pas voulu. J'étais déjà partie avec Boris… J'étais mariée… Vous aviez le droit. Même, si comme elle me le disait, vous aviez un appétit démesuré après mon départ. Je ne vous en ai pas voulu… Je comprenais que vous aviez besoin d'une femme. Qu'elle était prête à vous servir et que ça lui faisait plaisir de répondre à vos requêtes, même si elles étaient exagérées. Vous étiez déçu de me voir partir… Elle a pris grand soin de vous pendant votre convalescence… Toutes ses nuits qu'elle a passées à panser votre plaie à s'occuper de vous… à vous détendre ! J'ai de la peine, parce que je pensais que c'était fini… et vous surprendre comme ça… vous voir dans ses bras… Je savais que vous l'aviez revue après que j'ai eu Éric… Ses longues nuits après qu'une femme a eu un enfant… sans que vous puissiez… J'ai compris mais je pensais que depuis vous n'aviez plus besoin d'une autre femme… et vous voir de mes yeux… ça m'a brisé le cœur.

Bjarni se leva debout, le torse gonflé comme un pigeon. Il se mit à frapper des rosiers de son épée faisant virevolter des roses par dizaines qui finissaient leur vol comme une nuée d'oiseaux qui se posent. Cet emportement eut pour effet d'effrayer Mira. Il finit de bûcher les rosiers, se retourna vers elle les yeux remplis d'éclairs.

-Comment, toi, Mira… as-tu pu croire à de telles inepties ?
-Pourquoi êtes-vous si fâché ?
-Fâché ? Fâché ? Ce n'est pas le mot Mira ! Si je l'avais sous les yeux, là… je lui trancherais la gorge !
-Oh ! Bjarni ! Non !
-Comment as-tu pu croire cette vipère !
-Bjarni… Ne me dites pas qu'elle a menti… Ne vous sentez pas obligé de me faire croire ça pour que j'aie moins de peine… Ce n'est pas nécessaire… Je ne suis peut-être pas assez… assez disponible pour vos besoins, Sir ? Ce n'est pas à elle à en payer le prix, mais plutôt à moi de vous donner davantage afin que vous n'ayez plus à réclamer ses services… la fautive dans cette histoire c'est moi, pas elle.
-Mira… est-ce que tu t'entends ? Écoute ce que tu dis ! C'est de ta faute maintenant ! Merde ! Enfin Mira ! En plus, pour ajouter, tu me vouvoies ! Signe que tu es contrariée. Écoute bien ceci, j'ai largement ce que je voudrais avoir d'une femme Mira. Tu me combles dans les moindres détails… Et comment peux-tu te remettre en question comme ça Mira ? C'est tout le contraire… Tu es si affectueuse que j'éprouve parfois des problèmes à te contenter ! Et c'est toi qui penses que j'ai des besoins extravagants ? Mira… Mira… Miranda est une véritable vipère, une calamité… Non… ne dis rien… ne la défends surtout pas ! Non… Si j'avais su… Si tu me l'avais dit ! Comme ses paroles ont dû te blesser… te faire du mal… Mira, ma colombe ! Non… Non… Non… Si j'avais su tout ça bien avant aujourd'hui… Tu es une femme admirable, Mira… Tu as gardé tout ça secret et son petit manège aurait pu durer encore bien longtemps… Elle s'amusait à te faire souffrir… bien inutilement…
-Pourquoi, Bjarni m'aurait-elle menti ? Pourquoi ?
-Je vais te le dire pourquoi moi ! Miranda, c'est vrai, j'ai fait l'erreur… Je le dis bien, l'énorme erreur de la laisser venir dans ma couche quelques fois… et je dis bien… quelques fois. Tout ceci s'est passé bien avant que je ne te rencontre. Je me suis vite rendu compte que Miranda était bien plus intéressée à ma Couronne qu'à moi. Je l'ai donc écartée. Je lui ai même dit, Mira. Je lui ai tout expliqué. Mais vois-tu, Miranda est le genre de femme qui s'accroche. Pas seulement à un homme, mais au pouvoir. Elle a tout essayé, Mira. Elle m'attendait dans mon lit le soir, complètement nue. Elle venait me voir. Elle s'entichait de moi… et sache que je n'étais pas le seul. Non, Miranda, avait et a toujours beaucoup d'amants. Elle passe d'un lit à

un autre uniquement dans le but de finir mariée à quelqu'un d'important… et le Roi… penses-y un peu Mira… Le Roi, c'était son cheval de bataille préféré ! D'autant plus que le Roi avait fait une erreur monumentale, il lui avait ouvert sa couche quelques fois. Assez pour raviver le feu le plus mort qui soit. J'ai tenté de réparer, Mira… Que j'ai essayé… J'ai expliqué… j'ai parlé… J'ai perdu des jours entiers ! Mais elle s'accrochait. Je ne suis pas un homme qui veut que les autres soient malheureux à cause de moi, Mira. Le Roi que je suis essayait avec douceur de lui faire entendre raison, mais, la douceur, la compréhension, les explications, rien… non, rien ne fonctionnait. J'ai donc choisi l'indifférence pendant plusieurs mois. Elle n'a jamais démordu. Quand je t'ai ramenée ici, Mira, sa jalousie était telle qu'elle t'aurait arraché les yeux. Et je ne fais que répéter ce qu'elle m'avait alors dit. Après, Boris est venu te reprendre, tu es partie, tu t'es mariée, mais depuis longtemps, Miranda n'avait plus réussi à revenir dans la couche du Roi… Je te le jure sur la tête de mon père, Mira. Et ce n'est que mensonges tout ce qu'elle a pu te raconter sur mes soi-disant requêtes, ses soins durant ma convalescence et que j'ai eu besoin de ses caresses après que tu es eu Éric… Mira… des fabulations venues directement du fond de la tête d'une jalouse vipère.

-Peut-être Bjarni, mais aujourd'hui ?

-Parlons-en d'aujourd'hui. J'étais dans notre chambre, oui, je ne devais pas y être, mais une servante est venue me dire que tu viendrais m'y rejoindre. J'ai trouvé ça étrange, mais Mira… Je me suis dit que tu avais besoin de me parler ou peut-être encore mieux, de mes caresses. J'étais à la fenêtre. On est entré. Convaincu que c'était toi, je ne me suis pas retourné attendant que tu fasses comme tu le fais si souvent que tu viennes m'étreindre en te collant contre mon dos. C'est exactement ce qu'elle a fait… Mais, ses mains ne sont pas les tiennes, je m'en suis rendue compte. Je me suis retourné et comme j'allais lui dire ma façon de penser, elle s'est jetée sur moi… et comme si ce n'était pas assez, tu es entrée en coup de vent ! Et comme le vent… tu es ressortie aussitôt.

-C'est un peu tiré par les cheveux toute cette histoire Bjarni… Je suis désolée mais…

-Mais, ma chère, c'est pourtant la vérité ! Tu n'es pas obligée de me croire, mais tu es obligée de me suivre !

-De te suivre ?

-Oui ! Tu vas venir avec moi au cachot !

-Au cachot ? Mais… mais pourquoi ?

-Pour un face-à-face ma belle.

-Un face-à-face, mais avec qui ?

-Avec Miranda, Pardi !

-Comment… comment… elle est au cachot ?

-Où croyais-tu que je l'aurais envoyée après ce qu'elle venait de faire ? Ne te rends-tu pas compte Mira, qu'elle avait organisé toute cette petite histoire pour que tu partes loin de moi ?

-Mais... Bjarni... au cachot... une dame... tu...

-Non, Mira. Miranda savait très bien que si je découvrais son petit jeu, elle aurait, cette fois, droit à mes fougues ! Elle a eu ce qu'elle méritait... dame ou pas... C'est assez ! En plus... Si j'avais su tout ce que tu viens de me dire... Elle n'aurait pas eu le temps de se rendre au cachot ! Je suis doux, mais tu le sais mieux que personne Mira... il m'arrive parfois de perdre la tête... surtout quand il est question de toi !

-Bjarni... Je te crois... Je ne veux pas mettre les pieds au cachot ! Je te crois. Libère-la. Après tout, Bjarni, elle... elle n'a pas commis de meurtre !

-Si... Elle a bien failli assassiner notre couple... et elle t'a brisé le cœur Mira... C'est bien suffisant pour moi !

-Bjarni... Je ne veux pas aller au cachot... Je ne veux pas la voir... Libère-la, envoie-la où tu veux, mais ne l'enferme pas dans un cachot... c'est affreux !

-Tu en es certaine Mira ? Tu ne veux pas te venger d'elle ?

-Non... la vengeance... la vengeance n'est pas une solution... Je ne me vengerai pas sur l'un de mes semblables... même si la personne a été d'une méchanceté démesurée... Je n'aime pas la vengeance ! Ce n'est pas serein... Ce n'est pas réconfortant... Non...

-Bien... Puisque tu me le demandes. Je vais la faire libérer. Mais, sache que je la ferai exiler. J'aurais dû le faire, il y a très longtemps. En attendant que je donne mes ordres, ma douce colombe... Viens... approche... Dis-moi où tu courais comme ça quand tu es entrée en fronde dans la chambre ?

-Ah ! Bjarni... J'étais si heureuse... et tout ceci m'a bouleversée... Le nuage est passé ! Majesté, Éric parle !

-Non ? C'est vrai ?

-Oui... Il fait des phrases et toute à l'heure une phrase complète.

-Ah ! Mira... Regarde comme on est heureux ! Comment as-tu pu croire que dans d'autres bras que les tiens j'irais me blottir pour avoir ce que tu es la seule à pouvoir m'offrir ? Je t'aime Mira ! Et je ne suis pas comme les autres Rois... je n'ai pas de maîtresse... parce que je n'ai pas une Reine comme les autres !

-J'ai eu si mal... Comme je suis sotte !

-Ah ! Tu es sotte, mais tu es ma sotte à moi ! À moi tout seul... La plus belle Reine sotte qui puisse exister ! Une Reine sotte avec des seins... hummmmm ! à faire rêver même les impuissants... des lèvres douces comme le velours... un entrejambe... hummmm !

-Bjarni ! Arrête ! Ne me chatouille pas ! Non… Ha ! ha ! ha ! Arrête… Non… !

Voilà que Bjarni recommençait son petit manège afin de détendre l'atmosphère. Mira essayait de se libérer toujours sans succès dans de pareils moments. Il la faisait rire à en perdre le souffle. Quand elle ne pouvait plus tenir sur ses jambes, il la soulevait et disait toujours des tas d'âneries pendant son transport jusqu'à ce qu'elle le frappe sur l'épaule et débarque le suppliant d'arrêter ce doux supplice.

Elle aimait Bjarni et il lui rendait bien. Cette petite crise de couple s'était éteinte aussi vite qu'elle s'était allumée et leur vie commune reprenait son cours normal.

Le temps passait comme l'eau qui coulait dans les rivières à un rythme constant et régulier. La pendule du temps ne s'arrêterait pas. Non, ni pour un roi, ni pour une reine.

Et puis, vint le jour où… Le destin de Mira devait prendre le chemin qui avait été tracé. Un tracé sinueux mais qui avait des aboutissements imprévisibles et exceptionnels. Jadis, pucelle, toujours d'une beauté déconcertante, la jeune adulte était devenue La Reine. La seule dont on parlait toujours avec des lumières dans les yeux, des fleurs dans les mots, des papillons pleins le cœur… Oui Mira brillait telle une étoile scintillante la nuit. Elle brillait sur tout son royaume et étendait sa lumière au-delà de la Norsufinde. Bjarni avait réussi à préserver la légendaire Mira comme l'être mystique et adulé du peuple et sa réputation se transmettait d'un endroit à un autre au-delà de nos frontières. Une merveilleuse petite paysanne devenue reine et qui avait gardé un cœur pur et une candeur qui bousculaient les hommes d'État. Mais nous n'avions rien vu encore… Rien de ce qu'elle recelait au plus profond d'elle-même.

Un matin d'hiver de l'an de grâce 1350, une tempête faisait rage depuis bientôt deux jours. Le ciel gris déversait des tonnes de flocons sur la Norvège et le vent semblait se rebeller balayant cette neige partout dans le pays. Les arbres vacillaient et se vidaient de leur manteau blanc. Les chemins se gorgeaient à un point tel qu'il était difficile de manœuvrer par ce temps. C'est donc, assise dans la bibliothèque dévorant, livres après livres près d'un foyer pétillant, que Mira se réchauffait par un moins vingt-cinq degrés et par une tempête déchaînée. Bjarni vint la rejoindre et lui passa ses mains froides dans son corset, lui empoignant les seins.

-Ah ! Bjarni ! Tu as les mains glacées… Petit cochon… Brrrrrrr ! Enlevez-moi ces mains que je ne saurais garder plus longtemps contre ma poitrine !

-Oh ! Ma Reine ! Il faut bien réchauffer les pauvres mains glacées du Roi quelque part ! Où, ailleurs qu'entre vos seins je pourrais les réchauffer ? Il y a bien un autre endroit que je sais chaud… mais vous m'auriez rué de coups de pied ! Tandis que là… Couché comme ça par-dessus vous… il ne vous reste que vos petites mains pour tenter de me repousser !

-Cochon ! Vous êtes un incorrigible cochon ! Toutes les excuses sont bonnes pour vous faufiler, soit sur ma poitrine ou entre mes cuisses ! Cochon ! Cochon ! Cochon ! Je ne le dirai jamais assez… Le Roi de la Norsufinde est le plus grand des cochons ! Laissez-moi ! Chauffez vos grosses mains auprès du feu… Ouste ! Plus vite que ça ! Et mettez votre ardeur que je sens sur ma cuisse dans le feu… Cela vous changera les idées !

-Oh ! Qu'elle est méchante ! Mettre mes ardeurs au feu ! Il y a bien d'autres moyens… beaucoup, beaucoup, beaucoup d'autres moyens pour que mes ardeurs changent non seulement d'idées, mais de forme et d'ampleur… Ne le savez-vous pas ?

-Bjarni ! Depuis quand prenez-vous la Reine dans une bibliothèque où il n'y a pas de porte… et que les servantes… les gardes peuvent voir ? Serait-ce une nouvelle méthode ? Mettez-moi au parfum ! Dites-moi si j'ai manqué quelque chose ?

-Ha ! ha ! Certes, chère dame, vous venez de me couper toutes les envies juste par votre bon jugement. Ha ! ha ! Mais que veux-tu Mira, quand je te touche j'oublie tout ce qui se passe autour de moi !

-Si tu n'enlèves pas tes mains de mon corsage… Bjarni !

-Tes seins sont beaucoup plus efficaces que le feu lui-même ! Je n'ai plus froid aux mains ! Je les enlève !

-Ah ! Enfin… Ouf ! Je respire mieux ! Assois-toi près de moi et lis. Ça te fera du bien !

-Bien ! Vos désirs sont des ordres Madame. Dis-moi, où est notre tourbillon ? Depuis qu'il marche et qu'il parle, il est venu dans mon bureau ce matin. Il a tout fait basculer mes peines de mort !

-Ha ! ha ! Que c'est bien fait pour toi ! Ne sais-tu pas que la vérité sort de la bouche des enfants ?

-Je le sais mais c'est qu'il a fait tout ça… sans dire un mot !

-Peut-être mais les gestes ne valent-ils pas davantage que des mots ?

-Oui. En plus que mon pot d'encre est tombé. Quel gâchis ! Je n'arrivais plus à lire rien du tout !

-Ha ! ha ! Comme je disais, bien fait pour toi ! Des peines de mort, quelle utilité ? Voilà ce que le Prince Éric voulait te faire comprendre.

-Il est bien comme sa mère ! Pas un mot, silencieux mais espiègle, renversant tout sur son passage ! Grrrrrr ! Comme sa mère !

-Hi ! hi ! Oui ! Point besoin de se perdre en tergiversations !

-Où est-il cet escogriffe ?

-L'escogriffe de Prince dort ! C'est bien normal après avoir fait un tel travail dans votre bureau, à la cuisine et à la salle de bal !

-À la cuisine ? À la salle de bal ?

-À la cuisine, le jeune homme a sorti tout ce qu'on peut appeler casseroles, chaudrons, cuillères et le pauvre cuisinier... C'est le cas de le dire, il avait les pieds dans les plats ! Comme les plats ne sont pas des sabots et bien, le pauvre, que penses-tu qu'il soit arrivé à la préparation qu'il tenait dans ses mains lorsqu'il se dirigeait vers le feu ?

-Ha ! ha ! ha ! Et la salle de bal ?

-Le coquin qui riait aux éclats de voir, poivrons, patates, carottes, etc., voltigés de manière si amusante, s'est ensuite lassé du fouillis qu'il y avait causé aux cuisines. Rapide comme l'éclair, il est sorti. Oui, sorti. J'étais aux cuisines, moi, et je riais. Oh ! Que c'est méchant quand j'y pense. Pauvre cuisinier ! Tout le monde qui y était riait ! Pas lui par contre ! Ha ! ha ! Bon, je disais donc, que le coquin est sorti quand nous étions toutes occupées à réparer le dégât qu'il venait d'occasionner, sûrement en courant. Je le vois même si je ne le suivais plus. En courant, il s'est rendu jusqu'à la salle du bal où, son attention a dû être attirée par les domestiques qui y faisaient le ménage. Donc, l'un de vos domestiques était à laver les carreaux des fenêtres quand, ce petit coquin est arrivé trouvant que le Monsieur avait un bien bel escabeau. Il a tenté de gravir les marches, mais voilà, il est tombé et votre domestique, votre Majesté, fut surpris par ses rires et perdit l'équilibre. L'escabeau, le sceau d'eau... encore des objets qui voltigeait et qui faisait grand fracas. Ah ! ce qu'il riait. Je l'entendais des cuisines !

-Et le domestique ? Il s'est blessé ?

-Non, un véritable miracle ! Car il semble qu'il a dû se contorsionner pour ne pas tomber sur ce cher Éric. Là aussi, il était le seul à ne pas rire. Ceux qui étaient, riaient aux éclats. Si le Prince continue comme ça, il ne restera plus rien dans cette demeure qui soit intacte !

-Ha ! ha ! Un véritable tourbillon ! Ha ! ha ! Comme ça met de la vie dans un château, les enfants ! Il peut bien dormir ! Ça doit être épuisant de rendre la vie impossible aux autres ! Ha ! ha ! Bon, je vais lire moi aussi...

Il se leva et se rendit en face de son immense bibliothèque. Cherchant avec peine, un livre qu'il n'avait pas déjà lu. Il en tirait un, l'ouvrait, puis le remettait en place, puis une autre. Il s'étira au maximum, sur une des dernières tablettes, où il y avait un vieux livre qu'il réussissait à toucher du bout des doigts. De ses 1 m 98, il n'y parvenait pas. Une chaise serait nécessaire pour réussir. Debout sur la chaise, il parvint à son but. Il tira le livre. Une série de vieux parchemins suivirent et prirent la direction que commande si bien la gravité et s'éparpillèrent sur le plancher. Mira leva les yeux de sa lecture.

-Bjarni, tu veux imiter Éric ? Tu te lances dans la dévastation ?

-Hé ! hé ! Je ne lui arrive pas à la cheville du pied ! J'ai besoin de pratique !

-Non ! Ne descendez pas de la chaise, votre très Grande Majesté !

-Pourquoi ?

-Du point de vue où je suis... La vue est tout simplement... Éblouissante !

Bjarni se mit à faire la pause. Tantôt les bras sur les hanches gonflant son torse, tantôt écartant les genoux faisant penser à une ballerine.

-Ha ! ha ! Non... descends ! Ça vaut mieux... il y a dans ce château des âmes sensibles et tu pourrais être la cause de leur évanouissement ! Ha ! ha !

-Oh ! Reine Mira ! Vous n'appréciez rien ! Oh ! Je descends ! Je descends ! Vous venez de porter atteinte à mes aspirations de modèle pour un peintre ! Oh ! Oh ! Que je suis malheureux ! Personne ne me comprend ! Je suis le Roi le plus incompris du monde ! Même ma femme rit de moi !

-Ha ! ha ! Bjarni ! Tu ne changeras donc jamais !

-Changé ? Pourquoi ? Je suis grand, je suis beau, je suis Roi... Pff ! Ce n'est pas une petite Reine de la Forêt d'Elfe qui viendra m'amenuiser ! Ah ! Ça non ! Je suis le plus bel homme de cette Cour, ne vous en déplaise, Madame !

Il levait le nez et prenait un petit air prétentieux pour amuser Mira qui se cachait la bouche de son livre.

-Ne riez pas en plus ! Vos rires Madame, ne rendent pas justice à la beauté que je suis !

-Ha ! ha ! Si tu te voyais ! Le bec pincé... Ha ! ha ! Bjarni... tu es impossible !

-Bon, voilà autre chose ! Je suis impossible maintenant.

-Ha ! ha ! Hum ! Ramassez plutôt le dégât que vous venez de faire.

-Je passe du plus bel homme de la Cour à celui de domestique. Ah ! Les femmes, je vous jure ! Elles n'ont pas leur pareil pour nous...

-Pour vous quoi ?

-Pour nous faire pencher, pardi !

-Ha ! ha ! Bjarni !

-Je vais être courbaturé ce soir et vous vous en plaindrez, Madame ! Je le sais !

-Moi ? Non ! Je ne me plains jamais ! Surtout pas de vos cooooouuuurbatures !

-Ah ! Voilà ! Mes courbatures maintenant. Tout mon corps va y passer. Mon physique va y passer ! Je sens que je vais ressortir de cette pièce plus court qu'un nain !

-Ha ! ha ! Bjarni ! Bjarni ! Je reprends mes paroles, tu n'es pas impossible, tu es un délice !

-Hum ! Ça doit cacher quelque chose ! Un mot gentil qui suit un tas d'insultes ! Hum ! Je me méfis…

-Votre tâche est finie, Monsieur ? Il en reste une, là.

-En plus, elle est assise et me commande au doigt et à l'œil. Je suis un homme éprouvé. Ah ! Mon Dieu ! Venez-moi en aide. Elle sait tout, elle voit tout !

-Oui… Oh ! Votre très grande Majesté, vous avez omis de dire que je touche tout aussi… tout votre corps du plus bel homme de la Cour !

-Oh ! Que je suis offensé ! Elle ose ! Elle ose ! Elle ose me rappeler que j'ai la chair faible !

-Ha ! ha ! Mais dure aussi !

-Oh ! Mais c'est qu'elle persiste ! Oh ! Vous m'étrillez Madame et si vous continuez, vous aurez affaire à moi ! Le Roi vous obligera à toucher tout ce qui peut être dur sur lui ! Oh ! Qu'elle vilaine coquine !

-Ha ! ha ! Venez me donner tous ces papiers que je regarde ce que votre chair faible et dure a fait tomber.

-J'accours, même si je trouve que vous donnez beaucoup d'ordres au Roi ! Je ne suis pas votre esclave !

-Mais si vous l'êtes. Assis !

-Oh !

-Donnez-moi ces papiers ! Ne les cachez pas derrière votre dos !

-Faites au moins l'effort de vous lever et de les prendre. A-t-on idée de dicter au Roi tout ce qu'il doit faire ! C'est très inconvenant, Madame !

Elle se coucha complètement sur le divan ouvrant ses bras ressortant sa poitrine.

-Diablesse ! Oh ! Tu es une diablesse… Que peuvent bien contenir ces feuilles de papier pour ainsi vous coucher devant moi ? Grrrrrr !

Diablesse ! Vous savez que je ne peux pas résister à ça ! Ah ! Je suis vaincu !

-Alors, ça vient ces feuilles ?

-Petite diablesse ! Si le Roi arrivait bien avant les feuilles ?

Il se coucha sur elle, la couvrant de baisers.

-Ha ! ha ! Arrête ! Ha ! ha ! Tu me chatouilles encore ! Ha ! ha !

-Tu l'as bien cherché, petite diablesse !

-Ha ! ha ! Mais j'ai les feuilles ! Ha ! ha !

Il roula par terre. Mira riait d'un cœur.

-Espèce de…

-Espèce de quoi ? Je suis par terre ! Vous m'avez fait tomber par terre ! Moi, un Roi, un guerrier, un homme ! Quelle honte ! j'espère que personne n'a vu !

-Hi ! hi ! Moi, j'ai vu !

-Ah ! Qui croira qu'une femme comme vous a fait rouler le Roi en bas d'un divan ?

-Tout le monde !

-Oh ! Je suis perdu !

-Non, Votre Majesté est juste par terre. Laissez-moi regarder ces feuilles.

Elle s'assit confortablement, Bjarni toujours par terre la regardait amusé. Les sourcils froncés, Mira semblait soudainement porter inté-rêt à ce qu'elle avait sous les yeux.

-Quoi ? Qu'est-ce que ces papiers ? Tu sembles si intriguée, Mira ?

-Attends… J'essaie de comprendre. Tu les as probablement désor-données quand tu les as fait tomber.

Elle les manipulait avec soin et tentait de remettre de l'ordre dans cette dizaine de feuilles jaunies et vieillies par le temps. Bjarni se releva et vint s'asseoir près d'elle. Elle continuait à essayer de trouver l'ordre initial et quelques minutes plus tard, semblait y être parvenue. Le document était un parchemin écrit en très vieux Norvégien. Les feuilles étaient parsemées de nervures et les rebords étaient rongés, signe de vieillesse. Sur la première feuille une inscription en encre noire en caractères gras : "*La route de l'oublie*". L'ensemble du do-cument donnait l'impression à Mira qu'il s'agissait d'un récit important qui avait été conservé dans cette bibliothèque pendant plu-sieurs années, voire mêmes des centaines d'années.

-Qu'est-ce que c'est ? La route de l'oublie ? Demanda Bjarni

-Attends, je vais tenter de le lire, ce n'est pas évident. Il y a des termes, des mots que je n'arrive pas à lire. Il me semble que ce soit bien du Norvégien, mais… vous n'écrivez pas tout à fait comme ça et…

-Et ?

-Attends, Bjarni…

Elle avait les yeux rivés sur le document.

-Va chercher, Reinstenson !

-Reinstenson ? Pourquoi ?

-Il est un homme de lettres, un homme passionné par l'histoire. Il connaît les langues étrangères et l'histoire des langues. Je déchiffre quelques brides, mais… Va le chercher.

-Pourquoi ? Ce n'est pas si important, j'aime bien mieux être près de toi et te voir te creuser les méninges… Tu es si belle !

-Ah ! Bjarni ! Va donc ! Tu me regarderas même si Reinstenson y sera aussi. Et ne dis pas que ce n'est pas important… Je pense plutôt que c'est très important, parce que ce que je réussis à lire…"*D'autres routes te conduiront jusqu'à la carte du…*"

-Du ?

-Ce que je lis c'est du trésor… mais je n'en suis pas certaine.

-Bon, j'y vais mais trésor ou pas, le mien est assis dans un divan et me chasse pour aller cueillir un autre homme !

-Ha ! ha ! Bjarni !

Il se leva et sortit pour revenir quelques minutes plus tard avec Reinstenson. Ce dernier entra, fit ses salutations à la reine qui lui tendait avec impatience le document. Le vieil homme prit les feuilles et s'assit dans un fauteuil. Il se mit à lire sous l'œil observateur de la reine et du roi. Et personne plus que la reine ne dévorait ses expressions. L'homme se mit à lire silencieusement et avec avidité passant d'une feuille à une autre, fronçant parfois les sourcils, écarquillant les yeux pour arriver à la dernière page. Il leva les yeux vers les deux personnages royaux debout devant lui.

-Où avez-vous pris ce document ?

-Dans la bibliothèque, là. De dire le roi. Quoi ? Reinstenson, qu'y a-t-il ?

L'homme se leva et se tourna vers la bibliothèque.

-Sire, dites-moi exactement où vous avez trouvé ce document ?

Bjarni se dirigea vers la bibliothèque et du doigt pointa une des dernières tablettes.

-Là ! Mais enfin, allez-vous nous dire ce que c'est ?

L'homme ne répondait pas. Il semblait intéressé que par une seule chose : L'emplacement du document dans la bibliothèque. Il observait avec intérêt l'endroit.

-Sire, montrez-moi exactement ce que vous avez fait ?

Bjarni le regarda pour ensuite jeter un regard à Mira, visiblement intrigué par l'attitude du sexagénaire. Bjarni reprit sa chaise et le livre qu'il avait déposé pour ramasser les feuilles et remonta sur la chaise.

-Arrêtez-vous, Sire ! Montrez-moi ce livre.

Bjarni resta sur la chaise et donna le livre à l'homme. Il ouvrit le livre le secouant espérant sûrement que quelque chose en tomberait. Ce ne fut pas le cas.

-Sire, pardonnez-moi, vous êtes grand, beaucoup plus que moi, de votre point de vue… que voyez-vous du vide laissé par ce gros livre ?

Bjarni regarda.

-Je ne vois rien de spécial. Que devrais-je voir ? J'ai enlevé ce livre et c'est le vide de son espace que je vois… les feuilles étaient placées entre ce livre et celui-ci, c'est tout.
-Non… Il doit bien y avoir d'autre chose, regardez encore… Enlevez les livres s'il le faut.

Bjarni regarda, mais en vain. Il enleva les autres livres, les donnant à Mira qui les plaçait sur une petite table. Bjarni enleva ainsi plus d'une vingtaine de livres, libérant une partie de cette tablette.

-Mais enfin, Reinstenson, qu'espérez-vous trouver ?
-Vous ne voyez encore rien ?
-Non. Que de la poussière. Beurk ! que c'est poussiéreux… Il faudrait vraiment faire un grand ménage.
-Sire, passez vos mains le long de la tablette, passez vos mains contre le mur.

-Comment Reinstenson ? Vous voulez que je passe mes mains dans toute cette poussière ? Vraiment vous ne manquez pas de culot !

-Bjarni ! La poussière n'a jamais rongé les mains ni rendu idiot, fais ce qu'il te dit !

-Ah ! Je me disais aussi… C'est un complot ! Voilà, que la dame se met de la partie. Vas-y Bjarni, mets-toi les mains dans la poussière, dans la boue que sais-je encore ? Tout ça parce que je suis grand ! Ah ! J'avais toujours trouvé utile d'être grand mais là, c'est bien fait pour moi ! Bon… bon… je passe mes mains. Reinstenson, puis-je vous dire que j'aime mieux caresser d'autre chose que les tablettes de ma bibliothèque.

Il s'exécutait tout en rouspétant de cette tâche ingrate qu'on exigeait de lui. Ces remarques faisaient rire Reinstenson et Mira. Il tâtait se prenant les doigts dans des fils d'araignée qui lui faisait faire des grimaces qu'il accentuait allégrement pour faire de sa besogne un spectacle divertissant pour les deux qui étaient immobiles à ses pieds. Ces mains poursuivaient le fonds de la tablette et le mur derrière jusqu'à ce que la paume de sa main touchât une petite ouverture.

-Je sens quelque chose.

-Quoi ? Quoi, Sire ? De demander nerveusement Reinstenson.

-Un genre de petite ouverture.

-Pouvez-vous y passer votre doigt ?

-Même si je pouvais ! Me prenez-vous pour un fou Reinstenson ! Je n'y mettrai pas le doigt ! Qui sais ce que cela m'occasionnera !

-Bjarni ! Fais-le !

-Ah ! Non ! Vous me tenez debout sur une chaise, vous me faites passer les mains dans des fils d'araignée, mes manches sont pleines de poussière… si en plus je dois mettre mes doigts dans des orifices incertains ! Là, vous viendrez vous-mêmes l'y introduire !

-Attends, ne bouge pas !

-Quelle mouche l'a piqué ? Elle court comme une gazelle ! Où va-t-elle ?

-Je pense qu'elle va voir pour quelque chose qui remplacera votre doigt, Sire.

-Enfin, un peu de compassion pour le pauvre Roi que je suis… enfin on veille à mon bien être !

Mira revint avec un bout de branche qu'elle avait arraché à un petit arbre dans le vestibule.

-Essaie avec ça, Bjarni…

Bjarni prit la branche en jetant un regard séducteur à Mira.

-Je trouve que vous remplacez vite mes doigts, Madame ! Et par des choses… Hum ! Une branche petite menue, dure ! Madame, vous me choquer ! Votre choix est franchement inadéquat !
-Ha ! ha ! Reinstenson, ce que votre Roi à de l'esprit !
-Vous ne l'avez pas connu enfant ! C'était un véritable génie la blague. Malgré les pires dégâts qu'il pouvait occasionner, personne ne réussissait à le gronder… Il s'en sortait toujours en faisant rire même ses victimes.
-Je vous entends Reinstenson ! Je vous entends ! Ne commencez pas à étaler ma vie de petit espiègle à la Reine. Vous ne la connaissez pas. Elle se servira de chacun de vos mots pour me rappeler à quel point j'étais impossible ! Bon, ça y est je passe la branche dans le petit orifice.

Au même moment, un déclic et un grincement se firent entendre et une petite porte s'ouvrit. Bjarni se recula surpris. Reinstenson et Mira étaient presque pendus à ses pantalons.

-Qu'est-ce que c'est que ça ? De dire Bjarni.
-Que voyez-vous Sire ?
-C'est… c'est… une petite porte secrète. Il y a… un… un…
-Bjarni, qu'est-ce qu'il y a à l'intérieur ?
-Oui, Sire, qu'y a-t-il ?
-Regardez !

Il leur montra un magnifique diadème. Un ouvrage en or sertit de pierres précieuses. Il le remit à Mira qui touchait l'objet avec délicatesse. Reinstenson avait les yeux aussi écarquillés que ceux de Mira.

-Attendez, il y a autre chose.

Ils levèrent les yeux, attendant avec impatience que Bjarni leur montre ce que recelait encore cette petite cachette. Bjarni avait entre les mains un parchemin scellé. Il le passa à Reinstenson qui s'empressa de le prendre.

-Je vais passer mes mains au fond, il y a peut-être d'autre chose.

Il passa délicatement sa main dans la cachette. Il n'y avait plus rien.

-Je crois qu'il n'y a plus rien.

-Bien Sire. Refermer la porte et remettez les livres à leur place.

-Eh ! Reinstenson, d'autre chose avec ça ? Tant qu'à y être emportez-moi un linge et de l'eau, je vais faire le ménage ! Non, mais, je suis Roi et voilà qu'on me fait passer les mains dans des endroits nébuleux, on me fait grimper, on veut me faire passer les doigts dans des orifices étranges et en plus je me dois de remettre de l'ordre !

-Ha ! ha ! Bjarni, descends. Tu as raison, nous avons assez abusé de toi.

-Enfin ! Ce n'est pas trop tôt !

-Ha ! ha ! Pardonnez-moi, Sire, je ne voulais pas vous manquer de respect.

-Ah ! Si vous saviez comme je commence à m'y habituer. La dame qui est là est pire que toute ma Cour réunit ! Ma prochaine corvée, c'est récurer les cuisines ! Reinstenson, je ne vois pas ce qu'il y a d'amusant d'être Roi !

Bjarni descendit de son petit piédestal et rejoignit son monde tout en se secouant les manches de costume. Ce qui fit éternuer Mira.

-Ah ! Le petit nez fin ! Le petit nez ! Pardon, Madame, j'aurais dû m'épousseter un peu plus loin.

-Non… ça va.

-Bon, qu'avons-nous là. Un diadème et un bout de papier.

-Sire, avez-vous une idée de quel diadème, il s'agit ?

-Pas le moins du monde, tout ce que je peux dire c'est qu'il est beau… et si j'en juge par ce que je vois, c'est un diadème d'une grande valeur. Quoique je ne sois pas un expert en la matière.

-Sire, Majesté, regardez-moi. Si j'en crois ce que j'ai lu dans les feuilles que vous m'avez remises… ce diadème est celui du trésor perdu de la guerre de Grovache.

-Quoi ? Voyons Reinstenson ! Grovache ! C'est une légende.

-Sire, j'ai toujours dit que cette guerre avait eu lieu et que le trésor qui avait été dérobé et caché, ce n'était pas une légende. Trop de détails, trop de découvertes, ont laissé les historiens sur leur soif.

-De quoi parlez-vous ? Qu'est-ce que la guerre de Grovache ? Demanda Mira intriguée.

-Mira, tu ne sais pas qui est Grovache ?

-Non ? Qui est Grovache ?

-Grovache était le nom de l'Elfe. L'Elfe de la Forêt d'Elfe.

Mira les regardait. La Forêt d'Elfe. Sa forêt. La légende. L'étonnement, la surprise, se lisait sur son visage.

-Majesté, Grovache était le nom de l'Elfe, du moins c'est ce que dit la légende. Un Elfe. Qu'est-ce qu'un Elfe ? Une manière de cacher aux curieux qu'il n'était en fait qu'un homme qui avait un royaume et qui voyant la guerre dévaster ses terres avait pris soin de faire transporter son trésor que convoitaient ses envahisseurs. Madame, votre forêt était jadis un royaume bien nanti à en croire certains experts. La convoitise de son trésor d'une extraordinaire richesse avait enflammé plus d'un monarque. Toujours selon ce que rapporte la légende.

-Reinstenson, ne lui dites pas toutes ces inepties ! Voyons ! Personne jusqu'à maintenant n'a trouvé de trace de ce fameux royaume et c'est pourquoi on a toujours traité la guerre de Grovache ou la Forêt d'Elfe comme étant une légende.

-Certes, Sire, vous n'avez pas tort, mais vous n'avez pas tout à fait raison non plus.

-Que voulez-vous dire ?

-Sire, Leif Eriksson, dit Érik le rouge, n'a-t-il pas trouvé une terre inconnue ?

-Oui, du moins c'est ce que rapportent ses récits. Mais, personne n'est plus jamais retourné sur la route qu'il avait empruntée pour s'y rendre. Un voyage périlleux de plusieurs mois, sur les océans. Et qui nous dit que cette terre était la terre inconnue dont nous parle la légende de Grovache ?

-Sire, les historiens se sont battus, conservant des brides par ci, par là de documents, parchemins, des objets trouvés en creusant la terre qui mènent tous sur la même piste, celle de la guerre de Grovache. Aujourd'hui, le document que j'ai lu est une partie d'un plan complexe de ce qu'avait laissé Grovache pour les générations futures afin qu'ils retrouvent le plus fabuleux des trésors et le ramène à ses lieux d'origine. C'est écrit là en toutes lettres… et ce diadème, vous en avez déjà vu un aussi beau ? Faites-le évaluer… Je suis certain qu'il est d'une très grande valeur ! Quand à ce parchemin scellé, je vais l'ouvrir si vous me permettez, Sire.

-Faites… faites… Nous sommes vos témoins.

L'homme brisa le sceau. Il le déroula avec délicatesse. Sous leurs yeux, une carte. Une carte de la Norvège, de la Suède, de la Finlande, explicite dans les moindres détails géographiques avec à son centre, la Forêt d'Elfe et une route navale vers les Amers. Amers, le nom donné à un point complètement à gauche sur le plan. Une terre inconnue, loin très loin vers l'Ouest. Rien à voir avec l'Europe, l'Afrique. Reinstenson se retourna vers le roi.

-Sire, que dites-vous de tout ça ?

-Je ne sais pas quoi dire… Je reconnais bien la Norvège, la Suède, la Finlande, les golfs, les océans, mais ça ? Amers, je ne sais pas ce que c'est !

-C'est exactement ce que décrivait Erik le rouge… Une terre inconnue vers l'Ouest. La légende de Grovache n'en est pas une ! J'en ai toujours été convaincu, mais avec ceci sous mes yeux… J'y crois. Sire, à quand remonte exactement la construction de ce château ?

-Je crois que ça fait au moins cinq cents ans… Je ne sais plus. Il faudrait voir avec les architectes mais vous Reinstenson, vous ne le savez pas ?

-Je n'ai pas tellement étudié l'histoire de ce château, me concentrant plutôt à l'étude des langues et de certaines parties de l'histoire et en particulier celle de la guerre de Grovache, sans vraiment me soucier que ce château pouvait avoir un lien quelconque avec cela.

-Il faut absolument se pencher sur les détails de la légende Reinstenson. Il faut que je trouve le livre… Le livre qui en parlait. Je dois avoir ça dans mon bureau.

-Ce ne sera pas nécessaire Sire. Je la connais par cœur.

-Je pourrais poser une question ? Demanda Mira qui écoutait tout ça avec curiosité.

-Bien sûr. Lui répondirent en chœur les deux hommes.

-Mais… mais… pourquoi parlait-on d'un Elfe, pourquoi parlait-on d'une pucelle ?

-Madame, à travers le temps on déforme parfois la réalité aux dépens de l'histoire. D'autant plus que Grovache semblait vouloir brouiller les pistes. Sûrement par souci de respecter la cachette qu'il aurait fait pour enfouir son trésor. Il semble selon ce que nous avons sous les yeux, que Grovache ait parsemé ça et là des indices afin que ceux qui tenteraient de retrouver son trésor soient à la hauteur de ses espérances… C'est-à-dire qu'il souhaitait ardemment que le trésor retourne à son lieu d'origine et pour les habitants de ce lieu. Il cherchait à protéger son bien. Il serait heureux aujourd'hui de voir que c'est vous Madame qui êtes en partie la raison de cette découverte, qu'enfin son trésor ne soit pas tombé aux mains de voleurs ou de pilleurs n'ayant aucun scrupule… C'est pourquoi, je crois que la légende n'était pas fausse en totalité, mais en partie seulement. Quant à la pucelle, la légende n'a jamais prétendu que lorsqu'elle prendrait la route de la terre inconnue, elle le serait toujours… Tout ce que la légende nous apprend, c'est qu'une pucelle sortirait de cette forêt et qu'elle serait en mesure de prendre l'océan et de revenir avec le trésor pour enfin délivrer la Scandinavie de la misère, de la maladie. Ce que cela signifie pour moi, c'est que l'on retrouvera le trésor à l'aide des indices laissés et que ce soit une pucelle ou pas, la personne qui reviendra avec un tel trésor aura largement de quoi nantir un royaume pour ainsi amenuiser de façon quasi totale la misère des paysans et par le fait même la maladie, la pauvreté, redonnant au peuple non seulement la chance de vivre convenablement, mais un vent de bonheur d'espoir et de joie qui transpirera au-delà des frontières. Voilà ce que je crois, moi, Madame.

-Mais ce n'est pas moi qui ais trouvé les documents, c'est Bjarni !

-Non, ce n'est pas moi ! C'est moi qui suis monté dans la bibliothèque qui a tiré ce livre et qui ai fait tomber les feuilles. Oui… ça c'est moi… Mais c'est toi Mira qui voulait que je lise, souviens-toi. Souviens-toi également que tu voulais voir ce que j'avais fait tomber et comment tu m'as arraché les feuilles ! Après que ce fut fait, Reinstenson… Je n'existais plus !

-Ha ! ha ! Je suis certain que vous existez toujours pour la Reine, Sire.

-C'est toi aussi Mira qui a insisté pour que j'aille chercher Reinstenson, souviens-toi. Sans vouloir vous offenser, Reinstenson, je n'y tenais pas du tout ! J'étais si bien seule avec Madame, mais non, il fallait Reinstenson, n'est-ce pas Mira ?

Mira se mordillait la lèvre esquivant un sourire.

-Madame, ne soyez pas troublée par toute cette histoire. Cela ne vous concerne peut-être pas autant que l'on a bien voulu le laisser croire. Tout ce que je peux vous dire, c'est que cette découverte aujourd'hui, n'est peut-être pas ce que nous espérons, mais c'est quand même inouï de voir comme tout ceci s'emboîte dans l'histoire de Grovache. À savoir si ce trésor existe et qu'il est toujours intact… ça je ne saurais le dire. Cependant, ce diadème… c'est comme le disent ces feuilles… une pacotille à côté des richesses fabuleuses que possédait Grovache.

-Qui était-il au juste Grovache, je veux savoir. Demanda la reine.

-Eh ! Bien. Assoyons-nous que je vous raconte. Grovache selon ce qu'on en sait, était Roi. Il aurait vécu dans un royaume appelé, Turka. On estime qu'il aurait vécu dans les années vingt ou trente après notre Seigneur Jésus Christ. Il aurait unifié les différentes tribus, villages dans un périmètre considérable. Il était puissant. C'était un Roi qui avait un goût raffiné pour les œuvres d'art. Il aurait eu trois fils qui seraient morts d'ailleurs lors de la fameuse guerre qui aurait mis fin à son royaume. Il voyageait beaucoup. Rapportant dans ses bagages des trésors de terres lointaines. À travers son règne qui semble avoir duré plus de soixante-dix ans, le Roi aurait ainsi accumulé des richesses colossales. Se faisant vieux, jalousé par des monarques frontaliers, une guerre sanglante aurait été déclenchée ne laissant pas de chance au Roi, ni à son armée mal préparée à se défendre malgré son nombre d'hommes imposants et ses nombreux territoires. Une alliance entre ses voisins marchant sur lui, sa vieillesse, l'appât du gain, tout ça… enfin, il semble qu'il aurait pu réchapper la plus grande partie de ses richesses et les aurait au moins préservées du pillage que voulaient en faire ses envahisseurs. La guerre aurait dévasté une grande partie de son armée, de ses sujets et la plupart des bâtiments. Selon la légende, le Roi fut tué sans jamais avoir dévoilé à ses tortionnaires le lieu où il avait fait transporter ses richesses. Les guerriers de l'époque auraient alors brûlé la plus grande partie des terres, déçus de ne pas avoir rapporté de cette guerre sanglante, les richesses promises à leur souverain. Avant de reconstruire un autre royaume et de repartir à neuf, il ne restait point de possibilités aux survivants. Probablement, des paysans affamés, malades décimés ça et là sur une terre dévastée. Peu à peu, de nouveaux territoires virent le jour. La Norvège, La Suède, La Finlande émergèrent du Royaume de Turka. Mais tout ceci prit un temps considérable avant que ne renaissent de leurs cendres, les pays que nous connaissons aujourd'hui. Nous avons le plus bel exemple avec la Norsufinde. Une alliance depuis peu de trois pays distincts. Il a fallu une guerre, des pertes de vies, mais aujourd'hui, la guerre n'est plus ce qu'elle était à ces époques lointaines. C'est pour ça qu'à travers le temps, un petit souvenir, des brides ont survécu se rendant jusqu'à nous. Cependant, un mélange de fantaisie, de brides par-ci, par-là, cela fait naître les légendes, qui à mon avis, sont toujours au départ des histoires vraies, mais dont le temps estompe peu à peu l'origine et la véracité. Laissant à celui qui s'y intéresse un large éventail de vérités et de mensonges. À savoir, si Grovache a existé, s'il était riche à ce point, je ne saurais vous le dire. Et pourquoi Grovache s'est transformé en Elfe au cours des années… Qui sait si cela ne lui aurait pas plus ? Enfin, Grovache à mon avis a vraiment existé. Des fouilles ont prouvé que la Forêt d'Elfe est habitée depuis très longtemps. Que c'est l'une des parties de la Scandinavie qui a été habitée bien avant d'autres. Puisque le feu aurait décimé la plupart des documents, c'est difficile d'en prouver l'existence. Mais, si j'en juge parce que je tiens dans mes mains… Tout n'a pas été perdu. Ces documents semblent vraiment appartenir à une autre époque. La langue utilisée n'est pas du Norvégien. C'est du norrois. Une langue morte maintenant. Si vous avez réussi à en déchiffrer quelques brides, Madame, c'est uniquement parce que le norrois est la langue mère de la langue Scandinave. Le Norvégien et le Suédois sont deux langues apparentées. Le Finlandais c'est une autre histoire et c'est d'ailleurs un mystère. Ils parlent une langue latine. Mais le norrois n'est plus utilisé depuis au moins cinq ou six cents ans. Je parle moi-même dix-huit langues et treize dialectes. Je me suis toujours intéressé aux langues parlées et les anciennes aussi. Mais nous n'avons pas tous les mêmes passions… Ce qui expliquerait peut-être que celui ou celle qui a trouvé ce document n'était peut-être pas entouré de passionné comme moi ! C'est pourquoi, je pense que ce document est authentique et que la carte l'est tout autant. Si on la regarde, on voit la péninsule Scandinave, mais on ne voit pas de frontière entre la Norvège, la Suède et la Finlande. On voit plutôt une frontière entre ces trois pays réunis et la Laponie. Probablement qu'à l'époque cette partie peu hospitalière n'était pas ou peu habitée. Regardez l'Europe. Les divisions ne représentent pas du tout les frontières qu'on connaît aujourd'hui… et l'Arabie… Non, si ces documents ne sont pas authentiques, je ne sais pas qui les auraient écrits et cartographiés et dans quel dessin. Pourquoi se trouvaient-ils bêtement dans votre bibliothèque, ça non plus, je ne saurais l'expliquer. Par contre, on avait pris grand soin de les cacher, sauf les feuilles.

-Elles étaient tout de même assez bien cachées, Reinstenson. Si je ne m'étais pas juché si haut et si je n'avais pas tiré ce livre, elles seraient encore restées là de nombreuses années.

-Oui, peut-être. Ce que je ne comprends pas c'est que jamais personne ne les a découvertes. Votre père, son père avant lui… personne.

-Peut-être qu'il fallait attendre que la pucelle sorte de la Forêt d'Elfe et vienne habiter ce château !

-Peut-être Sire… que même cette partie de la légende soit vraie !

-Non ! Ne dites pas ça. Je ne vois vraiment pas… ce que je peux avoir à voir avec tout ça.

-Que faisons-nous de cette découverte, Reinstenson ? Demanda le roi.

-Eh ! Bien, c'est à vous de décider, Sire. Vous faites comme d'autres avant vous et vous ne vous en souciez guère ou vous décidez d'aller jusqu'au fonds des choses et vous rechercher les autres documents.

-Les autres documents ?

-Oui ! Celui-ci est une partie seulement d'une documentation qui semble, ma foi, beaucoup plus volumineuse.

-Moi, je veux savoir ! Mira dit cette phrase avec une telle conviction déconcertant les deux hommes.

-Tu veux savoir ? Demanda Bjarni.

-Oui, je veux savoir. Je veux savoir… Reinstenson à raison. La légende n'en est peut-être pas une. Ce diadème… cette carte… ces feuilles en norrois, je veux savoir.

-Elle a dit qu'elle voulait savoir, Reinstenson ! Et si la Reine dit qu'elle veut savoir, il faudra qu'elle sache !

-En tout cas, pour ma part, Sire, Majesté, si vous aviez décidé autre chose, moi, je faisais mes propres recherches ! Je suis donc enchanté par votre décision.

-Alors, par quoi commençons-nous ? Demanda Bjarni.

-Tout d'abord, je vais vous traduire le contenu de ces feuilles. Ensuite, il faudra suivre les indications.

-Les indications ? Demanda Bjarni, intrigué.

-Oui, les indications, Sire ! Dans ce document et cette carte, vous avez des emplacements indiqués où se trouveraient d'autres documents. Au fur et à mesure que nous découvrirons les pièces manquantes, nous serons conduits vers la route qui mène au trésor.

-La carte n'indique-t-elle pas clairement où il se trouve ? Demanda Mira.

-Non, malheureusement. La carte nous montre des gros "X" et des bâtiments qui n'existent peut-être même plus. Elle nous indique une terre inconnue, les Amers. Mais, regardez… sur les Amers nous ne voyons que les berges d'un continent sans même y voir un "X" qui nous fixerait sur l'emplacement du trésor. C'est évident, cette carte a été dessinée pour mettre l'individu qui la trouverait en appétit sans pour autant lui dévoiler tous ses secrets.

-Je me pose pourtant une question, Reinstenson. Demanda le roi d'un air songeur.

-Quoi donc, Sire ?

-Si Grovache a vécu à une époque aussi lointaine, comment ces documents se sont-ils retrouvés dans ma bibliothèque et qu'on avait pris grand soin de construire une cachette pour la carte et le diadème ? Tout ceci ne peut pas dater d'aussi longtemps ? Même si le château aurait plus de cinq cents ans, on est encore loin de l'époque de Grovache !

-Oui, Sire, vous avez raison. Je ne peux pas vous répondre tout de suite. Il faut que j'étudie toute la question. La réponse qui me vient à l'esprit tout de suite, c'est celle-là. Prenons un Roi, un de vos très vieux ancêtres, Sire. Par un concours de circonstances, il trouve le diadème, la carte, les feuilles. Il est en train de construire son château. Je ne sais pas, mais pour une raison, il ne peut pas s'occuper immédiatement de sa découverte. Il cache le tout. Il est débordé par une question pressante… une guerre… des curieux qui le surprennent… que sais-je ! Enfin, votre ancêtre, cache tout ça… et soudainement, il meurt. Il meurt après avoir été infligé par une maladie subite ou encore parce qu'il était au combat. Il voulait garder le secret et il est mort avec. Laissant dans sa cachette des documents importants qu'à travers les années, on ignore totalement l'existence ! Les Rois se succèdent, le château s'agrandit… Mais jamais personne ne va à la bibliothèque… dans cette partie en particulier. Et même si on y était allé ? Si, comme vous, Sire, les feuilles étaient tombées et qu'essayant d'en comprendre le contenu, vous vous en désintéressez uniquement parce que vous ne comprenez pas ce qui est écrit ? Vous ramassez les feuilles et vous les remettez à leur place. Ce petit manège peut avoir duré des générations, Sire. Jusqu'à vous... qui ne vous intéressiez pas le moins du monde... vous-mêmes à son contenu... sauf qu'il y avait dans cette pièce une dame dont la curiosité vous a poussé jusqu'à venir me quérir. La Reine savait que je pourrais peut-être l'aider. Je suis cultivé, Sire. Tous les hommes de lettres le sont. Mais nous ne le sommes pas tous dans les mêmes domaines. Moi, ce sont les langues, l'histoire. Si un de vos ancêtres avait trouvé ces feuilles et avait demandé à son homme de lettres de lui traduire et qu'il n'y parvienne et qu'il pense que ce soit sans intérêt ? Il remet les feuilles à leur place et ne s'en soucie plus ! Mais, aujourd'hui c'est différent... Je sais... Je connais et j'ai traduit, de là, une importance tout autre donnée à cet amas de feuilles vieillies et jaunies ! Pour le moment, c'est la seule explication plausible qu'il m'ait possible de vous donner sur le champ. Je vais faire d'autres recherches.

-Non, ne vous penchez pas sur l'histoire de ma famille. Je le ferai moi-même. Penchez-vous plutôt à nous guider vers la prochaine étape, Reinstenson. Dit le roi.

-Oui, Reinstenson, Bjarni à raison. Si on divise les tâches et qu'on fait tous ce qu'on a à faire, cela ira beaucoup plus vite.

-Vous avez raison. Je vais aller dans mon antre et traduire le document afin que vous puissiez le lire. Vous verrez, c'est magnifique... Même si tout ceci serait de la pure invention, celui qui l'a écrit... Il avait la plume du poète, de l'imagination et le sens de l'aventure. Je vous quitte. Me laissez-vous les documents, Sire ?

-Bien sûr ! Par contre Reinstenson, je ne crois pas qu'il soit dans notre intérêt à tous que vous ébruitiez cette affaire... pas pour le moment.

-Je le sais Sire. Je ne le sais que trop bien. Je vais me rendre comme d'habitude à mes affaires sans attirer l'attention sur moi. Je trouve sage qu'on garde le secret jusqu'à ce que l'on en sache plus long.

-Oui, c'est mieux comme ça. Mira et moi, nous n'en parlerons à personne et vous en ferez de même. Nous jugerons du moment opportun pour faire part de notre découverte et à qui de droit.

-Je vais aller, Sire. Cependant, il me faudra peut-être l'aide de cartographes, de marins pour l'interprétation de la carte.

-Oui, je sais. Mais pour l'instant, nous allons attendre de lire ce document que vous nous traduirez. Ensuite, je demanderai aux hommes de professions appropriées de se joindre à notre équipe... et ça toujours sous le sceau de la discrétion.

-Sage décision, Sire. Je vous salue.

L'homme se courba et sortit en prenant grand soin de dissimuler les documents dans les manches de sa toge. Bjarni se retourna vers Mira.

-Eh ! Bien, ma pucelle de la Forêt d'Elfe ! Pendant que le vent fouette ma demeure et que la neige s'accumule dans les carreaux de mes fenêtres, des événements ardents dévorent nos existences !

-Bjarni, ne m'appelle pas comme ça. J'étais une pucelle de la Forêt d'Elfe, c'est vrai. Mais, je ne crois pas du tout être la pucelle de la légende. Et toute cette histoire m'intrigue, Bjarni !

-Moi, donc !

-Est-ce possible que Grovache ait existé ? Qu'il avait fait transporter un trésor et qu'il avait pris soin de décimer ça et là des indices afin qu'un jour on le retrouve ?

-Tout est possible, Mira. Tout. Je ne sais pas pour Grovache, mais je te regarde et à toi seule tu es un exemple vivant que tout est possible !

-Quoi ? Que veux-tu dire, Bjarni ?

-Mira, si on t'avait dit que tu serais Reine, il y a à peine deux ans ? Tu y aurais cru ? Une paysanne… qui devient reine !

-Oui… c'est… c'est effectivement vrai ! Jamais je n'aurais cru vivre ici et avec le Roi. J'en remercie Dieu chaque jour ! Jamais je n'aurais pu penser que cela était possible.

-Et pourtant tu es là, devant moi. Mira, la vie nous laisse parfois croire que nous la connaissons bien, que nous savons ce qu'elle nous réserve et à chaque fois on se fait prendre à son jeu. Personne d'entre-nous ne sait ce que le destin lui réserve. Cet après-midi, plus que jamais, je crois qu'on a tous une destinée tracée et à laquelle on n'échappe pas, peu importent les détours que nous empruntons. Grovache savait que son destin était de mourir et que son trésor était destiné à autre chose qu'à des pilleurs. Si tout ceci s'avère vrai, Grovache était un Roi érudit et noble de cœur. Nous le saurons bien assez vite. Nous allons faire ce que notre intuition nous dicte.

-Mais tu es si occupé, Bjarni ! Comment pourras-tu faire pour t'occuper d'une telle histoire en plus de tout ce que tu as déjà à faire ?

-J'ai des ministres. J'ai des généraux. J'ai des commandants. J'ai également une femme belle à me faire perdre la raison… Je dois m'en occuper également de cette dame ! Tout ce monde va faire son bout de travail. Aujourd'hui plus que jamais. Je ne délègue pas suffisamment. Je le ferai. Et si c'était vrai qu'il faut partir en voyage pendant des mois pour revenir avec un fabuleux trésor ? Mon acharnement à la tâche serait récompensé, Mira. Et personne n'aurait à redire de mes absences… Tout le monde sera bien heureux.

-Tu as raison, Bjarni. Moi, je te prends quand tu veux pour t'occuper de moi ! Quand tu veux !

-Ha ! ha ! Coquine ! Je t'aime toi ! Et s'occuper de toi… ce n'est pas une tâche ! Ce sont les meilleurs moments de mes journées, de mes nuits !

Ils sortirent finalement de la bibliothèque se dirigeant droit à leur chambre. Les tourtereaux avaient des choses à régler sur les oreillers et sous les draps.

De son côté, Reinstenson, s'était assis devant son secrétaire et prenait grand soin de traduire mot à mot les phrases, les paragraphes du document. Son acharnement à la tâche porta fruit et quelques heures plus tard, il avait terminé. Il avait pris soin de reproduire, aux meilleurs de ces capacités ses talents en dessin étant limités, la carte et d'inscrire sur la copie les traductions appropriées. Copies de carte et de feuilles à la main, il allait sortir. Il se ravisa. Il fallait cacher les originaux. On n'est jamais assez prudent. Surtout avec ce genre de documents. Il ouvrit un faux fond qu'il avait dans un tiroir. Vérifiant méticuleusement que l'endroit choisi, n'abîmerait pas les feuilles et la carte. La dissimulation faite, notre homme sécurisé, sortit à la recherche du roi et de la reine.

Ils ne furent pas très difficiles à trouver. Quand il passa devant les portes de la salle à manger, Bjarni qui riait aux éclats et le prince qui criait : *Père… Éric dit non ! Non ! Éric reste sous la table !* Il se dit qu'il n'y avait aucun doute, le roi et le prince s'y trouvaient. Il entra. Voyant Bjarni à quatre pattes sous la table à la poursuite du prince.

-Ha ! ha ! Petit chenapan ! Tu penses réellement que je ne t'attraperai pas ! C'est bien mal connaître ton père !

-Bjarni ! Voyons ! Sortez tous les deux de sous la table ! dit Mira.

Mira leva les yeux et vit Reinstenson qui essayait de retenir ses rires. Bjarni leva les yeux et aux travers les pattes de tables voyait les souliers de Reinstenson.

-Reinstenson, venez nous rejoindre ! Nous sommes dans un débat sous cette table !

-Père… Éric fâché !

-Ha ! ha ! Petit vilain ! Non ! Père dit à Éric que ça suffit de vouloir voir sous les jupes de ta mère et d'enlever les bottes de papa quand on mange ! Ha ! ha ! Regardez-moi ces petits poings ! Ha ! ha ! Non ! Éric a fini de traîner sous la table !

-Bjarni, enfin, tu es pire que lui !

Éric hurlait sa désapprobation, son père l'avait agrippé par le fond de culottes et le sortait de son terrain de jeu favori !

-Je savais bien, Monsieur, que je vous aurais retiré de sous la table !

Éric se mit à pleurer.

-Éric, ça suffit ! Tu fais toujours la même chose quand nous sommes à table. Tu cours sous la table et tu déranges tout le monde. Papa à raison ! Et cesse de pleurer ! Tu pourras courir où tu voudras, mais plus sous la table. Lui disait tendrement Mira.

Le petit s'essuyait les yeux et se colla contre l'épaule de son père.

-Il est à bout ! Il est grand temps que le Prince Éric va au lit. Dit Bjarni.

Une servante vint le quérir et l'emporta hors de la pièce. Mira se rassit ainsi que Bjarni et Reinstenson.

-Emportez un plat pour Reinstenson.
-Non… Sire, ce n'est pas nécessaire.
-Mais si ! J'insiste. Vous êtes parti cet après-midi et je ne vous ai plus revu depuis. On ne travaille pas le ventre vide.
-Majesté, Sire, je ne voulais pas déranger votre repas… Je voulais juste vous dire que mon travail était terminé.
-Bon ! Vous avez fait vite. Nous allons prendre notre repas et après nous allons nous retirer dans mon petit bureau.

Une demi-heure plus tard, les trois comparses marchaient vers le petit bureau, s'y introduisirent et fermèrent la porte derrière eux. Reinsteinson tendit la carte à Bjarni et le document à Mira. Mira s'installa convenablement et se mit à faire la lecture à voix haute.

La route de l'oubli

Plusieurs chemins mènent à Rome, mais un seul mène à Turka. Toi, voyageur du temps, tu découvriras un trésor qui te conduira vers le bonheur et la gloire. Je te guiderai pas à pas. Le bonheur, dont tu n'imagines pas la richesse se tient sous tes pieds, au-dessus de ta tête. J'ai vu, j'ai connu, j'ai vaincu et on m'a vu, on m'a connu et on m'a vaincu. Le bonheur inaccessible est pourtant réel. Il se tient près de toi, il te touche tous les jours, il t'embrasse de ses lèvres mais tu ne le vois pas. Pourras-tu un jour comprendre que l'essentiel n'est pas dans ta bourse, ni dans ton ventre, mais dans ton cœur. Si tu comprends ces mots tu es déjà sur le chemin de Turka. Rien ne détruira Turka, ni le feu, ni la guerre, ni l'envie, ni le mensonge. Turka survivra malgré tout ça et resurgira un jour de ses cendres. Un ange m'a pris la main et m'a emmené sur son nuage. J'ai vu Turka du ciel. J'ai admiré le peuple qui vivait dans ses flancs et l'allégresse dont ils étaient tous étreints. J'ai vu Turka sous le feu et le sang. L'ange m'a alors emmené plus haut dans le ciel. Là, j'ai vu la terre. Ses océans immenses et bleus, ses terres vertes et la rondeur de ses formes. Une boule bleue dans un ciel noir. Jamais telles beautés ne m'avaient été dévoilées. J'ai compris que l'homme était parfois amour et parfois haine. Tout me semblait si clair quand l'ange me tenait la main. Je m'envolais et il m'emmenait encore plus loin. Toujours plus loin et toujours plus je comprenais. Mais l'ange devait me ramener vers Turka. Quand je suis redescendu avec lui sur son nuage blanc, le nuage s'est enflammé et de nouveau Turka était sous le feu et le sang. Désolation, douleur... les sensations divines dont j'avais été imprégnée brûlaient avec les flammes d'un brasier gigantesque qui consumait Turka. Et l'ange me prit le visage et me montra le milieu du brasier. Une telle chaleur, un tel feu qui ravageait Turka et au milieu une enfant, une petite pucelle blonde, d'une beauté renversante que les flammes n'atteignaient pas. Elle se retourna vers nous et de son sourire candide fit surgir les eaux comme des vagues gigantesques qui balayèrent le feu. Turka renaissait. Les fleurs poussaient, les arbres se relevaient, les animaux couraient, les hommes s'étreignaient les uns, les autres. La pucelle commandait aux éléments de la nature comme par enchantement. Tout n'était pas perdu, je savais qu'un jour Turka renaîtrait. Mais je savais que moi, de mon corps terrestre, je ne ver-

rais pas ce miracle se produire. J'avais vécu et Dieu me rappelait vers lui. Il me donna cependant une dernière tâche à accomplir avant que ne se termine ici bas, mon œuvre. Pour que Turka survive, pour que la vie reprenne le chemin de la raison que les démons viennent ébranler de leurs glaives, Dieu m'a commandé de sauver l'amour dans des coffres. J'ai envoyé des messagers au travers mon royaume avec des cartes, des parchemins qu'ils devaient cachés pour que la pucelle devenue Reine puisse surgir des flammes et retrouver l'amour caché dans mes coffres. Si, je meurs aujourd'hui sous la torture, je ne crains rien, j'ai vu et je sais que la femme aux yeux aussi profonds que l'océan retrouvera ce qui a été perdu par la bêtise de l'homme. Elle reconstruira Turka. Elle réunifiera les hommes. Elle ira, sur la terre inconnue et trouvera mes coffres qu'elle ouvrira laissant ressortir l'amour qui y dort depuis des années. Je peux mourir en paix. J'ai sauvé l'homme de lui-même et la femme aux cheveux d'or leur montrera la nouvelle ère, celle de la fraternité. Toi, mon frère, rappelle-toi qu'en trouvant ce message, d'autres t'attendent. J'ai laissé à la belle un cadeau. Ce présent n'est qu'un pâle reflet de ce que tu découvriras, toi, fille de sage, née dans le milieu des entrailles de Turka. Montre-leur le chemin... Ouvre-leur les yeux... Fais leur voir la beauté, celle dont tu es imprégnée, celle qui émane de toi. Et toi, mon frère qui marche à ses côtés, qui lui tiens la main, suis-la. Aime-la. Chéris-la. De toute ta vie, tu n'auras de meilleur guide, de meilleure ivresse. Ne crains pas les routes périlleuses quand tu es auprès d'elle. Elle est bénie par les anges. Quand elle délivrera Turka des ténèbres, la vie de tous nos frères ne sera plus jamais la même. Elle accomplira sa tâche jusqu'au bout, tout comme moi. Sa vie sera exemplaire. Mais reviendront les démons. De nouveau, ils lèveront leurs glaives et le sang coulera du flanc même de la femme au sourire d'ivoire. Mais Turka rejaillira encore et toujours de la bêtise de l'homme. Parce que la fille du sage aura donné, comme moi, une leçon aux hommes qui se repentiront de leurs péchés en se penchant sur son corps immolé par la douleur. Cherche mon frère. Cherche le présent, cherche la carte, cherche les autres chemins que je te laisse. Va avec elle au-delà de tes frontières. Il faut que s'accomplisse la prophétie de l'ange et que le destin de la femme suive son cours comme je l'ai vu. Je n'ai plus rien vu après. L'ange est parti et dans peu de temps je ne verrai plus. Mes yeux seront fermés à jamais et je brillerai dans la voûte céleste comme une étoile admirant les formes rondes de la boule bleue. Je signe du nom qu'on m'a baptisé, espérant que tu te souviennes de moi, toi, ma sœur, toi mon frère. Grovache, Roi de Turka, royaume éternel.

Mira avait fini de lire. Elle resta silencieuse pendant plusieurs minutes comme Bjarni et Reinstenson. Mira balbutia des mots.

498

-Fille de sage…

Bjarni se leva et vint lui retirer délicatement les feuilles des mains. Elle était visiblement ébranlée parce qu'elle venait de lire.

-Mira ? Mira ? Je sais, c'est éprouvant, c'est même presque incroyable avec quels termes il parle de cette femme. Reinstenson, vous êtes certain d'avoir traduit au meilleur de votre connaissance ? Vous n'auriez pas pu commettre des erreurs ?

-Sire, je comprends vos inquiétudes. Mais je vous assure que je connais parfaitement le norrois. Je ne vous en voudrai pas si vous voulez faire vérifier ma traduction. Il y a un autre traducteur que je connais. Il s'appelle Grenwich et aux dernières nouvelles il vivait en Angleterre. Et je suis même certain qu'il y a beaucoup d'autres traducteurs… Informez-vous auprès des monarques voisins.

-Heu ! Non, je vous demande pardon, Reinstenson. Vous avez toujours été reconnu pour l'exactitude de vos traductions et de la connaissance des langues. C'est si incroyable.

-Ne vous demandez-vous pas pourquoi, j'étais si ébahie cet après-midi quand j'ai lu ce document ? J'ai été frappé, moi aussi par toutes… ces… ces similitudes.

-C'est un coup monté ! C'est quelqu'un qui a mis ces documents dans votre bibliothèque, Sire ! C'est une plaisanterie de très mauvais goût ! Mira se rebutait soudainement.

-Majesté, sans vouloir vous manquer de respect… C'est un peu difficile à faire, une telle plaisanterie. Il fallait d'abord être certain que le Roi fasse tomber ces feuilles. Ensuite, le norrois est peut-être connu de certains d'entre-nous, les hommes de lettre, les historiens, mais près d'ici, sauf moi… Il n'y a pas âme qui vive qui puisse y parvenir. Et moi, soyez certaine que je n'aurais jamais osé vous faire une plaisanterie d'un si mauvais goût. Ce n'est pas du tout mon genre, ni le genre de la plupart des hommes de ma profession.

-Mira… Calme-toi. Il faut d'abord étudier la carte. Tu ne sauras pas la vérité avant que nous ayons vérifié. Il prétend avoir laissé des pistes. Vérifions, si la carte ne nous mène quelque part… Je ferai moi-même une enquête publique, je te le jure et l'auteur de cette mauvaise plaisanterie sera jugé et tu auras même le droit de choisir sa peine.

-La femme qui est décrite dans ce document est en tout point à ma ressemblance, Bjarni… et… La fille de sage… ça vraiment ! La fille de sage… Je suis la fille du sage de la Forêt d'Elfe, Bjarni ! C'est… c'est…

-Mira… Mira… Pourquoi as-tu si peur ?

-Mais… mais… parce que moi, Bjarni… Je… je… ne vois pas… pas du tout comment je conduirais un peuple tout entier vers… ce qu'il appelle la route du bonheur ! La renaissance de Turka ! Je ne commande pas aux éléments de mère nature…

-C'est très imagé, Majesté. Les anciens écrivaient beaucoup de cette manière. En plus, Grovache semblait sur le point d'être découvert… La guerre était imminente. Il se devait d'écrire pour que si on le découvrait, on ne comprenne pas vraiment toute l'ampleur de ce qu'il tentait de cacher. Expliqua Reinstenson.

-Voilà Mira ! Reinstenson à raison. Et je te connais Mira… tu as peur. Tu as peur parce que tu penses ne pas être à la hauteur de ce qu'il décrit. Tu as peur que si cette histoire se sait et que tu n'y parviennes pas comme il semble le décrire, on te jette dans la fosse aux lions. On te jugera. Qu'on te fasse passer sur un bûcher. Tu as peur, Mira et c'est normal. Normal, quand on est aussi discrète que tu puisses l'être. Retirée, mystérieuse, voilà ce que tu es Mira et tu ne te vois pas au-devant d'hommes à la recherche d'un fabuleux trésor annonçant haut et fort, voici la légendaire Mira qui arrive ! Je sais que c'est ça qui t'effraie… Mais j'avoue Mira, que ce document décrit avec fantaisie ce que tu es.

-Reinstenson. Laissez-nous quelques minutes.

-Bien Sire.

L'homme sortit comprenant très bien que la reine était bouleversée et que le roi avait fort à faire pour la sécuriser. Bjarni s'approcha d'elle et tira un siège.

-Mira, tu ne commandes pas à mère nature… Mais… Dieu, de Dieu ! Un regard et voilà que nous sommes à tes ordres sans même en comprendre la raison, Mira ! Comment, une paysanne a réussi à monter sur un trône ? Comment une paysanne a réussi à accrocher le cœur de deux Rois ? Je ne veux absolument pas excuser Boris. Mais, Mira… malgré ses manœuvres maladroites et sa folie à ton égard, Boris est venu te chercher même jusqu'ici. On s'est disputé à ton sujet, Mira. J'ai lâché prise parce que je savais que tu en aurais payé la note. Mais Boris tenait à toi, Mira. Je le connais depuis de nombreuses années. Jamais, il n'aurait fait un tel remue-ménage pour une femme. Jamais il n'aurait affronté le clergé, ses hommes de loi, son parlement pour arriver à ses fins et marier une simple paysanne. C'est pourtant ce qu'il a fait. Et moi ? Il est vrai que tu étais Reine par les liens du mariage, mais j'aurais fait exactement la même chose que lui. J'aurais affronté mer et monde pour t'avoir à mes côtés. Ce que j'ai fait, Mira. Tu es non seulement belle comme le jour Mira, mais il y a quelque chose en toi. Un quelque chose d'inexplicable qui nous attire, qui nous subjugue, qui nous intrigue. Mira, même si Grovache n'était qu'une pure invention, il n'en reste pas moins que la femme qu'il décrit avec autant de verve, c'est toi ! Un regard aussi profond que les océans, la femme au sourire d'ivoire, la pucelle sortit d'un lieu jadis prospère… C'est toi, Mira. À savoir, si tu conduiras des hommes, c'est l'avenir qui nous le dira, Mira. Mais, je ne veux plus que tout ceci t'effraie. Je suis là. Moi, le frère qui te tient la main, qui te suit, qui t'aime, qui te chérit. Malgré tout ce qui peut arriver, je serai là, Mira, envers et contre tous.

-Bjarni…

-Oui ?

-Il faut que je te dise quelque chose. Je n'ai pas osé en parler à personne, mais là, je dois le faire.

-Je t'écoute Mira, tu ne trouveras pas d'oreille plus attentive !

-Bjarni… La nuit où vous avez attaqué Boris…

-Oui ?

-Je savais qu'il serait déchu et que vous arriviez…

-Comment le savais-tu, on t'avait prévenue ?

-Non… Oui… Pas exactement Bjarni… Tu vas dire que je suis folle.

-Mira ! Mira ! Pourquoi dirais-je une chose pareille ?

-Bjarni… Je vous ai vu !

-Tu nous as vus arriver ? Tu regardais dehors à cette heure de la nuit ?

-Non… Oui… Bjarni… Je ne vous ai pas vu par la fenêtre. On m'a montré.

-On t'a montré ? Que veux-tu dire ?

-Bjarni, cette nuit-là… J'avais réussi à m'endormir… après… après… moult…

-Je comprends. Tu n'as pas besoin de me donner tous les détails… Maudit Boris !

-Enfin… Je sommeillais. J'ai entendu quelqu'un m'appeler. Des chants magnifiques m'attiraient vers la fenêtre de la chambre. Je me suis levée. Tu vas dire que je suis folle !

-Non… Arrête Mira… Continue… Je le sais moi que tu n'es pas folle !

-J'ai… J'ai ouvert les volets… Bjarni, je ferme les yeux et je la vois encore.

-Qui donc, Mira ?

-Ma mère, Bjarni.

-Ta mère ? Mais ta mère est morte alors que tu n'étais qu'un bambin !

-Je le sais… Tu vois, tu penses que je suis folle !

-Non, non, ma colombe ! Excuse-moi, explique-moi, c'est tout.

-Ma mère… Elle était devenue un ange Bjarni. C'était magnifique. Elle était telle qu'on me l'avait toujours décrite. Une femme belle, douce. Elle était vêtue d'une robe blanche. Un blanc immaculé… lumineux… Comme elle était belle Bjarni. Elle me parlait sans même ouvrir les lèvres. Je comprenais tout ce qu'elle me disait. Elle était venue me dire qu'elle s'inquiétait pour moi. Elle m'a fait voir que je n'avais plus de raison de craindre Boris. C'est là, que j'ai vu, Bjarni… Elle m'a montré… Des images surgissaient du fond de la nuit. Je te voyais, Bjarni cavalant à la tête d'une armée… Je voyais Boris qui était chassé de ses terres. Et elle m'a ensuite dit une chose… À ce moment-là, je ne comprenais pas ce que cela signifiait… mais ce soir…

-Que t'a-t-elle raconté d'autre, Mira ?

-Elle était venue me transmettre un message qui racontait que je conduirais des hommes vers le bonheur Bjarni… Et j'ai vu… oui, j'ai vu… J'étais sur des drakkars pendant de longs mois sur l'océan. J'ai vu des terres que je ne connais pas… des peuples aborigènes… Vêtu de peaux de bêtes… Leurs demeures sont des maisons tellement bizarres qu'il m'est difficile de les décrire, faites de bois monté en pignons, entourés de peaux de bêtes. Des peuples ayant une peau foncée.

-Comme les Africains ?

-Non, pas des peaux noires, des peaux foncées tirant sur le rouge et coiffés de plumes ! Bjarni, cette apparition… Je ne pourrai jamais l'oublier. Ma mère est repartie après m'avoir montré toutes ces images. J'aurais voulu qu'elle reste, j'étais si bien. Je ne craignais plus rien. J'étais sereine. Cette visite inattendue m'avait rempli le cœur d'allégresse. Je me sentais forte… presque invincible ! Et Boris s'est levé… Je ne sais pas combien de temps j'ai pu rester devant la fenêtre, mais assez longtemps pour qu'il se lève et vienne me sortir de ce rêve éveillé. Je me souviens alors m'avoir retournée vers lui et lui avoir dit que jamais plus je ne le craindrais et que sur l'heure il serait vaincu. Bjarni, il me regardait avec un tel étonnement. Et au même moment vous arriviez. Après, les événements se bousculèrent. Et quand je t'ai vu tomber sous la force de son épée, je ne savais plus que devais-je croire. Car souviens-toi que j'avais fait un rêve dans lequel je te voyais tomber le flanc arraché par l'épée.

-Si, je me souviens… D'ailleurs puisque tu en parles…

-Bjarni, inutile d'en parler indéfiniment… Ce que je croyais un rêve était en fait une vision exacte de ce que Boris t'a fait subir, une blessure au flanc gauche…

-Je ne t'en avais jamais reparlé, mais pendant ma convalescence, sache que je me suis souvenu de ce que tu m'avais raconté et j'avoue que j'étais déconcerté. Je n'ai jamais osé t'en reparler par la suite, jugeant que tu avais assez souffert… Mais ce soir, ce document, cette carte, ce que tu me racontes au sujet de ta vision de ta mère… Je ne suis plus seulement déconcerté Mira, je… je ne trouve pas les mots.

-Bjarni, j'ai pensé que ces visions… étaient le fruit de mon imagination. Que j'avais rêvé et que par pur hasard vous arriviez au même moment et que le fait que je n'avais jamais connu ma mère… dans des instants troubles comme je vivais… mon esprit était dérangé. Mais aujourd'hui, cette découverte… les mots dans ces feuilles… Bjarni, je suis terriblement troublée. Comment ne puis-je pas faire le rapprochement ? Je suis folle tu crois ?

-Non, ma colombe. Tu es tout, sauf folle ! Et je ne remercierai jamais assez Dieu pour t'avoir croisée sur ma route. Tu es bénie des anges Mira. Grovache le dit. Tu as là, l'explication aux visions dont tu as été le premier témoin. Mira… ton destin te rattrape. C'est tout ! Je comprends maintenant. Je comprends tout.

-Alors explique-moi, car moi, je suis si bouleversée par tout ça, je ne comprends plus rien !

-Mira, ce quelque chose qui te distingue, ce quelque chose que je n'arrivais pas à saisir, je le comprends maintenant. Tu es comme nous tous… Ton destin est tracé. La différence entre le mien et le tien, c'est que toi, Mira, ton destin est de nous conduire vers quelque part, un endroit où nous en reviendrons grandis, enrichis. Enrichis… peut-être pas de richesses quantifiables, mais de richesses d'âmes, d'esprits.

-Bjarni… Je ne suis pas Dieu !

-Non, tu n'es pas Dieu. Je le sais. Mais tu es peut-être l'un de ses nombreux messagers, Mira ! ? !

-Et pourquoi, pourquoi, Bjarni, je n'aurais rien su avant aujourd'hui ? Pourquoi ?

-Les voix de Dieu sont impénétrables, Mira ! Quelle autre réponse espères-tu ?

-Je ne sais pas… Mais… Je me demande bien comment tout ceci prendra forme… Où devrais-je vous conduire et quand ?

-Ma puce, maintenant que tu es plus calme, laisse-moi te dire que ça, c'est uniquement le temps qui te le dira. Tu sauras en temps voulu ce qu'on attend de toi.

-Ce qu'on attend de moi ? Mais qui Bjarni ? Qui attend quoi de moi ?

-Nous tous, ma belle ! Nous attendons et je suis en première ligne… Le premier, le plus impatient ! Impatient de voir ce que tu feras… et ce qu'on attend de toi ? Simple ma jolie, que enfin tu lèves le voile sur ce que l'on considère depuis trop longtemps comme une légende. On attend que tu nous ouvres les yeux !

-Fais revenir Reinstenson, parce que moi, je ne sais pas comment je vous ouvrirai les yeux ! Vous attendez beaucoup trop de moi… et je m'en sens bien incapable. Peut-être que Reinstenson sera mon guide. Je ne sais plus quoi penser.

-Ne pense plus Mira. À ce que je vois, on vient à toi. Tu as des guides beaucoup plus importants que Reinstenson… Si c'est la volonté de Dieu, tu n'y échapperas pas, nous n'y échapperons pas… Personne n'y échappera.

Il se leva et alla cueillir Reinstenson qui poirotait à la porte. Ils revinrent et de nouveau les hommes prirent place, les deux en face de Mira.

-Sire, qu'avez-vous fait du diadème ?
-Je suis allé le porter à l'orfèvre afin qu'il l'évalue.
-Bien, c'est très bien.
-D'ailleurs, je vais aller le chercher.
-Qui le diadème ou l'orfèvre ? Demanda Mira
-Les deux ! Répondit Bjarni qui sortait de la pièce.

Il revint quelques minutes plus tard en compagnie d'un vieil homme qui avait un écrin dans les mains et qui se courbait en signe de salutations devant la reine.

-Dites-leur ce que vous m'avez dit, Johnson. Dit solennellement Bjarni.
-Majesté, Reinstenson, j'ai examiné le diadème que le Roi m'avait apporté en fin d'après-midi. Je dois dire que dès que je l'ai vu, je savais qu'il s'agissait d'un diadème d'une très grande valeur. Mais, ne voulant pas faire fausse route, j'ai demandé au Roi d'avoir quelques heures pour me faire une meilleure idée.
-C'est fait ? Demanda Mira, impatiente.
-Oui, Majesté. C'est fait. Tout d'abord, l'or, les pierres précieuses, l'argent, rien de tout ça ne vieillit vraiment et résiste au temps. Surtout quand ils sont bien conservés et c'est le cas de ce diadème. Par contre, les manières de travailler ces métaux ont évolué à travers le temps. Permettez-moi d'ajouter qu'à travers le temps, il y a toujours eu des orfèvres de très grand talent. C'est le cas ici. Celui qui a travaillé ce diadème était un artiste. La finesse avec laquelle le tout a été exécuté est tout simplement extraordinaire. Je dois malheureusement admettre que je n'aurais su faire mieux. Les techniques utilisées sont quasiment impossibles à imaginer. J'oserais dire que ce diadème vient du futur… mais vous me diriez fou… Tout ce que je peux dire c'est qu'il n'est pas de notre époque. Il est vrai qu'on a trouvé déjà des bijoux qui avaient été coulés dans l'antiquité et qu'ils étaient extraordinairement précis et méticuleusement travaillés. Or, s'il ne vient pas du futur… il

vient du passé… et d'un passé… lointain. Ce diadème est d'une très grande valeur. Je ne pourrais même pas la quantifier. Sire, sans vouloir vous choquer… Ce petit bijou vaut plus que votre Couronne.

-Vous ne me choquez point Johnson. Pas du tout. Or donc, vous n'êtes pas en mesure de nous dire si ce diadème est vieux ?

-D'après moi… et moi, je n'ai aucune prétention sur ce que je vais vous dire… Ce diadème à plusieurs centaines d'années. Je dirais même qu'il est millénaire.

Reinstenson, Bjarni, Mira entrecroisaient leurs regards ébahis.

-J'ai juste une petite question, Sire… Si vous permettez ?
-Bien sûr, Johnson.
-D'où vous vient ce diadème ?
-Johnson, permettez-moi à mon tour de vous informer d'un événement qui vous intriguera sûrement. (silence) Reinstenson, nous avions convenu que tout ceci resterait secret pendant un certain temps, mais là, Johnson a le droit de savoir, car lui aussi devra participer de près ou de loin aux recherches que nous allons entreprendre.

-Sire, soyez bien à l'aise d'informer Johnson, son domaine est bien différent du mien, et il nous sera très utile.

-Johnson, si ce que vous venez de nous dire est vrai… Vous avez devant vos yeux un diadème qui provient du trésor perdu de Grovache.

L'homme regarda le roi étonné.

-Comment Sire ? Que dites-vous ? Grovache… La légende de l'Elfe ? La guerre de Grovache ?

Reinstenson fit connaître à son ami de longue date, les détails des découvertes de l'après-midi. L'homme se retourna vers Mira et de ses vieux yeux gris lui dit :

-Majesté, j'ai toujours pensé que vous étiez une dame spéciale… Pardonnez-moi, si je vous fais rougir mais il fallait qu'enfin je puisse exprimer l'immense respect qui se passe en moi quand je vous vois. Je me ferai un devoir de répondre aux moindres de vos requêtes… qu'elles soient apparentées ou non à ma profession. Je suis votre serviteur.

L'homme se courba respectueusement devant elle, la plongeant dans une controverse intérieure qui la déchirait maintenant plus que jamais. Bjarni voyant l'embarras de Mira prit sur lui de finir cette rencontre en insistant bien que le secret devait être conservé et que c'était lui et lui seul qui décidait qui se devait de connaître les détails de toute cette histoire. Bjarni pouvait faire confiance à ces deux hommes. Ils étaient au service de son père avant lui et avaient fait preuve d'une fidélité sans borne.

La soirée était bien entamée et il se faisait tard. Toutes ces émotions avaient quelque peu écorché Mira qui était frappée de plein fouet par quelque chose qu'elle se refusait d'admettre. Elle était une fois de plus désemparée. Perdue entre le rêve et la réalité. Ses souvenirs faisaient surface à rythme essoufflant. Cette légende dont elle avait entendu vaguement parler avait pris quelques formes et cela chavirait complètement l'équilibre de notre jeune beauté. N'ayant demandé à la vie que le bonheur qui lui avait été accordé depuis peu, voilà que désormais on voulait d'elle qu'elle soit une idole et son manque de confiance, sa timidité légendaire faisaient tourner d'un bout à l'autre les émotions de la jeune reine paysanne.

Bjarni la reconduisait vers leur chambre mais elle n'était pas à ses côtés. Son esprit était transporté vers l'inexplicable, accaparant ses pensées les plus secrètes.

Ajoutons que Bjarni n'était point en meilleur état, tourmenté par cette découverte qui changeait tout. Arrivés à la porte, Bjarni cessa ses questionnements intérieurs et ouvrit galamment la porte à sa chère Mira. Sous les couvertures duveteuses les deux amants se cajolaient tentant de chasser leur esprit tourmenté.

-Ferme tes yeux Mira. Si tu ne fermes pas les yeux comment arriveras-tu à dormir ?
-Je ne sais pas si j'y arriverai.
-Ferme tes yeux… et laisse Bjarni te caresser. D'habitude tu t'endors sous mes caresses. Sous mes petits baisers comme ceci… Sous mes étreintes…
-Sire, comment pouvez-vous penser à des choses pareilles après ce qui s'est passé aujourd'hui ?
-Comment ne le pourrais-je pas… Quand je vois ce que je vois… Quand je touche ce que je touche… Quand j'embrasse ce que j'embrasse !

Il l'embrassait partout, lui infligeant des caresses langoureuses, des étreintes qui la gagnaient jusqu'à la pointe des pieds changeant ainsi leur éprouvante aventure pour une partie de plaisirs charnels. Bjarni n'avait pas son pareil pour parvenir à lui faire oublier, la faire s'évader.

Et la nuit passa, et le lendemain et le surlendemain et ce fut ainsi pendant les longs mois d'hiver. Bjarni, Mira, Reinstenson, Johnson restèrent muets sur leur découverte, mais Mira observait sans relâche la copie de la carte que lui avait laissée Reinstenson. Pendant plus de deux mois, elle se pencha sur l'exactitude des "X" sur la carte, les transposant sur la carte actuelle connue de la Norvège, Suède et Finlande, la nouvelle Norsufinde.

Ne demandant pas l'aide de cartographes, ni d'hommes de science. Bjarni, ne laissa rien paraître de sa découverte face à ses hommes parlementaires, des commandements, du clergé, sauf bien entendu à son ami de toujours, moi, qu'il prit soin de prendre seul, m'expliquant presque textuellement tous les détails des documents, de la carte et surtout de la vision de Mira. Il prit soin également de m'informer de l'importance de ne pas laisser savoir à Mira maintenant, que j'étais au courant de ce détail primordial. Il considérait que Mira s'était confiée à lui et qu'elle ne souhaitait pas pour le moment le laisser savoir à d'autres personnes, même s'il savait que Mira avait une grande confiance en moi. Je rassurai le roi en lui rappelant que j'avais toujours été un homme discret.

Bjarni vaquait donc à ses occupations comme d'habitude. Cependant, il inséra à l'intérieur de son emploi du temps de nouvelles directives relativement à ses lourdes tâches. Une nouvelle façon de gérer le temps du roi venait de faire son apparition. Déléguer des tâches voilà ce qu'il faisait de ses journées. Ses hommes parlementaires découvraient un roi qui se débarrassait de plusieurs tâches que normalement, il aimait faire lui-même. C'est que Bjarni tenait à tout savoir, à tout voir. C'était lourd et il réalisait plus que jamais que s'il voulait vivre auprès de Mira, il se devait de distribuer aux bons endroits, aux bonnes personnes, les responsabilités qui leur revenaient. Personne ne protesta, trouvant bien normal que le roi prenait quelques distances étant maintenant un homme marié et père de famille.

C'est donc avec curiosité qu'il arrivait le soir et trouvait Mira dans la bibliothèque, dans les caves du château, dans son bureau, seule ou en grande discussion avec des hommes de sciences, des architectes, des médecins… Enfin, Mira était partout et nulle part à la fois. La vivacité qui l'animait, l'épanouissait. Comme l'aurait dit Bjarni lui-même, tout ça la faisait grandir davantage, surpassant déjà de très loin la femme timide qu'il avait connue. Une assurance se dessinait peu à peu dans ses gestes, dans ses pensées, dans ses paroles, dans son esprit. Cette histoire l'avait transformée. Elle était captivée et captivante.

Pendant ce temps, la construction de l'université se poursuivait. On avait déjà fini la structure depuis longtemps et les ouvriers œuvraient à faire les travaux intérieurs. Cette construction avait attiré l'attention de plusieurs voisins. La bibliothèque de cet endroit était immense. Déjà, des livres transigeaient de partout et étaient soigneusement entreposés dans une pièce du château. Déjà, des professeurs se montraient intéressés à offrir leurs services auprès de la Couronne de la Norsufinde. Ce projet semblait vouloir se concrétiser au grand bonheur de Bjarni qui avait investi des sommes considérables pour l'élévation d'un monument à l'effigie de la connaissance. Même si c'était Mira qui en était l'instigatrice, elle délaissait un peu le suivi de ce projet pour celui de la recherche sur le trésor de Grovache.

Un matin de fin d'avril, elle entra dans le bureau de Bjarni. Sa politesse l'empêcha d'en chasser les occupants, mais son entrée subite les laissa tous dans l'embarras et en se levant pour la saluer, ils prient congé du roi avec respect.

-Eh ! bien, c'est bien la première fois que tu chasses des hommes d'un endroit en t'y introduisant, Mira !

-Oh ! Pardon. Ça paraissait tant que ça que j'avais à te parler d'urgence ?

-Disons que ta déception de ne point me trouver seul, se lisait sur ton visage ! Tu l'aurais dit qu'ils n'auraient pas mieux compris !

-Je suis si énervée !

-Comment ma puce à des fourmis dans les jambes ?

-Mieux que ça Bjarni, j'ai des papillons au cœur !

-Oh ! Moi, qui pensais être le seul à te faire cet effet ! Voilà qu'il y a quelqu'un d'autre qui y parvienne ! Pauvre Roi Bjarni ! Non, je savais qu'un jour tu m'affligerais de ces mots ! Que j'ai de la peine ! Mon cœur est brisé en mille morceaux et voilà qu'il s'éparpille sur les dalles du plancher… Et voyez Madame vous marchez dessus… Non ! N'avancez plus ! Gardez-moi en au moins quelques miettes !

-Ha ! ha ! Bjarni ! Toujours à rigoler ! J'avance et je pillerai sur les morceaux… Et hop ! Je saute même dessus !

-Non de Dieu ! Qu'elle est cruelle ! Ouch !

-Ha ! ha ! Je m'approche, j'avance et je m'assieds sur vous !

-Elle en a fini avec le cœur… c'est mon corps maintenant !

-Bjarni ! Roi de la Norsufinde, taisez-vous ! Que plus un mot ne sorte de ces lèvres que j'ai soudainement envie d'embrasser… Hummmmm !

-Je proteste !

Mira l'embrassait à qui mieux mieux ! Bjarni faisait semblant de se débattre. Cela la faisait toujours rire qu'il participe avec son humour plaisant et s'en servait toujours pour égayer sa relation avec sa partenaire. Elle réussit tout de même à reprendre son sérieux.

-Votre très Grande Majesté, je pense que Mira, votre humble servante, a découvert avec une certaine exactitude où nous devons nous rendre pour poursuivre la recherche des documents qui seraient reliés à l'épopée de Grovache.

-Comment, mon humble servante a réussi ce coup de maître ? Elle en semble si certaine que je suis tenté de lui poser un tas de questions !

-Non. Pas de question Oh ! Maître ! Un seul mot : Suède.

-Ce mot m'évoque un certain souvenir ! Hum ! Où est-ce que c'est déjà ?

-Petite fripouille ! C'est vrai que maintenant ce n'est plus son nom ! Mais, nous allons nous rendre dans des ruines.

-Mais je suis une ruine ! Vous avez détruit mon cœur, mes lèvres ont été largement utilisées et que dire du reste ! Alors rendez-vous à moi !

-Ha ! ha ! Vilain cochon ! Parler comme ça devant une dame !

-Qu'ai-je donc dit qui puisse être irrespectueux envers une dame ? Surtout que c'est vrai, la dame ici présente est vraiment bien plus vilaine que le Monsieur !

-Bjarni ! Bjarni ! Incorrigible farceur ! Un peu de sérieux s'il vous plaît, Monsieur. Votre humble servante vous apprend qu'il est vrai qu'il existait des ruines près du village de la Forêt d'Elfe. J'en connaissais même l'existence. Mais je n'ai pas fait le rapprochement avec l'histoire de Grovache. Après étude de la carte et quelques questions çà et là… Le "X" sur la carte nous mène directement là.

-Eh ! bien, que puis-je dire !

-Rien… Sauf que vous partez avec moi demain… À moins que vous ne souhaitez pas me suivre et que j'y vais seule avec une dizaine de messieurs ?

-Coquine ! Tu as une façon de me présenter les choses ! Moi, Bjarni, Roi de la Norsufinde, je vais laisser aller seule la plus belle dame du royaume avec des vilains messieurs qui profiteront de tes regards… de pouvoir poser les yeux sur toi… Moi ? Non ! Méchante petite fille !

-Ha ! ha ! Voilà que je découvre que Bjarni, Roi de la Norsufinde est jaloux !

-Que si je suis jaloux ! Que si ! Oui... et je n'ai aucune honte à l'avouer ! Je l'avoue moi !

-Ho ! ho ! Ceci veut-il dire que je suis jalouse et que je ne l'admets pas ?

-Jalouse toi ? Si jalouse que si je regarde ma servante tu cherches à savoir pourquoi !

-Ha ! ha ! Bjarni ! Blagueur invétéré !

-Conclusion, ma colombe en or... Le Roi te suit ! Il va même aller immédiatement prévenir ses collègues de son départ.

-C'est déjà fait.

-Oh ! Comment ? On passe par-dessus les volontés du Roi avant même qu'il les dise ?

-Oui ! Et sans vouloir vous choquer, Sire, ce fut un jeu d'enfant. On m'écoute ici.

-Ha ! ha ! Comme si je ne le savais pas ! Ce que la Reine dit... c'est bien plus important que ce que le Roi peu bien dire ! Je le sais. Il faut que j'accepte. C'est difficile, mais je commence à m'habituer. Comment as-tu présenté ta nouvelle ?

-Pour ne pas éveiller de soupçons... J'ai menti !

-Comment ? Tu as réussi à mentir toi, Mira ?

-Oui... et malgré mes appréhensions, il semble que personne ne s'est rendu compte.

-Oh ! C'est très dangereux ça ! J'ai peur ! Tu me mens à moi ?

-Ha ! ha ! Non, bien sûr qu'à toi je ne mens pas... et ce péché est véniel puisque c'est un petit mensonge pour une bonne cause.

-Alors de quel acabit est ce mensonge ?

-Oh ! Maître, votre pupille a dit que vous veniez avec votre Reine demain. Elle leur a raconté que vous aviez besoin de vacances. Qu'un petit voyage vous ferait le plus grand bien. Que vous désiriez aller, chemin faisant, faire des petites visites à vos nombreux Seigneurs pour voir à vos affaires. Et que... toujours chemin faisant, vous aviez décidé de m'emporter dans la Forêt d'Elfe pour que je revoie certains membres de ma famille. Que nous emmenions avec nous quelques personnes pour agrémenter notre voyage de leur présence que vous appréciez beaucoup.

-Madame, mais c'est que vous mentez à la perfection !

-Hi ! hi ! Vraiment ?

-Un arracheur de dents ne vous arrive pas à la cheville du pied ! Je vous assure !

-Alors, le Roi va-t-il suivre la grande menteuse que je suis, les yeux fermés ?

-Il va suivre, mais les yeux grands ouverts ! Fermer les yeux en votre compagnie est, selon moi, non seulement une grave erreur, mais une insulte à la créature de rêves que vous êtes, ma chère !

Le lendemain matin à l'aurore, un petit convoi d'une quinzaine de personnes défilait sous les premières lueurs du soleil. Une reine sans jupons en tête de file. Elle avait troqué ses robes pour des pantalons. Une reine d'une assurance et d'une détermination marchait au-devant de nous et comme mués par une force invisible, nous la suivions au travers les routes de la Norsufinde, traversant bois, ruisseaux, rivières vers la Forêt d'Elfe. Les plus éprouvés par ce voyage étaient, bien entendu, Johnson et Reinstenson. Deux vieillards qui n'avaient plus l'agilité et la souplesse de leur jeunesse qui traînaient toujours à la queue. Je les surveillais et j'aimais bien ma position puisque moi aussi j'avais du mal à suivre la cadence d'enfer que donnait Mira à la marche ! Surtout qu'il faut dire que mère nature dans sa grande générosité faisait des routes des amas de pierres sortis comme des couteaux lavés par les innombrables pluies, la fonte des neiges qui touchait à peine à sa fin. La boue était si présente sur notre parcours que nos montures en avaient jusqu'au mollet. Mais cette nature qui s'éveillait était toujours un spectacle qui valait la peine d'être vue.

Après plusieurs jours dans cette boue qui enlisait le carrosse, et parfois nos montures, nous arrivions enfin à toucher notre but. La Forêt d'Elfe s'élevait, unique, formidable, merveilleuse comme un jardin d'Eden au milieu d'un désert. Une forêt que certains d'entre-nous découvraient. La nature qui se débarrassait tranquillement de son manteau de neige, laissait entrevoir ses beautés et ses formes diverses. Des sons, pourtant habituels, prenaient ici d'autres tonalités. L'écho que faisaient les oiseaux de leurs chants, les rivières de leurs flots, les arbres de leurs branches qui s'entrechoquent sous la brise, tout ici était féerique. Dans tous ces bruits un silence envahissant et apaisant nous imprégnait de sa béatitude. Comme si, dans ces bois vivait un être invisible qui leur insufflait une énergie bienfaisante. De tous ces voyages, Bjarni, n'avait jamais foulé une terre aussi envahissante se rappelant avec délice sa première venue et cette impression qu'il avait alors ressentie. Il était comme nous tous faisant partie intégrante d'un lieu. La terre, l'air, l'eau, tous les éléments s'emboîtaient les uns dans les autres et l'homme se sentait immergé par quelque inexplicable sensation de bien-être. Voilà ce qu'était la Forêt d'Elfe habitée par une sérénité envahissante.

Le soir s'annonçait et on ne demanda pas notre reste lorsqu'enfin le village nous apparut. Comme à leur habitude, la réception des habitants de la Forêt d'Elfe était chaleureuse, accueillante. Avoir l'impression d'être arrivés chez-soi après une longue absence, accueillis comme les enfants qui entrent au bercail, c'était là ce qu'on ressentait au contact de ces êtres pourtant simples et pauvres de la Forêt d'Elfe. À croire que cette pauvreté se transformait en richesse en les rencontrant. Épuisés par ce trajet, sans se faire attendre, on nous offrit gîte et couvert sous les salutations cordiales de ses habitants. Notre visite n'était nullement attendue. Mais qu'à cela ne tienne, les villageois n'étaient pas sans ressources s'organisant de manière rapide à notre arrivée ! Quant à Amik, qui était resté dans l'ombre depuis le mariage de Mira, il revivait aux odeurs de sa Forêt d'Elfe. Tant de souvenirs remontaient à la surface. Comme si ce contact lui faisait faire un retour en arrière, il revivait son arrivée avec Ursula dans cette forêt et l'accueil des villageois qui les acceptaient sans questions tels des habitants ayant toujours fait partie des leurs. Revoyant sa vie de jeune marié avec une femme qu'il n'avait jamais oubliée malgré le poids des années. Aujourd'hui, c'était sa fille qui le ramenait vers la Forêt d'Elfe et il en connaissait les raisons. Amik était resté muet pendant plusieurs semaines sur ce qu'il savait de la légende de Grovache et sur la vie cachée de Mira.

Ces retrouvailles et ces rires à profusion suivis par toutes les empreintes d'allégresse étaient caractéristiques de ces lieux. Mira avait délaissé Bjarni aux dépens des femmes du village qui l'embrassaient, se courbaient. Mira protestait, leur rappelant qu'elle était toujours la Mira qu'elles avaient connue. Quant à nous, nous regardions la scène, amusés. Enfin, Mira et Amik se rendirent compte que leurs compagnons étaient regroupés, un peu en retrait s'étant perdus quelque peu dans toute cette petite foule qui les accueillait les bras ouverts. S'apercevant qu'ils avaient délaissé notre petit groupe, c'est sans plus attendre qu'ils se rattrapèrent vite se rapatriant vers nous prenant d'assaut notre équipe d'hommes qui ne savait plus où donner de la tête. Nous fûmes tous entraînés vers des chaumières où les villageois prirent soin de nous faire entrer, nous invitant chaleureusement. Chaque famille prenait un groupuscule d'hommes et leur offrait de se sustenter et un lit pour dormir. Amik, Mira et Bjarni regagnèrent la maison paternelle. Juste avant d'entrer Amik s'adressa au roi.

-Sire, c'est une humble demeure que je possède. Peut-être préférerez-vous dormir dans votre tente ce soir ?
-Non, non, laisse-moi entrer Amik. Dans cette maison, cette humble demeure comme tu dis…
-Bon, comme vous voudrez !
-Une humble demeure mais qui a abrité sous son toit des êtres exceptionnels. Je suis honoré de pouvoir m'y introduire. De dire le roi. Mira s'approcha de lui.
-On se sent poète, Sire ?

-Non… Je suis inspiré ! C'est tout !

-Eh ! bien, si votre inspiration vous emportait jusqu'à la table et vous permettait de remplir ce ventre que j'entends gargouiller, vous pensez que vous pourrez poursuivre votre verve ?

-Ha ! ha ! Mes gargouillis ! Ils s'entendent ? Vraiment ?

-Eh ! Oui ! Et les miens ne sauraient tarder ! Cette odeur de potage ! Hum ! Qui, dites-moi, qui a préparé ce que je vois là ?

-C'est moi ! De dire Stephen !

-Eh ! bien, goûtons ! Grand frère, tu me surprends ! Depuis quand fais-tu la cuisine ?

-Ah ! Parlons-en de la cuisine, du lavage et des tâches ménagères ! Depuis que la sœurette est partie vivre dans un château ! Ouf ! En plus que Roberts, chanceux qu'il est… est marié, donc choyé ! et Ulric ne démontrait aucune habileté dans la matière ! J'ai dû me sacrifier ! Nous avons d'abord tous maigri. Oui, assez que les dames du village voulaient nous mettre en terre avant notre heure. Eh ! bien, elles ont été d'abord demandées à contribution ! Elles ont travaillé dur. D'arrache-pied ! Mais, voir ces dames suer à la tâche… J'ai pris pitié ! Comme j'avais rengraissé, je me devais de faire quelque chose. Ce ne fut pas chose facile que d'arriver à préparer les repas, faire le lavage d'Ulric qui a toujours le don de se salir ! Oh ! Je plains la femme qui le prendra en mariage lui !

Ils se mirent tous à rire.

-C'est vrai que j'aurais dû vous faire venir une dame pour prendre soin de vous ! Dit Mira.

-C'est maintenant que tu le dis ! Il est trop tard maintenant ! Je sais tout faire !

-Ha ! ha ! Donc, tu seras le prochain à convoler en justes noces ! Les jeunes dames doivent te courir après !

-Courir c'est une chose… Si au moins elles s'agrippaient à moi !

-Ha ! ha ! Comment, elles courent et ne s'arrêtent point ? Demanda Bjarni amusé.

-Sire… Les femmes ! Les femmes, ai-je vraiment besoin de vous expliquer !

-Ah ! Non ! Ce n'est pas parce que je suis la seule ici, que je ne défendrai pas les dames ! Va… sers-nous !

-Que vous disais-je, Sire ! Un esclave, voilà ce que je suis devenu ! Et en plus, la sœurette s'en mêle… Ça ne me dit rien qui vaille !

Ils prirent tous place autour de la table. L'atmosphère était à la fête.

Le lendemain matin, Bjarni se leva et sortit sur la petite galerie qui donnait sur la cour arrière de la maison laissant voir un champ qu'on perdait aux dépens de la montagne. Le matin était frais, mais le soleil était déjà à pointer ses rayons vers la terre qui se réchauffait. Amik apparu derrière lui quelques minutes plus tard.

-Bonjour Amik !
-Bien le bonjour Sire ! Avez-vous bien dormi ?
-Comme un loir ! L'air de ces bois, c'est vraiment magnifique.
-Ah ! La Forêt d'Elfe n'a pas son pareil, Sire !
-Amik, dites-moi, qu'est-ce que ça vous fait de revenir ici ?
-Ça réveille en moi des souvenirs enfouis.
-Des souvenirs enfouis ?
-Oui, Sire.
-Des souvenirs qui concernent Mira ou feu votre épouse ?

Amik lui fit un sourire.

-Les deux Sires !
-Vous semblez vouloir me dire quelque chose, Amik, je me trompe ?
-Vous devinez juste. Je ne voulais pas parler de tout ça, mais depuis un long moment j'essayais de trouver une manière de vous dire certaines choses. Je crois que le moment est venu… Votre trouvaille concernant la légende de Grovache bouscule un peu tout ce que je tenais secret depuis de si nombreuses années. Je n'ai pas cru bon de vous en informer avant d'arriver ici. Puisque vous abordez le sujet, je me dois de vous parler, Sire.
-Vous m'intriguez Amik ! Je suis tout ouïe !
-Sire, pendant de nombreuses années, j'ai d'abord feint les prédictions pour ensuite cacher Mira du mieux que j'ai pu.
-Prédictions ? Cacher Mira ? De qui ? De quoi ?
-Sire, je crois qu'il est plus que temps que vous sachiez.
-Que je sache quoi ?
-Sire, quand je suis arrivé dans ce village avec Ursula… Une bohémienne est venue à notre rencontre. Elle m'a d'abord embrassé les mains. J'étais à l'époque si incrédule, je ne croyais pas à ces diseuses de bonne aventure. Un fait étrange se produisit pourtant quand elle prit la main de ma femme et que son observation muette de la frêle main semblait ne jamais vouloir se terminer. Je revois encore ses yeux et son sourire ! Elle nous a regardés et nous a dit : *Soyez heureux car de votre union surgira une petite pucelle depuis longtemps attendue. Malgré votre bonne santé, bonne dame, vous ne la verrez pas accomplir son destin. Soyez heureuse car votre fille est bénie. Du haut des*

cieux vous pourrez la contempler et veiller sur elle. Enfin la prophétie se réalisera. Elle est repartie comme elle était venue. Sans trop que je comprenne d'où elle sortait et je ne l'ai jamais revue. J'ai enfoui ce souvenir. Je l'avais oublié. Plusieurs années sont passées et lorsque Mira est venue au monde, j'étais si heureux. Quand sa mère est morte quelques semaines plus tard, je me suis souvenu de la bohémienne… *Vous ne la verrez pas accomplir son destin…* Sire, j'étais bouleversé. J'ai tenté de rester terre à terre et de ne pas attacher d'importance à tout ça. J'étais fort occupé avec trois jeunes fils et un poupon. J'ai continué sans relâche les menant tant bien que mal au travers de la vie sans l'appui précieux de leur mère. Et comme la vie vous rattrape toujours au tournant, Sire… Lors de ses dix ans, Mira a fait un rêve. Debout sur la galerie en pleine nuit, elle était comme en transe, les yeux rivés sur l'étoile polaire. Quand je suis arrivée à ses côtés… Elle s'est tournée vers moi. De sa voix candide d'enfant elle m'a dit : *Père, un jour, le Roi de ma contrée viendra me prendre de tes bras pour m'emmener avec lui. Père, il m'affligera de souffrances et des innocents paieront pour sa rage. Je ne consentirai pas à convoler en justes noces avec lui et il en sera grandement contrarié. Mère m'a montré ce qu'il ferait de moi… C'est un homme grand, jeune et barbare à la chevelure des ténèbres.*

-Comment Amik ? Comment avez-vous réagi ?

-À ce moment, je ne comprenais pas exactement ce qui avait bien pu se passer. Surtout quand elle m'a dit que sa mère lui avait montré. Une fillette de dix ans. Je l'ai reconduite vers son lit et lui ai dit qu'elle avait fait un cauchemar. Mais pendant toute la nuit, la bohémienne me revenait en tête. Les jours qui suivirent étaient importants. Importants car la petite fille posait beaucoup de questions. Je l'ai convaincue que tout ceci était un mauvais rêve et de ne plus penser à ça. Sire… Mira a des visions depuis cet âge. Si elle n'en a jamais parlé, c'est que je l'ai convaincue, par la force des choses, qu'elle ne devait pas en tenir compte, que c'était seulement des rêves. Je cherchais à la protéger. Je l'ai élevée en retrait des autres enfants. Les étrangers qui passaient au village, je les triais sur le volet. J'étais si inquiet. Chaque fois qu'un garçon s'intéressait à elle, j'étais nerveux. Et puis le jour de ses quinze ans. Je m'en souviens comme si c'était hier.

-Que s'est-il passé Amik ?

-Sire… Encore une autre vision… Mais cette fois, Mira était… Enfin, elle s'était encore levée en pleine nuit et toujours son regard fixé sur l'étoile polaire, elle défilait des phrases… Mon Dieu ! c'était terrifiant. Ses frères vinrent me rejoindre. Elle n'était plus elle-même. Comme si on lui dictait ce qu'elle devait dire.

-Expliquez-vous Amik !

-D'abord, elle leva les yeux vers le ciel et tendit les bras. *Grova-che, ta promise va accomplir ton souhait. Le Roi sera chassé de ses terres et un Roi bon sera mon élu. Même si de mes entrailles j'enfante du Magnifique, son fils sera le mien et celui du Roi aux yeux verts. Je traverserai la mer et j'irai cueillir ton précieux bien. Je reviendrai glorieuse et mes craintes seront noyées dans le fond des mers. Pour toi Grovache, je changerai les hommes... La justice, la liberté revien-dra sur Turka et tu ressusciteras dans nos âmes... Oh ! Grovache, envoyé de Dieu qui t'a rappelé vers lui, je suis ta pucelle, la femme qui commandera aux éléments quand tu voudras bien me transmettre ton pouvoir... toi Grovache qui fut un Roi bon et juste. J'affronterai bien des tourments, tu me guideras toujours, car près de toi tu gardes Ursula la mère de la vierge que je suis. Donne-moi la force. Donne-moi la sagesse. Donne-moi l'amour. En échange, je te remets mon âme, mon esprit et qu'à jamais la justice, l'amour et la liberté règnent sur ton royaume.*

Bjarni était bouche bée devant Amik qui le regardait les yeux pleins de larmes.

-Sire, ai-je besoin d'ajouter que mes fils et moi nous étions tous épris d'un serrement de cœur en attendant ces paroles. Grovache... On connaissait la légende. Ursula c'était sa mère. Nous savions que Sla-vürko avait un fils à la chevelure noire et qu'il était un véritable despote. Nous savions également que le Roi Magnus avait un fils beaucoup plus tempéré. Nous sommes restés là, abasourdis par cet état dans lequel elle était plongée. Elle ne semblait pas nous voir, ni nous entendre. Et après qu'elle eut fait cette déclaration vers le ciel, elle s'est évanouie. Roberts eut tout juste le temps de l'attraper. Nous l'avons ramené dans son lit. Elle ne s'est pas relevée avant le lende-main matin. J'ai mis mes fils au courant, des nombreuses visions qu'elle avait eues depuis ses dix ans et du fait que je ne voulais pour aucun prix qu'ils colportent cette histoire hors de mes murs. Que si leur sœur était effectivement la pucelle de la légende, il fallait la pro-téger. J'ai de bons fils, Sire. Ils avaient compris. Mira fut protégée. Elle garda un vague souvenir de sa nuit. Nous lui avons encore dit qu'il s'agissait de rêves étranges, sans plus. Quand Éric, le fils du forgeron réussit à l'intéresser au point de faire de lui son mari, nous avons conclu qu'il ne s'agissait que d'une mauvaise interprétation de ce que nous avions vu et entendu. Mais voilà. Voilà qu'a surgi Boris. J'aurais dû le voir venir celui-là. Moi qui savais, moi qui avais vu, entendu Mira. Je savais que je ne pouvais rien pour elle quand il l'a emportée avec lui. La seule chose qui me restait à faire était d'essayer de vous prévenir. Ce que j'ai fait par l'entremise de mes fils qui se sont rendus jusqu'à vous. Sire… vous dire à quel point je suis inquiet. Mira a toutes les prédispositions de la pucelle de la légende et la découverte de ces documents, de ce diadème… Je suis terriblement inquiet.

-Amik, je vous comprends. Je le suis également. Cependant, si je me fis à ce qu'a vu Mira par l'entremise de ses visions, pour le moment, il n'y a rien qui parle de mort imminente. Ni d'elle, ni de moi, ni de vous ou de quiconque d'autre. C'est déjà un point positif, non ?

-Oui, vous avez raison. Je veux le savoir si jamais vous la trouvez la nuit debout les yeux vers le ciel. Je veux le savoir.

-Vous le saurez. Je peux déjà vous dire qu'elle a eu une autre vision depuis.

-Une autre ? Pourquoi ne m'en a-t-elle pas parlé ?

-Je pense que si elle ne l'a pas fait, c'est que vous lui aviez tellement dit que les visions dont elle était témoin étaient simplement des rêves. Mais voilà, que la petite fille est devenue une femme depuis, Amik. Elle n'est plus l'enfant, ni la jeune adolescente qu'elle était. Elle comprend maintenant ce que sont des rêves et ce que peuvent être des visions.

-J'oublie facilement que Mira est devenue une femme. Elle vous a raconté ce qu'elle a vu ?

-Oui… et je vous le dis tout de suite. Cela lui a pris plusieurs mois avant de me le dire, pensant réellement que je la prendrais pour une folle.

-Qu'est-ce qu'elle a vu ?

-Elle a vu sa mère, votre femme, Amik.

-Ursula ?

-Oui, Ursula. Elle a vu la défaite de Boris. Elle a vu mon ascension vers la Norsufinde. Elle a vu également son voyage vers les Amers.

-Mon Dieu !

-Elle m'a décrit avec précision une terre lointaine, comme le raconte la légende. Elle y a vu les habitants, d'étranges sujets à la peau rouge portant des plumes sur la tête vivant dans des habitations triangulaires en peaux de bêtes. Amik, après la découverte de premier document et qu'elle m'a raconté tout ça, comment pouvais-je ne pas la croire ?

-Je ne sais pas quoi vous dire, Sire ! C'est ma fille et pourtant… Tout ceci, je voudrais bien que ça lui soit totalement étranger… Mais il semble que mon désir de père passera après sa destinée.

-Amik, si cela peut vous encourager… Nous passons tous après sa destinée. La preuve, ne sommes-nous pas dans la Forêt d'Elfe et n'irons-nous pas aujourd'hui à la recherche d'un deuxième document dans des ruines à la demande de Mira ?

-Oui… Vous dites vrai. Je ne sais pas pourquoi, je suis quand même inquiet.

-Je le suis également. Comme le dit si bien le document qu'on a trouvé, je serai le frère qui lui tiendra la main. Je serai le Roi qui la protégera. Amik, pour rien au monde je ne voudrais qu'il lui arrive quoi que ce soit. J'aime vraiment votre fille. Étrange ou pas, ces visions ne changeront rien aux sentiments que j'éprouve pour elle. Je l'ai prouvé déjà, je crois. Le fils de Boris, je l'élève comme le mien. J'aurais pu le renier, la répudier, mais je n'en ai rien fait car j'aime Mira. C'est un risque que peu de rois auraient pris, Amik. Un bâtard reconnu comme héritier d'une Couronne… Peu de rois l'auraient fait.

-Aucun roi vous voulez dire !

-Aucun, sauf celui qui connaît Mira. Et je suis l'un d'entre eux. Comment peut-on ne pas l'aimer ?

-C'est vrai que ma fille est une femme exceptionnelle.

Mira arrivait derrière eux.

-Oh ! Le mari et le père en grande discussion sur le perron ! Que peuvent bien se raconter deux Messieurs sur une galerie de si bonne heure le matin ? Hum ! Je suis convaincue que vous parliez de femmes, je fais erreur ?

-Ha ! ha ! Coquine ! Non seulement on parlait de femmes, mais on parlait de toi ! De lui dire Bjarni tout en la serrant dans ses bras.

-Vous parliez de moi ! Oh ! C'est donc pour ça que mes oreilles sifflaient et que je me suis réveillée !

-Mira, n'aie crainte, nous parlions en bien. Lui répondit son père.

-Hum ! Devrais-je croire deux hommes qui parlent ensemble de femmes ?

-Amik, votre fille a une petite langue de vipère ! Sans cesse à la recherche de la faille pour nous prendre en défaut !

-Moi, une langue de vipère ? Sire, comme vous vous adressez grossièrement à votre épouse ! Langue de serpent, vous-même !

Ils entrèrent en riant et en faisant grand bruit, réveillant toute la maisonnée. Un petit-déjeuner consistant, les chevaux abreuvés et reposés de leur nuit, tout le monde se dirigea vers les autres chaumières pour cueillir les membres du cortège qui avaient eux aussi passé une excellente nuit.

Je sortais justement et me dirigeais vers ma monture. Mira me cria :

-He ! Mirikof ? Mirikof ?

-Heu ! Oui, Majesté ?

Quand je me retournai vers elle, Mira éclata de rire. Les autres aussi. Pauvre moi, les yeux encore collés, les cheveux ébouriffés, je fronçais les sourcils cherchant à trouver sur ma personne la raison de cette effusion de rires.

-Mirikof ! Vous traînez les draps de votre lit avec vous dans vos pantalons ! Hi ! hi ! Et la laisse du chien à vos chevilles ! Ha ! ha !
-Merde ! Dis-je me rendant compte que je ne traînais pas les draps, mais la taie d'oreiller accrochée à ma ceinture et qu'effectivement, j'avais une laisse de chien à la cheville.
-Ha ! ha ! Mirikof ! La nuit a été dure ! De renchérir Bjarni.
-Merde ! Comment la laisse du chien a pu se retrouver à ma cheville et cette maudite taie d'oreiller, comment est-elle restée accrochée à mon pantalon ? Merde.
-Ha ! ha ! S'il n'y avait que ça ! Dit Rensteinson.
-Quoi ! Quoi ? Qu'y a-t-il d'autre ?
-Ha ! ha ! Pour le peu de cheveux qu'il vous reste Mirikof ! Vous auriez pu les coiffer ce matin ! Continua Mira.
-Ah ! Bande de moqueurs ! C'est ça, moquez-vous du bon vieux Mirikof ! Moquez-vous ! Majesté, sans vouloir vous contrarier, ma chevelure est la plus soyeuse de tout le royaume ! Si je la garde dans cet état ce matin, c'est uniquement pour que vous preniez conscience de la beauté que je peux être quand je prends soin de moi ! Voyez comme je suis beau tout de même quand je ne prends pas soin de moi, que je traîne une laisse à ma cheville et que je transporte une taie d'oreiller là où le dos perd son nom !

Je faisais le bec pincé et prenais des airs de grandeur, faisant rire aux éclats mon petit auditoire.

-Bon ! Bon ! Puisque personne ne semble apprécier mes gestes poétiques au petit matin, j'enlève la taie d'oreiller, la laisse et je redescends les vagues, d'une pure beauté, de ma chevelure clairsemée mais si soyeuse !

Je donnais un tel spectacle, enlevant la taie d'oreiller de mes pantalons avec le bout de mes doigts, la laisse avec une élasticité remarquable et passant mes mains tout autour de ma tête, même sur le dessus où pourtant, depuis longtemps les cheveux étaient disparus. Mirikof ! Mirikof ! Me faire prendre en défaut, moi ? Non. J'avais le don de me sortir des situations les plus compromettantes, les plus intimidantes avec une telle verve.

Après ce petit interlude de rires, nous nous rendîmes à la sortie du village. Une petite réunion était nécessaire. Mira nous indiquerait le chemin à suivre pour se rendre jusqu'aux ruines.

Depuis longtemps, les gens du village connaissaient l'existence de ces ruines. La raison en était bien simple, rien de captivant ne s'y passait et ce lieu était considéré sans intérêt.

Quant à Mira, elle avait fait comme la plupart des enfants du village et joué à l'intérieur de ce qui restait d'un ancien village, enlevant quelques fois des pierres ou en replaçant d'autres pour s'amuser. Quelques murs encore debout servaient d'obstacle à surmonter ou encore de panneaux derrière lesquels la dissimulation devenait parfaite lorsqu'on jouait à cache-cache.

Nous étions donc en route vers ce lieu énigmatique. Le chemin passait juste à côté et il nous fallut descendre de cheval car avec le point de vue que nous en avions, il nous aurait été impossible de dire qu'il y avait quelque chose derrière les arbres qui bordaient cette route. Nous devions nous déguiser en orignal. Que si ! Les mains par-devant écartant comme le panache de cet animal l'épaisse forêt qui nous repoussait augmentant nos efforts à la tâche. Elle semblait vouloir agir comme un mur protecteur. Après qu'on réussit à traverser les feuillus, les épineux et les fougères, une petite clairière s'ouvrait devant nous. Une clairière habitée par les herbes hautes, un petit ruisseau et des restes d'habitations rongées par l'usure du temps. Des fondations de pierres taillées, des vieux billots de bois calcinés qui se voyaient à peine, dissimulés par la haute végétation. Mira se dirigea vers ce qui semblait être la plus grande habitation, du moins ce qui en restait. Rensteinson se pencha grattant l'une des fondations.

-Que cherchez-vous Reinstenson ? Lui demanda le roi.
-Je ne sais pas… Je…

Il fronçait les sourcils, il se questionnait intérieurement. De l'effleurement de ses premiers gestes, il passa vite à un creusage à mains nues, vigoureux. Dans cette position il me faisait penser à un chien qui a flairé un os enfoui ! Nous nous étions un peu éparpillés dans la petite clairière, mais de voir le roi et la reine stationnaires nous attira tous.

Reinstenson continuait son pelletage à mains nues. Mira avait les yeux rivés sur lui. Avouons que nous les avions tous nous aussi. Bjarni s'impatienta devant ce silence et cette intrigue.

-Enfin, Reinstenson que cherchez-vous ?
-Je m'en doutais bien. Dit-il en prenant une poignée de terre.
-Regardez Sire. Il lui tendait la terre qu'il avait dans le creux de sa main.
-Quoi ? Que voulez-vous que je voie ?
-Regardez attentivement Sire. Insistait-il.
-Je vois… oui, je vois.

Reinstenson se pivota un peu et nous fit voir ce qu'il tenait au fond de sa main.

-Regardez tous, les habitations de ce village ont été décimées par le feu. En voici la preuve. Sous les couches de terres qui sont venues s'ajouter au fil des années, il y a une couche de cendre. Et je suis convaincu que si on grattait les couches superficielles de tout ce terrain nous y trouverions de la cendre.
C'était vrai, Reinstenson tenait au creux de ses mains de la cendre mêlée à de la terre noire.

-Ceci impliquerait que ce village a été la proie des flammes. De dire le roi.
-Oui, Sire. Répondit Reinstenson.
-Cependant, permettez-moi d'être sceptique. Il n'y a rien d'anormal à ce que le feu décime un village, ça arrive souvent. Par contre, Reinstenson, si vous pouviez nous dire quand ce village a été brûlé, là, je commencerais à trouver votre trouvaille, vraiment intéressante.
-Certes Sire. Je ne suis pas un expert dans la matière. Pour ce faire, il faut demander à Rilitson.

Le roi se tourna vers Rilitson.

-Eh ! bien mon brave, puisque vous êtes l'expert ici, je crois que ce travail est pour vous.
-Bien sûr, Sire, et ça me fera plaisir. Emportez-moi une pelle, je n'ai pas envie de faire comme Reinstenson et ressembler à un lapin qui se creuse un terrier !

Nous sourions tous à l'allusion de Rilitson, même Reinstenson. Une pelle lui fut remise et il creusa pendant plusieurs minutes. Il descendit un pied dans le petit trou qu'il avait creusé et se pencha. Aidé de son index, il comptait. Il releva la tête vers nous.

-Voyez-vous, la terre s'accumule dans un endroit peu fréquenté, à raison de quelques centimètres par années. Si j'en juge la profondeur à laquelle est la cendre je dirais que le village aurait passé sous les flammes, il y a de cela huit à neuf cents ans.

Cette constatation semait la consternation dans le groupe. Tout concordait. Oui, tout. Grovache aurait été roi il y avait de cela au moins 900 ans. Et dans le premier document retrouvé, il expliquait que le feu avait ravagé son royaume. Mira n'en resta pas là. Elle avait étudié avec une telle minutie la carte qu'elle avait des fourmis dans les jambes. Elle prit à son tour la pelle et se dirigea vers le coin gauche de la fondation, ramenant tout le monde vers elle sans même avoir eu à ouvrir la bouche.

-Mira, que fais-tu ? Lui demanda Bjarni.
-Je creuse votre très Grande Majesté !
-Je le vois bien, mais ne serait-ce pas à nous de le faire ?
-Ah ! bien, si vous voulez vous en donner la peine, ce ne serait point de refus !

Elle lui tendit, sourire en coin, la pelle. Bjarni lui retourna son sourire et nous avions tous des fous rires étouffés de voir que le roi creuserait lui aussi. Il ne se démentit pas de sa tâche et s'affaira en homme vigoureux à creuser le sol rocailleux. Après plusieurs minutes d'acharnement, la pelle se heurta à quelque chose de dure, de très dur. Bjarni s'accroupit et épousseta ce qui l'empêchait de continuer sa tâche. En observant avec minutie, il s'agissait d'une pierre taillée. Il agrandit son trou et de nouveau une autre pierre. Il semblait être arrivé à un plancher de dalles. À cette vue, Mira se retourna vers nous.

-Messieurs, il faut d'autres pelles et nous nous mettrons tous à la tâche si vous n'y voyez pas d'inconvénient…
-Non bien sûr Majesté. Lui répondis-je.

Nous allions tous nous retourner vers nos montures pour chercher le nécessaire quand elle rajouta :

-Car à la vitesse où le Roi creuse… Nous allons y passer la journée !

Nous nous sommes tous esclaffés. Bjarni s'arrêta de creuser et s'accota sur le manche de la pelle en regardant Mira.

-Vous m'en direz tant ! Madame, quelle mauvaise image de moi vous donnez à mes hommes. J'en suis très offensé !

-Si vous vous offensez de si peu, Sire, c'est que vous ne creusez pas assez vite et bien puisque vous avez encore assez d'énergies pour m'entendre !

-Elle aura toujours le dernier mot, pardi ! Messieurs, comme je vous envie de ne pas avoir la Reine comme épouse, il n'y a pas pire critique dans tout le royaume !

Elle se pinça les lèvres et de nouveau elle prit son air moqueur.

-Ne perdez-vous pas un temps précieux, Sire à tergiverser sur mes défauts ?

-Je suis le Roi de la Norsufinde et je suis l'esclave le plus fouetté... Je me remets à la tâche sinon, elle vous fera ramener le fouet avec les pelles ! Ce n'est pas possible ça !

Nous étions tout sourire, devant l'humour piquant de la reine et surtout de voir Bjarni se prêter de façon si amusante à son jeu.

Nous étions tous munis d'une pelle maintenant et chacun, même la reine, débroussaillait le sol de ses couches de terre. Que cherchions-nous ? Seule la reine semblait savoir ce qu'elle voulait y trouver. Ce plancher était enterré sous une bonne couche de terre et de cendre.

Presque trois heures plus tard, la moitié du sol de l'habitation était découvert et on pouvait voir un plancher de dalles de pierres finement ciselées. À en juger la finesse de la taille de la pierre, cette grande habitation devait avoir un charme fou autrefois. La fondation était hors terre. Nous aurions dû nous y attarder. Il est vrai qu'un feu, l'usure du temps, la végétation étaient venus à bout de la splendeur qu'elle devait être. Car en levant les yeux et en étudiant plus ce qui aurait pourtant dû nous sauter aux yeux d'abord, les fondations étaient, elles aussi, finement exécutées, dans un souci de précision. Il n'y avait pas de doute, les ruines, dans lesquelles nous étions, avaient dû être, jadis, un village dont l'architecture était superbe. Les pierres étaient bien taillées, aucun mortier, l'exactitude de la coupe était à angle droit, sans anicroche. Sur chacune des dalles que nous avions mises à jour, un motif était sculpté. Une tête de lion. Un ouvrage saisissant. Le détail avec lequel chaque pierre avait été disposée, pouvait nous laisser présager qu'il y avait ici, autrefois, un village prospère.

Un village, ou même peut-être une ville entière. Car, plus on regardait les ruines, plus on observait d'autres fondations qui semblaient surgir, comme par magie, de la forêt qui l'avait envahi à travers les années. En poussant notre regard, on distinguait, entre les arbres, d'autres ruines et plus on se retournait, plus on en apercevait. Certaines étaient, certes, peu visibles, si ce n'est que la végétation les cachait presque totalement. Nous étions tous estomaqués de l'ampleur de cette découverte. Mira avait bien joué avec ses frères ici. Mais, elle s'était limitée à la clairière, comme on le faisait tous en abordant ces lieux. Là, elle découvrait, en même temps que nous, le gigantisme de l'endroit. Il ne s'agissait plus d'un minuscule village, mais d'une ville entière… et à en juger la grandeur, il s'agissait sûrement d'une grande ville avec plusieurs milliers d'habitants. Reinstenson nous arrêta tous.

-Regardez bien les détails de ces dalles…
-Nous y voyons clairement des têtes de lion, Reinstenson. Dis-je
-Oui, et sachez que si je me rappelle bien de ce que je sais au sujet de Grovache, le lion était son emblème.
-N'allons pas trop vite. C'est vrai que cette découverte est de loin une splendeur… mais n'allons pas trop vite… Ne sautons pas aux conclusions trop hâtivement. Dit Bjarni qui resterait toujours fidèle à lui-même, prudent.

Mira ne perdit pas une minute. Elle se mit à compter les dalles à partir du mur gauche. Un, deux, trois, quatre, cinq, six, sept. Reprenant son calcul de la septième vers le mur du devant, un, deux, trois, quatre, cinq, six, sept, huit, neuf et dix. Elle posa son petit pied et nous regarda tous.

-Maintenant, Messieurs, il faut tenter de soulever cette dalle.

Nous arrêtâmes tous notre creusage pour accourir sur la dalle, où nous avons étudié avec minutie la façon de la soulever sans l'abîmer. Les dalles étaient grandes et si bien disposées les unes à côté des autres. Le joint entre elles, était si étroit, c'est à peine si on pouvait y glisser la lame d'un couteau. Bjarni eut une idée. Il envoya quelquesuns de ses hommes chercher de l'eau. Faire couler de l'eau sur les pierres, cela nettoierait leurs pourtours et il serait peut-être plus facile de trouver un moyen pour en retirer une quand on voit clairement ce que l'on travaille. Comme le ruisseau était tout près, ce fut vite fait que l'on nettoya la dalle pointée avec précision par Mira. Un petit silence, des mains qui pinçaient les mentons, d'autre qui grattaient le front, nous étions tous à trouver une solution pour pouvoir soulever cette dalle. Si on avait pu entendre nos méninges, quel grand bruit cela aurait fait ! C'est Johnson qui fut le plus érudit de nous tous.

-Sire, Majesté, Messieurs, je suis habitué à travailler les métaux. Qui soit dit en passant, sont dur également… et la pierre a d'autres attributs que les métaux, mais, la dureté, la manipulation demandent du doigté. Je vais aller fouiller dans mes outils. J'ai de grandes spatules et je crois qu'elles pourraient s'introduire entre les joints. Après, il ne resterait qu'à les travailler de façon à faire bouger la dalle jusqu'à ce qu'elle se soulève. De cette façon, nous n'abîmerons rien. Qu'en pensez-vous ?
-Courez chercher ces spatules Johnson ! Si jamais cette manière échouait, je ne vois pas d'autre moyen que de briser la dalle. De dire le roi.

Johnson, du haut de ses 1 m 62, de ses soixante-huit ans, ressemblait à un singe qui sautille entre les fougères dans les fourrés. Sa prouesse n'en resta pas là, enjambant les restes de fondation et les petits arbustes se dirigeant à toute vitesse vers son chargement disposé dans ses sacoches sur son cheval comme si la jeunesse lui aurait été donnée de nouveau. Je le regardais aller et je me disais que pendant tout le voyage, il avait traîné de la patte, et comme par enchantement, c'est comme si ses vingt ans lui auraient été restitués ! Revenant de la même manière qu'il nous avait quittés, quelque peu à bout de souffle, et je l'aurais été à moins, il tendit à Mira, deux longues et larges spatules en fer.

-À vous l'honneur, Majesté !

Mira lui fit un petit sourire et s'accroupit. Elle en prit une et l'introduit dans le joint. Elle dut pousser fortement pour l'entrer jusqu'au manche. Ensuite elle commença à faire le tour de la dalle. Cela eut pour effet de faire glisser toute la terre qui s'y était immiscée depuis de nombreuses années. Le joint s'était nettoyé ayant pris un grand bain d'eau limpide. L'insertion des spatules l'une en face de l'autre était uniquement séparée par la dalle elle-même. Elle se releva et nous regarda tous.

-C'est à vous l'honneur maintenant Messieurs.

Elle nous invitait à tenter de soulever la dalle. Moi et Bjarni prîmes les honneurs si agréablement suggérés par Mira. Nous avons pendant plusieurs minutes fait des manœuvres afin d'ébranler la pierre qui commençait doucement à faire de petites secousses sous la pression que nous lui infligions. En regardant bien autour de nous, il aurait été carrément impossible d'en faire autant avec ses voisines. Conclusion, cette dalle avait déjà été auparavant déplacée et méticuleusement remise à sa place. Encore quelques instants, et la dalle se soulevait sous la pression que nous y mettions. Le petit groupe que nous étions, se penchait sur l'objet de nos efforts. La pierre se soulevait… oui, elle sortait de son emplacement. Nous devions y mettre toute notre force car la dalle était épaisse de plusieurs centimètres. Une fois la pierre soulevée complètement, nous l'avons déplacée pour la déposer sur sa voisine. Cette opération terminée, about de souffle, nous étions tous rivés sur le trou qu'elle avait laissé. Pour le moment, rien d'extraordinaire. Non, que de la terre. Reinstenson prit les devants. Il se pencha et avec une pelle, creusa. Il s'arrêta brusquement lorsque nous entendîmes tous un bruit sourd. Celui-là même du fer creux. On se regardait tous. Un silence d'église et des yeux curieux nous caractérisaient tous. À ce moment précis nous entendions arriver au loin des cavaliers. Bjarni ne fit ni une ni deux.

-Mirikof, vite, allez à l'orée des bois avec deux hommes. Ne vous montrez pas tout de suite. Si ça devient nécessaire, montrez-vous. Tentez de les distraire du mieux que vous pouvez, il ne faut pas que personne ne sache ce que nous sommes venus chercher ici… et encore moins, voit ce que nous sommes en train de faire.
-J'y vais sur le champ, Sire, et n'ayez crainte, je vais les distraire, ils vont continuer leur route, foi de Mirikof !

J'ai donc sonné deux gardes et nous partîmes en courant vers la barrière naturelle de la clairière. Nos montures étaient attachées et broutaient de l'herbe. Des montures royales, d'hommes de garde, ça en intriguerait plus d'un ! Pendant ce temps, nos pelleteurs continuaient leur labour.

-Reinstenson, Johnson, vite, il faut mettre à jour ce qui semble caché sous nos pieds. Dit le roi avec énervement.

Les deux vieillards ainsi que Bjarni enlevèrent la terre jusqu'à découvrir une poignée de fer. Bjarni leva les yeux vers tous ceux qui se trouvaient là. Son regard intrigué s'adressait à Mira et sans attendre tira sur la grosse poignée. Un bruit de grincement et la boîte de métal s'ouvrit. La profondeur de la boîte n'aidait en rien, ne laissant rien entrevoir qu'une noirceur quasi totale. Bjarni se pencha et y entra le bras. Rien, il n'y avait rien. Il ne touchait que le vide.

-Dieu du ciel ! Reinstenson, donnez-moi un caillou que je vois si cette boîte est profonde, car de mon bras, je n'atteins ni les bords, ni le fond.

Reinstenson lança un petit caillou qui prit quelque temps avant même d'atteindre ce qui semblait être le fond. Il fallait donc conclure qu'il ne s'agissait pas d'une boîte de métal, mais d'une pièce dont l'orifice d'entrée était cette petite porte. Quant à moi et mes deux compagnons nous revenions de notre petite randonnée. Les cavaliers étaient en fait des marchands qui avaient emprunté la route pour se rendre au village. Il me fut aisé de les convaincre que le roi était en visite et s'était arrêté quelques instants pour voir les ruines. Ils avaient des éclairs dans les yeux. Des éclairs d'envie. Envie de voir le roi, la reine. Je sentais qu'ils auraient bien aimé que je leur permette d'attendre pour voir le couple royal, mais, je leur brodai une histoire, comme quoi, le roi était fatigué de son voyage et qu'il se sentait las. D'ailleurs, c'était plus un endroit où prendre l'air tranquille que les ruines elles-mêmes qui l'avaient emmené en bas de sa monture, ce matin-là, racontais-je. Moi et mes compagnons nous faisions le guet uniquement pour préserver les montures royales. Nous étions les gardes. Cela amusa bien mes compagnons qui trouvaient que je mentais à la perfection ! Or donc, nos marchands un peu déçus, mais fort compréhensifs, reprirent leur route sans même vraiment s'arrêter. J'étais un fin filou quand je mettais à contribution mes feintes de vieux renard.

Je revins avec mes gardes et voyais maintenant la petite ouverture et le noir presque complet d'une pièce. Un genre de sous-sol. Mira s'avança et déclara :

-Qu'on me prépare une torche, je vais descendre.
-Non, il n'en est pas question ! S'interposa catégoriquement Bjarni.
-Mais qui d'autre que moi pourrait passer par cette ouverture ?
-Nous irons chercher un enfant… que sais-je, mais tu ne descendras pas dans ce trou, seule !
-Un enfant… tiens donc ! Vous oseriez mettre en péril la vie d'un pauvre innocent ?
-Non… non… Je disais ça comme ça… Je ne veux pas que tu mettes ta vie en péril… Je ne sais pas, il doit bien y avoir un moyen…
-Si, il y en avait un, Sire. Dis-je semant ainsi les interrogations de tous.
-Mirikof, vous êtes de loin, le meilleur général qu'on puisse espérer, mais vous ne passerez pas dans cette ouverture ! Dit Bjarni.

-Je sais. Je n'ai pas prétendu pouvoir y descendre, mais une torche attachée au bout d'une corde, oui ! La pièce ainsi éclairée, nous laisserait voir ses formes, ses profondeurs et même son contenu s'il ne s'agit pas d'un corridor qui se rend vers une autre pièce !

-C'est génial Mirikof ! Dit le roi, enjoué comme un enfant.

-Allez chercher une torche, de la corde, et qu'on exécute l'idée géniale du meilleur général que ne connaîtra plus jamais la Norsufinde !

Quelques minutes plus tard, la torche allumée était attachée à la corde et procédait à sa descente dans les entrailles de la pièce obscure. Bjarni, Mira, moi, Reinstenson, Johnson, Rilitson, enfin tout le monde qui pouvait avoir une petite place, nous étions à essayer de voir ce que recelait la pièce. Tranquillement, les lueurs de la torche nous laissèrent entrevoir une petite pièce dont les murs étaient de pierre. Ces dernières étaient aussi bien sculptées que le reste du plancher que nous avions mis à jour. C'était bien une petite pièce. Le sol était à environ trois mètres plus bas. En faisant tourner la torche, on y voyait des coffres, une petite table, une chaise, des épées, des boucliers, enfin… c'est ce qu'on réussissait à distinguer de par les lueurs de la torche. Mira se releva.

-Messieurs, faites-moi descendre. Nous savons maintenant où je vais poser les pieds.

-Je ne suis toujours pas convaincu qu'il s'agisse d'une bonne idée, Mira.

-J'ai dit faites-moi descendre ! Insista-t-elle.

Bjarni dut se résigner à suivre l'insistance de la belle. Moi et Bjarni la prîmes par les bras et ce fut un jeu d'enfant de soulever au-dessus de l'ouverture la reine qui était d'une légèreté… Nous lui avions attaché une corde autour de la taille dont chaque extrémité était tenue par moi et Bjarni. La belle descendait, torche à la main dans la pièce. Il fallut laisser quelques mètres de corde avant qu'elle n'atteigne enfin le plancher. Ensuite, quelques secondes de silence, l'observation de nous tous qui étions restés à la hauteur du plancher des vaches penchés sur le trou qui était illuminé par des lueurs de torche. Mira, les yeux grands ouverts, dirigeait la torche pour connaître avec exactitude les détails de la pièce dont elle était la seule habitante. Après un tour complet sur elle-même, l'analyse du lieu, elle leva la tête vers nous.

-Vous n'avez aucune idée, Messieurs, de la richesse de cette pièce !

-Qu'y a-t-il Mira ? Demanda avec curiosité Bjarni.

-Les murs sont, en fait, recouverts d'or…

-Comment ? Demandions-nous, tous sous l'effet de la surprise.

-Oui, quand j'approche la torche je distingue la couleur de l'or. Si ce n'est pas de l'or, je me demande bien ce que c'est !

-Comment… Comment se fait-il que nous n'ayons pas vu ça en descendant la torche ? Demandais-je étonné.

-Parce que… Je ne sais pas, mais quand je m'approche… Je vois bien une couleur dorée… Que voulez-vous que je vous dise !

-Tu peux prendre quelque chose et gratter, Mira ? Demanda Bjarni.

-Je peux bien faire ça, je vois ici sur une petite table un objet contendant… et en l'examinant bien, je ne saurais dire ce que c'est… mais, je vais gratter juste un petit peu dans le bas de ce mur. Je ne voudrais pas abîmer la beauté qui se dévoile sous mes yeux.

Elle prit l'objet en question, se pencha. Des petits bruits de frottement se faisaient entendre. Nous étions tous suspendus aux commentaires qu'elle nous dévoilerait dans quelques instants.

-Messieurs, si j'en crois ce que je vois, c'est bien du métal… et j'oserais confirmer que c'est de l'or… Il ne s'agit pas ici de feuilles d'or disposées sur des murs de pierres, mais bien de murs faits d'or taillé en forme de pierre.

-C'est… c'est incroyable ça ! De dire Johnson, qui était le spécialiste des métaux dans notre petit groupe.

-Peut-être, Monsieur, mais c'est ce que je crois… c'est ce que je vois, moi !

-Mira, fais-nous la description de ce qui t'entoure. Demanda avec empressement Bjarni.

-D'abord, il y a cet objet que je tiens. Cela ressemble à un sceptre. Il y a des inscriptions, des motifs… Je ne sais pas ce que c'est exactement, mais ça aussi semble être en or massif, serti de pierres précieuses… à moins que la lueur de la torche me joue des tours… Ensuite il y a cette petite table. Dieu qu'elle est belle. Elle est petite, mais massive. Solide, fait de bois sculpté avec des pattes en forme de… de… tête de lion. Il n'y avait que ce qui me semble être un sceptre sur la petite table. Ici, je vois… Oh ! Comme c'est beau…

-Quoi, que vois-tu Mira ? Demanda avec une insistante curiosité le roi.

-Un immense coffre… Ou plutôt… Je ne sais pas…

-Quoi ? Quoi ? Que vois-tu Mira ? Questionna encore Bjarni qui semblait tout à coup avoir des fourmis dans les jambes.

-Ce n'est pas un coffre ordinaire… C'est bien trop grand, massif et gros… C'est un… Je me trompe peut-être…

-Sire, faites-moi descendre ! Demanda Reinstenson.

-Vous n'y pensez pas Reinstenson ! Je ne crois pas que vous passiez par l'ouverture. Lui répondit Bjarni.

-Attendez ! Coupa Mira.

-Quoi ? Qu'est-ce qu'il y a ? Questionna Bjarni prit soudain d'une inquiétude.

Elle fit quelques pas. Nous l'entendions marcher et après faire des mouvements. Le bruit de ses gestes ressemblait à quelque chose que l'on tire ou que l'on pousse. Comme si elle actionnait un mécanisme quelconque. Quelques instants suffirent à nous fixer sur ce que la reine avait touché. Rappelons-nous que nous sommes tous penchés autour de l'orifice dans lequel Mira est descendue. Ce qu'elle avait touché était, effectivement, un mécanisme qui se mit en branle et quelques secondes avaient été suffisantes pour que moi, Bjarni, Reinstenson soyons déséquilibrés sous la pression qui soulevait une immense dalle. Mira avait déclenché le mécanisme de l'ouverture d'une porte énorme qui se soulevait, balançant terre et hommes que nous étions par-dessus bord ! Bjarni eut la souplesse de se retirer tandis que moi et Reinstenson tentions tant bien que mal de se tenir debout. Reinstenson se coucha. Réflexe qui lui valut une simple petite descente vers le sol quand l'ouverture de la porte fut complète. Moi... et bien je dus sauter à côté. J'avais quand même assez bien atterri sur la terre déplacée par le mouvement de cette dalle. Les autres qui étaient eux aussi sur le bord de la première ouverture, n'avaient pas eu le temps de réagir, surpris par le déplacement d'une si gigantesque porte de pierre. Nous étions tous ébahis. Cette porte étant ouverte à son maximum, nous laissait maintenant le privilège de voir un escalier qui descendait dans la pièce où Mira nous regardait torche à la main d'un air inquiet.

-Tout le monde va bien ? Je... je ne pensais pas que j'aurais déclenché...

-Mira... tout le monde va bien... Nous avons été très surpris, rassure-toi ! Lui répondit Bjarni.

-Venez voir... maintenant, tout le monde peut descendre et cette ouverture laisse largement passer toute la lumière nécessaire. Cette torche n'est plus nécessaire. Dit-elle.

-Soyons tout de même prudents. Rilitson, Johnson, Reinstenson, Mirikof vous me suivez, quant aux autres, vous restez ici. Montez la garde. Il faut être prudent. On ne sait pas si cette porte restera ouverte jusqu'à ce qu'on renverse le mécanisme... Tout à coup qu'il y a un temps déterminé... Je n'aimerais pas que nous soyons tous pris dans cette pièce. La seule qui pourrait sortir serait Mira.

-Vous avez raison, Sire. Lui dis-je, approuvant sa prudence.

530

C'est donc avec curiosité que nous descendions rejoindre Mira qui avait éteint sa torche. Johnson se mit à l'examen des murs et de ce que Mira pensait être un sceptre et Reinstenson n'eut d'yeux que pour ce que Mira avait décrit au départ comme un immense coffre. Rilitson, Bjarni, Mira et moi regardions tout autour de nous. Mira avait bien raison. Les murs semblaient être d'immenses blocs d'or. Ce que tenait Johnson ressemblait étrangement à un sceptre. Un ouvrage digne d'un maître. Et le coffre. Je savais d'avance ce qu'aurait dit Reinstenson. Il passait ses mains sur l'ouvrage sculpté sur toutes ses faces. Des inscriptions, des motifs, taillés à même une pierre qui ressemblait à si méprendre à du marbre vert. La beauté qui était présente partout dans cette pièce était tout simplement à couper le souffle. La lumière qui dévoilait la couleur des murs qui se reflétaient sur le soi-disant coffre. C'était inimaginable, et même encore aujourd'hui, j'ai du mal à trouver les mots pour décrire ce que nous avions sous les yeux. Reinstenson se retourna vers nous, faisant cesser, l'observation délicate de Johnson sur les murs.

-Messieurs, Madame… Je n'arrive pas à croire ce que je vois !
-Vous n'êtes point le seul Reinstenson, nous sommes tous… comment dire… ébahis ! De lui répondre Bjarni.
-Peut-être Sire, mais pas autant que moi… Sire, Majesté, ceci n'est pas un coffre, c'est un sarcophage !

Je m'en doutais. Il ressemblait beaucoup à ceux qui avaient été trouvés en Égypte. Comme j'avais beaucoup voyagé dans ma jeunesse, j'avais eu la chance d'en voir, d'en toucher. Ce coffre était sans aucun doute, un sarcophage. Il était, certes, différent de ceux que j'avais jadis vus, mais la longueur, la forme, l'ouvrage grandiose dont il était serti… Nul doute, il avait dû servir à ensevelir quelqu'un d'important. Quelqu'un qui détenait, non seulement, la richesse, mais un immense pouvoir… Cette pièce était de loin le reflet de la gloire d'un grand personnage.

Notre position changeait. Nous étions tous, côte à côte, face au sarcophage.

-Sire, selon les inscriptions… Vous ne me croirez pas ! Dit-il nerveusement.
-Reinstenson… voyons ! Répondit Bjarni.
-Il s'agit du lieu de repos de Grovache. Lança Mira d'un sérieux qui nous surpris tous.
-Majesté… c'est cela même ! Renchérit Reinstenson.
-Comment ? Questionna Bjarni.

À ce même moment précis un événement surprenant survint. Mira ne semblait plus avec nous. De corps oui, mais pas d'esprit. Elle tendit le bras et de sa main toucha le sarcophage en fermant les yeux, comme envoûtée. Et aussi soudainement que surprenant, elle se mit à parler d'une voix claire et haute.

-Grovache, tu n'y dors point, mais ton âme est si présente que je sens ton souffle doux sur ma peau... Oui, je suis la pucelle... Je suis celle que tu attendais et je suivrai tes pas... Guide-moi encore... Car dans les ténèbres je n'y vois rien... Fais-moi voir l'étoile qui me conduira vers des lieux où tu as laissé les outils qui reconstruiront Turka.

Nous étions tous si... Je ne sais pas quels termes utilisés... Les mots me manquent pour décrire ce que nous avons tous ressenti de la voir et de l'entendre. Mira avait défilé des paroles, des phrases, des mots avec une assurance, une paix intérieure indescriptibles... Depuis la découverte des premiers documents, Mira avait toujours douté, n'avait jamais laissé entrevoir un lien quelconque entre elle et cette fameuse légende... Et là, sous nos yeux, sans aucune réserve, elle avait formulé des phrases et des mots qui la propulsaient directement vers l'authenticité de son rôle dans ce que nous avions tous cru jusqu'à lors, une légende empreinte d'une certaine vérité...

Elle soupira et une petite brise vint l'effleurer. La brise ne s'adressait pas du tout à nous... J'avoue que j'aie eu les frissons... Et je n'étais pas le seul. Nous ne savions plus, si nous devions être effrayés où enchantés. Une chose est certaine, nous restions sur nos positions et dans un calme extérieur qui n'avait rien à voir avec nos émotions intérieures. Elle ouvrit les yeux et nous regarda tous. Encore, Mira avec ce petit regard candide. Elle était la seule à pouvoir faire d'un regard, ce qu'elle en faisait.

-Vous pouvez ouvrir, vous n'y trouverez pas le corps de Grovache. Il est parti depuis longtemps et n'a jamais pu être enseveli comme il l'avait souhaité... Trop grande était la bêtise humaine... Il le savait que trop bien. Aujourd'hui, il nous montre une autre voix. Jamais, il n'a oublié les enfants de Turka. Ouvrez le sarcophage. Il y a là, une route que je dois emprunter pour me rendre jusqu'à son impossible rêve. Dit-elle, toujours avec une assurance qui nous laissait bouche bée !

Sans dire un mot, nous étions à ses ordres. La dalle qui fermait le sarcophage était lourde. Trop lourde d'ailleurs. Elle faisait plus de deux mètres de long sur un mètre de large dont l'épaisseur devait avoir environ 10 cm. C'était massif tout ça ! En plus, elle semblait scellée. C'est Reinsteinson qui trouva un moyen ingénieux de la desceller. Il prit le sceptre que tenait Johnson et la pointe de ce dernier s'emboîtait parfaitement dans le joint. À se demander s'il n'avait pas été laissé là pour cette seule utilité. Quelques minutes plus tard, ce qui ressemblait à du mortier blanc s'enlevait pour laisser un sillon tout autour de la dalle de surface. Bjarni fit descendre tous ceux qu'il pouvait, ne laissant qu'un seul homme à l'extérieur aux aguets. Nous avions mis plusieurs minutes, voir même une bonne heure avant de parvenir à faire enfin bouger la dalle, la déplacer et finalement l'accoter sur le devant du sarcophage. Mira restait debout, silencieuse. Une fois le sarcophage ouvert, nous avions devant nous, le dernier lieu de repos de ce qui avait dû être le règne du puissant roi, Grovache. Comme l'avait dit Mira, il n'y avait pas de corps enseveli. Elle avait des connexions avec Grovache que je n'avais pas. Comment pouvait-elle savoir qu'il était vide ? Du moins, vide du corps de Grovache.

Un sarcophage taillé dans le marbre vert, grand, imposant… sculpté d'inscriptions autant en dehors qu'en dedans. Il était peut-être vide d'un corps, mais il était plein d'objets. Nous avions sous les yeux un trésor. Des assiettes, des coupes d'or, des colliers de rubis, d'émeraude… Une couronne… Une couronne de Roi… Une splendeur ! Des bijoux, des objets disposés dans le sarcophage dans un ordre méticuleux. On s'était donné bien du mal pour les disposer ainsi. Au milieu deux documents. Mira s'approcha et se pencha pour les ramasser. Scellés par un sceau royal, elle ne fit ni une ni deux et les ouvrit. L'un contenait plusieurs feuilles. L'autre était une carte. Elle leva les yeux vers nous.

-Messieurs, sachez que ce qui vous semble un trésor n'est que ce qu'avait laissé Grovache ici pour nous. Afin de nous montrer les richesses dont il disposait. Mais la plus grande richesse qu'il avait, il l'a fait emmener là.

Elle pointait sur la carte, ce lieu énigmatique qui avait été partiellement dessiné sur la première carte. Les Amers. Cette fois, la carte nous présentait en détail, un continent se trouvant à l'Ouest. La Norvège était à peine visible. En joignant les deux cartes bout à bout on apercevait clairement un nouveau continent, loin, très loin au-delà de la mer. Nous n'étions pas sots. Cela ressemblait étrangement aux descriptions qu'avaient faites Erik le rouge d'un immense continent au-delà de la mer vers l'Ouest. Nous avions tous fait le rapprochement. Erik le rouge était un vieux loup de mer. Un Viking qui nous avait laissé pour héritage un récit de voyage fantastique entre les sirènes et des baleines plus immenses que ce que l'homme peut imaginer. Son journal de bord mentionnait des peuples aborigènes ayant d'étranges coutumes. Un langage incompréhensible et des mœurs bien différentes des nôtres. Tout ceci nous revenait soudainement par enchantement dans nos petites cervelles en voyant clairement ce qu'avait dû voir Erik lui-même. Erik n'avait jamais parlé d'avoir trouvé un quelconque trésor ou quelques richesses que ce soit sur ces terres lointaines et inconnues. Bien au contraire, l'hiver existait là aussi. Le gibier et le poisson étaient d'une abondance phénoménale, mais Erik le rouge n'y trouva rien qui puisse l'extraire définitivement de son pays natal. Le voyage en mer était long et périlleux. Il faut dire qu'Erik le rouge, marin chevronné, connaissait peut-être la légende de la Forêt d'Elfe… sûrement, je pense que oui, sauf qu'il avait dû, comme bien d'autres avant lui, pensé qu'il ne s'agissait là que d'une simple légende et rien de plus. J'en suis convaincu, car il n'avait nullement fait ce voyage dans ce but. Il était parti de son port avec ses compagnons à la recherche de quelques nouveaux endroits à piller. Il n'avait pas eu le choix puisqu'il avait tué un homme et qu'on lui avait montré du doigt la porte de sortie. En quelque sorte, il avait dû quitter sa terre et tout en naviguant plus vers l'Ouest, il était arrivé dans une terre alors inconnue. Souvenons-nous que les Vikings, malgré leur grande réputation de maîtres des océans étaient aussi reconnus pour être les plus sanguinaires pirates et étaient craints par bien des peuples. Il n'est donc pas étonnant que dans son journal de bord, nous n'ayons pas retrouvé de mention reliant ce nouveau continent à la légende de la Forêt d'Elfe. Mais aujourd'hui, nous en avions une. Une mention, un lien direct en chair et en os. Elle s'appelait Mira et se conduisait depuis peu, du moins sous nos yeux, comme étant la pucelle sortie de la Forêt d'Elfe pour libérer les Scandinaves de leurs misères. Toutes ses découvertes, l'attitude de Mira, nous laissaient entrevoir des jours d'aventures et de péripéties reliées directement avec une légende qui s'avérait en fait, être une histoire vraie… et ce, dans les moindres détails. La seule chose que je n'arrivais pas à déchiffrer, c'était ce lien, ce contact qui semblait diriger, animer, Mira. Là, moi et mes compagnons, nous flottions en plein mystère. Il y a comme ça, dans la vie, des phénomènes inexpliqués et inexplicables. Mira en était un. Je ne voyais plus la pucelle effondrée par une entrée forcée dans ses appartements… Non, je ne voyais plus ce regard affolé et le tremblement de ses mains. Désormais, je verrais une femme sereine, rassurée, qui semblait avoir trouvé un chemin, une direction à sa vie. Son destin se traçait comme les "X" sur la carte que nous regardions tous.

Reinstenson prit délicatement l'autre document des mains de Mira et le déroula complètement. Il y avait trois feuilles. Jaunies elles aussi par le temps, mais en bien meilleur état de conservation que celles trouvées dans la bibliothèque de Bjarni. Sans vouloir faire mon connaisseur, j'oserai dire qu'elles avaient été déposées au fond de ce sarcophage peu de temps avant qu'on ne le scelle et que nous étions les premiers à les remettre à la lumière du jour depuis plus de mille ans. Aucune poussière, les objets dans leur ordre, que je crois être l'ordre initial, la netteté et la conservation de la carte et des documents ne laissaient rien présager d'autre. Je n'étais pas un homme de lettres comme Reinstenson, ni un orfèvre émérite comme Johnson, mais j'étais curieux de nature, et j'avais tout de même à mon actif, des centaines de voyages, des connaissances diverses de par la force des choses et un esprit, que je considère encore aujourd'hui, très ouvert et perspicace. Donc, il m'était facile de conclure que nous étions dans une pièce qui avait été savamment cachée à l'envahisseur et qu'elle était restée dans cet état, et tout ce qui s'y trouvait, depuis plus d'un millénaire. Les pilleurs de l'ancienne époque comme de la nouvelle n'avaient pas trouvé cet endroit qui était, selon moi, resté comme on l'avait laissé. Faisant courir une légende qui perdait ses origines dans les racontars parfois maladroits de nos conteurs. Du sceptique qu'il était à prime abord, Bjarni, était comme moi, devenu le frère qui lui tiendrait la main. Mira était une femme extraordinaire. Je ne le dirai jamais assez. La petite lumière que nous avions l'impression d'apercevoir dans son regard était en fait ce petit quelque chose qui nous attirait, qui nous subjuguait, qui faisait d'elle un être à part, un être rarissime… En y pensant bien, elle était comme bien des gens qui avaient, à travers le temps traversés, les époques de l'homme. La bible nous parle de David, de Noé, de Jésus, et je pourrais en citer bien d'autres… Notre histoire, l'histoire du monde, avait toujours été empreinte par le passage de personnages lumineux, clairvoyants, visionnaires, sensationnels. Nous n'avions pas tous la grande chance de les croiser, mais le groupuscule que nous étions l'avait pourtant.

Elle se révélait enfin, la petite pucelle de la légende. La femme forte dans un corps gracile. Elle tenait entre ses mains une carte qui la mènerait directement vers sa destinée. Reinstenson, lui, tenait le document qu'il lisait fébrilement. Bjarni attiré par l'énervement, pourtant silencieux, de Reinstenson, lui demanda :

-Reinstenson, pouvez-vous déjà me traduire une partie de ce que vous avez entre les mains ?

-Juste une petite minute Sire… Dit-il tournant sa lecture vers la deuxième page.

Un petit silence, Mira et nous autres, on le regardait.

-Sire… Je le transcrirai ce soir, mais pour le moment, je vais vous le lire.

-Oui, faites. Dit Bjarni.

Nous le regardions tous avec une certaine impatience.

LA ROUTE DE L'OPULENCE

Si tu ne me trouves pas où tu pensais me trouver, c'est que l'enfer est venu vers moi plus tôt que je ne le croyais. Je t'ai tout de même laissé des présents pour te remercier d'avoir écouté ton cœur et d'être venue jusque dans ma demeure. Toi, mon ange aux cheveux d'or, aux yeux profonds comme la mer, tu m'as entendu. Tu es venue vers moi. Turka retrouvera sa joie de vivre, ses richesses, sa vitalité sous tes pas. Il s'agit de la dernière lettre que je t'écris. Avec cette carte que je te laisse, tu trouveras facilement la route de l'opulence.

Il me faut te parler des hommes qui t'aimeront. Ils t'aimeront, ils te blesseront, ils te quitteront, mais sache que de leur lumière ils te protégeront du haut de leur étoile, jusqu'au jour où de nouveau les diables reviendront pour t'arracher à jamais de la lumière que tu auras jetée sur Turka. En attendant que ta destinée t'emporte au-delà du grand océan, je te laisse mes dernières volontés. Tu sais désormais qui tu es. Tu ne douteras plus. Si tu guides les hommes, sache que moi, je te guiderai. Car, il en est ainsi. D'autres avant moi, m'avaient guidé et c'était là mon destin que de te guider à mon tour. Le temps n'est qu'illusion. Souviens-t-en. Notre passage ici bas n'est qu'une des nombreuses routes que nous empruntons. Je le sais maintenant. Toi, tu le découvriras et c'est pourquoi tu ne douteras plus, tu ne craindras plus. Je veux que tu marches vers la vérité, l'amour, la justice. On marchera avec toi sur cette route. Même après que tu nous auras rejoints, l'homme redeviendra ce qu'il est, d'autres après marcheront sur cette route… L'homme doit grandir, apprendre, comprendre… Il est comme l'enfant. Sauf que son enfance sera longue, si longue qu'elle semblera éternelle. Ce n'est qu'au troisième millénaire qu'il vieillira, assumera ce qu'il est vraiment. Un être de lumière capable d'amour et de compréhension. D'ici ce temps, il se battra. Il se cher-

chera à travers d'autres hommes qu'il pensera être les maîtres de l'Univers. Tout ça, oui tout ça, jusqu'à ce qu'il découvre qu'il est maître de lui-même et qu'il ne sera jamais maître d'un univers qui lui est prêté afin qu'il se réalise. Dans ce troisième millénaire, il viendra nous rejoindre dans la grande lumière et enfin atteindra l'éternité qu'il voulait posséder à tout prix. Tout ceci, je te le dis, car on me l'a montré, on me l'a fait comprendre. C'est de loin, le meilleur héritage dont je puisse te pourvoir. Va et cherche ce que l'envahisseur voulait tant de moi. Rappelle-toi que la connaissance est une richesse. L'amour en est une autre. La vérité, la sincérité, la justice en sont aussi. C'est plus enivrant qu'un trésor rempli à ras bord d'or ou de pierres précieuses. Sachant tout ça, tu rapporteras à Turka un trésor inestimable. Je sais que tu n'es pas seule. L'homme qui dort près de toi sera celui qui t'accompagnera sur ces terres lointaines. Il est Roi lui aussi et sa puissance ne sera égalée que par l'autre qui reviendra te protéger d'un démon qui ne voit en toi que la femme et non l'ange que tu es.

Ne doute plus. Même si on vient de l'Orient pour t'accabler, ne doute pas. Ce grand monarque saura aussi lire en toi et comprendra ta grandeur.

Je te laisse ainsi un autre présent, celui-là même de te faire voir une parcelle de ce que la vie te réserve. Je pourrais tout te dire, mon ange. Mais, je n'en ai pas le droit. On te le fera savoir en temps et lieu. Puisque je suis déjà une étoile, il ne te reste plus qu'à rassembler tes forces et faire de Turka ton cheval de bataille. Grovache t'embrasse et t'étreint petite pucelle, fille de sage... Car malgré tes enfantements, tu resteras aussi pure qu'une pucelle.

Mira avait des larmes plein les yeux et nous étions tous estomaqués de la justesse de ce que nous lisions avec énergie, Reinstenson. Bjarni était lui aussi impressionné, secoué, déstabilisé. Mira se retira par l'escalier et monta jusqu'à l'extérieur. Ce geste silencieux sema un certain mal à l'aise parmi notre troupe d'hommes qui pourtant avaient déjà affronté les guerres et les pires controverses. Malgré nos exploits passés, rien de comparable, ceci nous bouleversait. Bjarni se mit à scruter de ses yeux verts la pièce qui nous entourait. Cherchant du regard quelque chose d'autre. C'est Reinstenson qui remit les pendules à l'heure.

-Sire, si vous me le permettez, je vais aller rejoindre la Reine. Je vais vous attendre. Ce soir, dans le secret de la chandelle, je transcrirai ce magnifique document.

-Oui… Allez la rejoindre. Je monte moi aussi, je ne resterai pas ici bien longtemps.

Documents à la main, Reinstenson empruntait l'escalier vers l'extérieur. Bjarni se retourna vers nous.

-Messieurs, que pensez-vous de tout ça ?

-Je crois que nous ne sommes pas au bout de nos découvertes Sire. Répondis-je.

-Tu as raison. C'est si incroyable tout ça !

-C'est non seulement incroyable, c'est carrément inimaginable ! Qui nous aurait dit que Grovache avait réellement existé et que son règne était cousu de richesses aussi sensationnelles ? La sagesse de l'homme, la pureté de ses mots, sa prudence, sa clairvoyance, sa connaissance de ce qu'est Mira… Sire… Qu'avez-vous réellement l'intention de faire ? Demandais-je.

-Je n'ai pas tellement d'alternative, Mirikof… Mira devra suivre sa destinée et je suis ce Roi qui l'accompagnera… Jusqu'à maintenant, les prophéties de Grovache se déroulent telles qu'il les décrit. Il n'était pas seulement clairvoyant, c'était un visionnaire. Il connaissait bien l'homme. Même s'il raconte qu'on lui avait montré, il a su recevoir et comprendre les messages. La prudence dont il a fait preuve pour préserver son trésor… que nul n'avait découvert avant Mira… Que puis-je faire ? Je ne peux que poursuivre son œuvre, Mirikof… Et si de cet œuvre jaillit une libération pour tout le peuple scandinave, que puis-je espérer de plus ?

-Que faisons-nous des présents qu'il offre ? Demanda Johnson.

-Puisqu'il nous les offre… Pourquoi j'ai l'impression de piller un tombeau si je les emporte avec nous ? Se questionnait Bjarni.

-Parce que de telles richesses sont peu communes, Sire. Dit calmement Johnson.

-Peut-être, dis-tu vrai !

-Je peux vous assurer que les pièces à l'intérieur de ce sarcophage sont d'une valeur inestimable, Sire. Renchérissait Johnson.

-Alors, il faut les emporter. Il faut les faire voir à tous nos sujets et les en faire profiter. Nous ne divulguerons pas l'existence de cet endroit à quiconque pour le moment. On viendrait assez vite démanteler les murs pour faire fondre l'or. On volerait le sarcophage pour le dépouiller de son marbre vert, de ses pierres précieuses… Non, je ne veux pas d'un tel pillage dans un lieu aussi magnifique. Il était écrit que nous devions le trouver, c'est fait. Il n'est pas écrit que nous devons en faire un objet de foire. Les sujets devront savoir pourtant. Savoir que le Roi de la Norsufinde détient les clés de leur salut et que c'est par la paysanne sortie de la Forêt d'Elfe que leur délivrance viendra. Mais pour le moment, nous sommes tous ébranlés et je crois qu'il faut maintenant retourner vers mes terres. Emportez le contenu du sarcophage et faites-le délicatement, ensuite refermez-le, je vais rejoindre Mira.

Il se retourna et gravit à son tour l'escalier. Nous avions du pain sur la planche. Quelques hommes ressortirent pour aller chercher des sacoches dans lesquelles nous allions transporter notre butin.

Bjarni arrivé à l'extérieur trouva Mira songeuse et Reinstenson bien silencieux.

-Reinstenson, vous êtes bien silencieux ?
-Oui, c'est que j'attends avec impatience mon retour au village. Transcrire cette prose me remplit d'une joie, nul trésor ne serait me rendre plus heureux, Sire.
-Je vois. Tu peux aller jusqu'à ta monture, nous ne tarderons pas à te suivre.

Reinstenson se courba et devinait que le roi lui donnait cette permission pour qu'il soit seul avec Mira. Les hommes qui étaient restés à l'extérieur pour faire le guet furent happés par Reinstenson au passage qui les invitait par un geste de la main à le suivre jusqu'aux montures. Bjarni était seul avec elle et profita de ce petit moment.

-Mira, je suis peut-être un Roi puissant comme le dit Grovache, mais je suis d'abord et avant tout ton époux, l'homme qui t'aime, qui t'a déjà blessée, mais qui t'aime et qui te chérira jusqu'à son dernier souffle. Hier, aujourd'hui, demain… Grovache n'y changera rien. Il ne fait qu'affirmer ce que tu es et ce que tu as toujours été pour moi.
-Je le sais Bjarni… J'ai pourtant une inquiétude…
-Laquelle, Mira ?
-De quel retour de Roi parlait-il ? Et celui qui viendra de l'Orient ?
-Je n'en ai aucune idée. Grovache a une façon bien à lui de s'exprimer…
-Il parle du retour d'un Roi, Bjarni.

Bjarni la regarda, taisant ce qui lui venait à l'idée.

-N'avez-vous jamais eu de nouvelles de ce qui était advenu de Boris ?
-Non. Je vais t'avouer maintenant que j'ai pourtant envoyé des hommes qui me sont toujours revenus bredouilles. C'est comme s'il avait disparu. Je ne crois pas que ce soit de lui dont voulait parler

Grovache. Il parle plutôt d'un Roi qui revient t'enlever des griffes d'un démon qui ne voyait en toi que la femme et non l'ange que tu es. Ne serait-ce pas moi, Mira ? Ne suis-je pas revenu rétablir la paix dans ton cœur ? Ne t'ai-je pas soustraite des bras de Boris, qui, selon moi, voyait bien des choses en toi, mais, voyait, d'abord et avant tout, la femme et n'avait toujours pas découvert l'ange que tu étais car il s'y prenait d'une bien étrange façon... Il ne se laissait aucune chance de faire une découverte inestimable cherchant à tout prix à ouvrir ton cœur...

-Tu as raison... Bjarni... Je n'avais pas du tout vu ça sous cet angle-là. C'est vrai que tu es revenu vers moi... et que tu m'as protégé de lui. Je suis troublée par tout ça et je crois que je cherche beaucoup trop à interpréter ce que Grovache veut bien me laisser savoir. Je devrais pourtant être comme lui, sage et laisser ma bonne étoile me conduire.

-Viens, nous allons aller jusqu'à nos montures.

-Mais... Mirikof, Reinstenson... Johns...

-Viens... Ils savent ce qu'ils ont à faire et nous serons aussi plus utiles à les attendre qu'à les embêter avec nos questions.

-Bjarni... ne faudrait-il pas remettre l'endroit comme nous l'avons trouvé ?

-Oui, tu as raison. Je ne tiens absolument pas que l'on vienne saccager l'endroit.

Il se pencha sur l'ouverture et nous informa qu'après avoir terminé ce que nous avions à faire, il y avait une autre tâche qui nous attendait. Celle-là même de dissimuler notre passage dans ces lieux. Le roi et la reine regagnèrent leur monture et discutaient avec Reinstenson. Quant à nous, après avoir bourré nos sacoches jusqu'à l'égorgement, replacé la dalle sur le sarcophage, refermé la porte, il fallait bien replacer la dalle que nous avions au départ déplacée pour ouvrir la première ouverture et remblayer ce que nous avions déterré. Cela prit bien une bonne heure. Satisfaits de notre travail, courbés sous le poids de nos trouvailles, nous allions rejoindre nos élus.

Ce qui était énigmatique dans toute cette histoire, c'est que Mira ne semblait pas être consciente de sa transe qui nous avait glacé le sang. Elle était assise sur sa monture, calme, comme tous les jours. Jamais je n'ai compris ce phénomène et je ne sais pas si elle le comprenait elle-même.

Le soleil était en plein ciel. Il était midi. Notre creusage, nos efforts de méninges, nos émotions, nos cœurs remplis d'étincelles, nos estomacs se rebellaient demandant un repas dans les meilleurs délais.

Mira avait retrouvé un sourire et un rire joyeux qui m'inspiraient quelques bonnes blagues. C'est dans cet esprit que nous regagnions le village, où nous étions sûrement attendus. Du moins, mon estomac, l'espérait avec impatience. Avant d'atteindre le centre névralgique du village où on avait sorti des tables remplies de vivres, Bjarni nous fit faire un détour vers le carrosse, où il fallait disposer de nos articles bruyants et étincelants. Les sacoches furent déposées dans le fond du carrosse sous les banquettes.

Mira ne semblait pas du tout encline à discuter de ce qui s'était passé dans les catacombes, de ce qu'avait dut être la demeure de Grovache et personne d'entre nous n'aborderait le sujet. Je peux vous dire que l'atmosphère qui régnait alors était celle d'un cheminement qui s'empruntait et qui s'emboîtait parfaitement dans ce que nous avions toujours pris pour une légende.

Les habitants du village étaient d'un calme comme toujours ce qui ajoutait un brin de repos à tout ce que nous venions de vivre. Comme si tout était normal. Comme s'ils savaient tous que Mira était dans ces lieux pour une seule et unique raison : Poursuivre son destin qu'ils semblaient connaître sur le bout des doigts. C'était presque hallucinant tout ça… Ce qu'ils attendaient depuis de nombreuses années se concrétisait.

Nous continuions notre démarche vers les villageois et mon estomac me dirigeait directement vers une assiette de porc et de poulet. Mira regardait tout ce monde et les vivres qui avaient été préparés en notre honneur.

-Mes braves, vous n'auriez pas dû vous donner tout ce mal ! Dit-elle

-Majesté, c'est une telle joie de vous voir ici qu'il ne fût pas difficile pour aucune de nous, de préparer ce festin ! Répondit la femme du forgeron.

-Je sais moi que ce que vous avez mis sur cette table représente vos repas pour les prochaines semaines ! Sermonna-t-elle avec un petit sourire aux lèvres.

Moi qui avais déjà entamé une cuisse d'un délicieux poulet ! ! ! Elle venait de me couper l'appétit.

-Majesté, c'est avec un tel plaisir que nous vous les offrons, c'est un petit sacrifice que nous sommes tous en mesure de surmonter. Si vous saviez quelle joie c'est de vous avoir avec nous, que vous ne nous oubliez pas ! Dit la sage dame.

-Mangeons… Je verrai dans les prochaines semaines à vous rétribuer toutes les délicatesses dont vous faites part à notre égard ! Rassura Bjarni.

Mira le regarda avec un sourire narquois ! Je pouvais continuer à mordre dans cette cuisse. Mes remords venaient de prendre une débarque aux dépens d'un estomac qui me donnait du fil à retordre et qui commençait à se faire attendre par des gargouillements audibles et franchement désagréables. Tous assis, attablés comme faisant partie d'une grande famille, les villageois, les gardes du roi, tout ce monde se sustentait avec des rires, des blagues, des anecdotes qui agrémentaient un repas que même après toutes ces années, je n'oublierai jamais. C'était merveilleux de voir toutes les classes de la société ainsi réunies comme si les barrières, pourtant si visibles habituellement, s'étaient dissipées laissant place à une euphorie collective. Bjarni avait pourtant une question pour Mira. Il se pencha vers son oreille.

-Ma belle, celle qui comble le Roi des délices les plus délicats, j'aimerais savoir quelque chose !

-Avec une entrée en matière de la sorte, votre très Grande Majesté m'intrigue ! Que veut donc savoir le Roi ?

-Quand nous avons mis à jour le plancher en pierre, comment se fait-il que vous saviez exactement sous quelle dalle se trouvait la première ouverture, jolie dame ?

-Devrais-je révéler tous mes secrets ?

-Que si ! surtout celui-là. Il y avait bien un "X" sur la carte qui nous conduisait vers les ruines, mais le détail de vos petits sauts… attendez que je me souvienne… jusqu'à sept et ensuite jusqu'à dix, c'est ça ?

-Il n'y a vraiment rien que je puisse vous passez sous le nez, Monsieur !

-Pas grand-chose, effectivement, Madame, sauf que je ne sais toujours pas d'où vous vient ce calcul précis !

-Je vais vous informer puisque cela vous chicotte au point que vous n'en dormirez pas de la nuit, Sire !

-Que vous me connaissez bien, ma chère !

-Écoutez bien alors.

-Je suis tout ouïe !

-D'abord, le "X" sur la carte démontrait bien le lieu des ruines. Pendant les dernières semaines, votre Reine, votre épouse, n'est point restée à se tordre les pouces. J'ai d'abord emprunté le livre de Reinstenson sur la légende de la Forêt d'Elfe. Quelque peu explicite, mais rien qui me conduirait exactement comme je l'ai fait ce matin sur l'endroit exact d'une fouille qui porterait fruit. J'ai ensuite étudié avec minutie les cartes de ma belle Forêt d'Elfe. Du moins, ce que vos cartographes, Sire, avaient sous la main. Après plusieurs lectures et recherches, je n'avais toujours pas d'indice qui valait la peine. Et je ne sais pas pourquoi, comme si cela m'avait été insufflé, j'ai pensé que si on parlait d'une pucelle et que si cette pucelle c'était moi, je devais faire un lien avec la Forêt d'Elfe, ma petite personne et ce qu'est une pucelle.

-Vous m'en direz tant… et la réponse vous est venue comme ça ?

-Pas tout de suite. J'ai quitté la Forêt d'Elfe, j'étais toujours pucelle et j'avais dix-sept ans. 7 + 10 font 17, Sire !

-Je suis renversé ! Cependant, permettez-moi une dernière question, jolie dame !

-Allez-y !

-Pourquoi pas 10 + 7 ?

-Parce que sept vient avant dix. J'ai poussé la logique à me dire que les femmes sont toujours pucelles avant de prendre mari. Donc, sept est plus petit que dix et pucelle pour devenir femme et enfanter, c'est comme être seule pour devenir deux après avoir été engrossée… Enfin, je ne sais pas si mon raisonnement est vraiment intéressant, mais c'est pourquoi, j'ai dit sept avant dix.

-Je suis sidéré ! Surtout que votre calcul, si nébuleux soit-il était d'une précision, Madame !

-Ce que je ne savais pas par contre c'était par quel côté du bâtiment je devais commencer mon calcul et si le plancher avait été fait de dalles qui se prêtaient bien à un tel calcul !

-Alors pourquoi as-tu demandé à ce que l'on creuse dans cette partie des fondations ?

-Cette fondation en ruine était la plus grande, donc, elle devait appartenir à quelqu'un de haut rang. Première des raisons. Deuxième des raisons est que le soleil se lève à l'Est et se couche à l'Ouest. Si Grovache avait préparé quelques cérémonies pour sa mort, il devait être comme moi, et vouloir se coucher à jamais comme l'astre solaire le fait à chaque jour.

-Si j'étais sidéré, là, vous venez, ma belle, de me scier les deux jambes.

-Ha ! ha ! Pourquoi ? Qu'ai-je dit de si incroyable ?

-Et elle me le demande ? Vous avez une imagination plus que débordante ! Le plus incroyable dans tout ça, c'est que votre façon bien particulière de faire vos déductions a fonctionné à merveille. Je vais devoir revoir tous mes cours de mathématiques… J'aurais été bien meilleur élève si j'avais eu un tel jugement !

-Ha ! ha ! Méfiez-vous, Sire ! Je n'ai aucune prétention sur les maîtres qui vous ont transmis une connaissance que je n'ai point étant donné que je suis une humble paysanne... Non, Bjarni, c'est de la chance, c'est tout... et c'est mieux comme ça, sinon, nous serions encore à creuser dans les ruines !

Les deux époux riaient et se délectaient d'un repas succulent. Je dis succulent, car j'avais tellement faim que j'avais gobé le poulet entier qui se trouvait devant moi et qu'en plus des cinq patates que j'avais ingurgitées, j'en étais à entamer des délicieuses tranches de porc... J'avais toujours eu bon appétit, mais ce midi-là, je ne saurais expliquer s'il s'agissait de cette découverte et des émotions, mais j'aurais dévoré un bœuf entier ! Il fallait bien pourtant que je calme cet estomac, sinon, mes jambes auraient refusé de servir de soutien à ce haut de corps qui se gonflait de par l'abdomen, tellement j'avais mangé. Ça prit bien tout mon courage pour finir par me lever et l'endormissement me prit. Mira et Bjarni décidèrent de descendre à la rivière pour se reposer un peu et quelques hommes seulement avaient été demandés pour les accompagner. Comme j'étais toujours avec Bjarni, ce fut quelque peu surprenant qu'il ne demande pas à ce que je le suive. C'est sûrement ce qu'il était venu me demander, mais voyant ma panse et les yeux à demi clos que je lui présentais, il a certaine-ment dû juger que je serais plus utile à faire une sieste qu'à l'accompagner sur les bords d'une rivière... que je ne tenais guère à voir, je l'avoue. Comme j'avais de la chance. Je m'étais empiffré, j'avais sommeil et je pouvais aller m'étendre. D'autant plus que les jolies et charmantes dames du village voyant ma détresse de corps et non d'esprit, m'offrir un endroit rêvé. Derrière l'une des granges, il y avait un reste de foin sec de la récolte de l'été précédent... Le foin avait été sorti pour laisser la place au nouveau qui aurait été récolté à la fin de l'été. C'était un endroit idéal. Une petite sieste en plein air baignée par le soleil qui plombait sur cette paille, la réchauffant, la rendant moelleuse comme du duvet d'oie.

Aussitôt allongé, les yeux fermés et le soleil qui m'accompagnait, j'étais au paradis ! D'un sommeil de plomb, je dormis bien une bonne demi-heure. Cependant, le paradis fut de courte durée. Coquines qu'elles étaient ces dames qui m'avaient si bien indiqué l'endroit... comme j'étais niais ! Le farceur invétéré que j'étais venait de se faire jouer un tour ! Après m'être si bien installé à dormir dans cette paille chaude, voilà que les dames avaient reconduit un troupeau de vaches près du tas de foin. Quelques chevaux à travers ça et des moutons aussi, l'animalerie de tout le village semblait s'être donné rendez-vous derrière la grange près du tas de paille. Les bêtes se côtoyaient très bien ensemble et il n'y avait pas de bagarre entre elles pour un petit peu de ce foin qu'elles avaient toutes dans la gueule. Je me trouvais au centre et j'étais le seul qui dérangeait quelque peu l'obtention d'une certaine quantité à certaines vaches qui me poussait de leur museau humide pour atteindre le précieux repas. Ceci va s'en dire qu'une, deux ou trois vaches qui vous poussent ainsi, peu importe votre corpulence, rappelez-vous que c'est plus gros qu'un homme, une vache… donc, les vaches poussaient ce qui leur semblait non comestible et moi, je roulais. Toutefois, c'est difficile de rouler quand de l'autre côté, il y a obstacle. Encore quelques vaches, des moutons et un cheval… J'entrais en conflit avec cet autre groupe qui me regardait tout en mâchouillant le foin qu'ils avaient déjà dans la gueule. Mon paradis s'était envolé et de me voir ainsi entourer par des animaux quadrupèdes amusait beaucoup un certain petit auditoire qui s'était caché au coin de la grange, examinant, sûrement sous toutes les coutures, la façon dont on m'avait finalement sorti du sommeil ! Ah ! Les femmes ! Mesdames, vous ne perdez rien pour attendre ! Ne faisant ni un ni deux, mon sens inné de la blague se mit en branle. Ah ! Vous voulez me jouer un tour… Hé ! hé ! Elles ne connaissaient pas le grand Mirikof ! ! ! Celui qui avait toujours dans la tête les tours inimaginables qui égayaient l'entraînement des soldats sous mes ordres. Vous ne savez pas Mesdames à qui vous avez affaire ! Je me levai au milieu des bêtes secouant mon costume. Je sortis du tas de paille, laissant aux bêtes la totalité de leur pitance. Je me dirigeais vers la grande porte et entrai dans la grange le tout avec un air décontracté. Dès que je n'étais plus dans leur champ de vision, je me précipitai dans le grenier de la grange avec un seau d'eau rempli à ras bord. Une petite fenêtre me servirait pour rendre à César ce qui revient à César ! Elles étaient toutes au coin, plus bas, en discussion… Elles ne me voyaient plus et ceci constituait leur sujet de discussion. *Où est-il passé ? Pourquoi il est entré dans la grange au lieu de venir vers nous ? Il nous a vus tu crois ?* Hi ! hi ! C'était le temps d'agir. Je balançai le contenu du grand seau d'eau sur la majeure partie des dames plus bas. Figées, surprises, petits cris, elles étaient trempées ! Quelques hommes qui étaient dans la cour à entendre les dames s'exclamer ainsi, interrompirent leurs tâches pour admirer mon travail. J'étais bien accoté sur le rebord de la petite fenêtre et je souriais, satisfait de mon geste qui avait semé la désapprobation des dames qui levaient toutes leur regard vers moi. Les hommes comprenant ce qui venait de se passer, se mirent à rire aux éclats.

-Ha ! ha ! Irma, si tu te voyais ! Dit l'un.
-Hi ! hi ! Si vous vous voyiez toutes ! Dit l'autre.

-Général Mirikof ! ! ! Nous sommes trempées jusqu'aux os ! ! ! Dit l'une des femmes.

-Madame, c'est mieux que de se faire réveiller par le museau des vaches. Rétorquai-je avec un petit air taquin.

-Vous… vous… nous aviez vues ? Demanda une autre.

-Pauvres malheureuses ! Bien sûr que je vous avais vues vous délecter du sort que vous m'aviez réservé ! Je ne suis pas général des armées du Roi pour rien ! Répondis-je en me donnant de l'importance.

-Qui est pris qui croyait prendre ! Ha ! ha ! Ajouta l'un des hommes.

-Mesdames, sachez que le général Mirikof n'est point fâché que vous vouliez le taquiner. Vous ne pouviez pas savoir que je n'avais pas mon pareil pour jouer les tours les plus pendables ! Vous m'avez simplement donné une occasion rêvée pour vous rendre votre coup ! Et c'est si charmant de m'avoir tiré de mon sommeil de cette façon. Je descends me faire pardonner.

Les coquines me souriaient, me regardant du coin de l'œil, secouant à qui mieux mieux leurs jupons. Je disparus pour réapparaître au coin de la grange. Je m'adressai aux messieurs qui ne perdaient rien de la scène.

-Messieurs, permettez-vous au général Mirikof de réparer le mal qu'il vient de causer aux jolies dames ici présentes ?

-Faites ! Faites donc, général.

-Eh ! bien Mesdames, enlevez vos vêtements mouillés, je vais aller moi-même les étendre pour qu'ils sèchent !

-Quoi ? Demanda une jolie petite rousse.

-Comment ? Continua une autre.

-Qu'est-ce qu'il… Questionna une autre.

-Voyons Mesdames, j'ai déjà vu des dames en petite tenue avant aujourd'hui et même s'il fait beau aujourd'hui, à rester mouillées comme ça, vous risquez d'attraper froid et je ne voudrais absolument pas être la cause de vos malaises !

-Ah ! oui… Vous allez étendre notre linge, vous un homme, le général de l'armée du Roi ! ! ! Vous m'en direz tant ! Me répondit la belle chevelure de feu avec un petit regard mesquin.

-Écoutez-les général… Les femmes ! Vous leur demandez si gentiment et nous n'avons rien compte de vous voir les soulager de leurs vêtements mouillés, c'est si… si noble d'avoir eu cette pensée, général ! Dit un des hommes qui s'était avancé et me tapotait l'épaule.

-Sakovo ! Dirent-elles en cœur.

-Vous êtes témoin, Monsieur que j'ai pourtant essayé ! Répondis-je à Sakovo.

-Je suis témoin de votre grandeur de cœur cher général !

Les femmes se mirent à rire. Comprenant très bien que je n'aurais jamais osé qu'elles ne retirent leurs vêtements. Elles me prirent par le bras et m'entraînèrent vers le centre du village.

-Mesdames, vous êtes toutes trempées. Allez-vous changer, pour l'amour de Dieu. Là, c'est un ordre. Je ne voudrais pas que vous attrapiez froid ! Leur ordonnais-je.

-Oui, général, nous allons nous changer. Comme vous êtes en voyage, il faut vous reposer. Nous avons écourté votre petit somme et il n'est pas dit que le général de notre royaume gardera un mauvais souvenir des villageoises que nous sommes. Me dit la jolie rousse.

-Voyons… Quelle idée ! Moi, je garderais un mauvais souvenir ? Rétorquai-je à la blague.

-Peu importe le souvenir que vous garderez de nous, profitez de votre après-midi et buvez ce bon vin que nous vous servirons avec bonheur. Et à ce que je vois, les fainéants du village sont déjà tous là pour vous accompagner ! Dit-elle en regardant les autres hommes qui étaient déjà assis à une petite table placée au milieu de la grande cour du village.

-Ismeldia, comme tu nous fais mauvaise réputation ! Répondit l'un d'eux.

-Peut-être, mais n'auriez-vous pas mieux à faire aujourd'hui que d'être assis ici ? Demanda-t-elle.

-Pardonnez-la général, Ismeldia est comme sa chevelure… aussi pétillante que le feu ! Pensant qu'un homme est une bête de somme ! Nous arrivons tout juste du champ, Ismeldia… Je te rappelle que nous y étions depuis très tôt ce matin ! Répondit-il.

-Ah ! et je devrais trouver ça valeureux de votre part, je suppose ? Rétorqua-t-elle de nouveau.

-Que va penser le général, maintenant ! Demanda-t-il.

-Que vous êtes des fainéants, pardi !

Je me mis à rire. Elle était effectivement comme le feu… Faisant bouger ses boucles rouges par des petits coups de tête. Les mains sur la taille et les yeux verts grands ouverts, elle était pétillante, pleine d'énergie. Elle me lança un petit regard de côté et sourit.

-De toute façon, Ismeldia, commence donc par nous expliquer d'où vous revenez toutes trempées de la sorte ? Demanda le jeune homme.

-Ça, c'est moi qui suis capable de vous le dire. Répondis-je.

-Avant que vous n'expliquiez à ces messieurs, l'histoire qui fera l'objet de leurs moqueries pendant des années, nous allons vous laisser vous reposer et si vous avez besoin de quoi que ce soit, n'hésitez pas à nous le demander, nous allons nous changer… Sur ce, général, nous vous laissons. Nous espérons grandement que la compagnie de ces messieurs ne vous opportune pas trop !

Elles partirent vers leur chaumière. Les quelques hommes qui étaient déjà attablés étaient d'une curiosité exemplaire. Je fis le récit de ma petite aventure de sieste ce qui les fit beaucoup rire. En fait, ces jeunes hommes n'avaient pas l'habitude d'être assis au milieu de l'après-midi à boire du vin. C'était exceptionnel et notre présence parmi eux en était la cause. C'était agréable d'être entouré de jeunes hommes en pleine santé, au summum de leur forme physique et qui s'intéressaient à mon travail en tant que général. Les questions se succédaient à un rythme que je parvenais à peine à maintenir. Tout y passait. Du départ de Mira, jusqu'à notre victoire sur Boris.

Je profitai de l'intérêt de ce petit auditoire pour fouiller le passé de Mira. Les jeunes hommes se prêtèrent à me dévoiler la petite fille, la jeune fille, la jeune femme et la femme qu'était devenue Mira. Ils l'avaient, tous, très bien connue. Me racontant avec verve ses acrobaties à cheval, sa facilité à apprendre les langues, l'écriture, la science… Le passage d'un savant dans leur village quand ils étaient gosses et l'influence qu'il eut sur Mira. Son enfance retirée des autres, surveillée par son père et ses frères. Comme elle était énigmatique pour tous les habitants du village. Ses joues se rougissaient à chaque fois que l'un d'eux tentait de s'approcher d'elle. Sa voix d'ange qu'on entendait à travers la forêt dense et le silence que la nature lui faisait pour laisser entendre son chant mélodieux. Elle représentait pour eux, bien plus qu'une figure légendaire, elle était en quelque sorte leur guide. Ce qui me fascinait, c'est que cette description parfaite et si juste dépassait largement les frontières de ce petit village pourtant isolé. Il est vrai que nous attendions tous. Oui, nous étions tous dans l'attente. Dans l'attente de quelque chose, de quelqu'un. La légende de la Forêt d'Elfe prenait des envergures jusqu'à lors, inégalées. Cette attente aboutissait-elle enfin ? Moi, je le croyais. Avec tout ce que j'avais vu jusqu'à maintenant, je ne pouvais pas croire à autre chose. Et tous ces gens qui n'avaient pas vu, mais qui croyaient. Je me sentais comme Saint-Thomas, moi, j'avais dû voir avant de croire.

Pendant que les jeunes hommes me racontaient Mira, je la voyais poindre au bout du chemin avec Bjarni sourire aux lèvres.

Je gardai pour moi la discussion qui venait abruptement de se terminer à la vue du couple royal qui arrivait vers nous. Reposés, les jeunes amoureux vinrent nous rejoindre et c'est dans un tout autre angle que continua la discussion.

Le soleil était à son zénith quand nous décidâmes d'aller nous cantonner dans nos édredons. La journée, forte en émotions de toutes sortes, se terminait et nous devions tomber dans les bras de Morphée pour refaire nos énergies.

Dès l'aube, Bjarni était déjà prêt, il parait les montures pour notre retour. Notre voyage tirait sur sa fin. Il fallait revenir vers nos obligations et se réunir afin de discuter des événements que nous avions vécus et organiser notre stratégie relativement à ce que nous avions l'intention de faire dans l'avenir.

Nous nous sommes mis en route après les aux revoir des paysans du village de la Forêt d'Elfe. Un au revoir digne de ce nom ! Ces paysans démunis, simples et retirés n'avaient pourtant rien à envier à une cour royale. Ils savaient recevoir, partager, donner et rendre hommage. Sans culture, ils avaient pourtant toute la noblesse de la cour royale et peut-être même davantage. C'est donc dans cet état d'esprit que nous quittâmes la magnifique Forêt d'Elfe.

Notre retour se fit comme le fut l'aller. Sans encombre majeur, si ce n'est que le printemps avait contribué à faire de certaines parcelles de route un véritable champ de boue.

Malgré tout ça, quelques jours plus tard nous étions sur les terres de Bjarni. Tout au long du voyage, Mira était restée silencieuse, pour ne pas dire songeuse. Toute cette histoire la tourmentait. Charmante, elle souriait à nos blagues, mais sans toutefois y ajouter son petit grain de sel comme elle avait l'habitude de le faire. Bjarni se tenait toujours à ses côtés comme le compagnon de voyage galant et attentionné qu'il était. Nos hommes de sciences parlementaient sans relâche sur les découvertes, mais également, sur l'histoire de Grovache.

Il est vrai que c'était magique. Grovache avait sûrement été un roi puissant, plus que ce que nous étions même capables d'imaginer. Tout ce mystère autour de son règne qui s'était finalement rendu jusqu'à nous sous la forme d'une légende à la chevelure des champs de blé. Après tout ce que nous avions découvert, il est certain que la très grande partie de cette légende s'avérait vraie et nous étions tous pris de papillons dans l'estomac quand nous en discutions.

C'est donc dans les racontars, les obstinations de l'un avec l'autre et dans les tergiversations que nous aboutissions enfin aux portes du château.

Une fois notre arrivée sonnée et le branle-bas de combat qui s'ensuivit pour nous recevoir, nous arrivions exténués.

Le ciel gris de cette journée du début mai, échangerait sous peu sa couleur pour celle du noir ténébreux de la nuit.

Une bonne nuit de sommeil dans nos lits respectifs, que demander de mieux ? Surtout pour moi qui n'avais plus l'énergie de mes vingt ans ! Même si j'étais habitué aux voyages, je commençais à ressentir la différence entre ma couche et celle qu'on utilise en visite. Petit signe que je débutais doucement mais sûrement sur la voie de la sagesse que nous emporte lentement mais sûrement la vieillesse. Ah ! Mirikof, tu vieillis ! Enfin, nous ne nous sommes pas fait prier, personne, pour aller dormir.

La température du lendemain n'avait rien à voir avec la journée grise de la veille. Un soleil ardent remplissait de ses rayons les plus lumineux, toute la cour. Les oiseaux étaient au rendez-vous gazouillant de leurs plus beaux chants à tue-tête. La neige, du moins les parcelles qui en restait, fondait laissant dans la cour près de l'écurie des flaques d'eau où les enfants s'amusaient à sauter à qui mieux mieux au grand déplaisir des mères qui ne cessaient de les sermonner. Plus loin, où il n'y avait pas de parvis, la vase était maîtresse des lieux ! J'avoue que le printemps signifie peut-être, le renouveau, la renaissance, mais moi, personnellement, j'ai toujours détesté cette saison ! Sur un champ de bataille c'était carrément une calamité que de se mesurer à un adversaire dans une boue qui enlise non seulement les chariots, mais même les pattes de nos montures. Je dois admettre que cette matinée était radieuse et que le soleil nous retournait volontiers la beauté de mère nature.

Des envoyés étrangers étaient arrivés et Bjarni avait fort à faire pour les recevoir.

Il s'agissait d'une délégation partie depuis plusieurs mois de Moscou. Les Russes s'étaient annoncés, envoyés par le grand Prince lui-même. Notre très cher Grand Prince n'avait guère émis de commentaires depuis la montée fulgurante au pouvoir de Bjarni. Le roi de la Norsufinde et lui avaient toujours eu des contacts courtois sans plus. L'annonce de l'arrivée d'une telle délégation avait semé les questions, les doutes dans toute la Cour et surtout dans tout le pays. Que pouvait bien vouloir le Grand Prince ?

Nous fûmes vite soulagés. Après quelques jours en leur compagnie, il ne s'agissait en fait que de discussions diplomatiques qui n'avaient rien de menaçant. Le Grand Prince avait été longuement aux prises avec des guerres civiles dans l'Est du pays, l'occupant à outrance et il avait délaissé quelque peu son bon voisinage avec ses semblables. Il ne fut même pas question de la terre de la Finlande que les Russes avaient longtemps convoitée et prise aux Suédois. Non, rien de tout cela. Il faut croire que le Grand Prince en avait plein les bras avec son immense territoire. Il tenait en très haute estime, Bjarni. Ça, tout le monde le savait. Bjarni avait d'ailleurs cette "faculté" d'être un ambassadeur, un diplomate hors pair. Ce qui lui valait souvent le respect des autres rois, même si ces derniers étaient beaucoup plus puissants que lui. Le Grand Prince n'avait pas fait exception. Jamais Bjarni n'avait été menaçant et si aujourd'hui il possédait une terre qui jadis lui appartenait, ce dernier ne lui en tenait pas rigueur. Le Grand Prince savait très bien dans quelles circonstances le tout avait évolué jusqu'à aujourd'hui.

Souvenons-nous que mes parents étaient Russes. Moi, j'étais né en Norvège. Malgré mes origines que je ne pouvais nier, je ne trouvais aucune ressemblance entre mes parents et les dignitaires qui étaient assis autour de la table. Non, absolument aucune. Autant au niveau physique que caractériel. Les hommes qui étaient là étaient de forts gaillards aux pommettes rougies par la Vodka. Ils parlaient fort, s'exclamaient bruyamment et semblaient n'avoir jamais avoir appris les bonnes manières ! Ils étaient pourtant des proches du Grand Prince. Un homme si puissant avait-il dans son parlement de tels rustres ? Il semble que oui. Ils étaient de bonne compagnie... Mais quelque peu vulgaires. Ils cognaient de leur point la table en s'exclamant de rire. Leurs blagues étaient très grivoises et ne se gênaient pas pour tapoter le fessier des servantes et ce devant Bjarni lui-même qui les regardait toujours en dissimulant un fou rire derrière sa main. Sans compter qu'il me lançait toujours un petit regard discret à chaque fois. Moi qui ai le rire si facile ! Je devais regarder les dalles du plancher, les toiles aux fenêtres ou le lustre au plafond pour me changer les idées... Sacré Bjarni ! Il retournait sur moi son envie de rire et j'en faisais largement les frais.

Et comme si ce n'était pas assez, la situation se revira contre moi quand ses bougres de Russes se mirent à m'interroger sur mes origines. Là ce fut presque une catastrophe ! Mes interlocuteurs ne comprenaient point que je ne m'adonne pas au rituel de la Vodka.

C'était quasi une insulte ! J'étais perdu. Ne sachant plus quoi regarder pour me sauver face à l'heure insistance. Le lustre, les toiles aux fenêtres, les dalles du plancher, tous à la fois peut-être ? Dans mon tour d'horizon rapide je croisai le regard rieur de Bjarni qui voyait dans quel embarras mes congénères Russes me mettaient en se levant coupe et bouteille à la main tout en se dirigeant carrément vers moi. Dieu du ciel ! N'y aurait-il personne pour me sortir de ce mauvais pas ? Moi qui d'habitude avais parole en bouche, voilà que j'étais désemparé devant ses trois gaillards qui étaient visiblement très enivrés par leur fameuse Vodka. La porte de la salle dans laquelle nous étions s'ouvrit faisant tourner la tête à mes assaillants. Ouf ! J'étais sauvé. Derrière la porte venait d'apparaître quelqu'un qui leur ferait vite oublier le test de la Vodka pour Mirikof qui était d'origine Russe et qui se devait de boire de la Vodka comme tout bon Russe qui se respecte !

La délégation au complet qui comptait exactement quatorze hommes se leva et se courba. La reine faisait son entrée, pommettes rougies, et non à cause de la Vodka, ça je peux vous l'assurer mais bien à cause du silence et de la présence de plusieurs hommes dont certains lui étaient inconnus. J'observais Bjarni qui se délectait toujours de l'impression que faisait sa belle Promise. Il avait toujours cette petite lumière dans les yeux et ce petit sourire étouffé par le pincement de ses lèvres… Il lui tendit la main et elle s'y agrippa. Malgré les nombreuses fêtes, réceptions dont elle avait fait partie, Mira ne s'habituerait jamais à ce faste, à cette attitude étrange que les gens avaient en sa présence. Mes trois gaillards avaient bouteille et coupe à la main, étaient foudroyés et par d'autre chose que leur fameuse Vodka ! Je crois même qu'ils dessoûlaient un peu ! Bjarni leur présenta sa femme. Ce fut presque une bousculade pour qui serait le premier à lui baiser la main ! Décidément, nous avions tout intérêt à leur envoyer un maître pour leur montrer les bonnes manières à mes congénères Russes de la Cour du Grand Prince ! De leur forte stature, la délégation Russe, prenait presque Mira d'assaut ! Oui, oui ! ! ! Ils parlaient tous en même temps, présentant leurs respects dans une cacophonie telle que Bjarni dû élever la voix, chose que je l'avais vu faire dans des circonstances bien particulières.

-Messieurs… Messieurs ! Je vous en prie !

Ayant calmé les esprits, disons, quelque peu fougueuses des Russes, Bjarni reprit plus doucement.

-Veuillez tous vous asseoir, la Reine restera en notre compagnie pendant quelques instants. Depuis votre arrivée, elle ne vous avait pas été présentée et j'ai jugé qu'il était temps que vous la rencontriez.

Bjarni poursuivit en retombant dans le sujet qu'il avait délaissé pour voir ce que j'aurais fait de l'invitation au rituel de la Vodka. Mais l'auditoire n'était plus aussi attentif qu'elle l'était quelques minutes auparavant. Mira en était la cause. Mes trois numéros s'étaient assis et tournaient leur coupe entre leurs doigts ne lâchant absolument pas du regard la déesse de beauté qui venait de s'asseoir devant eux. Ils étaient fascinés. Devant ses regards insistants, Bjarni percevait le malaise de Mira et décida que cette torture avait assez duré.

Courtois mais ferme, le roi se leva et invita ces messieurs à passer à table.

Quelques jours plus tard nos ambassadeurs Russes reprirent le chemin de la place rouge n'ayant pas oublié l'invitation que le Grand Prince faisait au fils du roi. Ils étaient venus pour parlementer de choses et d'autres, mais le Grand Prince avait invité Éric à venir dès qu'il aurait été en âge de voyager, visiter son pays et particulièrement ses nombreux châteaux. Invitation qui laissait présager un bon voisinage entre les deux monarques. Considérant cette invitation comme une pensée délicate de la part du Grand Prince, Mira lui fit parvenir un mot qui expliquait que le jeune prince était encore trop jeune pour entreprendre un tel voyage, mais qu'il serait sûrement honoré dans quelques années d'aller parfaire ses connaissances chez son voisin. Nos bougres de Russes ramenaient donc dans leurs bagages une multitude d'objets, de bière et de vin mais surtout le souvenir du regard de la mer. Les yeux azur avaient opéré leur effet dévastateur et ils ne parlaient que de la magnifique reine pendant leur voyage de retour. Ils ramenaient également des documents importants destinés au Grand Prince relativement aux nouvelles dispositions politiques et territoriales de la Norsufinde.

Nul d'entre nous n'avait reparlé des trésors retrouvés dans la Forêt d'Elfe et du voyage que Grovache nous invitait à faire. Non, les reins esquintés par ce retour de voyage et la visite surprise des Russes nous avaient tous en quelque sorte déboussolés.

Même si la belle se sentait le vent dans les voiles avec l'histoire de Grovache il n'en reste pas moins que son retour au château de Bjarni à la vue de ses sujets qui travaillaient sans relâche pour de maigres croûtes de pain et élevaient des familles dans des conditions parfois exécrables, lui déchirait le cœur. Elle voulait faire quelque chose pour ses semblables. Elle n'avait pas oublié ses modestes origines et le dur labeur. Elle ne voulait pas devenir la reine qui se prélasse dans le luxe de la royauté. Non, elle préférait de beaucoup se rendre utile auprès des sujets qui lui ressemblaient. Elle était des leurs et elle ne l'oubliait pas. La construction de l'université se poursuivait mais elle considérait que ce n'était pas suffisant. Comment arriver à nourrir toutes ces bouches et ces esprits là, tout de suite ? Et ces lois qui ne répondaient pas à ses aspirations où en étaient-ils avec ça ? Mira voulait que les changements qu'elle demandait soient plus rapides, plus expéditifs. Elle se mit donc en tête que tant qu'elle ne participerait pas aux décisions, le résultat serait toujours le même, lent et improbable quant à l'aboutissement souhaité ! Mais voilà, une femme parmi les hommes, jamais de mémoire on n'avait vu ça ! Une femme qui serait avec eux pour prendre les décisions ? Même Bjarni ne pouvait rien à cette tradition non écrite mais pourtant aussi solide que du roc. Mira se mit donc à insister auprès de Bjarni afin qu'on accepte sa venue parmi les hommes de pouvoir ! Une discussion était déjà fort bien entamée entre Bjarni et Mira le soir venu dans leur chambre.

-Mira ! Ha ! ha ! Ça te plairait vraiment d'assister à toutes nos réunions, de prendre part à d'importantes décisions ?
-Pourquoi tu ris ?
-Parce qu'il ne fallait que toi pour penser à une chose comme celle-là ! Jamais une femme ne fut admise à l'intérieur de ces murs et encore moins une Reine qui ferait partie intégrante du parlement… Tu es si merveilleuse… c'est pour cela que je ris et non pas parce que l'idée me déplaît, bien au contraire. Tu me touches beaucoup.
-Encore de vieilles habitudes d'hommes qu'il faut changer c'est tout Bjarni !
-Ha ! ha ! Moi je t'assure que je suis partant. Oui ! Oui ! Je te jure que je trouve cette idée particulièrement intéressante. Mais pourrais-je faire avaler ça à tous ces messieurs ? Tu sais que certains sont plutôt vieux et sont ancrés dans leurs veilles habitudes !
-Et si la Reine leur demandait elle-même ?
-Ha ! ha ! Là je ne réponds plus de rien car s'ils sont tous comme moi, ils ne pourront rien te refuser ! C'est encore là, une tactique digne d'intérêt, Mira et je te jure que je vais l'inscrire dans mon livre de stratégies… Ça sera d'une utilité incroyable contre nos ennemis !
-Alors qu'en penses-tu réellement Bjarni ?
-Je viens de te le dire… moi je suis totalement d'accord ! Tu serais presque toujours avec moi, alors, pourquoi refuserais-je un tel privilège Mira, dis-moi ?
Il l'empoigna et l'attira vers lui ! Elle se laissait faire. Elle obtenait petit à petit une place de choix et elle avait bien l'intention de lutter pour arriver à ses fins.

-Maintenant, votre Majesté, il faudra faire l'annonce d'une réunion et y insérer à l'ordre du jour un point très important.

-Oui et demain matin j'y verrai personnellement.

-Si la réponse m'est favorable, une autre réunion sera convoquée et là on votera une loi que j'aurai moi-même pondue avec l'aide de certains de vos ministres.

-Si la réponse est oui, Mira, ils seront tes ministres à toi aussi ! Ce que je t'aime ! Tu es vraiment un délice Mira ! Ma belle petite sirène qui serait mêlée de près à toutes les décisions de notre Royaume. Je souhaite sincèrement que la réponse soit positive. Je te jure, car tu as de si bonnes idées… Ton intelligence, ton sens de l'honneur seraient une contribution appréciable pour nous tous.

-Que de qualités élogieuses sur ma personne… j'en suis toute renversée, Majesté !

-Ha ! ha ! Ne crois pas que je ne suis pas sincère. Je pense vraiment tout ce que je viens de dire. Mais une seule question me vient à l'esprit, belle dame…

-Ah ! oui, laquelle ?

-Ta vie ne sera plus du tout la même si tu deviens membre du parlement. Tu as songé à Éric ? À tous les préparatifs pour le grand voyage ? Tu seras très occupée !

-Éric est mon fils et c'est encore un jeune enfant. J'ai une servante très dévouée et particulièrement douée avec les enfants et je le verrai aussi souvent que tu vois toi. Pour le grand voyage, il faudra du temps pour annoncer une telle démarche à tout notre Royaume. Les préparatifs devront être méticuleusement calculés. Cela prendra du temps, car je ne veux rien laisser au hasard. Mais, si la réponse est oui, dans ces conditions, je serai plus souvent avec le Roi… juste pour cette raison je crois que je serai la plus heureuse du monde si ma requête est reçue favorablement.

Il l'embrassa sur le front excité comme un jeune enfant. Mira réalisait la sincérité des paroles de Bjarni qui recevait son projet d'emblée.

Tôt le lendemain, le roi était déjà habillé, toiletté et marchait vers son bureau où il aurait attendu que ses plus importants ministres et ses hommes de confiance viennent le rejoindre.

Assis derrière son bureau avec un large sourire, il attendait avec hâte la réaction de ses hommes avant d'affronter tous les membres masculins de son parlement. Il n'aurait pas à attendre des heures. Quelques minutes suffirent pour que l'arrivée des hommes fût imminente. Tous préoccupés par la même question : Que pouvait bien vouloir le roi si tôt le matin ? Quelle urgence les avait tirés du lit ?

-Messieurs, je vous ai fait venir ici afin de discuter avec vous d'un point que je veux mettre à l'ordre du jour. Dans quelques instants je vais convoquer une réunion spéciale. Mais comme vous êtes de loin, des collaborateurs précieux pour moi, je tenais d'abord à vous rencontrer avant de tenir une réunion avec tout le monde.

J'étais présent et nous nous regardions tous étonnés. Une réunion d'urgence ? Qu'y avait-il qui nous était passé sous le nez ? Nos méninges avaient beau fonctionné à tout rompre, personne d'entre nous n'avait la moindre idée ! Pourtant tout semblait bien fonctionner, pas d'envahisseur en vue, pas de guerre sur le point d'éclater et ce n'était sûrement pas nos fabuleuses découvertes de la Forêt d'Elfe, la plupart d'entres eux étaient ignorants de ces événements et je savais que Bjarni n'était pas sur le point de sonner notre départ... Alors quoi ?

-Messieurs après discussion avec la Reine, je voudrais savoir ce que vous pensez de ceci. Elle souhaite être membre du parlement au même titre que nous tous...

Il lança cette phrase de la seule manière qu'il trouvait adéquate. Comme je l'ai toujours dit, la façon la plus directe est souvent la meilleure. Les hommes se regardèrent tous et plusieurs étaient encore bouche bée devant une telle requête. Les chuchotements allaient bon train et Bjarni ne perdait rien de leurs réactions. Je mis fin à toute cette effusion en disant :

-Eh ! bien, pour un effet de surprise c'en est tout un, Sire... Je vous assure que c'est réussi ! Je crois que nous sommes tous... comment dirais-je... étonnés de l'intérêt prononcé que la Reine porte aux affaires de l'État !
-Oui, Mirikof dit vrai, nous sommes sous l'effet de surprise, Sire !
-Mais si vous me permettez Messieurs, pour ma part, je crois que ce serait un atout appréciable d'avoir parmi nous une dame de la qualité de la Reine. Elle est une dame d'un bon sens et d'une remarquable intelligence... alors pour moi, je trouve que c'est une idée des plus attirantes. Dis-je en jetant un coup d'œil à mes camarades.

Ils me regardaient et un ministre continua :

-Je suis de l'avis de Mirikof. Moi je n'y vois aucun inconvénient, quoique c'est une demande très spéciale puisque je n'ai pas souvenir qu'une dame n'ait jamais été acceptée à l'intérieur des murs du parlement en tant que parlementaire !

-Vous dites vrai Stründson, aucune femme n'a eu ce privilège et c'est pourquoi je voulais avoir votre opinion avant de convoquer cette fameuse réunion !

-Et quel serait son rôle exactement dans tout ça, le même que nous tous, ou aurait-elle un rôle particulier ? Demanda le ministre Lavingtson.

-Elle aura le même rôle que tous, mais elle m'a précisé qu'elle préférerait occuper un rôle de ministre du genre qui traite les dossiers sur le comportement des individus dans notre Royaume.

-Eh ! bien moi, je suis d'accord, d'autant plus que ce genre de dossiers, personne n'en raffole parmi nous ! Dis-je.

-Et pour ceux qui n'ont pas encore parlé, vous êtes d'accord ou vous y voyez quelque chose d'inopportun que je n'aurais pas vu ?

-Non, Majesté, je crois que nous sommes tous d'accord avec le désir de la Reine, nous sommes surpris c'est tout ! Et si cela s'avère un échec sur les attentes d'une telle décision de notre part et bien, il sera possible d'expliquer à la Reine que sa demande était noble, mais que la réponse attendue n'était pas au rendez-vous. Qu'en pensez-vous Sire ? Demanda Guvestaveson.

-Je suis parfaitement d'accord avec vous Monsieur. Ce sera à moi qu'incombera la tâche de lui expliquer tout ça, et ça, j'aime autant vous dire que je ne souhaite jamais avoir à le faire… vous ne connaissez pas la Reine, Messieurs ! Quand elle a une idée en tête… !

Nous le regardions et les rires sur cette remarque ne se firent pas attendre car on savait tous que ce que la reine voulait c'était pour ainsi dire impossible de lui refuser.

-Bon puisque vous semblez tous accepter l'entrée de la Reine parmi nous, allez cueillir les autres ministres et demandez-leur de se rendre à la grande salle, je vais vous y rejoindre dans quelques minutes. Merci d'être venus, Messieurs.

On salua tous le roi. Bjarni se rendit auprès de la première intéressée qui s'était déjà toilettée.

-Eh ! bien, voilà des yeux qui me traversent l'esprit… pouvez-vous y lire quelque chose très chère ?

-Bjarni, tu sais ce que je veux savoir… Allez, ne me fais pas languir !

-Bon, je ne serai pas méchant avec une si charmante dame. Tu vas venir avec moi. Ma réunion est convoquée et nous serons tous confortablement assis dans quelques minutes. Je veux que tu viennes avec moi et tu t'assoiras près de moi. Je ferai d'abord l'annonce de ta présence et ensuite, tu feras toi-même ta requête.

-Je… je… suis si nerveuse… parler devant tous ces hommes !

-Ah ! Mira, il faut que tu fasses le saut… il faut que tu demandes toi-même… je pourrais le faire à ta place mais, je crois que si tu le fais toi-même, ils seront plus faciles à convaincre ! Et je sais que tu seras capable sans problème de t'exprimer largement devant ces Messieurs. Tu n'as qu'à les imaginer tous nus avec un sac sur la tête !

-Ha ! ha ! Bjarni ! Tu n'as pas ton pareil pour détendre l'atmosphère. Je me souviendrai de cette allusion si je sens ma gorge se resserrer, j'y penserai mais si j'éclate en riant je me tournerai vers toi et je leur dirai que tu vas tout leur expliquer !

-Ah ! Mira ! Tu as le don de retourner toujours une situation à ton avantage, petite sorcière ! Je t'aime !

Bjarni lui tendait son bras et elle prenait de grandes respirations. Elle devait affronter. Elle le suivait dans les corridors du château qui menaient à cette grande salle où aucune femme n'avait jamais siégé auparavant. Elle entendait les voix des hommes qui riaient en bons camarades qu'ils étaient derrière les deux énormes portes. Une soixantaine d'hommes assis qui se turent presque immédiatement à leur entrée. Bjarni était fier d'y introduire sa femme. Ils prirent place au-devant de cette petite assistance. Comme le silence de cette salle était inhabituel, pesant même. Mira avait le cœur qui battait à tout rompre et se demandait bien si elle aurait pu prononcer un seul mot quand viendrait son tour. Bjarni prit quelques secondes pour regarder les hommes de l'assistance. Il voulait être certain que la grande majorité y soit. Comme il était satisfait, puisqu'il ne manquait que quelques ministres, il se leva debout.

-Messieurs, je ne vous ai jamais vu aussi silencieux ! J'espère que le chat ne vous a pas avalé la langue…

Cette petite remarque en fit sourire plusieurs. Il poursuivit :

-Vous avez remarqué une présence inhabituelle à l'intérieur de ces murs. Une présence plutôt agréable si je puis me permettre, mais une présence particulière toute de même. Messieurs, la Reine a quelque chose à vous demander et je lui laisse la parole.

Mira pensait qu'elle se serait évanouie quand Bjarni se rassit mais elle dut prendre son courage à deux mains. Elle se leva à la grande surprise de plusieurs et s'adressa clairement en ces termes :

-Messieurs, si je suis ici aujourd'hui parmi vous, c'est pour vous demander une requête bien spéciale… oui, elle est très inhabituelle…

Elle fit un court silence, et se décida enfin de plonger tête première vers son but ultime.

-Je vous demande d'être un membre de votre parlement au même titre que le Roi et vous tous. La décision vous appartient, mais je tiens à vous assurer que mon seul but est de vous aider, de vous supporter dans vos lourdes décisions avec l'aide du meilleur de mes connaissances.

Cette annonce jeta une légère consternation parmi les membres dont Bjarni observait toutes les réactions. Les chuchotements, les mouvements des uns vers les autres, se penchant sur l'oreille de leur voisin s'élevaient dans la salle comme si tout à coup ces hommes si disciplinés d'habitude étaient épris d'une irrésistible envie d'être désordonnés. La surprise, pour la plupart, était de taille. Les quelques ministres et généraux prévenus à l'avance par leur rencontre avec Bjarni, ne représentaient qu'un petit groupuscule dans tout ce monde. Bjarni regardait aussi Mira, qui avait pris quelques couleurs. Elle s'était rassise près de lui et le regardait. Ses yeux se retournèrent pour apercevoir la petite foule qui semblait en pleine discussion à voix basse. Elle attendait patiemment le verdict. Bjarni aussi. Il avait fait tout en son pouvoir pour elle, la décision leur appartenait maintenant. Pour mettre un terme à tout ceci, je jugeai nécessaire de me lever pour dire haut et fort devant l'assemblée ce que je pensais du projet.

-Majesté, je suis votre premier collaborateur, si mes confrères pensent comme moi !
-Moi aussi Majesté, je pense comme Mirikof.
-Moi non ! Depuis quand accepte-t-on une femme parmi nous pour prendre des décisions sur le sort de la nation ? Qu'est-ce qu'une femme pourrait bien nous apporter de plus que nous n'ayons déjà fait ? Dites-le moi !

C'était là, la voix d'un vieux ministre de Bjarni. Il était contre l'idée, mais alors là, complètement contre. Un autre dit comme lui et un troisième. D'autres ministres, par contre, partageaient mon opinion. Une discussion s'entama entre les hommes qui se cachaient sous de faux prétextes pour éliminer de leur vue, cette femme qu'ils ne souhaitaient pas du tout avec eux. Après quelques minutes, Mira se leva. À ce geste, ils se turent instantanément.

-Messieurs, il faut d'abord mettre quelque chose au clair. Je ne viens pas ici pour ravir la place de quiconque, mais bien au contraire pour ajouter une expertise, un point de vue féminin sur la question. Je ne suis pas votre ennemie, mais plutôt votre pont qui vous reliera avec les sujets du Royaume. Je suis issue de ce milieu, Messieurs, il ne faut pas l'oublier, je connais bien les paysans, les villageois, je sais ce qui les ennuie, ce qui les chagrine, ce qui les transporte de joie... Je suis, bien plus près d'eux que vous ne le serez jamais... je ne vous le reproche pas. Vous n'avez pas vu le jour dans cette classe de la société c'est tout. Vous êtes presque tous des nobles de naissance. Je n'ai jamais caché à qui que ce soit mes origines et je ne le ferai jamais... je pense seulement que je peux résoudre certains problèmes qui vous causent bien des casse-tête avec la connaissance que je possède de ce milieu. Je n'ai pas la prétention de faire des miracles, ni de bouleverser les règles que vous avez établies. Seulement celle de vouloir le bien de tous et de mettre à contribution mon temps et mon énergie pour améliorer la vie de nos sujets... tout comme vous d'ailleurs.

Un silence de mort planait encore sur l'assemblée. Bjarni était sous l'extase de sa petite paysanne. Elle reprit de plus belle.

-Demandez-vous Messieurs, ce que serait votre existence sans la présence des femmes ? Demandez-vous Messieurs, ce que serait votre existence sans la présence de ces êtres dévoués qui portent la nation dans le creux de leurs entrailles ? Demandez-vous Messieurs pour quelles raisons, les Rois de ce monde feraient la conquête de terres et de pays inconnus si ce n'était pour y fonder un Royaume dans lequel leur descendance serait prospère et heureuse ? Alors pourquoi refuser aux femmes, à une seule femme, de partager avec vous les problématiques qui ne cessent jamais de dévaler sur vous jour après jour ? Elles font partie intégrante de ce monde, tout comme vous... Elles y sont nombreuses et plutôt utiles et agréables, non ? Alors si vous voulez bien me laisser vous accompagner dans cette lutte désespérer pour la loi et la justice, j'en serais très honorée, soyez-en certains !

Elle resta debout les yeux rivés sur eux. Ils étaient toujours aussi silencieux et Bjarni aussi fier d'avoir à ses côtés une femme comme elle. Elle s'assit. Elle venait de leur clouer le bec. Elle avait défilé en quelques phrases une vérité qui crevait pourtant les yeux. Les femmes existaient et elles étaient là pour rester. Ils ne pouvaient pas nier ce fait. Les plus récalcitrants furent vite désarmés devant autant d'audace et de persuasion. Bjarni décida qu'il était temps de passer au vote, il fallait battre le fer pendant qu'il était chaud. Il se leva.

-Messieurs, nous ne nous éterniserons pas sur le sujet, je suggère de passer au vote dès maintenant... Alors ceux qui sont pour la venue de la Reine parmi nous lèvent la main.

Quelques secondes suffirent. Elle avait réussi. L'unanimité était incontestable. Bjarni sourit.

-Eh ! bien, Madame, il nous fait tous plaisir de vous accueillir à titre de membre de ce Parlement.

Plusieurs se levèrent debout et applaudirent. Bjarni, les fit asseoir et reprit.

-Je tiens à ajouter Madame, qu'en plus d'être très honorés, nous sommes parfaitement conscients que vous serez un atout, et non le moindre, que nous nous féliciterons plus tard d'avoir accepté parmi nous !

Après quelques minutes, Bjarni mit fin à la réunion. Lorsque tous furent sortis, il attrapa Mira et la serrait dans ses bras. Il la soulevait. Il était joyeux.

-Je savais que pas un homme ne pouvait te résister, même pas ces vieux ministres dont le membre ne réussit même plus à se soulever !
-Bjarni ! ! ! Tu es vulgaire parfois ! Pauvres vieux ministres qui doivent regarder les dames et qui ont des pensées si divines pour elles et qui ne réussissent plus à se satisfaire eux-mêmes, ce n'est pas très gentil pour eux.
-Je m'en fous ! Je suis heureux, j'ai avec moi une femme extraordinaire qui renverse l'ordre établi et cela me rend encore plus amoureux d'elle !

Ils regagnèrent leurs appartements après un bon repas où les rires fusaient de toute part.

Mira, loin d'avoir oublié les raisons pour lesquelles elle avait demandé une telle ascension au pouvoir, réservait ses journées à faire écrire et voter une loi pour améliorer le sort des femmes et des enfants dans ce royaume. Elle avait été intégrée à l'intérieur d'un groupe d'hommes puissants et elle se sentait l'obligation de performer à leurs yeux. Elle y arrivait parfaitement. Le mélange de douceur et de stratégies divinement étudiées faisait fureur. Elle avait souvent des idées lumineuses et les hommes appréciaient désormais sa présence. Ils appréciaient à un tel point que sa présence leur était devenue indispensable. Alors notre jeune reine flamboyante rayonnait de tous ses feux !

Les sujets appréciaient cette nouvelle venue au sein des hommes de pouvoir comme un vent d'espoir qui s'abattait sur tous les recoins de l'immense royaume. Les nombreuses visites qui suivirent de cette nouvelle fonction déplaçaient de vaste quantité de gens qui venaient assister à des jugements publics ou souvent le juge était coiffé d'une tignasse blonde ! Le peuple plus que jamais se sentait appartenir à un pays où ils participaient non plus en simple figure impassible mais bien en tant que partie intégrante d'un tout. Même si parfois un jugement était difficile, Mira réussissait à faire ressortir la justice et l'injustice n'avait plus sa place dans cette nouvelle unification qui les rendait tous plus unis les uns aux autres comme l'eau est indispensable à la fleur et le vent à la sculpture des montagnes. Ai-je besoin d'ajouter qu'on la tenait tous en très haute estime ? Un petit brin de femme qui par sa détermination balayait sur son passage des idées, des comportements qui étaient depuis si longtemps perçus comme immuables ! Oui, Mira vivait et prospérait, aujourd'hui plus que jamais. Il était loin désormais le temps où la petite paysanne secrète et timide se cachait dans les bois de la Forêt d'Elfe. Nous avions tendu un arc et la flèche faisait de sa trajectoire un aller direct et sans compromis vers le cœur de l'Homme. Si à l'intérieur de nos frontières, la belle faisait trembler les fondements de nos lois, à l'extérieur la reine paysanne était citée comme un être d'une exceptionnelle érudition. Mira se révélait aux yeux du monde. La tignasse blonde aux yeux d'océan faisait des ravages ! Les secousses de ces tremblements se faisaient donc ressentir bien au-delà de nos frontières…

Plusieurs mois passèrent ainsi. Le peuple près de son cœur, le roi à ses côtés, les hommes, les hauts dignitaires qui marchaient dans son sillon, Mira se sentait une force, une détermination qui la conduirait maintenant vers d'autres cieux.

Comme un loup qui hurle la nuit, comme le vol parfait de l'aigle, comme une soif inassouvie d'aventure, l'appel de sa destinée était incontournable ! Il fallait mettre fin à toute cette pauvreté, à toute cette maladie, à toutes les misères qui affligeaient sans distinction les sujets de la Couronne. N'y avait-il pas une légende ? N'y avait-il pas un roi qui avait laissé toutes les pièces d'un casse-tête pour que cela ne soit qu'un mauvais souvenir ? N'y avait-il pas parmi nous un être extra-sensoriel qui avait reçu des anges un don de clairvoyance, un don inné pour réunir sous le même étendard les aspirations de tous ?

Mira était plus que jamais l'espoir dans nos coffres, l'espoir dans nos cœurs, l'espoir dans nos esprits, l'espoir dans nos corps meurtris.

Le tour du monde nous ferons !

C'est par un beau matin de mai de l'an de grâce 1352 que la décision tomba comme un coup de tonnerre. Tous réunis à la grande salle, les hauts dignitaires, nobles, commandants d'armée, généraux, tous y passèrent ! Devant les yeux écarquillés de l'assemblée, les trouvailles dans le sarcophage de Grovache, les documents, les cartes, le diadème furent dévoilés. Inutile d'ajouter qu'ils étaient pour la plupart comme hypnotisés par ce qu'ils avaient sous les yeux. C'est donc dans cet esprit d'émerveillement que douze drakkars et une centaine d'hommes et de femmes furent invités à s'embarquer pour une aventure qui les conduirait vers une terre inconnue.

Les yeux d'océan conduiraient sur la grande bleue un groupuscule vers des lieux où disait-on, Grovache avait emporté ses richesses. La fébrilité de toute cette nouvelle eut pour effet de remplir le cœur et les âmes des sujets d'un espoir sans borne. La légende prenait forme. Elle était là, en chair et en os, la pucelle de la Forêt d'Elfe qui s'éveillait à son destin. Une telle euphorie se sentait même sur les quais où les drakkars préparés à toutes éventualités flottaient remplis à rebords de vivres, de bagages, de chevaux aussi nerveux que nous l'étions tous. On étudiait avec minutie les indications d'Erik le rouge. On s'embarquait pour l'inconnu mais le cœur paisible, la pucelle était là auprès de nous. Que pouvait-il nous arriver de désastreux ? Nous n'y pensions même pas ! Seul un "X" sur un continent inconnu nous guidait vers notre destinée d'intrépides, d'aventuriers. Un "X", un point sur une carte, un lieu énigmatique nous indiquait la route à prendre. Un océan qui pensions-nous était sans fin s'arrêtait pourtant sur une côte. Il y avait donc un autre côté ! Même si la route s'avérait longue, qu'à cela ne tienne nous étions gonflés à bloc, prêts à affronter les démons de l'océan, les diables de l'enfer ! ! !

La seule décision difficile que Mira eut à prendre fut celle de rester le prince Éric au château. Comme on partait pour l'inconnu et un temps indéterminé, Bjarni considérait que c'était faire courir un risque à sa descendance inutilement. L'enfant resterait donc en Norvège chouchouté par la domestique qu'il avait depuis sa naissance. C'était là, le seul nuage sur le ciel bleu de nos espérances. C'est donc dans cet esprit que nous étions tous sur le quai de Måløy le point le plus à l'Ouest de la Norvège. Petit port de marins, de pêcheurs agrémenté par plusieurs petites cabanes servant à la pêche. Ce petit village côtier avait vu embarquer et débarquer à plusieurs reprises des individus de toute sorte, de grands personnages, des nobles, mais cette fois c'était plus grandiose. Le couple royal faisait partie de cet équipage suivi par les plus grands cartographes, les plus habiles marins, les plus éminents chercheurs, les plus exceptionnels soldats tous choisis pour leur domaine dans lequel, ils excellaient ! C'était une marchandise de choix. Rarement on avait vu un amalgame aussi coloré sur les quais de Måløy.

C'est le douzième jour du mois de mai 1352 que les drakkars se lancèrent à l'assaut de l'immense océan Atlantique. Mira, Bjarni, moi et nos premiers compagnons de voyage vers la Forêt d'Elfe étions embarqués sur le même bateau. Notre capitaine était un vieux loup de mer. Ferguson était depuis longtemps réputé pour ses innombrables trouvailles sur l'océan. Réputé également pour ses histoires à n'en plus finir sur des monstres marins plus grands qu'une cathédrale, citons qu'il avait été d'abord et avant tout choisi par sa grande connaissance du monde marin. Sur ce point, peu, dans le monde pouvait lui arriver à la cheville. Même les capitaines qui suivaient sur les autres drakkars étaient considérés comme de bons seconds ! Ferguson était de loin le maître en la matière issu d'une lignée de marins voire même de descendance viking en ligne directe avec les hommes du même acabit que Leif Eriksson.

Nous partîmes dès l'aube sur une mer calme. La journée s'annonçait ensoleillée et les vents nous étaient favorables cambrant notre voile vers le Nord-ouest. Mira qui n'avait jamais navigué en pleine mer était restée à la proue, emplissant ses poumons de cet air marin. Le vent balayait sa chevelure, donnant l'impression que les vagues de la mer et Mira ne faisaient qu'un. Les mouettes, les goélands, les cormorans étaient moins nombreux à nous suivre indiquant par le fait même que nous nous éloignions sans contredit de la côte norvégienne à une vitesse de plusieurs nœuds ! Bientôt on ne verrait plus la côte et nous aurions l'impression d'être un petit pois dans l'océan, n'apercevant rien devant, rien derrière, rien sur les côtés. Mira était peu habituée à ce genre de point de vue, mais restait rassurée sachant très bien que cette impression était souvent ressentie par tous les marins chevronnés et que Ferguson était de loin le meilleur que l'on puisse avoir.

La journée s'assombrissait déjà. L'astre solaire était sur son déclin décrivant sur l'horizon des couleurs de pourpre, de violet, de rose flamboyant. Un coucher de soleil sur la mer, il n'y a rien de comparable, c'est tout simplement magnifique. Le soleil se couchait et le vent aussi. Nos voiles étaient à plat. La nuit s'avérait calme et dans son noir étoilé, elle ferait briller de tous leurs feux, les étoiles qui nous servaient de guide.

Sextant, boussole, compas à l'appui, Furgeson considérait qu'on avait fait bonne route en cette première journée. Les glaces étaient depuis quelques semaines descendues vers le Sud et ne nous barreraient pas la route. Furgeson savait quand prendre le large sans nous mettre dans une position délicate. Le reflet du quartier de lune se reflétait sur la mer et sa lumière dansait tels des petits éclats de verre sur les minuscules vagues. Mira et Bjarni entrèrent dans leur quartier, ayant passé la majeure partie de cette journée sur la proue et sur les ponts.

Nous fîmes tous la même chose sauf quelques hommes d'équipage qui étaient attitrés à veiller la nuit et dormir le jour. Dans le calme de leur cabine, Mira et Bjarni se collait sous les couvertures car la nuit était plutôt fraîche. Belle excuse pour Bjarni qui faisait sentir à Mira qu'il la couvrirait de sa chaleur corporelle pour qu'elle passe une nuit bien au chaud. Sacré Bjarni ! Il ne perdait rien pour se prévaloir des douceurs du partage de sa couche avec Mira… J'avoue que c'était tout à son honneur puisque j'aurais fait de même si mon destin avait été d'être son promis !

Le calme de la nuit, les bateaux tous en groupement les uns près des autres, les hommes de nuit sur les ponts qui voyaient à ce que tout aille pour le mieux, nous passâmes une nuit reposante ayant pour berceuse le clapotis des petites vagues sur les coques de nos drakkars. Le lendemain à l'aurore, Furgeson tira tout le monde de son sommeil sonnant par sa voix tonitruante les ordres à ses hommes d'équipage. Avec une telle voix, même le meilleur dormeur sortirait du sommeil le plus profond ! Ferguson était déjà à la barre, sourire aux lèvres, bedaine fendant effrontément le vent voyant s'activer ses hommes sur les ponts. Nos voisins faisaient de même. Probablement tirés eux aussi de leur sommeil par la seule voix de Furgeson ! ! !

Dans cette immensité que peut être la mer, voir douze drakkars voiles au vent avec cette activité sur leurs ponts, devait être pour l'étranger qui s'avançait vers nous, une vision exceptionnelle.

Un navire marchand battant pavillon Anglais voguait sûrement vers la Norvège. Nos drakkars avaient été spécialement conçus pour un long voyage en mer. Imposants, d'une solidité à l'épreuve des assauts de la mer, disaient nos constructeurs, voiles à l'effigie du faucon monté griffes acérées sur la Norsufinde indiquaient sans aucun doute notre provenance. Malgré que ce navire en fût un d'importance, il ne se comparait pas à la grandeur de nos drakkars. Ils passèrent donc à bâbord de notre flotte ralentissant leurs ardeurs ayant l'impression d'être un petit bateau parmi des géants. Le capitaine du navire avait pris les devants de ses matelots si curieux et criait à son homologue d'en face.

-Capitaine Buttler de Londres, Angleterre !

-Capitaine Furgeson de la garnison royale de Norsufinde.

-Où vous rendez-vous avec cette flotte impressionnante de navires capitaine ?

-Nous sommes en route vers le Nord-ouest.

-Vers l'Islande ?

-Non, plus à l'Ouest encore !

-Plus à l'Ouest ? Mais il n'y a rien plus loin si ce n'est le néant capitaine !

-Pensez-vous vraiment capitaine Buttler ?

L'homme était surpris par l'itinéraire du voyage emprunté par les Scandinaves ! On aurait pu lire dans ses yeux à quel point il nous trouvait intrépides ! Que pouvait-on espérer trouver dans le néant ? Et s'ils tombaient en bas de la mer comme la croyance le voulait ? Décidément, les Scandinaves étaient bien aliénés de se rendre dans ces lieux de perdition ! Ses hommes de pont le tirèrent de ses réflexions quand ils se mirent à pointer du doigt, à s'entasser les uns contre les autres causant ainsi du pousse camarade qui vint jusqu'aux côtés du capitaine qui détourna alors son attention de Ferguson pour voir enfin ce qu'apercevaient ses hommes et qui les rendaient aussi fébriles ! Quelqu'un venait d'arriver sur le pont. Le Roi de la Norsufinde en personne, le grand Bjarni fils de Magnus Eriksson leur apparaissait dans toute sa splendeur. Tous ces marins marchands, ils avaient eu plus d'une fois la chance d'apercevoir des bancs de baleines, d'esturgeons, des bateaux pirates, des bateaux d'explorateurs mais aucun d'eux n'avait jamais eu l'occasion de croiser, même dans leur propre pays, un roi, un homme de si haute lignée ! Ses habits ne trompaient guère et annonçaient l'origine du roi. Bjarni dans toute sa splendeur portait fièrement un costume bleu en velours ne laissant aucun doute sur son rang et sur sa provenance. Le puissant Roi de la Norsufinde était au-devant d'eux et s'approchait de son capitaine dans une simplicité qui en laissa plusieurs sur leurs mots. Et comme si ce n'était pas suffisant, la surprise fut à son comble lorsque apparut à son tour une crinière blonde dévisageant un à un les matelots sur le pont du navire voisin. Là non plus il n'y avait aucun doute possible. La légendaire Reine de la Norsufinde était là, rayonnante de mille feux. Comme les présentations n'étaient pas nécessaires, les Anglais se courbèrent tirant ainsi un petit sourire des deux personnages royaux. Leur capitaine, sans se relever, dit alors :

-Majestés de la Norsufinde c'est avec un immense respect que nous simples marins vous présentons nos hommages !

-C'est avec un immense respect également que nous les recevons avec humilité Monsieur. Lui répondit Bjarni.

-Nous allons vous laisser continuer votre route, Sire. Sachant combien est précieux votre temps.

-Mais où allez-vous donc messieurs avec une cargaison aussi impressionnante ? Demanda Ferguson.

-Nous nous rendons au port de Bergen livrer des épices et autres trésors venus d'Orient.

-Alors faites bonne route le ciel est clément ! Répondit Bjarni.

-Laissez-nous à notre tour souhaiter que votre expédition trouve sous un ciel clément le but de sa quête !

Dans l'émerveillement des yeux de ses hommes, le capitaine Buttler sonna de reprendre la route. En essayant de ne point perdre de vue ces deux personnages royaux qui leur souriaient, les hommes d'équipage se hâtaient vers leur occupation respective. Le capitaine Buttler ne trouvait plus les Scandinaves idiots ! Sillonnant depuis moult années les océans, marin de père en fils, Buttler n'était pas ignare de la légende de la Forêt d'Elfe. La quête des Scandinaves vers l'Ouest était pour ainsi dire la seule explication possible quant à ce déploiement de navires royaux ! Grovache avait-il enfin dévoilé tous ces secrets ? Savait-il qu'il existait autre chose de l'autre côté ? En tout cas, Buttler savait que la pucelle, la reine paysanne n'était point sur les ponts de cette flotte de manière anodine ! Comme aspirés par les récits d'aventures qui voyagent sur les eaux comme la rivière qui se jette à la mer, Buttler et ses hommes d'équipage étaient tous éblouis par cette rencontre inattendue réservant dans leur cœur toutes les impressions féeriques que les yeux d'azur leur laissaient dans l'âme !

Après ce court moment, notre flotte reprit son chemin sur les eaux poissonneuses. Nos coques étaient assaillies par des bancs de poissons scie qui bordaient nos navires tels des guides. Leur nage parfaite, leurs acrobaties en faisaient des compagnons de route inespérés émerveillant Mira qui penchée sur la rambarde laissaient ses bras pendants espérant que l'un d'eux vienne se poser au creux de ses mains.

Les jours succédaient aux nuits et vice-versa sans que la mer nous fasse connaître ses humeurs pourtant reconnues comme étant imprévisibles et meurtrières !

Cela faisait déjà plus d'un mois et demi que nous naviguions direction Nord-ouest et aucune terre en vue. Les vivres commençaient à se faire rares. La pêche était donc tout indiquée pour sustenter nos appétits. Le plus difficile était de se discipliner en ce qui concernait l'eau. Les barils étaient bien entamés et cette denrée se raréfiait à un rythme infernal. Nous commencions tous à ressentir le mal du pays. Nous naviguions déjà depuis si longtemps et il nous aurait été mortel de rebrousser chemin ! Nos réserves d'eau étaient déjà trop basses et nous aurions crevé avant qu'un bateau nous vienne en aide ! Ce mal qui nous rongeait était bien plus l'incertitude que nous ressentions alors ! Et si on s'était trompé ? Et si Grovache n'existait pas ? Et si… et si ?

Décidément, l'air de la mer nous montait à la tête et nous étions tous sur le point d'oublier les raisons qui nous avaient conduits aussi loin des côtes norvégiennes. La seule qui ne semblait pas toucher par ce mal sournois était Mira. Elle continuait à admirer l'immensité de la mer et les trésors dont elle foisonnait ! Il faut dire que nous avions régulièrement des visiteurs peu communs. Des orques, des baleines aussi gigantesques que des cathédrales ! ! ! Furgeson disait donc vrai. Nous avions vu beaucoup de baleine pour la plupart, mais il faut dire qu'à l'endroit où nous étions, tout semblait démesuré. Les morues étaient gigantesques. Le hareng était en quantité innombrable. C'était bien des habitants marins que nous connaissions bien, mais d'une telle longueur et grosseur et en quantité si impressionnante… Dieu ! De Dieu ! Les pêcheurs auraient fait fortune dans ces eaux ! ! ! Si seulement ces lieux n'étaient pas si loin !

Me revinrent alors les récits de vieux pêcheurs qui disaient connaître un lieu où la pêche était miraculeuse. Racontaient-ils des histoires pour émerveiller leur auditoire où avaient-ils vogué jusque dans ces eaux ? Fort probable maintenant que j'y pensais. Parfois, la famine, la nécessité peut être mère de toutes les aventures, même les plus inimaginables !

Inlassablement nous poursuivions notre route. Mère nature nous avait fait gré de bons vents depuis notre départ et Ferguson se perdait dans les calculs. À la vitesse où nous allions, la distance parcourue nous semblait à tous quasiment impossible. Les cartographes, les astronomes, les hommes de sciences étaient en perpétuelle discussion pour ne pas dire en perpétuelle dispute ! On voguait sur la mer et on nageait dans l'inconnu. Nous n'étions pas sur le bord d'une mutinerie mais que les esprits étaient échauffés ! ! ! Résultat de plusieurs jours consécutifs sur un espace restreint côtoyant chaque jour les mêmes individus, partageant certains endroits avec le monde chevalin et l'eau qui se raréfiait… le sentiment d'être perdus dans l'immensité, nous étions oppressés et oppressants ! Mais nous n'étions pas au bout de nos peines.

Une nuit, Mira apparut en toute hâte sur le pont avertissant les hommes de nuit d'une éventuelle tempête. Les hommes partirent quérir le capitaine qui se leva tout échevelé, barbe en bataille, pantalons à peine attachés, tentant de garder les yeux ouverts sur la reine qui lui défilait une chute de paroles.

-Capitaine Furgeson, réveillez-vous ! Sortez de votre sommeil ! Vous êtes peut-être devant moi, mais vous n'êtes pas revenu de vos rêves ! Disant Mira en lui prenant les épaules, secouant cette armoire à glace espérant qu'il se réveille enfin.
-Je suis réveillé Madame !
-Vraiment ? Combien voyez-vous de doigts ?

Ferguson eut un sourire et ouvrit à son maximum ses grands yeux bleus démontrant ainsi à la reine qu'il était bel et bien éveillé.

-Madame, s'il vous plaît ! Je n'ai point bu ! Peut-être aurais-je dû ! Qu'y a-t-il qui vous rende si nerveuse ?
-Monsieur, il faut prévenir les autres capitaines !
-Mais de quoi donc Majesté ?
-Nous allons essuyer une terrible tempête !
-Voyons Madame, il n'y a point de vent, la mer est calme et quand le soleil s'est couché, il portait comme depuis que nous sommes partis son halo de flamboyantes couleurs, signe d'une autre belle journée demain !
-Je vous dis qu'avant l'aurore nous essuierons une tempête comme vous n'en avez jamais connue, capitaine !
-Madame, Madame. Permettez-moi d'insister ! Il n'y aura pas de tempête ! Il n'y avait pas de nuages à la nuit tombée et il n'y en a toujours pas… Si ce n'est que quelques lambeaux ça et là ! D'autant plus Madame que j'en ai vu, des tempêtes dans ma vie de marin et

vous n'avez pas idée comme c'est terrifiant ! Et que je les sens venir bien avant tout le monde, croyez-en votre vieux loup de mer !

-Et bien préparez-vous car vous serez non seulement terrifié mais terrorisé, Monsieur.

-Mais d'où tenez-vous que nous aurons à affronter une telle tempête ?

Elle se tut, baissa la tête et allait retourner à sa cabine lorsque Bjarni apparut sur le pont.

-Que se passe-t-il capitaine ?

-Sire, la Reine m'a tiré du sommeil pour m'informer que nous sommes supposés faire face à une horrible tempête !

-C'est inutile Bjarni, il ne me croira pas, si je lui dis comment je le sais !

Bjarni comprenait que Mira avait reçu un message. Il prit Mira par les épaules et s'adressa au capitaine.

-Préparez donc les drakkars pour cette éventualité Monsieur !

-Comment ? Demanda le capitaine abasourdi par ce que lui demandait le roi.

-Qu'avez-vous à perdre capitaine ? Si comme vous semblez le croire, il n'y a pas de tempête et bien vous rattraperez votre sommeil demain dans la journée, foi de Bjarni !

-Bon… bon puisque vous insistez et qu'effectivement je n'ai rien à perdre !

Sans plus attendre, Furgeson de sa voix qui aurait pu s'entendre jusqu'en Norvège sonna les préparatifs d'usage. D'un navire à un autre on se criait de se parer à une tempête. L'activité sur les ponts était aussi fébrile qu'en plein jour ! C'était pourtant simple. On descendait les voiles, on attachait tout ce qui ne pouvait pas entrer dans les cales et on attachait les hommes de pont à des endroits stratégiques et le capitaine de chaque navire se coulait avec la barre ne faisant qu'un. Ce remue-ménage durant la nuit et Ferguson qui rechignait dans sa barbe continuant à prétendre que tout cela était bien inutile alors qu'il n'y avait pas une goutte de pluie, pas une brise de vent et la mer calme comme un miroir ! Les seuls qui n'avaient pas été réveillés étaient les chevaux, quelle chance ils avaient se disait-il.

Comme un mauvais sort que l'on jette, comme si l'avertissement avait été donné juste à temps, Ferguson voyait au Sud-ouest s'avançant rapidement vers eux des nuages blancs. Comme c'était étrange cette vision des choses, jamais il n'avait vu ce phénomène avant ! Des nuages d'un blanc immaculé dans le milieu d'un océan et dans le noir de la nuit. Rapidement les nuages s'avançaient vers eux enrobant les douze drakkars semant ainsi la terreur parmi les hommes d'équipage.

Des vagues gigantesques leur apparurent tels des géants qui s'élèvent brandissant leurs forces les soulevant comme des feuilles d'automne sous le vent ! La pluie était si forte qu'on distinguait à peine son voisin de pont distancé de quelques mètres seulement. Les capitaines faisaient de leur mieux pour maintenir le cap, mais les barres se brisaient, les gouvernails se cassaient ! Les éclairs suivis des grondements du tonnerre multipliaient leurs ardeurs à fondre sur ces navires seuls dans ce coin d'océan, fendant plusieurs grands mats en un fracas qui ressemblait aux portes de l'enfer qui s'ouvrent ! Le hennissement des bêtes qui ne savaient plus où étaient le plancher et le plafond, alarma Mira qui descendit dans les cales tant bien que mal, ballottée par l'instabilité du navire. Bjarni hurlait, les hommes hurlaient, les capitaines hurlaient et pourtant leurs cris étaient abrités par la grande bleue qui se déchaînait ! Les vagues hautes de plusieurs centaines de coudés les soulevaient encore pour faire prendre des descentes vertigineuses aux navires qui une fois dans le creux de la vague piquaient du nez faisant submerger, de la proue à la poupe les ponts des embarcations, par l'eau salée qui entrait dans toutes les orifices de chaque navire ! Heureusement, leur construction était très robuste et résistait jusqu'à maintenant à ces nombreux assauts. Mais les hublots de certaines cabines résistaient mal à cette pression inhumaine. Résultat, l'éclatement de plusieurs et la mer qui prenait possession des cabines, des ponts alourdissant les drakkars au point de les faire couler. Mira réussit finalement à atteindre les cales où les bêtes essayaient de se tenir debout dans un énervement tel qu'elles ressemblaient à un troupeau de cerfs pris en chasse. Dans tout ce vacarme, Mira réussit à se faire voir et entendre. Elle se coucha par terre. Comme si c'était là un ordre, les bêtes se couchèrent, évitant ainsi de se piler sur les sabots les uns des autres mais surtout afin d'obtenir un meilleur équilibre qui était devenu impossible étant donné que les navires emportés par les immenses vagues tanguaient presque au point de se retourner ! Dehors, plusieurs hommes étaient tombés des ponts, mais la lumineuse idée de s'attacher en sauva plus d'un ! Pourtant, marionnettes improvisées se transformaient souvent en fouets balayés par la force destructrice de la mer qui les rabattait contre la coque des bateaux.

À ce moment précis, nous avions tous la mort dans l'âme comme si de sa faux et de son grand manteau noir elle nous avait abrités voulant tous nous prendre en même temps pour nous emporter avec elle ! Les drakkars étaient malmenés, craquant de bâbord à tribord à croire qu'ils étaient tous sur le point d'éclater comme de minuscules noix sous la pression ! La cargaison dans chaque cale flottait se fracassant contre les parois. Mira laissa ses amis à quatre pattes et tenta de monter l'escalier vers le pont. Une vague vint alors la faire redescendre dans la cale avec violence. Étouffée, roulée comme un caillou elle finit sa course en se butant contre le dos de Réfusse. Ce dernier se leva et dans un effort ultime, mordit à belles dents la chemise trempée de la belle, la soulevant de l'eau qui couvrait maintenant le plancher des cales. Ce geste instinctif de l'animal sauva pourtant Mira qui balayée par cette vague ne savait plus où était le haut ou le bas. Une autre vague vint alors raviver la précédente. Mira, revenue de son étouffement, se leva et Réfusse lâcha son emprise. Elle monta sur son dos.

-Allez Réfusse, il faut aller sur le pont !

La bête répondait à merveille aux souhaits de sa cavalière. Ensemble ils étaient plus imposants ! Mira et Réfusse se dirigèrent donc vers le grand escalier qui menait au pont. Une autre vague s'ajouta aux précédentes dans une cadence infernale. Mais cette fois, les grandes pattes de l'animal, son poids et Mira sur le dos servirent à affronter la force de cette dernière qui s'infiltrait sans gêne. Ralentis, mais toujours à la verticale nos deux compagnons gravissaient les escaliers et arrivaient sur le pont. Les vagues étaient si impressionnantes et les navires qui se rapprochaient dangereusement les uns des autres, équipage, cargaison, balancés et fouettés comme de minuscules roseaux, Mira avait l'impression d'avoir une vision d'apocalypse ! Réfusse avait de la difficulté à tenir l'équilibre sur ce pont qui était presque à la verticale puisque le navire était encore agressé par une vague énorme ! Mira leva les bras aux cieux et s'écria :

-Oh ! Grovache pourquoi m'avoir prévenue si c'était pour que je périsse avec tous mes hommes dans ma quête vers ton rêve ?

Réfusse fini par garder son équilibre, bravant à son tour dans toute sa magnificence d'étalon racé, la tempête qui diminuait comme par enchantement d'intensité. Mira baissa les bras et prit la crinière de l'animal entre ses doigts.

Les éclairs, le tonnerre, la pluie cessèrent, les vagues diminuèrent. Pendant plus d'une heure la mer s'était déchaînée et les nuages de tempêtes s'estompaient doucement. Cette tempête surprise avait bien failli décimer tout l'équipage et les navires de cette expédition. Quant à Mira, elle rayonnait comme un flambeau la nuit. Une lumière l'entourait et nous étions tous estomaqués, Bjarni le premier. Assise sagement sur sa monture, elle avait le regard perdu dans l'océan. Que pourrais-je ajouter à ce moment de grande intensité qui nous traversait tous après avoir vaincu la mort ? La légende n'était-elle en fait qu'une prophétie ? C'était ce qui nous rongeait l'esprit ! Commandait-elle aux éléments comme l'avait souligné Grovache ? À ce moment-là, je vous jure que nous l'avons tous cru ! Elle s'était montrée sur le pont avait dit ces quelques paroles et voilà que mère nature se repliait sur elle-même et remballait ses vents, ses gigantesques vagues, ses éclairs éblouissants, son tonnerre assourdissant et sa pluie aveuglante.

La tempête partait comme elle était arrivée. La mer reprit sa forme plate et les étoiles apparaissaient de nouveau dans le firmament. Le calme revenu, Mira descendit de sa monture jetant un regard tout autour d'elle. Sur le pont, tous trempés jusqu'à la moelle des os, l'équipage était pourtant au complet. Imitant Mira nous regardions nos compagnons, les bateaux voisins, réalisant notre chance. Malgré le désordre qui régnait nous devions plus déplorer des dégâts matériels que des pertes innombrables de vies humaines. Très peu d'homme manquait à l'appel.

Notre grand mat était cassé à quelques mètres du fait. La voile était en lambeaux. La barre intacte mais le gouvernail fichu. L'eau de mer jonchait le pont et flottait allégrement dans les cales. Les cartes, les documents, pour ce qui en restait flottaient éparses sur le pont. Les hommes étaient à bout de souffle et d'énergie. Le capitaine était pour sa part assis près de la barre les mains en sang. Cet homme avait lutté de toutes ses forces contre un titan !

Bjarni, nu de corps, s'avançait vers Mira et l'étreignit, appréciant à sa juste valeur ce que la mer n'avait pas réussi à lui ravir.

Le reste de la flotte était là. Pas un navire ne manquait à l'appel. Mais comme pour notre drakkar, les autres présentaient également des dommages considérables. Nous venions d'essuyer une des plus terribles tempêtes de mémoire de marin. L'aurore pointait et avec elle la lumière du jour. Cette lumière nous servirait à voir aux réparations urgentes. Ces sautes d'humeur de mère nature apportent toujours son accablante vérité qui se transforme en tragédie. Après plusieurs minutes, de cris d'un bateau à l'autre, nous fûmes surpris d'apprendre que le nombre de disparus était minime. Il est vrai qu'une vie est une vie de trop perdue au creux des vagues, mais à deux disparus nous étions loin du compte que nous pensions. Par contre les blessés se comptaient par dizaine. Certaines blessures étaient très sérieuses, d'autres se limitaient à quelques égratignures. Considérant l'ampleur de cette tempête, nous réalisions à quel point nous étions veinards que ce ne soit pas plus catastrophique. Pas une bête ne manquait à l'appel, mais plusieurs avaient de méchantes blessures aux pattes. Nous devions réparer les bateaux, voir à penser les blessures et à rapatrier tout ce qui flottait en mer ! Notre cargaison de vivres et d'eau était pour ainsi dire inexistante !

Il nous fallut plus de deux longs jours pour parvenir à réparer de façon convenable les drakkars leur permettant ainsi de reprendre leur route. Et cette route, avec des cartes chiffonnées, des instruments de bord envoyés au fond de l'océan, comment pouvions-nous parvenir à nous orienter ? Qu'à cela ne tienne, nos spécialistes des astres, nos vieux loups de mer étaient plus que jamais d'une aide indispensable. Ce que la nécessité peut avoir comme effet sur l'esprit humain ! ! ! Je dirais même plus, elle est la mère de toutes les inventions !

Aussi loin de notre Norvège, seuls au milieu de cet océan, nous ne pouvions espérer de l'aide de quelques voyageurs... Car nous étions les seuls à s'être aventurés aussi loin et aujourd'hui nous devions nous débrouiller avec les moyens du bord. Quand nous reprîmes notre route, Ferguson, les mains bandées, vint saluer la reine.

Il dut se rendre à l'évidence que Mira avait prédit avec exactitude ce qui nous attendait... et que cette tempête était de loin la plus terrible qu'il avait connue. Mais la route, les travaux de réfection, les blessés firent en sorte que Mira et Furgeson ne se perdirent pas en tergiversation ! Furgeson de ses mains enveloppées comme un nourrisson essayait tant bien que mal de tenir les quelques cartes qui lui restaient et perdait vite patience ! Un jeune marin dut venir lui tenir les papiers. Ce cher Furgeson avait un tempérament plutôt vif... à la ressemblance de sa compagne, la mer ! Parfois doux, parfois emporté. Son petit handicap faisait reviver tous les sens de notre capitaine. Ce n'est donc pas dans la joie et la gaieté qu'il accueillit les astronomes et les spécialistes des routes marines qui entouraient maintenant son bureau ! Le sextant était perdu et dans les bateaux voisins, il n'en restait plus que deux... dont un fut rapatrié à grands cris par Furgeson aux dépens de son congénère le capitaine Anderson. Avec la boussole, le sextant, une carte et quelques érudits de la mer, Furgeson et tout ce beau monde se penchèrent pour arriver à déterminer avec précision notre position et notre destination. La barbe touffue et ébouriffée de notre capitaine semblait se raidir sous les soupirs de colère de notre homme ! Chaque fois que le geste automatique de prendre quelque chose lui rappelait que ses doigts n'étaient plus qu'à la ressemblance du moignon du manchot, Furgeson s'emportait faisant reculer d'un pas tous ceux qui se trouvaient autour de ce bureau ! Mais qu'à cela ne tienne, après plusieurs minutes d'observation, de calcul et de jurons de notre capitaine, on pouvait maintenant savoir où nous nous trouvions. La tempête nous avait fait dévier de plusieurs kilomètres vers le Sud. Cependant, elle nous avait également transportés de plusieurs kilomètres vers l'avant. Reprenant notre route avec des drakkars portant encore des traces visibles de cette bataille, nous nous approchions de notre but, du moins c'est ce qui apparaissait lorsqu'on regardait la carte de Grovache. Une des seules qui avait survécu à la grande bleue en furie !

Quelques jours passèrent. Le manque d'eau potable nous rendait vulnérables aux disputes… Nous nous sentions perdus ! Car sans eau, jusqu'à quand pourrions-nous résister à la soif qui nous rappelait que nous étions comme au milieu d'un désert aride alors que nous étions entourés de l'immensité de la mer ! C'était paradoxal mais c'était pourtant ce que nous ressentions. Et comme si le désespoir de notre cause avait fait appel à nos dernières ressources, un jeune moussaillon grimpé dans la vigie se mit à crier à se cracher les poumons !

-TERRE EN VUE, TERRE EN VUE, TERRE EN VUE !

Mira, Bjarni, Furgeson et moi ainsi que tous sur le pont où nous étions levâmes les yeux vers lui, le distinguant avec clarté dans cette journée ensoleillée, le bras à l'horizontal, le doigt pointé vers l'avant, la chevelure au vent. Même si notre jeune moussaillon n'avait pas la voix qui portait comme celle de Furgeson, il n'en reste pas moins que dans les autres bateaux on avait tous entendu la même chose, la même phrase magique qui eut pour effet le déplacement sur chaque pont de tous les équipages vers la proue des drakkars !

Au loin, on distinguait des montagnes. Balayant du regard l'horizon, ces petits pics, ils nous semblaient se dessiner à l'infini. Oui, terre en vue et toute une terre. S'il s'agissait d'une île, elle était gigantesque. Enfin, nous ne savions pas vers où nous nous dirigions mais il y avait là une terre et par le fait même sûrement de l'eau potable pour garnir nos barils vides ! Après que nous ayons tous pris conscience qu'il s'agissait bien d'une terre, on aurait dit que le reste de nos forces s'était décuplé. Les hommes d'équipage, les capitaines, les moussaillons, enfin tout le monde qui se trouvait sur les drakkars courait vers leur poste respectif augmentant la cadence, sortant les rames, tendant les voiles à leur maximum dans le but d'atteindre cette terre dans les meilleurs délais !

Quelques heures plus tard nous étions aux pieds d'immenses falaises abruptes. Le pourtour de cette terre était peu banal. D'abord les falaises étaient habitées par des milliers d'oiseaux migrateurs. Passant de la mouette, goélands aux fous de Bassan et à une multitude de volailles en un nombre si impressionnant que leurs cris faisaient écho sur la roche de ces caps en un tintamarre assourdissant. Et ces caps, mon Dieu ! Du point de vue où nous étions, ils s'avançaient dans la mer comme une langue fourchue ! Fourchue de plusieurs pics ! Nous n'avions jamais vu un tel excès de mer nature. Et cette forêt qui coiffait ces pics, d'un vert émeraude, telle une chevelure épaisse se dressait fièrement à ses sommets. L'étendue de cette terre semblait être si vaste que nos yeux se perdaient à la définir. Les montagnes semblaient régner en maître dans cette région. Nos drakkars s'approchaient en longeant la côte. Et cette langue qui s'avançait dans la mer fut contournée vers la gauche, car de là on apercevait une étendue d'eau qui s'engouffrait vers l'intérieur des terres… Une baie immense. Décrire la beauté de ces lieux me semble difficile.

On s'engouffrait dans les eaux calmes de cette baie lentement avec prudence exigeant à tout moment les rapports des hommes d'équipage qui se tenaient au-devant des bateaux et qui scrutaient le fond de leur regard perçant. Il ne nous manquerait plus maintenant de se frotter contre un haut-fond, nous échouant dans cet endroit inconnu et qui semblait sans vie humaine. Alors la prudence était de mise ainsi que l'expertise reconnue de nos marins. Quant aux autres, ils étaient tous sur les ponts admirant cette nature luxuriante, fournie. L'émerveillement se lisait sur nos visages. Une terre vierge. Du moins c'est ce qui ressortait de nos premières observations. Soudainement, la vue d'un troupeau d'orignaux s'abreuvant sur les berges nous sortit de notre léthargie d'observateurs. Nonchalantes, les bêtes levèrent leur tête et bougèrent leurs oreilles à nos cris. Sachant très bien que les orignaux ont une vue médiocre, ils ne nous voyaient probablement pas ou nous distinguaient à peine, mais le son de nos voix leur démontrait qu'il y avait quelque chose plus loin, là sur l'eau ! Le mâle de toute la magnificence de son énorme panache se dressa et fit quelques galops dans l'eau peu profonde des berges. Les femelles se dressèrent à leur tour et comme s'il avait sonné l'alarme, le mâle sortit de l'eau, s'engouffra dans l'épaisse forêt suivi de près par ses femelles. Donc, sur cette terre il y avait la vie et la vie animale ressemblait à si méprendre à celle que nous connaissions sur nos terres. Les oiseaux, les animaux, les arbres étaient semblables à ce que nous connaissions. Toutefois, de notre point de vue, cette terre semblait immense, à l'infini, vierge et dense dans tous les sens du terme.

Nous poursuivions notre entrée dans cette baie lorsque tout à coup, ce n'était pas un troupeau d'orignaux qui attira notre attention, mais des mouvements inusités dans la forêt près des berges. Ces déplacements, ces mouvements furtifs attirèrent notre attention. Il y avait quelque chose dans ces bois et ça ne ressemblait pas à des mouvements animaux. Les prêtres qui étaient embarqués sur chaque drakkar semèrent la panique lorsqu'ils sortirent leur crucifix et qu'ils se mirent à scander des paroles saintes comme pour exorciser ce qui nous sembla tous être le démon ! Les prêtres se perdaient en prières énervant les équipages qui pensaient leur dernière heure venue. Nous ne parvenions pas à distinguer avec certitude ce qui se fondait derrière les arbres. Nous nous sentions épiés. Nous étions sur le pied d'alerte. Mais que pouvions-nous faire ? À part prier, prendre nos épées, il n'y avait pas grand-chose à espérer ! Le cœur battait dans chaque poitrine et l'émerveillement laissait place maintenant à une terrifiante peur… La peur de l'inconnu ! Qu'est-ce que ces bois cachaient ? Quel type d'être vivant pouvait bien courir et se cacher ainsi ? Intrigués par ce qui se passait sur les berges nous avions délaissé l'observation au-devant de nos proues et du reste de la côte ! Un jeune homme plus attentif que nous tous se retourna et cria :

-Regardez ! Regardez !

Surpris, nous nous retournâmes vers lui. Il pointait vers le devant de la proue plus loin sur la côte. De la fumée. Observant avec vigueur ce qui flottait dans les airs, nous nous rendions compte qu'il s'agissait d'un petit feu. La fumée était dense et noire. C'est alors que nous fûmes pris au dépourvu. La fumée s'arrêtait, recommençait. Qu'est-ce que cela signifiait ? Et comme si ce n'était pas assez mystérieux, nous entendîmes alors ce qui nous semblait des tambourins… Du moins un instrument qui avait une sonorité similaire ! La fumée persistait sa danse dans le ciel bleu décrivant des bouffées sporadiques. Qu'est-ce que c'était que tout ça ? Les prêtres redoublèrent leurs prières, tenant leur bible contre leur cœur et leur crucifix pointés vers les côtes. D'un côté, la côte qui semblait fourmiller d'êtres diaboliques et maintenant des sons inusités accompagnés par un feu qui ma foi, n'était pas normal non plus étant donné la fumée qui s'en dégageait. La panique intérieure redoublait et nous nous sentions impuissants devant ce phénomène incompréhensible. La côte semblait s'ouvrir plus largement sur cette baie, mais la forêt touffue nous cachait ce qui se trouvait derrière le prochain tournant. Nous poursuivions notre route, hébétés par tous ses sons, cette fumée et le mystère qui semblait nous suivre le long des berges de la côte.

Lorsque nous sommes parvenus à contourner l'amas de forêt qui nous bloquait la vue, nous sommes tous restés bouche bée. Là, sur les rives à notre droite, un village ou du moins ce qui nous semblait en être un, se distinguait clairement. Des habitations plutôt inusitées... Des habitacles de forme conique. Comment pourrais-je décrire ma première impression ? Des êtres vivants fourmillaient sur la plage. Des êtres vêtus de vêtements qui ne couvraient que l'essentiel. Du moins, c'est ce qu'on distinguait. Les sons cessèrent. Le silence à bord de nos bateaux était dû au fait que nous étions tous estomaqués. Du bord des berges, on nous voyait clairement et soudainement plusieurs de ces êtres prirent des embarcations qui nous semblaient minuscules en comparaison de nos drakkars. Ils embarquèrent à plusieurs, jusqu'à trois par embarcation. Ils en jetèrent plus d'une dizaine à l'eau. Nous observions prêts à l'attaque ! Ce qui nous sembla un homme sortit d'une de ces curieuses habitations. Il était couvert de plumes. Du moins, c'est ce que nous avions l'impression. Il embarqua dans l'une des embarcations et resta fièrement debout. À prime abord, il semblait être celui par qui les décisions passent ! ! ! Ils pagayèrent vers nous. Chaque capitaine fit descendre les ancres. On s'arrêtait. La situation se dessinait comme une rencontre inévitable entre deux cultures complètement étrangères. Ce que nous avions d'abord pris pour le diable nous semblait maintenant des hommes. Oui, des hommes avec deux jambes, deux bras, une tête ! L'homme debout dans l'embarcation restait de glace, plus il s'approchait de nous plus nous distinguions ce qui d'abord nous avait semblé être un poulet grandeur d'homme ! Les plumes ne recouvraient pas son corps, mais plutôt sa tête. Il était coiffé de plumes qui lui descendaient jusque dans le dos. Son torse était couvert de colliers exhibant des motifs géométriques et colorés. Ses chevilles et ses poignets étaient entourés par des bracelets qui flamboyaient au soleil. Pouvait-il s'agir d'or ? Et les autres qui ramaient en notre direction étaient eux aussi coiffé de plumes et portaient également des colliers et des bracelets. Cependant, nul d'entre eux ne rivalisait d'autant de parures que l'homme debout. Il était sûrement leur chef ou leur roi ! Il faisait partie de la première embarcation et les autres suivaient dans un synchronisme bien évident. À distance raisonnable, l'homme debout fit arrêter les embarcations. De part et d'autre, on s'observait. Un silence soudain prit plusieurs minutes avant d'être échangé contre quelques sons ! L'homme debout se tourna vers ses compagnons et dit quelque chose qui les jeta dans un profond étonnement. Cette langue nous était complètement étrangère.

Reilitson était juste à mes côtés et fut demandé immédiatement par Bjarni.

-Reilitson, comprenez-vous cette langue ?
-Ma foi, Sire, je n'ai jamais entendu pareil langage !
-Arriverez-vous à vous faire comprendre ?
-J'en doute Sire !
-Nous voilà bien avancés… Toutes ces épreuves, tout ce chemin pour arriver jusqu'ici et on ne se comprendra pas !

À ce moment, Mira qui était restée à l'écart s'avança et accota ses deux mains sur la rambarde. À sa vue, l'homme debout s'inclina et dit quelque chose qui fit presque coucher les hommes dans leurs embarcations. Un signe de soumission qui était aussi inattendue qu'incompréhensible ! Mira les observait candidement et se tourna brusquement vers nous.

-Faites descendre les barques, il faut aller à leur village !
-Mira, est-ce bien prudent ? Demanda Bjarni inquiet.
-Ces hommes ne nous veulent aucun mal.
-Comment peux-tu en être si sûre ?
-Je le sais, c'est tout !

Avec tout ce que nous avions vécu auprès de Mira ces derniers temps, nous n'étions pas en position de douter de ses dires ! Les barques furent descendues et Mira fit en sorte que Reilitson, Bjarni et moi fussions du voyage ainsi que plusieurs rudes hommes d'équipage. Il n'était pas question non plus que nous embarquions sans nos épées et nos boucliers. Bjarni insista énormément sur ce point.

Mira fit avancer les barques vers les embarcations de l'homme aux plumes. Ils étaient tous restés dans la même position soumise n'ayant plus bougé depuis que l'homme debout s'était incliné. Mira leur fit signe de se relever et pointa le village. Ce langage des signes fut efficace. Les hommes à plumes rebroussaient chemin vers leur village et nous les suivions. L'homme debout resta dans cette position jusqu'à ce qu'il arrivât sur les berges où une foule de curieux et qui étaient à notre avis curieux aussi par leur apparence, s'était massée, excitée, les berges fourmillant d'activités ! L'homme debout leur dit quelque chose. Comme par enchantement, un silence soudain prit la place de la légère cacophonie et ils se prosternèrent tous. Cette soumission était incroyable. Ça me donnait la nette impression que nous étions attendus ! Comment cela pouvait-il être ? Nous étions partis de si loin et même si Grovache était venu ici il y avait plus de mille ans, comment expliquer qu'ils savaient qui nous étions ? Nous ne comprenions plus rien.

Le calme et la sérénité dont faisait preuve Mira divergeaient complètement avec nos états d'âme ! Elle paraissait la seule à comprendre ce qui se passait. Elle s'avança vers l'homme à plumes. Sans dire un mot, elle prit délicatement son visage et le fit relever. De ses petits yeux noirs, il la regardait avec fascination. Les yeux azur se perdaient dans les yeux noirs de l'homme qui décrivait une forte personnalité juste dans le sillon de son regard. Un nez aquilin, des pommettes saillantes, une peau brunâtre tirant sur le rouge orangé, des yeux en forme d'amandes, une chevelure longue et tressée aussi noire que les ténèbres, un corps athlétique marqué par des cicatrices aux bras et au torse, coiffé d'une couronne de plumes finement entrelacées dans un travail de broderie, une poitrine imberbe, des pantalons qui me semblaient de la peau de bête bordés par des franges qui descendaient le long de ses cuisses jusqu'à ses pieds, des souliers en peau d'animal cousu par un lacet de cuir, âgé selon toute vraisemblance dans la cinquantaine, voilà celui qui se tenait au-devant de Mira. Incapables de communiquer les uns avec les autres, l'homme à plumes mit son poing sur sa poitrine et d'un ton sec dit :

-Agashum.

Il répéta son geste et son mot à trois reprises. Mira était beaucoup plus sensible que nous à la tentative de présentation de l'homme à plumes. Singeant son geste, elle lui répondit :

-Mira.

Nous comprenions qu'Agashum était son nom. C'était un tout petit début, mais un très grand pas pour nous tous. Mira lui fit signe de faire relever ses gens toujours en position soumise. Il se tourna vers eux et leur dit encore quelque chose qui à ce moment nous était complètement étranger. Ces paroles eurent l'effet escompté. Ils se relevèrent dans un silence d'église. Je calculais environ une centaine de têtes y compris les enfants qui étaient d'une discipline peu commune. Agashum se tourna et de son bras, invita Mira à le suivre. Ce geste eut pour effet de dessiner parmi la foule un corridor qui menait directement à l'une des étranges habitations. L'entrée était constituée de peaux qui étaient attachées tels des rideaux. Mira le précéda, suivie de nous tous qui étions aphones. Elle se pencha et entra la première dans l'habitacle, nous suivions de près ainsi qu'Agashum et trois autres hommes de fortes statures.

À l'intérieur, des peaux étendues partout. Au centre un genre de foyer. Il n'y avait pas grand article à l'intérieur sauf des bols et des cuillères de bois. Cette habitation était construite à même le sol. Des bouleaux servaient de charpentes, couverts par ce qui semblait être des peaux cousues servant de murs. La fumée du foyer se dégageait par le toit, où au centre les bouleaux avaient été placés de façon à agir comme cheminée. Vous décrire ce que nous ressentions alors… De l'émerveillement à la peur, toute la gamme des émotions nous traversait le corps. Agashum s'assied. Ou plutôt, devrais-je dire, il s'agenouilla et s'installa confortablement assis sur une peau les jambes en croix. Les trois autres gaillards firent de même et croisèrent leurs bras musclés sur leur poitrine. Ils étaient droits et d'un sérieux qui nous glaçait le sang. Nous nous installâmes de la même façon en face d'eux. Agashum regardait sans broncher Mira et ses trois acolytes en faisaient de même. Après ces minutes qui nous semblaient interminables étant donné qu'il n'y avait aucune communication, Agashum ordonna à l'un de ses hommes de sortir. Encore Agashum qui observait Mira sans la laisser du regard. Bjarni se pencha vers elle.

-Enfin, Mira… allons-nous enfin savoir ce qu'il nous veut ?
-Je crois que cela ne devrait pas être long, Bjarni… Je ne crois pas qu'il nous a fait venir ici uniquement pour nous observer !
-Pour t'observer tu veux dire ! Il ne cesse de te dévorer du regard ! Je commence à me demander si tout ceci est bien prudent de notre part, Mira !
-Tu ne devrais pas le craindre… S'il avait voulu nous faire du mal, il l'aurait fait depuis longtemps. En plus, nous sommes armés alors que lui, il n'a rien sur lui.

Cette conversation fut interrompue par le retour de l'homme qu'Agashum avait fait sortir quelques minutes auparavant. Il tenait dans les mains une branche de bois. C'est ce qui me semblait être le cas. Mais après qu'il l'eut remise à Agashum, je me rendis compte qu'il s'agissait plutôt d'une flûte. Encore là j'étais dans l'erreur. Il porta la soi-disant flûte à ses lèvres mais c'était pour attiser le feu qui brûlait au bout. C'était en fait, une pipe. Oui, une pipe. Parée de plumes, longue et mince, la pipe passa d'abord par les mains d'Agashum qui la tendit délicatement, avec précaution, à Mira. L'odeur que dégageait ce tabac était très inhabituelle. Je n'avais jamais senti quelque chose de tel. On aurait dit du bois pourri qui brûlait ! Mira prit la pipe dans ses mains, s'inclina quelque peu en souriant à Agashum pour gentiment la passer à Bjarni qui n'avait nul autre choix que de la prendre.

-Mais enfin Mira… qu'est-ce qu'il veut qu'on fasse de sa pipe ? Demanda Bjarni.

-Il veut la partager avec nous.

-Pourquoi ?

-Ça, je n'en sais rien. Je ne connais pas plus que toi les coutumes ici, Bjarni !

Sans rien demander de plus, Bjarni prit une bouffée de la pipe pour aussitôt s'étouffer au point ou Mira dû se lever debout lui balançant des tapes plus que vigoureuses dans le dos. Je me penchai et pris la pipe qui était sur le point de se retrouver par terre puisque Bjarni était réellement étouffé. Agashum et ses hommes se mirent à rire. Bjarni se ressaisit et Mira reprit sa place. Quant à moi, j'avais la pipe entre les mains et ma foi, avec le spectacle de Bjarni, je ne tenais point à fumer ce tabac qui avait failli coûter le souffle à mon souverain ! Tout le monde me regardait. Je me décidai donc. Et voilà qu'à mon tour j'étais étouffé. Franchement ce tabac était infect non seulement par l'odeur mais au goût également. Cependant, pour ma part, je n'eus pas droit aux petites mains douces et vigoureuses de Mira, mais bien à des tapes rudes et fortes de mon voisin qui était nul autre que le capitaine Ferguson. Trois tapes suffirent à ce que je repris mon souffle, car avec Ferguson c'était marqué de reprendre son souffle ou de courir après son cœur puisque le gaillard n'y allait pas de main morte et avec cette force j'ai cru que les poumons et le cœur me seraient sortis de la poitrine. Agashum et ses hommes s'esclaffaient et à ma grande surprise mes compagnons aussi. Quelle gentillesse ! Je finis par revenir à un souffle normal et passai la pipe à mon voisin, Furgeson. Ainsi de suite la pipe fit le tour pour se retrouver de nouveau dans les mains d'Agashum qui l'éteignit avec précaution et penchait la tête doucement nous démontrant qu'il était content que l'on ait partagé avec lui. Il dit encore quelque chose à l'un de ses voisins et l'homme se leva et sorti de nouveau. Ce manque de communication entre nous était franchement désagréable. Bjarni aurait tant voulu pouvoir s'exprimer et converser avec l'homme, mais il n'y avait rien à faire pour le moment cela était impossible. Quant à Agashum, il dévisageait Mira et de ses doigts il prit une mèche de cheveux de Mira. Bjarni eut le réflexe de l'arrêter mais Mira l'en empêcha.

-Laisse-le observer.

-Mais Mira…

-Regarde comme il trouve la couleur de nos chevelures étrange ! Je ne me trompe pas… non… Ils sont comme je les avais vus !

-C'est ça que tu avais vu Mira ?

-Oui… dans les moindres détails… La couleur de leur peau, leur chevelure, leurs vêtements, leurs habitations, leur pays… C'est comme si je rêvais éveillée !

-C'est tout simplement extraordinaire… inexplicable !

Nous observions cette scène, muets, comme pris d'un mal étrange. En effet, tout ceci était inexplicable.

L'homme qui était sorti revenait avec une peau roulée et attachée avec un lacet de cuir. Il se pencha, délia le lacet et la peau se déroula. C'était une carte. La même que celle de Grovache à quelques différences près. Agashum pointa la baie dans laquelle nous étions entrés.

-Gespeg. Dit-il en nous regardant.

Gespeg ! C'était le nom sans doute le nom qu'on donnait à cet endroit. Malgré le manque de communication nous comprenions très clairement ce qu'Agashum voulait nous faire savoir. Devant notre étonnement, il poursuivit de son gros doigt sur la carte. Son doigt sortait de la baie pour revenir à la mer et suivait les côtes vers le Sud où il s'arrêta devant un dessin qui représentait quelque chose qui pour le moment nous était totalement inconnu. Il se produisit alors une chose qui nous renversa. Agashum ouvra la bouche et prononça ces mots :

-Rocher Percé.

Rocher Percé ! Comment pouvait-il connaître des mots dans notre langue ? Car si c'était des mots dans sa langue nous en avions des semblables ! Mira eut alors un sourire. Extasiée, elle regarda Agashum.

-Agashum… Rocher Percé ?

-Rocher Percé. Reprit-il souriant à son tour à Mira. Il était si content qu'on comprenne.

J'étais sidéré. J'étais loin d'être le seul. Ce qui se passait à l'intérieur de cette habitation, cette tente, était de l'histoire à l'état pur et j'étais abasourdi. Jamais dans toute ma vie de guerrier, de voyageur, d'homme de confiance du roi, je n'avais vu, ni entendu, ni vécu quelque chose d'aussi riche en émotions. Vous dire ce que je ressentais, ce qui me traversait l'esprit, c'était féerique. J'avais l'impression de rêver… d'autant plus que je sentais mes mains engourdies, mes jambes légères… enfin en plus de voir et d'entendre des choses incroyables, voilà que mon corps ne répondait plus à ma volonté… Mon voisin, Furgeson me passa la remarque.

-Vous sentez-vous bien Mirikof ? Car moi, j'ai l'impression d'être un oiseau tellement je me sens bien !

-Moi, de même ! De dire Bjarni.

Était-ce les effets de cet étrange tabac ? Sans doute. Agashum et Mira nous regardèrent. Agashum n'avait sûrement pas compris un mot de ce qu'on se disait, mais devait bien voir que nous ne nous sentions pas tout à fait normaux ! Il se mit à rire.

-Mira, que se passe-t-il ? Demanda Bjarni.

-Sans doute, que cette pipe était un moyen pour Agashum de nous souhaiter la bienvenue.

Agashum fit alors un geste à l'un de ses hommes et ce dernier sorti encore une fois. Avait-il encore quelque chose à nous faire voir ? Nous aurions été fixés dans peu de temps puisque l'homme revint accompagné d'un jeune homme qui dit quelque chose à Agashum avant de s'asseoir à ses côtés.

Le jeune homme dévisagea Mira. Il se pencha vers Agashum et dit encore quelque chose d'incompréhensible. Agashum acquiesce à ce qu'il avait dit. Il balaya du regard le reste de notre équipage. Il observait avec minutie nos habits, nos épées… enfin, nos différences. Car des différences il y en avait partout. De nos teints clairs, de notre chevelure blonde ou rousse, nous jurions face à ces hommes au teint foncé, aux yeux noirs et aux costumes totalement étrangers aux nôtres. Rien ne nous associait à ce peuple si ce n'est qu'ils étaient eux aussi des êtres vivants et capables de communiquer ! Mais, après cette observation minutieuse, le jeune homme revint à son point de départ. Il regarda Mira droit dans les yeux et dit :

-Moi, Poisson qui marche, toi, Reine du Nord ?

Comme je le disais plus tôt… Nous n'étions pas au bout de nos surprises. Ce jeune homme s'exprimait dans notre langue ! Mira lui sourit. Plus par étonnement que par besoin de répondre à la question, elle acquiesça.

-Oui, moi Reine du Nord. Tu parles notre langue ?

-Moi, voir pêcheurs, moi grand pêcheur. Hommes venir ici pour gros poissons, beaucoup poissons.

-Si ce qu'il dit est vrai, Majesté, nos vieux pêcheurs se sont aventurés bien loin pour venir chercher leur pitance ! Je trouve ça incroyable. Dis-je soudain.

-Non, pécheurs vivaient sur grande île. Dit-il, comprenant que je faisais allusion à nos pêcheurs de Norvège.

-Sur la grande île, qu'elle grande île ? Demanda Mira.

Il se tourna vers Agashum et demanda quelque chose, ce dernier lui tendit la carte qu'il nous avait montrée. De son doigt il pointait effectivement une île immense plus au Nord. Nous nous regardions tous, étonnés. Nous n'avons pas compris tout de suite. Et puis Reinstenson se souvint.

-Dieu du ciel ! C'est peut-être Vinland ? Rappelez-vous les récits d'Erik le rouge ! Il parlait d'une terre inconnue où il était resté pendant un hiver. Il y serait mort d'ailleurs avant que son fils ne pousse l'exploration encore plus loin. Ce ne sont pas de nos pêcheurs norvégiens dont il parle, mais des explorateurs Vikings. On le sait maintenant, ils sont venus jusqu'ici et pas étonnant que notre homme les a pris pour des pêcheurs puisque la route est si longue qu'ils ont dû faire provision avant de quitter la région.

-Je veux bien vous croire Reinstenson, mais ce jeune homme a à peine vingt ans ! Comment aurait-il pu connaître Erik le rouge ou son fils ? Ils sont morts depuis plusieurs centaines d'années ! De renchérir le roi.

-Non, pas comprendre, toi pas comprendre, Poisson qui marche. Regarde. Pêcheurs venir de là et ici. Mais beaucoup longtemps avant Poisson qui marche. Poisson qui marche apprendre langue avec son père, son père apprendre avec son père.

Le jeune homme nous laissait entendre que ses ancêtres avaient préservé cette connaissance de père en fils. Mais pourquoi ?

-D'accord, je comprends. Poisson qui marche alors pourquoi toi dois-tu apprendre notre langue ? Demanda Mira.

-Parce que toi venir ici pour prendre trésor du Roi un jour !

Mira, ainsi que nous tous, était estomaquée ! Nous l'aurions été à moins. Comment savait-il ce que nous étions venus chercher ? En plus, il allait droit au but. Notre venue aurait-elle été annoncée ? Grovache était-il un prédicateur ? Avait-il vraiment vu que Mira viendrait jusqu'ici un jour ? Nous étions dépassés par les événements.

-Comment peux-tu savoir qui nous sommes et ce que nous venons chercher ?

-Homme nous dire qu'un jour toi viendrais du Nord.

-Un homme mais quel homme ?

-Longtemps, longtemps avant, hommes pêcheurs de grande île, longtemps, longtemps avant, hommes venus du Nord comme toi. Hommes dans grands canoës comme toi.

-Des grands canoës ?

Reinstenson lui dit alors.

-Majesté, il doit parler de nos drakkars. Canoës est sûrement le mot qu'il utilise pour parler de navire.

-Oui, canoës, canoës…

Il faisait des signes pour effectivement nous faire comprendre qu'il parlait de bateau. Canoë, voilà un mot que j'allais retenir. Un mot de leur langue qui signifiait embarcation. Mira reprit.

-Alors, Grovache vous a donc laissé quelque chose pour moi ?

-Grovache ?

-Oui, l'homme qui est venu ici avec d'autres hommes, il y a très longtemps ?

-Oh ! Garvache ! Oui, venu ici, très très longtemps avant, Roi avec hommes et trésor. Demandé à nous de garder trésor. Un jour quand lune être rouge, Reine venue du Nord, prendrait trésor et partir dans sa ewi'kat.

-Sa ewi'kat ?

-Oui, ewi'kat.

Il se leva debout et touchait de ses mains les bouleaux qui étaient la charpente de cette tente. Il frotta les peaux qui étaient tendues entre les petits mats. C'était donc le nom de ses habitations, des ewi'kat. Malgré sa connaissance limitée de notre langue, il réussissait très bien à se faire comprendre. Il avait d'ailleurs une longueur d'avance puisque même limitées, ses connaissances étaient tout de même beaucoup mieux nanties que les nôtres, il réussissait à communiquer avec nous, alors que s'il n'avait pas été là, nous aurions peiné à faire des gesticulations pour nous faire comprendre !

-Donc, Garvache, comme tu dis, aurait laissé un message à tes ancêtres pour qu'un jour j'arrive et vienne chercher le trésor ?

-Oui, Garvache dit, Reine venue du Nord, yeux de la mer, cheveux de soleil viendra chercher trésor et partir dans sa ewi'kat.

-Mais pourquoi ton peuple n'a-t-il pas gardé le trésor pour lui ?

-Garvache arrivé nous tous malades. Grand Manitou venait tout chercher Épit, Jinm, …enfants.
-Épit ?
-Épit.

Il se mit alors à faire des gestes que nous avons tout de suite compris et qui nous firent tous rire. Il éleva ses deux mains au-devant de son torse et ouvrit les doigts. Il n'y avait aucun doute, Épit était le mot pour femme ! Mira qui avait compris son explication gestuelle pleine de sens, continua pour couper court à nos fous rires.

-Alors qu'a-t-il fait pour vous ?
-Guéris-nous. Bon chef Garvache. Anciens reconnaissants à lui. Laissé trésor disant que Reine venue du Nord partir avec. Seulement elle. Pas autres hommes venir du Nord. Reine venue du Nord seulement.

Agashum qui était resté muet pendant ce court entretien lui demanda quelque chose et nous comprenions que Poisson qui marche lui traduisait ce qu'il venait de dire. Quant à nous, nous étions consternés par ce récit. La légende n'était plus. Grovache était venu jusqu'ici et avait laissé un trésor pour Mira. C'était incroyable, mais pourtant vrai.

Plus aucune autre explication n'était nécessaire pour le moment. Nous étions attendus depuis des lunes et les atours de Mira servaient enfin à autre chose qu'à plaire aux hommes. Pour ce peuple d'aborigènes, elle était en tout point ce que leur avait décrit Grovache et il n'y avait plus de doute dans leur esprit, c'était elle la reine venue du Nord à qui ils devaient remettre le trésor.

Agashum s'entretenait toujours avec Poisson qui marche lorsque ce dernier acquiesça à une de ses demandes. Nous nous en rendîmes compte car il s'adressa de nouveau à Mira.

-Agashum dit que trésor n'est pas ici. Il est à Rocher Percé.
-Dis à ton chef qu'au nom de tous les miens, je suis reconnaissante de votre grande sagesse et que je vous remercie pour avoir ainsi conservé un trésor pendant toutes ses longues années.

Poisson qui marche s'exécuta. Agashum fit un signe de tête. Preuve qu'il acceptait les remerciements de la belle.

Pendant près d'une semaine nous sommes restés auprès d'Agashum et de son village. Nous avons beaucoup appris avec l'aide de Poisson qui marche. Nous le questionnions sur les mœurs et coutumes de son peuple, sur les lois de mère nature dans ce coin de pays. À notre grande stupéfaction, selon les dires de Poisson qui marche nous étions à la pointe d'un immense continent. Ni lui, ni ses proches ne s'étaient vraiment aventurés très loin, mais selon les récits de ses ancêtres, cette terre dont nous foulions les pas de nos bottes, était immense. De quoi intéresser quelques explorateurs parmi nous. Mais là n'était pas notre but. Il fallait se rendre à Rocher Percé et retourner vers la Norsufinde car Ferguson ne voulait pas se faire prendre de court par l'hiver.

Nous aurions pu survivre à l'hiver, accompagnés de nos hôtes, mais ni Bjarni, ni Mira ne voulaient s'éterniser en ces lieux. Non pas que les habitants n'étaient pas charmants, mais parce que le devoir nous rappelait vers notre contrée. Nous étions déjà partis depuis plus de trois mois et il en faudrait autant pour revenir.

C'est pourquoi, pendant cette semaine nous avions réparé nos navires, nous nous étions approvisionnés de viande de cerf, d'élan, de poisson, d'eau. Nous étions prêts à se rendre à Rocher Percé, un endroit bien connu d'Agashum.

Mais le point culminant de cette rencontre entre nos deux cultures était certes, nos chevaux. Cette bête était inconnue de nos indigènes. Lorsqu'on les a fait débarquer de nos cales pour les amener sur la grève, ils avaient les yeux pleins d'étincelles. Mira décida d'en donner deux à Agashum. Un étalon et une magnifique jument en remerciement de la belle réception qu'il nous avait réservée ! Il ressemblait à un enfant à qui on offre un sucre d'orge. Ses petits yeux s'ouvraient de toute leur grandeur, ses mains s'emmêlaient dans la crinière de la bête et il étreignait le cou de l'animal avec douceur comme s'il avait tenu une jeune pucelle entre ses bras.

Et vint le moment du départ pour Rocher Percé. Agashum insista pour embarquer avec Poisson qui marche et quelques hommes sur nos drakkars pour faire route jusqu'à Rocher Percé. Nous savions tous que pour lui, faire ce voyage sur ces « canoës » géants était une aventure qu'il raconterait avec verve à ses petits enfants. Agashum était le bienvenu car il nous aiderait à communiquer avec Ratunekak celui vers qui il avait envoyé des messagers quelques jours plus tôt pour l'avertir de notre arrivée.

Quand nous sommes partis, la matinée était splendide. Un ciel bleu poudre, un soleil ardent, un vent chaud nous accompagnait le long de ces côtes poissonneuses de Gespeg comme le disait si bien Agashum. La Norvège, la Suède, la Finlande étaient certes de beaux pays, mais Gespeg était à couper le souffle. Du moins, vu de la mer, cette terre était bordée par des falaises majestueuses qui semblaient couper la mer comme un coup de hache. Plusieurs baies agrémentaient le paysage ayant dans ses entrailles une vie animale particulièrement dense. Les oiseaux étaient maîtres des lieux. Il y en avait partout et de toutes les sortes. Quant aux forêts, elles étaient épaisses et fournies passant tantôt d'un vert bouteille à un vert profond selon l'essence des arbres. On devinait une vie animale intense dans ses flancs. Apercevant tantôt une biche, tantôt un renard, tantôt un raton laveur pour ne nommer que ceux-là. Et les flots qui nous berçaient, fourmillaient de banc de poissons. Magnifique, c'était magnifique.

Mais mère nature n'avait pas dévoilé tous ses secrets. Après près de deux heures de navigation et d'observation, nous distinguions au large la raison du nom de l'endroit où nous nous rendions. Majestueux, s'avançant dans la mer comme un fier soldat, telle une sentinelle de pierre, le rocher percé livrait toute sa splendeur. D'abord un point près de la côte et au fur et à mesure qu'on avançait, il prenait des proportions démesurées dans notre champ de vision et dans ses entrailles deux immenses trous qui le traversaient de bord en bord. C'était à couper le souffle. Jamais nous n'avions vu de nos yeux une telle merveille.

Johnson de par son travail d'orfèvre était plutôt bon dessinateur. Il ne perdit pas un instant, il fallait figer quelque part cette image. Même si je savais qu'elle resterait gravée dans nos esprits, il fallait pouvoir la partager avec d'autres.

Ferguson navigua de façon à ce que nous nous approchions près de cette pierre gigantesque qui semblait avoir été taillée par les mains d'un sculpteur géant. Il tenta même de le traverser par l'un de ses trous mais il n'y avait pas assez d'eau pour le tirant du drakkar. C'était féerique. Nos bateaux ressemblaient à des puces à côté de cet excès de la nature. D'autant plus que le spectacle n'était pas terminé, s'il n'y avait pas assez d'eau pour le tirant de notre coque, il y en avait assez pour laisser passer les canoës des aborigènes qui nous voyant venir avaient mis à la mer leur embarcation et venait nous rejoindre. Était-il possible de vivre dans un lieu aussi paradisiaque sans se lasser de regarder une telle merveille ?

En tout cas, les aborigènes eux semblaient s'être accommodés de leur trésor à eux. Il était magnifique ce rocher et pas étonnant que

Grovache avait choisi ce lieu pour y déposer son propre trésor et y entraîner Mira.

Agashum se pencha sur la rambarde du pont et salua son acolyte, Ratunekak. Il ne faisait aucun doute qu'il s'agissait du chef de cette tribu. Lui aussi arborait une coiffe de plumes et des parures semblables à celles d'Agashum. Ils se parlèrent dans cette langue qui me faisait penser à celles des peuples du Nord de la Russie. Mais j'étais bien loin d'être un spécialiste des langues comme Reinstenson.

Quant à Ratunekak, malgré qu'il ait été prévenu de notre arrivée, dans ses yeux on voyait toute l'excitation d'un enfant. Nos navires l'impressionnaient et que dire de nous ! Comme Poisson qui marche, il nous dévisageait. Les hommes dans les canoës en faisaient tout autant. Nous avons ancré nos drakkars et nous avons pris d'assaut les berges accueillantes de cet endroit.

Bjarni, Mira et moi, étions descendus de notre barque aux pieds du géant de pierre. Il se tenait debout de toute sa hauteur. Nous le longions jusqu'à la grève ne cessant de le regarder, tapotant de nos bottes l'eau qui lui léchait les pieds !

Une fois arrivés sur la plage, nos hôtes nous invitèrent à entrer dans la « ewi'kat » du chef. Nous nous y sommes introduits et nous sommes assis. Ratunekak s'était assis près d'Agashum. S'il observait Mira de ses petits yeux noirs, nous l'étudions avec parcimonie. Comme Agashum, cet homme dégageait une allure de combattant malgré qu'il fût d'un âge mur. Ses longs cheveux tressés blancs comme la neige laissaient entrevoir la splendeur du guerrier qu'il devait être autrefois. Il avait l'assurance, la sagesse et le savoir vivre d'un vieillard et avait cette petite étincelle dans l'œil qui lui donnait un je-ne-sais-quoi.

Et revint le cérémonial de la pipe, du calumet de paix comme me l'avait expliqué Poisson qui marche. Cette fois je passai mon tour et Bjarni aussi ! Nous ne voulions pas être effrontés devant nos hôtes, mais notre santé l'exigeait que ça plaise ou non à Ratunekak. Ils ne s'en formalisèrent pas du tout, bien trop subjugués par la reine venue du Nord. Une chevelure de soleil, des yeux couleur de la mer, pour eux c'était du jamais vu. Aucune de leur femme ne possédait de tels attributs. D'autant plus que Mira était grande comme la plupart des scandinaves, ce qui n'était pas le cas de la plupart d'entre eux.

Ratunekak fit venir Poisson qui marche près de lui. Poisson qui marche semblait apprécier la position enviable qu'il détenait depuis notre arrivée car on ne pouvait pas se passer de lui ! Il lui dit quelque chose que Poisson qui marche s'empressa de traduire.

-Ratunekak te salue, Reine venue du Nord.
-Remercie-le surtout pour le bel accueil qu'il a bien daigné nous faire.

Poisson qui marche traduisait. Ratunekak fit traduire d'autre chose à Poisson qui marche.

-Ratunekak dit plaisir est pour lui d'avoir rayons de soleil ici. Beaucoup d'honneur pour lui. Dit aussi que trésor caché dans… Poisson qui marche ne pas savoir mot.
-Mime-le Poisson qui marche, tu te fais toujours comprendre. De lui suggérer Mira.

Poisson qui marche eut un petit sourire. Il se leva et dit tout en faisant des gestes :

-Montagne, dans montagne, trou.
-Une caverne, une grotte ? De dire Mira.
-Oui, grotte. Trésor caché dans grotte où montagne derrière. Ratunekak fait partir dix hommes pour apporter trésor jusqu'à toi.
-Dix hommes ?
-Oui, trésor beaucoup de coffres.
-Demande à Ratunekak, combien Mira la Reine venue du Nord lui doit pour s'être aussi bien acquitté de la tâche que lui ont transmise ses ancêtres.

Quelques phrases, quelques instants et Poisson qui marche avait la réponse.

-Toi ne dois rien à Ratunekak. Roi venu du Nord sauvé beaucoup de nous quand lui venu. Si nous ici toujours, Roi sauvé nous. Nous devoir beaucoup à ton peuple. Pourquoi, Ratunekak et anciens gardé le trésor pour toi parce que Roi avait demandé cela pour toi.

Mira était subjuguée par l'honnêteté et la reconnaissance de ces gens. Ils avaient dû être presque tous décimés par une terrible maladie et Grovache était arrivé à ce moment et de son savoir médical, les avait guéris et sauvés d'une fin tragique. Ils étaient reconnaissants à un point que cette demande de Grovache s'était transmise à travers le temps de génération en génération.

Mira se leva et sortit pressée de donner des ordres aux hommes qui étaient restés dehors. Elle revint vers le groupuscule d'hommes qui ne perdaient rien de ses mouvements. Elle se rassit et dit à Ratunekak.

-Grand chef, je peux te laisser une partie de mon trésor si tu le demandes, mais puisqu'ici on ne marchande pas comme sur mes terres, il ne te serait pas d'une grande utilité. Cependant, je crois que ce que je vais t'offrir te sera bien plus utile et pourra même être pour toi et tout ton peuple quelque chose qui survivra à mon départ.

Poisson qui marche s'empressa de traduire. Le vieillard était tout excité juste à savoir qu'elle lui offrirait quelque chose même s'il n'avait rien demandé. Quant à nous, nos yeux l'interrogeaient sans trop comprendre. Elle se pencha sur Bjarni et lui dit :

-Bjarni, je prends la liberté de lui offrir tous nos chevaux sauf Réfusse.
-Ah ! Bon… Je me demandais ce que tu voulais lui offrir. C'est effectivement, une excellente idée. D'autant plus que si le trésor est aussi important, il faut faire de la place dans nos cales.
-Majesté votre idée est géniale. Renchérit Ferguson.

Mira avait toujours des idées lumineuses. Nous n'avions pas pensé à ça. Si le trésor était important, nous l'aurions placé dans nos cales avec toutes ces bêtes. En plus, si Ratunekak savait y faire, ces chevaux se reproduiraient et pourraient ainsi assurer la survie de l'espèce.

Nous sommes tous sortis à la demande de Mira pour regarder les hommes débarquer le royaume chevalin de nos navires. Faire descendre ces quadrupèdes était très simple. Ils se jetaient à l'eau et nageaient jusqu'à la rive où ils se secouaient vivement laissant voir leur crinière et leur gracieuse démarche au grand étonnement de Ratunekak qui avait les yeux grands ouverts. Ces bêtes aussi grandes qu'un élan étaient pourtant domestiquées. Ils répondaient aux hommes de Bjarni en les suivant et ces derniers les avaient entassés et cordés sur le bord des arbres qui bordaient cette plage.

Mira s'adressa à Ratunekak.

-Ratunekak, est-ce un présent qui te plaît ?

Ratunekak dit quelque chose à Poisson qui marche.

-Ratunekak remercie la Reine venue du Nord. Pas trésor vaut ça. Beau, beau dit Ratunekak. Poisson qui marche expliqué à Ratunekak quoi faire avec chevaux. Ratunekak heureux, beaucoup heureux, beau, beau cadeau toi lui faire.

Il s'approcha. De ses mains, il les flattait, il les caressait.

-Eh ! bien Madame, vous avez encore comblé un homme, même de cet âge, il faut le faire ! De dire Bjarni en blaguant.
-Oh ! Sire, quel taquin vous êtes !
Les hommes que nous étions savaient très bien à quoi faisait allusion notre roi ! Et nous sourions de voir ce que Mira était capable d'engendrer. Mais nous fîmes distraits par l'arrivée de plusieurs hommes de Ratunekak qui lui aussi fut tiré de l'admiration de son cadeau.

Les hommes déposèrent une multitude de coffres par terre. Ratunekak vint les rejoindre. Poisson qui marche s'avança vers nous.

-Mira, Reine à la chevelure de soleil, là, trésor à toi.

Mira fit quelques pas et s'agenouilla devant un coffre. Elle y passa sa main comme hésitante de l'ouvrir et finalement se décida. Elle regardait avec intérêt l'intérieur. Nous étions tous captivés par ces gestes.

-Mon Dieu, mon Dieu ! Dit-elle finalement

Elle prit une pièce dans sa main et lorsqu'elle se retourna vers nous, ce collier scintillait de mille feux utilisant sa centaine de diamants pour refléter la lumière du soleil et nous éblouir. L'émotion monta en elle remplissant son regard de larmes. Elle avait trouvé le trésor de Grovache. Il gisait à ses pieds, déposé ici par Grovache lui-même.

-Est-ce Dieu possible que nous l'ayons trouvé ? Juste à penser qu'il y a très longtemps Grovache le tenait lui aussi dans ses mains !

Elle versait des larmes et ceci eut pour effet d'inquiéter Ratunekak.

-Ratunekak demande pourquoi Reine aux cheveux d'or pleure ? Pas le trésor que toi venir chercher ? Demanda Poisson qui marche.
-Non, ou plutôt si. C'est le trésor que je suis venue chercher. Poisson qui marche, moi la Reine venue du Nord, j'étais destinée à le

trouver… mais j'ai souvent douté qu'il existât et de le voir là, après tout ce qu'on a traversé, j'avoue que mon cœur tremble.

Il traduit aussitôt à Ratunekak qui comprenait l'émotion qui gagnait notre reine. La barrière des langues n'était plus lorsque le cœur s'exprimait ainsi ! Si Mira laissait entrevoir ses sentiments, hommes que nous étions, nous tentions de combattre l'effet semblable que nous ressentions tous. Nous réalisions que notre quête tirait à sa fin. Que les épreuves que nous avions traversées portaient fruit et que si Dieu nous était encore clément, nous pourrions laisser voir ces merveilles à notre peuple. Nous l'avions trouvé ce trésor et fait de cette légende un événement réel. Qui l'aurait cru ?

Après s'être remis de nos états d'âmes troublées, nous avons ouvert tous les coffres. Il y avait assez dans ses coffres pour en distribuer le contenu, non seulement dans les coffres royaux, mais à nos sujets. Une autre découverte allait nous déconcerter. À l'intérieur d'un des coffres, notre attention fut attirée par une grande boîte en bois déposé tout au fond. Mira la retira et l'ouvrit. À l'intérieur, il y avait plusieurs livres et des papiers. Reinstenson fut réquisitionné pour traduire. Il jeta un regard rapide et s'exclama :

-Sire… Majesté… Dans ce livre, il s'agit de recettes pour des médicaments pour… pour la peste… pour le scorbut… pour…

Il tournait les pages essayant de traduire en même temps qu'il lisait. Il ferma le livre et en ouvrit un autre.

-Grand Dieu ! Dans celui-ci, on parle de la construction des pyramides égyptiennes… Il y a des détails… Enfin, je…

Tout excité par ce qui lisait, il ouvrit un autre livre.

-Dans celui-ci… c'est un livre des saintes écritures… en hébreux… et celui-ci… c'est… c'est sur les techniques de céramiques des murs de Babylone…

Il referma tous les livres qu'il avait ouverts et se retourna vers nous qui avions tous l'œil interrogateur.

-Majesté, Grovache avait dit que la richesse n'était pas seulement dans nos bourses et bien voilà ce qu'il voulait dire. Sacré Grovache ! Il était non seulement riche d'or et de pierres précieuses, il l'était aussi de la connaissance. Il cherche par votre entremise à transmettre la connaissance. Cette connaissance qui se perd à travers les siècles, cachée pour des motifs aussi nébuleux que contrariants. Grovache disait que de son trésor sortiraient des réponses aux questionnements de l'Homme, Eh ! bien nous sommes servis car juste dans le livre des recettes de médicaments, si nous les essayons et que ces potions fonctionnent, imaginez un peu ce que cela signifie… La Scandinavie combattant la maladie est une Scandinavie en santé, une Scandinavie forte, de là la légende de la Forêt d'Elfe, la pucelle qui sortirait la Scandinavie de la maladie, de la pauvreté et qui rayonnerait sur le monde ! Grovache avait vu juste.

La véracité de ses paroles jeta la consternation parmi notre groupe. Nous réalisions toute la portée des mots de Grovache que nous avions lu dans les indices qu'ils nous avaient laissés.

Il nous fallut bien trois bonnes heures pour calmer nos émotions montées à leur paroxysme. Une fois cela réussi, il fallait revenir à des tâches plus coutumières.

Ratunekak et Agashum, ainsi que leurs « sujets » avaient été des hôtes exemplaires. Malgré que nous fussions en excellente compagnie et que de leur contact nous avions beaucoup appris pour ne pas dire, nous avoir fait grandir, il fallait revenir vers la Norsufinde. Ce jour arrivait et à grands pas. Nous étions à la fin d'août. Il fallait repartir ou bien passer l'hiver en leur compagnie. Bjarni et Mira ne pouvaient pas laisser plus longtemps leurs obligations en suspens.

C'est donc le 21 août 1352 que nos navires voguaient vers le large et c'est en nous suivant sur la berge avec leurs nouvelles montures que Ratunekak, Agashum, Poisson qui marche et plusieurs hommes nous faisaient leur au revoir. Ils grimpèrent sur l'un des trois pics qui s'avançaient vers la mer juste derrière le rocher percé. Assis sur les chevaux, les plumes de leur coiffe au vent, nos hôtes se tenaient fièrement nous observant s'éloigner sur la grande bleue. De magnifiques guerriers qui allaient sûrement prospérer et devenir sur leur territoire une nation digne de ce nom.

Et c'est ainsi que pendant plusieurs semaines nous avons navigué. Comme si Grovache était présent dans ses coffres, le vent était toujours présent gonflant nos voiles à longueur de journée dans le bon sens. Même Ferguson n'avait pas souvenir d'avoir été aussi choyé pendant une traversée pendant si longtemps sans que l'on ressente les soubresauts de mère nature. Aucun mauvais temps ne vint nous rappeler notre expérience désastreuse tout juste avant d'arriver dans les Amers. Au contraire, la température était fantastique même si les jours raccourcissaient et que le temps se rafraîchissait. Nous revenions vers notre terre natale, vers notre berceau à une vitesse fulgurante et notre cœur était envahi par une indescriptible sensation de joie.

Le vingt cinquième jour du mois de novembre 1352, nous étions au large de Maløy. Les bateaux des pêcheurs vinrent à notre rencontre. Voir la terre était toujours sécurisant surtout après un si long voyage. Voir cette bonne cinquantaine de marins venir à notre rencontre malgré le temps glacial qui régnait ce jour-là, nous chauffait le cœur. Pourtant à cette époque, ils avaient déjà ramassé leurs embarcations pour l'hiver mais à la vue de notre arrivée, ils bravaient dignement le froid. Car pour nous aussi, il était temps que nous touchions terre, bientôt nous aurions été pris dans les glaces et nous aurions dû entrer à pied ! C'était limite comme arrivée.

On criait des petits bateaux, on saluait, on chantait, on dansait sur les ponts, on faisait beaucoup de bruit. Une foule s'entassa sur le quai et sur la grève. Bjarni était à la proue et balançait un drapeau qui souleva la foule qui se mit à scander son nom et celui de Mira. Quel accueil ! Ça me rappelait le jour où Bjarni était revenu à son château avec Mira. Le bon peuple aimait ses souverains. Il faut dire que le roi et la reine leur rendaient bien et lorsque la nouvelle serait connue de ce que nos cales recelaient, le bon peuple les aimerait encore davantage !

Quand nous avons accosté au quai, il était difficile de descendre les passerelles. La foule était si dense, elle avait pris d'assaut le quai qui la contenait à peine. La garde royale qui devait assurer la sécurité avait bien à faire pour parvenir à nous frayer un chemin dans ces gens euphoriques. Le couple royal tentait d'embarquer dans un carrosse pour regagner la demeure du Duc de Maløy. Comme à leur arrivée avant la traversée, ils avaient besoin de retrouver un lit douillet autre que celui que l'on retrouve sur un navire dans une cabine.

Pendant toute la nuit, marins, hommes d'équipage, gardes du roi, paysans, villageois, festoyèrent. Nous retrouver tous vivants, ayant fait un périple de plusieurs mois vers des terres inconnues remplissait le cœur des sujets des plus divines attentions à notre égard. La nouvelle que nous avions trouvée ce que nous étions allés chercher se répandit à la vitesse de l'éclair se rendant bien avant nous à la Cour Royale. Dans toutes les villes, dans tous les villages, dans toutes les tavernes, dans toutes les auberges, dans toutes les cours des grands marchés, la nouvelle se propageait. Aucun émissaire n'est aussi efficace que le bouche à oreille ! La nouvelle déborda largement les frontières. De l'Asie à l'Orient on ne parlait plus désormais que de la pucelle de la

Forêt d'Elfe qui avait ramené un trésor inestimable et découvert une terre inconnue.

Bjarni fit en sorte que le trésor fût bien entreposé. Les coffres royaux débordaient de richesses plus splendides les unes que les autres. Il fit ensuite distribuer au travers du pays des vivres, des vêtements, des articles de tout acabit à tous les sujets de la Norsufinde. Les médecins, les hommes de sciences, les hommes de lettres furent mis à contribution. Ils avaient le devoir d'étudier les merveilles que recelaient les nombreux livres. Armé pour faire face à la maladie, à la pauvreté, Bjarni et Mira avaient sous leurs ailes le bien-être de ce peuple et ce trésor leur en avait la clé. Cette période fut particulièrement aisée pour tous. On ne manquait de rien, on était en bonne santé, et depuis peu on pouvait s'instruire si on le souhaitait, car l'université était terminée et déjà on donnait des cours, on recevait des penseurs, des chercheurs. Sans vraiment s'en rendre compte, nous étions à l'apogée de notre gloire.

On remit au premier plan la découverte d'un nouveau territoire ressortant l'épopée d'Erik le rouge, des trouvailles vikings. Un vent de fraîcheur, d'extase flottait sur nous tous.

On demandait au roi de faire commerce avec le peuple des Amers. On posait beaucoup de questions quant aux richesses de ces nouvelles terres. On se montrait curieux quant à leurs us et coutumes pressant le roi et la reine de questions. Bjarni comprit alors qu'il fallait être prudent face à toute cette euphorie. Agashum et Ratunekak ainsi que toutes les autres tribus de ces territoires ne devaient pas voir arriver, tels des conquérants, les Scandinaves sur leurs drakkars prenant d'assaut les beautés de ces derniers. Il fit décréter une loi qui mit fin à toute traversée sans son consentement. Autre geste sage qu'il posa fut d'ordonner à ses cartographes de maintenir secret l'itinéraire exact pour s'y rendre. Après tout, ils avaient été les gardiens pendant plus d'un millénaire d'un trésor inestimable qui avait bien rendu service aux Scandinaves. Bjarni leur devait bien ça. Mais la perfection n'est pas de ce monde et toute cette richesse, tout ce pouvoir, ne faisait pas que des heureux. Je dirais même qu'elle faisait beaucoup de jaloux. Certains cousins du roi, certains ducs, certains barons, certains archevêques de par tout le pays ne voyaient pas de bon œil que le roi et la reine se prévalaient de leur puissance de monarque pour décréter leur bon sens sur le nouveau monde. Et ces richesses d'un roi et d'une femme, pucelle de la légende ou pas ne faisaient pas l'unanimité ! Surtout quand la richesse, le pouvoir n'étaient pas accessibles pour ces messieurs qui avides de détenir toute cette opulence leur effleuraient seulement le bout des doigts. Ah ! Pouvoir que n'as-tu pas fait faire aux pauvres mortels que nous sommes ? De tous les temps, tu as semé guerres et déchirements et aujourd'hui comme hier, l'Homme n'était pas plus mature sur ce point qu'il l'était jadis. Mais pour l'instant, Bjarni et Mira tenaient ensemble le cap envers et contre toutes ces têtes fortes.

Puis un matin, de juin 1353, Mira courait vers les écuries où elle savait Bjarni.

-Ma chère… que me valent ces effusions de joie et de bonheur, si tôt le matin ?
-Bjarni, mon amour… Je t'aime !

Elle l'embrassa et Bjarni ne se fit pas prier pour le lui rendre.

-Je suis enceinte à nouveau, votre très Grande Majesté… et cette fois je sais que cet enfant est le vôtre !
-Je t'aime tant Mira !

Ils s'embrassèrent de nouveau. Quand leur étreinte se desserra, elle l'entraîna vers les écuries mais Bjarni s'arrêta et lui demanda :

-Mira, où vas-tu ?
-Je veux me promener à cheval avec toi ! Pourquoi ?
-Non, il n'en est pas question ! Tu es enceinte et il est déconseillé de faire ce genre d'activité pour une femme lorsqu'elle est dans ton état.
-Bjarni je t'en prie laisse-moi en faire juste un petit peu.
-Il n'en est pas question jolie dame. Le Roi a dit non ! Et cette fois vous n'en ferez pas qu'à votre tête Madame, j'y veillerai personnellement !

Il l'empoigna et se mit à l'embrasser dans le cou produisant des chatouillis chez la dame qui finirent par on sait quoi. Elle devint les jambes molles, il l'a pris dans ses bras et la transporta à l'intérieur du château.

Le bonheur se humait en cette demeure. Rien ne semblait plus vouloir les atteindre désormais car pendant les neufs mois qui s'écoulèrent, rien de tragique ne vint perturber leur ciel d'amour et de joie. Et le deuxième enfant de Mira vit le jour sous les traits d'une petite fille. Aucun nuage cette fois ne vint assombrir leur bonheur. Le bébé était en parfaite santé et la mère se portait très bien. Cette fois la petite avait des boucles blondes, des yeux d'azur, la délicatesse des traits de sa mère. Bjarni était heureux malgré qu'il aurait apprécié un fils. Mais à la vue de cette délicate petite fille, il jeta aux oubliettes ses préférences devant cette sublime petite frimousse… Voilà une autre qui en briserait des cœurs !

Cette nouvelle naissance marquait aussi l'anniversaire de Mira qui allait atteindre ses vingt-deux ans. En même temps sonnait la fin complète de la réclusion du prince Varek, mit aux arrêts par le roi. Il avait répondu adéquatement aux exigences du souverain, il n'avait plus ou presque pas touché au bon vin. Il s'était conduit de façon exemplaire depuis ce temps. Comme promis la sécurité autour de lui se desserrait. Il avait maintenant le droit de circuler librement. Il semblait avoir accepté son rang de prince et compris qu'avec un fils, le roi assurait sa descendance et la succession au trône.

Pendant les mois qui suivirent, Varek voyagea beaucoup à travers le royaume car ayant repris sa place au sein du parlement, il avait demandé toutes les causes qui requéraient des déplacements afin de s'éloigner du château et par le fait même, de la vie à la Cour Royale. Plus il était loin, mieux il se sentait.

Il revint au château au bout de dix mois et prenait le chemin vers ses appartements lorsqu'en passant devant une grande fenêtre qui donnait vue sur la cour, il s'y arrêta un moment. Captivé par quelqu'un qui déambulait dans la cour. Elle tenait une jolie petite fille dans ses bras et un autre petit lâcha sa main et se mit à courir. La dame délaissa la petite fille qu'elle tenait. Le petit garçon décrivait des cercles autour d'elle en riant aux éclats. La jeune dame à sa poursuite riait elle aussi. C'était Mira. Plus belle et plus attirante que jamais, il observait du deuxième étage par cette fenêtre l'opulence de beauté par ce matin ensoleillé. Il n'avait pas posé ses yeux sur elle depuis presque cinq ans. Malgré ce laps de temps, elle n'avait pas changé, si ce n'est qu'un soupçon de maturité s'ajoutait à sa personnalité la rendant encore plus attrayante. Il demeura pendant quelques minutes à cet endroit. Il regardait les enfants du roi. Une adorable reproduction de Mira en miniature et un magnifique garçon. Il fut surpris de voir à quel point le jeune prince ne ressemblait en rien, ni à Mira ni au roi. Il arborait une tignasse rouge comme le feu. Il fut tiré de ses réflexions par des hommes qui montaient à l'étage. Il s'éloigna discrètement de sa tour d'observation et se remit en direction de ses appartements. Derrière lui le roi et quelques-uns de ses fonctionnaires se dirigeaient vers le bureau du roi. Bjarni voyait son frère marchant au bout du corridor.

-Varek… Varek tu es revenu ?

Varek se retourna et répondit au roi :

-Oui, j'arrive justement.
-Viens ici, j'aimerais bien m'entretenir avec toi quelques minutes.

Varek silencieux s'avançait vers le bureau et jeta un regard évasif sur la fenêtre avant de s'introduire dans le bureau du roi, mais elle n'était plus là. Bjarni avait fait partir ses ministres et se trouvait seul assis à son bureau.

-Assieds-toi. As-tu fait bon voyage ?
-J'ai rencontré le duc de Drammen.
-As-tu fait bon voyage ?
-Si on veut…
-Et qu'as-tu à me dire à propos du duc ?
-Il demande encore des fonds pour administrer les bâtiments de la ville.
-Que lui as-tu répondu ?
-Qu'il avait déjà reçu largement sa part. J'ai même dû le menacer de voir ses livres.
-En effet, le duc est gourmand. Il a déjà reçu toutes les sommes qui lui étaient dues et s'il en demande encore, il y a quelque chose de louche. Tu as vu ses livres ?
-Non, il a refusé de me les montrer. Il a dit qu'après tout, il avait été capable de se passer de l'argent du Roi pendant des années et qu'il pourrait encore le faire !
-Tu n'as pas cherché à en savoir plus, c'est plus que louche tout ça !
-Votre très Grande Majesté, ne vous en déplaise, j'ai fait ce qui était en mon pouvoir de faire et lorsqu'il n'a plus demandé d'argent, je n'ai pas cru bon d'aller plus loin. Lui répondit sèchement Varek démontrant qu'il était toujours à couteaux tirés avec son frère.
-Ne sois donc pas si susceptible Varek… Je…
-Comment moi susceptible ? Allons donc, Sire. Si vous pensez que je ne suis pas un bon ambassadeur remettez-moi en réclusion !
-Ah ! Varek, pourquoi revenir sur cette histoire, c'est du passé maintenant. Si je n'avais pas confiance en toi, je ne te confierais pas ce genre de dossier… Je crois que tu devrais aller te reposer, ton petit caractère refait surface et dormir te ferait du bien.
-Puisque c'est si gentiment suggéré, je me retire, Sire !

Il se leva et partit en claquant la porte du bureau. Bjarni, hocha la tête négativement et reprit son travail. Décidément, son frère avait certes perdu certaines mauvaises habitudes, mais c'était utopique de croire qu'il changerait complètement.

Il ne faut pas se surprendre que Varek ne resta pas longtemps au château. Il reprit la route vers une autre mission aussitôt qu'il le pût.

Les jours passaient. Mira était toujours aussi active. Elle était bien occupée mettre fin au règne injuste qu'on réservait souvent aux femmes. Elle restait fidèle à elle-même partageant son temps entre sa vie familiale, sa vie de membre du parlement et sa vie de cavalière chevronnée.

Mira assistait à pratiquement toutes les réunions convoquées par les membres du parlement. Elle était au courant de tout ce qui se passait dans le royaume et au delà. On signalait, d'ailleurs, depuis plusieurs jours, une petite armée d'hommes qui avaient saccagé des villages lointains de l'arrière-pays. On disait qu'ils avaient à leur tête un guerrier redoutable qui se faisait appeler Tarekov Le Barbare. On rapportait qu'il venait d'une nébuleuse province de la Russie et avait bien l'intention d'envahir la péninsule Scandinave en entier. Serait-ce un émissaire envoyé par le Grand Prince de toutes les Russies ? Bjarni en doutait vraiment. Le Grand Prince n'avait jamais envoyé aucune missive en ce sens et selon leur correspondance, il semblait que ce guerrier était un homme agissant pour son propre compte sans doute attiré par les récits d'aventures du couple royal et toute la richesse qu'ils possédaient.

Ce soi-disant envahisseur n'inquiétait pas plus qu'il ne le fallût, Bjarni et son armée imposante. Un rebelle qui croyait pouvoir écraser la puissance d'un royaume avec une poignée de soldats. Mais lorsque vint aux oreilles du roi qu'il avait littéralement incendié et tué tout ce qui se dressait sur son passage plus au Nord, il déclencha les foudres du roi. Il convoqua une réunion et c'est Mira qui prit la parole.

-Messieurs de notre Parlement, la Reine assiste depuis quelques jours à vos entretiens. Je ne comprends pas que vous laissiez autant de latitude à ce Tarekov. Il faut absolument en finir avec vos tergiversations et vous rendre sur place pour constater par vous-mêmes. Il n'est pas dit que dans notre Royaume, des sujets soient massacrés sans qu'on vienne les secourir. Il faut agir et je crois sincèrement qu'il ne faut plus perdre de temps.
-Prenons plusieurs compagnies et allons vers les frontières Russes. Dit Bjarni.
-Puis-je me permettre une toute petite suggestion Messieurs ?
-Bien sûr, vous êtes toujours de bon conseil Majesté. Répondis-je à Mira

-Tendons-lui un piège et ainsi mettre fin à sa progression. Nous économiserions argent, efforts et surtout vie d'hommes sur le terrain.

-Nous sommes tous suspendus à vos lèvres Madame, vous avez un plan ? Lui demanda Bjarni.

-Bien entendu que j'ai un plan ! Je l'ai concocté cette nuit… Je n'arrivais pas à dormir… cette histoire me tracassait…

Ils firent tous un petit sourire en entendant les explications de la reine sur son insomnie et se retournèrent tous vers Bjarni. Ce dernier se mit à protester vivement.

-Ah ! Non ! Ne me regardez pas comme ça ! Je ne suis pas la cause de son insomnie de cette nuit ! À mon grand regret d'ailleurs. Cette fois, il ne s'agit pas de moi du tout mais Tarekov Le Barbare ! S'il vous plaît Messieurs, un peu de respect devant la dame et chassez toute suite ces idées de votre tête ! Répondit-il masquant son envie de rire.

Elle reprit en disant petit sourire en coin :

-Ce n'est peut-être pas flatteur pour mon époux, mais il a raison ! Tarekov Le Barbare obsédait ma nuit… ne vous en déplaise, Messieurs, pour de toutes autres motifs qui semblent vous remplir l'esprit ! Ceci étant dit, j'ai effectivement élaboré une stratégie. Sans que cela ne vous semble prétentieux de ma part, je suis une assez bonne cavalière. Et cette partie de nos terres, je la connais plutôt bien. Je viens de la Forêt d'Elfe ne l'oubliez pas. Alors j'ai pensé que si on m'envoyait avec quelques hommes je pourrais attirer Tarekov à Turku et le prendre en souricière. À Turku à la sortie du village, il y a une grande clairière et si mes souvenirs sont exacts, de vieilles granges à grain où les hommes pourraient facilement se cacher… et la forêt qui borde cette clairière est très dense, le reste de notre armée pourrait facilement s'y installer sans peur d'être vue. Lorsque le barbare nous poursuivrait, moi et les quelques soldats qui m'accompagneraient, jusqu'à là, il serait pris au piège entouré de milliers d'hommes et là messieurs ce serait à vos hommes d'entrer dans la danse parce que si ce n'est pas le cas, bonne cavalière ou pas, Tarekov ne fera qu'une bouchée de moi.

Nous nous regardions de l'étonnant plan de notre reine. Il ne manquait pas d'intérêt mais Bjarni s'y opposa fortement.

-Oh ! Oh ! Un instant Madame, vous avez souvent des idées comme ça qui mettent votre vie en danger ?

-Mais pourquoi je mettrai ma vie en danger ? Sire. J'ai envisagé ce plan pour attirer Tarekov ! Je ne suis pas sotte au point de me jeter dans la gueule du loup bêtement comme ça. Sire, vous devriez me connaître mieux que ça depuis le temps ? !

-Oh ! N'ayez crainte très chère dame, je vous connais que trop bien et je sais que vous pouvez être intrépide au point d'en oublier le danger ! Non, n'ayez crainte, ces Messieurs ici présents ne vous connaissent pas tous aussi bien que moi !

-Heureusement que vous dites vrai, Sire, sinon que penseriez-vous de moi ? ! ?

Les hommes s'esclaffèrent. Bjarni venait de réaliser ce qu'il lui avait répondu ! Il dut pourtant se résoudre à étudier le plan de la belle. Elle faisait partie du parlement et votait des lois en leur compagnie, mais là, elle démontrait très clairement qu'elle souhaitait participer « physiquement » à tout même aux mouvements de l'armée.

-Avant d'abdiquer sous votre sens de la répartie Madame, expliquez-moi en détail le petit plan diabolique qui a vu le jour dans votre petite tête relativement à la façon d'attirer Tarekov vers les soldats, s'il vous plaît, je suis tout ouïe !

-Ce manque de confiance dans mes capacités intellectuelles, me froisse beaucoup Monsieur ! Mais je ne vous en tiens pas rigueur. Nous, les femmes, devons toujours vous expliquer plusieurs fois pour être certaines que vous avez bien compris !

Encore des rires plein la salle. Bjarni avait de la difficulté à se contenir lui aussi devant le sens de l'humour plutôt délicieux dont la reine faisait preuve en cette journée.

-Une fois sur place, je demanderai à un messager de se rendre auprès de Tarekov. Il aura l'ordre de lui annoncer que la Reine Mira désire le rencontrer à un point fixe pour discuter avec lui de notre souhait de lui remettre certaines grosses sommes en échange de l'arrêt immédiat de ses petites guerres sanguinaires. Que nous connaissons sa grande puissance, bla, bla, bla, bla... Je suis certaine que cette alléchante proposition saura le faire déplacer. Mon message sera si convainquant qu'il croira vraiment que nous envisageons marchander avec lui. En plus, la Reine s'est déplacée à la demande du Roi lui-même pour lui prouver notre bonne foi. Parce que Messieurs, précisons qu'on n'a jamais vu un Roi envoyer sa Reine au-devant d'un grand guerrier pour livrer combat. Lorsqu'il arriverait à ma hauteur, j'attendrai qu'il soit à une distance respectable pour lui demander de me suivre dans le village de Turku pour prendre possession de ses nouvelles richesses. Il essaiera peut-être de s'approcher de moi, mais je ne lui en laisserai pas l'occasion. Je crois sincèrement qu'il va alors me suivre et s'engager dans une poursuite. Parce qu'il verra bien que je suis pratiquement seule, accompagnée que de quelques hommes et il ne se doutera pas du tout que j'ai fait déplacer des compagnies entières pour l'accueillir. J'espère sincèrement qu'il marchera dans ma combine et me suivra.

-Bien sûr qu'il vous suivra ! Qui ne vous suivrait pas, Madame ? Dit Bjarni surpris qu'elle en doute.

-Alors qu'en pensez-vous Messieurs ? Ce plan vous plaît-il ? Ou avez-vous une meilleure idée ? Demanda-t-elle comme pour se rassurer que son idée ne fût pas si mauvaise.

-Madame, Madame, tous les hommes ici présents sont enchantés de ce plan et de toutes les perspectives qui en découlent, mais moi, je ne suis pas d'accord ! C'est très risqué et malgré votre stratégie lumineuse, je trouve que de vous envoyer comme une brebis devant le loup, c'est trop risqué et je ne suis pas d'accord du tout. Dit Bjarni qui désapprouvait complètement d'utiliser Mira, sa Mira.

-Bjarni à raison Madame ! J'avoue que votre plan nous a tous sidérés par son ingéniosité, mais il est vrai que lorsqu'on possède une femme comme vous, personne ne souhaite risquer quoi que ce soit qui pourrait mettre votre vie en danger. Répondis-je.

-Je comprends les inquiétudes de mon époux et même je les partage. Mais, je vais vous dire une chose… N'oubliez pas que je suis une excellente cavalière et que ce coin de pays je le connais vraiment très bien. Chaque recoin, chaque caverne, chaque petite cachette, je sais moi, où ils se trouvent.

-Il y a bien un Roi qui vous y a sorti de votre forêt Madame et vous n'avez pas pu vous en soustraire ! Dit Bjarni. Tous savaient à qui Bjarni faisait allusion.

-Sire, vous dites vrai… mais c'est que cette fois-là, la Reine n'était pas la femme qu'elle est maintenant. Tandis que cette fois je sais, je suis préparée et là je suis comme un pur-sang… je cavale à tout allure et je me faufile à travers bois dans des endroits que je connais. Je vous assure que je n'ai aucune crainte moi à affronter ce Tarekov venu de lointains pays pour tenter d'envahir nos contrés avec ses hommes. Si mon projet ne vous plaît pas alors il faudra bien que vous en trouviez un autre, qui soit à la hauteur de l'attente de nos sujets qui vivent sous l'épée de Damoclès d'une invasion soudaine et meurtrière.

-Pourquoi faut-il que ce soit vous, Madame ? Ne pourrions-nous pas utiliser votre plan avec une autre dame ? Lui demanda Bjarni.

-Là, c'est certain que la dame sera prise par Tarekov, la dame ne connaîtra pas comme moi les terres où elle se trouve, la dame ne sera peut-être pas aussi rapide sur sa monture que je puisse l'être… mais si vous voulez sacrifier une dame pour votre cause… que puis-je en dire !

-Madame, je ne sacrifierai personne et votre explication à du vrai ! Une autre dame ne pourrait être aussi persuasive, je l'admets… enfin ! Mais alors pourquoi faut-il que ce soit vous, je pourrai y aller moi ? Renchérit le roi.

-Certes Sire, vous pourriez vous présenter devant Tarekov, mais que faites-vous de l'effet de surprise dont je vous parlais tout à l'heure ? Les monarques envoient la Reine pour lui prouver qu'ils envoient une messagère et non une guerrière ! Si vous y aller, il viendra sûrement au-devant de vous, mais une fois sur place il ne vous suivra plus lorsque vous déguerpirez dans l'espoir qu'il vous pourchasse. Et ne pensez pas l'attirer tout de suite dans la souricière pour vous rencontrer, dès qu'il apercevrait la configuration du terrain, s'il est le moindrement pourvu d'intelligence, il flairera le traquenard, tandis qu'à la poursuite d'une dame, il n'y pensera probablement pas. Du moins c'est mon avis.

-Là je suis bouche bée, Madame… Votre raisonnement n'a aucune faille ! La seule faille pour moi c'est de vous faire courir un danger et c'est pour cela que je me rebute à ce plan. Dit Bjarni.

-Je le sais depuis le début… Mais je vous assure qu'il ne peut y avoir de problème pour ma sécurité… même si Tarekov ne réagissait pas selon mes plans, le pire qu'il puisse arriver c'est qu'il parte à ma poursuite et me perde dans la forêt ou qu'il ne se déplace pas du tout pour venir à ma rencontre.

-Qu'en pensez-vous réellement Messieurs ? Nous demanda Bjarni.

-Eh ! bien, pour ma part, je suis d'accord avec vous, Sire, c'est inhabituel et un peu risqué mais la Reine est si convaincante que je suis presque obligé d'avouer que c'est la seule manière d'agir pour perdre le moins d'hommes possible et éviter les dégâts… Même si les dégâts sont plus du côté de Tarakov que du nôtre. Répondis-je.

-Quant à moi, Sire, je trouve ce plan bien pensé. Je suis certain que la Reine sera très prudente et il est vrai que de nous tous elle est la seule à vraiment connaître cette partie de la Finlande. Et sans vouloir offusquer personne, elle est bien meilleure cavalière que nous tous réunis ! Fit remarquer le général Pikov.

-Bon puisque vous semblez tous d'accord, que puis-je dire de plus ? Madame a encore gagné ! Dit Bjarni en regardant Mira qui lui souriait.

-Pourquoi dites-vous encore Sire ? Demanda-t-elle candidement.

-Si les hommes de cette salle savaient tout ce que vous obtenez sans même avoir à le demander, Ma chère ! Et je sais qu'ils me croient sur parole !

Elle eut un petit sourire. Nous savions tous que c'était elle qui détenait le pouvoir, la puissance, la force ! Elle marchait, nous marchions. Elle courrait, nous courrions. Elle partait à la guerre, nous étions armés à affronter les pires ennemis ! Nous étions tous comme Bjarni, incapables de lui refuser quoi que ce soit. Heureusement que Mira était de nature simple, parce qu'elle aurait pu exiger mer et monde et nous nous serions empressés de les lui donner.

Après s'être mis d'accord sur tous les points du plan, les membres de l'assemblée regagnèrent tous leurs appartements pour passer la nuit car le lendemain, on ferait déplacer les troupes, on partait en direction Nord vers Turku. Il n'y avait plus une minute à perdre car il y avait plusieurs jours avant d'atteindre ce comté. Il fallait aussi penser à placer tout ce monde aux endroits stratégiques une fois arrivé sur place.

Bjarni était toujours aussi inquiet. Il n'était pas du tout partant pour ce plan, considérant risqué de laisser s'aventurer Mira en face d'un guerrier dont il ne savait pas grand-chose. D'autant plus, qu'il aurait très bien pu envoyer ses garnisons et mettre fin au carnage de Tarekov. Mais elle exigeait qu'on s'y rende considérant que c'était là, notre devoir de protéger les sujets et les soldats contre toute attaque si minime soit-elle. Cela donnait un aspect particulier à sa vision de gouverner. Il lui fallait faire confiance aux capacités de Mira. Si elle savait utiliser avec doigté ses dons de cavalière exceptionnelle, Tarekov n'avait aucune chance. Il se repliait sur cette pensée pour ne pas la retenir le jour venu.

Le lendemain comme prévu, tous furent rassemblés et les soldats furent priés de suivre leurs monarques. Mira voyageait avec Bjarni à ses côtés. Il ne la laissait pas d'une semelle.

Quand finalement ils atteignirent leur but, ils déployèrent les soldats autour de la grande clairière et plusieurs furent habilement cachés dans les vieux bâtiments en délabrement le plus complet. Mira exigea que je fusse l'un de la dizaine d'hommes à l'accompagner. On envoya d'abord un messager pour se rendre auprès de Tarekov. Bjarni était sur le qui-vive ne pouvant plus reculer. Il se serrait contre elle, il lui disait et redisait d'être prudente. Il se demandait comment il avait embarqué dans toute cette galère. Mira le sécurisait de son pouvoir de persuasion bien connu. Bjarni demeurait sur ses positions, extrêmement nerveux… Elle réalisait par l'intérêt qu'il portait à redire et redire le plan à quel point cet homme tenait à elle.

Elle sortit de la pièce d'un bâtiment en décrépitude où ils étaient entrés pour embarquer sur sa monture. Elle se retourna vers Bjarni et lui envoya la main et partie vers le lieu où elle devait rencontrer Tarekov. Quelques minutes et on ne voyait plus les cavaliers et la cavalière. Bjarni avait le cœur serré et l'angoisse le gagnait. Le général Pikov vint le voir.

-Cessez de vous tracasser ainsi, Sire ! C'est une femme vraiment exceptionnelle et d'une remarquable intelligence… Vous savez comme moi, que Tarekov n'y verra que du feu ! Elle l'attirera gentiment vers nous et elle saura lui filer entre les doigts j'en suis certain.

-Puisses-tu dire vrai Pikov ! Tarekov n'y verra que du feu, ça, j'en suis sûr, mais réussira-t-elle à vraiment lui filer entre les doigts ? Je l'espère, parce que sinon, je ne me le pardonnerai jamais.

-Allez venez nous allons nous éloigner parce que dans quelque temps ils seront de retour et il faudra prendre ce Tarekov et le faire prisonnier.

Les deux hommes se frayèrent un chemin parmi les nombreux soldats postés en forêt. Mira quant à elle, en tête de notre petit convoi, se dirigeait vers une colline qu'elle connaissait. Elle resterait tout en bas en notre compagnie en attendant Tarekov. Quand il apparaîtrait sur la colline elle lui tiendrait un discours afin qu'il soit persuadé de la suivre.

Tout était silencieux. Seul le gazouillis des petits oiseaux et le soleil d'automne semblaient habités ces lieux. Je la regardais du coin de l'œil et je tentais de dissimuler une envie horrible de rire.

-Quoi ? Qu'est-ce que vous avez Mirikof ?

-Rien… rien Majesté !

-Ah ! Mirikof, je vous connais mieux que ça ! Allez-y dites-le ce qui vous trotte dans la tête ? Si j'aime, je vous donne un bisou, si je n'aime pas, vous serez fouetté !

-Ha ! ha ! Vous pouvez bien parler de faire fouetter les gens, Madame, vous en seriez incapable, surtout de faire fouetter un corps aussi parfait que le mien !

-Ha ! ha ! Mirikof… ce que vous êtes prétentieux ! Mieux que ça Mirikof, c'est moi-même qui vous fouetterai !

-Ah ! et avec quoi Madame, une plume ?

-Ha ! ha ! Mirikof ! Comment pouvez-vous rester aussi décontracté dans un moment comme celui-là ?

-C'est que je n'ai rien à craindre ! Je suis en compagnie de la Reine Mira ! Il n'y a pas un guerrier qui peut se vanter de combattre et de vaincre contre vous. Et je suis assez vieux pour savoir ce que je dis Madame !

-Eh ! bien, vous serez bientôt fixé Mirikof… lorsque Tarekov sera là, vous êtes mieux de conserver votre confiance en moi car sinon… nous aurons un problème tous les deux ! Et qu'aviez-vous, quelques secondes à peine, à me regarder et à avoir envie de rire ? Oseriez-vous vous moquer de moi, cher Mirikof ?

-Hum ! J'aimais une telle idée n'a pu m'effleurer l'esprit. Comment, moi, Mirikof, j'oserais me moquer de la Reine ? Non, Madame, c'est que je vous observais et quand j'ai vu votre petit nez se retrousser, votre main serrer vos rennes, vous mordre la lèvre, je me demandais si vous aviez des puces ?

-Ha ! ha ! Mirikof comme vous pouvez être délicieux de décrire ainsi tous les signes de la nervosité qui m'a soudain prise au dépourvu. Vous avez une façon bien à vous de vous exprimer ! C'est vrai, tout à l'heure, ce silence. Je me disais et s'il ne venait pas ? Et si je m'étais trompée ? Et si…

-Et si, et si ! Avec des Si on se rend à Paris ! Vous connaissez l'adage. Soyez rassurée Madame, il viendra. Moi, si la Reine de la Norsufinde m'offrait un marché, je viendrais et je dirais même que je courrais à votre rencontre. Je n'ai aucun doute quant à votre plan, il marchera et je suis ici pour y veiller !

On cessa notre discussion car au loin le bruit d'une cavalerie se faisait entendre. Tarekov approchait et il n'était pas seul. Avec le tapage qu'on entendait de plus en plus clairement, il était accompagné de plusieurs hommes. Mira me regardait avec de l'inquiétude dans le regard.

Puis, apparut sur le fait de la petite colline paré de son armure, de son épée un homme de forte stature accompagné par une petite armée qu'elle évalua à première vue à environ une centaine d'hommes. D'un côté comme de l'autre on se jaugeait. Nous étions à peine dix et lui était venu avec plus d'une centaine d'hommes. Cette perspective ne m'enchanta guère. Nous avions certes l'avantage d'être prêts à déguerpir, mais, Tarekov possédait d'excellents cavaliers et il n'était séparé de nous que par quelques centaines de mètres. Il allait descendre, mais Mira d'un signe de la main lui fit comprendre de rester sur ses positions. Elle considéra que cette observation avait assez duré, elle brisa la glace.

-Vous êtes Tarekov ?
-Oui, Tarekov Le Barbare pour te servir la belle… Pourquoi ne veux-tu pas que je descende te présenter mes respects, oh ! Belle Reine Mira ?
-Si vous me promettez de descendre seul, vous pourrez Monsieur.

Il ne demanda pas son reste. Il descendit et s'arrêta à distance raisonnable.

-Alors ma belle ! Il semble que le Roi de la Norsufinde désire marchander une trêve avec moi ?

-Oui, Monsieur et ma présence ici en est la raison. Le Roi m'a chargé de vous remettre une rondelette somme qui, il l'espère, vous dissuadera de poursuivre sur ses terres et ainsi ne plus éprouver nos sujets.

-Tu m'en diras tant la belle ! Et tu penses vraiment que je vais marcher dans cette combine ? Le Roi de la Norsufinde est puissant, il pourrait bien m'écraser s'il le voulait et il ne livrera pas combat, il n'enverra pas son armée à mes trousses ? Peut-être a-t-il su que depuis que je suis parti de mon pays, j'ai accumulé tout au long de mes victoires, richesses et hommes de combat et que mon souhait est de lui ravir son Royaume et à l'heure qu'il est, je pourrais bien y parvenir. Donc, ma jolie, on n'achète pas Tarekov de cette façon et il n'est pas à l'image qu'on m'en a faite, le Roi de la Norsufinde. Il est bien lâche que d'avoir envoyé un émissaire en ta personne ! Envoyer comme ça, sa propre femme sur les lignes ennemies… Il est sot ou quoi ? Tu n'es pas en mesure de lutter contre moi !

-Peut-être est-il sot, mais ne l'êtes-vous pas davantage monsieur ?

-Ha ! ha ! Je vois que je t'ai piqué au vif la belle. Tes yeux sont comme des épées, ils me transpercent ! Ha ! ha ! Si le Roi n'est pas à la hauteur de ce qu'on m'a raconté sur lui, par contre toi, jolie Mira les descriptions qu'on m'a fait de toi, ne te rendent pas justice. Tu es vraiment plus belle qu'on me l'avait raconté et en plus on ne m'avait pas dit que la Reine de la Norsufinde était aussi courageuse !

-Courageuse ou pas, restez-vous sur vos positions ? Poursuivrez-vous votre dévastation ? Pousserez-vous l'audace à vous mesurer à notre armée ?

-Que si la belle ! Plus que jamais car quand on possède un tel trésor, il faut s'attendre à ce que d'autres le convoitent !

-Qui êtes-vous donc Monsieur pour prétendre mettre main basse sur nos richesses ?

-Hum ! De un, la belle, je suis le Duc Tarekov et j'ai bien l'intention de monter sur le trône de la Norsufinde. De deux, je ne parle pas du trésor royal mais bien de toi la belle. Si aujourd'hui, je suis venu à ta rencontre c'est seulement pour mieux te ravir à ton Roi ! Comme c'est drôle que tu sois venue bêtement te jeter dans la gueule du loup !

-Eh ! bien, Monsieur pour cela, il faudra d'abord m'attraper.

Ces paroles sonnaient la fuite côté court ! Sûr de lui, Tarekov resta sur ses positions et la regardait déguerpir.

-Tu peux galoper la belle. Je te rattraperai.

Il leva le bras et en fronde, ses hommes dévalèrent la colline nous poursuivant dans le petit sentier sinueux. J'avoue qu'il me faisait peur. Nous avions largement sous-estimé notre adversaire. Avec mon expérience de général, j'admets que cette fois, nous aurions dû faire partir nos garnisons pour l'écraser tout simplement et ne pas utiliser Mira comme appât. Je regrettais amèrement de l'avoir ainsi exposée aux yeux et peut-être aux mains du camp opposé ! Mais, Mira réussissait toujours à me surprendre. Elle cavalait à une allure folle esquivant à merveille tout obstacle sur son chemin, nous réussissions à peine à la suivre. Nous étions avantagés par notre petit nombre, alors que les soldats de Tarekov s'étendaient sur plusieurs mètres obligés de se suivre à la queue leu leu dans ce petit sentier à peine assez large pour laisser passer une monture. Tarekov à la tête des poursuivants, hurlait sa déception.

-Mira, Mira ! Je vais te rattraper et quand je te tiendrai je t'attacherai sur ma monture !

Ce sentier me sembla éternel soudainement. Je ne voyais plus l'heure où nous aurions débouché dans la clairière et j'entendais Tarekov se rapprocher. J'étais inquiet. Aurions-nous réussi à le semer ? J'admets que j'en doutais. Juste à penser à la perspective que nous échouions, j'avais mal aux entrailles ! Jamais Bjarni ne m'aurait pardonné. Lui qui était contre cette idée ! Enfin, Mira entrait dans la grande clairière et nous arrivions derrière elle. C'est à ce moment qu'elle nous surprit tous. Nous allions entrer rejoindre nos soldats cachés dans les bois quand elle s'arrêta au beau milieu du champ et débarqua de sa monture. Nous nous sommes tous arrêtés avant d'entrer dans la forêt la regardant avec curiosité.

Tarekov qui nous suivait de près aboutit finalement dans la clairière et s'arrêta brusquement produisant le même effet sur les hommes qui l'accompagnaient.

-Alors Tarekov, si tu veux me ravir au Roi, il faudra d'abord m'attraper te dis-je ! Lui cria-t-elle.
-Eh ! bien, la belle… tu ne manques pas de culot !
-Juste toi et moi Tarekov ! Prouve que tu es un homme et que tu n'as point besoin de tous tes soldats pour m'attraper !
-J'aime beaucoup l'idée, la belle ! Et je te prouverai sans l'ombre d'un doute que je t'attraperai sans l'aide de personne ! Foi de Tarekov !

Il débarqua de sa monture, visiblement amusé, et se dirigea d'un pas lent vers elle. Vite comme l'éclair, elle se déroba sous ses yeux entrant à la course dans un vieux bâtiment. Rusée qu'elle était ! Il courut vers elle et comme la porte était ouverte, il s'élança à l'intérieur mais n'y parvint pas du tout. Elle referma la porte avec force et réussit avec brio l'effet escompté ! Il se buta avec violence sur la porte en bois. Il recula bien malgré lui et se mit à crier :

-Petite garce, tu m'as cassé le nez ! OUVRE CETTE PORTE ! et tu verras bien qui est le plus fort ! Allez venez, vous autres, il faut enfoncer cette porte, derrière il y a la plus belle petite garce que vous n'aurez jamais l'occasion de revoir !
-Vous devriez être plus poli avec les dames, cher Tarekov, elles ne vous fermeraient pas la porte au nez ! Et qu'entends-je ? Vous n'êtes pas un homme de parole ? Vous avez besoin de vos hommes pour défoncer cette porte ?
-Tu es vraiment une petite garce ! Si j'arrive à mettre la main sur toi, tu verras bien si je ne suis pas un homme de parole !

Pendant que les hommes et Tarekov finissaient de détruire la porte et s'engouffraient dans la vieille grange, Mira montait au fenil de la grange du moins ce qui en restait. Le plancher du premier étage était en partie intact. Tarekov leva les yeux et la vit se lancer tel un acrobate sur une barre de fer qu'elle empoigna avec force et fit une pirouette qui la projeta sur l'autre partie du plancher qu'il était impossible d'atteindre autrement. Elle se retourna l'espace d'un instant, lui souriant et passa tout son corps par la fenêtre pour attraper une corde et se lança de tout son poids pour descendre à l'extérieur du bâtiment sur le plancher des vaches. L'espace d'un instant Tarekov réalisait qu'il ne serait pas si facile qu'il le pensait de l'attraper. Une telle souplesse était rare et lui, il était loin de l'être autant qu'elle. Il tourna sur ses talons et ressortit suivi de ses soldats de la grange.

Tout ceci se déroulait sous les yeux de tous et Bjarni oublia totalement qu'il était en nombre supérieur à Tarekov, il allait sortir de sa cachette pour aller porter secours à Mira, inquiet que ce petit jeu ne finisse mal, mais comme j'étais arrivé à ses côtés, je l'arrêtai dans son élan et lui dis :

-Sire, regardez plutôt de quelle façon elle fait ce qu'elle veut de lui !

Bjarni regarda avec d'autres yeux sa belle fuir ce barbare qui avait bien du mal à la rattraper. En effet, elle remettait ça de plus belle ! Mira avait maintenant rejoint sa monture qu'elle enfourcha d'un seul bond. Réfusse était vraiment son complice et elle le savait. Tarekov, suivi de ses hommes tels un troupeau de moutons rappelé à l'ordre par le chien berger, se tenait au milieu de la clairière contenue par Mira debout sur le dos de Réfusse, décrivant tout autour d'eux des cercles. Figé par cette tornade blonde qui les tenait en respect debout sur un cheval au galop, Tarekov était ébloui et il était loin d'être le seul. Pendant quelques instants, ils étaient aphones devant le phénomène Mira, mais Tarekov ne pourrait pas toucher cette perfection faite femme, s'il restait là à regarder et à ne rien faire. Il donna ses ordres :

-Allez, vous autres aidez-moi à attraper cette petite merveille.

Elle se moquait bien de ce barbare qui saurait assez tôt qu'elle était loin d'être seule dans cette petite plaine. Quand le troupeau de moutons décida de ne plus se discipliner, elle se rassit sur le dos de Réfusse et le poussa à fond jusque dans la forêt où elle nous savait cantonnés. Tarekov courrait vers sa monture et ses hommes en firent autant. Ils s'enfoncèrent dans le piège au galop et s'arrêtèrent tous nets ! Tarekov se rendit compte qu'il était encerclé et par bien plus nombreux et forts qu'il ne l'était. Quelques secondes lui suffirent pour comprendre qu'il s'était jeté dans la gueule du loup ! Bjarni sortit d'un groupuscule d'hommes et s'avança vers lui.

-Alors Tarekov Le Barbare, tu pensais vraiment pouvoir ravir à la Norsufinde son plus beau trésor ? Lui dit Bjarni.
-Quel stratège tu fais Bjarni ! Utiliser une femme à des fins guerrières !
-J'utilise peut-être une femme, mais pas n'importe quelle ? Et tu t'es bien fait avoir avoue-le ?
-Pour m'être fait avoir, ça je l'avoue, mais cette petite garce n'a pas fini avec moi !
-Oh ! Un instant, on ne parle pas de la Reine Mira en ces termes Monsieur. Elle n'est pas une petite garce, mais la femme du Roi Bjarni ! Et garce ou pas tu l'aurais bien suivie jusqu'en enfer, non ?
-Ah ! là dessus Bjarni on est d'accord ! Tu possèdes une femme extrêmement belle, et je suis étonné que tu la laisses comme ça aller au-devant d'hommes que tu ne connais point !
-Ne t'en fais pas, je n'étais pas très chaud à ce plan, mais comme toujours, la Reine avait eu une idée géniale et qui a fonctionné à la perfection ! Tu es pris, tes hommes seront nos prisonniers et tu feras le nécessaire pour que tes soldats restés plus loin retournent d'où ils sont venus. Fini tes projets de conquêtes Tarekov. Si le reste de tes hommes n'obtempère pas, je les détruirai et sache que j'ai le pouvoir de le faire. Quant à toi, tu passeras en jugement pour les actes que tu as commis sur mes terres !
-Comment ? Tu veux dire que ce plan d'embuscade c'est elle qui y a pensé ?

-Oui… et si tu ne me crois pas, tu peux demander autour de toi ! En plus d'être très belle elle est très intelligente. Il n'y a pas eu de perte d'hommes et presque pas d'effusion de sang si ce n'est celui que je vois sur ton visage, mon cher !

-C'est de sa faute, elle m'a refermé la porte sur le nez et je pense qu'il est cassé !

-Ha ! ha ! ha ! ha ! ha !

Bjarni se mit à rire d'un cœur. Il ne pouvait plus s'arrêter de rire et il n'était pas le seul.

-Qui a-t-il de si drôle, moi je n'ai pas envie de rire du tout ! Je suis vaincu sans même avoir levé mon épée et cette dame qui est là-bas m'a cassé le nez, je ne vois vraiment pas ce qu'il y a de drôle.

-Pauvre Tarekov ! Tu as bien raison, tu ne peux rien trouver de drôle surtout avec ce qui t'attend dans les prochains jours… Tout ce que j'espère c'est que ton nez guérisse !

Bjarni se mit à rire de plus belle froissant d'avantage l'orgueil de Tarekov qui savait très bien ce qui l'attendait. On ne pardonnait guère dans ces contrées les actes de barbarie, les tueries, les incendiaires de village, les violeurs de femme, d'autant plus que la reine, elle-même, y veillait et avec ce qu'il venait de vivre auprès d'elle, il savait très bien que le châtiment serait terrible.

Après que Bjarni eut repris son sérieux, Tarekov fut enchaîné et dû rejoindre ses hommes cordés et serrés en rang pour entreprendre un voyage de retour de plusieurs jours.

Nous reprîmes le chemin du retour le cœur léger, la « rébellion » de Tarekov n'était plus, les sujets étaient soulagés et Mira avait encore gagné ! Si plusieurs d'entre nous étaient courbaturés à notre retour au château, il n'en était rien de Mira qui était comme une gazelle s'enivrant juste à la pensée que son plan avait fonctionné et qu'elle avait prouvé à tous ces messieurs qu'une femme pouvait, même dans l'art de la guerre, avoir des idées lumineuses. Et sa victoire était loin d'être banale. Nous n'avions même pas eu à lever l'épée. Aucun soldat ne manquait à l'appel, nous avions livré bataille sans même s'essouffler ! Il fallait le faire et elle l'avait fait.

Quelques heures plus tard après un repas copieux, Mira et Bjarni regagnèrent leur chambre.

-Alors Madame, on veut bien dormir contre le torse d'un Roi ce soir ?

-Contre le torse, contre le Roi, contre l'homme, j'adore être mariée contre vous !

-Ha ! ha ! Petite coquine ! Tu sais toujours trouver les mots qui me font chavirer. Et tu sais tous mes points faibles. Je n'arrive jamais à avoir le dernier mot avec toi.

-Ah ! bien contente pour vous ! Votre très Grande Majesté, ce sont les mots, moi ce sont les gestes !

-Ha ! ha ! Voudrais-tu dire que tu n'arrives jamais à avoir le dernier geste avec moi ?

-Oui… Si moi je vous laisse souvent penaud devant mes paroles, vous, vous me laisser souvent pantoise devant vos gestes ! Je ne peux pas résister à ces yeux, à cette bouche, à ces mains, à ce corps débordant de sensualité…

-Alors ma belle je vais profiter encore de la situation, à mon grand plaisir !

Il la couvrait de tout son poids l'embrassant dans le cou. Il la chatouillait… elle riait aux éclats implorant grâce.

Il n'aurait pas, même pour tout l'or du monde, échanger ces moments de rires, d'échange et de caresse avec qui que ce soit. Il aimait, il adorait, il idolâtrait cette femme. Mira était d'ailleurs sur la même longueur d'ondes que lui. Partager sa vie avec lui était un cadeau que la vie lui offrait malgré son passé de déceptions sur les hommes.

Le lendemain, après le petit-déjeuner, les monarques se réunirent et invitèrent Mira à les assister dans leurs décisions. Il fut décidé d'utiliser les mille six cents hommes de Tarakov pour la construction d'une route qui traversait toute la Norsufinde. En ce qui concernait Tarekov, c'était différent. Il était un meneur d'hommes, un barbare qui ne faisait pas de compromis, lui. Alors les parlementaires décidèrent qu'il devait payer de sa vie, les ignominies qu'il avait perpétrées tout au long de sa route. Mira, voyant que les hommes venaient de prendre une décision irrévocable et sans appel, se leva en demandant la parole.

-Messieurs, malgré tout le respect que j'ai pour vous tous, je ne pense pas que de tuer un être vivant est une solution louable, malgré le caractère démoniaque que semble avoir Tarekov. Dieu est le seul à juger de vie ou de mort, nous sommes de simples mortels, aurez-vous la conscience tranquille après que le sort en sera jeté sur Tarekov ? Éliminer un adversaire qui n'est plus qu'un prisonnier maintenant, je ne suis pas certaine que vous porterez dans votre cœur un sentiment de satisfaction. Tarekov est anéanti désormais. Il est impuissant sans ses hommes qui seront dispersés aux quatre coins de la Scandinavie, occupés sur un projet de grande envergure. Il est en terre étrangère. Pensez-vous réellement qu'il représente une menace aujourd'hui pour nous tous ?

Mira avait encore semé le doute dans l'esprit de ces grands hommes qui depuis des générations levaient la hache du bourreau sans trop se questionner sur une telle décision. Bjarni prit la parole.

-Ce que vous venez de dire Madame est noble, mais Tarekov a lui-même tué, pillé, violé, incendié sur sa route, il ne se souciait guère, à l'époque, de cette clarté d'esprit qui vous habite.

-Oui, Sire, je sais qu'il était un homme sans vergogne… mais nous devons tous nous rendre à une évidence, il est un meneur d'hommes et un excellent stratège. Avec un millier d'hommes, il a traversé plusieurs kilomètres de ses contrées Russes et il était à nos portes. Certes, il n'était peut-être pas une menace importante pour la Norsufinde mais il aurait continué à marcher tranquillement mais sûrement sur nos terres et nous ne serions peut-être pas ici pour discuter de son sort aujourd'hui si de sa marche il avait grossi son armée au point de devenir un adversaire de taille.

-Madame, nous savons tous que c'est grâce à votre esprit éclairé que nous l'avons pris au piège, même lui a dû admettre qu'il avait marché dans votre combine et nous vous en avons remercié. Votre présence est non seulement agréable, mais elle est devenue indispensable parmi nous. Vous dites vrai aussi lorsque vous étalez sa feuille de route sous nos yeux. Il ne possédait pas nos armées et pourtant il s'est rendu jusqu'à nous. Je vois par votre discours que vous avez encore quelque chose derrière la tête, je me trompe ? Lui demandais-je.

Elle sourit lançant à l'assistance de petits regards moqueurs. Sous son épaisse crinière blonde, il y avait quelque chose qui mijotait. Bjarni se demandait bien ce qu'elle aurait inventé cette fois.

-Puisque vous me le demandez si poliment général Mirikof. Eh ! bien, oui ! Mira a encore une idée derrière la tête. Je ne sais vraiment pas ce que vous allez en penser cette fois, mais je suis convaincue que cette pensée pourrait sauver la chèvre et le chou !

-Madame, vous êtes une véritable actrice, vous enrobez toujours vos idées d'un tel mystère et vous nous faites bien languir. Nous sommes encore tous dépendants de vous, dites-la nous cette idée ! Lui dit Bjarni avec un air amusé.

-Ha ! ha ! De véritables enfants, voilà ce que vous êtes tous ! Je n'enrobe rien, je ne vous fais pas languir non plus, je prends mon temps c'est tout… Mais j'arrive, j'arrive à cette pensée dont le contenu vous obsède tant ! Puisque vous reconnaissez comme moi les qualités guerrières et de chef de Tarekov, je vais vous raconter une petite histoire de ma contrée. Il était une fois deux forgerons qui habitaient le même village. Comme le village était petit et qu'il n'y avait pas beaucoup d'habitants, les deux hommes se faisaient la guerre à qui prendrait les clients de l'autre. Pendant plusieurs mois, ils se vouaient une compétition digne de ce nom. L'un disait de l'autre qu'il était un parfait incompétent et l'autre en disait tout autant. Un jour, l'un des deux forgerons mourut subitement. Il laissait le chemin libre à l'autre pour pratiquer son métier seul avec toute la clientèle pour lui seul. Les premiers jours, le forgeron vivait dans un état de bonheur parfait. Les commandes fuselaient de toute part et il n'arrivait plus à satisfaire à la tâche. Plusieurs semaines passèrent. Il avait de la difficulté à fournir mais réussissait tout de même à tirer son épingle du jeu, travaillant jusqu'aux petites heures du matin. Un autre forgeron fit son apparition au village, déterrant d'entre les morts, le souvenir sur son vieil adversaire décédé. Mais cette fois, il s'agissait d'un jeune forgeron en pleine santé. Le premier aurait bien à faire pour garder sa précieuse clientèle face à un si jeune homme. En plus, on vint lui apprendre que le jeune forgeron était plus rapide que lui et possédait dans ses bagages, de nouveaux instruments, de nouvelles techniques et que les objets qu'il forgeait étaient d'une précision incontestable. Le premier forgeron se complaisait à penser que le beau jeune homme mourrait à la suite d'un accident mortel, ou mourir subitement comme son vieil ennemi. Et puis une jeune demoiselle qui voyait les deux hommes, surtout le plus vieux, se déchirer pour garder son gagne-pain suggéra au plus vieux des deux : Monsieur pourquoi ne vous associez-vous pas avec l'autre forgeron ? Vous seriez peut-être avantagés tous les deux ? Le vieux forgeron lui répondit qu'il n'en était pas question. Alors les semaines passèrent encore. Le vieux forgeron voyait sa clientèle descendre mais les nuits s'allonger pour atteindre un souci de perfection espérant égaler son adversaire. Plus les jours passaient, plus le vieux forgeron se tuait à l'ouvrage. Jusqu'au jour où il n'en pouvait plus. Il prit quelques jours de congé. À son retour, après de longues heures de réflexion sur les phrases de la jeune demoiselle, il décida de se rendre auprès du jeune forgeron et lui suggéra de s'associer avec lui. Le jeune homme, contrairement à ce qu'aurait pensé le vieux forgeron, accepta d'emblée la proposition. Bien étonné, le vieux forgeron débuta une association avec le jeune. Le jeune lui montra les dernières techniques qu'il avait apprises dans d'autres contrées et les deux hommes se mirent à échanger leur expérience respective. Cette union devint légendaire dans tous les alentours du petit village. On rapportait que deux forgerons faisaient ensemble les plus belles épées et les fers à cheval étaient durables et précis. Alors la jeune demoiselle revint à la forge. Elle s'approcha du plus vieux et se pencha à son oreille et lui dit : Monsieur si vous ne pouvez pas le combattre, joignez-vous à lui ! Par cette phrase Messieurs, je crois que vous avez compris où je veux en venir !

-Dans votre contrée Madame, vous avez des histoires fantastiques, mais il est question ici d'un seul homme et avec qui nous n'avons pas eu à combattre. Lui fit remarquer Bjarni.

-Mais c'est la même chose ! Ici le premier forgeron c'est l'échafaud et le deuxième c'est Tarekov le fin stratège et le leader d'hommes. Donc, comme on ne peut associer l'échafaud à l'homme dans ce cas-ci, on peut cependant associer son jugement qui ne porte aucun doute sur ses capacités. Alors gardons sous bonne garde ce curieux personnage et utilisons ses services pour grandir les nôtres Messieurs... Il sera sûrement un des meilleurs collaborateurs que vous n'aurez jamais. Surtout si on lui laisse le choix entre la mort et la continuation de son œuvre pour une contrée qu'il voulait lui-même conquérir. Si vous lui laissez l'impression qu'il est important, qu'il soit de bon conseil et que cela importe pour vous... Il ne se rendra même pas compte qu'il travaille à votre service ! Et il vous en donnera le double pour votre argent... Faites lui comprendre sa position délicate... S'il tentait quoi que ce soit pour vous fausser compagnie ou ne respectait pas cet arrangement, il serait immédiatement exécuté. Je pense sincèrement que vous y gagnerez bien plus à écouter ses conseils qu'à l'éliminer. Les grands esprits sont rares, mêmes s'ils ne sont pas tous biens intentionnés, il y a toujours un moyen pour utiliser leur génie à des fins bénéfiques, Messieurs. La seule chose dont est dépourvu, Tarekov, c'est d'éducation. À part ça, il possède les mêmes caractéristiques que vous, il est brillant et ingénieux... alors pourquoi vous dispensez de ses idées, de son vécu et de son expérience ?

-Je suis en état de choc, moi ! Bjarni vous avez une femme redoutable ! Ses stratagèmes, cette lucidité, cette manière galante et délicate me scie les deux jambes. Lui répondis-je.

-Moi aussi, c'est la même chose ! Madame... Nous sommes des pantins sur lesquels vous ne faites que tirer les cordes ! Votre main de fer dans un gant de velours, votre douceur sous laquelle se cache une Reine imposante. Les grands esprits sont rares, mais je crois que votre esprit est le plus rare de tous ! Sire, avec elle, vous conquerrez le monde ! Lui lança le général Pikov.

-Vous venez tous les deux de décrire en quelques mots la femme avec qui je partage ma vie. Madame, Pikov dit vrai... si vous vouliez vous pourriez conquérir le monde ! Vous... vous... je n'ai plus rien à dire... j'ai le souffle coupé !

-Allons, Messieurs, il n'est nullement dans mon intention de conquérir le monde et je crois que vous y allez un peu fort ! Je ne suis pas plus qu'une paysanne qui a dû affronter la vie et se défendre avec sa tête puisque je ne suis pas pourvue, comme vous, de force physique ! Mais dois-je comprendre par vos éloges à mon égard que vous approuver cette manière de faire les choses vis-à-vis Tarekov ?

-Je crois que nous sommes unanimes à reconnaître que nous n'avions pas vu les bons côtés d'une alliance "déguisée" avec ce Tarekov ! Le mot "déguisé" prend tout son sens dans la façon de présenter votre opinion, Madame. Nous sommes hommes d'État, et nous n'y avons même pas songé une seconde ! qu'un ennemi pouvait nous servir plus que nous nuire, surtout lorsqu'il est pris et désormais dans une position délicate. Je suis encore sous le choc ! Répondit un ministre.

-Alors présentez-lui ceci comme étant sa planche de salut. S'il refuse et bien vous aurez tout fait en votre pouvoir et c'est lui qui aura pris la décision de mettre fin à ses jours.

-Bon ! La Reine a encore parlé ! Nous n'avons plus rien à dire ! Il ne reste plus qu'à exécuter ses désirs. Dit Bjarni.

-En effet, nous sommes que de simples messagers maintenant… C'est très dur pour notre orgueil masculin, mais nous sommes déchus ! Dis-je à la blague.

Bjarni avait abdiqué depuis longtemps lui ! Il savait qu'il était inutile d'affronter cette tornade blonde.

Comme Mira l'avait suggéré, Tarekov fut informé de l'alternative que lui offrait le roi. Il fut extrêmement surpris de la tournure des événements et se demandait bien ce qu'était cette manière de passer en jugement envers un ex-conquérant. Jamais, il n'avait entendu parler d'un tel châtiment. Au contraire, de sa barbarie légendaire, il aurait lui-même exécuté de ses propres mains l'envahisseur vaincu. Alors pourquoi le roi lui laissait-il la chance de se rattraper à ses yeux en l'épaulant dans ses problèmes de stratégie guerrière ? Il était abasourdi et prit plusieurs minutes de réflexion… Cela devait cacher quelque chose, se disait-il !

-Bjarni, je ne comprends pas ! Non, je ne comprends pas ! Pourquoi me laisser la vie, sachant ce que j'ai fait par le passé ?

-Parce que nous considérons que tu es tout de même un excellent guerrier Tarekov. Il serait dommage, pour toi, mais pour nous tous, de perdre un homme qui a su se rendre jusqu'à nous avec une poignée d'hommes. On veut apprendre de toi, tu as sûrement plus d'un tour dans ton sac et nous voulons tous les connaître.

-Ce que vous voulez en fait, c'est utiliser mes intelligentes combines, barbarie à part, pour votre propre intérêt !

-Peux-tu nous en blâmer ?

-Non, je trouve même très ingénieuse cette manière de prendre d'un homme ses capacités pour les transformer par la suite selon ses désirs et ses besoins. Mais, bon Dieu ! je n'ai jamais pensé à ça, moi ! J'aurais tellement eu intérêt. Je n'en serais pas là aujourd'hui… Je serais tout puissant ! Je savais les peuples Scandinaves intelligents et différents de l'endroit d'où je viens, mais là, j'admets que je suis sidéré d'une telle érudition.

-Alors, Tarekov, tu acceptes ou tu préfères aller rejoindre tous ceux qui tu as envoyé dans l'autre monde ?

-Dit comme ça… je ne suis pas très pressé d'aller les rejoindre, ils me paieraient toute une entrée dans l'autre monde ! Je n'ai pas attendu leur consentement pour les y expédier ! Je… j'ai juste une question Bjarni ?

-Allez, vas-y pose-la ?

-Je ne suis pas certain que cette idée vienne de vous, je me trompe ?

Bjarni le regarda sourire aux lèvres. Tarekov baissa son bras et s'assit sur la chaise de sa cellule.

-Ah ! Encore ce petit démon aux yeux bleus, j'en étais sûr !

Il se tut quelques secondes et regarda Bjarni arborant à son tour un sourire taquin !

-J'espère que tu es conscient que tu as une femme exceptionnelle, Bjarni ! Non, seulement elle agit sur nous comme un aimant, mais elle est d'une ingéniosité hors du commun mon ami.

-Ne t'en fais pas Tarekov, on le sait tous et moi le premier… et j'avoue que je suis le plus chanceux de tous ! Mais n'espère pas avoir la chance de t'en approcher, parce que si elle t'a épargné par un stratagème audacieux, il faudra pour ta part répondre de tes faits et gestes devant nous. Si tu t'éloignes ne serait-ce que d'un millimètre de ton chemin, tu seras exécuté sur le champ.

-Ah ! Bjarni, je sais tout ça… mais si tu veux un conseil d'un bon buveur de vin et d'un excellent consommateur de dames, tu devrais faire attention autour de toi, parce qu'elle est attrayante et même moi je m'y suis laissé prendre alors… je te conseille d'être prudent parce que je sais que je ne suis sûrement pas le seul… ces petites combines ne marcheront peut-être pas toujours aussi efficacement !

-Merci. Cette petite attention venant de toi, Tarekov, me touche vraiment. Il est inutile de me prévenir… tu ne sais pas tout sur Mira ! Même si parfois, elle est un peu désinvolte face à la dure réalité, elle est sous ma protection et tant que j'y veillerai, elle n'aura rien à craindre.

-Bon, tu viens du revers de la main balayer toutes mes prétentions : un jour avoir accès au cœur de cette beauté légendaire. Sacré Bjarni, ce que je t'envie !

-Ne vous en déplaise, Monsieur, je le sais et malheureusement vous n'êtes pas le seul ! Maintenant, ta réponse Tarekov, j'attends toujours !

-Ah ! oui, comme on s'écarte de notre chemin, lorsque Mira est le centre de nos discussions ! Oui, j'accepte ! Tu peux dormir tranquille ce soir, Bjarni, tu n'auras pas ma mort sur la conscience… parce que je sais que c'est ce qu'elle vous a tous dit… je commence à bien la cerner la petite !

-Bon, je vais en informer les autres et tu seras pendant quelque temps au Danemark, chez le bon vieux Roi Euphrase qui a largement besoin de tes services. Je t'y ferai accompagner de plusieurs de mes hommes.

-Oui, oui, je sais que tu vas m'éloigner le plus possible de cette perle rare mais je ne t'en veux pas, je ferais exactement la même chose !

Bjarni sortit la tête remplie de pensées dans son retour vers ses appartements. Si la pucelle de la légende s'était cachée au fond de sa forêt pendant de nombreuses années et que Boris l'y délogea de force, elle avait fait du chemin depuis ce temps prouvant à tous, même aux rois, que la paysanne régnait en maître et commandait aux éléments comme l'avait dit Grovache ! C'était sa merveille à lui considérant qu'il avait de la chance d'avoir près de lui un être aussi exceptionnel.

Le parfait alibi

Le temps filait toujours à vive allure et pendant les trois années qui suivirent, le quotidien s'était installé à la cour royale laissant présager que les choses de la vie n'allaient plus les atteindre.

Les nouvelles politiques du royaume, largement supervisées par la reine, satisfaisaient la plupart des hauts fonctionnaires autant qu'elles pouvaient satisfaire les sujets de la Couronne. Véritable épopée de victoires sans lever l'épée, la belle avait réussi là où la plupart des grands souverains avaient échoué. Par sa simplicité, son charisme, cette non-violence, la belle avait conquis beaucoup plus que la plupart des grands monarques de l'époque. Dans tout le pays et au-delà on parlait de cette reine extraordinairement belle qui régnait auprès d'un roi à qui elle faisait ombre par les exploits qu'on racontait à son sujet.

Quant au trésor que nous avions rapporté des Amers, nous l'avions utilisé, non dans sa totalité, mais en partie et vraiment, notre royaume était depuis quelque temps sacrement bien nanti. Les livres de Grovache étaient pour la plupart utilisés par nos médecins et les « recettes » qu'ils découvraient, portaient fruit, la maladie était toujours de ce monde mais Dieu qu'elle prenait un recul face aux médicaments que nos apothicaires concoctaient !

Pour ce qui était des richesses, comme les écus d'or, les bijoux, Bjarni avait pris soin de faire cacher le tout dans un endroit connu que de lui seul et de quelques hommes. Et ce n'est pas moi qui dirai où il l'a fait emporter. Cette décision se montra judicieuse car maintenant que les événements se sont retournés dans le sens opposé, il est fort utile de savoir qu'on ne l'a pas encore débusqué malgré les recherches qu'a faites notre très Grande Majesté actuelle ! Rappelez-vous que je suis enfermé dans une prison et vous saurez bientôt pourquoi.

C'est utopie que de croire que seule la bonté, la beauté, la simplicité et les bonnes intentions peuvent venir à bout de la mesquinerie de l'Homme. Pourquoi faire simple quand on peut faire compliqué ? C'est vraiment l'impression que j'ai en racontant cette histoire car j'allais être témoin d'événements qui allaient chavirer mon être tout entier.

Le treizième jour du mois d'octobre de l'an de grâce 1355 restera à jamais gravé dans mon esprit. Je me rendais à l'université avec Mira. Il fallait que j'aille rencontrer un érudit d'origine Russe qui, disait-on, avait étudié le livre sur les secrets des pyramides égyptiennes que nous avions trouvé dans les coffres de Grovache pendant notre voyage dans les Amers. Mira était tout excitée de faire sa rencontre car, lui avait-on dit, il aurait des révélations à nous faire relatives à leur construction, à leur raison d'être. Elle m'avait réquisitionné, ne me laissant pas le choix de la suivre !

De son air candide, elle m'avait dit que de me rendre dans un haut lieu de la connaissance ne pouvait aucunement me nuire ! Coquine ! Tous ces stratagèmes pour m'attirer en ces lieux… Mira était ce qu'elle était, un fin stratège et moi, je suivais tel un chien bien dressé.

Nous étions dans le grand hall d'entrée et nous fûmes accueillis par le doyen qui se courbait à s'en donner des tours de reins. C'était toujours un tel honneur pour lui de la recevoir et de la voir déambuler dans les corridors.

Cette université était immense et le travail des ouvriers était digne de ce nom. La bibliothèque était grandiose et regorgeait de livres, d'écrits de toute sorte. Les couloirs fourmillaient de penseurs, de chercheurs, d'astronomes, de médecins mais surtout de gens ordinaires qui avaient eu depuis son ouverture, plein accès aux entrailles de l'édifice. On venait parfois de loin pour parfaire ses connaissances qui étaient omniprésentes en ces murs.

Le doyen nous a reconduits dans un grand bureau richement décoré. Il s'excusa le temps d'aller chercher le personnage qui intriguait tant Mira. Elle ne tenait pas en place excitée comme une puce ! Elle avait ce petit trait de caractère commun aux femmes : La curiosité. Si curieuse qu'elle aurait fait bien des détours pour comprendre quelques mystères et les pyramides égyptiennes en était un de taille. Qu'avait bien pu trouver cet homme dans le livre de Grovache ?

Tout à coup, elle se plia en deux, touchée par une douleur soudaine et très forte, à l'abdomen.

-Mon Dieu ! Madame, que vous arrive-t-il ? Demandais-je en m'élançant vers elle.
-Mirikof !

Son regard n'avait plus l'éclair de l'excitation mais celui de la panique. Elle s'accota sur le bureau pour arriver à se tenir sur ses jambes. Je vins la soutenir ayant peur qu'elle ne s'écroule.

-Madame, qu'avez-vous ? Venez, je vais aller cueillir le médecin.

Comme j'allais la prendre dans mes bras, de sa main elle me serra le poignet.

-Mirikof ! Vite, retournons au château, vite…
-Mais Madame… qu'avez-vous ?
-Mirikof ! Il est arrivé malheur à Bjarni.
-Quoi ?
-Vite Mirikof, retournons au château, je l'ai ressenti… j'ai vu !

Je la regardais droit dans les yeux et cette torpeur me donnait froid dans le dos. Pouvais-je douter qu'elle était dans l'erreur de prononcer de telles paroles ? Comment ne pas craindre que ce qu'elle venait de dire fût la vérité et non pas de la pure invention ? Avec tout ce que j'avais vécu et ressenti en sa présence, je ne pouvais me permettre de ne pas la croire. C'était à mon tour de paniquer. Je l'ai pris par le bras et en courant nous sommes sortis du bureau, empruntant le corridor, demandant le passage par notre course effrontée à ceux qui se tassaient contre les parois des murs pour mieux nous laisser continuer notre route vers la grande porte. Le doyen revenait avec le chercheur Russe et ne comprenait pas pourquoi nous étions si presser de partir. Je lui dis que nous lui expliquerions plus tard mais qu'il était impératif qu'on retourne au château. Après ces brèves explications nous sortions en courant vers le carrosse, où je montai malgré que ma monture m'attendît sagement attachée sur un poteau à l'extérieur. Le cocher fit faire demi-tour au véhicule et poussa les chevaux à leur faire perdre haleine. En toute hâte nous sommes arrivés dans la cour, où pour l'instant tout semblait calme. Nous débarquions ensemble tels des enfants affolés et scrutions chaque emplacement possible de voir dans la cour. Le silence qui régnait alors, fut interrompu par les généraux Pikov, Anderson et plusieurs palefreniers qui couraient vers nous à la belle épouvante ! Cela ne présageait rien qui vaille.

Arrivé à notre rencontre, Pikov, essoufflé, prit la parole :

-Mon Dieu ! Madame… Mon Dieu !
-Général où est le Roi ?

-Il… il… est à l'écurie Madame et vous devriez vous y rendre sur le champ !

Elle ne demanda pas son reste levant ses jupons pour mieux courir. Le général allait, comme tous les autres, courir vers les écuries mais je l'attrapai par le bras.

-Enfin général, que se passe-t-il ici ?
-Mirikof, le Roi a été attaqué dans les écuries !
-Attaqué… mais… mais… par qui ?
-Venez, je vous dirai en chemin ce que j'en sais !

Mais il n'eut pas le temps de m'expliquer quoi que ce soit car à l'allure que je courrais, j'arrivai bien avant lui et le spectacle que je vis en entrant dans le bâtiment me figea sur place. Gisant dans une marre de sang, Bjarni était étendu à demi conscient, transpercé par une énorme fourche à foin. Cette vision cauchemardesque de celui qui avait été pendant toutes ses années un véritable fils pour moi, mon souverain adoré, était mourant à mes pieds. Le médecin était déjà à son chevet, tentant de retirer l'arme qui avait été utilisée pour commettre ce crime odieux mais arrêta car Bjarni démontrait des signes évidents d'une douleur horrible. Mira s'était agenouillée et lui prit la main, l'emportant vers sa joue remplie de larmes.

-Mira… Mira… je vais partir… Je me sens partir… Balbutia-t-il
-Non… Bjarni… Non… Bjarni !
-Je… je veux que tu saches… que… j'ai été heureux avec toi…
Voir tes yeux avant que… je parte est le plus beau cadeau d'adieux…
-Non… Bjarni… NON… !
-Je t'ai…
-Non… Non… NON… NON… !

Le roi avait rendu l'âme sur ces derniers mots. Mon roi n'était plus, il ne restait plus de lui que ce corps inerte d'où la vie s'était échappé de façon rapide et brutale laissant dans nos cœurs une tristesse sans borne. Mira était en crise de larmes, elle ne cessait de caresser son visage, sa chevelure, tenant sa main dans la sienne. Elle était la seule à émettre des sons audibles car nous étions tous silencieux les yeux rivés sur notre jeune roi décédé. Si les hommes ne doivent pas pleurer, il nous fut impossible de retenir nos larmes devant une telle désolation. C'était une véritable tragédie pour nous tous. Malgré mon grand sens de l'organisation, mon esprit pourtant enjoué, pendant plusieurs minutes j'étais incapable de formuler quelques commandes que ce soit à mon corps. J'étais atterré, démoli. Mon roi, mon ami, celui près de qui et pour qui j'avais combattu, fait preuve de toutes mes plus belles stratégies, n'était plus. Ce fils que je n'avais jamais eu et pourtant qui aurait très bien pu être Bjarni, avait passé l'arme à gauche.

Mira l'embrassait, le prenait dans ses bras, la pauvre enfant était inconsolable. Le médecin se releva et la prit dans ses bras et la serra tout contre lui. Ce geste de soutien émotif nous ébranla tous. Il l'emmena tendrement vers l'extérieur et finit son chemin vers le château en la transportant dans ses bras. Il fallait déplacer le corps mais personne d'entre nous n'en avait la force. Je regardais le corps robuste de ce jeune homme qui n'avait même pas trente ans. Ses cheveux blonds qu'il avait attachés le matin livraient bataille sur son front. Son costume qui lui saillait à la perfection était maculé de sang à l'abdomen où était toujours à la verticale cette fourche à foin entrée dans ses entrailles à presque lui ressortir dans le dos. Je réalisais à quel point il était grand et majestueux, allongé là sous mes yeux. Et comme si on m'avait dardé de mille aiguilles, la rage s'empara de moi. Brusquement, je retirai la fourche en hurlant et la lançai au bout de mes bras. Je voyais les quatre énormes trous béants qu'elle laissait dans son corps et cette vision m'enflamma. Je me tournai vers les autres qui étaient près de moi :

-QUE S'EST-IL PASSÉ ICI ? Dis-je en interrogeant du regard mes voisins.
-Personne ne le sait général. J'étais à donner à boire aux chevaux au fond là-bas quand j'ai vu le Roi entrer et se diriger vers Réfusse. J'ai continué à remplir les abreuvoirs et après… Expliquait le palefrenier nerveusement.
-Et après quoi ? Demandais-je enragé.
-Après… j'ai entendu le Roi hurlé… et lorsque je me suis retourné, j'ai vu… j'ai vu le Roi qui reculait essayant de retirer… de retirer la fourche et il s'est effondré. Finit-il ; visiblement dérangé par cette scène.
-Il n'y avait personne d'autre ici ?
-À ma connaissance personne mon général ! Quand le Roi a hurlé, j'ai couru vers lui et les autres qui étaient à l'extérieur ont tous fait de même.
-Tu n'as vu personne sortir en courant ?
-Non, mon général, personne que ceux qui accouraient pour venir voir ce qui se passait et ils étaient tous comme moi, atterrés par un tel spectacle !
-C'est quand même incroyable ça, comment quelqu'un a-t-il pu s'introduire dans les écuries royales sans que personne ne le voie ! Et

par où est-il sorti bordel de merde ! Je cognais de mon poing le bord du port de Réfusse qui restait incroyablement sage malgré que j'exprimais ma rage de façon bruyante.

Je levai les yeux vers la petite fenêtre juste à côté du box de Réfusse et m'y dirigeai d'un pas décidé.

-Depuis quand manque-t-il un loquet à cette fenêtre ? Faisant balancer la vitre vers l'extérieur sans aucune difficulté.
-Je… je… ne sais pas général. Hier, il y en avait un ! De répondre un autre palefrenier.

J'en avais assez vu, j'en avais assez entendu. Il était clair que l'assassin avait fui par cette fenêtre. De qui s'agissait-il ? Pourquoi ? J'allais moi-même me charger de l'enquête. J'ordonnai qu'on ramène le corps et qu'on fasse le nécessaire pour son enterrement. La mort de Bjarni me transformait en véritable tigre. J'aurais égorgé quiconque m'aurait contrarié à ce moment-là pour un oui ou pour un non. Je compris plus tard, beaucoup plus tard que cette réaction était normal compte tenu que je venais de perdre un être cher, de façon cruelle et brutale.

Le lendemain matin, on procédait au cérémonial de l'enterrement du roi. Déjà la nouvelle courrait à travers la contrée à une vitesse folle. Si d'habitude on prenait plusieurs jours pour le deuil d'un roi, cette fois, il n'en était rien. J'y avais vu personnellement et si l'archevêque s'était obstiné je le pendais avec sa robe ! Il n'avait pas voulu affronter le général Mirikof qui avait les yeux injectés de sang tellement j'avais l'humeur à fleur de peau.

Mira était dans un tel état que je ne voulais pas faire durer les célébrations inutilement. Il faut dire que moi aussi je ne tenais pas du tout à le voir et le revoir sur son lit de mort. La vision de la veille m'avait empêché de fermer l'œil toute la nuit. Je me foutais complètement que plusieurs n'auraient pas le temps de se rendre aux funérailles, j'étais obsédé par le fait que plus ça irait vite, le mieux ça serait. La messe ne dura qu'une seule heure. C'était bien assez long pour nous tous. Quant à Mira, elle n'avait cessé de pleurer de toute la nuit. Elle serrait ses enfants contre elle et cette scène était littéralement déchirante. Amik était à ses côtés et la soutenait continuellement car elle tenait à peine sur ses jambes.

Le cortège funèbre se rendit jusqu'au cimetière familial où étaient ensevelis les parents de Bjarni. Au moment de le mettre en terre, Mira se jeta sur le cercueil. Cette scène pathétique et d'une affliction inouïe accabla tous les gens présents.

Pendant plusieurs jours, la reine se retira dans ses appartements n'acceptant de voir personne sauf ses enfants. Son père était au désespoir et moi aussi. Que pouvions-nous faire pour la sortir de cette souffrance ?

Quant à moi, j'avais ouvert une enquête espérant en apprendre plus sur les nombreuses questions que je me posais. Pourquoi et qui ? Un complot était la seule possibilité.

Quelques jours plus tard, on procéda à la succession au trône. Le prince Éric âgé de sept ans et trois mois était déclaré roi. La reine le superviserait jusqu'à sa majorité. Elle se remettait avec beaucoup de difficultés de la peine atroce qu'elle vivait chaque jour qui la séparait davantage de la dernière nuit avec son amant si doux, si affectueux, si délicat. À vingt-cinq ans, elle avait l'impression que sa vie était maintenant uniquement utile pour voir au bien être de sa progéniture.

Il était loin le temps où elle avait conquis les Amers, où elle avait rempli le cœur des Scandinaves de bonheur, où elle riait et se moquait de barbares comme Tarekov. Désormais, son cœur était en mille morceaux et de ses lèvres elle n'avait pas réussi à ressusciter son amour se souvenant avec nostalgie la scène que Bjarni lui avait servie pour se faire pardonner lorsqu'elle était à son château lors de son enlèvement.

Quelques jours après le couronnement du jeune roi Éric, le prince Varek arriva au château avec le messager qu'on lui avait envoyé pour le prévenir. Il se trouvait au fin fond de la Finlande et plusieurs jours avaient été nécessaires pour le rejoindre et lui faire faire demi-tour. Il entra et croisa Mira qui se rendait vers ses appartements, il accourut vers elle.

-Madame, Madame, j'ai été informé par un messager que mon frère était mort ?
Mira encore fragile, baissa la tête et se mit à pleurer. Varek saisit l'occasion et la prit dans ses bras. Il tenait la belle et c'était si doux. Cette sensation l'envahit totalement. Il aurait voulu que ce moment ne se termine jamais, mais comme ils étaient en plein milieu du hall d'entrée il dut, à regret, mettre fin à cette étreinte qu'il avait lui-même provoquée.

-Comment cela est-il arrivé ?

J'entrais justement et surpris le prince en train d'affliger la reine de questions.

-Prince Varek vous êtes arrivé ?

-Oui j'arrive. Un messager m'a prévenu de la triste nouvelle. J'ai accouru dès que j'ai su. Mirikof pourriez-vous me dire ce qui s'est passé ?

-Venez avec moi, il est préférable de laisser la Reine retourner à ses appartements. Jetza raccompagnée la Reine à ses appartements s'il vous plaît.

Mira s'en allait aussi légère que la brise. Varek était complètement désintéressé du général que je suis et regardait cette magnifique et chagrinée femme s'en aller, tenue par les épaules par la servante. Je me raclai la gorge et par le fait même fit redescendre le prince sur terre.

-Prince Varek, le Roi, votre frère a été assassiné.

-Assassiné ? mais comment et par qui ?

-Nous avons clos l'enquête, aucun indice, aucun suspect n'a été jusqu'à aujourd'hui identifiable.

-Je n'ai pas toujours été de tout repos pour Bjarni, mais je considère que de continuer l'enquête me semble la moindre des considérations qu'on peut avoir à son égard…

-Vous avez raison, Prince. Soyez assuré que moi, je n'ai pas fermé l'enquête. Cette mort sauvage et violente ne restera pas sans être vengée, même si je dois y consacrer le reste de ma vie.

-Je vous reconnais bien là Mirikof, aussi fidèle et loyal que la première journée.

-Maintenant Prince, je dois vaquer à mes nombreuses occupations par les temps qui courent, si vous voulez bien m'excuser.

-Allez… Allez… Je vais m'installer dans mes appartements et je vous reverrai sans doute plus tard.

Je me retirais ayant dans l'esprit que le suspect numéro un c'était le prince. Mais son mobile demeurait obscur. Il savait certainement que le couronnement du jeune roi Éric avait été prononcé. Pour quelles raisons aurait-il fait tuer le roi ? Mais quelque chose n'était pas clair et il fallait que je trouve ce qui clochait dans toute cette histoire et comme je connaissais bien Varek qui était comme un serpent et se faufilait si facilement entre la vérité et le mensonge, je me disais qu'il n'était pas si innocent qu'il semblait vouloir le prétendre dans toute cette histoire.

Plusieurs semaines passèrent sans toutefois amenuiser le chagrin dans nos cœurs. Le soleil, la joie de vivre, l'entrain semblaient s'être retirés du château.

On ne voyait plus le beau sourire de la reine qui semblait s'être envolé comme toutes ses illusions de bonheur. Tout ce qui lui restait était ses enfants à qui elle consacrait presque la totalité de ses journées.

Varek quant à lui, avait mis ses projets de voyage sur la sellette. Il disait qu'il était plus utile à la Cour essayant de nous prouver, surtout à moi, qu'étant le frère du roi défunt, il devait épauler Mira dans l'éducation du jeune roi. C'était d'ailleurs là son excuse favorite pour s'introduire auprès d'elle plusieurs fois par semaine. Il faut dire qu'il me déroutait un peu. Il n'entreprenait rien sans m'en parler d'abord et était resté sobre depuis la fin de sa réclusion. Il s'était montré un ambassadeur utile pour la Norsufinde et n'avait plus fait de vagues depuis longtemps. Varek se cantonnait dans son rôle de grand frère et il tenait le cap.

Mira quant à elle restait fragile, attaquée par la douleur atroce et funeste dont elle se sentait continuellement affligée.

Presque six mois après la mort de Bjarni, Mira, qui avait depuis peu repris ses activités au sein du parlement, était assise sur son provisoire trône en compagnie des parlementaires en pleine réunion, lorsque Varek fit irruption dans la grande salle, laissant planer un silence qu'il interrompit de la même manière qu'il était entré, c'est-à-dire en coup de vent :

-Majesté, pardonnez-moi d'interrompre votre réunion mais j'ai quelque chose d'une très haute importance à faire savoir aux membres de cette assemblée.

Tout le monde le regardait, il restait debout et regardait la reine droit dans les yeux. Le silence était à son comble, tous étaient suspendus à ses lèvres, qu'allait-il annoncer ?

-Nous savons tous que le Roi Bjarni est décédé dans des circonstances plutôt nébuleuses. Encore aujourd'hui, nous n'avons ni explication, ni suspect à nous mettre sous la dent. Ceci étant dit, pendant mon absence ce malencontreux événement s'est produit et également pendant mon absence vous avez procédé au couronnement du Roi Éric digne fils de Bjarni.

Il s'arrêta de parler pendant quelques minutes et se déplaça vers la reine en la fixant d'un air supérieur.

-Madame n'auriez-vous pas omis de dire à ces Messieurs qu'ils ont couronné un imposteur et que cet imposteur est le fils du Roi Boris ?

Estomaquée, Mira se leva debout devant le prince. La consternation régnait en maîtresse dans l'assistance, faisant monter les chuchotements, les regards inquisiteurs vers les voûtes de cette salle. Le prince se retourna vers eux et leur fit signe de se taire.

-Qu'on fasse entrer l'enfant. Dit-il.

Mira regardait Varek paniquée. L'enfant roi entra dans la pièce, accompagné d'une servante.

-Madame, pouvez-vous expliquer à cette assistance comment il se peut que des parents blonds aux yeux pâles puissent avoir un fils avec une chevelure et des yeux noirs comme le plumage du corbeau ? Comment le fils de Bjarni peut-il ressembler à s'y méprendre au Roi Boris ?

Mira était visiblement déroutée par la tournure des événements. Son secret si bien gardé lui sautait au visage devant une assistance d'hommes qui avaient mis du temps à lui faire confiance. L'assemblée était troublée par cette vérité qui crevait maintenant leurs yeux car contrairement à sa chevelure rouge comme le feu, Eric en arborait une d'un noir jet. J'étais sidéré sur place, impuissant. Les ministres se sentant trahis par ce qui leur crevait les yeux se levèrent et protestèrent fortement dans la cacophonie la plus totale. Comment s'y était-il pris pour faire revenir la vraie teinte des cheveux du petit roi et ainsi faire surgir le secret au grand jour ?

-Messieurs, Messieurs, voyons ne soyez pas si irrespectueux pour votre très belle Reine… On peut tous faire des erreurs. Je dois cependant admettre que celle-là, Madame, elle était un peu déplacée ! Vous m'avez exclu du pouvoir pour y mettre votre fils. Le fils d'un Roi déchu et dont on est sans nouvelle depuis de nombreuses années. Le fils d'un Roi qui n'est plus et par le fait même son fils n'est plus Roi, n'est plus Prince, n'est plus rien du tout, sauf le fils de notre bien aimée Reine… Oserai-je même dire qu'il est un bâtard, Madame ?

(silence) Je réclame, Madame, la place qui me revient de droit. Je vais donc être couronné Roi, ne vous en déplaise…

Il fit silence regardant d'un air satisfait l'effet dévastateur d'un tel énoncé dans les yeux azur qui roulaient dans l'eau.

-Je vous trouve bien silencieuse Madame, vous n'avez rien à dire à ces pauvres ministres, généraux et hauts fonctionnaires qui se sont fait littéralement berner par votre éhonté mensonge ?

Mira se sentait tellement mal qu'elle finit par faire sortir ce qu'elle avait de coincé dans la gorge.

-Prince Varek, ça suffit ! Puisque c'est le trône que vous convoitez, prenez-le, je vous le donne ! Mais de grâce, ayez plus de considération face à un jeune enfant qui n'a pas demandé d'être traité de bâtard !

Elle descendit les quelques marches et prit son fils par la main et s'apprêtait à sortir lorsqu'il l'arrêta dans sa course.

-Pas si vite Madame ! Vous ne pensez tout de même pas que vous pourrez nous quitter aussi facilement ? Ne leur devez-vous pas quelques explications ? Lui disait-il en pointant l'assistance du doigt.
-Que puis-je ajouter que vous n'ayez point dit ?
-Je veux entendre de votre bouche qu'il est le fils de Boris.

Dans un mal à l'aise visible, Mira tentait de lutter contre les larmes qui se bousculaient dans ses yeux.

-Alors Madame ? Ils attendent.
-Oui… oui… c'est le fils de Boris.
-Voilà ! Messieurs, votre Reine vous a menti et ce depuis la venue au monde de son fils. Bjarni savait-il comme moi que ce fils n'était pas le sien ?

Elle tentait de sortir mais Varek de son corps imposant lui barrait littéralement la route et insistait du regard pour qu'elle réponde.

-Oui… oui… il était au courant… Bjarni était un homme bien et les circonstances dans lesquelles tout ça est arrivé… Il… il…
-Un homme bien ? Écoutez, Messieurs, dans quels termes elle parle du Roi qui a mis sur son trône un bâtard, manipulant ainsi

l'avenir de tout un Royaume et de connivence avec Madame ici présente !

-Assez ! Varek… Assez ! prenez le trône et laissez-moi partir. Puisque vous me jugez aussi facilement, sachez Monsieur, que je quitterai définitivement le château ce soir, vous aurez donc tout ce que vous désirez. Je vous laisse le chemin libre.

Il avait obtenu ce qu'il voulait, il lui laissa le passage. Ne demandant pas son reste, elle sortit comme un coup de vent. Les hommes presque tous debout regardaient cette scène abasourdie par les révélations qu'ils venaient d'entendre. Varek se tourna vers eux.

-Alors Messieurs, y a-t-il quelqu'un qui a quelque chose à ajouter ?

-Moi, Sire !

-Le bon Mirikof, allez-y donc, je suis tout ouïe !

-J'ai longtemps cherché le mobile du meurtre de notre bon Roi Bjarni, mais aujourd'hui je le connais…

-Pourriez-vous être plus clair ?

-Certes, cher Prince, même si vous n'étiez pas au château quand le drame s'est produit, vous aviez monté un complot contre le Roi pour lui ravir la Couronne. Aujourd'hui, je sais pourquoi, vous saviez que le fils de Bjarni était en réalité le fils de Boris et vous saviez que la Couronne vous reviendrait de droit si ce secret était découvert.

-Savez-vous ce qui pourrait vous en coûter de proférer de telles insinuations contre votre nouveau Roi, Mirikof ?

-Je le sais trop bien, votre très Grande Majesté, vous me ferez éliminer afin d'avoir bonne conscience mais surtout avoir le champ libre !

-Je serai peut-être indulgent envers vous, vous avez toujours fait preuve de tant de dévouement auprès de mon frère… et de ma famille. Toutefois, je tiens à informer les membres de cette assemblée que quiconque se dressera contre moi à partir d'aujourd'hui sera sévèrement puni. Qu'il ne s'agit pas que de lancer des affirmations comme vous le faites Mirikof pour m'accuser sans aucune preuve ! Je déclare, donc, cette assemblée close pour aujourd'hui. Demain matin, mes braves, débuteront les préparatifs pour mon couronnement.

Il se leva, salua l'assemblée et sortit. Les membres du conseil n'avaient pas le choix. La Couronne lui revenait et ils ne pouvaient pas prouver hors de tout doute les affirmations que je venais de fournir. En plus, la reine n'avait rien nié et la ressemblance de ce jeune garçon avec Boris, les désarmait. Cependant, plusieurs d'entre eux qui avaient beaucoup de respect pour la reine n'acceptaient pas qu'elle soit écartée si facilement du trône. C'était grâce à cette paysanne si la Norsufinde existait et qu'elle était si bien nantie. C'était elle qui avait fait de ce royaume ce qu'il était devenu face au reste du monde. Et moi, j'étais abasourdi juste à penser que le royaume si bien nanti basculerait dans les mains d'un jeune roi avide de pouvoir. Ah ! Varek… Je ne t'avais pas vu venir avec tes grands sabots ! Comment avais-je pu être aussi inconscient du danger qu'il représentait ?

Mira, arrivée dans ses appartements, se jeta sur son lit en pleurant. Pourquoi Dieu l'éprouvait-il encore ? Pourquoi son fils devrait-il être traité si bassement ? Pourquoi cette histoire faisait maintenant surface, elle avait le cœur brisé.

Comme tous les parlementaires étaient sortis de la salle, Varek s'assura que personne ne le voyait et accouru aux appartements de la reine. Il entra sans permission dans la chambre de la reine qui était couchée face contre les couvertures et pleurait. Il verrouilla la porte derrière lui se dirigeant vers le lit à pas de chat et s'assit près d'elle. Elle se retourna effrayée ne l'ayant pas entendu s'introduire auprès d'elle.

-Que faites-vous dans ma chambre ?
-Mira, n'ayez crainte, je ne vous veux aucun mal. Ce que je viens de faire, je devais le faire. Croyez-moi, loin de moi l'idée de vous blesser Mira en perçant au grand jour votre secret. Mais c'était la seule façon de faire jaillir la vérité et de convaincre tous ces hommes de me couronner. N'est-il pas vrai qu'elle me revient de plein droit, Mira ?

Les yeux azur, rougis par les larmes ne le regardaient plus.

-J'ai tellement désiré cette Couronne. Et je la savais inaccessible, mais voilà que Bjarni n'est plus, mais il a un fils et la Couronne ne va pas au frère mais au fils du Roi. Je savais depuis longtemps qu'Eric n'était pas le fils de Bjarni et je vous ai laissé quand même couronner votre fils. Moi, qui avais tant attendu… J'espérais que vous pensiez à moi lorsque Bjarni est décédé. Je vous ai laissé du temps, mais rien… vous m'ignoriez complètement, je n'avais d'autre choix que de dire la vérité afin que vous finissiez par voir que j'existais… Je sais que j'ai dû vous sembler bien cruel et je devais jouer cette comédie afin qu'aucun ne voie…
-Ne voie quoi Prince Varek ? Demanda-t-elle en pleurant.
-Ne voie à quel point je tiens à toi, petite paysanne… J'ai besoin de toi… !

-Besoin de moi ? Pourquoi ? Pour me ridiculiser encore devant une assemblée d'hommes ? Vous n'avez besoin de personne Varek. Le mal que vous faites, vous le faites très bien seul… et ne comptez pas sur moi pour vous épauler dans vos projets tortueux pour ravir la Couronne à un innocent ! Sortez ! Je ne veux plus jamais vous parler, ni vous voir !

-Mira, non… Mira… !

Il s'approcha d'elle.

-Non, ne me touchez pas ! Je vous défends de mettre vos pattes sales sur moi !

-Mira, Mira il faut que tu m'écoutes !

Varek tentait de la tenir contre lui mais étant donné l'opposition qu'il rencontrait, il l'immobilisa brusquement.

-Mira, je sais que tu aimais Bjarni et que sa perte fut pour toi une terrible épreuve parmi les nombreuses que tu as déjà traversées. Ce que je souhaite le plus au monde, ce n'est pas la Couronne… Non… Elle me sert de prétexte pour arriver jusqu'à toi. Je veux que tu sois près de moi sur le trône comme pour Bjarni. Je ne te bousculerai pas… J'attendrai le temps qu'il faudra… Sachez jolie dame, que je vous ai toujours aimée… Même si je t'ai semblé rude et maladroit la première fois, j'étais jeune… Mon seul souhait est que tu sois près de moi, que je puisse partager ta couche… que je puisse te serrer dans mes bras… que je puisse t'aimer ! Je t'aime autant sinon plus que Bjarni… Tu peuples mes nuits depuis le premier jour ou je t'ai vu, Mira… Tu ne t'es jamais demandé pourquoi, je n'étais pas encore marié ? Pourquoi, je n'avais pas de femme dans ma vie ? Parce qu'il n'y avait que toi ! Je suis si amoureux de toi… Si tu savais tous les sacrifices que j'ai dû faire pour ne pas accourir te cueillir la nuit… Mira… Je suis désespérément amoureux… Je souffre depuis si longtemps, ne te refuse pas à moi… Laissez-moi te faire voir un Varek que tu ne connais pas… Laisse-moi ma chance, Mira… Si tu refuses… Oh ! Mira… Je t'aime Mira… à la folie !

-JAMAIS ! Vous m'entendez, jamais ! Jamais je ne gouvernerai ce pays à vos côtés. Jamais je ne serai à vous ! Jamais vous n'obtiendrez de moi une seule faveur.

-Non… Non… Mira… Tu es blessée… Je serai patient… Mais ne me rejette pas !

-Jamais… Jamais… Jamais, vous entendez Varek… Jamais… Aujourd'hui… plus que jamais, je suis convaincue que si Bjarni n'est plus c'est de votre faute ! C'est vous qui l'avez fait assassiner, je vous hais !

-NON ! Non… Mira… Tu n'aurais pas dû dire ça… Non… Je…

Il était sur le point d'éclater en sanglots. Les paroles qui sortaient de la bouche de Mira le culpabilisaient au dernier degré. Les yeux d'azur étaient passés de la douleur à la colère et ce qu'il lisait dans ce regard ne lui laissait point d'espoir. Il était sur le point de se relever quand…

-Mira, tu ne me laisses pas beaucoup le choix. Aujourd'hui tu es blessée et en colère contre moi, je comprends… mais le temps jouera en ma faveur, il ne peut en être autrement…

-C'est mal me connaître ROI Varek… !

-C'est bien mal me connaître aussi Mira. Je refuse de souffrir encore… Puisque tu sembles t'entêter, je te rappelle que sous peu je serai couronné, même si aujourd'hui je suis déjà Roi, j'ai déjà la possibilité de te prouver ma puissance, mais ne m'oblige pas… Jamais je ne te laisserai partir !

-Lâchez-moi et retourner à votre bouteille de vin elle sera sûrement de meilleure compagnie que moi.

-Tes paroles me blessent Mira, mais avant de partir le Roi est en droit d'exiger de vous Madame, un baiser que j'avais commencé à t'arracher il y a longtemps déjà mais aujourd'hui je vais finir ce que j'avais commencé.

-N'y comptez pas, je… non… !

Varek embrassait ses lèvres dont il avait si longtemps rêvé. Son corps était en proie à une excitation comme il n'avait jamais ressenti. Mais il était plus respectueux de la belle qu'il ne voulait le laisser paraître. Il s'arrêta et la relâcha. Elle se poussa de lui, écœurée par tout ce qu'il faisait.

-Ne recommencez plus ce petit jeu avec moi, Varek !

-Ah ! Non ? Si je le voulais, je te prendrais là tout de suite. Mais je n'aime pas forcer une femme et encore moins celle que j'aime. Je dois l'admettre.

-Gardez vos beaux discours pour vos ministres, Monsieur, je ne veux plus vous voir, sortez de cette pièce !

-Je vais sortir, non pas parce que tu me le demandes mais bien parce que je dois faire le nécessaire pour que tu ne me fausses pas compagnie pendant la nuit.

-Petite ordure ! Vous ne m'enfermerez pas ! Ils ne vous laisseront pas faire… !

-Qui donc, Mira ? Ces hommes… qui subjugués par ta beauté se laissaient dicter leur conduite ? Aujourd'hui c'est moi le maître. Je n'ai qu'à ordonner et on m'obéit.

Il sortit en lui envoyant un baiser de la main. Elle s'assit dans le lit et se mit à pleurer de plus belle. Pourquoi, les hommes de pouvoir ne lui laissaient-ils aucune liberté ? N'y avait-il que Bjarni sur cette terre qui daignait lui témoigner du respect et de l'affection ? Bjarni, pourquoi n'avais-tu pas lutté davantage contre la mort ? Pourquoi l'avoir laissée face à ce funeste destin ? Qu'allait-elle pouvoir faire, de nouveau enfermée dans une cage dorée ? Sa vie serait-elle toujours parsemée d'embûches aussi épineuses ? Elle ne savait plus quoi penser. Elle était désespérée.

Deux jours plus tard, on procéda au couronnement de Varek. Ce dernier avait donné des ordres très stricts afin que la belle ne puisse sortir de ses appartements sans sa permission. Seuls ses enfants et quelques servantes avaient accès à la chambre. Quant à moi, il vint me voir et sa décision était sans appel. Je fus mis à la retraite avec tous les honneurs dus à mes nombreuses années de service au sein de la Couronne d'abord de la Norvège et ensuite de la Norsufinde. Cette décision ne fit nullement l'unanimité dans les rangs de l'armée de Sa Majesté. Mais Varek était intraitable. Je devais partir et ne plus tenter de revoir la reine. Il savait que trop bien à quel point j'étais proche d'elle. Il coupait tout contact possible autour d'elle. Il prétendait commencer une nouvelle ère. Je n'avais donc pas le choix. Si j'avais tenté quoi que ce soit, j'aurais placé Mira dans une position encore plus délicate qu'elle ne l'était déjà. C'est donc, avec le cœur rempli d'amertume que je quittai le château par un matin pluvieux vers mon ancien village puisque je n'avais plus le pouvoir de changer quoi que ce soit car Varek y avait bien veillé.

Mais Varek avait une bataille à livrer bien plus ardue que je n'aurais jamais ! Malgré le confinement dans lequel il avait plongé Mira, il n'avait pas la clé qui lui aurait ouvert le cœur de la Promise. Pendant plusieurs semaines, il tenta sans relâche des entrées en matière qui se terminaient toujours par un refus des plus catégoriques.

Le retour

Un après-midi du mois d'août 1356, Mira toujours confinée dans sa chambre était assise sur le rebord de la fenêtre, le regard perdu dans le paysage se demandant jusqu'à quand Varek tiendrait le coup. Elle était sa prisonnière et malgré plusieurs baisers volés, il n'était pas allé jusqu'à en exiger davantage. Depuis les derniers six mois, il est vrai qu'il avait été d'une patience sur ce point qui la déconcertait totalement. Elle pensait. Ces journées étaient empreintes de souvenirs, tantôt joyeux, tantôt douloureux. Le parlement s'était passé depuis, de ses services et elle se sentait d'une inutilité sans limite. Seuls ses enfants étaient un réconfort et la raison unique qui la gardait en vie.

Mais ce matin-là, il y avait quelque chose d'inhabituel au château. Une activité fébrile se devinait par les bruits insolites qui lui parvenaient parfois du corridor, parfois de la cour. Elle tendit l'oreille, mais elle n'aurait pu dire de quoi il s'agissait. Même si elle voyait une partie de la cour du haut de son perchoir, il n'y avait rien là qui pouvait expliquer ce chambardement. D'ailleurs, pourquoi la partie de la cour où elle voyait habituellement l'activité grouillante des jardiniers, de groupe de soldats, de servantes était aussi déserte ? Elle reprit ses rêveries se disant qu'il devait encore s'agir de Varek et de ses nombreuses requêtes pour changer tout et rien !

Quelques heures plus tard toujours dans la même position elle s'était presque endormie la tête lourdement posée sur le cadre de la fenêtre, les yeux clos. On débarrait le loquet de la porte et elle s'ouvrit. Elle n'en fit aucun cas. Varek voulait sûrement encore l'endormir de ses belles promesses et de ses belles paroles et son indifférence à son égard était devenue sa seule arme.
-Mira ?

L'intonation de cette voix lui était familière, mais elle n'arrivait pas à se rappeler à qui elle appartenait. Elle ouvrit ses yeux et tourna son visage vers la porte pour voir celui qui était entré. Son cœur s'arrêta de battre quelques secondes. Elle eut un léger malaise en regardant cet homme qui s'avançait timidement vers elle.

Il s'agenouilla devant elle et lui embrassa la main puis se releva. Mira était figée, glacée sur place, la bouche bée ne pouvant prononcer un seul mot pensant qu'elle avait des hallucinations.

-Madame, c'est avec humilité que je me présente devant vous aujourd'hui. J'ai fait un très long chemin pour venir jusqu'ici. J'aurais traversé mer et monde lorsque j'ai su que votre époux était décédé et que son frère Varek vous avait confinée dans vos quartiers pour reprendre la Couronne et destituer votre fils de ce titre.

Celui qui se tenait aux devants d'elle était nul autre que Boris Le Magnifique. Tel un fantôme qui apparaît la nuit, cet homme revenait se présenter devant elle faisant resurgir de vieilles blessures enfouies dans les souvenirs de la belle, chamboulant complètement toutes ses émotions. Elle le dévisageait sans être capable d'émettre un son. Il était comme au premier jour où elle l'avait rencontré n'ayant pas changé d'un cheveu. Que venait-il faire ici ? Qu'était-il devenu durant toutes ces années ? Ses vêtements, cette posture fière et digne, laissaient présager qu'il occupait encore un rang dignitaire très important, mais où, pour qui ?

De son côté, l'homme, l'ex-époux, le tortionnaire, l'observait silencieux. Si elle était renversée, il l'était tout autant retrouvant la beauté ravageuse de sa Promise. Ce visage d'ange marqué par les événements douloureux n'avait rien perdu de ses traits délicats et parfaits.

-Madame dites quelque chose ? Dites-moi n'importe quoi mais dites-moi quelque chose… !
-Boris… Vous… Vous êtes toujours vivant ?
-Vous me pensiez mort ?
-Je… je ne sais plus ce que je pensais.
-Eh ! bien, oui, je suis vivant. (silence) Êtes-vous déçue que je sois toujours de ce monde, Madame ?
-Je… je… ne sais quoi dire… Je suis si surprise de vous voir…
-Je vous demande pardon pour vous avoir occasionné un choc car je vois que ça vous bouleverse.
-Si vous n'êtes pas mort qu'est-il advenu de vous durant toutes ces années ? D'où sortez-vous ?
-Après ma défaite contre les Rois Bjarni et Etok, je me suis enfui comme un lâche avec ce qui me restait d'armée. Je n'étais plus de taille à combattre Bjarni et je le savais.

Il fit une pose baissant le regard comme happé par un douloureux souvenir et reprit :

-Mon seul regret était de vous avoir perdu aux mains de mon ennemi juré. Je n'étais plus en position d'espérer que je pouvais tenter une récidive. Les premiers mois furent terribles. Mes hommes mouraient de fatigue ou de maladie. J'ai perdu beaucoup de vaillants guerriers. Mais j'ai continué mon périple jusqu'en Orient où je savais que les Princes arabes, toujours en querelle avec leurs voisins, engageaient des mercenaires. Ils sont particulièrement friands des guerriers venus du Nord. Nous avons la réputation d'être braves, forts et résistants. Comme j'étais un Roi, même déchu, j'étais un Scandinave accompagné de ce qui lui restait d'armée. C'est donc sans problème que le Vizir Akmed m'a engagé pour diriger son armée. Un vieillard qui avait des terres jusqu'aux confins du Royaume Turc. Akmed, me connaissait de réputation et m'a recueilli comme un père ouvre les bras à un fils qui était parti depuis de nombreuses années. C'est qu'il était vieux et ses descendants s'étaient tous éteints avant lui. Il me fit d'abord général de son armée. Il connaissait mes aptitudes militaires. Il me fallut bien quelques mois avant d'accepter ce rang que je considérais subalterne à l'époque... Je n'étais pas encore guéri de ma soif de pouvoir... Mais la vie ma bien fait comprendre que Roi ou pas, on se doit d'être respectueux des gens qui nous entourent... Akmed y a bien veillé... Quand j'étais impatient ou caractériel, il me servait une phrase du Coran... et me montrait du doigt sur une carte, la Norsufinde. Chaque fois mon cœur se tordait de douleur... Jusqu'au jour où j'ai enfin compris. À son service, j'ai combattu et conquis des territoires entiers. Akmed avait tant à faire pour préserver ses frontières contre la machine de guerre Turc. Malgré les affrontements qui semblaient inévitables avec ses redoutables voisins, j'ai combattu des peuplades, mais me suis surpassé face aux attentes d'Akmed. Le Roi Turc est devenu un grand ami et un respectueux allié d'Akmed. Le Grand Vizir connaissait mes origines et sur son lit de mort il m'a fait jurer qu'un jour je devrais revenir sur ma terre natale afin que mon cœur trouve la paix. Mais le cadeau que m'avait fait la vie ne s'arrêta point là... Akmed me fit Roi de son Royaume ayant prouvé mon aptitude à gouverner et à parlementer avec les autres monarques frontaliers. Malgré que je fusse un étranger venu du Nord et chrétien de surcroît, ses sujets acceptèrent d'être sous ma gouverne car je les avais menés vers la paix durable. Et depuis, je règne sur un Royaume qui a une étendue au moins quatre fois supérieure à ce qu'était la Suède. Je suis désormais surnommé Boris Le Conquérant... Je suis un Roi extrêmement puissant. J'ai étendu mes ailes jusqu'à la frontière du Moyen Orient.

Il baissa les yeux et reprit :

-J'ai pris bien soin de ne pas faire voyager mes exploits jusqu'à vous. Le Grand Vizir Borisia Premier… C'est moi, Mira… Je ne voulais pas que vous sachiez quoi que ce soit à mon sujet. Il semble que mon secret fut bien gardé. Je ne veux pas que vous croyiez que je vous récite toute cette histoire uniquement pour vous impressionner. Au contraire, je vous la raconte afin que vous compreniez que je suis en mesure de répondre à vos moindres caprices. Varek est présentement en réunion avec ses ministres pour signer sa capitulation car j'ai exigé qu'il vous rende la place qui vous est due. Il sait qu'il n'est pas de taille à me combattre. Il fut aussi surpris que vous de savoir que Borisia Premier était à ses portes avec une multitude de soldats et lorsqu'il m'a vu, je crois qu'il a failli avoir une attaque comme la plupart de vos généraux. On ne se déracine pas aussi facilement qu'on pense le faire. Pendant que j'étais sous le soleil chaud de l'Égypte, je rêvais de ma Suède natale et de ses grands champs blancs l'hiver. Mon cœur était ici et mon corps était là-bas. Je sais que j'y serais revenu un jour, mais Varek a précité les événements. Lorsqu'il a pris le pouvoir et vous a dépossédé de vos titres, c'était mon devoir de revenir vous remettre ce pour quoi vous aviez mis tant d'énergies à construire. Il partira en exil avec quelques-uns de ses meilleurs hommes.

Elle écouta son récit d'aventures sans en perdre une virgule. Cela était si invraisemblable !

-Est-ce une mauvaise plaisanterie ? Je… je deviens folle… Je vais fermer les yeux et tu vas disparaître, Boris.
-Non, Mira je ne disparaîtrai pas. Je suis bien réel. Je suis accouru dès que j'ai pu, pour te venir en aide mais les distances qui nous séparent sont la seule cause au fait que je n'ai pu être ici plus tôt. J'avoue que je n'espérais plus ce moment. Je sais que tu ne m'as jamais pardonné, je comprends et je l'accepte, mais je te devais quelque chose. J'avais une énorme dette envers toi. J'étais jeune et inconscient du mal que je te faisais. Je ne réclame pas la Norsufinde… Non… puisque la Norsufinde c'est toi Mira. Elle n'aurait jamais vu le jour et ne serait jamais devenue ce qu'elle est si de ton empreinte tu ne l'avais touchée. Je ne souhaite qu'une seule et unique chose…

Il s'arrêta captivant l'attention de Mira.

-Je veux que mon fils ait la chance de régner sur la Norsufinde et s'il le désire, je lui donnerai également le trône de mon immense Royaume.

-Ton fils ?

-Je sais tout Mira ! Inutile de dire que si j'ai réussi à garder le secret sur ce que j'étais devenu, j'avais la même tactique pour suivre d'où j'étais, tout ce qui te concernait. Malgré les précautions que tu as prises pour préserver les origines d'Eric, on ne peut rien contre des servantes qui, en échange de coquettes sommes en or, sont prêtes à vendre leur propre mère. Lorsque j'ai appris la mort de Bjarni, l'envie de revenir me trépignait mais je n'osais pas car je savais que tu ne me recevrais pas à bras ouverts. Le Prince Éric fut couronné Roi à ma grande joie. Mais lorsque j'ai su que Varek remettait tout en question, je ne pouvais pas laisser mon fils sans le titre qui lui revenait de droit. Cela me faisait une raison de plus pour revenir sur ma terre natale.

-Je… je…

-Madame, dites-moi seulement ce que vous désirez et j'accomplirai votre souhait.

Elle se tourna vers la fenêtre. Tout ce passé qui refaisait surface. Toute cette douleur, tous ces affrontements, elle ne pouvait pas pardonner ni oublier aussi facilement. Veuve depuis moins d'un an, la plaie ne s'était pas refermée que Varek venait tout bouleverser et maintenant un revenant qui apparaissait arrivé de contrées lointaines avec des aventures plus rocambolesques les unes que les autres. Varek qui capitulait. Elle ne savait plus où elle en était. Que lui offrait-il ? Une trêve avant de mordre à nouveau ? Une liberté déguisée ? Que pouvait-elle demander ? Elle qui désirait seulement une vie simple et rangée avec ses enfants. Boris si impétueux, si énergique, si orgueilleux, allait-il accepter de lui laisser le trône et voilà c'est tout ?

-Mira, je ne suis plus l'infâme Boris que tu as connu. J'étais jeune et bête. Je suis maintenant un homme qui a mûri, qui a souffert de ton absence. Je n'ai jamais aimé une autre femme depuis notre séparation… J'ai payé pour tout le mal que je t'ai fait. J'ai été d'abord dépossédé et ensuite j'ai dû faire face à la réalité, je n'étais plus Roi. Pendant toutes ces années il n'y a pas une journée où je n'ai pas pensé à toi… Aujourd'hui le destin nous réunit de nouveau… N'est-ce pas un signe ?

-Boris, depuis longtemps je n'attends plus de signe ! Je suis tellement fatiguée de me battre contre la fatalité.

-Je sais Mira que la vie ne t'a pas fait de cadeau. Aujourd'hui, je suis de retour et je ne demande pas mieux que de te remettre sur le trône et d'y placer mon fils. Mais je ne ferai rien que tu ne désires pas. Je ne referai pas deux fois la même erreur.

-Boris, je ne suis plus moi non plus la petite paysanne de dix-sept ans que tu as enlevée de son village natal et que tu as violée et battue… Je suis devenue une femme, une mère de deux enfants et je me suis battue pour le droit des femmes et des individus… J'ai vu des pays dont tu ne soupçonnes même pas l'existence… J'ai tellement donné et tellement peu reçu…

-Je sais également le pouvoir que tu exerçais au sein du Parlement. Et que dire de ce trésor que tu as rapporté… Des richesses dont tu as rempli le Royaume… Cette paix et cette joie qui se lit sur tous les visages des sujets ! Il n'y a aucun de nos exploits qui puissent égaler ces merveilles, Mira… Ces nouvelles ont fait un bon bout de chemin. Il y avait en Norsufinde une Reine qui régnait comme un homme sur la tête de ses sujets. Tu as toujours fait partie, Mira des légendes qui peuplent nos esprits. Moi, je connaissais cette magnifique femme. Et comme un sot je l'avais presque anéantie !

-Boris, il ne te suffit pas de revenir ici comme un conquérant et penser que j'effacerai tout du revers de la main. C'est beaucoup plus compliqué que…

-Mira, je sais. Je sais que probablement jamais tu ne me pardonneras. Je vivrai à jamais avec cette blessure. Je ne suis pas venu t'éprouver davantage. Mais Varek fait les mêmes erreurs, pose les mêmes gestes que j'ai faits jadis. Je ne pouvais pas te laisser seule devant un sort aussi injuste. Je ne rachèterai pas les ignominies que j'ai pu faire, mais je peux au moins amenuiser ta douleur et je suis en pouvoir de le faire. Je suis devant toi aujourd'hui uniquement pour m'enquérir de ce que tu veux Mira, dis-le moi et j'exécuterai.

Elle baissa la tête visiblement ébranlée par tout ce revirement de situation et par le discours qu'il lui tenait. Elle retourna à la fenêtre perdant son regard sur l'horizon et resta silencieuse pendant plusieurs minutes.

Boris restait immobile, l'observant, attendant une réponse à sa demande le cœur en bataille contre son envie de lui sauter au cou et la serrer contre lui jusqu'à ce qu'il perde souffle. Après réflexions, elle se tourna vers lui.

-la seule chose que je souhaite vraiment c'est de vivre loin de tout ça avec mes enfants, voilà ce que je désire vraiment. Retourner dans la Forêt d'Elfe. Je veux m'éloigner de tout ça… Je n'ai plus la force de lutter. Je suis lasse, si lasse…

-C'est vraiment ce que tu veux Mira ?

-Oui. Je veux retourner à mon point de départ et oublier.

-Si c'est vraiment ce que tu souhaites… Dit-il visiblement déçu de cette requête.

Il s'approcha d'elle baisant le regard et lui dit :

-Mira, je sais que mon irruption de nouveau dans ta vie a rouvert de vieilles blessures. Malgré les années qui nous ont séparées, je n'ai jamais pu oublier… et je vois que tu n'y parviens pas toi non plus. Quel gâchis j'ai fait. Je voudrais pouvoir exprimer à quel point je regrette. Mais les mots ne remplaceront jamais un sentiment, une émotion. Je me plie donc à ta demande. Il y a pourtant un point que tu oublies dans tout ça et non le moindre.

-Quoi donc ?

-Mira, Varek vient d'abdiquer en ta faveur. Si tu pars qui donc sera le Monarque de la Norsufinde ?

-Je m'en fiche complètement ! Je veux une vie loin de tous ces rapaces qui vivent dans et autour d'une Cour Royale.

-Si tu t'en fiches, pas moi ! Tu oublies que tu as un fils, Mira et qu'il a droit à ce qu'il y a de mieux pour lui !

-C'est mieux pour lui de connaître ces vautours qui ne cherchent qu'à s'accaparer le pouvoir, allant jusqu'à tuer pour l'obtenir ?

-Tu dis vrai… La vie de Roi n'est point de tout repos. Je te l'accorde mais Mira c'est mon fils aussi.

-Et ceci veut dire, Monsieur ?

-Que je peux répondre à ta demande. Si tu désires te retirer, je peux comprendre, et il en sera ainsi, je te le jure. Mais Eric a le droit d'espérer plus que ce que tu veux lui offrir. Maintenant que je l'ai retrouvé, je ferai tout en mon pouvoir pour qu'il soit à la tête de la Norsufinde.

-Seriez-vous, Boris Le Magnifique, en train de me menacer de me séparer de lui ?

-Je ne formulerais pas ma phrase de cette manière, mais Mira, j'ai fait abdiquer Varek pour que le trône revienne à Éric. Si tu ne veux pas l'aider dans sa tâche, je comprends, et je prendrai les rênes. Je serai le père qu'il n'a pas connu, celui qui l'épaulera.

-N'y compte pas Boris, je ne te laisserai pas Éric. Je pars et ce sera avec mes enfants.

-Mira… Comme j'aimerais te dire que mon seul vœu est que tu restes ici et que tu aides Éric, mais là n'est pas ton désir. Je suis revenu et je remets mon fils sur le trône. Si tu pars, je ne te retiendrai pas, mais Éric sera sous mon aile protectrice et sur ce point je serai intraitable.

Mira était de nouveau déchirée entre prendre ou laisser. Pourquoi, pourquoi avoir toujours à choisir entre deux choses qui avaient pourtant la même importance à ses yeux ? Elle ne désirait pas entrer en conflit avec Boris. Elle était fatiguée, exténuée, enfermée depuis plusieurs semaines, encore fragile de la mort de Bjarni et tous ces événements qui lui déferlaient sur le dos ne faisaient qu'aggraver sa vulnérabilité. Elle se retourna vers Boris et lui dit, résignée :

-Je partirai demain avec ma fille. Puisque je ne pourrai jamais avoir exactement ce que je désire sur cette terre, je te laisse Éric pour quelque temps. Je souhaite seulement que tu me promettes que tu me l'enverras souvent me visiter.
-Tu ne changeras pas d'avis, tu ne resteras donc pas ?
-Si c'était là un stratagème pour me garder auprès de toi Boris, il a échoué. Je ne resterai pas.
-Bon, très bien, puisque c'est là ton vœu, il en sera ainsi.
-Promets-tu qu'il viendra souvent me visiter ?
-Mira, je ne veux pas te séparer d'Éric, je veux juste qu'il ait droit à ce qui lui revient. C'est tout à fait naturel qu'il aille te rendre visite. Je ne m'y opposerai pas, bien au contraire, il devra le faire souvent… Il ne connaît rien de moi. Ce sera probablement difficile pour lui et pour moi, mais je suis prêt à tout pour mon fils. Si j'ai lamentablement échoué avec sa mère, je me rattraperai avec mon fils.

Il lui prit la main et l'embrassa. Cette merveilleuse petite main, si douce, si délicate.

-Je vous quitte merveilleuse dame, petite pucelle de la Forêt d'Elfe.

Il la regarda les yeux plein de morosité et sortit de la pièce pilant, sautant sur sa terrible envie de la supplier à genoux qu'elle change d'avis. Mais, il savait qu'il n'avait aucune chance sur ce terrain-là.

Mira était maintenant dans la controverse. Si elle restait, elle devrait vivre aux côtés de cet homme qui l'avait tant fait souffrir. Soit, il semblait avoir beaucoup changé, mais c'était peut-être là, une façade. Elle l'avait connu si calculateur, si dément. Elle ne pouvait pas lui faire confiance. Par contre elle savait qu'il ne ferait pas de mal à son propre fils.

Le lendemain matin à la première heure elle fit préparer ses affaires et celles de sa fille.

Varek et sa suite étaient déjà partis la veille. La reddition ne s'était pas fait attendre. Varek avait été exilé au-delà des frontières. Il ne devrait jamais remettre les pieds sur sa terre natale ni chercher à revoir Mira.

Quant à lui, Boris s'était installé provisoirement au château de Bjarni dans des quartiers à l'opposer de Mira. Il avait tourné comme une toupie dans son lit toute la nuit à la fois heureux d'avoir pu la revoir, d'avoir pu lui parler, d'avoir pu lui embrasser la main et malheureux de savoir que dans quelques heures elle s'éloignerait de lui encore de nouveau. À l'aurore, il ouvrit les volets de sa fenêtre et fut pris d'une irrésistible envie de la revoir. Il s'habilla de son plus beau costume et sortit de ses appartements. Il ne brusquerait rien. Malgré qu'elle fût troublée de le revoir, la rencontre de la veille s'était bien déroulée. Il ne fallait donc pas qu'il en soit autrement avant qu'elle ne parte. Il arriva devant sa chambre et la porte était ouverte. Il la voyait qui finissait de préparer sa dernière malle. Elle se retourna et la remit à une servante qui sortie de la pièce les laissant seuls.
-Mira, est-ce vraiment nécessaire ?
-Ce n'est pas moi qui ai pris cette décision, tu l'as prise pour moi il y a de cela plusieurs années !
-Mira… J'aimerais tant que tu restes…
-C'est impossible, ne rends pas les choses plus difficiles qu'elles ne le sont.

Boris tentait de se contrôler. Ses émotions lui jouaient de bien vilains tours. Son cœur se tordait de douleur. La femme qu'il aimait à la folie ne voulait toujours pas de lui. Les yeux pleins de larmes, il regardait Mira qui semblait, pour la première fois, avoir un cœur de pierre, lui qui l'avait connue si tendre, si douce. Lorsqu'elle se retourna vers lui, il tenta l'impossible.

-Mira ne pars pas…
-Je suis désolée de ne pouvoir répondre aux attentes de votre très Grande Majesté, mais…

Elle sortit effrontément de la pièce, le laissant à ses tourments. Sans perdre de temps, elle regagna le carrosse qu'on lui avait préparé, y embarqua et assise près de sa fille, donna l'ordre de partir.

Boris monta les marches à la course vers le chemin de garde. Il s'accota sur l'immense parapet de pierre et voyait le véhicule s'éloigner sur le chemin. Quelques minutes plus tard, le carrosse n'était plus qu'un point minuscule à l'horizon et disparut caché par les arbres de la forêt.

Son cœur se brisa laissant monter en lui une indescriptible peine. Il ferma les yeux revoyant toutes les scènes depuis sa première rencontre. La première fois où il l'avait vu près du puits. La soirée dans son village, si radieuse, si pure, si innocente. La tragique histoire d'Éric a qui il avait enlevé la vie pour éliminer toute concurrence et les pleurs de la belle. Le jour où il avait été l'enlever à Bjarni et avait signé ce traité de paix qu'il n'avait jamais respecté. Ses yeux remplis de désarroi sous son voile de marié. Sa robustesse quand il lui prit sa virginité. La prière désespérée de la belle agenouillée, le crucifix entre les bras, la suite violente et tous les abus dont elle avait été la victime par la suite. Son regard quand il avait transpercé Bjarni de son épée. Et ses yeux d'azur qu'il avait fini par revoir après toutes ses longues années. Il savait pertinemment pourquoi elle n'était pas restée. Il avait été si odieux. Pourquoi l'avait-il si durement éprouvée ? Des larmes coulaient sur ses joues. Son fils était arrivé derrière lui et il s'était monté sur le parapet regardant ce grand Monsieur qui disait être son père. Le jeune garçon essuya une larme. Boris ouvrit les yeux et prit son fils dans ses bras. Ses regrets et ses remords de conscience n'avaient pas su retenir la femme de sa vie. Il regagna ses appartements avec son fils.

Il ne pourrait rester un instant de plus en la demeure de Bjarni. Il retournerait lui aussi à son point de départ. Il fit donc les préparatifs pour retourner dans son vieux château.

Depuis la ratification de l'abdication de Varek, Boris était à la tête d'un immense royaume s'étendant de la Scandinavie jusqu'à une partie du Moyen Orient. Il était devenu un monarque puissant et respecté, lui qui avait tant rêvé de cette grandeur, ce pouvoir et pourtant aujourd'hui, il l'avait obtenu et il était un homme brisé par la douleur.

Mira poursuivait son chemin vers la Forêt d'Elfe, la tête pleine de questions. Se demandant comment elle avait pu laisser son fils derrière elle. Se demandant où était passée sa force de combattre. Se demandant si un jour elle pourrait vivre une vie comme la plupart des sujets qui avaient avec eux leurs enfants, leur famille tout entière.

Varek quant à lui continuait sa route vers de lointains et obscurs territoires. Il avait beaucoup voyagé mais ne connaissait pas vraiment l'endroit où on le déportait. Il savait qu'on lui aurait offert un petit château et avait conservé certains de ses meilleurs hommes. En proie à une tristesse et une morosité sans égal, le jeune roi avait dû capituler après seulement quelques mois d'étreinte avec le pouvoir. Tout ce qu'il avait fait pour atteindre son but ne lui avait finalement pas réussi. Il galopait n'espérant plus rien de la vie. Boris était devenu bien trop puissant pour lui. Et Mira qu'avait-il fait d'elle ? Varek savait très bien que Boris était son premier mari et n'avait jamais pu oublier la belle... Tout comme lui d'ailleurs. Sa vie en décrépitude et en lambeaux ne lui semblait plus sans aucun intérêt. La femme de son frère qu'il avait fait sauvagement assassiner ne serait jamais à lui. Cette femme qui avait tout d'une déesse l'avait complètement anéanti malgré elle. Lorsqu'ils furent rendus à leur but, les hommes débarquèrent et Varek monta vers sa chambre. Il s'enferma. Pendant quelques heures les hommes de son cortège faisaient connaissance avec l'entourage et leur nouveau milieu. L'endroit n'était pas désagréable, mais loin des splendeurs de la cour royale.

Ils vaquaient à leurs occupations quand les cris d'une servante qui arrivait à la course vers eux, les arrêtèrent tous. Comme la dame ne faisait que hurler et était incompréhensible, le général Ofserverson comprit qu'il y avait quelque chose qui se passait au deuxième étage juste à la regarder pointer du doigt. Il grimpa les marches quatre par et atteignit le deuxième étage s'arrêtant dans le couloir. Tout était silencieux, mais une pièce dont la porte était restée ouverte lui fit comprendre immédiatement l'énervement de la jeune femme. Devant lui, le jeune roi se balançait dans le vide au bout d'une corde. Cette scène pathétique fit frissonner le général qui comme moi avait pourtant vu des champs de bataille. Mais la bataille ici n'avait pas du tout le même aspect. Une bataille dont l'adversaire n'était nul autre qu'un roi déchu contre la douleur et le désarroi. Devant le jeune homme, le général s'agenouilla et fit un signe de croix avant de se résoudre à descendre le corps. Âgé de vingt-huit ans, en pleine santé, ce jeune homme robuste s'était résolu à s'enlever la vie, quel gâchis. Le général était peiné, désemparé devant un tel geste. Il ouvrit la fenêtre et hurla qu'on monte le rejoindre. Ils peinèrent à le descendre. C'est que Varek tout comme Bjarni était de forte stature. C'était une véritable tragédie. Chacun d'eux qui avaient été sous les ordres de Bjarni avait vu le corps de leur roi atrocement mutilé par un meurtre sordide et depuis, ils étaient sous les ordres de Varek, et le spectacle ici n'était guère plus réjouissant. La superstition les gagna. Seraient-ils maudits ? Seuls des événements tragiques les précédaient !

Après mûres réflexions, le général vint à la conclusion que Varek n'avait pas posé un geste si illogique. Un geste désespéré, oui, mais pas illogique. Ce jeune prince qu'il avait connu pendant ces longues années avait toujours été indiscipliné, arrogant. Il comprenait à ce geste que l'homme n'aurait jamais accepté cette vie lointaine et retirée, loin de la femme qu'il aimait et qui lui échappait encore sans possibilité de retour… Le désespoir du jeune roi avait échappé à leur vigilance. Ces hommes qui l'avaient suivi même après qu'il signa sa capitulation en face de Boris Le Magnifique.

Le général fit le nécessaire aidé par les autres hommes du petit régiment afin que le frère du roi Bjarni, Varek l'irréductible, soit inhumé selon les rites et coutumes de la famille royale. Ils rebroussèrent chemin jusqu'au château de Bjarni. La dépouille mortelle suivait le cortège funèbre jusqu'à sa dernière demeure.

Boris sur le point de quitter le château, fut surpris de voir sur le chemin ce cortège qui revenait. Après un court entretien avec le général, Boris fit le nécessaire. On lui avait demandé la permission d'enterrer le corps dans le cimetière familial. Boris attristé du suicide du jeune roi déchu n'avait émis aucune opposition à cette requête. Il trouvait tout à fait naturel qu'il en soit ainsi. Maintenant plus rien de la grande lignée royale du roi Bjarni et de ses ancêtres n'existait si ce n'est qu'une toute petite fille partie pour la Forêt d'Elfe. Boris eu une pensée, ému par ces événements tragiques qui secouaient le pays tout entier. Il avait bien eu des démêlés avec Bjarni par le passé et avait reconquis son royaume enlevant ainsi à Varek toute possibilité de nuire à Mira et son fils, mais il n'avait jamais voulu que l'histoire se termine aussi dramatiquement.

Boris devait-il en informer la reine ? Devait-il lui faire parvenir un message ? Boris ne savait trop quoi faire. Mira avait déjà tellement souffert de la mort de Bjarni. Avait-elle encore besoin de savoir que le roi Varek avait mis fin à ses jours d'une façon aussi tragique ? Comment aurait-elle réagi à une nouvelle comme celle-là ? Cela lui prit bien quelques jours avant de mûrir sa décision. Il décida qu'elle avait le droit de savoir… Ne sachant pas trop qu'elles étaient les relations entre Mira et Varek. Il savait seulement que Varek aimait Mira et avait destitué son fils afin de prendre le pouvoir pour avoir accès au cœur de la belle. Il se doutait par contre que Mira n'avait pas complètement donné son aval à ce projet puisqu'elle était enfermée à double tour à son arrivée. Il fit donc rechercher ce conseiller du roi dont il avait tant entendu parler, ce Mirikof qui avait pris soin du secret sur les origines de son fils et du bien être de la reine. Après une semaine, je me présentai devant lui.

-Sire vous avez demandé à me voir ?
-Mon brave Mirikof, assieds-toi, je t'en prie.

Je pris donc place devant le roi posant un regard interrogateur.

-J'ai à t'apprendre une bien triste nouvelle.
-Sire, il n'est rien arrivé à sa Majesté La Reine ?
-Non, n'aie crainte. Non… non… c'est autre chose… C'est au sujet de Varek.
-Varek ?

Boris semblait tellement évasif. Je ne lui connaissais pas cette attitude. Je voyais que quelque chose le déstabilisait… mais jamais je ne me serais douté. Il décida enfin après maintes hésitations à me dire ce qui le chicotait.

-Le… le Roi Varek s'est suicidé, il y a de cela maintenant presque deux semaines.
-Que dites-vous Sire, suicidé ?
-Je ne croyais pas que le Roi Varek était aussi attaché à son titre. J'aurais peut-être dû agir autrement avec lui !
-Le Roi Varek, Sire était un homme bien spécial. Je suis triste qu'il ait choisi une si tragique fin. Je suis très très surpris… Je suis attristé d'une telle nouvelle.
-Je le suis encore plus que toi… Il a été ramené ici et repose dans le cimetière familial auprès des membres de sa Royale Famille.
-Votre intérêt pour le respect de cette grande Famille Royale me touche, Sire.
-J'ai déjà été beaucoup moins compréhensif dans le passé, mais les épreuves de la vie ne m'ont pas épargné moi non plus. Aujourd'hui, j'essaie de me repentir de mes fautes du passé du mieux que je peux.
-C'est tout à votre avantage, Sire.
-Je t'ai fait revenir ici pour une raison bien spéciale. La Reine a refusé de rester ici et est partie dans la Forêt d'Elfe. Elle n'est donc pas au courant de cette tragique histoire. Au début je me demandais si je devais l'en informer mais après avoir réfléchi, j'ai considéré qu'elle devait savoir. Après tout Varek était le frère de son défunt mari et elle l'avait quand même assez bien connu. Comme je partais d'ici pour aller rejoindre mon château, j'ai pensé que tu pourrais m'accompagner jusque-là et ensuite tu la rejoindrais. Tu aurais la lourde tâche de lui annoncer cette triste nouvelle. Quant à moi je gérerai mon Royaume à partir de mon château et je veillerai sur mon fils.
-Votre fils est resté ici avec vous, Sire ?
-Oui, je ne voulais pas me séparer de lui. C'était là, ma seule requête face à la Reine qui ne voulait pas rester ici, ni ailleurs sur ces

terres qu'elle avait si bien protégées pendant toutes ces années, à mon grand désespoir d'ailleurs ! Elle est partie, Mirikof...

-Je vois, Sire.

-Alors Mirikof, acceptes-tu la tâche que je t'assigne ?

-C'est avec honneur, Sire, que j'accomplirai ce voyage. Revoir la Reine est d'ailleurs un but agréable malgré un si lourd message à lui porter.

-Je te remercie d'accepter. Nous partirons demain matin dès la levée du jour.

C'est effectivement ce qui se produisit. Le long convoi du roi se mit en route vers ses anciennes terres. Il allait vers son bon vieux château où il avait grandi. Les hommes firent bon voyage et j'étais le compagnon de route du roi. Un vieux guerrier comme moi, je connaissais bien la réputation qu'il avait depuis toujours. Tout le contraire de son père qui avait été un roi sage et paisible tout au long de son règne. Je savais que Boris avait largement profité de ses pouvoirs de roi pour tenter de réduire la belle à ses caprices. En le regardant chevauché à mes côtés je revis soudainement la scène où il avait presque tué Bjarni. J'éprouvai alors un drôle de sentiment, me sentant un peu comme un traître de partager ma route avec lui.

Depuis son exil par contre, le roi Boris était resté une énigme... Personne n'avait plus jamais entendu parler de lui jusqu'à ce qu'il revienne accompagné de seulement une infime partie de sa grosse armée qui a elle seule aurait pu anéantir vingt fois le territoire. Il n'en avait rien fait, il s'était présenté aux portes du château et avait demandé de voir Varek. Varek qui n'avait pas eu le choix de capituler devant un ennemi aussi puissant.

Je me mis alors à m'interroger sur les derniers rapports qu'il avait eus avec la reine. Cette reine pour qui les plus grands rois avaient lutté et s'étaient déchirés entre eux et pour laquelle Varek avait délibérément choisi d'en finir avec la vie. Pourquoi Boris avait-il laissé repartir Mira ? Lui qui par le passé l'avait emprisonnée et retenue pour le simple plaisir de la soumettre. Mon entretien d'hier et ses échanges des plus cordiaux avec le grand roi aujourd'hui me laissaient perplexe. Il ne représentait pas du tout l'image que le roi s'était forgée au cours de ces années noires. Il ressemblait plutôt à un très grand personnage, plus grand que nature... Un roi guerrier à l'apogée de sa gloire et qui ne semblait pas s'en enivrer comme il l'aurait fait quelques années plus tôt. Aurait-il mûri et compris ? Il avait en tout cas tous les symptômes d'un homme qui avait souffert de ses erreurs... Peut-être que la petite partie du roi, son père, avait-elle pris toute la place maintenant ?

Je me surprenais à faire bon voyage à ses côtés. Vingt-neuf ans et un royaume plus grand que jamais je n'aurais pu imaginer. Cette simplicité dont il faisait maintenant preuve, me troublait et était en parfaite contradiction avec ce je connaissais de lui.

Arrivés au château, les hommes s'installèrent selon leur rang aux endroits qui leur étaient assignés. Le roi me fit arrêter en sa demeure pour la nuit.

Le lendemain aux petites heures du matin, j'étais sur le départ lorsque le roi vint vers moi.

-Mirikof, avant que tu partes j'ai un message pour la Reine…

Comme il n'avait rien dans les mains, je l'interrogeai :

-Sire, de quoi s'agit-il ?

-Je lui aurais bien écrit un mot mais je préfère que ce soit toi qui transmettes de vive voix ce message. Dis-lui que dans deux mois, je lui rendrai visite avec le Prince Éric. Dis-lui également que j'aurais voulu aller avant, mais je crois que les événements qui viennent de tous nous secouer, me forcent à remettre à plus tard l'envie que j'ai de me rendre auprès d'elle. Dis-lui aussi que notre fils est en parfaite condition et qu'il s'ennuie d'elle. C'est tout. Tu lui diras, n'est-ce pas Mirikof ?

-Je n'y manquerai pas, Sire.

-Bon et bien maintenant va la retrouver et si elle a besoin que tu restes près d'elle, tu as ma royale permission.

-Merci, Sire. Je ne sais pas encore ce qu'elle voudra bien que je fasse, mais je ferai ce qu'elle désire.

Sur ces dernières paroles, je le saluai et m'éloignai avec une dizaine d'hommes. Par son regard, j'avais compris qu'il se retenait pour ne pas sauter sur une monture et se joindre à nous. Revoir Mira aurait été pour lui un si doux présent. À ma grande surprise, il respectait la décision de la reine. Elle était partie parce qu'elle ne voulait pas de lui. Il semblait ne plus vouloir utiliser son titre de roi pour forcer la dame à faire quoi que ce soit. Je ressentais la tristesse dans ses paroles et je revoyais l'image de son père et comme lui, il allait désormais vivre avec pour seule compagne, la tristesse. Même s'il avait son fils qui lui remplissait le cœur de lumière, cela ne représentait qu'une mince consolation.

Le roi retourna vaquer à ses lourdes occupations. L'annexion de ce nouveau territoire à son très vaste royaume contribuerait à occuper la majeure partie de son temps dans les prochains mois. Boris s'était jeté dans le travail pour oublier cette femme qui peuplait de fantasmes ses longues nuits.

On dut encore couronner un roi. Boris exigea que ce soit Éric qui le soit et lui, aurait la lourde de tâche de le seconder. Dans à peine un an, on avait fait de la couronne de la Norsufinde un enjeu entre son fils et le frère du roi mort. Tout ce remue-ménage était difficile à supporter pour les hauts dignitaires du pays qui se voyaient souvent rediriger dans leurs fonctions. Quelques groupuscules d'insatisfaits se dessinaient à l'horizon. Boris revenu dans ses terres, dans son château, pour certains c'était inacceptable pour d'autres au contraire, c'était renouer avec un certain pouvoir. Mais, personne ne pouvait rien contre la décision qu'Éric soit de nouveau sur le trône pour ceux à qui ça plaisait ou non. Boris était devenu très puissant beaucoup plus qu'il ne l'avait été jadis et devant une telle puissance, on s'incline.

Pendant ce temps, Mira savourait sa nouvelle vie auprès des siens dans la magnifique Forêt d'Elfe. Elle pratiquait toujours sa seule échappatoire, monter des chevaux, grimper aux arbres et faire ses pirouettes légendaires. Mais aujourd'hui, elle transmettait son savoir à sa petite-fille qui l'accompagnait partout, s'occupant du mieux qu'elle le pouvait pour oublier l'ennui de son fils qu'elle n'avait pas revu depuis plus d'un mois. Boris aurait-il encore fait à sa tête et lui avait-il enlevé son fils ? Elle n'aurait pas à se poser trop longtemps la question.

Elle était avec son père dans la cuisine quand je cognai à la porte. Elle l'ouvrit et ses yeux s'écarquillèrent en me voyant. J'étais heureux de la retrouver. Depuis plusieurs mois, la vie nous avait séparés. Elle me sauta au cou. Sa joie ne faisait aucun doute. Amik me regarda et me sourit.

-Oh ! Mirikof comme je suis heureuse de vous revoir ! Mais que faites-vous ici ?
-Je suis venu voir votre Majesté pour lui apprendre une bien triste nouvelle.
-Dieu du ciel ! Ne me dites pas qu'il est arrivé quelque chose au Prince Éric ?
-Non, Majesté il ne s'agit pas de lui mais du Roi Varek.

J'entrai en la demeure.

652

-Le Roi Varek ? S'étonna-t-elle.

-Je crois qu'il serait préférable de vous asseoir, Majesté.

L'air grave que j'avais l'insista à suivre mon conseil.

-Majesté, le Roi Varek s'est suicidé pendant son périple vers l'exil.

-Quoi ?

Mira était bouche bée, stupéfaite de cette annonce. J'aurais voulu être plus délicat, mais à quoi bon étirer en longueur… L'effet aurait été le même dit d'une façon ou d'une autre. Ce fardeau me pesait depuis mon départ et il fallait m'en débarrasser. Je m'agenouillai près de la reine visiblement touchée par cette nouvelle.

-Majesté, il ne pouvait pas supporter la défaite. Vous connaissiez Varek aussi bien que moi.

-Je n'arrive pas à y croire… Il était si jeune… !

-Il a choisi, Majesté.

-Vous avez raison, c'était sa décision et nous nous devons de la respecter. Mais une fin si tragique… J'ai de la peine…

-Nous en avons tous, Majesté. Vous avez déjà été si lourdement éprouvée… J'aurais préféré vous emporter de meilleures nouvelles. C'est le Roi Boris qui a demandé à ce que l'on vous fasse prévenir cette information. Il m'a chargé également de vous transmettre un message.

-Un message ?

-Majesté, il viendra vous voir dans deux mois avec votre fils, le Prince Éric. Il fait dire également qu'il aurait aimé venir vous voir plus tôt, mais il croit que les événements qui viennent de vous secouer, le forcent à remettre à plus tard l'envie qu'il a de se rendre jusqu'ici et que votre fils est en parfaite condition et qu'il s'ennuie de vous.

-Merci, Mirikof… Je vois que vous êtes devenu de bonne compagnie pour le Roi.

-Ne vous méprenez pas, Majesté ! J'étais dans ma ville natale lorsque je fus averti par un messager du Roi qui me demandait de me rendre jusqu'à lui. Et c'est là que j'ai appris par la bouche même du Roi ce que je suis venu vous raconter. Ensuite il m'a chargé de venir jusqu'ici avec ces messages.

-Pardonnez-moi Mirikof, tout s'est passé si vite après que Varek ait abdiqué j'ai perdu le lien avec vous tous et je pensais que le Roi avait profité… Enfin, je pensais que vous, si fidèle et si loyal, vous aviez changé de camp.

-Non, Majesté. Cependant, je dois admettre que j'ai trouvé le Roi Boris bien changé, sans vous offenser !

-Peut-on réellement changer à ce point, Mirikof ?

-Je ne sais pas mais le Roi Boris est tout de même bien différent de ses exploits d'hier, Madame.

-Bon, je ne souhaite pas vraiment parler de lui aujourd'hui, mais puisque vous m'avez apporté une mauvaise et une bonne nouvelle, je ferai le nécessaire pour que vous soyez à votre aise ici.

-Majesté ce n'est pas nécessaire ! Je ne sais pas si je resterai bien longtemps.

-Vous venez tout juste d'arriver Mirikof ! Vous ne pensez tout de même pas à déjà repartir ?

-Peut-être pas ce soir, Majesté mais je repartirai peut-être demain.

-Mirikof, aviez-vous d'autres projets en tête lorsque vous étiez dans votre ville natale ?

-Pas vraiment, Majesté. Je ne pensais qu'à remplir mes journées bien différentes de ce que j'ai fait depuis mes jeunes années. Mais Varek était peut-être dans le vrai, je me fais vieux maintenant et j'aurais peut-être avantage à me retirer.

-Vous vieux ! Pauvre Mirikof, vous êtes plus jeune de cœur que nous ne le serons jamais tous ensemble réunis ! J'aurais presque envie de vous demander de rester ici… Mais si vous désirez vous retirez que puis-je y faire ?

-Votre Majesté aurait-elle encore besoin de mes services ?

-Mirikof, qui vous connaît vous adopte ! J'aurai toujours besoin de vos bons conseils, il me ferait plaisir aussi d'avoir quelqu'un avec qui discuter de nos exploits d'hier ! Puisque le Roi Boris n'a pas sollicité vos services, parce que ignorant vos grandes capacités, moi, la petite paysanne, je les connais bien et j'aimerais bien avoir un collaborateur comme vous.

-Majesté, si vous voulez que je reste ici, je me ferai un plaisir de rester. Je n'ai plus d'attache depuis longtemps et aujourd'hui, je suis vieux mais libre comme l'air !

-Alors venez, nous ferons le nécessaire pour vos hommes et nous vous installerons dans la demeure du baron. Il sera honoré de vous recevoir, j'en suis certaine.

Fidèle à sa promesse, elle fit le nécessaire auprès du baron qui était toutes courbettes devant la belle et heureux de me recevoir ainsi que mes hommes. Elle venait tous les jours me voir. Nous allions souvent nous promener en forêt, elle me faisait découvrir les entrailles de cette merveille qu'était la Forêt d'Elfe. Elle posait beaucoup de questions sur ce qui s'était passé à mon sujet après que Varek l'eut enfermée à double tour. Je lui expliquais que je n'avais plus le droit de la voir et que Varek avait sonné l'heure de ma retraite. Ce que je fis sans m'y soustraire, à un tel point que je perdais mes journées à tenter de les remplir d'activités que je n'avais jamais pratiquées car la vie d'un homme simple est bien différente des occupations d'un général en chef de l'armée royale. Et d'autres questions, d'autres questions, elle me pressait de questions.

Cependant, après quelque jour, elle posa des questions plus spécifiques en ce qui concernait l'état du royaume depuis que Boris était revenu. Je l'informai que rien n'avait vraiment changé si ce n'est que son absence pesait beaucoup sur les sujets à qui elle manquait beaucoup par ses interventions en leur faveur. Mira en fût réconfortée. Boris n'avait pas tout anéanti sur son passage comme il avait l'habitude de faire. Il est vrai qu'elle ne savait pas ou peu ce qu'il avait fait depuis ces nombreuses années, mais le souvenir qu'elle en gardait n'était pas le meilleur qu'on puisse conserver. Puisqu'elle touchait ce sujet, je lui décris mon voyage en compagnie de Boris et les changements que j'avais constatés sur l'attitude du roi.

-Mirikof, comment pouvez-vous prétendre qu'après seulement trois jours vous ayez remarqué de tels changements ?
-Je ne sais pas vraiment, Majesté. C'est un concours de circonstances, un paquet de facteurs qui ont fait que je m'interroge sur l'attitude particulière du Roi lorsque j'étais à ses côtés. Ce qui m'a le plus intrigué c'est qu'il vous avait laissé repartir sans tenter de vous retenir comme il l'aurait fait auparavant.
-Je dois admettre, mon brave Mirikof, que je n'arrive toujours pas à comprendre moi non plus. Il était tellement d'une nature possessive. Peut-être a-t-il rencontré d'autres femmes qui lui ont fait entendre raison ?
-J'en doute, Madame. On dit que ce jeune Roi, n'a pas été vu en compagnie féminine depuis très longtemps. Sans vouloir vous manquer de respect, je crois qu'il est encore très épris de vous.
-C'est peut-être vrai mais je ne désire pas revenir en arrière avec cette histoire. J'en ai tellement souffert. Je ne veux plus revivre une telle expérience.
-Croyez-moi Madame, je vous comprends. Mais peut-être que lui non plus ne souhaite plus vous offensez comme il l'a déjà fait ?

Mira me regarda, étonnée. Je m'étonnais moi-même à presque prendre sa défense. Je pouvais presque lire sur son front les questions qui lui traversèrent l'esprit. Boris aurait-il dit vrai ? Aurait-il vraiment changé ? Voulait-il une réconciliation avec elle sans effusion de pleurs et de cris ? Elle changea la direction de cette discussion préférant penser à son fils qui viendrait lui rendre visite dans quelques mois. Elle aurait à s'occuper de lui pendant quelques jours avant qu'il ne reparte avec son père.

Les jours filaient et Mira s'exerçait à faire de ses journées des terrains de jeu pour sa fille et des jours de discussions toujours plus intéressantes les unes que les autres avec le bon vieux Mirikof que j'étais et cette situation ne me déplaisait pas du tout.

Mais sous ses airs de femme qui semblait avoir repris le fil de sa vie, elle songeait et la nature de ses songes n'était nul autre que Boris. Je me rendais compte par ses questions, ses allusions, qu'elle était curieuse de comprendre ce que Boris était réellement devenu. Ces changements que j'avais observés, elle les avait ressentis elle aussi chez l'homme lors de son court entretien avec lui. Le fait qu'il s'était plié à sa requête sans se défiler à la dernière minute, la laissait sur des points d'interrogation.

Si la Forêt d'Elfe recevait peu de visiteurs, depuis l'arrivée de Mira, La Légendaire, mille et un prétendants déguisés tantôt en riche marchand, tantôt sous les traits d'un duc, tantôt en délégation complète de princes et monarques de pays dont parfois on ne pouvait même pas prononcer les noms ! Il est vrai que depuis la mort de Bjarni, il en était venu au château, mais elle était dans un tel état qu'elle ne les voyait même pas. Cette jeune veuve qui gardait les traits purs d'une pucelle attirait les hommes tels un aimant. Malheureusement pour tout ce beau monde, leur entreprise était veine même avant qu'ils ne viennent en ces lieux légendaires ! Elle se contentait d'être polie mais ne perdait pas son temps précieux en d'interminables réceptions de courtisans. Ils retournaient bredouille mais le cœur rempli de papillons ! C'était de l'auto mutilation !

Bjarni avait laissé un tel vide qu'elle me faisait penser à une survivante d'une effroyable hécatombe. J'étais affecté également par son absence, mais personne ne pouvait comparer sa peine à celle de Mira. Même s'il n'était plus des nôtres depuis plus d'un an et demi, son souvenir était toujours omniprésent. Mais la belle, toujours jeune et attrayante avait besoin de combler ce trou béant. Il le fallait. Il en allait de sa santé.

À chaque visite d'un prétendant, j'utilisais différentes stratégies afin de lui faire voir l'individu sous son meilleur angle, espérant que ce stratagème fonctionne et qu'enfin elle trouverait une âme sœur qui comblerait ce vide qu'avait laissé Bjarni. Mais mes tentatives s'avéraient veines.

-Madame, le Duc François de Navarre était si impressionné de vous voir qu'il en a oublié sa coiffe ! Dis-je en la taquinant.

-Brave Mirikof ! Le Duc de Navarre était, certes, un homme courtois, mais il n'était que de passage se rendant vers le Nord du pays pour visiter. S'il a oublié sa coiffe, c'est que c'est un homme distrait, c'est tout !

-Ha ! ha ! Madame, n'avez-vous rien remarqué dans ses yeux ?

-Non, qu'aurais-je dû y voir ?

-Ah ! Coquine dame… Il avait des fleurs pleins les yeux !

-Ha ! ha ! Mirikof, Mirikof, auriez-vous des problèmes de vision puisque vous voyez des fleurs dans les yeux des gens ?

Elle tournait toutes mes remarques à la dérision. Je n'avais aucune chance, non aucune. Aucune de l'intéresser ne serait-ce qu'un seul instant à l'un d'eux qui malgré leurs efforts n'était récompensé que par le sourire et la bonne réception de la reine. Elle ignorait complètement leurs avances. Mais j'avoue qu'elle le faisait de façon si délicate qu'aucun d'eux ne lui en tiendrait rigueur.

Puis vint le jour où on lui annonça que le roi était arrivé à la demeure du baron avec le prince Éric. Elle était aux bois avec son compagnon quadrupède. Elle revint au galop vers le manoir. La carriole royale du roi était devant ainsi que plusieurs gardes. Aucun doute, il était arrivé. Boris se promenait dans la cour avant du baron tenant le jeune Eric par la main.

Mira avait le cœur rempli de joie à la vue de son jeune fils. Elle descendit de sa monture et courut vers lui. Le jeune Éric délaissa la main de son père pour courir vers sa mère. Boris se retourna et les voyait courir l'un vers l'autre. Elle prit son fils dans ses bras en décrivant des cercles. Joie et bonheur se lisaient dans les yeux de la mère qui retrouvait son fils après plus de trois mois de séparation. Boris observait. Il était tellement attristé de ne pas pouvoir lui, courir vers la belle et la projeter dans les airs dans des éclats de rire. Il resta immobile scrutant de ses yeux les moindres gestes qu'ils décrivaient. Mira, excitée, avait complètement oublié l'invité de marque et courait à l'intérieur des murs du manoir avec son fils. Boris ne s'en offusqua nullement, il comprenait que sa place se limitait désormais à celui de courrier qui emporte un fils à sa mère.

Il entra et s'installa dans les appartements que le baron lui avait réservés. Les gardes qui l'accompagnaient firent le nécessaire pour installer le campement dans la cour arrière.

Pendant les mois qu'il était resté au château, Boris avait mûri une décision. Comme ça faisait déjà trois heures que la mère et le fils avaient disparu, il partit à leur recherche. Il devait parler à Mira et plutôt serait le mieux car, il prendrait la route de retour, le lendemain matin. Boris était descendu et arrivé au hall d'entrée vit, Éric qui marchait vers la sortie.

-Je me demandais justement où tu étais passé, jeune garnement. Dit-il à son fils.
-Je suis allé me promener avec Mère !
-Tout ce temps ? Et tu as vu de belles choses ?
-C'est magnifique ici, Père.
-Oui, c'est magnifique. Dit-il songeur.
-Où est ta mère ?
-Elle vous cherchait. Ne l'avez-vous pas rencontrée ?
-Non.
-Elle se rendait à votre chambre car le baron lui a dit que vous y étiez.
-Quant à moi, je sortais lui chercher Réfusse.
-Va, je dois parler à ta mère. Demande à Mirikof qu'il t'emporte voir ton grand-père, ensuite tu lui ramèneras son cheval favori.

L'enfant sortit. Boris prit le grand escalier en franchissant les marches quatre par quatre. À son arrivée à l'étage, sa porte était ouverte. Il s'y précipita et arrêta son ardeur pour entrer doucement. Elle se retourna vers lui.

-Sire, je vous dois des excuses.
-Des excuses, mais pourquoi Mira ?
-J'étais si heureuse de retrouver Éric que j'en ai oublié l'heure, j'en ai oublié de venir te saluer.

Il sourit car elle semblait vraiment sincère.

-Jadis, tu aurais payé pour une telle effronterie, mais aujourd'hui, je comprends. Tu as été séparée d'Éric pendant plusieurs semaines… Je comprends la joie d'une mère de retrouver son fils.
-Maintenant que je suis venue te saluer, je vais redescendre retrouver Éric, j'ai bien d'autres choses à lui faire voir.
-Mira…

-Quoi ?

-Avant que tu n'ailles le rejoindre, je dois te dire que je quitterai la Forêt d'Elfe demain matin. S'il n'était déjà pas si tard, je repartirais maintenant.

-Déjà, Boris, mais mon fils vient tout juste d'arriver…

-Oui, je sais, moi, je repartirai avec mes hommes demain mais Éric restera ici.

-Ah ! bon ! Pour combien de temps ?

-Aussi longtemps que tu le jugeras nécessaire. Certes, c'est un bon fils, mais séparer ainsi un jeune garçon de sa mère a été difficile pour lui. Il est encore jeune. J'ai pensé qu'il serait plus sage qu'il reste à tes côtés et qu'il me rende régulièrement visite et lorsqu'il sera en âge de prendre lui-même ses décisions, il fera comme bon lui semble.

-J'arrive à peine à croire ce que j'entends. C'est le plus beau cadeau que tu pouvais me faire.

-Je tenais à venir moi-même te le dire. Alors demain, je repars et lorsque tu jugeras le moment venu, tu pourras lui demander de venir me rejoindre. Mirikof est resté ici, il pourrait bien se charger de cette mission. Il voudra tu penses ?

-Bien sûr que oui, mais y a-t-il quelque chose de si urgent pour que tu doives repartir si vite, tu viens à peine d'arriver ?

Boris ne répondit pas immédiatement à la question. Il baissa la tête sentant son cœur se tordre telle une vieille guenille.

-Ah ! Mira, les urgences, il y en a toujours mais aucune ne pourrait m'obliger à me séparer de ma famille. Dit-il doucement la voix empreinte d'émotion.

-Alors qu'est-ce qui te presse temps ?

Pendant un long moment, il resta aphone, les yeux dans le vide. Puis l'émotion extrême qu'il ressentait au fond de ses entrailles le fit éclater telle une barrique de bière qu'on fend à la hache. Il tomba à genoux s'agrippant désespérément à ses jupons.

-Mira je ne peux plus… Être ici, te sentir si près de moi… Ne pouvoir te prendre dans mes bras… Je dois partir. C'est trop dur, c'est trop dur… ! C'est une véritable torture !

Il pleurait à chaudes larmes tel un enfant. Mira, surprise par cet excès de sentiments, était émue de sentir le cœur de Boris Le Magnifique se briser comme un vase de fine porcelaine. Un homme si grand, si fort, et qui soudainement paraissait aussi fragile qu'un pétale de rose. Elle réalisait qu'il était devenu un homme bien différent, rongé par les remords. Elle regardait cette chevelure noire et épaisse qui se pressait contre son ventre, ne voyant plus sous le même œil l'homme, père de son fils.

La solitude dont elle s'était enveloppée depuis la mort de son époux s'échappait soudainement de son âme. Compatissante à son désarroi, elle passa délicatement ses doigts dans cette chevelure noire. Telle une mère qui réconforte son enfant, cette marque d'affection eut son effet et Boris se ressaisit. Il se releva et elle essuya tendrement ses larmes.

-Je te demande pardon, Mira… J'ai perdu contrôle. Je perds tous mes moyens devant toi.
-Chut ! Fit-elle doucement en lui posant son index sur les lèvres.

Elle s'approchait de lui et pressa ses douces lèvres contre les siennes. Boris ferma les yeux se laissant submerger par une mer d'émotions qui le transportèrent au point de non-retour ! Soudain, il se libéra de son étreinte reculant d'un pas.

-Non, Mira, ne m'afflige pas davantage que je ne le sois déjà !

Elle se rapprocha de nouveau de lui et avec sa douce main lui toucha le visage.

-Boris, j'ai besoin de savoir si je pourrai te pardonner un jour.

Elle recommença. Ses douces lèvres sur les siennes le rendaient impuissant à repousser de nouveau cette femme pour qui il se serait jeté au feu. Son cœur de guerrier battait à tout rompre. Jamais une guerre ni une conquête ne lui avaient donné cette sensation extrême. Il était fou d'elle. Ses bras s'enroulèrent autour de ce corps fragile et rempli de fébrilité. Mira retrouvait elle aussi une sensation qu'elle avait presque oubliée. Il y avait si longtemps maintenant… Bjarni n'était plus et il fallait qu'elle trouve un moyen de recouvrer l'équilibre émotif dont elle désirait de nouveau s'enivrer. Boris passa sa tête près de la sienne et à son oreille lui dit :

-Mira, Mira si tu pouvais seulement savoir à quel point je t'aime. Je t'ai, certes, bien mal aimée jadis, mais je t'ai toujours aimée.

Elle le regarda et le prit par les mains l'entraînant vers le lit. Il avait le souffle court, la poitrine haletante, le regard anxieux. Allait-elle enfin s'offrir à lui ? Mira l'embrassa de nouveau, le laissant se nourrir de ses lèvres et de sa passion dévorante. Il l'enveloppait de son corps.

Doucement, il dégrafait son corsage. Les mains douces de Mira couraient dans sa chevelure, lui procurant frissons à profusion. Tranquillement il retirait ses vêtements, aidé de celle pour qui son cœur battait de nouveau la chamade. À demi nus, les amants étaient réunis. Ils partageaient maintenant leur corps dans un élan de passion et d'étreintes. Faire l'amour à cette femme qui se donnait enfin à lui, lui semblait si invraisemblable après toutes ces années, toute cette attente. Après une heure de douce bataille et les cheveux en broussailles, les amants se serraient l'un contre l'autre.

Mira le regardait, cet homme qui lui avait bien remis les clés d'un nouveau départ. Elle était de nouveau amoureuse. Amoureuse d'un homme qu'elle avait d'abord détesté et maintenant qu'elle appréciait pour son repentir envers elle.

-Mira, j'espère seulement que je ne suis pas devenu fou. J'aurais presque envie que tu me pinces afin de m'assurer que je ne rêve pas.

Cette remarque fit sourire Mira. Elle le pinça doucement sur la joue.

-C'est donc vrai, tu t'es donnée à moi ?
-Oui… Boris j'ai beaucoup réfléchi depuis les derniers mois… J'ai entendu parler de ce Roi qui avait conquis mais qui n'usait plus de son pouvoir à outrance. De ce magnifique jeune Roi, beau, vaillant et valeureux chevalier. Il ne ressemblait tellement pas à celui que j'avais jadis connu. Les sujets du Roi semblaient tellement satisfaits de leur sort, et j'avais revu ce Roi qui m'avait apparu comme au premier jour mais avec quelque chose de différent… Je ne savais pas ce que c'était mais lorsque Mirikof arriva avec un discours semblable, j'ai dû mettre de côté mon petit caractère vengeur et essayer d'en savoir plus sur le père de mon fils. Je t'attendais…
-Mira, jamais plus je ne te décevrai. Je souhaite seulement avoir été à la hauteur de ce que tu attendais de moi, Mira.
-Sire, votre corps royal s'est merveilleusement comporté avec la paysanne que je suis !
-Mira, tu seras toujours aussi surprenante ! Il n'y a pas plus Royale, Reine, Monarque que nous ne le saurons jamais tous réunis. Tes origines paysannes sont aussi incompréhensibles que celles du fils de Dieu qui était fils d'un charpentier.

Mira se mit à rire et se blottit contre cette poitrine imposante. Elle entendait le cœur de Boris battre.

-Pour qui ton cœur bat-il aujourd'hui ?
-Pour celle pour qui il a toujours battu.

Ils passèrent une nuit torride remplie d'amour sous le sceau de la réconciliation à coup de baisers et de bataille dans ces draps arrachés par la passion qui les dévoraient. Le lendemain matin tard dans l'avant-midi, ils finirent par se lever et se rendirent tous les deux dans la petite baignoire du baron. De nouveau leur passion et leur amour se dévoilaient aux yeux indiscrets de certaines domestiques qui regardaient par la porte laissée entrouverte.

Ayant été informé, la veille, par Éric que le roi désirait rencontrer la reine, je l'avais reconduit à la maison d'Amik comme il le souhaitait. Mais depuis, nous n'avions pas revu, ni Mira, ni Boris. Je les savais dans la chambre et il ne fallait pas être devin pour comprendre que cette nuit-là, un grand événement s'était produit. Même si je ne l'avais pas toujours porté dans mon cœur, je devais admettre que Boris avait fait preuve de courtoisie et de patience envers Mira. Et je n'étais pas sot au point de croire qu'il fut le seul à faire les premiers pas car depuis quelques semaines la reine était plutôt songeuse s'informant continuellement du jour où arriveraient les deux hommes de sa vie. Elle avait bien assez souffert, il fallait la laisser goûter de nouveau au bonheur. Tout ce que j'espérais c'est que Boris soit sincère et que son impétuosité ne refasse jamais surface.

La nouvelle que le roi et la reine s'étaient réconciliés voyageait à la même vitesse que les exploits de la reine quelques années plus tôt. Même Amik rangea son amertume dans le dernier tiroir voyant de nouveau rayonner sa fille. Boris avait fait un tel ravage jadis, il avait beaucoup à faire pour reconquérir non seulement le cœur de la belle, mais aussi les cœurs blessés de ses sujets. Depuis qu'il était revenu au pays, il avait pris tout le monde par surprise, démontrant qu'il était transformé et les affaires du royaume s'en ressentaient. Le commerce était florissant, les échanges avec les royaumes voisins étaient plus que bons. La Norsufinde brillait de mille feux.

Les jours suivants nous firent découvrir un Boris charmant et plein d'humour. C'était un autre homme et ses blessures d'antan n'existaient plus, complètement éclipsées par la seule présence d'une Mira que je retrouvais avec bonheur. De nouveau, son visage arborait un sourire. De nouveau, la joie avait pris possession de son être tout entier.

Mais toute bonne chose a une fin et elle prit fin avec l'arrivée du général Pikov accompagné de plusieurs soldats qui informèrent le roi qu'un groupe de bandits de grand chemin faisait la pluie et le beau temps dans l'arrière-pays, faisant descendre Boris Le Magnifique de son nuage. Lorsque Mira comprit qu'il fallait repartir, elle dit à Boris :

-Boris, ne sois pas déchiré entre moi et ton Royaume, je sais comment diriger les affaires de l'État maintenant. N'oublie pas que je l'ai fait pendant quelques années.
-Je sais Mira mais je ne veux plus te quitter.
-Serait-ce trop dangereux de me ramener avec toi ?
-Bien sûr que non, mais je croyais que tu voulais rester ici ?
-C'est vrai que la Forêt d'Elfe à un je-ne-sais-quoi mais je serais heureuse et honorée de retourner avec toi et Éric au château.
-Quoi, c'est vrai ? Tu veux revenir avec moi ?

Boris la prit dans ses bras la soulevant et tournant avec elle à lui faire tourner la tête. Mira riait.

-Majesté, Majesté, arrêtez la tête me tourne !
-Je suis si heureux Mira… Je t'aime Mira.

Il l'embrassait. Il la serrait. Il était si joyeux. Elle reviendrait avec lui. Même dans ses rêves les plus fous, il n'espérait pas un tel bonheur.

Un nouveau départ

Pendant les semaines qui suivirent, Boris fit le nécessaire pour redonner à Mira sa place au sein du parlement. Les hommes de Bjarni avaient bien travaillé avec elle et les affaires de l'État ne s'en étaient que mieux portées. Boris était devenu comme Bjarni sur ce point trouvant que l'intelligence de cette femme était parsemée de bon sens et de sagesse rarement présents même chez certains de ses confrères masculins. Elle avait toujours une solution logique et pacifique aux conflits les plus dévastateurs.

Peu de temps après notre arrivée, je fus rétabli immédiatement dans mes fonctions de général en chef et de conseiller du roi. Les choses avaient bien changé, moi qui d'abord aux côtés de Bjarni avais combattu contre Boris et désormais je combattrais aux côtés de Boris. Ce revirement de situation faisait comprendre à tous que parfois la vie réserve de biens drôles de surprises à ceux qui partagent son chemin. La vie active royale avait repris son cours.

Les brigands avaient recommencé leur saccage dans un autre village. Je savais désormais à quoi s'attendre avec ses bandits de grand chemin. Les informations que nous détenions étaient précises, un groupe d'environ quarante hommes qui se cachaient la nuit en forêt attendant le jour pour ressortir de leur cachette et recommencer leurs méfaits.

Boris devait mettre fin au carnage. Au lieu d'envoyer une garnison pour les réduire, il décida de prendre une centaine de soldats et d'aller lui-même remettre de l'ordre dans cette pagaille. Mira lui avait dit que si le roi se déplaçait lui-même, les sujets du roi lui voueraient une éternelle reconnaissance. Mira connaissait bien les pensées de ces paysans. Mira savait. De son grand pouvoir de persuasion, Mira n'éprouva aucune difficulté à faire adopter cette idée à tous. Et si la belle les accompagnait ? Non, là aucun homme, ni même le roi ne voulut entendre raison.

-Mira, c'est toujours dangereux, même si je dispose d'une armée assez imposante pour tous les tuer trente fois. Il n'en est pas question, je ne te ferai jamais courir aucun risque et encore moins des risques inutiles.

Je me taisais car je savais ce dont la reine était capable, je l'avais vu maintes fois à l'œuvre. Boris avait bien entendu parler des exploits de la belle mais n'avait sûrement pas attaché aucune attention sur cette particularité parce qu'il aurait su qu'elle stratège elle était.

-Je suis pourtant capable de monter à cheval et de me dissimuler lorsque j'en ai besoin !

-Mira, là n'est pas la question. Il n'en est pas question, un point c'est tout ! Je refuse catégoriquement !

-Je suis capable de diriger les choses de l'État à vos côtés, Sire, mais je ne suis pas capable d'aller sur le terrain et punir moi-même une quarantaine de bandits ?

Boris ainsi que les généraux présents se regardèrent tous dissimulant leur sourire. Cette petite pointe d'envie et de jalousie de la part de la reine, les amusait. Mira, visiblement choquée, sortit en leur lançant un regard frustré.

Boris qui arrivait dans sa chambre y retrouva Mira déjà étendue qui l'attendait. Il s'approcha amusé par ce qui s'était passé dans l'après-midi.

-Madame est-elle fâchée contre le Roi ce soir ?

-Non, pas du tout Sire !

Il se dévêtit et entra sous les couvertures et s'approcha d'elle.

-Tu es si belle Mira et quand tes yeux lancent des éclairs tu es encore plus belle !

-Votre Majesté est bien aise d'avoir à ses côtés la femme que je suis, n'est-ce pas ?

-Je ne pourrai jamais nier une telle affirmation, ma chère !

-Penses-tu alors que les femmes ne sont pas aptes au combat ?

-Mira, il n'y a rien de réjouissant à combattre, crois-moi, je sais de quoi je parle !

-Je le sais, Boris. Je ne nie pas que vous soyez physiquement plus forts que nous. Je ne nie pas non plus que je ne sois même pas capable de levée ta lourde épée. Mais une bataille n'est pas faite que de force mais de stratégie aussi !

-Je le sais très bien Mira, mais où veux-tu en venir ?

-Tu pourrais être les bras et je serais l'épée !

-Ha ! ha ! Mira, Mira… Tu es tout simplement extraordinaire ! Je t'aime… Jamais une femme ne sera plus chère à mon cœur que tu ne l'es. Et c'est pour cette raison que je préfère de loin te garder près de moi, ici, en sécurité loin de toutes ces guerres de clans, de bandits et de bagarres qui pourraient t'arracher à moi.

-Bon, puisque votre Majesté a parlé ! Je n'ai plus rien à dire !

-Tu es encore en colère contre moi, je le vois dans tes merveilleux yeux.

-Majesté, Roi Boris, dit Le Grand, Le Magnifique, Le Conquérant, je vous prouverai avant longtemps que votre femme est une combattante de première ligne.

-Je sais que tu es une combattante ! Je sais que par un seul regard tu pourrais anéantir une armée entière… Mais je veux te garder pour longtemps à mon service ! Je n'ai pas envie de perdre cette arme redoutable aux mains de l'ennemi.

-Ah ! Ce que tu peux être bébé parfois Boris !

Elle lui tourna le dos. Il souriait. Il la trouvait à croquer dans son rôle de super femme qui se dévorait d'envie de l'accompagner partout où il allait. Il l'embrassait partout sur les épaules. Il se collait contre elle. Elle ne lui résista pas longtemps. Mais le roi avait tort. Il venait de défier Mira. Il aurait intérêt à utiliser ses talents d'excellente cavalière et d'acrobate qu'il ne connaissait pas encore.

Plusieurs jours plus tard, Boris et sa compagnie s'engagèrent vers l'endroit où ils devaient surprendre l'ennemi qui s'était engouffré dans une petite forêt touffue. Ils étaient en route. Arrivés au village qui bordait cette forêt, ils se dirigèrent vers le seul chemin possible qui allait jusqu'à une immense clairière avant de s'engouffrer dans la forêt.

Boris et ses hommes s'arrêtèrent quelques minutes à environ quelque cinquante mètres de l'entrée et attendaient les hommes qui devaient en sortir pour leur tomber dessus. On entendait le petit groupe s'avancer vers eux. Les cris et les galops des chevaux étaient perceptibles. Soudain lorsqu'ils les avaient en visuel, un cavalier sortit du côté droit à pleine vitesse attirant l'attention de tous. Ce cavalier cavalait au ras de la forêt vers la gauche. Arrivés à la petite route, les bandits qui voyaient qu'on les attendait s'arrêtèrent et vint passer devant eux un cavalier en costume blanc debout sur son cheval. En passant devant le chemin, le cavalier de son couteau coupa des cordages qui retenaient un immense filet qui tomba sur la tête de nos bandits. N'ayant pas eu le temps de réagir ni d'un bord ni de l'autre, le cavalier se rassit sur son cheval et retira son chapeau. Les longs cheveux blonds se laissèrent tomber dans le vide. La mystérieuse cavalière avait fait prisonnier une quarantaine d'hommes à elle seule et il n'y avait eu aucune effusion de sang. Elle repassa bravement devant les hommes capturés qui restaient pantois devant cette beauté en pantalon qui les regardait en se tapant dans les mains. Boris qui avait reconnu, Mira, hochait la tête et regardait la magnifique femme qui le lui rendit et partie à pleine vitesse avec son cheval d'où elle était mystérieusement arrivée.

Il ouvrit les bras me regardant bouche bée. Ni Boris, ni personne n'avait pu dire ou faire quelque chose. Elle avait été vite comme l'éclair. Elle avait prouvé au roi et à tous ces hommes que l'astuce et la vitesse de l'action faisaient parfois un excellent mariage et que la force et la violence n'étaient pas toujours incontournables. Les soldats se rendirent près des prisonniers du filet et les délivrèrent de leur position pour mieux les corder en rang de deux pour les emmener vers les donjons. Boris délaissa son groupe et galopa dans la même direction que Mira.

Comment avait-elle monté un si grand et lourd filet dans les arbres ? Par quel système ingénieux l'avait-elle activé afin qu'il tombe comme prévu ? Où et depuis quand montait-elle ainsi sur un cheval ? Comment pouvait-elle se tenir en équilibre sur le dos d'un cheval en pleine course ? Boris n'aurait jamais soupçonné que Mira avait de tels talents. Sa surprise n'avait d'égal que son orgueil masculin qui lui remontait au visage. Elle avait réussi là, où il pensait qu'elle n'avait même pas le droit d'être. Il galopait mais où était-elle ? Arrivé sur le bord d'une rivière il aperçut sa monture qui broutait tranquillement. Pas de Mira en vue. Il s'arrêta près de la bête et regardait partout. Où diable était-elle ? Il entendit une douce voix :

-Votre Majesté est-elle satisfaite et convaincue maintenant ?

Boris cherchait. La voix venait du haut d'un arbre. Il se recula avec sa monture et regardait. Très haut perchée la belle se tenait accotée contre le tronc de l'arbre les jambes croisées en parfait équilibre. Calme et sûre d'elle-même. Boris se demandait comment elle avait fait pour atteindre cette très haute branche et comment elle faisait pour se tenir d'une façon aussi décontractée dans cette position.

-Mira, comment… comment… descends tout de suite !
-Je ne descendrai pas avant de savoir si vous êtes fâché contre moi, Sire !
-Descends, si tu tombes tu te rompras le cou, descends, je te dis !
-Je préfère vous parler du haut de mon perchoir, Majesté !

-C'est ridicule, descends ! Je ne suis pas fâché contre toi !

-Prouvez-le moi, dites-moi si mon intervention vous a gênés dans votre travail de guerrier, Monsieur !

-Mira, tu es… si… Tu es… si…

-Je suis si… quoi, Majesté ?

Boris la regardait émerveillé. Dieu que cette femme était belle. Elle lui enlevait tous les arguments pour l'affronter. Il se mit à rire en hochant de la tête.

-Ha ! ha ! Tu es impossible, Mira ! Voilà ce que tu es, impossible, espiègle et redoutable !

-Je descends alors puisque vous entendez maintenant à rire, votre très Grande et Suprême Majesté.

Il la regardait descendre aisément de cet arbre comme si elle descendait un simple escalier. Il descendit de sa monture et la prit par la taille, la retourna vers lui. Ses grands yeux azur le regardaient. Il voyait toute la détermination de cette femme entêtée. Il souriait.

-Tu es impossible, Mira !

-Je suis peut-être impossible mais j'ai réussi à capturer ces hommes sans même vous donner le loisir de sortir votre épée, Sire !

-Je dois admettre que le spectacle que tu nous as offert ce matin était l'un des plus divertissants que je n'aurai jamais espéré voir de toute ma vie !

-Lorsqu'on calcule et qu'on observe adéquatement l'adversaire, il est rare de faire face à une défaite, Boris.

-J'avoue que l'idée était un peu farfelue mais que le calcul de la Reine était exact.

-Maintenant m'écouteras-tu lorsque tu auras à défendre tes sujets, Sire Boris ?

-Boris Le Magnifique ne peut que se plier aux ordres de Mira La Merveilleuse !

-Et si on profitait un peu de ce bel après-midi ?

-Décidément, Ma chère, vous êtes redoutable, vous ne laissez aucune chance aux hommes ! D'abord vous leur prenez le pouvoir au Parlement, sur leur terrain de guerre et ensuite dans leur chambre ! Vous êtes un démon en jupons !

-Peut-être, mais je ne désire que le bien de tous ! Si les hommes pouvaient cesser de se conduire en barbare je n'aurais pas à me fatiguer à la tâche !

-Mira, tu es vraiment une femme exceptionnelle. Je ne remercierai jamais assez Dieu de t'avoir mis sur mon chemin.

-Alors, cet après-midi on en profite ou pas ?

-Ici, comme ça en plein jour ?

-Boris nous sommes seuls et cette activité de toute à l'heure m'a ouvert un petit creux là !

-Là ?

Il se mit à rire puis l'a pris dans ses bras l'étendant aux pieds de l'arbre. Il lui faisait l'amour dans ce tapis de feuilles et de fleurs qui ne rivalisaient en rien avec la beauté de cette merveilleuse femme. Son corps répondait aux désirs qu'il ne cessait d'éprouver pour elle. Ses muscles se tendaient et se relâchaient au gré des caresses et des baisers qu'il recevait. Après de longues minutes d'étreintes et de passion, les deux amants se revêtirent, regagnèrent leur monture et s'en retournèrent vers le château à quelques heures de là. Chemin faisant, Boris regardait Mira avec un air amusé et du côté de l'œil elle le voyait faire.

-Qu'avez-vous ?

Il restait silencieux et regardait la belle du coin de l'œil avec son petit sourire malicieux.

-Boris, ça suffit qu'est-ce qu'il y a ?

-Ce costume vous va à ravir, très chère !

-J'adore porter le pantalon. C'est beaucoup plus pratique à cheval, non ?

-Bien entendu !

Il continuait à la regarder et ses yeux la déshabillaient du regard.

-Qu'avez-vous encore ?

-C'est que les pantalons, le veston mettent très bien en valeur toutes vos charmantes formes féminines.

-Franchement Boris. C'est un costume pratique qui me sert à être plus à l'aise et non pas pour que tu y voies mes formes féminines !

-N'empêche qu'il te va à ravir ! Le couturier à dû avoir un plaisir fou à prendre tes mesures.

-Ah ! Boris, le couturier est un vieil homme de soixante-dix ans !

-N'empêche qu'il a dû avoir du plaisir à les prendre !

-Si moi je suis impossible, je me demande ce que tu es ?

-Je suis le Roi, le plus impossible du monde avec la plus belle des impossibles des femmes ! Je ne suis pas un Roi à tes côtés je deviens le fou du roi, le trouvère, le fou du village !

-Boris, ton emportement te rend enfantin.

-Peut-être mon amour, mais je suis le Roi le plus heureux de tout l'univers !

-Si cela peut te faire retomber sur terre, votre Reine est très heureuse elle aussi et vous aime beaucoup.

-Oui, oui, je le sais ! Écoutez bonnes gens, votre Roi est amoureux ! Il divague et n'a plus toute sa tête… !

-Boris, tais-toi, voyons !

-Non, je veux que l'on sache à quel point je t'aime Mira !

Mira sourit, le roi faisait penser à un jeune homme qui venait de rencontrer pour la première fois l'amour de sa vie. Elle était heureuse.

Partout sur leur passage, les villageois se retournaient et admiraient ce beau couple royal qui déambulait sur les routes sans même un garde.

-Dites-moi madame, où avez-vous appris à faire ces acrobaties sur le dos d'un cheval et à grimper aux arbres de cette façon ?

-Je suis de la campagne, je suis une paysanne qui a été élevée dans un monde d'hommes, Boris, j'ai développé au cours des années un engouement pour ce genre de chose et j'ai raffiné mon style c'est tout. Je sais maintenant que ce n'est pas très convenable pour une dame, mais je m'en balance, je fais ce que j'aime maintenant !

-C'était merveilleux de te voir en équilibre sur le dos de cette bête. C'était aussi très impressionnant de te voir en haut de ce très grand arbre, comme si tu te tenais debout juste à côté de moi… Je savais que tu étais capable de prouesses, mais cet après-midi tu as balayé du revers de la main tout ce que je croyais réellement savoir sur toi et pas que moi.

-Que voulez-vous dire, Monsieur le conquérant ?

-Mira, ton arrivée a pris tout le monde par surprise. Nous ne pouvions que regarder. Nous étions cloués sur place bouche bée devant ce magnifique cavalier aux cheveux d'or qui se déplaçait debout sur le dos d'un cheval au galop aussi gracieusement que si tu marchais dans les airs. Moi, comme les autres, nous étions stupéfaits !

-Voilà ce que j'appelle la stratégie. L'effet de surprise est parfois beaucoup plus dévastateur que l'effet de la force !

-Tu as encore raison Mira je dois l'admettre. Tu en as fait la preuve et je t'avoue que je te dois des excuses.

-Merci, venant de vous c'est… C'est formidable, fantastique, merveilleux, votre très Grande Majesté !

-Je t'aime ! Je t'aime ! Je ne pourrais jamais assez te le dire !

Ils arrivèrent au château. Je m'inquiétais de leur retard et je courrais vers eux.

-J'ai cru pendant un moment, qu'il vous était arrivé quelque chose !

-Il nous est bien arrivé quelque chose, brave Mirikof, mais rien qui ait pu nécessiter le déplacement des troupes ! Dit le roi avec un air taquin qui suggérait bien des sous-entendus.

Boris était loin de savoir quelles autres surprises lui offriraient Mira. Les hommes capturés furent emportés au château. Boris s'apprêtait à les passer en jugement avec quelques dignitaires du parlement. Mira s'en mêla encore. Elle fit part des nouvelles façons de se servir de prisonniers à très peu de frais au service de l'État. J'avais un petit sourire regardant autour de lui et là, je voyais l'effet de surprise sur le visage des hommes de l'assemblée. Elle expliqua en détail les bienfaits d'une telle manière de faire. Le passé jouait en sa faveur. Les exploits rapportés à Boris de la belle avaient été plus évasifs sur ce sujet en particulier. Il en avait vaguement entendu parler et voyant l'insistance de Mira, il se leva et s'adressa à moi.

-Brave Mirikof, vous qui avez côtoyé la Reine pendant des années au sein du Parlement de Bjarni, êtes-vous de l'avis de la Reine ?

-Sire, je suis non seulement de son avis, mais elle dit vrai lorsqu'elle vous explique que cette méthode a été utilisée et que les résultats ont été probants.

-Comment votre Majesté, mettrait-elle en doute ma parole ? Lui demanda Mira.

-Non… Non… Loin de moi cette idée, jolie dame, mais comme c'est inhabituel d'agir avec des prisonniers de cette manière, je voulais savoir si réellement les résultats que vous aviez expérimentés alors furent un succès. Lui répondit Boris.

-Non seulement ils furent un succès, Sire, mais ils furent très lucratifs pour l'État. Lui répondis-je.

-Sire, je sais que la mentalité voudrait que vous mettiez tout simplement fin aux jours de ses bandits… mais quand ils sont sous bonne garde et largement structurés, ils deviennent productifs et ont largement le temps de faire leur petit examen de conscience. Rétorqua Mira devant Boris sous l'effet de la surprise la plus complète.

-Eh ! bien, certes, cette idée est géniale et ingénieuse… et si par le passé vous en avez retiré autant de bienfait, que nous reste-t-il à ajouter, Madame ?

-Rien, Majesté et Messieurs du Parlement, vous essayez cette méthode et si elle ne vous satisfait pas pleinement, vous n'aurez qu'à exécuter les hommes ! Répondit-elle d'un seul trait.

-Nous sommes surpris mais je crois que c'est là, une des meilleures propositions qu'on n'est jamais fait à des prisonniers.

Comme Mira l'espérait, sa tactique d'il y a quelques années fut adoptée illico ! Boris était sous le charme de la belle comme Bjarni avant lui… Il se félicitait d'avoir à ses côtés une femme de tête et dont l'esprit était presque divin à ses yeux. Il se rendrait compte assez tôt que plus il partagerait sa vie avec la belle, plus il lui serait difficile de lui refuser quoi que ce soit. Qu'elle exercerait un parfait contrôle sur sa façon d'être, sur ses pensées, sur sa vie tout entière. Mira était le genre de femme qui sans l'imposer, devient une meneuse d'hommes par la simple force de la pensée. Boris avait toujours vu en cette femme un trésor de beauté et de grâce, mais aujourd'hui, il découvrait au-delà de la femme désirable et attirante, la femme intelligente et véritable trésor d'ingéniosité. Il connaîtrait à ses côtés un bonheur inexplicable et grandiose jour après jour. Il deviendrait un grand monarque plus grand encore qu'il ne l'avait jamais imaginé. Malgré ses conquêtes et son territoire immense, il voyait qu'il y avait encore plus extraordinaire, plus enivrant. Désormais, il ne voyait plus le pouvoir du même œil. Il avait, certes, beaucoup changé sa mentalité sur le sujet, mais maintenant c'était une véritable transformation et c'était Mira qui lui servait cette leçon de simplicité et d'humilité.

Mira continuait son œuvre auprès des enfants et des femmes qui vivaient encore des problèmes de violence. Elle passait devant elle des hommes de qui on avait rapporté des gestes qu'elle considérait ignobles. Lorsque des récidivistes se retrouvaient dans une fâcheuse position devant la reine, là par contre elle devenait sans pitié.

Son emploi du temps était chargé, c'est pourquoi, en cette soirée, se sentant lasse, elle s'installa dans le grand salon avec un livre pour relaxer en se plongeant dans la lecture. Elle s'était installée confortablement, les jambes allongées sur le divan moelleux. Elle y était depuis plusieurs heures quand je fis irruption dans la pièce.

-Madame, Madame ! Vous êtes là ?

-Ouf ! Mirikof, ce que vous m'avez surprise, je suis presque tombée à la renverse !

-Pardonnez-moi, Majesté, mais j'ai bien peur de vous apporter une bien mauvaise nouvelle !

-Comment, qu'est-ce qu'il y a Mirikof, parlez ?

-C'est votre père, Madame !

-Quoi qu'est-ce qu'il y a ?

-Votre père était à table tout à l'heure et il ne se sentait pas très bien et quand il est venu pour se lever il s'est effondré... Il est... Il est mort, Majesté !

Mira se laissa choir sur le divan, les mains au visage. Les larmes jaillissaient de ses yeux.

-Oh ! Mirikof ! Pourquoi ?

Son père l'avait toujours accompagnée tout au long de son périple depuis le début de son couronnement comme reine. Mira était encore aux prises avec les dures réalités de la vie et le sort ne semblait pas vouloir lui laisser beaucoup de répit. Je compatissais sincèrement. J'aurais tant voulu prendre mon épée et trancher ce fil invisible de tourments qui semblait s'être accroché à elle. Boris fit aussi irruption dans la pièce. Il s'agenouilla devant elle et la prit dans ses bras. Il tentait du mieux qu'il le pouvait de contenir la peine de la belle.

Quelques heures plus tard, Mira se rendit aux chevets de son père qui dormait maintenant du sommeil du juste. Elle était effondrée par le chagrin et la douleur. Ses frères accompagnés de leur épouse étaient arrivés et étaient aussi chagrinés que la douce Mira.

Le lendemain, un enterrement digne d'un roi fut préparé et Mira marchait à la suite du funeste cortège accoté sur le torse de Boris. Un autre homme venait de quitter la vie trépidante de la belle. Elle perdait des êtres chers les uns après les autres et devait survivre à cette suite d'événements tragiques et déchirants.

Plusieurs jours passèrent et Mira tentait tant bien que mal de se remettre de la disparition du sage de la Forêt d'Elfe, ce père aimant, sensible et exceptionnel. Elle voulait oublier la douleur. Elle devait seulement retenir dans ses pensées, les moments gais et remplis de bonheur. Il fallait tourner la page et cette une nouvelle allait lui en donner l'occasion.

Elle se rendit rejoindre Boris dans son grand bureau.

-Entre beauté du matin, viens faire un gros câlin au Roi livré à lui seul devant autant de travail !

-Oui, tu as raison, il y a une telle pagaille sur le dessus de ce bureau... Comment fais-tu pour t'y retrouver ?

674

-Hum ! Je pense à toi et les papiers se replacent tous en ordre comme par magie !

-Boris ! Vraiment ! Alors… je venais te voir pour t'apprendre une nouvelle.

-Ah ! oui ! Venant de toi, je suis certain que c'est une merveilleuse nouvelle, ma petite paysanne adorée !

-Oui, je crois que la nouvelle te plaira, du moins je l'espère.

-Cesses de me faire languir, tortionnaire aux yeux d'enfer !

-Plairait-il à votre très charmante Majesté d'être à nouveau papa ?

-Oh ! Si ça me plairait ? Comment peux-tu me poser une telle question ? Avoir un autre enfant de toi, c'est un cadeau du ciel ma Reine que j'aime, que j'adore, que je caresserais en m'en user les mains !

-Alors… qu'offrirai-je à votre très Grande Majesté, un fils ou une fille ?

-Peu importe… Si c'est un garçon ou une fille ? Il vient de toi et c'est amplement suffisant ! En autant qu'il est mon doux caractère et non le vôtre, c'est le plus important !

-Oh ! Boris… je souhaite alors que ce soit un garçon avec mon caractère, pour te punir de tes blagues sur ma personne !

-Ha ! ha ! Alors ce sera un garçon très entêté ! Ha ! ha !

-Tu aimes me taquiner… Et tu trouves toujours des mots pour me piquer ! Et tu aimes tellement ça quand j'y réponds par des yeux colériques, c'est ça hein ?

-Ho ! ho ! Je suis découvert ! Oui, tu as deviné, ma belle Reine, j'adore lorsque tu me regardes avec des yeux qui lancent de petits éclairs ! Tu es si belle ! Tu es toujours belle ! Peu importe ce qu'il y a dans tes yeux ! Tu me désarmes beauté du Nord ! Et c'est la plus belle nouvelle que j'aurai aujourd'hui, j'en suis certain. Il n'y a rien pour surpasser ça ! Ma Reine qui porte encore un magnifique cadeau dans son ventre… Je t'aime !

Il l'embrassait dans le cou. Ses mains baladeuses se rendaient jusqu'à ses aisselles faisant éclater Mira de rires. Il s'arrêta et la prit confortablement dans ses bras. Il lui disait à quel point elle le rendait heureux. Son visage était de nouveau éclairé par une lumière et ses yeux par un pétillement irrésistible, le rendant heureux.

Tout le long de la troisième grossesse de Mira, rien de fâcheux ne s'était pointé à l'horizon. Et au neuvième mois, elle donna naissance à un garçon. Comme son premier fils, il était fort et en pleine santé. Boris était au summum du bonheur. Un autre jeune prince qui ressemblait encore à son père. L'enfant était presque le jumeau de son frère aîné tellement la ressemblance était frappante.

Une rencontre ravageuse

Quelques mois passèrent et comme si on traçait la route de sa destinée le long d'une carte, Mira aurait encore à vivre d'autres aventures.

Comme plusieurs revirements de situations avaient eu lieu au cours des trois dernières années, certains événements qui avaient tenté de se frayer un chemin dans la vie de la reine avaient été remis aux oubliettes mais on ne perdait rien pour attendre !

Souvenons-nous de ce chercheur Russe que nous avions été rencontrer à la bibliothèque, le jour où Bjarni s'était fait assassiner. Après avoir su les motifs pour lesquels nous n'avions pu le rencontrer, il était retourné à Kiev. Mais aujourd'hui, il était revenu parmi nous et s'était arrêté au château de Boris sachant Mira à cet endroit désormais.

Rustopov était un homme de stature moyenne mais dont la longueur de la barbe rivalisait avec la chevelure de Mira ! Cet intellectuel parlait parfaitement le suédois sans même un soupçon d'accent. Il revenait à la charge sur les trouvailles qu'il avait faites dans le livre de Grovache. Il fut reçu par le couple royal dans le grand salon et s'entretint avec eux de la découverte qu'il pensait avoir mis à jour.

En effet, Rustopov racontait qu'à la lecture de ce livre, il y avait plusieurs indications quant aux origines de telles constructions et sur leur usage mais qu'il fallait s'y rende pour étudier de plus près certains détails décrits dans le livre et que si on lui en donnait les moyens financiers, il pourrait entreprendre ce voyage accompagné de d'autres éminents chercheurs et que nous en retirerions un bénéfice considérable, surtout du côté historique car de tous les temps, les pyramides égyptiennes avaient suscité admiration et respect.

Ayant semé la graine qui germerait dans leur esprit, Rustopov se retira en attendant la réponse des souverains.

-Et si on l'accompagnait dans sa quête et qu'on fasse un voyage jusqu'aux limites de l'empire ? Je pourrais te montrer le château du

Grand Vizir où j'ai passé de nombreuses années ! En plus, si on découvre mondes et merveilles dans les pyramides égyptiennes, ce sera un plus pour ce voyage !

-Oh ! Oui ! Boris, j'aimerais voir ces pays dont tu m'as si souvent parlé, ces femmes et ces hommes de d'autres cultures. J'aimerais tellement ça… Un voyage nous ferait tellement du bien.

-Tu as raison, il est temps de prendre une vacance. Ce sera une longue vacance.

-Pourquoi dis-tu ça ?

-Parce que Mira il faudra au moins trois mois pour nous rendre jusqu'aux confins de ce Royaume.

-Vraiment ? Ton Royaume s'étend réellement jusqu'à des endroits aussi éloignés ?

-Je ne t'ai plus jamais menti depuis que je suis revenu, Mira. J'ai vraiment conquis un très vaste territoire. Et il est vrai que depuis que je suis revenu, je n'ai pas vraiment été voir à mes affaires, me contentant d'avoir les nouvelles de mes nombreux ministres extérieurs. Il serait temps de te faire voir ces terres belles et différentes et de rendre visite à tous mes substituts.

-Mais les enfants, pourrons-nous les emporter avec nous ?

-Je ne crois pas que c'est une bonne idée… Le voyage est long et périlleux. Ils seront très bien ici avec tout ces gens qui s'occupent bien d'eux. Tu as déjà été séparée d'Éric, souviens-toi ! Quant à Ursula et Rainer, ils sont encore jeunes et bien surveillés par leur bonne.

-Tu as raison. Une petite vacance nous fera du bien à tous les deux. Quand partons-nous ?

-L'impossible Mira fait encore des siennes ! Que d'impatiente dans ce corps si gracieux. Ma belle, le temps de parer aux préparatifs d'usage pour une telle expédition et nous sommes partis ! Il faut aussi demandé à ce bon Rustopov s'il est prêt à partir. Peut-être qu'il n'est pas aussi impatient que la douce tourterelle !?!

Quelques semaines plus tard, le convoi royal se mettait en route. Tout au long du voyage le roi s'arrêtait à des châteaux qui faisaient partis de son empire. Ils présentaient sa fabuleuse femme à ces hommes qui étaient séduits par cette beauté nordique. Les rencontres et les réunions, dans le but de vérifier les affaires de l'État, étaient courtes, brèves et précises. Aucune déception, ni pour le roi, ni pour la reine n'avait fait ombre à leur merveilleux voyage. Rustopov, lui était impatient de se rendre en terre égyptienne, ne tenant presque plus sur sa monture.

Après presque trois mois et la traversée de la Méditerranée, Boris et son escorte arrivaient dans la ville du Grand Vizir Omar. Dernier bastion conquis par Boris. Il s'était bien rendu jusqu'aux portes du Moyen Orient. Il s'y était arrêté avant de revenir vers Mira. Le Grand Vizir était un cousin du Vizir Akmed et Boris lui avait remis les clés de la direction de ce royaume juste avant de quitter pour revenir vers la Norsufinde. Omar était en quelque sorte un des nombreux vassaux du grand roi.

La venue dans sa contrée du roi Boris l'avait enchanté surtout lorsque sa très blonde et très belle femme lui avait été présentée. Malgré ses vieux yeux, le Grand Vizir se délectait de tant de beautés réunies sur un seul être !

Mais même avec les invitations répétées du Grand Vizir, Boris et sa suite préféraient se rendre jusqu'aux limites du territoire et camper près de l'embouchure de la grande rivière, le Nil, berceau de vie dans ces terres arides. Plus d'une trentaine de grandes tentes furent érigées en bordure de cette bizarre forêt. Bizarre, car la végétation et la faune ne ressemblaient en rien à ce qu'avait vu Mira jusqu'à lors. La température chaude et sèche, les étendues de sable à perte de vue, et ces quelques bouts de forêt l'intriguaient. Que dire des habitants de ces lieux ? Aussi étranges que la nature qui les entourait. Les femmes étaient toutes voilées et leur langage était particulier. Les maisons des villages étaient toutes blanches et les toits parfois de foin ou de tuiles rougies étaient plus particuliers les uns que les autres. Les habitants de ce pays avaient la peau bronzée et à observer Boris on lui trouvait des similitudes avec sa chevelure et ses yeux très noirs parce qu'ici personne n'était blond ou n'avait les yeux d'une autre couleur que noir ou noisette. Donc, les Scandinaves que nous étions choquaient dans ce paysage où le soleil régnait en maître.

Après que l'installation fut complétée, Mira avait des fourmis dans les jambes. Elle voulait voir la mer, la grande rivière. Boris lui donna la permission mais à condition qu'il l'accompagne.

-Je suis déjà partie Boris !
-Attends-moi un peu Mira, petite coquine ! Je n'ai pas encore passé mon pantalon et mon cheval n'est pas scellé, attends !
-Si tu n'avais pas lambiné, tu serais déjà prêt ! Tu n'auras qu'à me rattraper !

Boris faisait du mieux qu'il pouvait mais elle était déjà partie faisant sortir quelques jurons à Boris qui la trouvait bien imprudente. Elle galopait seule, les cheveux au vent dans cet immense terrain sablonneux vers la forêt, qui disait-on, bordait le Nil. Elle atteignit le sentier, le seul d'ailleurs qui mènerait probablement à la grande rivière. Elle poursuivait sa route sur Réfusse qui ruisselait de sueur. Un petit ruisseau suivait ce chemin cahoteux et s'engouffrait dans une petite vallée très étroite bordée de montagnes pointues et dénudées. La végétation était luxuriante quoiqu'elle semblait se disperser à mesure qu'elle s'engageait sur l'étroit petit sentier. Réfusse s'époumonait à reprendre son souffle. Il n'était pas habitué à une telle chaleur et Mira non plus. Elle s'arrêta pour descendre de cheval afin qu'il puisse boire.

Du haut d'une des montagnes qui surplombaient le sentier, un petit convoi d'une quinzaine d'hommes tous vêtus de turbans et de longues capes noires suivaient un chemin en direction inverse de Mira. Un des hommes fut attiré par ce qui se déroulait plus bas. Une cavalière arborant une crinière de soleil jouait avec son cheval en l'éclaboussant d'eau et le cheval semblait répondre en tapant de ses sabots l'eau qui éclaboussait à son tour la dame qui riait aux éclats. Les rires montaient le long des parois rocheuses en écho arrêtant l'homme dans sa course ainsi que ceux qui le suivaient. Un autre homme à la tête du convoi se retourna et vit que plusieurs de ses hommes ne le suivaient plus. L'individu fort bien vêtu rebroussa chemin afin de comprendre ce qui les avait arrêtés et ce qu'ils pouvaient bien regarder avec autant d'attention.

Arrivé auprès d'eux, il voyait à son tour cette femme en pantalon vêtue d'un magnifique costume blanc qui laissait voir ses formes féminines. Elle courait maintenant en tapant des mains s'éloignant du cheval qui leva les oreilles et se mit à courir au galop vers elle. À la grande stupéfaction des spectateurs l'observant plus haut, l'imposante bête courait vers elle à pleine vitesse et sans même la faire arrêter la femme grimpa sur le dos de sa monture d'un bond en riant. Les hommes firent tourner leur monture et la suivaient du haut de leur perchoir. Le cheval galopait toujours et là, leurs yeux s'écarquillèrent, la femme qui ne portait pas de voile, qui avait des cheveux de la couleur du soleil se tenait debout sur le dos de son cheval maintenant ainsi pendant quelques minutes un équilibre parfait. Comme le sentier débouchait sur une immense plage et qu'on y voyait la grande rivière, la femme termina sa course de manière encore plus spectaculaire. Elle fit une pirouette arrière et retomba sur ses pieds dans le sable et la bête ralentit revenant vers elle. Elle parlait à son cheval, mais la plupart d'entre eux ne comprenaient pas ce langage, sauf l'homme richement vêtu.

Qui était cette merveilleuse créature ? Les hommes admiraient en se parlant arabe entre eux, jusqu'à ce que l'homme bien vêtu les fasse taire. Elle jouait avec l'étalon d'un noir d'ébène qui faisait plusieurs fois son poids et pourtant la bête semblait être consciente de la fragilité de sa cavalière. Qui était cette femme qui pouvait jouer ainsi avec une bête aussi imposante qu'un cheval ? En tout cas, elle en possédait le secret car elle s'était couchée dans le sable et il en faisait autant, se roulant, les quatre fers en l'air ! Ils n'avaient jamais vu tel spectacle. Elle se releva et prit d'assaut un arbre sur le bord du sentier grimpant au sommet dans le temps de le dire mieux qu'un singe ne l'aurait fait. Elle avait atteint l'une des plus hautes branches et regardait le paysage qui s'offrait à elle. Toujours sur leur tour d'observation, les hommes en noir furent distraits par l'arrivée d'un cavalier qui sortait lui aussi du sentier. L'homme bien vêtu ordonna à l'un de ses hommes de lui donner la longue-vue. Dans sa lunette, il observa d'abord la dame qui s'était accotée au tronc de l'arbre immobile regardant vers le large. Que dire de ce qu'il avait dans sa lunette ? Une beauté ravageuse à la chevelure dorée comme les champs de blé ! Il délaissa quelques instants la dame pour mieux voir qui était l'homme qui était maintenant aux pieds de l'arbre sur sa monture. Il connaissait ce roi. C'était le roi Boris.

Soudain, Boris les aperçut ne pouvant pas les distinguer du point de vue où il était, il conclut qu'il pouvait s'agir de rebelles du désert et la panique s'empara de lui car ils étaient nombreux alors que lui, il était seul avec Mira !

-Mira vite, descends !
-Pourquoi ?
-Regarde, il y a des hommes là-bas, je n'aime pas ça ! Descends, je te dis. Vite, ils se mettent en mouvement, ils viennent vers nous.

Mira se tourna vers eux, surprise qu'il y eût quelqu'un juché si haut et Boris disait vrai, ils s'étaient mis en mouvement. Elle les perdit de vue quelques minutes et descendit de son perchoir.

-Vite monte !

Mira s'exécuta. Elle prit place devant Boris sur son cheval. Elle tourna la tête et les voyait maintenant galoper vers eux plus loin sur la plage réalisant que cette route donnait accès à la grande plage.

-Mais Réfusse ? Boris, Réfusse ?

-Laisse faire Réfusse ! Nous viendrons le récupérer plus tard je n'aime pas ça ! Il faut s'en retourner au campement. Et puisqu'il t'obéit au doigt et à l'œil demande-lui de te suivre !

Mais Boris était déjà au galop sans même qu'elle eût le temps de lui faire signe, lui qui venait tout juste de trouver de la bonne herbe salée à brouter. Boris poussa sa monture au maximum sentant que les hommes les poursuivaient.

L'observateur mystérieux ordonna à ses hommes de récupérer la monture de la dame en passant et de l'emporter avec eux. Ils fonçaient à pleine vitesse sur Boris et sa cavalière. Les longs cheveux blonds de Mira passaient par-dessus l'épaule du roi contrastant complètement avec la chevelure noire de Boris et sa cape de couleur bleu roi. Même s'il savait avoir une bonne avance, il ne prenait aucune chance et n'en donnait pas non plus à sa monture qui transportait deux adultes dans cette chaleur accablante. Mira était un trésor qu'il ne se serait jamais pardonné d'avoir perdu aux mains de bandits du désert. Ils les connaissaient bien et les savaient sans pitié. Enfin, au loin, il distinguait, le campement. Il entra entre les tentes à pleine allure laissant à peine le temps à quelques gardes qui s'y trouvaient de se pousser pour ne pas mourir sous les sabots de la bête. Il sauta en bas de sa monture agrippant Mira en vitesse l'introduisant avec hâte à l'intérieur de leur tente en l'interdisant de sortir. Il sortit aussitôt sommant la garde de se préparer. Il reprit sa monture essoufflée et retourna vers l'entrée du camp. Je le vois encore de toute sa majesté, assis fièrement sur sa monture, attendant avec des yeux effrontés, les cavaliers qu'ils voyaient arriver dans un nuage de poussière. Ils emportaient dans leur sillon Réfusse. Lorsque Boris réussit à les voir d'assez près, il fit relâcher sa garde, reconnaissant maintenant de qui il s'agissait.

-Mes hommages au Roi Boris ! Dit l'énigmatique personnage avec un accent arabe très prononcé.
-Mes hommages au Roi Yousef !
-Je ramène le cheval de la dame.
-C'est trop bon de ta part, Yousef.
-Tu cavalais à toute vitesse, Boris. Tu ne m'avais pas reconnu ?
-Non, tu étais beaucoup trop loin et sans vouloir t'offenser je t'avais pris, toi et tes hommes, pour des bandits du désert.
-Ha ! ha ! Cher Boris prendre le Roi Turc pour un bandit du désert !
-Mais n'aie crainte, lorsque je t'ai reconnu, j'ai fait relâcher ma garde.
-Ouf ! J'ai bien failli périr sous ton épée !

-Entre donc, viens te désaltérer et faire boire les chevaux.

Ils entrèrent côte à côte dans le campement. Les hommes de Boris se chargèrent des chevaux et ceux de Yousef s'assirent ensemble près d'une tente. Boris et Yousef entrèrent dans la tente et s'assirent un en face de l'autre.

-Assieds-toi, veux-tu boire du bon vin de mon pays ?

-Ce serait avec joie mais tu sais que je ne prends aucune boisson, désolé !

-Ha ! oui, c'est vrai… Alors que devient le Roi Yousef ?

-Je me porte bien, je me rendais d'ailleurs à Alexandrie au château du Grand Vizir. Ton arrivée à fait beaucoup de bruit et ce jusqu'à chez-moi. J'étais sur la route pour te rendre visite quand j'ai vu cette femme debout sur un cheval et qui se pose sur les hautes branches des arbres comme un oiseau. J'aimerais bien savoir qui est-ce ?

-Yousef ne te fatigue pas, je te connais… Ce que tu as vu tu n'aurais jamais dû le voir. C'est mon secret et tu ne seras pas de qui il s'agit.

-Ah ! Boris, serait-ce cette femme dont tu m'avais déjà parlé ? Je suis sûr que c'est elle !

-Yousef, tu n'es certainement pas venu à ma rencontre uniquement pour me parler de femmes ?

-Non Boris, c'est vrai. Mais maintenant que j'ai vu je veux savoir…

-Yousef je te connais… Toutes ses femmes que tu as dans ton harem. Je ne désire pas que tu t'intéresses à celle-là.

-Boris, Boris, je te connais moi aussi… Serais-tu jaloux ? Ha ! ha ! Boris, Le Magnifique, jaloux ! J'aimerais bien que tu te rappelles tous les services que je t'ai rendus par le passé, ces femmes que je t'ai offertes mais dont tu n'as jamais voulu parce qu'il y avait une mystérieuse femme du Nord qui t'avait prise dans ses filets, c'est elle, n'est-ce pas ?

-Et après si c'était elle ? Qu'est-ce que ça change pour toi ?

-Rien, Boris. Rien. Je veux seulement être présenté c'est tout !

-Bon, je n'en ai pas tellement envie, mais je te dois au moins ça !

-Oui parce que je sais que tu l'as présentée à d'autres avant moi et je pourrais m'offenser tu sais !

-Bon, bon, si tu le veux vraiment. Je vais aller la chercher.

-Merci, Boris. C'est trop d'honneur pour moi.

-Mais tu es prévenu, pas touche à cette femme !

-Boris, Boris, comme tu penses du mal de ce pauvre Yousef. J'ai déjà vu des femmes avant aujourd'hui, j'en ai neuf dans mon harem !

-C'est justement, ton harem, votre façon de vivre ! Enfin, je ne me préfère garder mes commentaires pour moi !

-Ha ! ha ! Boris le Roi du Nord qui a conquis un si grand Royaume et qui ne veut pas partager ses trésors avec son grand ami Yousef !

-Tu peux rire mais il n'est pas question de partager cette personne avec qui que ce soit, tu es prévenu !

-Je veux seulement la voir, et lui présenter mes hommages Boris… Jaloux… Il est jaloux… ce grand conquérant est jaloux !

Boris le regardait agacé et hochait négativement la tête prouvant sa désapprobation au roi Yousef. Il sortit de la tente et se rendit quérir Mira. Il n'était vraiment pas convaincu que c'était là, une bonne idée, mais il se devait d'être avec Yousef comme avec tous les autres monarques à qui il avait présenté Mira auparavant. Il est vrai qu'il était jaloux, jaloux qu'un jeune roi de l'Orient jette son regard sur sa créature de rêves. Mira allait-elle préférer ce regard exotique au sien ? Allait-elle être sous le charme des habits royaux spéciaux de ce roi ? Bon, il fallait bien répondre poliment aux demandes plutôt ordinaires de ce roi du désert qui avait un territoire presque aussi grand que le sien. Il entra dans la tente. Mira avait changé de vêtements.

-Boris, qui étaient ces hommes ?

-Rien d'autre que le Roi Yousef qui venait à Alexandrie pour me voir.

-Le Roi Yousef ?

-Oui c'est le Roi du Royaume voisin. Je l'ai très bien connu. C'est le Roi du Royaume Turc… Il avait entendu dire que j'étais de retour et était en route pour me rendre visite.

-Je préfère ça, à une bande de bandits du désert.

-Il est ici et souhaite t'être présenté.

Elle se retourna vers lui et le prit par la main. Il la reconduit vers l'autre tente. Le passage de cette femme devant les yeux des cavaliers du roi Yousef ne manqua pas de piquer leur curiosité. Ils voyaient cette créature blonde et gracieuse aux bras du roi. Les commérages allaient bon train entre eux en arabe. Puis elle entra dans la tente avec Boris. À sa vue, Yousef se leva et s'avança dignement vers elle. Il prit la petite main et l'embrassant sans toutefois la lâcher des yeux. Ce regard ténébreux agaça Boris au dernier degré et Yousef couronna le tout d'un sourire malicieux en sa direction. Boris coupa court à cette taquinerie de mauvais goût avec les présentations d'usage.

-Yousef, je te présente la Reine Mira, ma femme, ma Reine. Mira, voici le Roi Yousef.

-Tout l'honneur est pour moi belle dame du Nord.

-Moi de même, Majesté. Répondit Mira.

Ils s'essayèrent autour de la table où on avait servi vin et fromage. Yousef était visiblement sous l'effet Mira et elle comme à son habitude d'un naturel déconcertant ne s'apercevait de rien évitant de le regarder dans les yeux. Ce signe de respect le charma totalement. Si gracieuse, si fraîche, si belle, possédant des yeux plus éclatants que les beaux saphirs, une chevelure dorée dont les boucles rebelles descendaient le long de son doux visage jusqu'à sa taille. Il ne regardait qu'elle. Les rois arabes se seraient déchirés entre eux pour posséder un tel trésor dans leur harem. Boris voyait bien qu'il la dévorait des yeux et n'aimait pas ce regard inquisiteur. Il savait que les femmes de son harem étaient très belles mais pas une ne rivalisait avec Mira.

-Madame puis-je savoir où vous avez appris à monter à cheval de cette façon ?

-Que voulez-vous dire, Majesté ?

-Sur la route pour me rendre à Alexandrie, nous vous avons croisée. Comme nous avions emprunté une autre route, vous ne nous avez pas vus avant que Boris nous aperçoive mais nous, nous vous avons suivie pendant quelques minutes pouvant apprécier votre agilité à cheval et à monter dans les hauteurs.

Mira était visiblement intimidée de savoir qu'on l'avait vue pendant qu'elle s'amusait avec Réfusse rougissant, et regardait Boris, se demandant ce qu'il allait penser de tout ça.

-Cela date de très longtemps, Majesté. Répondit-elle timidement.

-Oui Yousef, elle connaît mieux les chevaux que nous deux réunis.

-J'ai beaucoup entendu parler de vous, Madame… Il semble que vous ayez développé un certain, comment pourrais-je dire, un certain système de prise de décisions avec votre très charmant Roi.

-Oui, Majesté, mon époux et moi, nous sommes très près de nos sujets.

-Ce que Mira veut dire, Yousef, c'est qu'il n'y a pas grand-chose que nous ne partagions pas.

-Je trouve cela plutôt particulier, mais j'avoue que votre petit système semble avoir fait que des heureux, selon ce qu'on m'a raconté. Il faudrait peut-être que nous en discutions davantage ensemble, il faut que j'évolue moi aussi et dans le bon sens.

-Ne crois-tu pas que ton peuple, avec votre vision sur le rôle des femmes, ne sera pas choqué de voir que tu leur donnerais du pouvoir, Yousef ? Demanda Boris amusé, voulant se venger de la façon qu'il reluquait sa femme.

-Il est vrai, Boris, que nos coutumes sont très différentes des vôtres à ce sujet en particulier, mais je suis Roi moi aussi, et un Roi très puissant, ce que je décide, on se doit de le faire.

-Mira, ce que Yousef ne dit pas, c'est qu'ici les hommes ont plusieurs femmes. En particulier les Rois. Ils ont des harems.

-Boris, Boris, pourquoi fatiguer cette charmante personne avec des détails aussi futiles ?

-Qu'est-ce qu'un harem ? Demanda-t-elle curieuse.

Boris allait répondre quand Yousef lui coupa la parole pour ne pas effrayer la très belle femme qui était assise devant lui.

-C'est un endroit pour nous les Princes et Rois arabes que nous réservons à nos plus belles femmes pour les préserver du regard indiscret de certaines personnes qui pourraient tenter de leur faire du mal. Elles sont traitées comme des Reines et pour nous elles sont aussi, sinon plus, importantes que les joyaux de notre Couronne.

-Yousef, Yousef, c'est une description plutôt imagée de ce qu'est ton harem !

-Imagée ou pas, Madame, pour nous les femmes sont des trésors qu'il faut protéger.

-C'est une coutume plutôt spéciale, mais l'intérêt que vous sembler leur porter me touche beaucoup. Répondit Mira.

Boris regardait Yousef avec un sourire malicieux et hochait encore la tête. Boris savait très bien que Yousef n'avait pas tout à fait menti, mais n'avait pas tout à fait dit la vérité non plus. Yousef quant à lui avait réussi à impressionner la reine de ses beaux discours. Il se releva et de nouveau embrassa cette main douce et délicate en gardant son regard très noir plongé dans ces yeux couleur d'azur. Il prit congé en disant à Boris :

-Je dois partir, mais je reviendrai vous voir. Et si vous désirez me rendre visite, j'ai un château à quelques heures d'ici. Boris connaît très bien le chemin. Il me serait très agréable d'avoir l'honneur de recevoir de si honorables personnes dans mon humble demeure.

-Merci, nous y penserons, Majesté. Répondit Mira.

-Merci, Yousef, mais nous devons repartir bientôt.

-De toute façon, je vais rester peut-être à Alexandrie pendant quelques jours, nous aurons sûrement l'occasion de nous revoir.

-Sûrement Yousef. Répondit Boris.

Il les salua et sortit de la tente se dirigeant vers sa petite cavalerie. Arrivé à sa monture, l'un de ses proches lui demanda :

-Sire, qui est cette magnifique femme ?

-Le trésor de Boris. Et je peux te dire qu'il la garde jalousement. Je le comprends parce que je n'autoriserais pas personne moi non plus à la regarder. Si tu avais vu ses yeux. Des yeux couleur de mer. Une chevelure de soleil du désert et un corps… Ah ! Boris ne doit pas s'ennuyer avec une femme comme elle. Elle est la plus belle femme qui m'ait été donné de voir. Elle a aussi un discours agréable et il y a quelque chose de spécial qui émane de cette femme… Ah ! Jülem, je l'échangerais contre toutes mes femmes !

-Votre Majesté à bien de la chance d'avoir pu la voir de près.

-Vous l'avez vu de loin, mais vous l'avez vu… Comptez-vous chanceux que je vous aie permis d'avoir ce privilège !

Le conseiller du roi eut un sourire et les autres aussi. Le roi Yousef reconnu pour être un caractériel de première, démontrait par ce petit commentaire que la jalousie l'avait pris par surprise. Il enviait son acolyte royal réalisant que Boris, étant un roi puissant de surcroît, n'aurait jamais accepté de se séparer d'elle et ce à aucun prix. Il se souvenait maintenant ses longues discussions avec Boris par le passé et la description qu'il en faisait. Yousef le taquinait ne croyant pas une minute qu'une telle créature puisse exister ! Il se disait même : a beau mentir qui vient de loin ! Mais aujourd'hui, il était venu à la rencontre de Boris, uniquement pour voir de ses yeux, ce qu'on lui avait rapporté, que Boris était en visite accompagné de sa femme et qu'elle était vraiment ce qu'on leur racontait, soit une beauté rarissime. Il comprenait désormais pourquoi Boris s'était complètement détaché de liaisons charnelles avec les dames pendant son exil. Yousef était visiblement troublé de cette rencontre fortuite du matin, où il avait vu un être exceptionnel exécuter sous ses yeux des prouesses qu'il n'aurait pas su exécuter lui-même et cette discussion avec une personne pourvue d'intelligence et de grâce qui débordaient là, devant ses yeux, munie d'une beauté qu'il n'aurait jamais imaginé voir dans sa vie.

Une fois le roi étranger parti, Mira se leva et regardait Boris qui la dévorait des yeux avec un sérieux déconcertant.

-Pourquoi me regardes-tu comme ça ?

-J'aimerais seulement savoir ce que tu penses de lui.

-C'est un autre Roi, Boris. Je ne pense rien de spécial… Il parle très bien notre langue.

-Il ne faut pas oublier que j'ai passé plusieurs années ici. J'ai eu l'occasion, moi aussi, d'apprendre leur langue. Mais que penses-tu vraiment de lui, Mira ?

-Rien de spécial, c'est un Roi comme un autre… bien vêtu avec de drôles de coutumes. Je n'ai pas voulu être impolie, mais son histoire de harem, ou j'ai mal compris son explication ou je suis sotte, mais un harem, me semble un endroit qui ressemble à un enclos où l'on rassemble plusieurs femmes pour servir Sa Majesté Royale.

-Tu n'es pas sotte et tu n'as pas mal compris. Un harem Mira est réservé aux plus fortunés. Ces hommes ont le droit d'avoir plusieurs femmes. Quand je dis plusieurs femmes, ça veut dire plusieurs femmes… Si tu vois ce que je veux dire.

-Mais elles, elles ne trouvent pas ça injuste ?

-Cette coutume est tellement vieille. Il semble que pour certaines d'entre elles, c'est un honneur d'être choisie. Mais tu sais un harem où il y a plusieurs femmes, il faut s'attendre à ce qu'il y ait cette bonne vieille jalousie et parfois certaines d'entre elles qui sentent que le Roi ou leur maître en préfère une plus que les autres et c'est la guerre ouverte !

-Ce que les hommes ont de drôle de façon d'aborder leurs relations avec les femmes… Nous, c'est la soumission sans compromis, ici c'est soumission et en plus partage d'un homme pour plusieurs… Décidément, les femmes qui peuplent cette terre sont bien mal pourvues.

-Je sais que cette vision des choses te choque. Je sais que tu n'aimes pas que l'on choisisse à ta place… C'est pourquoi, je ne tenais pas vraiment à te présenter à lui. Ces pays du bout du monde sont un choc culturel pour toi, comme ils l'ont été pour moi dans le passé. J'ai arrêté ma conquête ici pour cette raison. J'aurais eu bien trop à faire pour changer ces comportements à ma façon à moi. En plus ce sont de très grands guerriers. Ils sont coriaces et mourraient pour leur Allah.

-Allah, oui… c'est dans leur religion…

-Oui si on veut c'est le nom qu'ils donnent ici à Dieu. Il n'y a pas que leurs coutumes qui soient différentes, leur religion est aussi très différente de la nôtre, du moins sur certains points.

-Je vois. J'ai vu d'ailleurs en arrivant ici que les femmes portent un voile sur le visage qu'est-ce que ça veut dire ?

-Quand Yousef t'a dit tout à l'heure qu'ils préservaient leurs femmes du regard des autres, ce n'était pas un mensonge. Dans leurs rites, ils considèrent la femme comme un trésor qu'il faut conserver pour soi. Le voile empêche les autres hommes de voir la femme de son voisin.

-Qu'est-ce que c'est que cette histoire ? Voyons, nous ne sommes pas des êtres qui donnons toujours envie à un homme de nous sauter dessus…

-C'est toi qui dis ça Mira ? Tu sais, de toutes leurs coutumes bizarres c'est la seule que j'adopterais... Tu es si belle, tu donnes envie à chaque jour à un homme de t'embrasser...

-N'y comptez pas Majesté ! Jamais je ne porterai de voile pendant de longues heures pour le simple plaisir de satisfaire la jalousie d'un homme et surtout sous cette chaleur !

-Ha ! ha ! Je sais bien, c'est pourquoi je ne t'ai jamais demandé de faire cela pour moi, mais il reste que c'est là une idée merveilleuse pour empêcher les autres de te regarder...

Mira le frappait de son poing sur le bras et ils se mirent à rire.

Boris savait que Yousef avait fait une certaine impression mais, soit elle cachait bien son jeu, soit elle était comme il l'avait toujours connue, discrète et peu attirée par les autres hommes. Il préférait se complaire à croire que son cœur était totalement à lui. Il s'approcha d'elle et la couvrit de baisers dans le cou.

-Boris, voyons... arrête... nous ne sommes pas seuls et il fait une chaleur accablante.

-Aucun froid, aucune chaleur si accablante soit-elle ne peut m'éloigner de toi. J'ai toujours envie de toi Mira, je ne sais pas comment tu fais, mais c'est comme ça !

-Boris, Boris, arrête à la fin ! J'ai eu toutes les misères du monde pour passer cette robe dans une telle chaleur...

-Mais si tu l'enlevais tu aurais moins chaud... Voyons ma belle je brûle de désirs pour toi !

-Ce que tu peux être bébé parfois, Boris !

Il continuait à l'assaillir de baisers et de caresses. Elle ne résistait plus. Il avait vraiment le tour de la séduire.

Yousef continua son voyage vers Alexandrie où il passa la nuit chez le Grand Vizir. Il avait appris par la bouche même du Vizir que le roi Boris devait lui rendre visite le lendemain. Aurait-il revu cette déesse venue du Nord ? Il l'espérait vraiment car elle l'obsédait depuis qu'il l'avait vu.

Tôt le lendemain matin, Yousef se rendit au village pour faire commerce avec de vieilles connaissances tout ayant pris la précaution de donner des ordres pour qu'on le prévienne dès l'arrivée du cortège. Il acheta de nombreux articles hors de prix accompagné par ses gardes qui le suivaient sans prononcer une parole. Yousef pouvait se le permettre il était fort riche. Après avoir terminé ses emplettes, il fit quérir un carrosse où il fit déposer tous ses achats. Il se rendit visiter des amis en attendant le passage de ce cortège. On vint lui annoncer que le roi Boris était déjà arrivé en ville avec la reine. On avait vu Boris se rendre chez le Grand Vizir mais la belle dame n'était pas en sa compagnie. On lui avait rapporté que la dame était descendue ailleurs dans la ville mais on ne pouvait dire à quel endroit exactement. Cette nouvelle enflamma Yousef ! Elle était seule sans Boris ! Il ne perdit pas une minute, suivi de ses gardes arpentant les rues de la ville à la recherche de la magnificence faite femme. Sous un soleil chaud et radieux, les gens circulaient dans les rues en un va-et-vient grouillant et bruyant. Il descendait la pente abrupte d'une rue lorsqu'il entendit venant d'une cour qu'il surplombait, des dames qui riaient et disaient en arabe à quelqu'un d'autre :

-Viens, Viens, jolie dame approche, les musiciens sont là, ils n'attendent que toi.

-Salème, elle est gênée de danser devant des hommes qu'elle ne connaît point !

-Mais ce sont des musiciens, ils connaissent bien nos danses et ils sont tous si vieux… en plus dans cinq jours elle a appris beaucoup plus que nous ne le saurons jamais. Elle est une bien meilleure danseuse que nous.

-Tu dis vrai. Le Roi sera sûrement très étonné lorsqu'elle dansera pour lui. Viens, Viens… !

Yousef arrêta tous ses hommes. Il l'avait trouvée. Il vit d'abord très clairement les deux femmes habillées pour danser le baladi. Il savait Mira à l'arrière mais un mur lui cachait la vue. Il sauta en bas de sa monture et ordonna à ses hommes de se rendre l'attendre au bas de la rue. Yousef courant comme une gazelle, ne portant plus terre, excité comme un jeune enfant ne se rendait pas compte que ses hommes devinaient ce qui le mettait dans cet état. Il dévala la pente à tout allure, tourna à gauche, ouvrit d'un coup de pied une porte qui donnait accès à un atelier de menuisier. L'établi était couvert de pièces de bois et d'outils. Il y avait plusieurs bancs et une chaise qu'il tira pour prendre place car il avait trouvé ce qu'il cherchait. En effet, une autre porte donnait accès à la cour arrière où il savait les danseuses. Par le bâillement de la porte restée entrouverte, lui laissait tout le loisir de voir sans être vu. Il était assis dans une pénombre et avait une vue imprenable sur la cour.

Devant lui se tenaient trois femmes dont une qui se différenciait bien des autres par sa blondeur et son corps divin. Les musiciens commencèrent à jouer un air folklorique bien connu. Elles dansaient, déhanchements provocants et gracieux mouvements des bras.

Mira était tout simplement à croquer dans ce costume. Un corsage qui retenait à peine cette poitrine généreuse, un voile léger sur le visage qui faisait ressortir ses magnifiques yeux, cette fine taille où s'accrochait un pantalon de voiles laissant deviner ses longues et délicates jambes. Elle était tout simplement sublime.

Dès le début de la danse, Yousef comprit ce que voulaient dire les deux femmes. Elle maîtrisait parfaitement tous les mouvements et elle faisait preuve d'une très grande souplesse. Il regardait cette femme extraordinairement belle exécuter cette danse provocante et ne cessait de se frotter le menton et la bouche de sa main ayant toutes les difficultés à rester sur son siège.

Il était tellement fasciné par la danseuse qu'il n'avait pas remarqué que trois de ses gardes l'aient suivi et s'étaient plantés debout derrière lui admirant la splendeur de la danseuse. Ils étaient tout simplement sous le charme de cette danseuse étrangère qui exécutait un baladi parfait. Yousef était comme un chien qui salive devant un os, il avait presque la bave à la bouche. Il était obsédé par ce corps qui se tortillait et cette grâce féminine dans toute sa splendeur. Ses longs cheveux blonds se balançaient au gré des mouvements d'une précision quasi incroyable pour une étrangère.

Elle fit un mouvement acrobatique souple et gracieux qui renversa Yousef continuant en exécutant un autre aussi impressionnant que le premier et encore un autre. Il se contenait à peine. Elle lui offrait, sans le savoir, une danse réservée sans aucun doute pour Boris et c'était lui qui en voyait toutes les splendeurs. Les musiciens terminèrent leur pièce de musique. Comme Yousef, d'autres gens qui passaient dans la rue plus haut avaient admiré cette prestation digne d'une des plus grandes danseuses. Ils applaudissaient et criaient à la dame de continuer. À ces cris et à ces voix qui venaient d'en haut, Mira se tourna et vit qu'on l'observait. Intimidée, elle se sauva dans la maison en courant suivie par les deux autres femmes.

Yousef se leva aussitôt et en se retournant, entra presque en collision avec l'un de ses gardes. Lorsqu'il comprit que ces effrontés s'étaient permis de regarder par-dessus son épaule, il les chassa en levant les bras et en les injuriant. Les hommes ne demandèrent pas leur reste et sortirent en quatrième vitesse se réfugiant sur leur monture. Yousef leur criaient :

-Je vous ferai crever les yeux pour avoir osé regarder !
-Mais Sire, nous vous cherchions !

-Je vois que vous m'avez trouvé, mais vous me paierez cet affront. Vous pouvez vous considérer chanceux que j'ai encore besoin de vous, là tout de suite ! Restez ici, nous allons repartir et je veux que nous soyons rapides pour revenir au palais. Cette fois je n'accepterai aucune bévue de votre part !

-Bien Sire.

La rue qui passait devant cette maison était presque déserte. C'était parfait pour ce que Yousef avait en tête. Il entra dans le carrosse et y prit une petite bouteille qu'il dissimula dans une poche de son costume. Il s'introduisit dans l'humble demeure sans crier gare. Les occupants de la maison se retournèrent tous et sachant très bien qui était devant eux, se courbèrent.

-Dites-moi où elle est ?

-Mais qui Sire ?

-La Reine Mira, idiot !

-Elle est dans l'autre pièce Sire avec mes filles.

Ayant su ce qu'il voulait savoir, il ne fit ni un ni deux et se dirigea d'un pas décidé vers la petite pièce.

-Mais Sire elles se changent ! Dit le vieillard tout énervé.

-Cela ne sera que plus agréable à voir !

Le vieil homme le regardait marcher d'un pas certain vers la chambre. Que voulait-il à la femme du roi Boris ? Comment savait-il qu'elle était là ? Yousef arriva devant une porte de bois d'où émanaient des voix féminines qui riaient. Il s'introduit effrontément dans la pièce.

Les trois femmes cessèrent de rire et regardaient l'homme. Il ordonna en arabe aux deux autres occupantes de quitter. Elles se regardèrent, étonnées et quittèrent subito presto. Une fois seuls, Yousef salua Mira dignement qui elle tenait un long voile tentant de dissimuler son corps à cet intrus.

-Le Roi Yousef vous salue, oh ! Déesse du Nord !

-Roi Yousef ?

-C'est bien moi, Madame.

Il devint silencieux et ce silence marqué par des yeux de feu qui la regardaient avec insistance suffisait largement à Mira pour la mettre dans l'embarras. Il s'avança vers elle d'un pas sûr, la faisant reculer jusqu'à ce qu'elle se butât le dos contre le mur.

-Madame, puis-je espérer que vous me ferez l'honneur de venir en ma demeure ?

-Heu ! Sire, ce serait avec joie mais… mais… je dois d'abord en parler à mon époux.

-Parce que vous croyez, Madame que Boris vous laissera venir chez-moi ! Ha ! ha ! Seriez-vous naïve au point de croire que je vous invitais pour que vous y veniez accompagnée ?

-Mais… Mais… Je… je dois lui…

-Oh ! Beauté venue du Nord pour m'accabler d'autant de délices… Je suis conquis. Le Grand Yousef est à vos pieds n'attendant que de vous combler de vos moindres désirs.

-Mais… mais… je… je…

-Ne me refusez pas ce plaisir… Je vous couvrirai de bijoux, de perles, de tout ce que vous n'avez même pas idée…

-Non… je… je… j'ai déjà amplement ce qu'il me faut… je ne peux pas aller chez vous sans Boris !

-Boris… Pourquoi, dites-moi pourquoi, vous a-t-il laissée seule au-jourd'hui ?

-Parce que… Parce que j'ai insisté pour venir ici, seule… et ça ne vous regarde pas !

-C'est donc pour lui que vous prépariez cette danse ?

-Comment ? vous m'avez vue ?

-J'étais même aux premières loges, Madame… Et jamais, non ja-mais, je n'avais vu une telle danseuse vous m'avez presque fait tomber à la renverse.

Mira était désespérée. Décidément, c'était une habitude chez lui ! Il l'espionnait donc tout le temps ? Où se trouvait-il ? Yousef s'approcha encore d'elle la pressant de son imposante poitrine contre le mur. Se sentant prise au piège, elle tentait désespérément de le re-pousser. Comprenant ce refus, Yousef lui prit le visage de sa robuste main et lui dit :

-Alors, vous ne me suivrez pas, belle déesse ? Nous aurions fait un si bon voyage ensemble, l'un près de l'autre !

-Je ne veux pas vous suivre ! Nous irons vous rendre visite si c'est cela que vous désirez, mais je n'irai pas dans votre château sans Boris, n'y comptez pas !

-Je ne désire pas que vous me visitiez avec Boris, ce que je veux c'est vous !

-Non… laissez-moi… ! Allez-vous en… ! Ne me touchez pas ! Qu'est-ce qui vous prend ?

-Puisque vous ne voulez pas me suivre de votre plein gré, vous me forcez à vous emporter de force.

D'un geste rapide, il sortit le petit flacon en renversa le contenu sur un mouchoir blanc. Il posa le mouchoir sur sa bouche. Elle se débattait, criait, pleurait mais il la maintenait fortement contre le mur. Il admirait l'effet de la drogue sur la frêle dame. Ses mouvements ralentissaient et sa résistance aussi jusqu'à ce que ses yeux d'azur se ferment et qu'elle tomba dans un sommeil profond.

Yousef la ramassa telle une poupée de chiffon et sortit de la pièce. Il traversa la maisonnée, Mira sur une épaule, passant devant les membres de la famille qu'il regarda avec un regard d'acier. Ils étaient aphones devant un événement où ils n'avaient aucun contrôle. Nullement gêné par le poids de plume qu'il traînait sur l'épaule, il sortit à l'extérieur aussi droit et solennel qu'un général. Il l'embarqua avec délicatesse dans le carrosse et ordonna à ses hommes de rentrer au château le plus vite possible. Les femmes de la maison pleuraient et le vieil homme se tenait la tête à deux mains. Il fallait envoyer avertir le roi Boris.

Yousef s'était confortablement assis, la belle sur sa poitrine. Il la tenait délicatement s'amusant à observer avec parcimonie sa nouvelle acquisition. Les traits délicats de son visage, cette gracile bouche rouge comme une belle pomme mûre, cette peau de velours blanche comme la neige rehaussée de la couleur pêche sur les joues, ce petit nez fin, cette chevelure longue et abondante de la couleur du miel dans laquelle il se passait les mains. Il poursuivait son observation vers les graciles petits doigts, longs et fins qui étaient déposés sur sa généreuse poitrine, ses longues jambes fines, parfaites, cette taille fine, ses hanches fragiles. Un véritable cadeau du ciel. Une pierre précieuse dont ses coffres royaux n'étaient point pourvus ! Il passait par les mêmes sensations que ses prédécesseurs.

Le voyage de plus de trois heures lui sembla bien court perdu dans sa contemplation de ce que la nature pouvait offrir de plus beau. Arrivé, il se déplaça en douceur pour débarquer la belle afin de ne pas abîmer ce fragile écrin de beauté.

Une fois à l'extérieur du véhicule, il tourna vers ses hommes un regard tel qu'ils se retournèrent tous dans le sens inverse. Yousef n'aurait pas accepté qu'ils posent les yeux sur ce trésor. Il se dirigea vers ses appartements avec la douce dans ses bras. Il referma la porte derrière lui à l'aide de son pied et l'étendit sur son lit entouré de voiles. Elle dormait toujours mais l'effet de cette drogue s'estomperait sous peu. Se débarrassant de sa grande cape noire et du haut de son costume, il s'étendit près d'elle attendant le moment où les yeux bleus aussi profonds que les océans s'ouvrent et se pose sur lui. Il attendait patiemment même s'il savait que Boris aurait surgi dans peu de temps réclamant son trésor.

Le moment tant attendu survint. Elle commença doucement à ressortir de son sommeil forcé. Il était prêt ! L'enveloppant de ses bras robustes et le visage tout près du sien. Elle ouvrit doucement les yeux. D'abord son regard embrouillé se précisa et tout près d'elle, il y avait cet homme qui la tenait fortement contre lui et dont le regard noir profond la dévisageait.

-Qu'est-ce… qu'est-ce que… Roi Yousef… ?

Elle se crispa se rendant compte dans quelle position elle se trouvait mais l'homme insistait de sa force la maintenant ainsi.

-Ma belle déesse du Nord, voir vos yeux revenir du sommeil est un véritable miracle pour celui qui à la chance de les voir.
-Sire, lâchez-moi, où suis-je ?
-Vous n'avez pas voulu me suivre, rappelez-vous. Je vous ai quand même emmené avec moi… Vous êtes dans mon palais.
-Non… Non… lâchez-moi ça suffit, vous n'avez pas le droit !
-J'ai tous les droits, ma belle déesse, celui-là même d'espérer que vous vous donnerez à moi sans me forcer à vous prendre de force.
-Si vous pensez réellement avoir ce droit, vous êtes le Roi le plus culotté que je connaisse !
-Ha ! ha ! Vous avez un esprit si divin, vous êtes de loin la plus belle femme qu'il ne m'a jamais été donné de regarder et de toucher, mais surtout d'entendre !
-Roi Yousef ça suffit, cessez immédiatement ce petit manège ! Boris sera extrêmement choqué de votre comportement. Lâchez-moi !
-Je vous ai, je vous garde et peu importe ce que dira Boris, je m'en fous ! Je suis un Roi aussi puissant sinon plus que lui et il le sait…
-Ne me touchez pas !

Elle le repoussait et Yousef relâcha son emprise. Elle se leva d'un bond et fit quelques pas. Encore sous les dernières vapeurs de la drogue, elle faillit s'effondrer par terre et Yousef étendu sur le lit la regardait en riant.

-Ha ! ha ! Vous pensez réellement vous enfuir dans cet état ? Vous êtes une femme de caractère ! Cela ne fait que rajouter à votre charme !

-Espèce de salaud ! Il faudra plus qu'un bandit du désert pour me retenir ici !

Yousef riait de plus belle. Il aimait ce sens du combat dont elle faisait preuve et sa façon de s'exprimer envers lui, même si aucune autre femme n'aurait eu le droit de s'adresser à lui de cette manière. Amusé, Yousef se leva nonchalamment et se dirigea vers une petite table remplie de différents flacons. Elle le regardait tentant de maintenir un équilibre sur ses jambes qui semblaient vouloir se défiler sous son poids. Il prit un petit flacon et en fit couler le contenu sur un mouchoir.

-Vous ne recommencez pas encore votre vieux truc, c'est donc prendre une morte que vous voulez ?

-Non… Cette fois, vous serez seulement amortie et non endormie. Vous serez consciente de tout ce qui se passe, ce sera peut-être désagréable, mais vous ne semblez pas vouloir partager avec moi certains plaisirs, vous ne me laissez pas beaucoup le choix.

-Vous me dégoûtez ! C'est donc de cette façon que vous partagez vos « plaisirs » comme vous dites, avec vos femmes ?

-Pas du tout ! C'est même la première fois que j'utiliserai ce moyen. Mes femmes sont beaucoup plus honorées de me caresser et de dormir à mes côtés que vous ne semblez l'être !

Désespérée, elle tenta une sortie mais la faiblesse dont elle était assaillie eue raison de sa souplesse légendaire, Yousef était plus rapide qu'elle. De son imposante stature, il passa devant elle et ferma la porte avec fracas. Son regard rempli d'assurance et de détermination se reflétait dans celui de Mira. Avec angoisse, elle réalisa toute l'ampleur de la situation. Une situation déjà vécue, connue voire expérimentée quelques années auparavant. L'angoisse faisait place à la peur puis à la rage puis à un sentiment sans cesse renouvelé, celui-là même de son impuissance. Dans les yeux d'azur, la frayeur venait de se frayer un chemin aussi certain que ce que qui se déroulerait dans quelques minutes dans cette chambre richement décorée. Le pire restait à venir. Le cœur et la tête de Mira s'emplirent d'une douleur indescriptible. Des pincements, des pressions, des sensations qu'elle ne voulait plus revivre. Yousef n'était certes pas du même avis et ne se souciait point de ce qu'il était en train d'infliger à ce corps auquel il voulait vouer tendresse et caresses. Parfaitement inconscient de ce que ressentait la déesse de beauté qu'il avait sous les yeux, seules ses aspirations d'homme, de mâle, le conduisaient.

-Voyons ma belle déesse, si tu voulais, tu verrais que je suis tendre et doux et que je peux t'apporter plaisir et amour… J'ai tellement envie de toi… Ne me force pas à utiliser ceci pour obtenir ce que je prendrai si doucement !
-Ne me touchez pas ! Il n'est pas question que vous posiez les mains sur moi !

Ce refus renouvelé le choqua. Elle ne démordait pas malgré le fait qu'elle se sentait perdue. Une combattante de premier ordre. Devant un guerrier de sa trempe, Yousef se surprit à sourire devant autant d'audace. Il était forcé d'agir. Cet esprit contrariant, ce petit bout de femme qui se tenait devant lui à peine sur ses jambes les yeux écarquillés l'invitait malgré elle à agir.

Il l'empoigna et de nouveau la bouche et les narines de Mira étaient couvertes par le bout de tissu imbibé d'un liquide à forte odeur. De nouveau des tentatives aussi vaines qu'inutiles de sa part pour se libérer. Mais cette fois Yousef la retenait observant avec délice les yeux de la belle. Ils passaient de la peur à un état qui ressemblait à l'extase. Elle se sentait partir avec une sensation de bien-être total. Une fois l'œuvre achevé, Yousef la prit délicatement dans ses bras. Légère comme une plume, c'est avec douceur qu'il la déposa sur son lit. Les mouvements lents et presque totalement hors de son contrôle, elle gesticulait, continuant de marquer son désaccord.

-Vous… vous ne… vous ne vous en tirerez pas aussi… facilement !
-J'aurais tant aimé avoir de vous ce que vous donnez à Boris sans qu'il utilise des moyens aussi drastiques. Mira, si vous saviez à quel point j'aurais voulu qu'il en soit autrement.

Lui chuchotait-il à l'oreille. Il couvrait maintenant son corps endolori du sien, lui prodiguant baisers et douces caresses.

-Vous êtes si belle, si désirable… Je comprends que peu d'hommes vous résistent.
-Ne… ne… me touchez pas !

Sans défense possible, cette drogue opérait sur son système nerveux. Elle ne pouvait rien faire, ses bras tentaient de soulever cet homme qui se tenait maintenant sur elle mais elle n'y arrivait pas.

Quant à Yousef, est-il besoin de décrire l'état de désir total qui l'enveloppait ? Est-il besoin de dire qu'auprès d'elle, il ressentait des sensations jusqu'à lors inconnues ? Ce roi Turc, qui avait un royaume immense et d'une richesse inégalée ne connaissait pas le désir d'une femme, les plaisirs charnels exceptionnels qu'il était en train d'expérimenter. Il avait bien un harem rempli de neuf épouses, mais aucune ne lui avait procuré de telles sensations. Cette attraction devenue irrésistible le rendait fou. Tous ses sens en éveil, l'homme caressait chaque parcelle de peau, la chevelure de soleil, les traits parfaits du visage, s'émerveillant de la femme dans toute sa splendeur. Yousef était au septième ciel.

-Ah ! Mira qu'il doit être fantastique de faire l'amour avec toi, lorsque tu consens à donner des caresses et des baisers. Je suis fou de toi !

-Ne… ne commettez pas… l'irréparable… laissez-moi !

Mais il n'écoutait plus cette douce voix. Il empoignait ses seins et les embrassait tendrement. La passion dont il était maintenant envahi le rendait complètement inconscient, possédé. Cette irrésistible attraction était si mystérieuse pour lui. Il n'entendait plus les plaintes langoureuses de la belle droguée et démunie. Il lui faisait l'amour comme il ne l'avait jamais fait auparavant. De prendre ses entrailles lui procurait une part de bonheur. Il s'activait doucement sur elle. Comme la fraîcheur de cette femme, mère de trois enfants, lui rappelait une vierge. Comment cela était-il possible ? Exceptionnelle voilà ce qu'elle était.

Plusieurs minutes plus tard, il parvint à un orgasme qui durait et perdurait. Il n'avait pas écouté la belle… Il avait commis l'irréparable… Il était maintenant dépendant d'elle. Il était accroc. Il se laissa tomber près d'elle en la regardant avec tendresse. Mira avait les yeux clos malgré que des larmes parcouraient ses joues rougies. Il essuya ses gouttelettes chaudes du revers de sa main.

-Mira, je savais que tu n'étais pas comme les autres. Tu es de loin une bénédiction d'Allah. Il t'a mis sur mon chemin pour que je connaisse l'amour et le bonheur. Je ne te laisserai plus jamais repartir.

Les larmes redoublèrent d'ardeur. Ces paroles la blessaient plus qu'il ne pût se l'imaginer, ignorant tout ou presque sur son passé de paysanne violée par un roi qui la désirait à en devenir fou. Pourquoi le sort s'acharnait-il contre elle ? Qu'avait-elle de si exceptionnel que les autres n'avaient pas ? Elle aurait donné sa vie pour se débarrasser de ce petit quelque chose qui les attirait tant.

Plusieurs minutes de silence s'écoulèrent. Yousef restait près d'elle, lui caressant le ventre.

-Maintenant que vous… avez eu ce que vous vouliez… laissez-moi repartir…
-Je n'ai pas eu ce que je voulais, Mira. Ce que je veux c'est toi, j'ai pris ce que je pouvais prendre mais je n'ai pas eu ce que je voulais et il faudra que Boris t'arrache à moi de force pour que je te laisse repartir.
-J'ai… trois… j'ai trois enfants… vous ne pouvez pas… me retenir ici…
-Je les ferai enlever et tu pourras vivre ici avec moi… et eux aussi c'est ce que tu souhaites ?
-Ce que… vous pouvez être… entêté… et vos femmes vous les oubliez… ?
-Je n'ai plus de femme… Je t'ai maintenant, toi Mira, La Merveilleuse !
-Yousef… ne soyez pas… ridicule… Ces femmes font partie… de votre vie…
-Pas depuis que je t'ai vue. Depuis que je t'ai vue la première fois j'ai été comme happé par un désir irrésistible, plus aucune autre ne m'intéresse désormais. Je voudrais que tu danses pour moi comme tu l'as fait ce matin. Tu étais tellement… Je ne trouve pas les mots pour décrire l'effet que tu fais sur moi.
-Je ne danserai… jamais pour vous… et vous retrouverez vos femmes… demain et vous m'aurez vite oubliée…
-Je ne pourrai jamais toucher une autre femme, tu as fait de moi ton esclave !
-Cessez de dire des bêtises… !

En tentant de se relever, elle faillit tomber en bas du lit mais parvint à s'asseoir avec pour seul costume un drap de satin qu'elle tenait sur sa poitrine. Yousef s'agenouilla derrière elle et lui enveloppa la taille de ses grosses mains.

-Je ne sais par quel miracle mais je peux encore te faire l'amour… C'est incompréhensible aussi vite. Votre corps me rend complètement fou Madame !

Et voilà, que son manège recommençait sans plus attendre. L'embrassant dans le cou, passant ses mains sur sa généreuse poitrine développant au maximum tous les sens de l'homme. Il vouait à ce corps tant de caresses et de baisers qu'il en avait les mains moites. Puis de nouveau, ce plaisir si divin parvint à son cœur de guerrier du désert. Qui était donc cette femme qui pouvait avoir sur un homme une telle attraction physique ? Comment était-il possible qu'un homme même dans la force de l'âge puisse faire l'amour de façon si exquise ? Et quand elle se donnait, comme la sensation devait être intense ! Puis une troisième fois il recommença, puis une quatrième fois.

L'effet de la drogue se dissipait si doucement que Mira avait l'impression d'être dans ce lit depuis des jours. En fait, elle n'y était que depuis trois heures.

Le soleil avait maintenant laissé place à la lune ronde et rouge. La chaleur accablante de la journée se faisait plus discrète masquée par une petite brise fraîche.

Comme il fallait s'y attendre, les événements suivaient leur cours. Dans ce début de nuit, des pas, des gardes qui courent dans les corridors, quelque chose se passait dans la cour. Yousef ne s'en surprit guère. On cogna à sa porte. Yousef se leva, passa son costume et ouvrit la porte. D'un seul regard il comprit que son général était venu le quérir et que Boris était à ses portes.

Mira voyant Yousef sortir, comprit, du moins elle espérait que ce soit sa délivrance. *Boris puisses-tu être là* ! Se disait-elle.

Mais Yousef n'était pas un sot ! Il donna ordre à quinze de ses hommes d'emporter la belle dans un de ses nombreuses propriétés. Un endroit très éloigné que lui seul connaissait et non son adversaire.
Toujours sous l'effet de la drogue qui n'en finissait plus de s'attaquer à ses membres, Mira fut choyée par des servantes qui la lavèrent, la vêtirent, la coiffèrent en toute hâte et fut transportée par un garde jusqu'à un carrosse qui attendait dans la cour arrière. Le signal fut donné et la petite troupe d'hommes s'éloigna, emportant avec eux Mira qui se sentait écœurée par toutes ces manigances.

Dans le hall d'entrée se trouvait Boris accompagné de plusieurs hommes dont je faisais partie. D'un regard d'acier, il observait descendre Yousef. Dès qu'il fut à sa hauteur, il lui lança d'une voix forte et dure :

-OÙ EST-ELLE ?

700

-Je vois que Boris est très fâché !

-Cesse tes sarcasmes tout de suite et dis-moi, où elle est ?

-Elle est très bien où elle est !

-Espèce… de petit avorton ! Tu vas me la rendre tout de suite !

-Oh ! Oh ! Oh ! Boris, comme tu y vas fort. Tu crois vraiment que je vais te la rendre comme ça ?

-C'est une de tes autres stratégies Yousef, tu veux l'échanger contre quelque chose ? Tu demandes une rançon ?

-Ha ! ha ! Qu'Allah m'entende ! Aurais-tu les moyens de payer pour un tel trésor ? Quel Roi si riche soit-il, peut-il vraiment s'offrir Mira ?

-Alors que veux-tu en échange ?

-Je ne veux pas l'échanger, tout ce que je veux, Boris : rien de moins que Mira. Qu'espérais-tu comme réponse !

-Et bien n'y compte pas ! Tu es peut-être un Roi avec une armée imposante, mais n'oublies pas que je suis aussi puissant sinon plus que toi, si c'est la guerre que tu veux, je te promets que tu l'auras !

-Boris oublierais-tu que tu es ici, sur mes terres, et que le plus gros de ton armée est à plusieurs jours ?

-Tes menaces ne m'impressionnent pas du tout ! Tu n'auras jamais ma femme, la mère de mes enfants. Elle est à moi !

-En es-tu si sûr Boris ? Et si elle me préférait à toi ?

-Je connais mieux Mira que tu n'auras jamais la chance de la connaître ! Elle est beaucoup plus fidèle que tu ne le seras jamais, toi le Roi qui a neuf femmes !

-Je n'ai plus neuf femmes ! J'ai Mira maintenant.

-Ça suffit Yousef ! Si tu ne la fais pas descendre immédiatement tu regretteras d'avoir un jour connu le Roi Boris. Et tu es mieux de ne pas lui avoir touché, sinon je te promets que je te tuerai.

-Ha ! ha ! Laisse-moi rire. Je ne la ferai pas descendre, elle est déjà partie avec plusieurs de mes hommes vers un endroit que moi seul connais et si tu penses que je pouvais rester près d'une femme comme elle sans la toucher et bien tu es bien sot !

À ces mots, Boris entra dans une rage folle. L'affrontement était inévitable. Deux coqs dans la même basse-cour ça ne pouvait finir autrement ! Il avait touché Mira, il avait pris sa femme, il l'avait déjà perdue une fois aux mains de Bjarni et maintenant Yousef voulait lui ravir. La rage fit rugir Boris. Notre groupe et les gardes de Yousef étions entrés en conflit armé. Yousef et Boris se ruaient l'un sur l'autre. Le tout dégénéra en affrontement musclé entre nos deux petits groupes d'hommes sensiblement de nombre égal. Dans le feu de l'action, Boris se libéra de Yousef qui le poursuivait et se dirigea vers l'extérieur, espérant voir le cortège qui emmenait Mira. Il distinguait au loin, plusieurs cavaliers qui s'enfonçaient profondément dans le territoire de Yousef. Il sonna le rapatriement de notre garde.

C'est dans une course folle que Boris enjamba son cheval. Nous nous dépouillions du mieux que nous le pouvions de nos adversaires, suivant sans plus attendre le roi qui partait, cravachant sa monture pour rattraper le convoi qu'il ne distinguait que par de petites lueurs de torches dans la nuit. Cavalant comme des perdus à travers cette route sinueuse, nous tentions de rattraper le cortège qui était à plusieurs kilomètres au-devant de nous.

Pour Yousef, suivre Boris était inutile. Il était certain que ces hommes auraient semé Boris qui ne connaissait pas cette partie de territoire. Il organisa plutôt la petite armée qu'il avait sous la main. Ses hommes étaient sûrs et si Boris les rattrapait, il aurait le temps d'arriver par-derrière avec de quoi lui couper le cou ! Boris ne détenait pas l'avantage en nombre et Yousef le savait. Ce n'était pas avec notre cinquantaine d'hommes que nous aurions pu répondre à plus d'une centaine.

Yousef envoya plusieurs messagers afin d'informer le reste de ses troupes éparpillées un peu partout sur son territoire qu'une guerre était sur le point d'éclater et de se mettre en direction de son château. Boris quant à lui avait déclenché plusieurs heures auparavant la même procédure rappariant une bonne partie de l'armée vers les frontières. Les deux hommes jadis respectueux de leur frontière n'en étaient plus aux usages polis et courtois. Une guerre de grande envergure était sur le point d'éclater. Les généraux de part et d'autre n'avaient pas été encore mis au parfum des raisons qui motivaient un tel affrontement, mais se devaient d'agir avec diligence. Ils sauraient en tant et lieu ce qui avait déclenché tout se branle bas de combat.

Plusieurs heures plus tard, nous avions réussi à rattraper dans la nuit noire le convoi. Comme notre groupe était plus nombreux que le convoi, il ne fallut que quelques minutes pour arriver à délivrer Mira des mains de ces hommes. D'ailleurs inutile de dire que Boris n'avait pas fait dans la dentelle. Nous avions été particulièrement violents. Les hommes de Yousef avaient bien essayé de contenir les fous enragés que nous étions devenus, mais en vain.

Une fois la troupe décimée, Boris se jeta en bas de sa mouture et c'est avec force qu'il défonça la porte verrouillée du carrosse.

-Boris ! Boris ! Je suis si contente de te voir !

-Ah ! Ma douce Mira comme je regrette de t'avoir écoutée et de t'avoir laissée seule chez Salème. Est-ce que tu vas bien ?

Mira se serra tout contre lui en pleurant avec cœur. Il se sentait si responsable de ces larmes qui déferlaient sur son épaule, désespéré de voir son trésor abusé de nouveau par un autre homme écorchant au passage de lourds et vieux souvenirs enfouis.

-Ne pleure pas Mira, je t'ai retrouvée c'est le principal, maintenant il ne faut plus perdre une minute. Il faut sortir des terres de Yousef. Nous allons nous détourner un peu de la route habituelle, ce sera un peu plus long mais je ne suis pas de force pour affronter Yousef, la troupe d'hommes que j'ai sous la main est trop peu nombreuse. Il a l'avantage du nombre et du temps. Si on peut sortir de son pays et rentrer sur mes terres ! Mes hommes sont en route pour me rejoindre. Après ce sera moi contre lui.
-Boris, n'entre pas en guerre à cause de moi ! Sors-moi de son pays c'est tout ce que je veux !
-Ne pleure plus ! Nous allons revenir à la maison et retrouver nos enfants… Je vais ressortir et je reviendrai plus tard. Je t'aime !

Il lui donna un baiser sur les lèvres et ressortit aussitôt. La tournure des événements était tragique. Voilà que Boris entrerait en guerre contre Yousef. Deux chefs de ce calibre ne laissaient rien présager de bon et Mira était extrêmement bouleversée par tout qui se passait.

Yousef avait fait en sorte que Boris soit presque pris au piège sur son territoire. Cette prise de conscience effrayait Mira. Boris était loin d'être à ses premières expériences en ce qui concerne l'art de la guerre et ce petit éclair d'inquiétude qu'elle avait vu dans ses yeux quand il lui avait dit être en nombre inférieur la désespérait. Pourvu qu'ils pussent rejoindre leur territoire ! Si ce n'était pas le cas… Dieu de Dieu ! Ce serait la catastrophe ! Sachant très bien ce que Yousef aurait fait de son adversaire… Il n'aurait pas hésité une minute. Sa concentration se limita à une prière et à l'espoir de sortir de ce cauchemar pour reprendre sa vie avec Boris.

Pendant plusieurs heures ils s'enfoncèrent sur une route sombre, sinueuse et très cahoteuse.

Yousef maintenant en pleine possession de ses moyens cavalait à son tour vers la route qui le mènerait à sa mystérieuse demeure où il espérait retrouver et mettre en sécurité le trésor qu'il dérobait à sa vieille connaissance.

C'est quelques heures plus tard qu'il arriva sur le site dévasté peu de temps auparavant par Boris. Ses hommes étaient tous morts gisant dans d'immenses mares de sang, la plupart le cou coupé. Il n'y avait plus de carrosse.

Yousef jura ! Boris avait réussi à prendre le carrosse et ce qu'il contenait. Le fait qu'il ne l'avait pas rattrapé, ni croisé... ce maudit Boris s'était enfui vers les terres du roi Kelveny. Yousef allait-il poursuivre Boris et Mira ? Non, il connaissait le roi Kelveny. Kelveny était un voisin imposant, tant par sa richesse que par son armée. Même s'il savait qu'il aurait pu écraser ce roi, Yousef jugea qu'il était inutile de pousser l'audace jusqu'à ce point. Kelveny n'aurait pas accepté qu'on utilise son territoire pour une bataille entre deux autres rois. Ceci aurait pu engendrer un conflit beaucoup plus important que celui qui opposait Boris et Yousef. Kelveny avait de nombreux amis puissants et si on avait ouvert la boîte de Pandore avec cette histoire, le conflit aurait pris des proportions toutes autres. Cette perspective lui fit rebrousser chemin, lui permettant de préparer une offensive qui ne concernait que lui et Boris.

Après une nuit aussi mouvementée, c'est épuisé et couvert de poussière que nous nous présentâmes aux portes du château de Kelveny demandant audience.

Boris fut reçu avec diligence par le roi qui lui accorda un entretien accompagné de Mira. Boris lui exposa la situation sans toutefois entrer dans les détails. Il demanda asile pour quelques jours le temps de faire reprendre le souffle aux chevaux et à ses hommes.

Du haut de ses soixante-dix ans, Kelveny écouta avec intérêt son invité surprise. Boris et Kelveny se connaissaient assez bien. Cela datait du temps ou Boris était au service du Grand Vizir Akmed. Ils avaient toujours eu des rapports courtois. Kelveny était cependant un drôle de type, d'un calme déconcertant, laissant toujours plusieurs secondes, voire même quelques minutes, s'écouler avant de faire connaître ses réponses. Personne ne savait vraiment ce qu'il pensait avant même qu'il ne le dise clairement. Car la neutralité de l'expression de son visage ne laissait jamais à l'interlocuteur le loisir de deviner quoi que ce soit. Kelveny tourna son regard vers la reine Mira, cette beauté nordique dont tous parlaient. Ses petits yeux noirs scrutaient la dame visiblement épuisée qui était sagement assise près de Boris. Boris resta de glace, mais ce silence dont il faisait preuve l'agaçait royalement. Cependant, un fait jouait en sa faveur : Kelveny et Yousef ne se vouaient pas la meilleure amitié qu'ait portée cette terre. Yousef en conquérant avait par le passé pris plusieurs territoires à Kelveny. Restant tous deux sur leur position, ils en étaient restés là. Cependant, la paix était fragile et Kelveny n'était pas homme à oublier. Il réfléchissait donc aux meilleures possibilités de conserver sur ses terres, Boris et cette femme qui était visiblement le centre de l'empoignade entre les deux rois sans pour autant entrer en conflit avec Yousef. Après plusieurs minutes de réflexion, Kelveny ouvrit la bouche. Boris aurait enfin su si oui ou non, Kelveny répondrait à sa requête.

-Roi Boris, c'est d'abord un honneur pour moi de vous revoir. Même si les circonstances de votre visite sont des plus délicates.

-J'en conviens, oh ! Grand Roi Kelveny.

-Tu n'es pas sans savoir qu'entre moi et Yousef, les tensions sont toujours aussi vives ! Cette histoire me met dans une position délicate vis-à-vis le Grand Yousef qui dispose d'une armée doublement supérieure à la mienne.

-Je sais tout ça Roi Kelveny. Je comprendrais si vous ne nous offriez pas votre asile pendant quelques jours. Cependant, sachez que je vous serai grandement reconnaissant et que cette reconnaissance se traduira par l'appui de mon armée si jamais Yousef avait le dessein de vous attaquer pour la simple raison que vous m'aviez reçu dans votre demeure. Si Yousef est puissant, vous n'êtes pas sans savoir que je suis tout aussi puissant, sinon plus que lui ! Si je dois vous demander le gîte et le couvert aujourd'hui, la raison en est simple, c'est que j'ai dû sortir de ses terres rapidement et sans hommes en nombre suffisant pour l'affronter… Mais mes hommes sont déjà sur le pied de guerre et marchent vers la frontière.

-Oublierais-tu de me faire part de quelques détails ? Pourquoi tes hommes sont-ils appelés au combat ?

Boris aurait voulu esquiver cette question, mais Kelveny n'était point sot. Boris lui avait expliqué que Yousef avait enlevé sa femme, mais ceci ne suffisait pas pour expliquer qu'un roi entre en guerre, déplaçant des troupes entières.

-Je vous dois des explications, c'est vrai. Vous dire que Yousef n'a pas seulement enlevé la Reine, ai-je besoin d'en dire davantage.

Kelveny détourna son regard vers Mira qui était toujours assise, silencieuse, la tête baissée. Il comprit toute l'ampleur de ce que Yousef avait osé faire. Il regarda Boris.

-Dans ces conditions non seulement je t'offre mon hospitalité, mais je te donnerai des hommes qui vous raccompagneront jusqu'à la frontière quand vous déciderez de repartir.

Kelveny donnait raison à Boris. Yousef n'avait aucun droit d'enlever la femme d'un autre roi. Même s'il comprenait un peu ce qui avait poussé Yousef à agir de la sorte lorsqu'il regardait cette femme d'une beauté incomparable. Il dit à Boris en arabe :

-J'ajouterai quand même quelque chose et tu feras ce que tu voudras de ce conseil d'un vieil homme, tu n'es pas prudent de voyager avec une si belle femme, Boris ! Elle fait la convoitise de tous les jeunes gens. N'aie crainte pour moi, je suis un peu trop vieux pour ce genre d'aventure, mais je persiste à dire que tu devrais la voiler et la tenir loin des regards.

-Vous êtes bien sage, Roi Kelveny, je sais que vous avez raison, mais vous ne connaissez pas le caractère impossible de cette femme ! Elle est plus convaincante que tout un harem réuni et ne voile pas qui veut la Reine Mira !

Cette remarque fit sourire le bon vieux roi.

-Tu peux rester ici aussi longtemps que tu le voudras. Mais je te préviens je n'entrerai pas en guerre avec Yousef et je n'accepterai pas non plus que vous vous disputiez sur mes terres !

-Ne craignez rien à l'heure qu'il est, s'il m'avait poursuivi jusqu'ici il serait déjà arrivé. Il a eu peur de vous et de votre grande puissance.

-Tu dois dire vrai, je ne vois rien à l'horizon.

L'armée de Boris arrivait maintenant à Alexandrie. Une telle armée déplaçait de l'air dans la ville et la poussière qu'on pouvait voir à plusieurs kilomètres laissait présager l'arrivée d'un important déplacement d'hommes. Leur passage faisait sortir les curieux qui s'amoncelaient le long de la route pour voir passer l'armée. Les généraux venus d'aussi loin que de la Pologne avaient fait un voyage rapide et exténuant. Les distances n'aidant pas, plusieurs autres escadrons étaient toujours en route vers la frontière. Il y a même des pelotons qui mettraient encore quelques semaines avant d'atteindre le point de rencontre. Mais, l'armée qui foulait la terre d'Alexandrie était tout de même très impressionnante. Suivant les ordres reçus, la totalité de ces soldats se massèrent à la frontière attendant l'arrivée du roi Boris.

Quant à Yousef il avait regagné son château depuis plusieurs heures et était en conseil avec plusieurs hauts gradés de son armée. Sa colère était grande, visible et surtout audible. Des questions ne cessaient de se retourner dans sa tête, agrémentant son humeur de toute la panoplie d'états passant du ton agressif à celui de la rage. Comment Boris avait-il réussi avec si peu d'hommes à lui filer entre les doigts ? Pourquoi ses hommes, pourtant triés sur le volet, n'avaient pas pu affronter la poignée d'hommes que Boris avait avec lui ? Comment se faisait-il qu'il connût cette partie de territoire, si bien qu'il savait quel chemin emprunté pour se rendre chez Kelveny ? Il se rendait compte qu'il avait largement sous-estimé Boris et s'en voulait énormément.

Il injuriait ses commandants d'armée, les traitant d'incapables, d'inutiles, de vauriens, tous les qualificatifs y passaient. Qu'allait-il faire ? Ses conseillers tentaient de lui faire entendre raison. Surtout qu'ils connaissaient maintenant la raison qui avait motivé le roi à faire appel à son armée et déplacer cette dernière aux abords de la frontière. Tous s'entendaient à dire à Yousef qu'une impie, puisqu'elle était Chrétienne ne valait pas que des Musulmans meurent pour elle. De toute façon, pas une femme ne méritait une telle bataille et ils en étaient tous convaincus. Yousef était dans une colère terrible frappant de son poing sur le bureau, les yeux injectés de sang, lançant à plein bras tout ce qui lui passait sous la main, produisant ainsi plusieurs courbettes et gestes acrobatiques de ses interlocuteurs pour éviter de prendre en plein front des objets contendants. On tentait de le contenir, mais Yousef était en crise et chacun se regardait espérant comprendre ce qui arrivait à leur roi. Il était certes caractériel, mais jamais il n'avait été dans un tel état. Plusieurs se turent comprenant que plus on tentait de le dissuader, plus on jetait de l'huile sur le feu. C'est un grand prêtre qui essaya par sa grande sagesse de prendre les choses en mains et de faire comprendre à Yousef que les deux immenses royaumes avaient pendant très longtemps été voisins sans histoire et maintenant ils étaient sur le bord de la guerre pour la possession d'un bien qui semblait bien futile aux yeux des vieux conseillers du roi. Malgré l'intervention souhaitée et fait avec délicatesse, on n'obtint pas le résultat escompté. Yousef se dirigea directement vers le vieux prêtre et le souleva de terre par la gorge. Dans la pièce la surprise générale était à son comble.

-Armahed, toi fils d'Hélie qui propage depuis ta tendre enfance les plus saintes paroles du Coran comment oses-tu venir sous mon toit et me dicter ma conduite qui est exemplaire puisque justement j'ai laissé à ce Roi la possibilité d'étendre ses ailes jusqu'à ma frontière ? Je ne suis pas entré en guerre avec lui avant aujourd'hui, parce que je me pliais aux paroles que tu dispersais, mais aujourd'hui, il est venu ici, dans ma demeure et il a pris un bien qui m'appartenait... Il a tué mes hommes, il s'est enfui comme un voleur et complote avec Kelveny et tu voudrais que je fasse preuve de sagesse en le laissant ainsi s'enfuir sans lui rendre la monnaie de sa pièce ? Comment oses-tu ? Je suis entré en guerre contre des voisins beaucoup moins dérangeants que Boris et pourtant tu ne t'es point porté à leur défense ! Bien au contraire... toi comme tous ceux qui sont ici, vous avez largement profité des largesses de ses voisins conquis... Bande d'hypocrites ! Oui, tous des hypocrites... Parce qu'il s'agit d'une femme vous vous jetez tous derrière vos grandes paroles, mais sachez que cette femme est riche, que cette femme est celle qui est allée dans des pays encore inconnus et qu'elle a rapporté de son voyage des richesses et des remèdes qui ont mis la Scandinavie sur le même pied d'égalité que notre fameuse Orient... Ce n'est pas n'importe quelle femme ! Et il n'est pas né celui qui osera porter un jugement sur ma conduite et mes aspirations envers elle ! Et vous êtes tous bien sots et de parfaits idiots si vous ne comprenez pas qu'en plus de combler un homme elle comblera à ne plus savoir qu'en faire vos bourses Messieurs ! Nous sommes extrêmement riches, mais nous pourrions l'être plus encore... Cousus d'argent et d'or si vous compreniez le vrai enjeu ici !

Il relâcha Armahed et il se calma presque aussitôt. Yousef avait étalé sous leurs yeux des richesses et de l'or... Il n'en fallait pas plus pour faire oublier que Yousef se battait en fait pour retrouver Mira. Si Yousef mentait sur sa vraie motivation à partir en guerre, il avait trouvé la menterie idéale pour convaincre ses hauts gradés, même un prêtre de la nécessité de faire la guerre à un voisin qui était bien nanti ! Si Boris était fin stratège, Yousef n'avait rien à lui envier. La situation présentée sous cet angle changeait tout. Yousef en était parfaitement conscient. Il avait appuyé sur le point sensible et s'en servait de façon magistrale. Tout à coup l'impie que Mira était à leurs yeux devenait sans importance. Du moins, leurs convictions religieuses ne faisaient plus obstacles aux machinations de Yousef.

On suivit donc Yousef et l'armée se blottit sur la frontière à distance raisonnable de celle de Boris qu'on distinguait clairement de l'autre côté. Séparées que de quelques mètres, les deux armées étaient face à face. D'un côté comme de l'autre un seul signe suffirait à déclencher une guerre qui passerait à l'histoire. Yousef s'installa confortablement attendant avec impatience l'arrivée de Boris. Les deux mastodontes devraient d'abord parlementer avant d'entreprendre un tel conflit armé.

Boris était sur le chemin du retour. Il n'était pas loin de sa destination, mais par prudence s'arrêta à quelques kilomètres où il fit monter un camp. Mira ne devait en aucun cas être sur le champ de bataille. Il ne le voulait pas. Il ne le pouvait pas. Jamais il ne se serait pardonné de la perdre aux mains de Yousef advenant le cas d'une défaite. Il fit donc le nécessaire pour sécuriser les lieux et laissa un de ses meilleurs généraux avec plusieurs guerriers armés jusqu'aux dents. Cet honneur revint au général Gustaveson. Quant à moi, il préféra que je sois à ses côtés pour l'affrontement qui se préparait à l'horizon. Il nous quitta quelques instants et entra dans la tente où il s'entretiendrait avec Mira avant son départ qui était éminent. C'est elle qui engagea la conversation, comme pressée par la peur de ce qui était inévitable.

-Boris, je ne veux pas que tu y ailles. Boris je t'en conjure reste avec moi et retournons en Norsufinde !

-Je ne peux pas Mira ! Il faut régler ce conflit maintenant. Je ne pardonnerai jamais à Yousef l'affront et le mal qu'il nous a fait à tous les deux.

-Non, Boris la vengeance ne te donnera rien. Il faut oublier cette histoire et retourner ensemble vers nos enfants. Je t'en supplie !

-Ne t'en fais pas pour moi, j'en ai vu d'autres et dans quelques jours je serai de retour. Je t'aime Mira et si le destin en décide autrement, je veux seulement que tu te souviennes de moi, de nous…

-Non, non, ne dis pas ça ! J'ai déjà tellement vécu de souffrances à cause de la bêtise humaine, devrai-je encore payer pour avoir simplement voulu aimer ?

-Mira, Mira comme je t'aime… Sache que ce n'est pas seulement de la bêtise humaine dont il s'agit ici, mais c'est devenu une histoire d'État. Si Yousef s'était conduit comme un homme, nous n'en serions pas là aujourd'hui !

-Comme c'est affligeant de voir que tu n'as pas plus de mémoire…

-Mira, la peine te fait dire… Tes mots dépassent ta pensée. Je sais que j'ai commis autrefois des choses que je n'arrive même pas à me pardonner moi-même mais je t'aime tellement et démesurément, comment pourrais-je pardonner à un autre d'avoir commis exactement les mêmes erreurs que moi ?

-Tu pourrais peut-être comprendre les motifs qui l'ont emmené à poser ces horribles gestes, ils sont les mêmes que tu as déjà commis ! Je ne veux pas l'excuser… Non, loin de là… Mais est-ce vraiment nécessaire de lui couper le cou uniquement parce que tu es choqué ? Est-ce vraiment nécessaire que des vies humaines soient sacrifiées uniquement parce que vous désirez tous les deux la même chose ? Deux enfants capricieux, voilà ce que vous êtes… Et vous êtes des Rois, des chefs d'État… Mon Dieu ! Mon Dieu ! S'il y a des comptes à rendre, c'est à moi d'en faire état ! Et non à vous deux… Si quelqu'un ici doit être choqué, c'est moi. Si quelqu'un doit se venger, c'est moi… Et tu ne veux même pas que je me rende jusqu'à lui afin de lui dire mon dégoût et l'idiotie que représente cette guerre entre vous deux !

Ces paroles touchèrent Boris droit au cœur. Les larmes qu'il voyait couler sur ses joues et le désespoir dont elle s'enveloppait le tourmentaient. Comme la sagesse de cette femme était au-dessus de tout. Malgré le chagrin et l'écœurement, elle conservait toute sa raison. Il savait que Yousef avait utilisé les mêmes stratagèmes pour mettre main basse sur la douce. Il avait usurpé de son titre de roi pour avoir le magnifique butin. Il avait été envoûté par cette femme extraordinaire. Pourquoi l'avait-il vu ? Pourquoi cette rencontre avait-elle débordé et dégénéré à ce point ?

Mais Boris était homme de cœur et de guerre ! Malgré les paroles pleines de sens de Mira, il ne pouvait pas laisser passer un tel affront. Il se défila.

-Je dois te quitter. Je vais aller là-bas. Je vais t'envoyer avec quelques hommes plus loin sur mes terres. Je leur donnerai des ordres pour qu'ils s'arrêtent et m'attendent. Tu verras, tout se passera bien. Je reviendrai et nous pourrons dormir ensemble de nouveau et qui sait, ferons-nous un autre petit ou une petite qui aurait tes magnifiques yeux ?

Il l'embrassa de nouveau et la reconduisit vers le carrosse. Il donna des ordres aux hommes pour se rendre à un point fixe. Il les rejoindrait plus tard. Il prit son cheval et sonna notre départ pour rejoindre nos généraux sur la frontière avec notre armée et tout à coup, il se retourna pour voir le carrosse s'éloigner se demandant si elle aurait encore à vivre la mort d'un homme avec qui elle partageait vie ? Bjarni était parti si vite et si jeune par la bêtise d'un frère qui convoitait à la fois la Couronne et la femme de son frère et maintenant deux rois qui s'affrontaient pour obtenir son cœur.

Boris arriva sur la ligne critique. Tous ces hommes qui attendaient d'un côté comme de l'autre. Que de déploiement d'hommes pour une histoire entre deux rois. Les deux monarques s'approchèrent l'un de l'autre surveillés par près de quatre cent mille soldats. Ce déploiement de très grosses armées n'avait pas été vu depuis très longtemps. Boris et Yousef étaient maintenant un en face de l'autre. C'est Yousef qui commença en premier.

-Sa Majesté s'est fait attendre !

-Si le Roi Yousef n'avait pas tenté de me piéger sur le chemin du retour je n'aurais pas mis tout ce temps !

-Alors Boris ?

-J'aurais bien envie de te flanquer la plus belle raclée, là, devant tes propres hommes ! Juste toi et moi.

-Rien de plus simple Boris…

Yousef allait descendre de sa monture pour répondre aux désirs de Boris lorsque d'un côté comme de l'autre plusieurs soldats crièrent quelque chose qui attira l'attention des deux rois entraînant par le fait même celle de tous les guerriers qui étaient entassés tels des sardines dans une boîte chacun d'un côté d'une ligne invisible.

Venant de la gauche au loin dans l'allée restée libre par les deux camps opposés, un cavalier sur une magnifique monture noire arrivait au galop. Boris et Yousef furent sans mot et de la cohue générée par ce cavalier dans les rangs, plus rien, un silence des plus complet ! Nous étions tous sans exception, bouche bée… Seul le bruit des sabots du cheval raisonnait dans la plaine sablonneuse.

-Alors Messieurs ! Tels des coqs dans une basse-cour vous allez vous crêper le chignon ? Tels des diables que l'on plonge dans l'eau bénite, vous allez vous débattre ? Tous ces hommes qui sont là prêts à faire couler leur sang pour uniquement satisfaire vos caprices d'hommes ! N'en avez-vous pas assez de vos guerres inutiles et couvertes par d'obscurs dessins d'honneur d'un côté et d'envie de l'autre. Eh ! Bien moi, si !

Le cavalier se leva debout sur sa monture pour s'adresser d'une voix forte aux guerriers éberlués.

-Vous qui êtes venus ici aujourd'hui combattre l'ennemi, Dieu ou Allah serait-il un sot pour ainsi vous laisser vous entretuer parce que d'un côté comme de l'autre vous pensez détenir la vérité absolue ? Qui d'entre nous pauvres mortels la détient ? Tel des pantins auxquels on tire sur les ficelles vous suivez deux hommes qui n'ont que pour discorde une femme ! Je suis bien aise que tout à coup vous donnez autant d'importance à cet être qui partage vos vies et porte dans ses entrailles le sort de nations entières, mais en sera-t-il de même ce soir dans vos foyers ? Réfléchissez avant de lever l'épée et en ce qui concerne ces deux rois orgueilleux qui vous servent de chef d'armée et bien eux, ils utiliseront leurs poings parce que moi, je ne saurais voir une telle désolation.

Le cavalier qui n'était nul autre que Mira dans toute sa magnificence se rassit sur Réfusse et d'un geste rapide, elle désarma Boris et Yousef retirant de leur fourreau leur épée. Elle embrassa la lame de chacune et les regarda avec des éclairs dans les yeux :

-Quant à vous deux, si j'en avais la force, je vous tordrais le cou ! Je suis si choquée de vos comportements. Quand j'ai vu la grandeur des armées déplacées, j'ai failli avoir une attaque. Je dois avoir un cœur de bœuf pour supporter tout ça. Et je vous mets au défi Messieurs de sonner la charge ! Je reste ici au centre même de cette ligne démesurée qui sépare le bon du mauvais ! À se demander de quel côté ils se trouvent, je pense que c'est une question de point de vue ! Posez-vous la question vos très Grandes Majestés !

Aucune tempête du désert n'aurait surpassé Mira ce jour-là ! Elle repartit comme elle était venue, brandissant les deux épées tel un conquérant devant les troupes. Nous restâmes quelques secondes aphones et complètement déstabilisés devant la portée de son discours ! Boris et Yousef se regardèrent réalisant la vraie nature de ce conflit.

-Eh ! bien Sire Boris, je crois que la dame a parlé ! Dit Yousef.
-Oui, elle a parlé… et j'avoue qu'elle m'a laissé un dégoût de nos manières.
-Il faut parfois une femme pour nous remettre sur le bon chemin… J'espère que tu réalises que cette femme est un trésor que tu dois garder précieusement car de toute ma vie et de mémoire d'homme je n'ai jamais connu quelqu'un comme elle.
-Si au moins tu n'avais pas…
-J'ai bien mal agi… mais peux-tu vraiment m'en vouloir de la désirer au point de faire des folies que je ne soupçonnais même pas faire ?
-Je ne répondrai pas à cette question Yousef. Je rappelle mes troupes.
-Alors nous en resterons là Boris. Je rappelle les miennes. Je tiens seulement à te dire que malgré tout, sache qu'elle restera à jamais imprégnée dans mon cœur et ça, tu n'y peux rien.

Boris le regarda comprenant la déception qu'il avait, lui-même jadis, connue laissant à son ennemi juré la belle paysanne. Il ne salua pas Yousef et fit tourner sa monture pour revenir vers nous. Sans même avoir à prononcer un mot, les hommes remballaient leur artillerie, leurs armes dans un fracas assourdissant reprenant chacun le chemin du retour.

Il savait que Yousef était blessé. Il savait qu'il n'acceptait pas de s'être fait rejeter par cette femme. Il connaissait bien ce sentiment qui l'avait rongé pendant plusieurs années. Il savait aussi que Yousef n'aurait plus jamais une vie remplie d'insouciance et de plaisirs comme il avait toujours connue jusqu'à maintenant. Yousef serait une autre victime de ses passions dévorantes pour cette femme qui avait déjà coûté la vie à trois hommes morts pour elle. Le bel Éric avait été tué par Boris lui-même pour être certain qu'il ne ferait plus partie de sa vie, Bjarni avait été sauvagement assassiné par un homme sous les ordres de son frère qui rêvait de pouvoir et de prendre cette femme pour ensuite s'enlever la vie sachant qu'il ne pourrait plus jamais revenir à la charge. Boris était le seul à avoir continué d'espérer pendant toutes ces années qu'un jour elle serait sienne. Il était maintenant comblé par l'amour de cette femme, mais il avait payé le prix de ses erreurs. Yousef aurait-il pu combattre aussi longtemps contre lui-même ? Malgré ce que Yousef avait fait, Boris le plaignait. Quelle vie pouvait-il avoir après cette aventure dont il s'était enivré ? Aurait-il survécu aux souvenirs de sa douce peau, de ses yeux couleur d'azur, de cette voix chaude et de cette lumière qui les faisait tous chavirer ? Puis, il regarda derrière lui ne voyant plus qu'une file d'hommes au loin, suivie d'un roi déchu sur un champ de bataille où personne n'arrivait à déclarer victoire.

Boris restait là perdu dans ses pensées. Il avait tellement souffert de cette séparation, et de savoir Mira dans les bras d'un autre homme. Il espérait seulement que Yousef soit plus fort que lui. Mais il connaissait Yousef et il connaissait le pouvoir insoupçonné mais combien dévastateur de cette femme. Il reprit sa route pour aller rejoindre Mira.

Comment l'aurait-elle reçu ? Elle était en colère car il n'avait pas voulu écouter ses bons conseils. Nerveusement, il galopait s'approchant de plus en plus de son but et il arriva finalement à un campement où il savait Mira. Il s'introduit dans la grande tente où elle était assise visiblement en train de l'attendre ne semblant pas être descendue de son nuage de rage.

-Vous entrez en un seul morceau, Sire ! Yousef ne vous a pas découpé en petits morceaux, je suis surprise.
-Mira, je t'en prie, non…

-Comment Monseigneur dois-je me surprendre de ne point vous retrouver lacéré saignant de vos plaies ?

-Mira, je t'en prie, calme-toi.

-Mais je suis très calme Sire ! Si calme que j'ai l'impression de voler ! Comment avez-vous pu en venir à ça Boris ? Je t'avais demandé de parlementer avec lui… Je savais quand tu es parti que tu n'en ferais rien et lorsque j'ai pris Réfusse et que j'ai vu à quel point ce conflit avait dégénéré… quand j'ai vu que vous aviez pratiquement déplacé vos armées entières, la folie s'est emparée de moi ! La folie c'est le mot juste… Car il ne fallait qu'une folle pour faire déplacer autant d'hommes pour un différent entre deux hommes. C'est moi qui ai été violée et c'est vous Messieurs qui bataillez par souci de vengeance l'un envers l'autre… Ma foi, je suis folle !

-Mira, je t'en prie, arrête ! Mira essaie de me comprendre… Il t'a violée, il voulait te garder pour lui… Que pouvais-je faire d'autre ?

-Rien de plus que ce que vous n'aviez fait, votre très Grande Majesté, me ramener en Norsufinde. À tête reposée, tu aurais pu mûrir un jugement beaucoup plus équitable sans en venir à cette bataille de coqs insensée !

-Tu dis vrai, je le réalise maintenant. Tu nous as servi à tous une leçon que personne d'entre nous n'est prêt d'oublier, ça je peux te l'assurer. Mira, je ne me possède plus lorsqu'il est question de toi. Tu devrais le savoir depuis le temps… Il avait osé toucher à mon trésor, celle pour qui je me suis accroché à la vie pendant des années quand j'étais loin. Tu as été ma raison de vivre et aujourd'hui ma raison de continuer. Je t'aime à un tel point que tu ne peux imaginer. Je crois que tu ne réalises pas à quel point je peux t'aimer. J'étais blessé. Je sais… je sais qu'il t'a blessé toi aussi, ce qui n'a fait que déchaîner mon feu intérieur. Je suis comme un chien battu quand tu es en colère contre moi. Je ne veux pas te décevoir et je t'ai déçue. C'est un véritable échec pour moi.

-Je ne me connaissais pas ce trait de caractère, celui de la colère et j'avoue qu'aujourd'hui, vous avez réussi à me faire sortir de mes gonds. Je vais prendre de grandes respirations et je vais me calmer.

Boris avait vraiment l'air d'un chien battu, la tête basse, le cœur gros, il ne se pardonnait pas d'avoir été aussi aveuglé par sa jalousie. Elle s'approcha de lui et de ses mains releva sa tête.

-Si vous me promettez Monsieur de ne plus jamais recommencer tel cirque, je veux bien vous pardonnez cette terrible incartade !

-Comment pourrais-je recommencer, vous m'avez pris mon épée Madame !

Elle se mit à rire aux éclats.

-Ah ! Les hommes… les hommes, je me demande si on vous a mis un pois à la place du cerveau !
-Dans les petits pots les meilleurs onguents, donc, s'il s'agit d'un pois de qualité, il vaut son pesant d'or non ?

Par ces petites pointes d'humour, il comprenait qu'elle n'était plus fâchée contre lui et il en profita pour l'agripper et la couvrir de baisers dans le cou.

Plusieurs semaines s'écoulèrent. Leur voyage de retour était agrémenté de beaux paysages et de gens qui les saluaient dignement sur leur passage. Rustopov resta en Égypte car avec tout ça on avait presque oublié les raisons de ce voyage. Il n'était pas question que Boris reste plus longtemps car la tragique histoire de Mira avec Yousef l'obsédait continuellement. Il donna donc une bourse pleine d'or à Rustopov afin qu'il puisse continuer ses recherches ainsi que plusieurs gardes pour lui assurer une bonne sécurité.

Mais tout au long du voyage de retour, Mira se perdait dans ses pensées. L'amour indéfectible de ces hommes envers elle la mettait dans une situation de fragilité et d'angoisse qu'elle n'arrivait pas à comprendre. Elle, quand elle aimait, elle aimait un homme totalement que lui seul et n'aurait jamais prétendu l'enlever à personne d'autre si l'homme était déjà engagé avec une autre dame. Elle ne saisissait en rien leur comportement possessif et dévastateur.

Pendant ces longues semaines de retour, Mira se rendit compte de quelque chose de particulier à son état et tout ceci la troublait énormément. Il fallait en parler à Boris mais elle préféra attendre d'être rentrée au bercail.

Arrivés au château, les ministres, les généraux, les hauts fonctionnaires et dignitaires attendaient avec impatiente leur couple royal. Ils étaient partis depuis déjà presque six mois. Tout le monde savait que Boris avait fait déplacer ses troupes. Ils savaient aussi le motif principal de cette embrouille avec un voisin très puissant. La nouvelle leur était parvenue en même temps que la demande du roi. Ils savaient maintenant que l'affrontement n'avait pas eu lieu. Que s'était-il passé entre les deux puissants monarques ? Beaucoup d'entre eux se posèrent la question et la réponse leur vint comme par enchantement.

-Bienvenu Roi Boris et Reine Mira. Nous sommes tous heureux de vous revoir en bonne santé, vous resplendissez.

-Merci mes braves, mais nous sommes très fatigués ! Si vous n'y voyez pas d'inconvénient, nous allons rejoindre nos appartements et passer une nuit de sommeil dans un bon lit douillet.

-Bien sûr, Sire, nous comprenons qu'un voyage aussi long est éprouvant même pour des jeunes personnes.

-Nous nous verrons tous demain dans la grande salle. Je veux régler certaines petites choses.

-Nous y serons tous, Sire.

Boris et Mira se rendirent presque aussitôt à leur chambre. Boris fit couler un bain chaud et y entraîna Mira. Comme il était doux d'être de nouveau seul avec elle. Par contre, elle semblait fatiguée, épuisée. Il mouillait doucement sa longue chevelure blonde. Elle était presque sur le bord de s'endormir. Il l'a sorti du bain et lui passa une longue serviette. Il la transportait dans son lit. Elle le regardait les yeux à demi clos. Il la déposa doucement sous les couvertures duveteuses. Il s'installa près d'elle. La chaleur de son corps envahissait Mira. Même si elle était épuisée, le sommeil n'arrivait pas à la gagner.

-Boris j'ai quelque chose à te dire.

-Essaie de dormir tu es épuisée, Mira.

-Boris c'est important je dois t'en parler.

-Je t'écoute…

-Boris je suis à nouveau enceinte.

-C'est merveilleux ma belle !

-Je n'en suis pas si sûre…

-Tu penses que…

-Je pense que ça pourrait bien être l'enfant de… Je ne suis pas certaine que tu seras fier de moi.

-Mira, je t'aime et tout ce qui vient de toi est une véritable fête. Comment es-tu si certaine qu'il ne serait pas de moi ? Je te ferai remarquer que nous partageons ensemble tellement de nuits remplies d'amour.

-Je ne sais pas. J'ai déjà vécu une expérience semblable et j'étais enceinte. Puis une femme sent ces choses-là Boris. Je suis tellement déçue. J'aurais tellement voulu t'offrir un autre enfant mais pas dans ces conditions-là…

-Mira, oublie tout ça. Que cet enfant soit de moi ou non, il est dans ton ventre à toi. Il vient de toi et c'est tout ce qui compte pour moi. Le reste je m'en fous, je t'aime, tu es près de moi et c'est tout ce qui compte.

Mira se blottit contre ce torse dénudé. Boris savait maintenant ce qui la tracassait depuis plusieurs jours. Elle se sentait prise entre l'arbre et l'écorce une seconde fois. Il savait ce que Yousef lui avait fait pendant ces longues heures et il se choquait intérieurement. Mais elle était assez perturbée par toute cette histoire, il ne devait rien laisser paraître. Il se trouvait bien chanceux d'avoir pu la ramener jusqu'ici et d'avoir encore le loisir de partager sa vie. Il la serrait contre lui et lui disait à quel point elle était la femme de sa vie et que rien ni personne ne pouvait lui enlever ça même pas un enfant qui ne serait pas de lui. Ces paroles réconfortantes apaisaient Mira qui finit par s'endormir contre le cœur de Boris.

Boris aurait pris plus de temps à s'endormir. Il pensait à Yousef. Que faisait-il ? Avait-il songé qu'il aurait pu avoir un enfant de Mira ? Que ferait Boris si cette nouvelle lui parvenait ? Yousef réclamerait-il son bien ? Il fallait qu'il agisse de la même façon que lui lorsqu'il avait su que Mira avait donné naissance à son fils et qu'il fût séparé d'elle de plusieurs kilomètres. Il avait accueilli la nouvelle avec joie. Il savait que même s'il ne reverrait jamais Mira, elle aurait un souvenir de lui. Bjarni avait gardé le secret et avait accepté l'enfant comme si c'était le sien. Lui donnant même le rang de prince et d'héritier de la Couronne. Boris avait décidé à ce moment de ne pas réclamer son fils. Bjarni avait fait preuve de tant de générosité. Il savait la peine qu'il avait éprouvée à ce moment mais il avait pris la décision de ne pas revenir sauvagement dans la vie de Mira comme il l'avait déjà fait auparavant. Déjà les remords et le repentir prenaient le dessus sur la rage qu'il ressentait. Yousef devait agir de la même façon. Il fallait qu'il comprenne que si cet enfant était de lui, on ne pouvait lui permettre de l'enlever à sa mère. Boris le traiterait dignement. Il fallait qu'il se conduise en homme d'honneur. Il ne restait qu'à attendre quelques mois. Lorsque l'enfant serait né, il aurait été fixé sur ses origines. En attendant, il tenait une femme qui dormait paisiblement contre lui. Il se disait en la regardant qu'elle avait bien assez souffert de ses contacts avec les hommes qui s'immisçaient dans sa vie parfois sans même crier gare. Elle ne devait plus être affligée par de mauvais présages. Elle avait droit à une vie remplie d'amour et d'affection. Il lui en donnerait jusqu'à sa mort. Il s'endormit sur cette pensée positive. Dans le milieu de la nuit Mira se réveilla en sursaut.

-Non ! ne me touchez pas… !

Boris se releva. Elle s'était assise dans le lit tenant les couvertures de toutes ses forces, fortement angoissée.

-Mira, Mira… tu as fait un cauchemar.

Des larmes coulaient sur ses joues. Boris la prit dans ses bras et le recoucha doucement.

-Je m'excuse de t'avoir réveillé.
-Ne t'excuse pas exquise créature de mes rêves ! Sèches tes larmes et laisse-moi te prendre dans mes bras. Je vais encore t'endormir.

Elle se blottit contre lui toute tremblante se laissant envelopper de ces bras.

Boris savait qu'elle avait vécu dans ses rêves des scènes d'horreur avec Yousef qui avait abusé d'elle. Cette pensée le rendait triste d'être si impuissant devant la détresse évidente de Mira. La douceur et la compréhension lui semblaient les seules solutions. Cette femme qui rêvait de justice et d'amour entre les sexes et de pouvoir en jupons pour les autres femmes qui comme elle, vivaient des scènes d'horreur trop souvent perpétrées dès leur plus jeune âge. Boris réalisait quel rôle horrible les hommes faisaient vivre à ces êtres qui portaient leurs enfants et vivaient parfois dans des conditions de soumission telles qu'il s'écœurait à penser qu'il avait déjà été un partisan de la violence et de la force sur ces personnes à part entière qu'il considérait alors comme inférieures. Pourquoi avait-il été si méchant et si impétueux ? Sûrement parce que depuis des siècles les hommes avaient ce comportement et qu'il n'avait pas été élevé différemment des autres hommes guerriers, avides de pouvoir et de gloire. Ce n'est qu'au contact de cette femme qui l'avait arrêté dans sa course folle qu'il avait compris qu'il était beaucoup plus plaisant et humain de voir les femmes comme des alliées et non comme des ennemies. Mira avait d'ailleurs largement contribué à changer des mentalités rébarbatives sur son passage. Elle avait réussi à elle seule à faire reconnaître un droit plutôt évident à toutes ces femmes. Mira ressemblait beaucoup plus à un très grand conquérant qu'il ne le serait jamais. Tout au long de sa vie elle avait combattu contre un ennemi invisible mais puissant. Aujourd'hui elle payait pour cette lumière qui émane d'elle et qui aveugle les hommes qui ne la connaissent pas. Sa grandeur d'esprit était telle que les hommes de pouvoir avaient peur d'elle et se sentaient attaqués dans leurs convictions les plus profondes. C'était la raison. Boris comprenait maintenant, le pourquoi de cette attraction qu'on ressentait à son contact. On ressentait le besoin de la dominer pour satisfaire l'impression de la prise de pouvoir sur un esprit intouchable. Boris l'aimait. Boris la divinisait. Il n'était rien sans elle et était un très grand roi près d'elle. Yousef avait essayé de prendre à Boris cette muse du pouvoir qui par un seul regard une seule parole renversait l'ordre établi.

Une naissance mortelle

Yousef de son côté avait regagné son château et ses occupations routinières. Mais dans tout le royaume on ne parlait que du beau, jeune et grand roi, qui avait perdu le sourire et ne s'occupait plus de son harem, ni de ses enfants. Il ne semblait plus avoir aucun intérêt. Il s'enfermait pendant de longues heures, seul dans son bureau et ne s'occupait plus des affaires de l'État comme il l'avait toujours fait.

La reine Aïsha la préférée jusqu'à lors du roi Yousef ne reconnaissait plus son mari. Lui d'abord si entreprenant et si près de ses enfants ne désirait plus la voir et laissait cette femme s'occuper à son gré de sa progéniture. Il n'avait jamais permis par le passé qu'aucune décision ne soit prise sans son consentement. Cette déesse blonde venue du Nord avait tout balayé sur son passage même le cœur du roi. Elle l'avait vu au château pendant sa courte visite impromptue avec Yousef. Elle en avait ressenti une jalousie terrible dévastée par la beauté de cette étrangère. Elle savait que même si elle était jolie, elle ne pouvait pas rivaliser avec cette femme.

Yousef était devenu l'ombre de lui-même et Aïsha détestait cette femme pour ce qu'elle avait fait de son roi, de son homme. Elle était aveuglée par sa jalousie. Yousef était le seul responsable de son état, mais ça, elle ne le voyait pas. Les autres femmes du harem pensaient comme elle. Si elles avaient connu Mira, elles sauraient qu'il n'en était rien. Mira les auraient bien délivrées de cette façon de vivre qu'elle considérait injuste et impropre à la cause qu'elle défendait. Mais elles n'avaient pas eu la chance d'être en contact avec cette grande femme libératrice des âmes fouettées par la vie. Elles ne comprenaient pas à qui elles vouaient haine et jalousie. Si seulement quelqu'un leur avait expliqué, raconter la magnifique, la majestueuse, la monumentale Mira. Elles n'avaient que le Yousef dévasté par la rencontre avec une femme belle et irrésistible. Personne ne pouvait comprendre. Seulement les hommes qui l'avaient vue. Seulement ceux qui voyaient le roi en décrépitude après le départ d'une femme exceptionnelle et plus grande qu'une montagne. Ils avaient eux aussi été envoûtés par cette femme qui lançait des éclats de lumière dans leurs yeux noirs.

Yousef était sous l'emprise de ses propres désirs. Il n'aurait jamais dû apercevoir cette femme, ni la toucher. Les remords le poursuivaient sans relâche jour et nuit. Si seulement il ne s'était pas laissé emporter par des pulsions qu'il ne soupçonnait même pas posséder. Si seulement il avait continué son chemin ce jour-là. Si seulement il n'avait pas cherché à la retrouver dans la ville. Pourquoi avait-il été empressé à ce point de voir cette dame danser devant lui ? Rien ne pouvait plus dissiper la douleur laissée par cette plaie béante qui le dévorait lentement mais sûrement. Il serait celui qui attendrait. Il serait ce pont qui relie leurs vies qui basculent sur un fil. Sa vie c'était elle maintenant. Elle serait la seule et l'unique. Rien d'autre ne saurait la remplacer. S'il devait devenir un roi monotone et sans éclat pour qu'elle lui revienne, il le deviendrait. Il se mourrait à petit feu d'amour pour la belle, enviant, maudissant Boris.

Les échos des exploits sur le trône de la beauté Suédoise lui arrivaient comme le seul soleil de ses longues journées ternes. Il se tenait au courant de tout ce qui la concernait. Il ne vivait plus que pour ces nouvelles venues de pays lointains qu'il n'avait jamais vus. Il vivait en marge de son pouvoir et donnait libre cours aux fantasmes qu'il entretenait depuis cette nuit où il avait connu l'amour, le seul, le vrai. Des jours, des mois s'accumulaient sans jamais effacer ce vide immense, ce puits sans fond qu'il traînait avec lui comme un boulet au pied. Il porterait sa croix, ce fardeau à travers le temps. Il était si malheureux et comprenait le jeune roi Boris qu'il avait connu jadis, grand conquérant, mais morose et sans couleur malgré ses nombreuses victoires. Il savait désormais ce qui attristait ce jeune roi. Il vivait étrangement les mêmes sentiments pour la même femme.

Boris se réveilla aux petites heures du matin. Mira n'avait pas bougé. Elle dormait encore contre lui. Il se demandait ce qu'il aurait pu faire pour que la belle s'éveille avec un sourire et enthousiasme. Il avait encore envie d'elle mais il savait qu'il ne fallait rien brusquer. Il lui embrassait la tête et passait doucement ses mains dans cette chevelure fantasmagorique. La chaleur de leurs draps était si bonne et si douce. Il serait bien resté dans ce lit, lieu d'amour, de fantasmes et de souvenirs intarissables pour lui. La belle se serrait davantage contre lui. Comme ces moments lui étaient chers. Toutes ces nuits qu'il avait passées esseulé dans le seul espoir de la tenir une seule fois dans ses bras. Depuis quelques années déjà il pouvait réaliser ce rêve, mais il ne s'en lassait jamais. Elle se réveillait si doucement. Une telle douceur émanait de ce corps.

Puis ses beaux yeux azur s'ouvrirent doucement. Comme ce regard était envoûtant. Qui aurait pu résister à tant d'éclat ? Elle se réveillait et ouvrait les yeux comme se lève le soleil. Dieu que cette femme était belle. Boris n'arriverait jamais à se rassasier. Chaque jour était encore plus beau, plus grand, plus extraordinaire... Elle leva sa tête vers lui, le regarda et l'embrassa la joue. Il l'enveloppait encore de ses bras.

-Continue à dormir, ma douce, tu en as besoin.
-Votre Majesté m'a réveillée en passant ses mains dans mes cheveux et en me donnant des baisers.
-Je m'excuse, je ne voulais pas te réveiller mais il est difficile pour moi de rester près de toi sans avoir une envie irrésistible de toucher ces cheveux si doux !
-Une envie irrésistible de toucher qu'à mes cheveux ?
-Ha ! ha ! Ne fais pas l'innocente ! Tu sais très bien que c'est une envie irrésistible de toucher partout, partout, partout !
-Boris je suis bien avec toi. Donne-moi encore de l'amour j'en ai tellement besoin.
-Mira, tout mon amour est à toi, rien qu'à toi, rien que pour toi ! Comment te prouver à quel point le Roi vous aime, Madame ?
-Sire, vous pourriez peut-être commencer par me couvrir de baisers, je veux commencer ma journée en vous ayant libéré de cette envie que je sens sur ma cuisse !
-Ha ! Petite coquine, tu profites de la situation ! Tu sais que je ne peux pas être près de toi sans que je sois envahie d'envies que tu sens sur tes cuisses !

Ils riaient et il se jeta sur elle à coup de baisers. Il faisait exprès pour l'embrasser à fleur de peau, Mira était chatouilleuse et il le savait. Elle riait et ses rires rendaient Boris heureux. Le cauchemar de cette nuit était passé et Boris appréciait que Mira fasse des efforts pour tourner la page. Il profitait de chaque occasion pour la rendre joyeuse et répondre à chacun de ses caprices. Car Mira n'avait pas beaucoup de caprices, bien au contraire, elle était si simple. La seule chose qu'elle demandait c'était de l'amour et ça Boris pouvait lui en fournir à profusion. Ils faisaient l'amour appréciant chaque seconde. Boris était un homme comblé et il le savait. Pas une Couronne, un territoire si vaste soit-il, ni aucun trésor ne remplacerait la richesse qu'il avait trouvée auprès de cette femme.

Il avait trois magnifiques enfants, dont deux étaient ses fils. Et sa fille magnifique enfant aussi belle que sa mère, même si elle était la fille de Bjarni, Boris la regardait toujours avec amusement. Elle ressemblait tellement à sa mère et était si exquise. Un petit amas de lumière et de beauté qui grandissait à vue d'œil. Mira aimait ses enfants. Boris trouvait que sa vie de famille était vive et enrichissante. Comment le prochain enfant serait-il ? Comme les autres. Avec une mère comme Mira, il fallait encore s'attendre que cet enfant soit beau et fort.

Mira serrait de ses petits bras délicats ce corps olympien contre elle. Cette passion qui se dégageait de Boris lui donnait un billet direct pour l'extase. Cette extase qui excitait Boris à ne plus se contenir. La satisfaction de la dame était très importante pour lui et il lui offrirait tout ce qu'il avait. Pour elle, il aurait fait les pires folies. Elle n'avait qu'à lui demander. Ce besoin d'amour, jamais assouvi, que réclamait si tendrement Mira, lui remplissait le cœur et la tête de joie et de plaisirs immenses. Les deux amants frelataient dans leur lit douillet. Cette douce prise de possession de son corps par une femme comme Mira le couronnait de bonheur.

-Mira, Mira je ne peux plus quitter le lit, si tu ne le quittes pas !
-Espèce de petit fripon ! Tu n'en as pas assez eu ?
-Oh ! Madame, comme vous êtes dure avec ce guerrier qui vient de prendre la guerre avec toute son armée ! dans une bataille dont je ne sors jamais vainqueur !
-Espèce de brigand de grands chemins ! C'est moi qui perds la guerre sous tes caresses et sous ce corps que je ne saurais décrire tellement les mots ne sauraient définir avec justesse ce que je vois !
-Mira c'est tellement vrai ! Mes servantes m'ont tellement dit que j'avais un corps de rêve !
-Espèce de cochon ! Te montrer nu devant toutes ces dames ! Tu n'as pas honte ? ! ?

Elle le frappait à coup de poing pour ensuite lui lancer les oreillers et lui l'enroulait dans les draps jusqu'à ce qu'elle ne puisse plus bouger.

-Maintenant Madame qu'allez-vous faire ? Vous êtes en fâcheuse position. Vous ne pouvez plus bouger un seul de vos magiques petits doigts. Vous ne pouvez plus me toucher et me rendre fou à en perdre la tête !
-Pensez-vous réellement Monsieur que je n'ai qu'à vous toucher pour faire de vous ce que je veux ?

Elle lui disait ça en le regardant et en faisant sautiller ses sourcils.

-Non, non, je ne vous regarde plus !

Il tourna la tête entendant Mira s'esclaffer.

-Ce que tu peux être fou ! N'aurais-tu pas oublié que tu ne m'as pas bâillonnée ?

-Non, non, je ne vous entends plus ! Je n'entends rien je suis sourd comme un pot !

-Vraiment Monsieur ? Si vous me relâchiez un peu, je pourrais passer ma main dans votre chevelure, vous embrasser et vous mordiller le lobe de ces oreilles. Je passerais ma langue dans votre cou et je vous serrerais contre mes seins et passerais une jambe pardessus votre cuisse… et…

-Assez, assez, sorcière de la Forêt d'Elfe ! Tu m'accables encore de désirs ! Il ne faut pas que j'écoute… Ton envoûtement ne fonctionnera pas… non, non !

-Laissez-moi seulement vous donner un tout tout petit baiser, Monseigneur ! S'il vous plaît ! Un tout petit…

-Votre voix est chaude et invitante, comment pourrais-je refuser ?

Elle l'embrassait doucement et lui mordillait la lèvre inférieure.

-Sorcière… hum ! Tu ne gagneras pas… non… !

-Laissez-moi passer une main, juste une.

-Non… non… Je vais encore perdre contre vous !

-Cette chevelure de guerrier est si douce, Monsieur !

-Non… non… Tu as réussi encore à gagner sur moi… et c'est moi que tu traitais de cochon toute à l'heure ? Aucune de mes servantes n'aurait osé me faire ce que tu me fais… Arrête Mira ! Je suis encore à perdre cette bataille je le sens !

-Aucune de vos servantes ne vous connaît comme moi. Aucune autre que moi connais votre faiblesse.

-Sorcière !

Elle s'était libérée et se tenait sur lui le couvrant de baisers et de caresses. De nouveau Boris se laissait emporter par cette douce sensation. Dieu qu'il aimait cette femme ! Elle était si imprévisible. Il venait de lui faire l'amour et elle en redemandait encore. Pendant encore plusieurs minutes les amants se roulaient l'un sur l'autre dans le grand lit en riant. Quand tout fut terminé Boris lui dit :

-Petite sorcière… aux yeux d'azur ! Comment pourrais-je jamais te résister ?

-J'espère que jamais tu ne le pourras !

-Je t'aime, je t'aime, je t'aime, tu es ma sorcière préférée !

-Comment avez-vous d'autres sorcières dans votre lit ?

-J'en ai des tas et des tas ! mais vous êtes de loin ma préférée ! Il faut me comprendre je suis si beau ! Les dames ont de la difficulté à me résister !

-Petit prétentieux ! Mais je dois admettre que vous êtes très beau. Je dirais même superbe !

-Elle me trouve beau ! Elle me trouve beau ! Je suis si heureux qu'il faut absolument que je m'habille en vitesse et que je fasse voter une loi qui vous oblige à me redire cinq fois par jour ces paroles qui sortent pour la première fois de vos si douces lèvres ! Il faut que tout le monde sache que vous me trouvez beau !

-Boris, ce que tu peux être enfantin parfois ! Ce n'est pas parce que je ne te le dis pas que je ne le pense pas !

-Je suis superbe ! Je suis superbe ! Tous mes ministres doivent savoir, Madame, que je suis superbe !

Il s'habillait en faisant le jarre dans la chambre, gonflant son torse, gonflant les muscles de ses bras. Mira le regardait amusée et riait. Il était si drôle et semblait si heureux. Elle s'enroula dans un drap.

-Monsieur vous ne pensez pas vous rendre dans cet état devant votre monde ?

-Pourquoi, je suis beau et superbe, vous venez de me le dire !

-Nous sommes tous les deux candidats à un bon bain.

-Ah ! Non ! Vous ne m'entraînerez pas avec vous dans un bain ! Non ! Vous allez encore profiter de la situation et je vais devoir dormir toute la journée pour récupérer… Vous allez m'achever, Madame !

-Gros matou ! Si seulement vous pouviez rester nu près de moi sans avoir envie de vous vautrer sur moi ! Allez venez, il faut laver ce corps d'Adonis !

-Non, non je ne veux pas que ce soit vous qui me laviez ! Je suis un homme vaincu, par pitié laissez-moi souffrir en paix !

-Bébé ! Viens, je vais faire comme tes servantes te faisaient quand tu étais plus jeune… Je ne profiterai pas de la situation ! Je suis moi aussi fatiguée et nous devons nous présenter tous les deux devant ces messieurs au meilleur de notre "performance".

-Performance ! voilà le mot que je cherchais toute à l'heure, performance !

-Pourquoi cherchais-tu ce mot ?

-Pour vous demander, ma chère, si vous étiez satisfaite de mes performances à vos côtés ?

-Boris ce que tu peux être agaçant à la fin ! Douterais-tu de tes prouesses masculines ?

-Un homme doute toujours de ces choses-là !

-Déshabille-toi et plonge-toi dans ce bain, Monsieur "je ne sais pas si je donne du plaisir à ma femme !"

-Tu n'as pas répondu à ma question !

-Assieds-toi et laisse-moi te laver. Je n'ai pas répondu parce que si tu veux vraiment le savoir, je veux que tu sois bien assis pour que je te réponde.

-Oh ! C'est un cas sérieux à ce point, Madame ?

-Oh ! Que si ! Boris tu sais je t'ai connu beaucoup plus intéressé à te satisfaire toi-même, il y a longtemps... Moi pendant ce temps je vivais avec un autre homme, et je n'ai jamais parlé de lui depuis que nous nous sommes retrouvés. C'est vrai, non ?

-Oui tu as raison, jamais tu n'as prononcé son nom, ni fais allusion à lui !

-Bien aujourd'hui après toutes ces années je vais te parler de lui. J'ai beaucoup aimé Bjarni et j'ai été dévastée lorsqu'il nous a quittés, si jeune d'une façon si injuste et brutale. Mais pendant notre union, Bjarni était un amant intentionné, doux et passionné. J'ai connu mes premières nuits d'amour et de fantasmes avec lui. Je ne veux pas te blesser en te racontant ça, mais il fait parti de ma vie comme toi. Mais si tu t'interroges sur ce que je ressens avec toi, je peux aujourd'hui te répondre que je n'en connais pas la cause mais c'est comme si je dé-couvrais jour après jour de plus en plus de plaisir. Boris, c'est certain que si Bjarni n'était pas mort nous ne serions probablement pas en-semble aujourd'hui, mais lorsque tu es revenu dans ma vie, c'est comme si je te voyais pour la première fois. Je t'aime Boris et je tiens à te dire que même si nos premières rencontres m'ont terriblement blessées, parce que j'étais jeune et pure, ce Boris qui dort et fait l'amour avec moi depuis plusieurs années est un homme beau, géné-reux et un amant formidable que je ne changerais pour rien au monde. Est-ce que j'ai répondu à votre question, Sire ?

Boris se laissait flotter dans l'eau en écoutant cette confession qui l'intéressait au plus haut point et se retourna vers elle. Elle était pen-chée derrière lui et lui frottait le torse. Il l'embrassa pour ensuite la jeter dans le bain avec lui.

-Boris, Boris, ce que tu peux être taquin !

-Laissez-moi Madame laver ce corps enchanteur !

-Non, laisse-moi... Boris... arrête !

Il la chatouillait et elle riait tellement qu'elle n'arrivait pas à se dé-fendre. Après cette effusion de joie, les deux amoureux finirent par décider qu'il était grand temps de cesser de jouer et d'aller rejoindre leurs gens au parlement. Boris était tellement heureux qu'il en oubliait même Yousef. Mira ne semblait pas non plus s'en soucier ce matin-là, du moins. Boris avait réussi à lui faire oublier, même si c'était pour un court moment, sa malheureuse aventure.

Les mois passaient et le ventre de Mira grossissait. Elle en était arrivée à presque son neuvième mois de grossesse. Boris regardait cette femme, celle qui partageait sa vie et qui en prenait toute la place. Qu'elle était belle avec ce petit ventre dur et rond.

Un matin du mois de septembre de l'an de grâce 1358, Boris fut informé qu'un groupe de pilleurs de village avait recommencé à faire des ravages à quelques kilomètres de là. Il décida de se rendre avec plusieurs de ses soldats au dernier endroit où ils avaient été aperçus. Considérant qu'il ne pouvait pas partir pour cette courte expédition sans lui donner un baiser, il monta à la chambre. Elle dormait encore et il s'étendit près d'elle.

-Boris... Où vas-tu ? Tu es déjà vêtu... Qu'est-ce qui...
-Chut ! Ma belle, je suis venue te dire que je serai de retour à la fin de l'après-midi.

Il l'embrassa et frottait de sa main robuste le ventre arrondi.

-Boris où vas-tu ?
-J'ai des petites affaires à régler à Karlstad mais je te promets que je serai de retour en fin de journée.
-Boris dis-moi ce qui se passe ?
-Tu es trop belle ce matin pour t'ennuyer avec des pacotilles.

Il l'embrassa encore et se releva.

-Non Boris dis-moi ce qui se passe ? Pourquoi es-tu vêtu de ton armure ?
-Dors, ce n'est rien d'important... Je t'aime n'oublie jamais ça !
-Boris...

Il se retourna rendu à la porte et lui envoya un baiser à la volée refermant doucement la porte derrière lui. Mira, loin d'accepter de ne pas savoir ce qui entraînait le roi si tôt hors de son château vêtu de cette manière, se leva et enfila une robe de chambre en dentelle. Elle sortit de la chambre le plus vite qu'elle le pût mais Boris était déjà sur son cheval et partait avec plusieurs de ses hommes. Elle rencontra un des ministres et lui demanda :

-Monsieur Yougjen, dites-moi où se rend le Roi ?

-Le Roi n'a pas informé Sa Majesté qu'il partait écraser de nouveaux pillards de village non loin d'ici ?

-Non. Merci Yougien.

Mira avait un mauvais pressentiment. Elle n'était pas près de lui. Elle ne pouvait pas aller cette fois avec son gros ventre sur le champ de bataille. Elle retourna à sa chambre où elle s'allongea. Elle n'arrivait plus à se rendormir. Les heures passaient et elle décida de se lever. Elle se coiffa et mit une robe bleue ornementée de magnifiques broderies et se rendit à la cuisine. Les femmes qui s'y trouvaient saluèrent la reine.

-Mes bonnes dames, ne faites donc pas tout ce cirque lorsque j'entre ici ! Vous courez à en perdre haleine seulement pour me servir et vous savez que je déteste ça. Je suis assez grande pour me servir moi-même.

Les femmes admiraient cette dame qui combattait et balayait toutes les étiquettes d'une cour royale par la simplicité ne ressemblant en rien aux autres personnages royaux.

Elle se prit un pain qu'elle coupa en larges tranches. Ensuite elle y ajouta du fromage de chèvre et des morceaux de jambon. Elle s'assit à l'immense table en bois complètement au bout. Les femmes s'activaient autour des fourneaux. Elles préparaient comme à tous les jours les victuailles pour nourrir plus de six cents hommes qui vivaient autour de la famille royale. Tout ce beau monde travaillait sous les ordres de Boris. Ils appréciaient beaucoup leur rang puisque le roi était généreux et demandait peu en retour à ses sujets pour les protéger. Boris avait d'ailleurs fait fortune dans les autres pays qu'il avait conquis et Mira qui avait bien nanti le pays depuis son retour des Amers, tout ceci transpirait dans les coffres royaux et ils s'en servaient pour redonner au bon peuple ce qui lui revenait.

Depuis son retour, Boris avait tellement changé ses visions sur le titre de roi et contrairement à ce qu'on aurait pu croire, Mira n'avait jamais oublié ses modestes origines et ne trouvait rien d'excitant à se plaire dans la luxure alors que certains n'avaient à peine de quoi manger. Elle regardait toutes ces femmes qui travaillaient si dur et avec acharnement sans jamais se plaindre.

À leur tour, elles la regardaient du coin de l'œil. La présence de cette femme douce, belle, généreuse qui arrivait d'une lointaine forêt et qui resterait à jamais dans son cœur la simple petite paysanne les impressionnait beaucoup. Mira les connaissait presque toutes par leur petit nom. Autre marque de respect que les dames appréciaient.

-Madame Gustaveson, comment va votre petit dernier ?
-Bien, très bien Majesté.
-Et vous Madame Gügtenöns, votre mari est-il encore en proie à des excès de colère envers vous ?

Les femmes se regardèrent, elles savaient que si Madame Gügtenöns répondait par l'affirmative, Mira se chargerait de le faire traduire en cour pour mauvais traitements envers son épouse. Mira n'acceptait pas d'apprendre de qui que ce soit qu'un homme malmenait une femme ou un enfant, peu importe de quel rang social il était.

-Majesté depuis que vous l'avez traduit devant la Cour, il a compris qu'il ne devait plus boire ni me frapper. Il est devenu sage comme une image.
-Madame Gügtenöns j'espère que si son image se met à trop bouger, vous viendrez me voir !

Les femmes riaient aux éclats. Mira souriait encore, se leva et quitta la pièce en les saluant comme elles l'avaient fait pour elle à son arrivée. Les femmes appréciaient de voir un être aussi prestigieux se courber d'une si simple façon devant elles. Après sa sortie les femmes parlaient entre elle. Belle, intelligente, simple, gracieuse, généreuse, extraordinaire étaient les qualificatifs qui volaient au-dessus des têtes des femmes qui parlaient d'elle. Elles étaient si heureuses depuis plus de dix ans, cette femme avait fait renverser tant de préjugés et d'infâmes maladresses des hommes à leur égard. Il y avait encore beaucoup à faire, mais au moins quelqu'un s'était occupé d'elles. Un quelqu'un qui avait osé affronter ces hommes puissants et qu'elle avait utilisé à de bonnes fins.

Mira était maintenant en direction de la cour arrière où elle voulait jouer avec ses enfants. Éric, Ursula et Rainer étaient déjà ensemble autour d'un cheval et se disputaient à savoir qui montrait sur la bête en premier. Éric, l'aîné, âgé de dix ans, était un petit homme. Il était très grand pour son âge et ressemblait à Boris comme un sosie. Ursula quant à elle, avait atteint l'âge respectable de neuf ans. Si Éric ressemblait à son père, Ursula était la réplique exacte trait pour trait de sa mère. Et le petit dernier, Rainer âgé de deux ans, était devenu en vieillissant un mélange des deux. Il avait une chevelure blonde et d'immenses yeux marron. Mira les observait tous. Qu'ils étaient beaux. Souvenirs joyeux ou douloureux ses enfants étaient ce qu'elle avait de plus cher.

-Mademoiselle Ursula, tu ne montras pas sur le cheval avant moi, je suis le plus vieux et je sais mieux que toi comment y faire avec cet animal !
-Monsieur Éric fait encore son petit Roi, c'est à moi et pas à vous !
-Lâche-moi, espèce de petite suiveuse !
-Mais moi, quand aurais-je le droit moi ? Demanda Rainer de sa petite voix candide.

Les deux plus vieux se retournèrent et dirent en même temps :

-Quand tu seras plus grand !
-Non, non les enfants de Mira fille de la Forêt d'Elfe ne se disputent pas pour de si futiles choses.
-Mais maman, je suis le plus grand et je…
-Non, non, Monsieur Éric, personne ne montra à cheval sans que je le dise. Premièrement, pourquoi vous disputez-vous une monture alors qu'il y en a plusieurs à l'écurie ?
-Parce que c'est le meilleur cheval, Mère. Répondit la jeune Ursula.
-D'accord je vois, mais répondez à une autre question. Depuis quand est-ce qu'on dit à son petit frère qu'il n'est pas assez grand pour monter sur un cheval ? Vous avez la mémoire courte. Vous avez tous monté à cheval dès votre plus jeune âge et Rainer sait très bien monter.

Elle fit silence, les trois enfants baissaient la tête et ne disaient plus rien.

-Maintenant si vous voulez bien vous donner la peine, vous irez chercher deux autres montures et vous prendrez soin de votre frère. Vous n'avez pas le droit de sortir de la cour.
-Mais maman…
-Il n'y a pas de maman qui tienne, j'ai dit que vous ne sortirez pas de la cour ! Je ne peux pas vous suivre et vous savez très bien que je n'aime pas vous savoir dans la nature sans surveillance.
-Bon très bien, Mère, je suis le plus grand et je ferai attention.
-Merci beaucoup Prince Éric.

Mira leur souriait en regardant les deux autres courir à l'écurie pour prendre d'autres chevaux. Éric fit ce que sa mère leur avait ordonné, il faisait le tour de la cour suivi de sa sœur et de son jeune frère. Ils montaient très bien à cheval et certains d'entre eux avaient développé quelques figures d'acrobatie comme leur avait enseigné Mira. Elle resta quelques instants debout et dû aller s'asseoir car elle avait mal au dos. Il ne restait plus beaucoup de temps avant que sa famille ne s'agrandisse encore d'un autre petit trésor. Elle y resta une bonne partie de l'avant-midi. Elle se mit à penser à Boris. Éric lui ressemblait tellement. Il avait déjà toutes les dispositions pour être aussi grand, fort et beau que son père. Mira l'avait élevé dans le respect d'autrui et dans la simplicité qui la caractérisait. Éric, petit homme, qui aurait un jour à prendre des décisions pour une nation tout entière même si elle aurait préféré qu'il en soit autrement. Elle aurait souhaité qu'il puisse vivre comme ses frères à elle, une vie paisible au fond des bois de la magnifique Forêt d'Elfe dans les champs immenses remplis de fleurs et d'odeurs exquises. Mais le sort avait voulu qu'un jeune roi pose les yeux sur elle et en tombe éperdument amoureux. À cette époque, ne refusait pas qui voulait les désirs de ce roi, blessé par l'amour de son père pour sa propre mère qu'elle n'avait jamais connue.

Les enfants étaient descendus de leur monture et jouaient ensemble. Éric prenait son petit frère et courait avec sur ses épaules. Ils riaient aux éclats. Ursula les poursuivaient en tirant sur les culottes de son grand frère. Elle tombait, se roulait par terre. Mira les regardait, ces enfants qui étaient si insouciants du monde pervers et mesquin qui les entourait. Elle retrouvait avec eux l'innocence, la pureté et la vérité si dures à conserver lorsqu'on grandit et qu'on est mis en face des terribles réalités de la vie. Puis on annonça le dîner. Mira appela ses enfants et ils se rendirent tous ensemble à la grande salle à dîner. Ils prirent un repas en remerciant Dieu de leur offrir ce qu'ils avaient à table. Éric taquinait sa sœur en lui disant que si elle réussissait à lui enlever son pantalon, il en ferait de même de sa jolie robe. Mira faisait taire ses commentaires qu'elle trouvait amusants, mais personne ne dévêtirait personne. Les enfants se regardaient en espiègles qu'ils étaient et souriaient tout en mangeant. Après le repas chacun d'eux devait se rendre à leur cours de langue et d'histoire ce qui leur déplaisait toujours un peu. Mira tenait à ce que ses enfants aient une éducation qui leur ouvrirait des horizons nouveaux.

Après le repas, elle se dirigea vers la grande bibliothèque. Elle s'assit seule devant des livres de langues étrangères dévorant ces pages avec empressement. Elle y était depuis plus de deux heures lorsque je fis irruption dans la pièce.

-Majesté pardonnez-moi, mais il faut que vous me suiviez immédiatement !

-Mirikof, que se passe-t-il ? Vous m'avez l'air bouleversé !

-Majesté je préfère que vous me suiviez sans poser de questions.

Avec le regard effrayé d'une biche, Mira me suivait. J'avais le cœur dans les flots et je me rappelle avoir pensé que je devais présenter un air catastrophique. Décidément, j'étais celui par qui passaient les mauvaises nouvelles ! Je l'entraînais dans les longs corridors ayant pour seuls sons, nos pas sur la pierre et le bruit de ses jupons. J'augmentais la cadence vers la pièce de leur chambre royale. Je l'entendais penser. Chère Mira, réalisant qu'il se passait quelque chose de grave, mais dont l'esprit positif combattait pour se convaincre du contraire. Notre périple, à travers les longs corridors, tirait à sa fin. Nous étions en face de la porte fermée de leur chambre. Un serrement de cœur me fit hésiter et pourtant je devais ouvrir cette porte. D'un air grave je me tournai vers elle. Ses grands yeux azur se perdirent dans les miens. Des voix venant de l'intérieur de la pièce détournèrent son attention. Elle ne me laissa pas le temps de dire quoi que ce soit et ouvrit la porte. Un mur de guerriers l'empêchait de voir son lit. Les hommes se retournèrent vers elle et se turent immédiatement. Un silence d'église régnait dans la pièce. Elle s'avançait doucement vers le lit qu'elle ne voyait toujours pas. Les hommes se tassèrent, dévoilant peu à peu le lit. Mira s'enfonçait au travers d'eux comme dans des sables mouvants. Difficilement, voyant de plus en plus ce qui expliquait leur présence en ces lieux et leur air solennel. Le roi Boris, son roi, notre roi était étendu, inerte, une plaie béante ensanglantée près du cœur. Ses yeux clos, un air serin sur le visage, le roi semblait dormir. Je savais qu'il n'en était rien. À mesure qu'elle avançait, j'avais l'impression qu'elle s'enfonçait. De ses yeux effrayés qu'elle avait à mon arrivée, une tout autre expression se lisait maintenant sur son visage. Comme si la douleur transcendait tout son être. Délicatement, elle se pencha sur lui. Elle dira plus tard que Boris avait tenu promesse. Il était revenu avant la fin de l'après-midi mais dans quel état. Devant cette scène aussi tragique que pathétique, plusieurs hommes sortirent nous laissant, moi, Gustaveson et Mira. Toujours en silence, du revers de sa main, elle caressait délicatement sa joue. Elle s'agenouilla, le regard fixé sur lui. Sans même qu'un son n'émane d'elle, des larmes jaillirent comme la rosée de ses yeux et perlaient tout au long de ses joues. Je voyais encore une fois, le cœur pur se faire piétiner, se faire démolir… Ce silence devenait insupportable. Je lui devais quelques mots, quelques explications, quelque chose.

-Madame, ses derniers mots furent pour vous.

Ces paroles n'eurent pas l'effet escompté. Des larmes qui perlaient, je voyais maintenant le ruisseau devenir rivière, devenir fleuve, devenir océan. Gustaveson poursuivit :

-Majesté nous sommes conscients que cet accident n'aurait jamais dû se produire. La petite troupe de rebelles était presque maîtrisée lorsqu'un homme a réussi à sortir des rangs et s'est jeté sur le Roi par-derrière lui assénant un coup fatal de son couteau. Cet homme a été tué sur le champ et les autres ont été emportés vers les donjons. Nous n'avons rien pu faire, il s'est effondré après quelques paroles. Nous comprenons tous votre peine, Madame car nous avons perdu un Roi, un homme, un ami, un vaillant combattant et soyez certaine que nous en sommes tous affectés.

Je décelais, plus que Gustaveson, les états d'âme de Mira. Depuis longtemps, je comprenais ce qu'elle ressentait. Comme si nous étions liés par je ne sais quel bizarre lien. De la voir dans cet état une fois de plus, m'entraînait moi aussi vers un sentiment d'impuissance le plus complet. Voir Mira agenouillée de cette manière le cœur en miettes près de celui qui l'avait découverte dans la Forêt d'Elfe et qui l'avait propulsée sur la scène mondiale, c'était à couper le souffle. Ce roi qu'elle avait d'abord combattu de toutes ses forces. Ce roi qu'elle avait haï, détesté au point de souhaiter sa mort. Ce roi qui l'avait prise sans le moindre petit consentement. Ce roi qui avait tout perdu pour tout retrouver plusieurs années plus tard, ce roi vaillant et aimant, n'était plus. C'est comme si on lui avait enlevé une partie d'elle-même, une partie complète de sa propre vie. L'incompréhension était aussi présente dans cette pièce que la douleur et la tristesse les plus complètes. Quelle bête façon de mourir pour un si grand roi. Mort à trente-trois ans dans la fleur de l'âge sous le poignard tranchant d'un inconscient. La peine qui affligeait Mira faisait un triste mélange avec cette beauté légendaire. Toute cette affliction que je lisais dans ses yeux. Ce mélange de beauté et de douleur, ne l'avais-je pas déjà vu ? Pourquoi devais-je encore assister à ce cauchemar ? Je m'approchai d'elle.

-Madame, vous devriez vous asseoir.

Elle ne bougea pas comme si elle n'entendait pas ce que je lui suggérais, mais soudainement, elle se retourna vers moi et m'empoigna la main.

-Non, non, je n'accepte pas cette fois, je n'accepte pas... Pourquoi, pourquoi Dieu m'enlève toujours ceux que j'aime ? Pourquoi ? Que lui ai-je fait ? J'ai toujours fait selon ses commandements... Non... non... je n'accepte pas... C'est trop injuste...

Elle hurlait ces paroles avec une telle haine que moi et Gustaveson faisions ce que nous pouvions pour tenter de la raisonner.

-Madame, je vous en prie ne vous mettez pas dans un état pareil... Ça n'a rien à voir avec vous. Lui dis-je.
-Je n'accepte pas ça Mirikof vous comprenez, je n'accepte pas ça, je ne veux plus souffrir... Je ne peux plus souffrir... Pourquoi Dieu a-t-il pris sa vie et pas la mienne ? Pourquoi, pourquoi ?
-Madame, Madame je vous en conjure calmez-vous...
-Ahhhhhh !

Mira fut prise alors d'une douleur à l'abdomen qui eu pour effet de la faire se plier en deux. Surpris, mais non sots, nous avons tout de suite compris qu'elle avait les douleurs d'une femme qui va accoucher. Sans perdre un instant, je la pris dans mes bras et envoyai Gustaveson chercher le médecin. Je l'emportai dans la chambre voisine et l'étendis sur le lit.

-Madame, je vous en prie, rien ne ramènera Boris, même pas votre propre mort... Vous devez continuer Madame, vous allez avoir un autre enfant et vous en avez d'autres qui ont besoin de vous. Calmez-vous, vous en aurez grandement besoin... J'ai perdu mon Roi aujourd'hui, que Dieu me garde, mais je ne veux pas perdre la seule Reine sur cette terre qui est une divinité envoyée parmi nous pour nous sauver contre l'hécatombe dans laquelle nous nous engouffrons.
-Mirikof... Ah ! Mirikof, restez près de moi...
-Je vais rester aussi longtemps qu'il est permis à un homme de rester dans de tels moments. Par la suite, je resterai tout près, je vous le promets.

Toutes les douleurs du monde semblaient s'abattre sur elle. D'abord la mort qui lui arrachait un être cher et maintenant mère nature qui avait décidé que le moment était venu pour donner la vie. Le médecin suivi de deux femmes entra dans la pièce. Je sortis délaissant la petite main tremblante que je tenais.

-Non, je ne veux pas qu'il sorte.

Les autres se regardaient s'interrogeant sur une telle affirmation mais je me suis retourné vers elle et lui dis :

-Je serai tout près Majesté juste derrière la porte.

Pendant les quelques heures qui suivirent, tout fut organisé pour l'enterrement du roi. La nouvelle de sa mort s'était répandue aux quatre coins de son immense royaume comme une traînée de poudre. Tous étaient sous le choc de cette nouvelle. Les habitants avaient perdu dans les dernières années deux jeunes et puissants rois de façon tragique et insensée. Le trône serait laissé à un enfant à peine âgé de dix ans. Et cette magnifique reine qui perdait ses amants de façon tragique qu'allait-elle faire désormais ?

On vint m'annoncer que la reine avait donné naissance à un autre fils en pleine santé, quoi qu'il fût prématuré de deux semaines. L'enfant fut laissé aux mains de nourrices qui en prirent bien soin. La reine était dans un état lamentable. Elle pleurait sans relâche et était épuisée par tous les événements qui la secouaient fortement depuis plus de cinq heures. Tel que promis je me rendis près d'elle.

-Je sais pourquoi Dieu m'a puni, Mirikof.
-Et pourquoi vous aurait-il puni Majesté ?
-Parce que ce fils n'est pas celui de Boris, il est le fils de Yousef.
-Je vous rappelle que même si vous dites vrai, là encore cela n'a rien à voir avec vous, quand on sait de quelle façon tout ceci est arrivé… N'oubliez pas que j'y étais et je sais ce qui s'est passé.
-Boris le savait c'est pourquoi il est mort !
-Majesté, Majesté, je vous en prie, la douleur vous fait divaguer. Boris le savait et il ne vous a pas laissée parce qu'il savait que Yousef avait fait comme lui, il y a bien longtemps. Il vous aimait Madame, aujourd'hui est un bien triste jour et vous avez eu assez d'émotions pour tout le reste de votre vie. Je vous en prie raisonnez-vous. Il faut que vous combattiez maintenant aux côtés de votre fils Éric qui sera seul devant tout ça si vous n'y êtes pas ! Il a besoin de vous, il est si jeune. Et votre nouveau né, peu m'importe qui en est le père, c'est votre fils Madame et il a encore plus besoin de vous que nous tous. Il faut penser à reprendre des forces et continuer l'œuvre pour laquelle vous vous êtes tant battue. Toutes ces femmes qui vivent maintenant dignement grâce à vous, ne pensez-vous pas qu'elles ne sont pas attristées par ce qui vous arrive aujourd'hui ? Ne pensez-vous pas qu'elles ont encore le droit d'espérer que la très belle et magnifique Reine Mira lutte encore pour elles ? Nous avons tous un tel respect pour vous Madame, si seulement je pouvais effacer toutes ces dou-

leurs qui vous affligent du revers de la main, je vous jure Majesté que je le ferais, mais je suis moi aussi un simple mortel, un pauvre vieux général qui n'a pas été touché par la main de Dieu comme vous !

-Mirikof, j'ai toujours su pourquoi Bjarni et Boris vous préféraient à tous les autres et pourquoi je suis tellement attachée à vous, vous êtes si sage et si bon. Je ne vous dirai plus jamais ces paroles, Mirikof, car je commence à penser que je porte malheur à ceux que je touche par mon amour et par mon affection.

-Madame, je garderai jusqu'à mon dernier souffle cette remarquable énoncée. N'ayez crainte pour moi, jamais il m'est venu à l'esprit que vous portiez malheur, bien au contraire, je vous trouve dure envers vous-même. Vous avez tellement rempli le cœur de ces hommes. Ils vous aimaient tant que la mort qui vous les a arrachés n'était qu'une erreur de parcours. Ils ont tout donné pour vous. Ils se sont battus, ils ont vaincu et à vos côtés ils étaient heureux et ça même leur départ précipité n'a rien changé à leur passion pour vous. Je suis convaincu que même s'ils auraient eu le choix entre vivre vieux sans être à vos côtés et vivre ce qu'ils ont vécu près vous, ils auraient choisi la deuxième option.

-Mirikof ce que vous dites est faux, mais vous le dites si bien que je serais tentée de vous croire.

-Madame, je vous jure que ce que je viens de vous dire je le pense sincèrement. N'oubliez pas que Bjarni est retourné vous chercher pour vous épouser alors qu'il savait très bien que Boris avait déjà commis des actes irréversibles. Qu'a-t-il fait Madame ? Il s'est embarqué sur son cheval à peine remis de ses blessures et il n'a pas hésité à vous ramener avec lui. Ai-je tort ?

-Non Mirikof.

-Et Boris qui fut en exil pendant de longues années conquérant d'immenses territoires avec le seul espoir qu'il vous reverrait un jour. Il avait le choix lui aussi de rester sur ses nouvelles terres et ne pas revenir, mais il a choisi de revenir pour vous enlever des mains de Varek qui vous menaçait et qui attaquait son fils. Les remords qui rongeaient alors sa conscience à votre sujet ont fait qu'il est même allé jusqu'à vous laisser partir alors qu'il aurait eu envie de vous sauter au cou. Il voulait vous retrouver, il voulait vous aimer. Et vous lui avez bien rendu, Madame. Je suis sûr que ces hommes, s'ils avaient eu à choisir même en sachant leur destin fatal vous auraient quand même choisie, alors ne me dites plus que vous portez malheur.

-Seul mon père raisonnait comme vous. C'est une raison pour laquelle vous m'êtes si cher, Mirikof.

-Je l'ai déjà dit à quelqu'un que vous me considériez comme votre père à mon grand regret, j'aurais tellement voulu être plus jeune, je vous aurais aimé moi aussi et j'aurais même sûrement été jusqu'à défier mon propre Roi !

Mira me regarda et m'adressa un petit sourire. J'étais content, j'avais réussi à retirer de cette femme dévastée par la peine un petit signe encourageant. J'espérais sincèrement que c'était la lumière au bout du tunnel.

-Maintenant, Madame, je vous ordonne de vous reposer, demain est un autre jour et il faudra l'affronter comme tous les autres. Vous êtes exténuée et je le vois dans vos magnifiques yeux ! Je me permets de faire comme un père à sa fille, je vous embrasse sur le front.

Mira ferma les yeux et eut un autre petit sourire. Je me suis éloigné doucement et je sortis de la pièce.

La fatigue de la reine la transportait doucement mais sûrement vers le sommeil.

Le lendemain matin elle demanda à se lever. Elle prit un bain qu'elle aurait pu remplir de ses larmes tellement elle était effondrée. Elle parvint à s'habiller avec l'aide d'une servante. Elle était très faible, elle avait perdu beaucoup de sang et les émotions de la vieille avaient failli tourner à la catastrophe pour elle. Elle exigea de se rendre auprès du corps de Boris. Elle y arriva tant bien que mal. Elle entra dans une pièce où on était aux derniers préparatifs avant son enterrement. Elle se rua sur le corps.
-Boris, Boris pourquoi êtes-vous allé, pourquoi n'êtes-vous pas resté avec moi ? Non c'est trop injuste ! Je t'aime Boris, pourquoi es-tu parti ?

Elle pleurait abondamment et les gens dans la pièce en avaient tous le cœur serré. Elle était couchée sur son torse et le frappait doucement de ses poings.

Boris Le Magnifique, Boris Le Grand, Boris Le Conquérant était étendu vêtu de vêtements royaux superbes. Ses longs cheveux noirs bouclés étaient déposés sur son torse. Cet homme à la carrure imposante semblait tellement serein qu'il paraissait dormir. Mira pleurait toutes les larmes de son petit corps fatigué. Ce torse sur lequel elle s'était si souvent endormie. Ces bras qui l'avaient si souvent enveloppée. Ces cheveux dans lesquels elle avait si souvent passé les doigts. Ce corps si robuste, musclé, plein de vie qui s'étendait sur elle et la caressait pendant de longues heures. Il ne lui restait plus rien. Elle devait se contenter de se blottir contre un torse inerte et froid duquel n'émanait plus aucun mouvement de ce cœur qui avait tant battu pour elle. Elle n'arrivait pas à se défaire de lui. On vint me chercher et j'accourus pour voir cette scène terrible. En l'apercevant, j'admets que mes yeux roulèrent dans l'eau. Cette frêle créature aux mains tremblantes suggérait la faiblesse extrême dans laquelle elle était. Je dus me ressaisir. J'avançai vers elle et délicatement je la pris dans mes bras la transportant vers son lit car quelques secondes plus et elle se serait effondrée.

-Madame, vous êtes trop faible pour vous promener ainsi, c'est dangereux pour vous. Le médecin m'a fait part de votre dur accouchement et il faut absolument que vous m'écoutiez. Il faut garder le lit jusqu'à nouvel ordre.
-Non, il faut que j'aille à l'enterrement de Boris…
-Je sais Madame, mais votre état ne vous le permet pas. Majesté pourquoi vous torturer davantage ? Toute cette cérémonie remplie d'émotions, voir Boris dans son cercueil, le voir mettre en terre, n'avez-vous pas déjà vécu cette douleur ? Tout le monde sait que vous êtes dans un état pitoyable. Personne ne vous jugera. Tout le monde comprendra. Je suis certain que même Boris aurait compris… Si vous voulez je resterai avec vous, il ne me tente guère d'assister à ces funérailles et de voir un autre jeune homme porté en terre.
-Il faut que j'y aille Mirikof. Je lui dois au moins ça. Il a déjà été beaucoup moins dans mes pensées mais ces dernières années, il s'était montré si généreux envers moi. Il était un homme transformé, il m'a tellement donné, si vous saviez !
-Je le sais Majesté, je le sais. Mais vous n'êtes vraiment pas en état de subir encore toutes ces émotions.
-Mirikof, j'irai de force s'il le faut.
-Madame, vous n'arrivez même pas à vous tenir sur vos jambes, vous êtes si faible, si pâle, il faut vous raisonner et penser à vos enfants.

Mira voulait se lever, courir et voir pour la dernière fois son époux. Mais son état lui rappela que j'avais raison pouvant à peine rester éveillée. Elle était épuisée. Jamais un accouchement n'avait été aussi difficile. Parce qu'elle était dans un état physique et psychologique effroyable. Elle ferma les yeux et me donna sa main que je tentais de réchauffer de mon affection comme un grand-oncle qui veille sur sa nièce favorite. La fatigue extrême la gagnait, elle s'endormit rapidement. Je suis resté près d'elle plusieurs heures veillant sur son sommeil transportant mon esprit vers une récapitulation de ce qui était arrivé depuis qu'elle était arrivée dans nos vies.

Le médecin suivi d'une femme entra dans la pièce, me ramenant à la dure réalité. Comme elle dormait paisiblement, je leur fis signe de ne pas faire de bruit. Le médecin m'entraîna à l'extérieur de la pièce. Pendant ce temps, la servante releva les couvertures et se rendit compte que sa reine ne faisait pas que dormir elle était en forte hémorragie et ceci l'inquiéta au point où elle sortit et en informant le médecin qui entra sans tarder visiblement apeuré semant autour de lui une panique intérieure surtout pour moi. Je me demandais si elle aurait la force de lutter, elle était si faible.

Mais aux dépens de notre conscience à tous, il se passait quelque chose dans cette chambre. Mira partait doucement. Le corps de la frêle créature était devenu un nuage de lumière et se soulevait par-dessus son enveloppe corporelle qui gisait étendue sur le lit. Une sensation de bien-être envahie Mira qui s'élevait vers une lumière d'une pureté éblouissante. Elle fermait les yeux et humait les odeurs de rose, de pétunia, de jasmin qui flottaient dans cet endroit bénit d'une indescriptible beauté. La légèreté, la pureté, la vérité semblaient habiter les lieux qui n'avaient ni cloison, ni mur, ni bâtiment. Un endroit vide mais rempli de couleurs, d'odeurs, de paix, de joie, d'amour… C'était une sensation qu'elle n'avait jamais ressentie auparavant. Elle s'élevait toujours et se dirigeait sans réticences vers la lumière invitante. Une lumière vivante, remplie de conscience qui semblait vouloir la prendre en son sein et Mira s'enivrait de cette béatitude, de cette extase. Tout était effervescent et éblouissant. Et au loin dans ce couloir qui ne semblait n'avoir aucune limite, un point de couleurs magnifiques se dirigeait vers elle et plus il s'approchait, plus les formes se précisaient en un magnifique cavalier qui galopait sur une magnifique monture d'un blanc immaculé. Boris venait vers elle vêtu d'un costume aux teintes lumineuses et scintillantes. Ses longs cheveux noirs faisaient ressortir la beauté de l'homme dans toute cette luminescence qui l'entourait. Mira lui tendit les bras et elle s'éleva vers lui. Il l'a pris tendrement sur son torse. Mira leva les yeux vers lui et ressentit une sensation de bonheur et de bien-être qu'il lui transmettait par son seul regard. Il lui fit voir que le moment n'était pas venu pour elle de rejoindre cette lumière éternelle qui les entourait. Le nouveau-né apparu dans ses bras et il le tendit à Mira. Ses enfants se tenaient derrière Boris et elle voyait défiler les scènes de tous les jours en leur compagnie et vit les larmes jaillirent de leurs yeux. Elle comprit ce que Boris lui dévoilait et les images de ses enfants disparurent. Boris l'embrassa sur le front, lui sourit et comme par magie, disparut doucement dans la lumière. La lumière s'éloignait doucement emportant avec elle les odeurs, les sensations divines et Mira sentait que son corps reculait, descendait. Doucement, elle regagnait son enveloppe charnelle.

Quelques secondes plus tard, elle ouvrait les yeux scrutant du regard ce qui l'entourait.

Quant à moi, j'étais toujours devant cette porte close. Il fallait attendre. Seul le temps pouvait jouer en notre faveur. Beaucoup de femmes mourraient en couche et j'implorais Dieu de ne pas nous l'enlever maintenant. Allait-elle suivre de peu son roi ? Aurait-elle laissé ses enfants seuls et orphelins ? Si jeune, à peine âgée de vingt-huit ans, cette magnifique femme aurait-elle donné la vie pour ensuite perdre la sienne ?

Je me décidai d'ouvrir la porte et de m'introduire dans la chambre. Le médecin n'avait pas l'air très optimiste et les dames non plus. Elle avait ouvert les yeux, mais depuis elle les avait refermés. La seule chose à faire était d'attendre et je suggérai à tous de nous asseoir près d'elle.

On entendait les cloches de la chapelle. La cérémonie commençait et Mira n'en avait pas conscience. C'était mon seul réconfort. Elle n'aurait pas essayé de se lever à tout prix. Je me suis levé et regardant par la fenêtre qui donnait sur le devant du château, je voyais le long cortège s'avancer vers la chapelle à droite. Derrière les remparts, j'apercevais toute la population qui s'était pressée contre les murs. Il devait y avoir au moins quinze mille personnes venues de plusieurs coins du pays pour ceux qui étaient les plus près. Quel triste spectacle ! Me disais-je, impuissant devant tant de désolation.

Après deux heures, le cortège reprit sa route vers le cimetière familial. Tous ces gens, hauts dignitaires et personnages des plus importants suivaient le cercueil du jeune roi.

Mira dormait si profondément que pas un bruit ne semblait vouloir déranger son sommeil. S'en allait-elle doucement ? Non, Mirikof tais-toi ! Il fallait qu'elle survive à tout ça et poursuive son destin. Si j'avais imploré Dieu, maintenant j'implorais Boris de la laisser avec nous. *Ne l'emporte pas avec toi ! Je sais que tu l'aimais à en mourir mais laisse-nous la.*

La servante se leva et souleva encore une fois les couvertures et d'un signe de tête, moi et le médecin comprîmes qu'elle avait encore perdu beaucoup de sang. Nous nous sommes levés pour sortir le temps que la femme puisse changer les tas de draps et de douillettes sur lesquels elle avait déposé ce corps presque inerte. Il fallait encore attendre. Attendre combien de temps ? Une si frêle personne pouvait-elle endurer longtemps une telle perte de sang ? Quelques minutes plus tard, nous revîmes se rasseoir pour encore une interminable attente.

Plusieurs heures passèrent sans vraiment nous encourager. Le médecin avait vérifié à plusieurs reprises si la belle était encore en vie. Elle ne l'avait pas déçu jusqu'à maintenant. On ouvrit la porte doucement me faisant signe de sortir. Plusieurs ministres pressaient à la porte de la reine. À ma sortie, je fus envahi d'une série de questions qui se transformaient en cacophonie.

-Messieurs, Messieurs, s'il vous plaît, pas tous en même temps.

Une fois le calme revenu je fis une revue des événements qui nous bousculaient. Ils m'écoutèrent religieusement.

-À l'heure actuelle notre Reine se remet très mal de son accouchement et de tous les événements des derniers jours. Elle est quasi inconsciente et le médecin ne peut se prononcer sur son état de santé. Comme moi, je sais que vous déplorez la mort d'un Roi et que vous devez craindre peut-être celle de notre Reine. Elle est très faible. À un tel point qu'elle ne s'est même pas rendu compte de toutes les activités qu'il y a eu ici ce matin. Nous lui donnons tous les soins qu'il est possible de donner dans de tels moments mais nous sommes bien impuissants devant la volonté de Dieu. Alors soyez assurés que nous vous informerons du nouveau de la situation dès qu'il y aura un changement, si petit soit-il. Pour répondre à vos autres questions, le couronnement officiel du Prince Éric aura bien lieu demain comme prévu. Nous ne pouvons laisser le royaume sans dirigeant. J'espère sincèrement que même si sa mère, la Reine, n'est pas en état d'assister à cette cérémonie, qu'elle puisse au moins lui apporter support et expérience au cours de ses débuts au sein de sa royale fonction.
-Merci Mirikof, répondirent plusieurs d'entre eux.
-Je retourne veiller sur le sort de notre Reine.

Ils retournèrent vaquer à leurs occupations en chuchotant leur désarroi face à ces catastrophes qui les flagellaient depuis plus de deux jours. Je suis retourné m'asseoir. La domestique se leva encore, tira les couvertures et fut plus encourageante que la première fois. Si seulement cette annonce pouvait être le signe avant coureur de son rétablissement. Mais il fallait encore attendre.

Deux heures plus tard, elle leva son bras et passa doucement sa main sur son front. Ce signe de vie nous fit bondir hors de nos sièges. Elle ouvrit les yeux et je fus le premier à lui adresser la parole.

-Madame, restez étendue n'essayez pas de vous lever. Lui ordonnais-je.

-Quelle heure est-il ?

-Il est plus de 4 heures de l'après-midi, Majesté. Lui répondit la servante.

-4 heures, mais… mais…

-Madame, nous avons bien failli vous perdre. Lui dis-je.

-Est-ce que tout est terminé ?

-Oui tout est terminé depuis plus de 2 heures, Majesté. Et nous avons veillé sur vous. Nous sommes si heureux que vous êtes revenue parmi nous. Dis-je.

-Mais… mais… j'ai manqué…

-Vous n'avez rien manqué Madame, vous avez fait le plus important pour nous tous, vous êtes en vie !

Les larmes recommencèrent de nouveau à déferler sur ses joues. Elle tourna la tête et ferma les yeux.

-Majesté, il faut vous reprendre, vous avez besoin de calme et de paix, vous devez penser à vos enfants. Le jeune Éric sera couronné demain. Il aura besoin de vous près de lui, il est si jeune ! Comprenez-vous Madame que nous entendons et voyons votre peine et que nous la vivons avec vous ? Comprenez-vous aussi l'importance que vous avez à nos yeux ?

-Je suis si abattue par ce qui s'est passé, Mirikof si vous pouviez savoir !

-Mais je le sais, Madame ! Moi, je ne pleure pas, parce que je suis un homme. Vous dirais-je que pendant les longues heures d'attente à votre chevet aujourd'hui, j'aurais eu envie de crier, de hurler et même blasphémer Dieu ! Je ne l'ai pas fait c'est vrai… parce que je savais que ça ne vous ramènerait pas… parce que je savais que ça ne ferait pas jaillir Boris de sa tombe. La fatalité est une bien terrible chose à vivre pour nous mais il faut apprendre à la contourner. Vous avez déjà réussi une fois, il est encore plus impératif de réussir aujourd'hui.

-Je n'ai jamais oublié Bjarni et je sais que je n'oublierai pas Boris non plus.

-Majesté, personne ne vous demande d'oublier ! Au contraire, c'est le signe évident qui vous distingue de bien d'autres, vous avez un cœur plus grand que l'univers. Vous devez vous servir d'eux pour continuer sans vous laisser aller à devenir amer, mélancolique et morose. Nous vous aimons. Nous ne vous demandons pas de sauter de joie, mais de cesser de vous culpabiliser. Vous n'y pouvez rien et nous non plus. Il faut que vous vous reposiez. Il faut reprendre des forces. Nous vous attendons avec anxiété. Nous dévorons déjà vos paroles remplies d'intelligence qui sortiront encore de vos douces lèvres. Nous avons hâte de retrouver notre Reine qui parfume notre Parlement qui sentait avant votre arrivée les dessous-de-bras de nos vieux ministres.

Mira sourit et les autres se mirent tous à rire aux éclats sous les constatations plutôt loufoques que j'osais étaler ainsi !

-Cher Mirikof que ferions-nous sans votre sens de l'humour si tordant dont vous faites toujours preuve même dans les pires moments ?
-Vos rires, vos sourires sont ma seule récompense, Madame.

Après avoir un peu détendu l'atmosphère lourde qui régnait, nous sommes sortis laissant Mira se reposer.

Le lendemain, on procéda au couronnement du jeune roi de dix ans. Il était nerveux et encore sous le choc de la mort de son père. Sa mère n'était pas à ses côtés. Elle était encore alitée et se remettait tant bien que mal de la naissance du petit dernier. L'enfant roi était terrorisé à la seule pensée que sa mère le laisse seul. Elle représentait tout ce qui lui restait. Il accepta avec beaucoup de dignité le rôle surhumain, pour un enfant de cet âge, d'être roi et maître parmi tous ces hommes d'expérience et de savoir. Il n'avait pas eu le temps d'assimiler encore toutes les facettes du pouvoir et de ce que cela représentait vraiment.

Quelques jours plus tard, Mira s'était rétablie n'ayant que pour souvenir de son accouchement de petites faiblesses de temps à autre. Malgré le chagrin qu'il l'avait frappé de plein fouet, je découvrais une Mira qui avait repris des forces, mais aussi une Mira qui ne se complaisait plus dans les larmes et les pleurs. Cette force soudaine me surprit beaucoup. Certes, ses yeux roulaient quelques fois dans l'eau lorsqu'on lui parlait de son défunt roi, mais sans plus. Je retrouvais la Mira enjouée, pleine d'humour et au sens de la répartie bien connus ! Elle avait quelque chose de changé… Elle était transformée… Je ne comprenais pas. Mais je ne tarderais pas à le savoir.

J'allais vers l'écurie lorsque je la croisai vêtu d'une robe de satin blanc qui reflétait les rayons du soleil la rendant éblouissante. Elle venait à peine de donner naissance à un enfant et déjà elle avait retrouvé toute sa splendeur de jeune fille. Je lui souris ayant l'impression qu'elle venait de descendre d'un nuage, tel un ange.

-Vous resplendissez ce matin, Madame. La complimentais-je.
-Vraiment ? Je pourrais vous retourner le compliment, cher Mirikof ! Vous êtes paré pour vous rendre au bal ?

Elle faisait allusion à mes habits de cérémonie.

-C'est que ce matin, nous recevons la délégation du Roi Kelveny. Il s'est rendu à vous pour vous présenter ses condoléances. Il était en voyage lorsqu'il a appris la terrible nouvelle J'allais justement vous en informer. On m'avait dit que vous étiez aux écuries. Mais j'en doute, si bien vêtue.
-Oh ! Le Roi Kelveny est ici ! Je dois m'y rendre tout de suite.
-Madame, ce sera un honneur pour moi de vous y conduire ! Lui dis-je en lui tendant mon bras auquel elle s'accrocha tout en débutant notre route vers la grande salle.
-Faites attention Mirikof de porter autant d'attentions à votre Reine, les mauvaises langues pourraient bien dire que vous tentez de me séduire.
-Ha ! ha ! Chère dame… Comment pourrait-on croire pareille chose ? C'est vrai qu'on a souvent vu des vieillards épousés de jeunes beautés, mais vous et moi ! Tous savent que je vous considère comme ma fille et que j'ai l'âge d'être votre père. On sait aussi que je suis à vos côtés depuis si longtemps… Ce que je trouve amusant dans ce que vous dites c'est la façon dont vous le dites ! Je dois vous féliciter. Vous démontrez tellement de regain, de joie malgré les épreuves qui vous accablent, c'est rassurant de vous voir comme ça.

Elle s'arrêta et me regarda droit dans les yeux, me faisant frissonner.

-Je n'ai aucun mérite, Mirikof. Dit-elle doucement et elle reprit : Mirikof, peut-être me croirez-vous folle…
-Comment pourrais-je penser pareille chose ?
-Lorsque j'ai accouché, j'ai failli mourir et je crois que pendant un instant j'étais morte. (silence) Comprenez-moi bien. J'ai ressenti et vu des choses qui vous sembleront pure folie. J'ai vu Boris, il m'a tendu les bras, il m'a présenté mon nouveau né et… comment dire… et il m'a dit que je ne devais pas le rejoindre maintenant, c'était trop tôt. Lorsque j'ai vu ses yeux et que j'ai ressenti la paix intérieure, la béatitude dont il était imprégné, j'ai compris. Cette expérience m'a transformée Mirikof. Oui, j'ai toujours de la peine car mes nuits sont

esseulées, je ne peux plus sentir ses bras autour de moi… oui, il me manque éperdument… mais il était si bien, c'était si merveilleux que je sais maintenant que je ne dois plus pleurer car là où il se trouve, c'est indescriptible, mais une chose est certaine… La mort ne m'effraye plus et je dois accepter que les êtres qui nous quittent même de façon violente soient partis et tout ça n'est qu'un au revoir pour mieux se retrouver pour l'éternité.

Voilà ce que cachait cette recrudescence ! Je ne la pensais pas folle, mais que tous ces événements l'avait lourdement ébranlée pour tenir un tel discours. Je ne fis rien paraître préférant qu'elle s'attache à cette « vision » plutôt qu'à se renfermer sur elle-même. Le temps aurait fait son œuvre de toute manière. Bien mieux qu'elle tente de passer au travers de tout ça avec le sourire qu'en versant des larmes.

Plusieurs mois passèrent. Le château avait vu défiler plus d'un monarque venu présenter ses condoléances à la belle, jeune et riche veuve. De véritables vautours aux becs bien plus aiguisés que la première fois lors de la mort de Bjarni. Cependant, Mira fidèle à elle-même ne leur donnait aucune chance. Elle préférait et de loin ses promenades avec Réfusse et ses enfants et le petit dernier lui prenaient beaucoup de temps. L'enfant était âgé de quatre mois et il n'y avait aucun doute sur ses origines. Le teint très foncé et les yeux bleus en forme d'amande ne mentaient pas. Il était vraiment le fils de Yousef. Pourquoi fallait-il encore voir jour après jour le résultat d'une très mauvaise expérience ? Comme pour le roi Éric, Mira vivait quotidiennement le souvenir douloureux d'une rencontre fortuite et non désirée.

On vint lui annoncer qu'une délégation royale était aux portes du palais venue de très loin et désirait voir la reine Mira. Une autre délégation étrangère dont le roi était un des seuls à se faire comprendre dans la langue scandinave. Par contre ce petit détail écorcha au passage la curiosité de Mira. Kelveny était déjà passé, les Français, les Espagnols, les Portugais, les Polonais, les Danois, les Prussiens, les Anglais, les Russes pour ne nommer que ceux-là. Il restait bien entendu les nombreux pays d'Orient, les nombreux pays d'Asie, mais Mira doutait vraiment qu'ils se rendent jusqu'à elle et peu d'entre eux maîtrisait le Suédois. Qui pouvait bien être ce roi ? Elle resta silencieuse pendant plusieurs minutes avant d'envoyer son garde répondre au mystérieux inconnu.

-Ne t'a-t-il pas dit qui il était ?

-Il a esquivé la question en me disant qu'il n'avait pas à dire à un garde quel était son nom, qu'il le dirait à la Reine lui-même. Je suis accouru voyant qu'il ne desserrerait pas les dents.

-Est-il grand, avec une chevelure très noire ?

-Oui Majesté. Il est sûrement de ces pays lointains que le Roi Boris avait conquis il y a plusieurs années.

-Puisse-t-il venir des pays de notre Couronne… Mais j'en doute. S'il est Roi, il ne s'agit pas du tout de ça !

-Je dis qu'il est Roi, Majesté, parce que sa suite, ses habits, me laisse croire qu'il est beaucoup plus important qu'un simple Vizir ou tout autre haut rang de notre Couronne.

-Tes constatations sont sûrement exactes. Fais-le entrer et installe confortablement tous ses hommes dans les quartiers Est du château. Quant à lui, conduis-le jusque dans le bureau. Je vais le recevoir.

-Bien Majesté.

Le garde se retira. Elle se dirigea vers la grande pièce dans laquelle il y avait un immense bureau sculpté, des chaises et une grande bibliothèque. Elle était vêtue d'une magnifique robe turquoise qui lui allait à merveille. Elle s'installa patiemment devant la fenêtre d'où elle voyait quelques soldats vêtus de noir avec des emblèmes royaux. Elle les reconnaissait ces emblèmes. Cette délégation royale était celle de Yousef. Elle n'avait plus aucun doute maintenant, c'était bien Yousef qui se présentait chez elle. Le cœur lui débattait dans la poitrine. Puis le soldat à la porte du bureau ouvrit la porte en annonçant :

-Le Roi Yousef d'Arabie.

Elle se retourna voyant Yousef s'introduire auprès d'elle, la fixant de ses yeux ténébreux, n'ayant rien perdu de son air sûr et décidé. Il la salua, prit sa main, l'embrassa sans jamais la perdre des yeux.

-Roi Yousef, que nous vaut l'honneur de votre visite ?

-Madame, il y a plus de trois mois que je suis parti de mes terres pour venir vous rendre visite. Je suis parti dès que j'ai su la mort de Boris. La distance ne m'a pas permis d'être ici avant pour vous transmettre mes sympathies.

Mira se demandait maintenant pourquoi elle avait accepté de le recevoir car malgré sa politesse, Yousef la rendait mal à l'aise, la dérangeait en sa demeure et en son cœur, réalisant que la blessure qu'il lui avait infligée était loin d'être refermée. Yousef était loin d'être bête, il s'en rendit compte en voyant ses petites mains trembler. Il continua en lui disant :

-J'ai été désolé d'apprendre cette nouvelle. Même si nous avons eu un différent, Boris était tout de même un très grand Roi et nous nous étions connus dans de tout autres circonstances. Je sais aussi que vous étiez très près de lui et je vois que son souvenir ne vous laisse pas indifférente encore aujourd'hui. Permettez-moi de vous offrir au nom de tout le Royaume Turc, mes plus sincères condoléances.

-Merci mais faire tout ce chemin, vous dérangez ainsi dans vos nombreuses occupations, vous auriez pu me faire parvenir une missive.

-C'est vrai que j'aurais pu vous écrire Madame. Mais… je pense que je devais vous voir. Ce que je redoutais le plus c'est qu'arrivé jusqu'ici vous n'auriez pas daigné me recevoir.

-J'ai de bonnes manières, Sire.

Il sourit à cette allusion. Mais, il n'était pas là seulement pour offrir ses condoléances. Il devait aller droit au but.

-Heureux que vous ayez de bonnes manières, car tous n'ont pas votre savoir vivre. Mais si le premier but de mon voyage vers vous était de vous offrir mes sympathies, il y a aussi un autre but qui m'a conduit jusqu'ici et celui-là est aussi important sinon plus que le premier.

Elle leva les yeux vers lui, embarrassée.

-Mira… n'auriez-vous pas sous votre toit quelqu'un que je devrais voir ?

Ce que Mira redoutait par-dessus tout venait de se produire. Elle faillit s'évanouir à ces paroles, mais sa dignité, la retint. Le souffle court elle ne savait plus quoi faire, quoi dire. Comment avait-il su ? Elle tentait de lui dissimuler l'angoisse qui traversait tous les membres de son corps et la meilleure façon semblait de se retourner face à la fenêtre afin d'éviter de soutenir son regard.

-Je… je ne vois pas de qui vous voulez parler Yousef ?
-Vraiment Mira ?
-Je ne sais pas… je ne sais pas ce qu'on vous a raconté… peut-être que si vous vous expliquiez, je comprendrais à qui vous faites allusion ?
-Peut-être que si vous me regardiez directement dans les yeux vous sauriez !
-Ça suffit ! Vous êtes chez-moi ici ! Je ne vous permets pas. Dit-elle en se retournant vers lui.

-C'est vrai Mira. Je suis sous votre toit. Excusez-moi, je n'aurais pas dû mais j'ai fait ce voyage en grande partie pour voir mon fils et puisque je suis arrivé, j'en meurs d'envie.

-C'est vrai qu'on meurt tous un peu de vos envies !

-Je vois que vous m'en voulez encore… Dit Yousef visiblement déstabilisé ayant perdu son assurance caractérielle. Après un court silence, il continua : Vous êtes déçue ? Déçue d'avoir eu un fils de moi ? Mais si vous n'avez pas oublié, Madame, soyez assurée qu'il en est de même pour moi. Il ne se passe pas une nuit, une heure sans que mes pensées soient à plus de deux mille kilomètres de mon Royaume. Je ne vous oublierai jamais. Vous êtes la seule qui compte pour moi.

-Qu'est-ce que vous pensez Yousef ? De voir ce petit garçon jour après jour, ce teint à la couleur du désert, ses traits si particuliers… Je… Je vous revois sur le visage de cet être innocent et mon cœur se resserre un peu plus à chaque fois. Je ne peux pas oublier, et j'ai beaucoup de difficulté à arriver à vous pardonner. Aujourd'hui vous venez pour me rappeler de si dures souffrances et vous demandez de le voir…

-J'aimerais avoir compris le sens de vos paroles lorsque vous m'avez dit de ne pas commettre l'irréparable… Mais je n'ai pas voulu vous écouter, maintenant je sais ce que cela voulait dire. Je comprends que de vous toucher, vous tenir dans mes bras était une erreur puisque je n'ai jamais pu réellement survivre après vous avoir connue. Je ne vous ai pas survécu, Madame, je suis un Roi affligé par les remords et les souvenirs, cet enfant à fait renaître en moi l'espoir, l'espoir que j'aurais au moins quelque part un fils qui saurait me rappeler ces yeux azur que j'aurais tant aimé garder près de moi.

-Roi Yousef, si vous pensez que je vais vous laisser mon fils, vous vous trompez et je voudrais bien savoir si le Roi affligé par les remords et les souvenirs, a annoncé à son harem le triste destin qu'il m'avait réservé pendant ces quelques heures passées dans son magnifique château !

-Mira, Mira, je ne vous dirai jamais assez à quel point je regrette les gestes que j'ai posés. Croyez-moi je paie largement ce délit à tous les jours. En ce qui concerne mon harem, Mira, je n'en ai plus. J'ai envoyé toutes mes femmes dans des endroits qu'elles avaient choisis. Je vis seul depuis le jour où vous êtes retournée vers vos terres avec Boris, au grand désespoir de toute ma Cour.

-Toutes ces femmes qui se vouaient corps et âme pour vous, comment avez-vous pu ?

-Je ne pouvais plus supporter de toucher une autre femme que vous, Mira. Je n'avais plus aucun désir pour elles, elles le savaient bien. C'était devenu impossible pour elles et pour moi.

-Et vos enfants, vous avez sûrement des enfants ?

-Oui, j'en ai. J'ai trois fils. Ils sont partis avec leur mère. Je ne les ai pas déshérités, je les ai éloignés c'est tout.

Mira était sur le bord de la crise de larmes. Elle ferma les yeux et posa sa main gauche sur sa bouche pour se retenir d'éclater en sanglots. Elle prit une grande respiration. Yousef voyait qu'elle était extrêmement touchée par toute cette histoire.

-Mira, rien ni personne ne vous enlèvera le fils qui est mien. Je ne suis pas venu ici vous réclamer ce petit Prince, je crois qu'il est très bien avec vous. J'aurais bien envie, certes, de le ramener avec moi pour garder une parcelle de vous près de moi, mais j'ai mes souvenirs qui hantent mes nuits et je peux m'en accommoder. C'est peu, mais c'est déjà beaucoup plus que je n'aurais espéré. Je voulais seulement que vous sachiez que je reconnais mon fils et qu'il ne manquera de rien et sera toujours le bienvenu dans mon Royaume, peu importe qu'il ne veuille jamais y mettre les pieds, je serai toujours heureux de le recevoir s'il le désire et il sera accueilli comme le fils du Roi Yousef.

-Je suis si fatiguée de lutter contre vous les hommes... Vous m'avez tellement fait mal, tellement écrasée de votre pouvoir et de votre puissance, je suis si lasse... que de vous laisser voir votre fils est pour moi un autre combat... Une torture !

-Mira, je ne suis pas venu ici pour déclencher la guerre ! Je suis venu ici pour vous revoir, même si c'est pour la dernière fois... La mort de Boris était un prétexte pour venir jusqu'ici. Chemin faisant j'ai tout su et j'ai été transporté de joie à savoir que j'avais un fils de vous. Ne pensez pas que je suis venu jusqu'à vous pour uniquement vous accabler de requêtes et de demandes. Non, j'ai beaucoup trop de respect pour vous. Je sais que je n'ai pas bien agi envers vous, je sais que le tort que j'ai fait je ne pourrai jamais le réparer, mais je veux que vous sachiez que vous pourrez toujours compter sur moi, même si je suis au bout du monde pour vous aider si vous me le demandez. Je veux juste voir mon fils, ensuite je vous jure que je partirai aussitôt.

-Que disent vos fils aînés de la venue d'un demi-frère ?

-Ils ne le savent pas encore. Mais je leur apprendrai. Je ne les ai pas déshérités mais si vous le demandez je pourrai mettre notre fils sur le trône. J'en serais si fier.

-Avez-vous perdu la tête ? Vos fils étaient là avant, ils n'accepteront jamais cet affront, ni vos femmes et encore moins vos sujets !

-Mes fils, mes femmes, mes sujets doivent se soumettre aux volontés du Roi, Madame.

-Ah ! C'est vrai j'oubliais, Sa Majesté à droit de décision sur tout… Excusez-moi oh ! Roi Yousef !

-Mira, Mira, ne me voyez pas comme un tyran. Je vous ai rencontré trop tard c'est tout. Si nous avions convolé en justes noces au départ rien de tout cela ne serait arrivé, mais voilà la vie en a voulu autrement. Je dois admettre que je suis amoureux de vous et que vous avez tout transformé autour de moi, même ma manière de vivre.

-Yousef vous rendez-vous compte du sentiment de culpabilité que j'ai lorsque vous me dites des choses comme ça !

-Oh ! Non Mira, je ne veux pas que vous vous sentiez coupable de quoi que ce soit, ce qui vous est arrivé est de ma faute, que de ma faute et j'en suis le seul responsable. Mira, je vous en prie, je veux seulement que vous gardiez de moi un souvenir d'un Roi qui regrette amèrement ce qu'il a fait. Je voulais vous voir pour vous faire comprendre que ce que j'ai fait, je l'ai fait parce que je vous aime, je vous aime peut-être mal, mais je vous aime.

Les larmes jaillirent des yeux azur. Elle avait déjà entendu un roi lui dire des paroles semblables et il était sincère. Yousef avait tous les mêmes symptômes. Elle se tourna vers lui.

-Yousef, j'ai déjà vécu une situation semblable il y a plusieurs années et je vous jure Yousef que jamais je ne désirais en revivre une autre. Mais comme Boris vous avez voulu vous approprier de quelque chose que je ne pouvais vous donner. Pourquoi aujourd'hui êtes-vous revenu pour me faire revivre d'affreux souvenirs ?

-Mira, Mira, je vous en conjure ne pleurez pas, vous me brisez le cœur. Je sais ce que Boris vous a fait, je vous ai déjà dit que je connaissais votre histoire… Je sais que j'ai fait la même chose… Mais nous n'y pouvons rien, les hommes que nous sommes sont à votre merci. Et lorsque du haut de notre trône nous penchons notre regard sur vous, il est déjà trop tard. Sans que vous vous en rendiez compte vous exercez sur nous une telle attraction… Nous sommes des Rois, puissants, avec un tel pouvoir… et voilà qu'une femme arrive, fragile, simple, belle, intelligente, physiquement incapable de lutter contre nous et elle chamboule tout par un simple regard. Croyez-moi Mira nous sommes aussi vos victimes. Je sais que c'est inconscient pour vous mais votre pouvoir, votre puissance réside dans votre simplicité, votre détermination, votre entêtement, nous ne sommes pas préparés à ce genre de bataille, nous vous répondons avec les seules armes que nous connaissons, celles de la virilité, de la force et de notre sentiment de pouvoir sur les choses et les gens que nous développons tout au long de notre règne de Roi. J'ai beau être à plusieurs kilomètres de votre Royaume, les hommes sont des hommes, Mira. L'amour, la haine, la jalousie sont des sentiments universels. Pas un peuple, pas un Souverain, pas un paysan n'y sont étrangers. Je suis un Roi, mais je suis aussi un homme, même si mes coutumes, mes mœurs sont très différentes des vôtres, je souffre, je pleure, je ris, comme les hommes de ce pays… Mira, je ne vous mens pas en vous disant que plusieurs grands Monarques connaissent Mira La Conquérante, la Reine aux yeux azur. Celle qui dirige un pays comme, et je dirais mieux, qu'un homme. Les Souverains qui sont mes voisins ne veulent même pas vous voir… parce qu'ils savent quelle est votre puissance. Ils ne veulent pas vivre une rencontre qui bouleverserait leur vie comme celles de trois grands Rois. J'ai malheureusement fait fi de ces avertissements et je paie aujourd'hui pour mon insouciance. La Reine Aïsha était dans tous ses états lorsque je lui ai annoncé qu'elle devait partir comme les autres. Elle ne comprenait pas ce qui pouvait bien m'arriver. Elle n'a jamais accepté notre séparation. Elle chante sur tous les toits que vous m'avez ensorcelé. J'ai eu beau lui expliquer que vous n'aviez rien à voir réellement avec le désir et l'amour que j'ai pour vous mais elle n'a pas voulu entendre raison. Parce que je suis désormais un homme si différent de ce que j'ai été. À votre contact, j'ai appris, j'ai compris que l'amour existait et qu'il pouvait aussi bien combler notre cœur de joie autant qu'il pouvait nous détruire à petit feu.

-Yousef arrêtez ! Je ne veux plus entendre un mot de votre bouche, vous me déchirez, vous me décapitez avec le massacre que vous faites de votre vie et autour de vous, je me sens tellement impuissante devant cette catastrophe qui ruine toutes vos vies. Taisez-vous ! Taisez-vous ! Je veux vivre seule désormais avec mon jeune fils qui est devenu Roi par la force des choses à dix ans. Dix ans, un jeune garçon à qui la vie a arraché la jeunesse, les jeux d'enfants. Un fils qui comme Yamir est né par l'enlèvement à sa mère, d'une parcelle d'innocence et de pureté. Pourquoi ? Pourquoi ? Devrais-je payer toute ma vie pour de mauvaises rencontres au mauvais moment ?

-Il s'appelle Yamir ? quel joli nom !

-Quel nom pouvais-je lui donner connaissant ses origines ?

-J'aurais tant voulu que notre dernière rencontre se déroule dans la sérénité et non avec les larmes que je vois couler sur vos magnifiques joues. Puisque ma venue ici vous a plus troublée que rendue heureuse, je vais vous dire Adieu et jamais plus vous n'entendrez parler de moi sauf si vous le demandez. Je vais repartir immédiatement et j'emporterai avec moi l'image de la plus belle femme qu'il m'est été donné de regarder. J'ai bien de la chance malgré tout. Et même si je ne vois pas mon fils, savoir que vous lui avez donné le nom de Yamir me flatte et me suffit.

Il se pencha dignement, lui prit la main et l'embrassa. Il lui jeta un dernier regard et se dirigea vers la porte. Juste avant de sortir, Mira lui dit :

-Yousef, je vous demande pardon…
-Pardon ? Pourquoi, Madame ?
-Parce que j'ai tellement de peine que je suis aveuglée par mon entêtement. Il n'est pas sage que vous partiez déjà. Vos hommes sont fatigués et vous aussi, vous avez fait un si long voyage… Et même si j'ai été choquée que vous demandiez de voir votre fils, il faut admettre que c'est tout de même naturel et tout à votre honneur que vous désiriez le voir. Pardonnez-moi d'avoir fait preuve d'obstination. Depuis quelque temps j'ai une humeur plutôt… morose et nostalgique. Quand quelqu'un vient chercher si profondément dans mes sentiments je deviens rebelle et menaçante.

Il la regardait avec ses grands yeux noirs, muet d'étonnement. Il resta sur le pas de la porte et ajouta :

-Ne me demandez pas pardon, vous avez raison, je suis, moi aussi, très entêté et je n'aurais pas dû vous dire toutes ces choses et vous relancez jusque dans votre château. Je vais quand même vous dire une dernière chose avant de partir, je ne vous oublierai jamais.

Il sortit de la pièce, laissant Mira en larmes. Il était lui-même très secoué de toute cette discussion et d'avoir ouvert son cœur à cette femme qu'il ne reverrait probablement jamais. Leur destin semblait vouloir se séparer à jamais. Il descendit dans le grand escalier suivi de deux gardes. Je montais dans l'escalier et voyant Yousef, ma surprise fut de taille. J'avais bien vu une délégation étrangère dans la cour mais n'y avais apporté aucune attention, il en était tellement venu dernièrement.

-Roi Yousef, vous ici ?
-Oui, mais n'ayez crainte je repars sur le champ. J'étais venu offrir à la Reine mes condoléances pour la mort du Roi Boris. Il m'a fallu près de trois mois pour arriver jusqu'ici, c'est la raison de ce retard.
-Si la Reine vous a reçu y a-t-il un motif pour que vous repartiez aussi vite ?
-Non, mais comme vous étiez le bras droit du Roi Boris, vous savez que je n'ai pas été vraiment digne de votre Reine, il y a longtemps, elle a été très charmante de même daigner me recevoir.
-Roi Yousef, je vous souhaiterai donc un bon retour parmi vos sujets.

-Merci… je n'ai pas souvenir de votre nom ? ! ?

-Mirikof, Majesté, Mirikof.

-Mirikof ça me revient maintenant, je serai au village ce soir et nous reprendrons la route du retour tôt demain matin. Avant que je parte je tiens à vous dire que votre pays est très beau mais il fait beaucoup plus froid que chez nous.

Cette petite remarque me tira un sourire. Il est vrai qu'un roi du désert aurait eu de la difficulté à vivre dans ce coin de pays, lui qui était habitué aux chaleurs accablantes. Il était arrivé au mois de mai et déjà la température s'était beaucoup réchauffée, qu'aurait-il fait dans les durs mois d'hiver ? Je le regardais descendre les marches dignement, ayant conservé la prestance que je lui connaissais, je me retournai et montai la marche pour me rendre au grand bureau. J'y trouvai Mira, seule et à ma vue, elle essuya ses yeux, ce qui ne me laissait rien présager de bon.

-Majesté, est-ce que tout va bien ?

-Mirikof, je ne sais de quelle façon il l'a appris mais il sait que Yamir est son fils.

-Ces secrets, Madame, n'en reste pas très longtemps. La nouvelle a dû se propager comme la mort du Roi, à une vitesse spectaculaire. Que voulait-il ?

-Rien. Il a d'abord fait ses vœux de condoléances pour ensuite me demander de voir son fils.

-Ah ! Je vois.

-J'ai été tellement surprise, j'ai réagi comme une lionne qui défend ses petits, je n'ai pas voulu qu'il le voie.

-Mais encore ?

-Il m'a troublé, Mirikof. Il avait la même attitude que Boris lorsqu'il est revenu de ses croisades de conquistador. Il s'est excusé pour tout ce qu'il m'a fait et s'est montré flatté que son fils se nomme Yamir. Il n'a plus exigé de voir son fils et il est déjà sur la route du retour. Il dit qu'il ne reviendra plus jamais me voir et que je n'entendrai plus jamais parler de lui sauf si je le demande.

-Bon… Et que pensez-vous de tout ça, Madame ?

-Je ne sais pas Mirikof, que voulez-vous que je pense de tout ça ? Je commençais juste à me relever tranquillement de la mort de Boris. Il réapparaît dans toute sa splendeur et me laisse sur des mots d'Adieu qui, qui…

-Qui vous déchirent ?

-Vous voyez dans moi comme dans une boule de cristal Mirikof ! Quel gâchis !

-C'est que Madame, les hommes qui sont entrés dans votre vie ont tellement été importants pour vous, même s'ils n'étaient pas toujours à la hauteur de vos espérances. Je crois que Yousef n'est pas tellement différent des autres, malgré ses habits et ses coutumes très exotiques. Il est Roi, il est puissant, il est un homme. Il a certes démontré un intérêt brutal envers vous, mais il est revenu expier ses pêchés comme l'a fait Boris. Je ne le connais pas très bien, mais il a piétiné sur son orgueil pour venir jusqu'ici. Cela n'excuse pas ce qu'il vous a fait, loin de là.

-C'est exact, Mirikof.

Elle réfléchissait. Je le voyais par ce regard évasif, par le fait qu'elle se mordillait la lèvre, qu'elle tournait ses pouces.

-Mirikof, est-il déjà parti ?

-Oui. Mais il couchera au village ce soir avant de reprendre la route demain.

-Ah ! Bon…

-Majesté, n'auriez-vous pas d'autre chose à me demander ?

-Mirikof, je n'arrive même pas à feindre quoi que ce soit en votre présence !

-C'est que vous n'êtes pas capable de feindre, ni de mentir, Madame. C'est bien connu !

-Allez au village et ramenez-le avec vous. Dites-lui qu'il aura le droit de voir son fils. Ensuite il pourra partir. Dites-lui que la Reine n'est pas une ingrate et qu'un père à le droit de voir son fils.

-Très bien, Madame. Je lui ferai votre message.

Je me levai sur le champ et sortis de la pièce. Mira pilait elle aussi sur son orgueil. Il fallait démontrer plus de respect envers ce roi venu de si loin.

Je me rendis au village accompagné de quelques chevaliers. Le village grouillait d'activités et sans même me poser la question, je me suis enligné pour l'auberge du village, seul endroit possible pour Yousef de trouver un toit autre que le château pour s'abriter pour la nuit. J'avais vu juste, les chevaux et les hommes de Yousef y étaient. Une fois à l'intérieur de l'auberge, je fus informé par l'aubergiste lui-même que l'important personnage s'était retiré sur le bord du lac derrière l'auberge. Yousef était seul admirant le coucher du soleil sur le petit lac.

-Roi Yousef ?

-Oui. Ah ! Mirikof !

-Sire, je suis venu ici vous porter un message de la part de la Reine Mira.

Le grand roi se retourna vers moi visiblement intéressé et intrigué par mes propos.

-Parlez, le Roi vous écoute Monsieur.
-La Reine Mira désire que vous voyiez votre fils avant de partir. Elle me fait dire qu'elle n'est pas une ingrate et qu'un père a le droit de voir son fils puisque vous avez fait un si long voyage pour venir jusqu'ici.

Yousef resta silencieux, il était ému. Il se retourna vers le lac le regard perdu.

-Est-ce que je vous ramène avec moi, Sire ?

Yousef ne savait trop quoi répondre. Il avait déjà eu sa dose d'émotions pour la journée. Avoir revu Mira avait été beaucoup plus pénible et difficile qu'il ne l'aurait cru. Retourner de nouveau et la revoir avec ce poupon qui était le sien, aurait-il pu se contenir sans éclater en requêtes désespérées pour qu'elle revienne avec lui ? Il ne savait plus ce qu'il devait faire. Voyant l'hésitation dans le silence du roi, je m'approchai de lui.

-Sire, dois-je comprendre que votre silence veut dire non ?
-Brave Mirikof, c'est que votre Reine s'est montré si durement touchée par ma visite, je ne sais pas si je dois retourner. Je ne veux pas la harceler davantage. Elle a été si accablée par tant de funestes événements. Ne pensez-vous pas que si je vais avec vous je retournerais le couteau dans la plaie ?
-Sire, personne n'est sans pécher, nous commettons tous des erreurs et nous devons vivre avec. Rois, Princes, paysans, généraux peu importe qui nous sommes. Personne n'est épargné. Il est vrai que votre arrivée ici a été un rappel douloureux pour la Reine, mais elle se sentait coupable de vous avoir refusé d'avoir le privilège de voir votre propre fils. Je n'ai pas de conseil à donner à votre Majesté mais si vous partez sans être venu au château, elle vivra avec le sentiment que vous avez été blessé de son accueil.
-Elle a beaucoup de chance d'avoir à ses côtés un homme qui la comprenne si bien. Vous semblez en savoir bien long sur votre Reine, Monsieur Mirikof ?
-C'est moi, Sire, qui a beaucoup de chance d'être au service d'une femme aussi exceptionnelle que notre Reine.

-Vous n'avez jamais si bien dit… Nous avons beaucoup de chance d'avoir un jour croisé son chemin. Je suis troublé de retourner vers elle mais je serai un imbécile si je ne répondais pas à ses désirs. Je vous accompagne.

-Bien Sire.

Nous sommes retournés ensemble à l'intérieur de l'auberge. Ses hommes avaient fait le guet se demandant bien ce que les hommes de la reine voulaient au roi. Yousef s'adressa en Arabe à ses hommes.

-Messieurs, votre Roi retourne au château pour quelques heures. Vous n'aurez pas à me suivre, la Reine Mira a envoyé ses hommes pour me raccompagner. Amusez-vous au nom du Roi Yousef mais soyez raisonnables, demain nous repartons.

-Mais Sire, vous ne voulez pas qu'aucun de nous vous accompagne, est-ce bien prudent ?

-Akmed, nous ne sommes pas en guerre, nous sommes peut-être en pays étranger, mais nous ne sommes pas en guerre ! Et vous Akmed qui aviez les yeux bien fixés il y a plus d'un an sur une danseuse du ventre d'une beauté rarissime, pensez-vous réellement que cette beauté nordique attenterait à ma vie ?

Les hommes de Yousef avaient tous envie de rire. Akmed baissa les yeux et détourna son regard vers ses camarades. Le roi avait raison. J'écoutais le roi s'exprimer dans sa langue maternelle. Cette langue était mélodieuse à mon oreille pourtant habituée à différents langages, je parle moi-même cinq langues, mais l'arabe n'était pas une de mes priorités et je me contentais d'entendre des sons qui me semblaient être des notes de musiques à mes vieilles oreilles de général et par ce que le roi avait dit, je le voyais bien, quelque chose qui avait mis dans l'embarras l'un de ses hommes et fait sourire les autres. Malgré que je n'aie pas compris un traître mot, le langage corporel est universel ! Yousef se retourna vers moi et fit signe qu'il me suivait. Le roi prit sa magnifique monture, un pur-sang arabe noir. Les hommes qui attendaient à l'extérieur avaient regardé avec envie cette splendide bête ainsi que toutes les autres. Ils étaient peut-être différents d'eux, ces hommes venus de loin, mais ils avaient des montures exceptionnelles.

Une fois arrivés, je l'ai reconduit moi-même vers les appartements de la reine. Je lui ouvris la porte pour la refermer aussitôt. Yousef s'introduisit lentement. Elle était debout près d'un berceau. Il la salua et lui baisa la main. Yousef avait envie de lui crier son amour mais il se contenta d'être aussi indifférent qu'il le pouvait. Il se pencha sur le berceau. Un enfant à peine âgé de quatre mois regardait cet homme de ses grands yeux. Yousef retira les couvertures découvrant un magnifique bébé. Il avait son teint foncé et la chevelure déjà très épaisse et frisée mais il avait les yeux d'un bleu azur qui donnait à cet enfant un éclat de beauté indescriptible. Yousef s'attendrissait à voir ce petit bout d'homme, il eut presque un malaise, son cœur se resserrait.

-Ce qu'il est beau… Dit-il finalement, relâchant la pression dont il se sentait soudainement épris.
-Il a bien failli me coûter la vie…
-Je sais, mais il est si beau ! C'est un adorable fils. Il a vos yeux. Il est beau, Mira.
-Je suis heureuse qu'il vous plaise.
-C'est le plus bel enfant qu'il m'a été donné de voir. Je peux le prendre ?
-Le prendre ? Mais d'habitude les hommes n'aiment pas beaucoup ce genre de chose, Yousef ?
-Mira, j'ai toujours beaucoup aimé les enfants.

Il prit l'enfant. Contrairement à ce que pensait Mira, il avait l'habitude de prendre des jeunes poupons juste de la manière dont il le manipulait. L'enfant lui souriait, charmant complètement l'homme. Il s'assit et posa l'enfant sur ses genoux. Elle l'observait silencieusement le cœur serré. Yousef examinait l'enfant, émerveillé lui parlant arabe.

-Petit homme tu deviendras un jour un grand Roi comme moi ! Tu seras sûrement plus grand que ton père, tu l'es déjà. Qu'Allah te protège. Tu as la plus magnifique maman et ton père s'en va loin de toi mais tu seras toujours avec moi dans mon cœur et mes pensées.

Mira écoutait Yousef. Elle ne comprenait pas l'arabe mais comme je le disais plutôt, le langage corporel est universel. Elle se mordillait les lèvres pour ne pas pleurer la rage qu'elle avait au fond du cœur. Comme elle aurait voulu n'avoir jamais à vivre cette scène. Encore de la tristesse, encore de la peine à profusion. Yousef dirigea son regard vers elle. Elle se mordillait les lèvres et avait le regard dans le vide. Yousef dit alors à son fils.

-Yamir, petit Yamir ton père est bien triste de te quitter mais un jour je suis certain que tu viendras me rendre visite. Je te ferai voir les trésors de notre Royaume, je t'emmènerai dans les grands déserts et tu pourras plonger ton corps dans les eaux bénies de Jérusalem. Je t'embrasse parce que je serai très longtemps sans te revoir.

Il embrassa l'enfant et le déposa doucement dans le berceau. Il se détourna de lui.

-Mira… Je vais partir maintenant je n'allongerai pas ce cauchemar ni pour vous, ni pour moi. Madame, vous m'avez donné un magnifique fils dont je suis extrêmement fier. Je n'étais pas certain que je doive venir ici ce soir, mais maintenant que je l'ai vu et tenu dans mes bras, je suis heureux. J'emporterai avec moi les plus beaux trésors que personne ne pourra jamais m'enlever. Vous êtes tous les deux les plus belles richesses que je puisse espérer et puisque je vous garde dans mon cœur vous serez éternellement avec moi.

Elle retenait du mieux qu'elle pouvait les larmes qui se bousculaient sur le bord de ses yeux. Il n'allongerait pas plus longtemps ce délire prenant la main de Mira et l'embrassant en toute hâte. Il se recula lui fit un salut royal et se dirigea vers la porte. Avant de se retirer il se retourna de nouveau vers elle.

-J'aurais bien essuyé ces larmes qui coulent sur vos joues, mais… Vous pouvez être fière Madame, vous m'avez fait un cadeau inestimable… Vous m'avez permis de voir cet enfant prodige… Je sors maintenant de votre vie, même si j'y ai laissé une marque qui ne s'effacera jamais. Je souhaite seulement que le reste de votre règne soit à la hauteur de votre personne, grand, beau, majestueux et exceptionnel. Je vous aimerai toujours. Adieu Mira.

Il sortit et referma la porte derrière lui. Mira éclata en sanglots. Elle s'approcha du poupon qui riait et bougeait ne comprenant rien de la peine de sa mère qui se penchait sur lui.

Yousef lui avait le cœur qui battait la chamade. Il était triste de s'éloigner à tout jamais de la vie qu'il aurait aimé partager avec son fils et Mira mais il savait maintenant qu'il devait cesser de prendre ses désirs pour des réalités. Il marchait s'éloignant à chaque pas de ses amours. Il était heureux d'avoir un fils si beau et en pleine santé. Il arrivait sur la dernière marche de l'escalier du hall d'entrée où je l'attendais.

-Sire, resterez-vous avec nous pour la nuit ?
-Non, Mirikof c'est gentil de votre part mais je dois retourner près de mes hommes, ils sont un peu excités de voir tant de nouvelles choses et de voir vos jolies dames blondes.
-Bien, Sire, nous allons vous reconduire.

Juste avant de quitter l'enceinte de la cour, Yousef se retourna pour regarder une dernière fois le château de Boris. Tout au long du trajet, il resta silencieux et songeur. Je devinais qu'il était touché par la vue de son fils. Ce roi songeur, grand et robuste, me rappelait vaguement les rois pour qui j'avais lutté et combattu. Les hommes qui peuplaient la vie de Mira se ressemblaient tous au point de vue physique. Bjarni, Boris et Yousef étaient trois puissants rois, grands, jeunes et beaux. En pensant à tout ça, je me disais que le destin avait été bien cruel envers elle n'ayant pas toujours eu le meilleur de ces hommes à ses premiers contacts avec eux, ils s'étaient montrés si violents et brutaux. Yousef était désormais un roi désespéré et aux prises avec ses propres fantômes.

Notre cavale dans les rues du village prit fin lorsqu'on atteignit l'auberge. On entendait les hommes de Yousef jouer et chanter des champs traditionnels devant une petite foule en admiration devant l'exotisme qu'ils apportaient dans leurs bagages.

-Sire, c'est ici que se séparent nos routes, je vous souhaite un bon voyage de retour.
-Merci mon brave Mirikof.
-Sire, pensez-vous avoir besoin de quelques hommes pour vous accompagner jusqu'aux portes de votre Royaume.
-Non, c'est gentil à vous mais je suis venu jusqu'ici sans encombre et je pense que je vais retourner dans le même esprit.
-Alors, Sire, bon voyage !

Je lui fis une salutation d'usage et retournai avec mes hommes vers le château. Tant qu'à Yousef, il entra dans l'auberge pleine à craquer. Ses hommes s'arrêtèrent de jouer et se levèrent pour le saluer. Il leur dit en Arabe de continuer de jouer et de chanter. La petite foule de curieux regardait ce roi et le dévisageait. Tout le monde savait qui il était. Les cancans sont d'une telle efficacité pour transmettre une nouvelle !

Il traversa la petite salle et grimpa à sa chambre laissant derrière lui ses hommes qui fêtaient. Il s'étendit tout habillé sur le lit et passa ses mains derrière sa nuque pour se détendre en pensant à tout ce qu'il venait de vivre. Pourquoi avait-il osé toucher de ses mains cette créature de rêve ? Pourquoi Allah avait-il voulu qu'un fils naisse de cette union improvisée ? Allah avait-il voulu l'éprouver ? Il ne savait trop quoi penser. Ce magnifique enfant était si beau avec ses yeux azur perdus dans ce visage au teint du soleil levant et couronné d'une chevelure aussi noire que la nuit. Il était fier d'avoir un fils de la femme qu'il idolâtrait. Et cette femme qui était plus belle jour après jour qui réveillait en lui le doux et triste souvenir de ces quelques heures qu'il avait passées à lui faire l'amour. Même si c'était une erreur de sa part, personne ne lui aurait enlevé la sensation exquise de sa peau sous ses doigts, ces sensations d'extase qu'il avait ressenties. Le souvenir de Boris vint le hanter. Il lui avait raconté la femme, refusant les femmes que Yousef lui offrait en disant qu'il ne pourrait plus toucher une autre femme car il avait connu une femme avec qui il avait touché le ciel. Touché le ciel ! Yousef s'en était bien moqué à l'époque. Il avait répondu à Boris qu'une femme pouvait vous faire toucher le ciel mais que pour quelques minimes instants. Il savait maintenant que cette femme pouvait non seulement nous faire toucher le ciel mais qu'à ses côtés on pouvait aussi vivre dans le ciel. Il était devenu comme Boris épris d'une femme qu'il ne pouvait pas atteindre. Il ferma les yeux et chercha le sommeil sur la dernière vision de la femme de sa vie. Une vision mythique.

Le lendemain matin aux petites heures, Yousef ordonna le départ. Ses hommes un peu amochés de la soirée de la veille exécutaient ses ordres sans rechigner mais sans enthousiasme et Yousef non plus, même si ce n'était pas pour les mêmes motifs.

L'escadrille de gardes et leur roi s'en allaient dans les brumes d'un beau matin ensoleillé du mois de mai. Lentement mais sûrement ils s'éloignaient et disparurent à l'horizon.

Le rachat de la faute

Plusieurs semaines s'écoulèrent pendant lesquelles Mira s'efforçait d'être une mère pour ses enfants et une reine assise près de son jeune fils roi. Apprendre à un enfant les chemins sinueux du pouvoir lui demandait toute son énergie. Elle était fatiguée et n'avait plus le feu sacré qu'on lui connaissait. Tout lui semblait une corvée.

Le Grand Prince de Russie allait lui permettre de changer sa routine. Il venait lui rendre visite. Gustof était un homme menu et aux manières efféminées. Rien à voir avec l'image qu'on aurait pu se faire d'un aussi grand personnage si on le comparait aux rois scandinaves reconnus pour avoir un physique imposant. C'était même quasi incroyable qu'avec la taille qu'il avait, il puisse faire figure d'autorité sur un pays aussi immense que pouvait être la Russie. Moi-même d'origine russe, je n'annonçais pas du tout les mêmes couleurs que le Grand Prince ! Mais on racontait qu'il était un fin stratège. Je me disais qu'il fallait bien qu'il compense quelque part !

Mira le reçut avec tous les honneurs dus à son rang. Nous n'avions plus entendu parler de l'épisode de la Finlande depuis que Boris lui avait arraché des mains plusieurs années passées. Bien au contraire, il n'en parla plus et même pendant son court séjour, il ne mentionna même pas le nom de ce territoire qui faisait maintenant partie intégrante de notre belle Norsufinde.

Il était plutôt venu s'enquérir du bien être de la reine et de ce jeune roi qui aurait pris son envol dans peu de temps dirigeant une Scandinavie voisine de son royaume. Il se montrait particulièrement sensible aux nombreuses épreuves que la reine traversait, lui disant à quel point elle n'avait pas de chance d'avoir d'abord perdu Bjarni et ensuite Boris qu'ils tenaient en haute estime considérant ces rois comme les piliers du bon ordre en Scandinavie.

En fait, il était venu dans un but bien précis. Il suggéra à Mira, que le roi Éric se devait de parfaire une éducation digne des plus grands professeurs. Il était encore jeune et plus tard, il aurait à diriger un pays et comme cette tâche est très ingrate, le jeune roi n'aurait plus le temps de se consacrer comme il le voudrait à peaufiner ses connaissances. C'était bien connu que Moscou était un bouillon de culture et de connaissances se reliant facilement à la culture scandinave étant des peuples du Nord, ils avaient beaucoup de point en commun. Cette charmante attention toucha Mira qui se laissa tenter.

Bien entendu, ne soyons pas dupes ! Le Grand Prince avait, certes, de bonnes intentions, mais il voulait connaître de près ce jeune roi qui régnerait de façon autonome dans quelques années afin de savoir qu'elles étaient ses véritables aspirations. Il ne faut pas oublier qu'il serait à la tête d'un pays de puissance non négligeable et qu'il aurait la force et la vitalité de la jeunesse de son côté alors que Gustof était déjà sur la pente descendante avec ses cinquante-cinq printemps ! Voulait-il façonner, modeler l'esprit du futur grand roi ? Possible mais ce que le Grand Prince avait réellement derrière la tête, je n'aurais pas pu à ce moment le deviner. Il n'en reste pas moins qu'il offrit à Mira de le prendre sous son aile pendant les six prochains mois laissant comme garantie à sa mère que le fils viendrait la visiter régulièrement et que si cette entente ne convenait plus après un certain temps, il sera toujours possible d'en rester là ! Mira n'y voyait que du feu ! Sa fragilité face à tous les événements aidait vraiment à la convaincre. Il est certain qu'elle fit venir Éric et qu'ils prirent tous ensemble la décision.

Quelques jours suffirent pour préparer le jeune roi à faire bon voyage. Il n'avait guère voyagé depuis sa naissance et voir de nouvelles terres l'enflammait. Il avait de Mira la sagesse mais de Boris la vigueur ce qui faisait de ce jeune garçon un être plein de vitalité.

Éric prit donc le chemin vers Moscou accompagné du Grand Prince, de toute sa suite et de quelques gardes scandinaves. Mira les observait s'éloigner en se convainquant qu'elle avait pris la bonne décision, comme si tout à coup elle regrettait d'avoir donné son aval à un tel projet. Mère poule ! Se dit-elle finalement.

Plusieurs semaines passèrent et les premières nouvelles parvinrent par l'entremise de Rustopov qui était de retour d'Égypte. Il était d'abord entré à Kiev pour rendre visite à sa famille et comme il devait repartir pour venir rencontrer Mira, on lui donna cette lettre écrite par Éric lui-même. Il était en fait revenu pour faire part de ses découvertes à la reine car s'il emportait avec lui la lettre du jeune roi, il emportait aussi d'intéressantes hypothèses qu'il voulait partager au sujet de l'Égypte et de tout ce qu'elle recelait.

Elle reçut Rustopov avec diligence. Comme il lui remit d'abord la lettre de son fils, il devrait attendre avant de passer au vif du sujet.

Elle ouvrit la lettre empressée de le lire. Éric étalait toutes les beautés des environs de Moscou et de l'érudition des professeurs. Les premières lignes la firent sourire mais il termina sa lettre par une phrase qui lui enleva cette expression du visage.

« Mère, je dois pourtant quitter Moscou. Le Grand Prince d'abord très intentionné à me montrer les beautés de son pays, s'est vite montré intéressé par ma personne. Je ne connaissais pas ce genre d'amour dont il voulait me couvrir et quand tu liras cette lettre je serai sur le chemin du retour si je peux me soustraire à sa compagnie. »

Rustopov devrait attendre. Elle se leva les yeux remplis d'éclairs et rua de questions son visiteur.

-Rustopov depuis quand êtes-vous parti de Kiev ?
-Depuis plus de deux semaines, Majesté, pourquoi ?
-Cette lettre on vous l'a remis à Kiev où à Moscou ?
-Non, un courrier est venu me la porter. Comme je venais vous voir, j'aurais servi de messager. Majesté vous vous sentez bien ? Vous êtes pâle tout à coup, qu'y a-t-il ?
-Je dois partir sur le champ… Vous m'excuserez Rustopov, je dois me rendre à Moscou.
-Moi, je peux attendre… Mais ce départ précipité pour Moscou, est-il arrivé quelque chose de grave ?

Elle s'élançait vers la porte sans répondre mais Rustopov l'arrêta par ce qu'il allait dire.

-Le Grand Prince aurait-il fait une autre victime ?

Soufflée par la question, Mira le dévisagea.

-Comment ?
-Madame, je ne tiens pas à savoir ce qui est écrit dans cette lettre, mais votre état soudain d'inquiétude ne me laisse d'autre choix que de sauter aux conclusions. Je suis Russe Madame et je connais bien les penchants du Grand Prince pour les jeunes hommes.
-Comment c'est de notoriété publique ? Mais… mais il est marié !
-Oui, il est marié. Madame, ce n'est pas d'hier que certains hommes ont des penchants homosexuels et qu'ils sont mariés pour cacher les apparences. Ce qui différencie le Grand Prince des homosexuels,

c'est qu'il raffole de la jeunesse. Et ce n'est pas de notoriété publique, mais je suis un éminent chercheur et je côtoie certains membres de la Cour Royale. Cette maladie dont il souffre ne date pas d'hier Madame. J'ai même été très surpris de savoir votre fils au palais… j'allais justement vous en parler mais vous avez sauté sur la lettre…

-Dieu du ciel ! Dieu du ciel ! pas mon fils… Non… non…

Elle tomba à genoux la tête entre les mains en crise de larmes. Rustopov s'élança vers elle et moi je suis entré presque aussitôt ayant entendu la reine pleurer. Je ne comprenais pas ce qui se passait à l'intérieur de ces quatre murs. Rustopov me regarda les yeux pleins d'inquiétude et me prit le bras pour m'entraîner dans le corridor où il me fit part de l'abominable histoire qui m'écœura au dernier degré. Était-ce possible d'avoir été si crédule ? Comment se faisait-il qu'aucun de nous n'était au courant des déviances du Grand Prince ? Nous étions sur le point de retourner dans la pièce pour tenter de la consoler mais elle sortit en coup de vent courant sans plus attendre vers ses appartements. Moi et Rustopov nous sommes restés sur place impuissants. Je vis alors la lettre qui gisait sur les dalles du plancher, l'a prise dans mes mains et lorsque j'arrivai au dernier paragraphe, je ne pouvais plus nier l'évidence.

Décidément, le secret des pyramides égyptiennes n'était pas sur le point d'être révélé car pareille tragédie ne laissait aucune place à Rustopov d'expliquer ses découvertes. D'autant plus que Pikov et Gustaveson couraient dans les corridors criant mon nom. Sans plus attendre, je sortis du bureau pour les voir arriver à la belle épouvante, les yeux grands ouverts et hors d'haleine.

-Oh ! Mirikof vous êtes là ! Dit Pikov tout essoufflé.

-Que se passe-t-il Pikov ?

-La Reine… la Reine… Tenta-t-il de dire.

-Mais enfin qu'y a-t-il ?

-Mirikof, la Reine est partie. Finit Gustaveson.

-Partie, mais où ?

-Elle… elle… était en pleurs et… et… ne nous a rien dit… Elle a traversé la cour vers l'écurie en courant avec pour seul bagage un baluchon et une épée qu'elle a dérobée au passage à l'un des gardes, ce qui nous alerta. Tentant de la rejoindre pour savoir de quoi il en retournait, elle nous a littéralement bousculés avec Réfusse en sortant. Nous savions qu'il se passait quelque chose et nous sommes partis à votre recherche. Voilà… Qu'est-ce qui se passe Mirikof ?

Je prie quelques secondes de réflexion. Qu'avait-elle en tête ? Était-elle partie rejoindre son fils ? Là-dessus, je n'avais aucun doute. Elle était blessée, inquiète, écœurée et son cœur de mère souffrait. J'expliquai brièvement la situation afin de bien faire comprendre à mes deux généraux que pour aucune considération cette histoire ne devait se propager de peur que cela ne dégénère.

Il fallait faire quelque chose et vite. Mon esprit de général se mit en branle. Gustof était le Grand Prince de toutes les Russies, donc, un voisin extrêmement puissant. Malgré le poids politique de la Norsufinde, nous n'étions pas de taille à marcher sur Moscou avec notre armée. Certes, nous aurions été plus que dérangeants mais l'issue d'une telle guerre n'aurait sûrement pas été en notre faveur. Comme le point central de cet événement était plus que délicat, je ne voyais pas beaucoup de chemin à prendre. Le seul était de rattraper Mira dans sa course, de tenter de la raisonner, sortir le jeune Éric du palais et le ramener. Mais pourrais-je réussir tel tour de force sachant que j'allais me jeter dans la gueule du loup ? Moscou était au centre de la Russie et nous étions bien loin de cette grande ville. Nous aurions été vite encerclés de l'ennemi, nous coupant toute retraite vers nos territoires. Et comme si ma petite voix intérieure me souffla la solution, une idée me vint comme par enchantement.

Sans perdre une minute de plus, je fis convoquer les généraux et les commandants en la salle du parlement. Je leur expliquai la situation, les informant de se tenir prêts à une éventuelle guerre avec la Russie et de l'extrême confidentialité des motifs qui la déclencheraient. Ensuite je pris un groupe d'une centaine de guerriers armés jusqu'aux dents et parti à la poursuite de Mira espérant bien la rattraper.

Pendant ce temps, Mira cavalait seule sur le chemin qui la mènerait près de son fils. Le regard brouillé par les larmes ayant la rage et l'affolement comme seules compagnes de route.

Cela faisait déjà deux jours que nous tentions de la rejoindre mais sans succès. Nous avions, en fait, plusieurs heures de retard sur son passage dans les petites villes, les petits villages où les habitants questionnés avaient bien vu passer une cavalière blonde à toute allure. Plus nous la pourchassions, plus elle nous distançait. À se demander si Réfusse n'avait pas des ailes. Comment pouvait-elle galoper à une telle allure, ne s'arrêtant pratiquement pas ? Et Réfusse, malgré que ce fût une bête d'une endurance exceptionnelle et un étalon extrêmement puissant, aurait-il pu soutenir pareille cadence ? En fait, j'espérais justement que sa monture lui fasse faux bond. C'était suicidaire de courir de cette manière vers le palais du Grand Prince transportée par ses émotions.

Le troisième, le quatrième jour, le cinquième jour se succédèrent jusqu'au trentième où nous étions arrivés aux portes de Moscou sans que nous ayons pu la rattraper. Si nous avions échoué à la rejoindre, nous savions qu'elle était arrivée, il y avait à peine quelques heures. Nous nous rendîmes le plus vite possible à la Place Rouge.

Il n'y avait plus de doute qu'elle s'y trouvait déjà. Il régnait à cet endroit une cohue inhabituelle. Les gardes étaient en alerte, les gens qui circulaient normalement sur la grande place étaient massés le long du grand portail. Nous fîmes de notre mieux pour se frayer un chemin s'aidant de nos montures pour demander passage. Comme je parle bien le russe, j'écoutais. J'ai compris alors ce que se passait à l'intérieur du palais.

Mira était entrée en prenant Réfusse comme bélier pour défoncer la grille et s'était introduite à l'intérieur du palais au galop ! Entraînant dans sa suite tous les gardes ou presque. Nous étions sans voix. Comment réussir à entrer maintenant, sachant que le palais était prit d'assaut par toute la garde royale et que se passait-il maintenant à l'intérieur des murs de cette magnificence qui s'élevait devant nous telle une forteresse ?

Elle galopait sur le marbre blanc, sur les parquets de bois patins, dans les grands couloirs vers la grande salle défonçant toutes les portes closes aux devants d'elle. Réfusse aussi robuste qu'un mur de pierre ne semblait pas importuné par ces portes de bois finement travaillé qui éclataient en mille morceaux sur son front. Les gardes courraient derrière, hurlant, la semant de s'arrêter. Inutile de dire que cette entrée forcée semait parmi les domestiques du palais une panique qui se traduisait par des cris, des hurlements. Elle finit par atteindre la grande salle où elle savait le trône du Grand Prince. Lorsqu'elle y entra, elle fit arrêter la bête qui, somme toute, était essoufflée. Du haut de sa monture, elle regarda le Grand Prince qui s'était levé de son trône visiblement effrayé presque caché derrière des gardes aussi surpris que lui de voir pareille entrée. Les autres gardes arrivaient derrière et s'immobilisèrent derrière elle car elle s'était levée debout sur le dos de Réfusse et cette vision les impressionna. De son épée qu'elle tendait au bout de son bras, elle menaçait Gustof qui se sentait rapetisser sous le regard d'acier de la reine de la Norsufinde.

-Oh ! Grand Prince de toute les Russies, qu'as-tu fait ? Tu as déchaîné la Reine de la Norsufinde et il ne sera pas dit que tu vivras sans payer pour pareilles fautes.

Elle sauta en bas de Réfusse d'un bond. Les gardes allaient s'emparer d'elle, mais elle se tourna vers eux. D'un seul regard, elle les foudroya sur place.

-Que l'un de vous vienne toucher un cheveu de ma tête ! Je vous décapiterai sans ménagement. Osez faire un pas vers moi ! Osez défendre ce malade qui s'attaque aux enfants et je vous jure que toutes les foudres du ciel s'abattront sur vous.

Elle se tourna vers Gustof qui avait les yeux presque hors de leurs orbites.

-C'est ça le Grand Prince de toutes les Russies, un lâche qui se cache derrière ses gardes ! Regardez et admirez votre Grand Prince. Regardez comme il tremble devant moi ! Je veux savoir où est le Roi de la Norsufinde !

Comme le silence hantait maintenant les lieux et qu'elle n'était pas d'humeur à attendre, elle s'impatienta.

-Parlez Grand Prince Gustof ! J'exige de savoir où est mon fils ! Parlez où vous ne parlerez plus du tout car je vous jure que je vous tranche la gorge si vous ne répondez pas !
-Il… il n'est plus ici… Il s'est enfui, il y a de cela une bonne semaine, Madame. Répondit-il nerveusement.
-Oseriez-vous me mentir ?

Elle s'avançait vers lui épée à la main le défiant au combat. Les gardes, sous l'effet Mira, immobiles tels des statues de plâtre, revinrent de leur état de surprise et plusieurs d'entre eux tentèrent de l'attraper. Mais n'attrape pas qui veut une sauterelle ! Elle les esquiva tous mettant à l'œuvre des années de maîtrise d'une gymnastique fort bien rodée ! Dans une agilité hors du commun, elle courrait vers le mur où de longues draperies faisant office de décoration, descendaient du plafond le long des portes et s'en servant comme corde, elle s'y agrippa pour mieux pirouetter, retombant sur le plancher à plusieurs mètres des gardes qui se retournèrent vers elle. Ils essayèrent de nouveau de la saisir mais elle se servait de son corps tel un élastique se revirant les mains vers l'arrière pour mieux faire pivoter son corps pour arriver à accomplir les plus belles figures acrobatiques à répétition qui la rapprochait dangereusement du Grand Prince. Comme si les gardes n'avaient pas la tâche assez compliquée, Réfusse empêchait une bonne partie d'entre eux de rentrer dans la salle, leur servant des ruades qu'ils esquivaient avec difficultés. Arrivée à ses fins devant le Grand Prince qui s'abritait de son trône, la rage l'aveuglant, elle lui fit une énorme entaille sur le bras car c'était là le seul endroit qu'elle pouvait atteindre immédiatement. Il hurla de douleur. Elle s'immobilisa enfin et jeta son épée avec fracas sur le plancher de marbre. Les gardes l'empoignèrent et l'obligèrent avec force à se mettre à genoux devant le Grand Prince qui sortait de sa cachette. Maîtrisée par plus de quatre gardes, la reine essoufflée tentait de relever la tête, mais l'un des gardes la maintenait fortement en état de soumission.

Se sentant à nouveau en position de force, le Grand Prince blessé relevait le menton effrontément, la regardant de haut. Comme elle allait parler, l'un des gardes lui cria :

-Tais-toi et agenouille-toi devant le Grand Prince !
-Alors Madame, vous n'êtes plus en position de force ! On ne bafoue pas ainsi l'honneur du Grand Prince de toutes les Russies et on ne démolit pas non plus sa maison ! Vous paierez pour de tels gestes !
-Espèce de Roi de pacotille ! Tu te caches derrière tes gardes, ton armée pour me menacer, si tu étais un homme, tu relèverais le défi et tu te mesurerais à moi ! Je t'ai déjà presque arraché le bras, qu'en serait-il si tu avais le courage de m'affronter d'égal à égal ! Espèce de lâche… Si j'avais su quel ignoble personnage tu étais, tu n'aurais jamais eu la chance de même voir mon fils ! Un enfant de onze ans… Comment as-tu osé ? Tu m'écœures à un point que si ton garde ne me retenait pas la tête je te cracherais au visage !
-Vous persistez à m'insulter sous mon toit, vous ne me laissez point le choix, Madame. Et pour ce qui est de votre fils, j'ai bien tenté de l'amadouer, mais il est comme sa mère, une véritable tempête. Il m'a rué de coups et a pris la fuite. Quand je vous ai dit qu'il n'était pas ici, je disais vrai. J'ai bien tenté de le retrouver, mais en vain ! Je le savais intelligent, il m'a surpris par sa ruse, le petit chenapan !

Au même moment, Réfusse se dirigeait vers les gardes qui retenaient Mira émettant bruyamment son désaccord envers les hommes qui la retenaient. Le Grand Prince prit peur voyant cette bête imposante se ruer vers les gardes.

-Attrapez ce cheval et tranchez-lui la gorge. Hurlait-il de sa petite voix criarde.

-NON ! Ne touchez pas à ce cheval ! Cria une voix d'homme venant de la porte arrière où se tenait toujours un amoncellement de gardes qui laissèrent le passage au grand personnage. Réfusse s'arrêta aussi restant sur ses positions.

-Qu'est-ce que… Balbutia le Grand Prince.

-Faites sortir tout ce monde et relâchez-la immédiatement. Ordonna l'homme, tout en s'avançant vers eux.

-Voudriez-vous me dicter ma conduite Monseigneur ? Demanda effrontément le Grand Prince.

-Grand Prince Gustof, je vous conjure d'obtempérer à ma demande sur le champ ! Exigeait-il. Mira ne le distinguait que par ses bottes puisque la tête retenue de cette manière, elle ne pouvait avoir un autre point de vue. Pourtant cette voix lui rappelait quelqu'un mais c'était impossible, se disait-elle.

-Comment Monseigneur ? Ne suis-je pas en mesure d'exiger réparations de cette sorcière qui s'est introduite chez-moi en me menaçant et en me blessant ?

-Prouverez-vous aux yeux de tous les Royaumes que le Grand Prince de Russie soit une mauviette ? Cette sorcière comme vous dites, qui s'est introduite ici et qui vous a menacé avait-elle une armée de combattants derrière elle ? Elle s'est rendue jusqu'à vous pour exiger dédommagements pour l'affront que vous lui avez fait ! seule, courageusement. Il ne sera pas dit que vous toucherez à un de ses cheveux ! Car désormais, elle n'est plus seule ! La Norsufinde est à vos portes ayant traîné dans son sillon le Royaume Turc. Malgré votre grande puissance, Grand Prince Gustof, nous ne ferons qu'une bouchée de votre armée ! Est-ce donc ce que vous souhaitez ?

Gustof était déstabilisé. Elle avait pour allier Yousef, Le Grand ! Ça, il ne l'avait pas calculé et ce regard ténébreux du haut de son mètre quatre-vingt-dix-neuf, le faisait sentir tout petit tel un minuscule insecte rampant sur le sol. Yousef perdit patience devant Gustof qui ne lui répondait pas.

-Relâchez-la immédiatement ! Grognait-il en poussant les gardes qui se reculèrent. Il la prit par le bras en la révélant délicatement.

Échevelée, essoufflée, elle le regarda du coin de l'œil mais Yousef n'avait d'yeux que pour le Grand Prince qui était toujours debout devant son trône, le regard évasif, aphone. Yousef s'avança vers lui.

-Alors Grand Prince Gustof, ferez-vous sortir tout ce monde que l'on discute entre gens civilisés ou je donne le signal et je vous écrase comme une limace ?

-Sortez ! Ordonna-t-il à ses gardes qui s'en allèrent vers les corridors dans une cacophonie totale.

-Qu'exigerez-vous de la Reine maintenant ?

-J'aurais bien exécuté certains châtiments en paiement de l'affront qu'elle vient de me faire… mais je crois que vous vous y opposerez ! Dit-il, tourmenté.

-Vous pouvez y compter car vous avez devant vous une mère blessée qui ne faisait que défendre son fils contre l'être dégoûtant que vous êtes ! Si quelqu'un ici doit demander réparation c'est bien elle. Faites-vous soigner ! J'aurais bien un remède pour vous guérir définitivement mais cela déclencherait un terrible conflit et je ne saurais voir un seul homme perdre la vie à cause vous. Voilà toute l'estime que j'ai, vous concernant !

-Vous êtes un rustre Roi Yousef ! Une véritable brute… et un arabe qui plus est ! Voilà toute l'estime que j'ai pour vous !

-Pauvre Russie ! Gouvernée par un tyran qui se cache derrière des différences de races, de cultures pour mieux se grandir… Je vous plains Monsieur ! Et comme votre haleine fétide empoissonne cette salle pourtant immense, je pars avec la dame espérant ne jamais avoir à vous revoir.

-Un instant, Roi Yousef ! qui paiera les dommages à ma propriété ?

-Vous m'enverrez la facture ! Je me ferai un plaisir de l'honorée !

Il prit Mira par le bras et sortit de la grande salle suivi de Réfusse. Les grandes portes, du moins ce qui en restait, ne voilaient pas les gardes qui s'étaient entassés le long des corridors laissant passer les deux personnages hauts en couleurs et l'étalon qui suivit claquant de ses sabots le magnifique marbre de ce palais.

Depuis que Yousef s'était introduit dans la grande salle, elle n'avait pas prononcé un mot et contrairement à l'air de vengeresse dont elle s'était enveloppée lors de sa rentrée fracassante dans le palais, elle arborait plutôt un air résigné et intimidé. Yousef quant à lui était tellement en colère contre Gustof qu'il prenait de grandes respirations pour se retenir de rebrousser le chemin et d'aller l'écorcher d'un seul coup de poignard. Yousef retrouva ses hommes au bout de cette interminable file de gardes Russes et Mira notre groupe où j'attendais impatient de voir dans quel état je l'aurais récupérée. J'avais une bonne nouvelle à lui apprendre.

-Majesté, Éric va bien, il a rejoint nos hommes plus loin sur la route.

-Comment ? Où est-il ?

-Je vous dis qu'Éric va bien, il a rejoint nos hommes plus loin sur la route. Il s'était enfui avec quelques gardes et j'avoue qu'il est plein de ressources notre jeune Roi ! Ils ont emprunté des routes secondaires pour ne pas se faire repérer et c'est lui qui les guidait ! Il a un sens de l'orientation hors du commun ! Il retourne au château et dit qu'il vous y attendra.

-Merci. Mirikof ! Dit-elle doucement n'ayant dans la voix que le son et aucune expression de joie, ni de bonheur.

Je fis signe à tous nos hommes de ressortir. Yousef en fit de même. Une fois à l'extérieur, une foule de curieux s'était massée le long de ce grand portail écrasant le visage de certains entre les barreaux de fer forgé. On voulait voir la reine qui telle une tornade avait semé la zizanie dans la cour royale. Ce fut toute une histoire pour arriver à sortir de ces lieux. Notre présence dans cette ville et en territoire russe était précaire, le Grand Prince n'aurait pas toléré que nous restions dans les alentours de Moscou. Une fois la route libre devant nous, nous avons galopé vers les portes de la ville tous ensembles. Mais tout au long de ce parcours, Mira était terriblement silencieuse, les yeux dans le vide, ne dirigeant même pas Réfusse qui entre la monture de Yousef et la mienne, suivait notre rythme.

Arrivés à la sortie de la ville, nous nous sommes arrêtés car c'est ici que nos routes se séparaient. Yousef rentrait chez lui et son chemin n'était pas dans notre direction. J'allais le remercier d'avoir répondu à ma requête lorsque Mira chuta tout en bas de Réfusse. Moi, Yousef et bien d'autres sautèrent en bas de nos montures. Yousef se pencha sur elle, troublé qu'elle ait ainsi perdu connaissance. Elle était tombée sans ménagement et sa veste s'était déchirée laissant entrevoir sa blouse blanche qui avait une tache de sang au niveau de la taille. Yousef fut le premier à la remarquer. Il prit le battant de la veste du bout des doigts et le retourna. Sa blouse était maculée de sang du côté droit. Nous étions horrifiés. Elle était blessée. Il s'agissait sûrement du résultat de ses esquives auprès des gardes. Elle avait dissimulé cette blessure en chiffonnant sa blouse en guise de pansement et l'avait cachée sous sa veste.

-Reculez, reculez vous dis-je, laissez-lui de l'air. Dis-je aux hommes qui s'étaient massés en cercle autour de nous.

Yousef souleva la blouse avec la précision d'un chirurgien dévoilant sous nos yeux une entaille profonde à la taille. Cette plaie saignait abondamment. Il enleva sa veste à la hâte et la déposa en boule sous sa tête. Comme ces Arabes sont toujours enroulés dans plein de turbans, il ne manquait pas de linge sur lui pour éponger cette plaie. Il en déchira une partie et me dit :

-Vite Mirikof, soulevez-la, il faut que je bande cette plaie. Il ne faut plus qu'elle saigne.

Je m'exécutai soulevant la belle avec délicatesse afin qu'il puisse faire le tour de son corps avec le bandage. Ce qui ne prit pas de temps étant donné la grosseur de cette taille !

-C'est inquiétant qu'elle ne revienne pas à elle. Dit Yousef visiblement affolé.
-Y a-t-il un médecin parmi vos hommes car moi je n'en ai pas sous la main.
-Non, c'est bien ce qui m'inquiète et nous sommes loin d'un lieu propice à l'entraide !
-Elle ne pourra pas continuer à dos de cheval ! Merde et je n'ai pas de carrosse.
-Moi non plus et c'est certain que même si je la prenais dans mes bras, cette position ne lui serait d'aucun secours.

Je me retournai vers trois de mes hommes.

-Prenez cette bourse et courez quérir un carrosse. Si c'est trop compliqué de la façon honnête et bien, volez-le.
-Bien général.
-Et faites vite !
-Mirikof même avec un carrosse, le temps qu'il vous faudra pour vous rendre en Norsufinde sera peut-être fatal. Il lui faut du repos et les soins d'un médecin. Il faut s'arrêter quelque part.
-Oui, vous avez raison Sire. Je viens d'avoir une idée. Allons jusqu'à Kiev.
-Pourquoi Kiev ?
-J'y ai une bonne connaissance et même si je le sais absent, sa famille nous portera secours.
-Êtes-vous sûr de cet homme, c'est un Russe, il pourrait ne pas vouloir nous recevoir.
-Je suis aussi sûr de lui que je suis moi-même d'origine Russe, Sire.
-Oh ! Pardon Mirikof, j'aurais dû y penser ! Votre nom parle de lui-même !
-Ceci est la preuve, Sire, que nous ne pouvons nier nos origines mais que dans chaque peuple, il y a des hommes bons et mauvais et que les séparer par la culture et la race est une grosse erreur que nous faisons tous.

-Vous êtes un sage homme Mirikof ! Vous devriez venir passer quelque temps parmi mes soldats, ça leur mettrait quelque chose dans la cervelle !

-Peut-être un jour, mais pour le moment, je suis à l'entière disposition de cette dame.

-Il faut la couvrir. Elle ne doit pas attraper froid.

En disant cela, il enleva sa propre veste pour la couvrir. Il était perturbé et j'avoue que je l'étais aussi. Heureux encore qu'il n'y avait personne qui ne venait sur la route, ni de passants qui s'y trouvaient, il n'aurait plus manqué que des curieux viennent se mêler à cette situation particulière.

Attentionné vers la dame, Yousef ne cessait de passer tendrement ses doigts sur le front, le long du visage de la reine toujours inconsciente. Il sortait ses petites mains cachées sous sa veste et les réchauffait entre les siennes.

J'étudiais en silence ce roi arabe qui était agenouillé près de la femme pour qui il aurait donné sa couronne pour qu'elle daigne vouloir de lui. Je l'avais fait prévenir par un messager de la situation et sans même se poser la question, il s'était déplacé lui-même accompagné d'un escadron de mille hommes. Un seul signe de sa part et son armée entière aurait déferlé tel un tsunami sur Gustof. Quand cette idée avait germé dans mon esprit, je me refusais à faire appel à son aide ayant peur que la reine ne m'en veuille énormément du fait qu'elle aurait pu croire lui devoir quelque chose. Mais cette folle course qu'elle avait entreprise pour confronter Gustof ne m'avait guère donné le choix. La Norsufinde n'aurait pu combattre ce voisin gigantesque qu'est la Russie, mais je savais les Turcs extrêmement puissants. En nous associant nous pouvions espérer égalité. Et c'est effectivement ce qui s'est produit car Gustof connaissait aussi bien que moi la réputation sanguinaire qu'avait les guerriers Turcs. Un conflit lui aurait été mortel.

J'entendais quelqu'un venir au loin ce qui me sortit de mon observation et je reconnus mes hommes qui arrivaient avec deux magnifiques chevaux de traits robustes et un carrosse. Yousef releva la tête pour apercevoir le véhicule qui s'approchait. Il ne fit ni une, ni deux, il prit Mira avec précautions et entra dans le carrosse où il la déposa délicatesse sur le banc. J'étais arrivé à la hauteur de la porte.

-Mirikof, demandez à quelques-uns des hommes de me donner leur veste. Je vais essayer de rendre cette banquette confortable.

-Oui, tout de suite.

Ce que je fis sans tarder et sans restriction mon monde se dévêtit. Pour leur reine, ils auraient été jusqu'à chevaucher nus ! Une fois tous ces vêtements rapatriés je les remis à Yousef qui s'empressa d'improviser un lit douillet. Son œuvre terminé, il sortit et ferma la porte derrière lui et vint vers moi.

-Mirikof, je vais vous accompagner jusqu'à Kiev. Ce n'est pas ma route mais je m'accommoderai de ce petit détour. Nous sommes ralentis et j'ai bien peur qu'il ne faille endurer notre présence encore un peu, ce sera plus prudent.

-J'allais vous le suggérer et vous n'êtes pas de si mauvaise compagnie si ce n'est que vous me portez ombre, Sire. Les dames n'ont d'yeux que pour vous et ignorent toutes le magnifique général que je suis lorsque je me trouve à vos côtés ! C'est une bien fâcheuse habitude pourquoi ne vous voilez-vous pas le visage ?

Mes hommes se mirent à rire.

-Ha ! ha ! Je ne pensais vraiment pas rire ce soir ! Ha ! ha ! Sacré Mirikof ! Merci, merci… ça fait du bien de détendre l'atmosphère. Je suis si tendu qu'on pourrait jouer du violon sur mes nerfs ! Ha ! ha ! Mirikof !

Il se tourna vers ces hommes et leur traduit en arabe ce que je venais de lui dire. L'effet fut instantané. Sachant très bien que le voile est réservé aux femmes, ses hommes s'esclaffèrent. Il prit la direction de sa monture en hochant de la tête négativement repensant à ce que je venais de lui dire, lui soutirant encore un sourire. Il vint me rejoindre pour que nous poursuivions notre route.

Même s'il faisait nuit, nous avons continué notre route. Les seuls arrêts étaient pour aller vérifier si la dame donnait signe de vie. Rien à faire, elle était toujours inconsciente et cela nous inquiétait énormément. Je me mis alors à songer à ce qu'elle avait fait pendant son trajet. Emportée par la rage, s'était-elle arrêtée pour dormir ? Avait-elle pris le temps de manger ? Comme je la connaissais bien je répondais par la négative à ces questions. Non seulement, elle était blessée, mais elle était épuisée s'étant rendue jusqu'à la limite de ses capacités. La colère est bien mauvaise conseillère mais un excellent tremplin pour décupler nos forces, notre énergie et lorsqu'elle se retire de notre sang bouillonnant, elle ne laisse qu'un vide qui se traduit souvent par un épuisement dévorant.

En fin d'après-midi nous avions Kiev qui s'élevait devant nous. Bien entendu, ce déplacement de guerriers faisait tourner les têtes sur son passage. Nous voulions nous faire discrets, mais c'était bien difficile avec plus de mille hommes à nos trousses. C'est alors que Yousef décida de cacher aux yeux des curieux la majorité de ses hommes en les postant dans une clairière à l'orée de la ville. Il est vrai que si nous étions entré dans la ville ainsi accompagnés, nous ne serions pas passés inaperçus. Même si tout au long de notre périple, on nous avait vus, il était impératif d'entrer dans Kiev de façon réservée.

Lorsque nous entrâmes dans la ville avec une poignée d'homme, j'interrogeai le premier venu demandant où demeurait Rustopov. C'était un homme bien connu et l'aimable étranger nous indiqua avec précision où nous rendre. Cela prit bien une bonne demi-heure, mais nous sommes finalement arrivés devant ce qui était, selon toute vraisemblance, sa demeure. Une maison simple mais qui avait tout de même une certaine dimension qui laissait croire que Rustopov était mieux nanti que ses voisins. Une domestique vint nous répondre et après une courte explication, elle repartit cueillir la maîtresse des lieux. L'épouse de Rustopov vint à notre rencontre visiblement surprise de notre visite. Je ne perdis pas un instant et lui expliquai les motifs de notre venue en sa demeure. Sur le champ, elle demanda à deux hommes de faire le nécessaire pour entrer le carrosse et nourrir nos bêtes qui étaient franchement amochées.

Elle nous accueillit comme je l'avais présagé, les bras ouverts. On transporta Mira dans une chambre et envoya une domestique quérir le médecin. Pendant ce temps, elle nous emporta dans la cuisine où une autre domestique s'afférait devant ses fourneaux pour nous sustenter car je suis certain qu'on pouvait entendre nos ventres crier famine. Nous étions épuisés. Toutes ces émotions nous grugeaient notre énergie et comme nous n'avions presque pas dormi, nous étions sur le bord de tomber de sommeil.

Natasha, la femme de Rustopov, nous envoya nous laver et nous ordonna d'aller dormir. Nos corps devaient parler à notre place. Quelques heures plus tard, je sortis du lit en fronde ! Combien d'heures avais-je dormi ? Quelle heure était-il ? Comment était Mira ?

Comme les chambres étaient au deuxième étage, je dévalai les marches à la course retrouvant Yousef qui était dans le hall d'entrée en discussion avec Natasha.

-Le médecin est-il venu ? Demandais-je avec empressement.

-Oui. Il l'a examinée et son état est stable. Elle repose toujours n'ayant pas encore ouvert l'œil, mais le médecin a dit que c'était normal. Mirikof, Mira s'est vidée de toutes ses énergies et de beaucoup de sang. Elle est faible mais selon lui, comme la blessure ne saigne plus, elle devrait récupérer rapidement. Cette blessure a été causée par un coup d'épée et malgré tout, il faut se compter chanceux que ce coup ne lui a pas été fatal. Pour le moment, selon le médecin, elle devrait être capable de se remettre sur pieds d'ici quelques jours. J'avoue que je suis soulagé. Me répondit Yousef.

-Je suis soulagé moi aussi. Comment n'ai-je pas vu cette blessure avant ?

-Ah ! Mirikof ! Ne connaissez-vous pas votre Reine ? Elle l'avait dissimulée et jamais elle ne nous aurait dit qu'elle souffrait. Quand j'y pense, je comprends maintenant pourquoi elle était si silencieuse au palais. Elle n'a pas prononcé un seul mot pendant que je hurlais contre Gustof. Elle qui pourtant venait de presque lui trancher un bras, emportée par la colère. Enfin… c'est Mira ! Nous ne la changerons pas.

Yousef avait raison. Je ne la changerais pas. Toujours fidèle à elle-même, ce n'est pas aujourd'hui qu'il fallait que je m'attende qu'elle crie tout haut ses malaises. Elle ne l'avait jamais fait auparavant. Cependant, j'admets que cette course effrénée envers Gustof m'avait surpris. Elle n'avait pas l'habitude de lever l'épée. Elle songeait toujours à des solutions pleines de sens avant d'agir et cette fois, elle brandissait sa haine sans compromis comme une tigresse enragée. Mais il y avait dans cette histoire un élément nouveau : La victime était son fils. Ce n'était pas comme lorsqu'elle défendait les femmes, les enfants ou elle-même. Elle faisait abstraction de sa personne quand il s'agissait d'elle-même et Gustof avait déchaîné ses foudres en s'attaquant à son jeune fils et surtout de cette manière immonde. L'homosexualité est connue et jamais elle ne s'en serait formalisée, mais la pédophilie, ça elle ne pouvait accepter. Elle avait certes commis une erreur et même si je la considérais parfaite, il faut dire qu'elle l'était presque mais pas totalement ! Elle aussi avait droit à l'erreur !

Pendant les heures qui suivirent, en compagnie de Natasha, nous en apprenions plus sur ce cher Rustopov et sur le génie qu'il pouvait être. Il était fort bien connu et souvent la monarchie russe s'accaparait ses services. Elle toucha à peine le sujet de ses recherches concernant les pyramides d'Égypte pensant mieux qu'elle ne l'aborde pas ou peu, de peur que ce roi Turc ne s'empare de notre projet. Je voyais qu'elle était évasive et qu'elle tentait par tous les moyens de répondre à mes questions en les détournant. Comme à chaque fois que nous allions rencontrer Rustopov pour en savoir d'avantage, il se passait quelque chose d'horrible, c'est en blaguant que je tentais de la sécuriser sur Yousef et ses intentions.

-Chère dame, à chaque fois que votre époux s'est présenté au château tentant d'élucider le mystère des pyramides, un événement fâcheux venait toujours nous distraire de l'importance de ses découvertes. Peut-être est-ce un signe de Dieu si aujourd'hui, je me trouve en votre demeure avec le Roi Yousef. Regardez-le, Madame et dites-moi si un homme aussi fier de sa personne irait s'empoussiérer dans des recherches aux pieds des pyramides ? Vous ne connaissez pas le Roi Yousef ici présent, véritable calamité à avoir à ses côtés sur les routes poussiéreuses, à toujours se brosser, à prendre sur le bout des doigts tout ce qu'il touche, nous ralentissant sur notre route… Ah ! Madame… Vous n'avez pas à craindre qu'il ne se lance dans ce projet pour ravir à votre époux tous les éloges qu'il pourrait en tirer ! C'est moi, Mirikof qui vous le dit.

La dame tenta désespérément de retenir ses rires et Yousef qui me regardait, n'avait pas plus fière allure !

-Madame, n'écoutez pas le général de la Reine… Je crois que la jalousie l'aveugle ! Mais, je dois admettre pourtant que malgré tout ce qu'il vient de vous dire, qui soit dit en passant n'est que pur mensonge, il y a pourtant une chose de vraie ! Soyez sans crainte, je ne connais pas votre époux ni les recherches qu'il a entreprises et je suis bien heureux, enfin, que quelqu'un s'intéresse au secret des pyramides mais jamais je n'irais contrecarrer un projet de la Reine Mira, Madame. Donc, soyez sans crainte, je ne soufflerai à personne ce qui se dit ici. J'irais même plus loin, j'ai bien, moi aussi, des savants qui pourraient être d'une aide précieuse pour votre mari. Seule votre permission me permettrait de les mettre au service de votre mari et ce serait avec plaisir que je le ferais !

Nous sommes ainsi restés au salon une bonne partie de la soirée avec Yousef qui me rendait bien mes petites pointes d'humour à sa manière devant la dame qui se délectait visiblement de notre présence. C'est une des domestiques de Natasha qui vint mettre fin à nos élucubrations. Elle nous informait que la dame s'était réveillée. Miracle ! Ce n'était pas trop tôt. Yousef était aussi énervé qu'un jeune enfant devant un sucre d'orge.

-Mirikof, montez la voir ! Allez lui parler… Ne lui dites pas que je suis ici… On ne sait jamais… peut-être cela la troublerait-elle ? Je vous attends, vous me direz si elle va mieux.

-Je ne lui dirai pas que vous êtes ici parce que je ne monterai pas la voir le premier ! C'est vous, Sire, qui allez monter.

-Mais… mais… Mirikof… Elle aura peut-être un malaise à ma vue… elle…

-Écoutez ce Monsieur, Madame ! Et c'est à vous qu'il disait que je mentais tout à l'heure ! La Reine aura un malaise à ma vue ! C'est qu'il croit que toutes les dames s'évanouissent à sa vue, Madame ! Allons Sire ! Elle vous savait au palais, il y a quelques jours… pourquoi s'étonnerait-elle de vous voir subitement ?

Natasha éclata de rire !

-Oh ! Mirikof ! Mirikof ! Vous êtes un incorrigible farceur ! Pauvre Roi Yousef comme il vous malmène, c'est presque incroyable… Dit-elle amusée.

-C'est que vous avez raison Madame, Mirikof profite de ma vulnérabilité à mes dépens, je vais y voir et allez dire à votre Reine, Monsieur, que vous manquez de savoir vivre envers ma personne royale !

Yousef se prêtait bien à mon jeu et par la dérision je tentais de le détendre car à cette annonce il avait bondi de son siège tel un cerf affolé. Mais à le voir prendre l'escalier avec de tels enjambements gravant l'escalier à cinq marches à la fois, je n'avais pas tout à fait réussi… Dans l'espace de quelques secondes, il était disparu de mon champ de vision courant vers la chambre. Je comprenais ses réticences et peut-être avait-il raison relativement à la réaction de Mira, mais je lui devais ça. Il n'avait pas hésité à lui venir en aide et par sa seule présence, il avait réussi à la faire sortir du palais du Grand Prince sans qu'on lui coupe la tête. Nous lui devions tous le rapatriement de notre reine vers ses terres.

Arrivé en quatrième vitesse devant la porte de la chambre, il s'arrêta net. Devait-il entrer dans cette chambre ? Allait-elle lui reprocher de ne pas avoir tenu promesse ? Car il lui avait dit l'année auparavant lors de sa visite, que jamais plus, il ne tenterait de la voir sauf si elle le demandait. C'est vrai qu'il s'était déplacé pour elle, mais à la demande du général et Mira n'était pas au courant de cette requête. Il hésitait… Le cœur nerveux, la main sur le loquet de la porte, il ne se décidait pas. Comme le hasard fait bien les choses, une domestique restée à l'intérieure de la chambre sortie poussant un petit cri, surprise d'avoir une armoire à glace aux devants d'elle.

-Oh ! Pardon, Monseigneur… Je ne savais pas que vous étiez là.

-Ne vous excusez pas, vous m'avez fait sursauter aussi. J'allais entrer.

-J'allais lui chercher de quoi manger. Excusez-moi.

La dame sortie laissant libre passage à Yousef qui n'osait toujours pas s'aventurer. Il prit son courage à deux mains et se décida enfin s'avançant à pas de loup vers le lit. Lorsqu'il arriva près d'elle, elle regardait sous les couvertures sa blessure. Quand elle leva les yeux, d'un geste rapide elle ramena les couvertures à son cou. Yousef était terriblement troublé et essayait de prononcer des mots qui lui restaient dans la gorge.

-Yousef ? Vous ici ?

-Oui… et je… c'est Mirikof qui tenait à ce que je vienne vous voir et m'enquérir de votre santé.

-Mirikof ? Où est-il ce cher général ?

-Il est en bas, je peux le faire monter si vous voulez ?

-Non. Pas tout de suite.

Elle fit un silence. Elle tentait de s'asseoir dans le lit mais la douleur qu'elle ressentait au côté l'en dissuada.

-Mira, n'essayez pas de vous asseoir… votre blessure…

-Je sais, je viens de me rendre compte que je ne suis pas encore guérie.

-Voulez-vous que je vous installe plus confortablement.

-Non. Dit-elle catégoriquement faisant presque reculer Yousef d'un pas.

-Je vais vous laisser maintenant et je vais faire monter Mirikof dans quelques minutes maintenant que je vois que vous allez mieux.

Il se tourna pour sortir, incapable de lui dire ce qui lui passait par la tête.

-Sire, revenez… excusez-moi, la douleur me fait faire et dire des choses parfois.

-Je ne voulais pas vous incommoder de ma présence… Je voulais juste savoir si vous alliez mieux.

-Je sais… Yousef, serait-ce Mirikof qui vous a fait venir jusqu'au palais ?

-Oui, Madame.

-Vous avez déplacé vos troupes ?

-Non. Je les ai mis sur un pied d'alerte, mais je ne les ai pas déplacées.

-Ah ! Je vois… Quelle est la situation à l'heure actuelle ?

-Gustof est resté sur ses positions. Souvenez-vous que nous allions regagner chacun nos foyers quand nous sommes partis, mais vous vous êtes effondrée et devant votre état, nous n'avions d'autre choix que de vous emmener ici pour vous soigner.

-Où sommes-nous ?

-À Kiev, chez Rustopov.

-Depuis combien de temps ?

-Nous sommes partis de Moscou depuis plus de deux jours.

-Kiev n'est pas sur votre route, Yousef !

-Ce n'est qu'un petit détour… et Mirikof a bien apprécié que je reste à ses côtés, car nous sommes toujours sur les terres de Gustof et votre état ne nous permettait pas d'aller plus vite. C'était plus prudent de continuer ensemble. Lorsque vous pourrez reprendre la route, je regagnerai mes terres.

-Yousef, je suis bien honteuse aujourd'hui d'avoir fait ce que j'ai fait d'autant plus que vous êtes mêlé à cette histoire sans que je le veuille. Ce que j'ai de plus cher au monde avait été bafoué par les penchants dépravés de Gustof.

Elle couvrit son visage de ses petites mains réalisant les conséquences de ce qu'elle avait fait.

-Que diront mes sujets sur les actes de leur Reine ? Que penseront les soldats de mon armée ? Que penseront les Russes de cette voisine qui a saccagé le Palais Royal ? Que diront-ils de cette Reine qui a presque tranché le bras de leur Souverain ?

Yousef s'agenouilla près du lit et prit tendrement ses mains.

-Mira, il est vrai que tu as fait une entrée remarquée dans le palais du Grand Prince mais ne te sens pas déshonorée à cause de Gustof. Il a bien mérité ce qui lui est arrivé. Mira, tes sujets et les soldats de ton armée sont plus fiers que jamais de t'avoir à leur tête. Et les Russes ne sont pas des sots. Si toi tu ne savais pas que Gustof pouvait être ce qu'il est, je suis certain qu'eux le savent et sont sûrement enchantés qu'enfin quelqu'un se lève et s'oppose à de tels agissements. S'ils ne l'ont pas fait eux-mêmes, c'est peut-être parce qu'ils ne le pouvaient pas ! On ne se soulève pas comme ça contre son Souverain, surtout quand il est tout puissant et riche comme Gustof. L'erreur qu'il a commise c'est de s'être attaqué à un enfant Roi dont la mère n'est nulle autre que Mira, fille du sage de la Forêt d'Elfe.

-Et tes sujets Yousef… Te voir partir ainsi en croisade pour une Reine étrangère…

-Mira… Mira… Mes sujets seront bien trop contents d'apprendre que leur Roi a fait reculer Gustof par le seul fait que j'ai brandi la menace de mon armée contre la sienne ! Si mes sujets te connaissaient, pas un n'oserait réprimander ma démarche !

-Qu'exigeras-tu en échanges de tes services ?

-Quelle drôle de question ! Mira, quand j'ai su pourquoi tu galopais ainsi vers Gustof, je me devais de répondre par l'affirmative à Mirikof. Ta cause était noble et je te connaissais combative, solitaire… La seule inquiétude que j'avais était d'arriver à temps avant que Gustof ne commette l'irréparable car je t'assure qu'il t'aurait fait couper la tête sans aucune hésitation. Sachant tout ça que pourrais-je demander en retour ?

-Yousef, tu espères vraiment que je vais avaler ça ?

-Il le faudra bien car je n'exige absolument rien ni de toi, ni de ton Royaume.

Elle ne dit plus rien. Yousef voyait qu'elle songeait, qu'elle n'était plus dans la même pièce que lui. À quoi elle pensait, ça il ne pouvait le dire, mais elle était troublée par le fait qu'il était venu à son secours. Elle se sentait redevable et Yousef tentait par tous les moyens de la convaincre du contraire.

-Mira, je vais te laisser te reposer. Si tu veux vraiment me remercier j'aurais juste une exigence… Je veux que tu me promettes de ne pas en vouloir à Mirikof pour avoir fait appel à moi. Il n'avait pas vraiment le choix. La Russie est puissante et il ne pouvait espérer écraser Gustof avec l'armée de la Norsufinde. De tous les voisins de Gustof, je suis le plus redoutable. Mirikof est un général, la stratégie militaire n'est plus un secret pour lui. Si j'avais été à sa place, j'aurais fait exactement la même chose. Comme quelque chose nous reliait, l'équation n'est pas bien difficile à faire. J'aimerais bien d'ailleurs avoir un tel général à la tête de mon armée. C'est vraiment quelqu'un qui t'est dévoué corps et âme.

-J'avoue qu'à mon réveil lorsque je ne suis rappelée de ta présence, j'étais sur le point de lui faire les pires reproches. Mais tu as raison et je te promets que je ne le gronderai pas.

-Alors, repose-toi. Veux-tu que je le fasse monter maintenant ?

-Oui, je me sens mieux. J'ai beaucoup dormi.

On cognait à la porte. Yousef ouvrit. La domestique était là, un plateau dans les mains remplies de victuailles. Il la fit entrer et sortit léger comme un plume. Le fardeau qu'il traînait depuis les derniers jours s'était estompé. Elle ne lui avait pas fait mille et un reproches et il était fier de la tournure de cette discussion. Il descendit et me sachant toujours au salon avec Natasha, vint à notre rencontre.

Trois jours plus tard, Mira s'était rétablie et pouvait reprendre la route. Yousef avait beaucoup insisté auprès du médecin à savoir s'il était bien sage qu'elle le fasse et le médecin l'avait sécurisé. La dame était frêle et exténuée, mais les bons soins aidant, elle s'était rétablie de manière presque miraculeuse. Il est certain qu'elle ne serait pas rapide comme à son habitude ayant toujours cette douleur au côté droit, mais elle pouvait le faire.

Ayant maintenant cerné la personnalité de Yousef, je ne m'étonnai pas lorsqu'il m'annonça qu'il partait rejoindre ses terres et de souhaiter à Mira un bon voyage de retour. Il était inutile de lui demander pourquoi il ne le faisait pas lui-même. Si par le passé, il s'était empressé de s'accaparer ce qui ne lui appartenait pas, aujourd'hui, il préférait se faire discret. Je le vis donc partir rejoindre ses hommes toujours à l'entrée de la ville.

C'était à notre tour de remercier, Natasha de son accueil et de tous les services qu'elle nous avait rendus. Mira lui dit qu'à son arrivée, Rustopov exposerait ses théories et qu'elle le sommerait de revenir au plus tôt auprès de cette charmante dame !

Nous étions dans la cour, les hommes étaient prêts à partir et je voyais Mira qui regardait autour d'elle, cherchant la présence de Yousef. Je lui fis part des vœux de ce dernier. À ce moment, je vis dans ses yeux, qu'elle était étonnée qu'il ne soit pas resté lui-même lui faire en personne. Sur ce, nous reprîmes le chemin de retour.

Plusieurs semaines plus tard, nous arrivâmes au château où Éric et toute la Cour nous attendaient impatients qu'on raconte notre aventure en terre Russe. Mira n'y tenait pas personnellement, considérant qu'elle avait manqué de jugement. Cependant, c'est avec joie et bonheur qu'elle retrouvait son fils qui s'empressa de lui raconter son expérience avec Gustof. Le jeune garçon avait été au-dessus des espérances de Mira. Il s'était défendu, bec et ongles, contre l'efféminé de Gustof qui malgré ses cinquante-cinq ans n'arriverait pas à maîtriser un jeune garçon de onze ans ayant déjà la corpulence d'un homme. Elle le serra contre elle, lui expliquant les comportements étranges que les adultes pouvaient parfois avoir regrettant amèrement de ne pas l'avoir fait plus tôt espérant ainsi le protéger contre les horreurs de la vie. C'était d'ailleurs là son combat : Comment la vie pouvait être aussi merveilleuse et en même temps aussi horrible. Munie de sa logique caractéristique, Mira ne pouvait comprendre et se débattait, espérant réellement changer le monde. Dure et utopique croisade contre le mal avec un esprit puritain qui n'avait que sa voix et son énergie pour combattre un titan !

Un lien précieux avec l'histoire

Les jours, les semaines, les mois se succédaient à un rythme fou. Éric avait encore vieilli d'un an et c'était un véritable petit homme. Physiquement, c'était Boris. Il en avait même presque la taille. Son expérience passée, l'avait fait mûrir. Côté académique, je le comparais à une éponge. Il apprenait à un rythme accéléré, avide de connaissances et jamais rassasié. Il participait activement aux côtés de sa mère, à toutes les réunions. L'élève dépassait souvent les maîtres qui une fois vidés de leurs connaissances étaient remplacés par une multitude de livres venus des quatre coins du continent. J'étais fier de voir ce jeune homme pousser tel un sapin géant au milieu de la Cour Royale.

Malgré tout, cette activité débordante à la Cour, nous avions encore à notre agenda un événement auquel nous ne pourrions nous soustraire : Rustopov ! Ce bon vieux Rustopov nous avait attendus patiemment lors de notre retour de Russie pour s'entretenir enfin de la concrétisation de son projet. Il devait retourner en Égypte pour finaliser ses recherches et voulait faire part de ses découvertes à la reine avant d'y repartir espérant la convaincre de venir voir ce qu'il avait mis à jour. Rustopov était reconnaissant envers elle, car c'était grâce à elle et de son voyage dans les Amers que ce livre lui était parvenu par l'entremise de Reinstenson.

Je me rendis au bureau, voulant un entretien avec la reine qui était d'ailleurs assise en pleine lecture presque enterrée par une tonne de papiers.

-Madame, êtes-vous prête pour un petit entretien avec le vieux Mirikof ?

-Depuis quand est-ce que le brave Mirikof demande permission à la Reine pour s'entretenir avec elle ? D'habitude vous entrez et me saoulez de paroles !

-Ha ! ha ! Ma reine, vous êtes si drôle quand vous voulez ! C'est vrai que je parle tout le temps… C'est pour vous désennuyer que je m'efforce de vous noyer de paroles.

-Me saouler Mirikof, me saouler !

-Oui, vous saoulez de mes paroles.

-Eh ! bien faites Mirikof, faites ! Saoulez-moi ce matin j'ai besoin de me changer les idées.

-Oui, Majesté, c'est de cela dont je suis venu vous parler. Vous changer les idées.

-Que voulez-vous dire ?

-Madame, vous êtes si occupée que je crois que vous avez oublié quelqu'un.

-Mais, Dieu, de Dieu, dites à votre Reine à qui elle manque de respect à ce point… Moi, oublier quelqu'un… Je me fais vieille, Mirikof, venez à mon aide, je vous en conjure !

-Oublieriez-vous que vous aviez promis à Rustopov que nous devions aller le rejoindre en Égypte à la fin de l'année ?

-Oh ! Mirikof ! Comment ai-je pu oublier Rustopov ?

-Parce que vous vous tuez à la tâche et si moi, je n'avais rien inscrit sur un calendrier, j'avoue que je l'aurais oublié. Pauvre Rustopov, il s'est montré si patient depuis notre première rencontre.

-Il n'a pas joué de chance avec moi ! Choisir la Reine la plus occupée de la terre ! Vous deviez partir à la fin septembre et nous sommes déjà le 2 ! Mon Dieu ! aurez-vous le temps de faire les préparatifs, l'Égypte n'est pas à la porte à côté.

-Nous aurons le temps. Il était convenu que vous m'enverriez dans ces contrées lointaines, mais aujourd'hui, je n'en suis pas si sûre.

-Vous ne vous sentez pas la force de vous y rendre Mirikof ?

-Ha ! ha ! Majesté, je vous en prie. Qu'allez-vous penser de moi ? Je suis vieux, du moins plus vieux que vous, mais je ne suis pas devenu impotent depuis l'an passé !

-Oh ! Pardon Mirikof, ce n'est pas ce que je voulais dire… !

-Ne vous mettez pas dans de tels états. Je vous taquine. Je ne suis pas si certain d'y aller parce que j'ai quelque chose à vous demander.

-Quoi donc, Mirikof ?

-J'irai avec plaisir, mais à une condition.

-Décidément Mirikof vous voulez me tenir longtemps pendue à vos lèvres ?

-Ha ! ha ! Bon, bon d'accord je vous demande… Même si c'est un plaisir de vous sentir pendue à mes lèvres, voilà : j'irai si vous êtes du voyage.

-Ah ! Je m'attendais à tout mais pas ça. Et pourrais-je savoir pourquoi ou quels sont les motifs qui justifieraient que je vous accompagne au bout du monde ?

-Parce que l'aventure c'est vous Madame et que je vous ai toujours suivie. Sans vous, l'aventure n'y est pas. On s'ennuie comme une bande de petits vieux autour d'un feu ! En plus, un voyage vous ferait le plus grand bien.

-Je vous reconnais bien là, Mirikof ! Fieffé stratège ! Vous exposez vos requêtes avec tant d'habilités que la Reine ne peut vous refuser.

-À la bonne heure ! Vous viendrez ?

-Je suis bien obligée puisque vous dites vous-même que vous ne pouvez pas mettre un pied devant l'autre si je n'y suis pas !

Je lui souris, content de l'avoir près de moi pour un si long périple. Et je ne mentais pas. Voyager, connaître des aventures, c'était différent et bien plus palpitant à ses côtés ! J'allais sortir lorsqu'elle m'arrêta :

-Mirikof qu'en penseriez-vous si j'emmenais les enfants ?

-C'est une bonne idée, mais Éric est tellement occupé. Ursula et Rainer doivent partir prochainement pour la Laponie pour leur voyage d'agrément qu'ils attendent depuis si longtemps.

-Vous avez raison, Mirikof, j'avais complètement oublié ! Par contre Yamir est encore un jeune enfant… hum !

-Yamir, je m'en charge, il voyagera en compagnie de Mirikof lui-même. Puis-je disposer Madame ?

-Mirikof, depuis quand me demandez-vous si vous pouvez disposer ? Mirikof, vous êtes carrément impossible ! Hors de ma vue, général impossible, allez faire votre impossible ailleurs.

Je sortais de la pièce toutes courbettes devant exagérant au maximum ma salutation. Elle se mit à rire et pour me chasser complètement de sa vue, elle prit un livre et le lança en ma direction. Je me poussai et le livre alla se frapper sur le mur opposé du corridor.

-Devrais-je sonner la garde Madame. Demandais-je en me passant la tête par le cadre de la porte.

L'entendre rire aux éclats était pour moi une fête. Je l'avais si souvent vu dans d'autres états. Les gardes me regardaient passer dans le corridor dissimulant leur sourire surtout quand j'arrêtais et que j'en regardais un prenant un air supérieur. J'adorais entretenir une pointe d'espièglerie. Il me semble que les journées étaient plus faciles à supporter.

Après ma sortie théâtrale, Mira se mit à rêvasser. Un voyage, voir encore du pays, les grandes ballades en cheval, voir les populations étranges et diverses de son territoire. Puis, elle se rappela avec une certaine nostalgie, le voyage semblable qu'elle avait fait avec Boris. Les merveilleuses personnes qu'il lui avait présentées. Des gens beaux, nobles et charmants. Elle se rappelait tous les fous rires, tous les éclats de joie qu'ils avaient eue pendant ce périple. Elle se rappelait aussi la rencontre avec Yousef sous la tente et cette danse du ventre qu'elle avait apprise pour Boris et qu'elle n'avait jamais pu lui donner en spectacle. Les événements qui s'étaient produits ensuite lui montaient à la gorge.

Fin du mois de septembre de l'an de grâce 1360. Les préparatifs pour le voyage étant finalisés, Mira, moi et une centaine de gardes partîmes pour l'Égypte. Finalement, dans les enfants de Mira, seul Yamir ferait partie du voyage. Éric préférait rester avec ses érudits comme il les appelait. Deux nouveaux professeurs étaient arrivés de la Prusse avec dans leurs bagages de nouvelles connaissances qui emballaient notre jeune roi. Ursula et Rainer quant à eux avaient été invités en Laponie et désiraient connaître les mystères de l'élevage et de la domestication des rennes. C'est à contrecœur qu'elle leur permit de faire selon leurs désirs.

Donc, nous suivions la route vers le Sud où nous prendrions la traverse vers Alexandrie. Nous arrêtions dans toutes les grandes villes où la reine visitait les hauts dignitaires qui veillaient sur sa couronne. Encore de belles rencontres. Encore de beaux paysages et des vues panoramiques grandioses.

Finalement au bout de presque trois mois de cavale à travers cet immense territoire, ils arrivèrent dans le dernier bastion de l'empire. Celui du Grand Vizir Omar que nous avions rencontré quelques années auparavant lors de notre venue dans ces terres lointaines. Il était déjà tard dans l'après-midi quand nous nous sommes présentés aux portes du château. Le Grand Vizir nous attendait et restait fidèle à lui-même, d'une politesse exquise. Il se confondait en courbettes devant la reine. Tous les gardes du Grand Vizir regardaient cette beauté nordique avec autant d'appétence que la première fois.

Omar nous emporta dans son grand salon rempli de coussins et de voiles. Parlons-en de ces cousins moelleux et de ces voiles où mes grosses pattes s'enfonçaient ! J'étais si malhabile que j'avais l'impression de marcher sur des vagues. Mira de toute sa légèreté se laissa choir dans les coussins et Omar étant dans son élément, je faisais piètre figure à leurs côtés. Eh ! Oui, mon épée se prenait entre les coussins et moi, je tentais de m'asseoir essayant d'avoir l'air aussi décontracté que mes voisins, mais c'est bien difficile quand le coussin sous votre fesse gauche vous bascule continuellement vers celui sous la fesse droite. Je trouvais cette manière de s'asseoir si inconfortable. Comment pouvaient-ils avoir l'air si relaxes alors que moi, je tenais à peine à la verticale ? Après une lutte acharnée contre la stabilité que je n'arrivais certainement pas à trouver, je me laissai tomber de côté dans tous les coussins attirant toute l'attention vers moi ! Il n'est pas dit qu'on se moquerait de Mirikof ! Je faisais le maximum pour m'enterrer de coussins entraînant dans ma chute une panoplie de voiles qui s'étaient décrochés de leurs crochets. Je nageais dans tout cet amas de tissus où j'avais d'ailleurs disparu. Bien fait pour eux ! Ils n'avaient qu'à avoir de bons vieux divans sur lesquels on pouvait s'asseoir, même s'étendre sans faire une gymnastique démesurée pour se tenir en équilibre. Devant le massacre que je faisais de mon site, Mira se leva en riant et Omar aussi. On vint à ma rescousse.

-Ha ! ha ! Mirikof ! Que vous arrive-t-il ? Me demanda la reine visiblement amusée.
-Que m'arrive-t-il ? Que m'arrive-t-il ? Vous osez me le demander ? Je tente de retrouver mon équilibre qui je crois se trouve sous le troisième coussin, juste là !
-Ha ! ha ! Mirikof ! S'esclaffa Mira. Je n'arrive pas à vous retrouver… Ha ! ha ! je vois juste votre pied.
-Ah ! C'est donc là qu'il se cache !
-Ha ! ha ! Général Mirikof ! Je suis terriblement gêné. Dit Omar.

Omar marchait vers moi en riant, naviguant du mieux qu'il pouvait pour me prêter main-forte. Tant qu'à faire rire de moi, j'aimais mieux exagérer et les faire rire !

-Cher Omar, les peuples arabes ont été à l'avant-garde de bien des découvertes, mais celui qui a inventé cette manière de tenir maison, il devait être nain se mettant sous le postérieur tous ces coussins pour mieux se grandir !

Mira riait tellement qu'elle était pliée en deux. Quant à Omar, il était maintenant à quatre pattes dans les coussins, incapable de continuer jusqu'à moi, tellement il riait. J'adorais faire de telles prestations. C'était vraiment mon point fort. Je devais être un enfant extrêmement dissipé pour avoir encore ces tours en tête à cinquante-huit ans. En tout cas, si Omar avait des choses pénibles à annoncer, c'était le temps, car tout le monde, y compris les domestiques tentaient de reprendre leur sérieux.

Après être revenus de nos émotions, Mira raconta à Omar son voyage mais de temps à autre, elle pouffait de rire. Elle finit même par exiger que je sorte de la pièce incapable de garder son sérieux. Omar me dit :

-Restez ici cher Mirikof ! J'ai quelque chose à montrer à la reine. Pendant ce temps, vous pourrez étudier tous mes coussins.

-J'en ai pour la nuit !

-Ha ! ha ! Cher Mirikof ! Nous avons besoin de quelqu'un comme vous pour égayer cette maison. Vraiment vous êtes charmant. Puis-je vous emprunter la Reine quelques instants ?

-Faites, Grand Vizir ! Et prenez tout votre temps. Je vais essayer de trouver les secrets de vos salons.

Il l'entraîna dans une pièce qui devait être son bureau. Il ouvrit un tiroir duquel il ressortit une boîte de grosseur moyenne. Une magnifique boîte sculptée et parée de feuilles d'or et d'inscription en Arabe. Il la déposa sur la table et releva la tête vers Mira qui avait les yeux rivés sur l'objet.

-Ceci Majesté a été emporté ici, il y a plus d'une semaine pour vous.

-Comme c'est beau, c'est pour moi ? Vous êtes sur ?

-Il n'y a aucune erreur, c'est pour vous.

-Que signifient ces inscriptions sur la boîte ? Vous pourriez me les traduire, s'il vous plaît ?

-Certainement, Majesté. C'est d'ailleurs la signification de ce qui est écrit qui ne donne aucun doute sur le destinataire de ce présent. Il est écrit : *Pour la déesse venue du Nord, la très grande Reine Mira.*

Mira regardait cette magnifique boîte avec ces inscriptions qui signifiaient pour elle que ce présent venait de Yousef, il était le seul à l'appeler comme ça. Elle touchait la boîte de ses délicats doigts et son regard se perdait dans la beauté de l'art Arabe.

-Préférez-vous que je sorte, Majesté. Peut-être souhaitez-vous être seule pour l'ouvrir ?

-Non, restez Grand Vizir, s'il y a d'autres inscriptions il faudra bien que vous me les traduisiez !

Elle prit délicatement le fermoir or de la boîte et l'ouvrit. Une agréable odeur parfumée envahie la pièce. L'intérieur de la boîte était matelassé d'un tissu soyeux azur, un léger voile recouvrait les articles à l'intérieur. Elle le retira délicatement pour y découvrir des flacons tous plus beaux les uns que les autres. Elle en prit un dans ses mains et l'ouvrit. Le parfum qui se dégageait était tout simplement divin. Il y avait une autre petite boîte en bois sculptée sur laquelle il y avait encore une inscription. Mira leva les yeux vers le vizir qui l'observait.

-C'est inscrit : *Que sur ta douce peau il repose. Chance à celui qui pourra le toucher de ses doigts.*

Mira regarda et l'ouvrit doucement. Ses beaux yeux bleus s'écarquillèrent. L'extase et la surprise de la reine faisaient sourire le Grand Vizir. La douceur et la timidité qui émanait de cette très belle femme rappelaient au Grand Vizir qu'il aurait bien aimé avoir quarante ans de moins. Elle touchait délicatement le contenu de la petite boîte. Elle se mordillait la lèvre inférieure.

-Grand Vizir c'est si beau, si délicat…
-Comme vous Majesté !

Elle leva les yeux vers lui et la rougeur de ses joues marquait sans l'ombre d'un doute qu'elle était touchée.

-C'est le Roi Yousef qui a fait venir ici ce présent, n'est-ce pas Grand Vizir ?
-Oui, un de ses généraux s'est présenté la semaine passée avec ce colis et il était impératif qu'il vous soit remis à vous et à vous seule. Les parfums de cette boîte sont des parfums d'Orient extrêmement rares, Majesté. Ils sont très recherchés et peu de gens peuvent se permettre de se les procurer.
-Comment savait-il que je venais vous voir ?
-Majesté, peu importe où vous vous trouvez, votre passage ne laisse personne indifférent et les nouvelles voyagent vite. Je savais déjà avant la venue de votre messager que vous étiez en route vers notre coin de pays.
-Je ne peux pas accepter un tel présent, regardez ce magnifique collier, il est serti de pierres précieuses plus belles les unes que les autres et ce cœur de rubis entouré de diamants et d'or si délicatement travaillé… J'ai déjà eu des cadeaux dans ma vie, mais c'est un présent si… Je ne peux pas accepter un présent qui a dû lui coûter les yeux de la tête, c'est trop pour moi !
-Majesté, le Roi Yousef est un Roi extrêmement riche. Il a les meilleures terres de tout le Moyen Orient jusqu'à l'Arabie Saoudite et au delà. Il a d'immenses richesses et même s'il ne les avait pas eues, il vous aurait quand même offert ce présent. Croyez-moi, il a su bien choisir. Mais il sait comme moi qu'aucun collier ni parfum, si rare soit-il, n'équivaut votre beauté et votre grâce.
-Omar, vous êtes charmant, mais je ne peux pas accepter un tel présent.

-Majesté, il est de notre culture d'offrir à une femme aussi belle que vous de très beaux présents, les plus dispendieux, les plus rares et il est aussi de nos coutumes que la dame accepte. Nous considérons comme un affront un refus de nos largesses, le Roi Yousef serait très blessé, si vous lui retourniez son présent. Croyez-moi sur parole. Il serait affligé d'une peine terrible.

-*Que sur ta douce peau il repose. Chance à celui qui pourra le toucher de ses doigts.* Redit Mira doucement, songeuse.

-Majesté, j'ai vu moi aussi des présents offerts à des dames, mais je dois avouer que c'est le plus beau que j'aie vu. Le Roi Yousef est un homme de goût.

Mira s'assit sur une chaise, la petite boîte dans la main. Elle passait doucement ses longs doigts sur le splendide bijou. C'était inattendu. Pourquoi lui avait-il envoyé un tel présent ? Il était venu sans aucune hésitation la sortir de la terrible situation dans laquelle elle s'était plongée auprès du Grand prince sans rien demander. Il s'était esquivé avant leur départ de Kiev. Ce présent qu'elle tenait entre ses mains lui prouvait sans l'ombre d'un doute qu'il ne l'oubliait pas. Il savait qu'elle était là, près de lui et s'il était au courant de ça, il savait que Yamir était ici avec elle. Il n'avait envoyé aucun émissaire pour la semer de venir le voir, ni pour emmener l'enfant à son château. Non, un seul objet, une boîte magnifique avec des trésors à l'intérieur. Elle ne savait plus quoi penser. Le Grand Vizir la regardait, le regard baissé, frottant l'œuvre d'art de ses délicates mains et la pensée perdue dans des méditations qu'il aurait bien voulu deviner. Ce qu'il devinait par contre c'est que la reine était troublée. Puis elle releva la tête vers lui et lui dit :

-Je persiste à dire que c'est un présent qui ne me revient pas. Je ne vois pas pourquoi le Roi Yousef m'offre un présent d'une telle valeur ?

-Vraiment, Majesté, vous ne savez pas pourquoi ?

Le Grand Vizir avait posé la question. Elle était intimidée et voyait où le Grand Vizir voulait en venir. Omar qui savait ce qui s'était passé il y a quelque temps aux frontières de ses propres terres. Il savait également que Yamir était le fils de Yousef. Tout le monde le savait. Mira rougissait. Le Grand Vizir lui dit alors :

-Ne rougissez pas Majesté, ne soyez pas mal à l'aise. Le Prince Yamir fils du Roi Yousef, on sait tous de quelle façon c'est arrivé. On sait tous également que le Roi Yousef n'est plus le même depuis votre départ en catastrophe. Nous savons tous aussi qu'il ne vit que pour vous. Ce Roi reste seul depuis longtemps et il s'informe de chacun de vos mouvements depuis le début. Alors vous êtes à même de comprendre le pourquoi d'un tel présent, il aimerait tant que vous lui rendiez visite, il sait qu'il a quelque chose à se faire pardonner. Je crois que vous le savez, car on sait aussi qu'il a entrepris un long voyage pour aller vous voir et qu'il s'est déplacé en Russie pour vous… Je suis peut-être indiscret en vous parlant ainsi. Je comprendrais que vous ne vouliez pas le voir non plus. Peut-être ne pourrez-vous jamais lui pardonner ? Une chose est sûre, il ne vous a jamais oublié.

Mira était attristée de savoir que Yousef avait dit vrai. Elle se souvenait de tout ce qu'il lui avait raconté. Il avait chassé toutes ses femmes, il vivait seul, et il s'informait d'elle. Elle referma la petite boîte et l'inséra dans la plus grande en fermant avec soin le fermoir. Ses doigts passaient doucement sur la couverture de l'objet. Elle restait silencieuse se mordillant la lèvre. Ses beaux yeux azur étaient posés sur le présent. Le Grand Vizir voyait bien qu'elle était émue d'une telle attention. Il lui prit la main.

-Majesté, il est tard et vous devez être très fatiguée. Je ne sais pas si on dit ça chez vous, mais ici on dit "La nuit porte conseil". Il y a aussi un autre présent mais celui-là, vous le verrez demain.

-Un autre présent ?

-Pour le Prince Yamir, mais il faut aller dormir maintenant, vos yeux implorent une nuit de sommeil, Majesté.

-Vous avez raison Omar, reconduisez-moi jusqu'à mes appartements, si vous voulez bien.

-Dommage que je sois si vieux Majesté, je vous reconduirais jusqu'à votre lit… Oh ! Pardon ! Je ne voulais pas être grossier c'était plus fort que moi !

Mira lui adressa un petit sourire et Omar la prit par le bras et la reconduisit vers ses appartements. Les deux gardes postés à sa porte voyaient cette beauté s'approcher d'eux et lui ouvrirent de façon très galante la porte de cette magnifique pièce. L'exotisme de la pièce rappelait à Mira sa première rencontre avec le monde Arabe. Elle s'installa confortablement sur son lit. Elle était exténuée mais le sommeil ne venait pas bien trop, obsédée qu'elle était par les présents de Yousef. Les inscriptions sur les boîtes étaient poétiques. Yousef avait vraiment le don d'être incontestablement charmant avec les dames. Il est vrai qu'il avait une certaine expérience. Toutes ses femmes qu'il avait collectionnées. Il avait entrepris un long voyage, était venu à sa rescousse, lui offrait des présents extrêmement dispendieux, l'aimait-il autant qu'il le prétendait ? Était-ce une ruse pour la ravoir dans son lit pour quelques heures ? Il pouvait s'offrir tant de choses. Mira considérait qu'elle en faisait peut-être partie. Le doute s'installait doucement mais sûrement dans son esprit. Il était le père de Yamir. Il s'était montré si tendre et affectueux avec lui. Elle conclut qu'elle lui devait au moins la chance de voir son fils. Demain, elle enverrait un messager pour l'inviter à venir chez le Grand Vizir pour le voir. Il n'était pas question qu'elle aille sur ses terres. S'il désirait voir son fils, il devait venir.

Le lendemain matin, ses servantes entrèrent dans la pièce et tirèrent Mira du peu de sommeil qu'elle avait réussi à trouver aux petites heures du matin. Les servantes, beaucoup plus des amies que des domestiques pour Mira, étaient désolées de l'avoir réveillée.

-Mais non, mais non, il fait jour et il faut se lever… Je voudrais seulement que vous me couliez un bon bain, je vais me relaxer et ensuite je serai prête pour la journée.

Elles étaient autour d'elle comme des abeilles autour d'une jolie fleur. Elles se taquinaient à qui serait le tour pour peigner cette chevelure magnifique. Le même manège se produisait presque chaque matin.

-Mesdames un peu de tenu, nous sommes peut-être encore sur nos terres, mais nous sommes tout de même en pays étranger. Que vont penser tous ces gens qui vous voient vous disputer pour me coiffer ?
-Majesté, c'était son tour hier, c'est le mien aujourd'hui !
-Et moi ? Vous ne me laissez jamais vous peigner ? Je ne peux jamais rien faire, vous faites tout à ma place ! Et je n'ai toujours pas réussi à vous faire passer cette satanée habitude de m'appeler Majesté, j'ai un nom, oui j'ai un nom et c'est Mira. C'est peut-être moins joli que Majesté, mais c'est mon nom !
-Majesté Mira, pour nous vous êtes une divinité, nous nous amusons tellement à votre service, qu'il ne faut pas penser que nous sommes malheureuses de prendre soin de vous… Vous avez tellement fait pour nous toutes !
-Bon, la reconnaissance démesurée maintenant ! Je n'ai fait que remettre à leur place certains messieurs.
-Majesté, c'est vrai. Mais aucune autre Reine que nous connaissons n'a daigné s'occuper de nous. Vous n'avez jamais hésité à nous défendre.
-Suzana, il ne faudrait pas oublié, que je suis peut-être Reine par les liens du mariage, mais je suis et je resterai une paysanne.

-C'est ce que nous nous tuons à vous dire ! Vous avez toute la grâce, la beauté, les qualités d'une Reine mais vous êtes restée si simple. D'autres auraient profité de la situation pour camoufler leurs origines alors que vous vous les chantez sur tous les toits.

-Quand même Suzana "chantez sur tous les toits" ! Je n'ai jamais monté sur les toits du château pour crier mes origines…

Elles riaient tous aux éclats. Les gardes à la porte se demandaient bien ce que toutes ces femmes pouvaient bien se dire entre ces murs. La reine et sa petite harde de femmes blondes sortirent de la chambre en riant. Les gardes étaient debout comme des statues de bois et ne bougeaient pas d'un poil.

-Tu as vu comme il est mignon celui-là !

-Suzana voyons, n'intimide pas ce monsieur, veux-tu ? Lui dit Mira

-Comprend-t-il ce que l'on dit ?

-Lui, je ne sais pas mais on parle couramment notre langue ici, alors fais gaffe !

Elles continuaient leur route vers la salle du bain en riant et en sautillant autour de Mira. Elles arrivèrent dans une pièce où un bain immense les attendait. Que cette pièce était belle. Les murs étaient tous en céramique détaillée de fleurs et de couleurs vives. Il n'y avait pas de toit. Le ciel s'ouvrait au bout de très grandes colonnes de marbres. Le soleil entrait dans la pièce illuminant la céramique lustrée du mur gauche faisant ressortir les détails minutieux de ce travail de maître. Des tas de coussins et de voiles bordaient le tour du bain, qui ressemblait plus à une piscine qu'à un bain. Mira décida qu'elle ne serait pas seule à se baigner. Les jeunes femmes excitées de tant d'exotisme et de beauté riaient et se dévêtir pour plonger dans l'eau chaude de cette enceinte. Elles jouaient comme des petites filles à se lancer de l'eau. Tant de rires et de bruit rappelaient au Grand Vizir le temps où il était plus jeune et qu'il avait trois femmes. Maintenant qu'elles étaient décédées, il se sentait bien seul. Je me trouvais à ses côtés sur la terrasse sous un soleil de plomb bien assis, cette fois, sur une chaise en train de déjeuner et je n'arrêtais pas de le regarder d'un air amusé.

-Qu'est-ce qui peut bien tant amuser nos dames de cette façon ?

-La jeunesse Mirikof, la jeunesse, ce temps où nous étions nous aussi si forts, vifs et puissants.

-Vous avez raison, comme c'est beau d'entendre ces voix féminines qui rient et s'exclament de bonheur. Tout ce que j'espère c'est que
la Reine soit avec elles.

-Elle est avec elles. Je l'ai vu descendre. Il est difficile de ne pas la
voir !

-Vous dites vrai, c'est une femme exceptionnellement belle et si
fragile.

-Comment a-t-elle réagi à la mort du Roi Boris ?

-Grand Vizir, cette femme a d'abord perdu un jeune prétendant la
gorge tranchée, pour ensuite perdre son premier amour de façon tragique. Elle avait été d'abord très malmenée par le Roi Boris qui est venu
expier ses fautes par la suite. Comme si ce n'était pas assez, lorsqu'elle se sentait bien à ses côtés, Yousef est apparu et faisant comme
Boris, il l'a déshonorée de la même façon. Elle a dû accepter deux fils
nés d'une union non désirée et là Boris meurt par l'épée lors d'une
simple prise de pillards récalcitrants. Le Grand Prince de Russie remet
ça en tentant de s'en prendre à son fils... Comment voulez-vous
qu'elle réagisse, elle était dévastée par une tornade de douleur et de
peine. Rustopov est apparu avec une petite lueur d'aventure, l'idée lui
a plu et nous voilà.

-Hier, lorsque je l'ai emmené avec moi, c'était pour lui remettre un
présent que lui a fait Yousef.

-Un présent ?

-Et tout un présent croyez-moi ! Peu de femmes auraient résisté à
de telles splendeurs. Mais notre Reine était émue. Émue, oui, émue.
Elle ne s'est pas ruée sur le présent prestigieux que lui offrait le Roi.
Elle l'a beaucoup regardé, elle l'a admiré mais ne voulait pas
l'accepter. Cette façon... comment pourrais-je dire... Ce petit quelque
chose, elle l'avait dans les yeux hier...

-Finalement l'a-t-elle accepté ?

-Pas vraiment, lorsque j'ai vu son embarras face à ce présent je l'ai
invité à aller se coucher. Aujourd'hui je dois lui remettre le présent
pour le Prince Yamir, celui-là aussi il est exceptionnel.

-Yousef fait des dépenses !

-Et des dépenses très dispendieuses croyez-moi ! Ce qu'il a offert à
Mira, pardon à la Reine, est d'une beauté et d'un goût divin. Les plus
fins parfums, les plus rares d'Orient et un collier assorti des plus belles pierres précieuses avec un rubis en forme de cœur de toute beauté.

-Eh ! bien Yousef n'y va pas de main morte ! ! !

-Non, il est vraiment amoureux d'elle, je peux vous l'assurer, jamais il n'aurait offert de tels présents à une de ses femmes. Mais dites-
moi mon brave Mirikof, qui ne serait pas amoureux d'elle s'il est un
homme de bon goût et qu'il a son âge ? Dites-moi ?

-Vous venez de me faire vieillir de dix ans avec cette question Grand Vizir ! !

-Ha ! ha ! Vous avez bien raison ! Nous sommes de vieilles chaussettes dont personne ne veut plus, mais il est toujours permis de rêver ? Non ?

Après la coiffure et le choix de robes, les dames étaient prêtes. Leur parfum de jasmin et de rose laissait flotter dans l'air leurs délicates odeurs. Mira se dirigea vers le salon. Moi et le Grand Vizir nous la saluâmes à son entrée.

-Désirez-vous manger quelque chose, Majesté ?

-Merci c'est gentil de votre part, mais je n'ai pas faim.

-Mais vous n'avez rien avalé depuis votre arrivée hier, Madame ? Est-ce bien sage ?

-Ne vous fatiguez pas Grand Vizir, elle n'a pas cette taille de guêpe pour rien. Elle mange comme un oiseau.

-Mirikof, depuis quand vous préoccupez-vous de mon bien être alimentaire ?

-Depuis toujours, Majesté, mais je sais maintenant que c'est peine perdue !

-Grand Vizir vous avez à vos côtés le plus grand des espions qui existe sur terre ! Je viens de me rendre compte qu'il espionne même la quantité d'aliments que j'ingurgite dans une journée, c'est peu dire !

-C'est parce qu'il tient à sa Reine, Madame ! Il se fait du souci pour vous, voyez comme il a vieilli depuis votre venue ici !

-Grand Vizir vous êtes franchement un bon observateur ! Mais je ne suis pas plus vieux que vous ! Je crois même avoir un an plus jeune !

-Alors vous me devez respect Monsieur, je suis l'aîné !

-Ce que deux hommes peuvent dire comme âneries quand ils veulent ! ! !

Mira nous souriait d'un air espiègle.

-Maintenant que nous vous avons taquiné un peu, Majesté, je voudrais vous montrer quelque chose.

-C'est vrai, j'avais oublié que vous aviez une autre surprise cette fois réservée à mon fils Yamir. Je vais aller le chercher.

Elle sortit en courant du salon traversant le hall d'entrée, jupons relevés et dentelles au vent. Les gardes regardaient discrètement la grâce avec laquelle elle se déplaçait. Elle arriva devant la porte où dormait l'enfant, y pénétra et Yamir se retourna et accourut vers sa mère.

-Bélinda, je te l'enlève pour quelques minutes, il y a quelque chose qu'il doit voir.

-Bien Majesté, je vais vous attendre ici.

Elle courait avec l'enfant dans les bras qui riait faisant entendre sa voix candide partout dans la demeure. Elle arriva comme un coup de vent au salon.

-Nous voilà !

-Suivez-moi !

-Vous pouvez venir, Mirikof.

-Bon puisque vous insistez !

-Ne faites pas l'enfant vous savez que je ne peux rien faire sans vous ou presque.

-C'est le « presque » dans cette phrase Madame, qui me chagrine ! Je préférerais que nous ne puissions rien faire du tout sans moi !

-Vous l'entendez Grand Vizir, c'est un cas désespéré, ne pensez-vous pas ?

-Non seulement c'est un cas désespéré, Majesté, mais c'est incurable, je vous plains pauvre Dame d'être aux prises avec un vieux sénile !

-Non, mais Grand Vizir, vous n'êtes pas gêné ! J'aurais cru à plus de solidarité masculine de votre part ! Vous êtes jaloux… C'est ça, Majesté, c'est un jaloux et un vieux jaloux en plus !

-Ah ! Allez-vous encore vous disputer longtemps, Yamir est plus mature que vous deux ensemble. C'est une véritable honte Messieurs. Vous me faites penser à deux coqs dans une basse-cour. Et vous Miri-kof, espèce de… espèce de…

-Votre Majesté se sent mal ? Les mots n'arrivent plus à traverser jusqu'à sa bouche ? Je connais un bon remède à cette maladie !

-Goujat ! Voilà ce que vous êtes. Franchement Mirikof, vous êtes le pire général que j'ai eu, j'aurais bien envie de vous faire flageller pour autant d'audace !

-Si c'est de votre main, Majesté, j'accepterai volontiers.

Le Grand Vizir riait, et la reine me poussait pendant que je grima-çais, faisant penser à un clown et mes gestes déliaient les lèvres de la reine qui essayait de rester sérieuse. Mais finalement, j'avais encore gagné, elle ne put se retenir et s'esclaffa.

-Quelqu'un m'a déjà dit que j'étais impossible, il ne vous connaissait sûrement pas très bien Mirikof, c'est vous qui êtes impossible.

Le petit Yamir courrait autour de nous. Pendant toutes ces effusions de joie, nous suivions le Grand Vizir qui se dirigeait vers ses écuries. Arrivés dans la cour, Omar s'accota sur la clôture qui bordait un rond de course à chevaux. L'effet escompté se ressentait dans les yeux de Mira car là, trottait un magnifique étalon noir, fuselé, musclé. Une bête magnifique. De toute beauté, une perfection de la nature !

-Voilà le présent du Roi Yousef pour son fils Yamir. Un étalon pur-sang Arabe, Majesté ! Une pure merveille.
-J'ai toujours eu de très beaux chevaux mais je dois admettre que celui-là est de loin la plus belle bête que j'ai vue.

Après ces paroles, Mira, dans un bond vite comme l'éclair sauta par dessus la clôture, le Grand Vizir eut peur.

-Madame ce n'est pas prudent, il est un peu fougueux...
-Grand Vizir n'ayez crainte, la Reine, vous allez voir, est une spécialiste des chevaux.

En effet, Mira avait attiré vers elle le jeune étalon qui se laissait caressé. Elle grimpa sur le dos de la bête. Elle se promenait doucement sur le dos de la bête et soudainement elle le poussa et il se mit à courir passant par-dessus la barrière. Omar les yeux écarquillés regardait la cavalière qui s'éloignait dans le grand champ. Puis elle se mit debout sur la bête. Les gens des alentours voyaient cette femme debout sur le dos du cheval en équilibre parfait avec sa monture. Certains des soldats du Grand Vizir qui n'avaient jamais vu un tel spectacle acrobatique se parlaient cessèrent leurs activités, happés par la surprise.

-Vous savez Grand Vizir, notre Reine est bien particulière. Elle est la seule que je connaisse à faire ce genre de chose et si vous voyiez de quelle souplesse elle est capable, elle monte aux plus hautes branches des arbres aussi vite qu'un écureuil, elle est capable de débarquer de sa monture en faisant des pirouettes sur elle-même d'une perfection quasi incroyable, elle est très spéciale. Aucun d'entre nous ne réussi à faire ce qu'elle fait avec un cheval. Plusieurs ont essayé et souvent en se brisant les os !
-Je ne connaissais pas cette facette de la Reine ! C'est incroyable !

Voyant Omar sous le charme d'un tel spectacle, je souriais. Elle revint avec la bête apprivoisée pour finalement descendre du quadrupède pour mieux examiner la perfection qu'elle avait sous les yeux. Le petit Yamir criait et sautait sur place. Elle emporta le cheval près de l'enfant.

-Mirikof passez-le par-dessus la clôture.

Je m'exécutai et elle le monta sur le dos du cheval.

-Yamir, tiens-toi sur sa crinière.

Le petit garçon à peine âgé de quatre ans se coucha sur le cou de la bête.

-Non, Yamir ne te couche pas sur son cou, assieds-toi et tiens-lui la crinière.

Le petit s'assit et tenait dans ses petites mains la crinière noire et épaisse du cheval.

-Tu te tiens fort, Yamir.

Elle reculait. La bête était d'un calme déconcertant. Elle fit signe au cheval de s'approcher vers elle. La bête s'exécuta. Il avançait lentement vers la belle. Yamir riait aux éclats. Arrivés près d'elle, elle remonta derrière son fils et fit quelques trots avec son fils sur le dos de la monture. Cette bête était une merveille et ces mouvements souples et fluides grisaient Mira. Elle avait déjà eu de très belles montures, mais celle-là était la perfection incarnée, un véritable charme. Elle revint vers nous débarquant son fils.

-Majesté, de toute ma longue vie je n'ai jamais vu une femme monter sur un cheval de cette façon !
-Eh ! bien c'est fait, maintenant vous avez vu ! Je dois admettre que cette monture est de loin la plus belle qu'il me soit arrivé de monter. C'est un cheval formidable. Où le Roi Yousef a-t-il donc pris un tel étalon ?
-Vous savez, Majesté, le monde Arabe est reconnu pour la qualité exceptionnelle de leurs chevaux. C'est un pur-sang Arabe qu'a offert le Roi Yousef à son fils. Ces chevaux sont soignés comme la prunelle de nos yeux.
-C'est effectivement un digne représentant de la race chevaline. Il est d'une perfection !

Elle regardait la bête. Noir, il était si noir. Aucune tâche blanche ou brune, il avait une robe toute noire. Il était magnifique.

-Retournons à l'intérieur maintenant, j'ai quelque chose à vous demander Mirikof.

Avant d'entrer Mira se retourna pour regarder l'étalon qui la fixait et restait sur place. Quelle belle bête ! Une fois à l'intérieur elle me prit à part.

-Mirikof j'ai quelque chose à vous dire.
-Ce n'est pas plutôt quelque chose à me demander, Majesté ?
-Si vous lisez si bien dans mes pensées, regardez-moi et devinez ce que je veux ?
-Vous voulez que je prenne quelques hommes et que j'aille jusqu'au château du Roi Yousef pour lui demander de venir ici pour voir son fils et s'entretenir avec vous !
-Dieu du ciel ! Mirikof ! Seriez-vous devin ?
-Non, mais j'y pense !

Mira me sourit amusée de mon éternelle manière à tout faire tourner en bourrique.

-Comment savez-vous tout ça ?
-Parce que je vous connais bien et je connais bien les hommes qui vous approchent, Majesté. Je sais aussi qu'il vous a offert une splendeur à vous aussi. Et vous vous sentez embêtée avec ce présent. Vous êtes toute à l'envers, vos sentiments ont fait mille et un tours dans votre tête et vous vous posez des tas de questions. Comme pour Boris vous avez besoin de savoir… Je me trompe ?

Mira rougissait et baissait les yeux, j'avais vu juste et je lisais en elle comme dans un livre ouvert.

-Ne soyez pas mal à l'aise, surtout avec moi, Majesté. Je sais combien la solitude vous pèse, tout ce qui vous chavire. Ne pensez pas que nous ayons quoi que ce soit à vous reprocher. Bien au contraire vous avez le droit d'essayer une réunification entre vous et le Roi Yousef, si vous le désirez, personne n'a le droit de vous juger. Vous êtes jeune, belle, mère de quatre magnifiques enfants, vous avez donné tellement et si peu reçu… Votre vie sentimentale vous appartient et vous devez cesser de penser à nous plaire à nous. Le droit à l'amour, au bonheur, à la joie, c'est aussi et surtout pour vous. Vous en avez grandement besoin, croyez-moi !

Elle se déculpabilisait à mes paroles.

-Je pars immédiatement, nous serons de retour dans environ quatre heures. En attendant, continuez à vous amuser. Vous êtes si belle lorsque vous souriez ! Imaginez vous êtes plus belle que moi, c'est peu dire ! ! !

J'aimais bien la laisser sur une note humoristique.

Elle me regarda partir, mais elle ne me voyait plus, bien trop perdue dans ses pensées. Yamir lui changea vite les idées. Il tirait sur sa robe et se collait sur elle. Elle le prit dans ses bras et se dirigea vers sa chambre. La femme attendait assise sur une chaise et faisait de la couture. Elle se leva à l'entrée de la reine.

-Non restez assise, vous êtes occupée je vais moi-même l'endormir. Il est fatigué.
-Comme vous voulez, Majesté.

Elle coucha le bambin dans son lit. Elle s'étendit près de lui et l'embrassait sur le front. Il ne voulait pas dormir, excité par cette bête qui l'avait transporté sur son dos. Mais les caresses affectueuses de sa mère et la berceuse qu'elle lui chantait eurent vite fait de le gagner. Il fermait les yeux et se collait sur la poitrine de sa mère. Après quelques minutes il était déjà dans un profond sommeil. Elle se releva doucement et dit à la servante :

-Plus tard dans la journée, il y aura un homme qui viendra ici. C'est le père de Yamir, le Roi Yousef, tu l'as déjà vu au château.
-Oui je le connais Madame.
-Il aura le droit de passer plusieurs heures avec son fils et de l'emmener avec lui s'il le souhaite. Mais il devra le ramener avant la tombée de la nuit.
-Pourquoi me dites-vous tout ça, Majesté, vous ne serez pas ici ?
-Tu as tout compris, je m'en vais en ville voir de vieux amis.
-Je ferai comme vous demandez, Majesté.

Elle sortit de la pièce après avoir donné ses recommandations à la servante. Elle descendit et se rendit auprès du Grand Vizir.

-Grand Vizir j'ai quelque chose à vous demander.
-Mais faites, Majesté, je suis ici pour vous servir !
-Grand Vizir, je vais sortir pour la journée. Je vais en ville rencontrer des amis. Je serai de retour au début de la soirée. Je... Je...

J'ai envoyé Mirikof vers le château du Roi Yousef. Ils doivent revenir en fin d'après-midi. Lorsqu'il sera ici, je… il est invité à passer du temps avec son fils. Ma servante est au courant et j'aimerais que… que… vous le receviez pour les quelques heures pendant lesquelles il aura le loisir de voir son fils. Il pourra même l'emmener avec lui s'il le désire, mais il devra revenir avant la tombée de la nuit. Pensez-vous que cela ne vous occasionnera pas trop de…

-Majesté, soyez assurée qu'il me fait toujours plaisir de recevoir sous mon toit un homme aussi prestigieux que le Roi Yousef. Vous ne me dérangez pas du tout et il sera reçu avec tous les honneurs dus à son rang. Je veillerai à ce que votre requête soit exécutée comme vous le désirez. Je vous attendrai jusqu'à votre retour. Si vous le souhaitez, le Roi Yousef pourrait aussi dormir ici, ma maison est très grande, j'ai beaucoup de place et je suis un vieux vizir seul. S'il le désire lui aussi bien entendu !

-Faites comme bon vous semble, vous êtes chez vous. Serait-il trop vous demandez de faire monter ceci à ma chambre.

Elle pointait le présent de Yousef.

-Oh ! Non, c'est comme si c'était déjà fait, Majesté !

-Merci beaucoup Grand Vizir. Je m'en vais. Serait-il possible d'avoir quelques-uns de vos hommes pour m'accompagner ? Certains de mes soldats viendront avec moi, mais ils sont comme moi et ne parlent pas la langue du pays, il est toujours utile d'avoir des interprètes.

-Certainement Majesté, ils en seront d'ailleurs honorés.

Il sortit avec elle et cria à un de ses gardes en Arabe :

-Mustafa, prenez deux hommes avec vous. La Reine veut aller en ville et elle a besoin d'interprètes. Vous parlez bien les deux langues et prenez-en deux autres comme vous.

Le jeune garde qui s'était avancé à la demande du Grand Vizir se courba, le poing plié sur la poitrine, dit à la reine :

-Majesté, c'est un honneur pour moi de vous accompagner, je vais aller chercher deux de mes compagnons et nous vous attendrons devant la porte.

Il se releva et se dirigea vers deux autres gardes. Mira remercia le Grand Vizir et sortit en suivant les trois hommes.

Le Grand Vizir la perdit de vue sur la route et se demandait où pouvait-elle bien se rendre. Pourquoi refusait-elle d'être présente lorsque le roi Yousef arriverait ?

Pendant ce temps, moi j'étais en route vers le château de Yousef. Nous arrivâmes aux portes du château et avec l'aide d'un interprète, je demandai qu'on prévienne Yousef de notre arrivée. Le jeune Arabe s'exécuta auprès des gardes royales debout devant la porte regardant avec intérêt notre groupe. Lorsqu'ils eurent compris qui nous étions, ils nous firent entrer dans la cour et nous reconduisirent au hall d'entrée.

-Roi Yousef, il y a ici des hommes qui demandent à vous voir ?
-Des hommes ? quels hommes Khaleb ?
-Quelques-uns sont de la garde du Grand Vizir, mais les autres sont…
-La garde de la Reine Mira ?
-Oui Sire.

Il se leva d'un bond et couru vers l'escalier. Il s'assit sur la rampe de l'escalier et se laissa glisser jusqu'en bas. Cette manière de descendre les escaliers me rappelait mes jeunes années. Voir Yousef qui n'était plus un jeune enfant, le faire, m'amusa.

-Roi Yousef. Vous êtes toujours aussi pressé de recevoir vos visiteurs ?

Yousef me sourit tout en s'avançant vers moi.

-Mirikof cela dépend toujours des visiteurs qui se présentent dans ma demeure.
-Je suis très honoré de faire partie de cette catégorie, Sire !
-Les hommes de confiance de la Reine Mira sont toujours les bienvenus dans mon château !
-Merci d'une si charmante attention, Sire. Mais je ne pourrai malheureusement pas apprécier à sa juste valeur votre magnifique hospitalité puisque je dois déjà repartir.
-Repartir, déjà ? Sans me dire pourquoi vous vous êtes rendu jusqu'ici ?
-Sire, je ne suis pas impoli à ce point. La Reine Mira désire que vous veniez avec moi. Elle souhaite que vous voyiez votre fils, le jeune Prince Yamir. Si bien entendu, vous êtes disponible ?
-Laissez-moi quelques minutes et je vous suis.

Comme si je l'avais piqué du bout de mon épée, il ne portait plus terre. Il se retourna comme l'éclair et gravit l'escalier comme une biche en décrivant d'énormes enjambées pour accélérer sa montée ! J'appréciais cette énergie que j'avais moi aussi à trente-huit ans. Il me donnait l'impression d'un jeune étalon en rut.

Je sortis retournant à ma monture et j'avais à peine eu le temps de m'y asseoir que Yousef sortit vêtu de sa cape et de ses habits royaux attendant avec impatience sur le pas de la porte qu'on lui apporte son cheval. Ce court moment me laissa amplement de temps pour l'observer. Il ne tenait pas en place, tordant ses gants dans ses mains, nerveux. Dès l'arrivée de sa monture, il sauta dessus et se dirigea vers nous.

-Je vous suis.
-Bien Sire, partons.

C'était évident que personne n'aurait pu l'empêcher de se rendre à ce rendez-vous, même pas la plus urgente affaire !

Nous partions et Yousef vint me rejoindre en tête de convoi. Puis Pikov et Gustaveson se détachèrent de la file et vinrent à leur tour me rejoindre.

-Mirikof, ce n'est peut-être pas le moment de vous demander ça mais il y a si longtemps que je veux vous le demander et j'oublie toujours, puisque j'y pense j'aimerais bien savoir qu'est-ce que vous trouve la Reine ?

Cette question me fit d'abord sourire et ensuite rire aux éclats. Yousef écoutait avec intérêt ce que j'allais lui répondre.

-Vraiment Gustaveson vous ne voyez pas ?
-Non, je ne vois pas ce que vous avez de plus que moi ! Vous êtes son confident, son général, son chevalier servant.
-Vous ne voyez pas ce que j'ai de plus que vous ? Pauvre Gustaveson ! Pikov dites-lui vous ce que j'ai de plus que lui !
-Mirikof vous êtes de loin l'un des meilleurs généraux que je connaisse mais il est vrai que moi aussi je me demande pourquoi la Reine est toujours à vos côtés ?
-Dieu du ciel ! pardonnez ces pauvres généraux incultes ! Ce que j'ai de plus que vous c'est que j'ai un sens de l'humour qui amuse notre belle Reine, elle adore ma compagnie parce que je lui apporte

joie et soutient. Ce n'est pas un grand maigre et un petit gros aussi ennuyeux que vous qui tireriez un sourire de la Reine !

-Oh ! Mirikof quand vous voulez être désagréable, vous pouvez vraiment l'être ! Tu as vu Pikov, il nous a insultés, un grand maigre et un petit gros ! Ennuyeux ! Mais pour qui vous prenez-vous à la fin Mirikof ? C'est une véritable calamité d'être sous vos ordres !

Cher Gustaveson ! J'arrivais toujours à mes fins avec lui. J'arrêtai ma monture et de mon air moqueur, je lui dis :

-Je ne sais pas ce qui est la calamité Gustaveson ? Être sous mes ordres ou se retrouver comme votre femme sous votre corps si élancé que même si on le servait en repas à un chien il serait en proie à une indigestion terrible ! Pauvre Madame Gustaveson !

Tous se mirent à rire aux éclats.

-Ce que vous pouvez être bête Mirikof et tu trouves ça drôle toi, Pikov, le petit gros ?
-C'est vrai qu'il doit être difficile pour une femme d'être obligée de trouver votre point sensible Gustaveson. Lui répondit de peine et de misère Pikov tellement il riait.

Voir Gustaveson s'offusquer ainsi ne faisait que rajouter du piquant à cette discussion cocasse.

-Je m'en vais à la queue de la file vous êtes tous des idiots !
-Puissiez-vous retrouver cette queue Gustaveson ! Puissiez-vous la retrouver ! ! ! Lui répondis-je.

Gustaveson rouge de colère et insulté se dirigeait vers l'arrière. Les hommes riaient en reprenant leur chemin. Yousef amusé par cette petite démonstration du talent irrésistible dont je pouvais faire preuve, me regardait tentant de reprendre son sérieux.

-Ce Gustaveson, c'est un très brave type mais il est si sérieux. J'espère qu'il a sa réponse ! ! ! ! Dis-je.
-Moi je sais pourquoi la Reine vous adore !
-Ah ! Il y en a au moins un qui me comprend !
-Il est difficile de ne pas avoir du plaisir à vos côtés. Vous êtes de loin l'un des meilleurs blagueurs que je connaisse. Vous avez tourné la situation à votre avantage avec un tel sens de l'humour ! Vous m'avez impressionné, Mirikof.

-Sire, je suis bien heureux que ma désinvolture vous plaise. Il est impératif par contre, qu'elle le soit pour la Reine !

-Vous l'aimez beaucoup à ce que je vois ! ? !

-Qui n'aimerait pas cette créature exceptionnelle, qui Sire ?

-Je ne répondrai pas à cette question Mirikof, vous savez très bien ce que je ressens pour votre Reine.

Sur cette phrase pleine de sous-entendus, nous continuâmes notre route et quelques heures plus tard nous étions arrivés au château du Grand Vizir. Les hommes regagnèrent leur quartier et le roi me suivit à l'intérieur de la demeure. Yousef avait le cœur qui battait à tout rompre ayant la tête pleine d'images et d'espoir. Le Grand Vizir vint à notre rencontre.

-Roi Yousef, c'est un honneur pour moi de vous recevoir dans mon humble demeure.

-Merci Grand Vizir tout le plaisir est pour moi.

-Où est la Reine ? Demandais-je.

-Elle est sortie, mais elle reviendra à la fin de la soirée.

-Sortie ! mais où est-elle allée ? Demandais-je étonné.

-Elle a dit qu'elle devait rendre visite à des amis en ville. Mais elle a laissé des instructions concernant votre Majesté. Elle veut que vous montiez à l'étage, votre fils est ici et vous attend.

-Merci, je grimpe !

Malgré la déception qui se lisait sur son visage, il nous laissa montant à l'étage. Arrivé au deuxième étage, il passa devant une chambre où il jeta un coup d'œil. La domestique à l'intérieur se leva à la vue du grand personnage et le salua dignement.

-Majesté, le Prince Yamir vous attendait.

Il observait ce petit homme qui avait tellement grandi depuis qu'il l'avait vu. L'enfant le regardait étudiant le grand homme qui s'avançait vers lui. Yousef lui fit un charmant sourire voulant apprivoiser le garçonnet qui levait la tête vers lui comme s'il admirait une tour. Le roi se pencha vers lui et lui tendit les bras ne voulant pas le brusquer. Le petit étudiait maintenant les grandes mains qui étaient descendues jusqu'à lui. Yousef se mit à rire. L'enfant jouait maintenant avec les décorations or des manches du costume du roi. Et les mains se refermèrent sur lui et il se sentit soulever. Il ne pleurait pas mais était intrigué par ce monsieur qui avait de drôles d'habits. Yousef ayant son fils dans les bras complètement subjugué par la beauté de ce dernier se dirigea vers une chaise où il s'installa posant l'enfant sur ses genoux. La servante vint vers lui.

-Majesté, vous pouvez l'emmener faire une ballade si vous voulez, la Reine a seulement spécifié que vous deviez revenir avant la tombée de la nuit.
-Vraiment, elle a dit ça ?
-Oui, Sire.
-Eh ! bien puisqu'elle a dit ça. Je vais en profiter un peu. Je vais faire visiter à notre jeune Prince notre monde Arabe. On reviendra voir maman plus tard, n'est-ce pas Yamir ?
-Maman ? Où est ma maman ?
-Elle n'est pas ici mais plus tard elle viendra te voir.
-Pourquoi vous parlez comme ça ?
-Ha ! ha ! Parce que je ne suis pas de ton pays, jeune homme. Ici, on parle une autre langue que celle que tu es habitué à entendre. Et Yousef a appris ta langue, mais garde un petit quelque chose de la sienne pour ne pas l'oublier quand il parle !
-Yousef ?
-Oh ! Pardon, Yamir, je suis ton père et je m'appelle Yousef.
-Mon papa ? Maman a dit que mon papa est ici, c'est toi mon papa ?
-Oui, Yamir je suis ton papa.

Le jeune gamin de quatre ans, le regardait surpris. Yousef le tenait d'un seul bras et descendait pour l'emmener dans la ville.

Le Grand Vizir et moi étions toujours dans le hall d'entrée en train de discuter lorsque Yousef apparut avec son fils dans les bras.

-Brave Mirikof, la Reine m'a donné la permission d'emporter le Prince Yamir faire un tour avec la seule recommandation d'être de retour avant la nuit. Je voudrais que vous m'accompagniez si vous le voulez bien, j'aimerais bien faire un petit tour avec Yamir à la foire de la ville.
-Eh ! bien je ne vois pas pourquoi je vous refuserais un tel privilège, Sire ! ? ! Nous allons prendre quelques hommes avec nous, ce sera plus prudent.

Nous sortîmes en saluant le Grand Vizir qui trouvait cette situation bien triste. La reine avait fui sa présence et le roi, d'abord déçu qu'elle fût absente à son arrivée, avait les yeux pleins de lumière à tenir son fils.

Yousef, Yamir, moi et une dizaine d'hommes arpentions les rues de la ville vers le marché central. Il y avait une telle activité à cet endroit. L'enfant avait les yeux fixés sur tout ce monde qui allait et venait. Tant qu'aux personnes que l'on croisait pendant notre ballade, ils fixaient, le roi et ce jeune enfant au teint du désert qui possédait des yeux couleur de saphir. Ils connaissaient bien le roi Yousef et le voir ainsi accompagné, personne ne doutait qu'il ne puisse s'agir de personne d'autre que le jeune prince Yamir.

Nous nous déplacions à travers les rues bondées d'Alexandrie se rendant vers la foire.

La journée passa à un train d'enfer, il était déjà près de sept heures du soir lorsque Yousef se rendit compte que l'enfant épuisé, tombait de sommeil. Il avait fait des tours de chameau, il avait couru presque toute l'après-midi faisant courir son père derrière lui. Yousef aurait voulu que jamais ne se termine cette journée. Pourrait-il le revoir un jour ? Il s'était passé plus de quatre années depuis qu'il l'avait vu la première fois. La prochaine fois, serait-il devenu un homme ? Il savait inutile de demander à Mira de la garder auprès de lui. Il était certain de la réponse qu'elle lui ferait. C'est à contrecœur qu'il décida de retourner au château du Grand Vizir pour endormir ce jeune miracle sur deux pattes. Pendant le trajet du retour, le jeune prince s'était endormi au creux de ses bras faisant redouter à Yousef le moment où il devrait s'en séparer.

Nous arrivâmes chez Omar vers vingt heures. Yousef prenant toutes les précautions du monde pour ne pas réveiller l'enfant qu'il avait dans les bras, se dirigea vers la chambre du petit où la servante attendait. Il lui fit signe de ne pas faire de bruit, l'enfant dormait. Il le coucha sous les couvertures. Il s'agenouilla près de lui et passait sa main sur son front. Cette marque d'affection si particulière aux mères étonnait la dame. Il était rare de voir un homme ainsi se comporter face à son fils. Les hommes généralement s'occupaient peu de leur progéniture, seulement quand ils étaient plus grands et plus intéressants pour eux. Il est vrai qu'il n'avait pas l'occasion de voir grandir son fils. Il l'embrassa sur le front et ressortit de la pièce. À sa sortie un garde l'attendait.

-Sire, voulez-vous me suivre, s'il vous plaît, la Reine Mira désire s'entretenir avec vous.

Surpris mais fou de joie, il suivit le jeune garde du Vizir. Le garde le conduisit au premier étage dans le bureau du Grand Vizir. Le garde ouvrit la porte et la referma derrière lui. Elle était là, debout les mains jointes et le salua dignement.

-Sire.

Il s'avança vers elle ayant l'impression que ses jambes ne le supporteraient plus longtemps, tellement il avait des papillons dans l'estomac. Il lui embrassa la main.

-Madame.
-Avez-vous apprécié votre journée auprès de votre fils, Sire ?
-C'est difficile de ne pas apprécier un fils si beau et si vigoureux ! Il a couru presque tout le temps. Il a même appris quelques mots Arabes aujourd'hui. Il est comme un coup de vent qui souffle sur les dunes du désert.
-Oui, vous avez raison. Il est comme il est arrivé, un coup de vent. Je ne repars pas avant quelques jours, si vous le souhaitez, vous pourrez le voir encore demain.
-J'en serais si heureux.

Il réfléchissait et puis il demanda ce qui lui trottait dans la tête.

-Mira, si je pouvais... Si vous vouliez je pourrai même l'emmener jusqu'à mon château, j'aimerais tant le présenter à ma Cour ! Je vous assure que je le ramènerais dans la soirée. Je vous en donne ma parole.
Mira prit son temps avant de répondre à la requête du roi.

-Je ne sais pas... Il faudrait d'abord m'informer sur ce que pensent vos gens sur le fils d'une Reine étrangère.
-Sur ce point, vous n'avez pas de crainte à avoir. Ils savent tous son histoire et ils savent qu'il est mon fils, qu'il est le Prince Yamir. Ils sont d'ailleurs curieux de voir la frimousse de ce petit garçon aux yeux bleus.
-Puisque vous vous faites une telle joie de le montrer à vos gens, je vais accepter qu'il aille avec vous pour la journée demain, mais à une seule condition. Mirikof devra vous accompagner avec plusieurs de mes gardes.
-Je n'ai aucune objection, j'aime bien Mirikof. C'est un brave homme.
-Oui c'est un brave homme et il a toute ma confiance.
-Il a bien de la chance ! C'est un privilège que vous ne réservez pas à tous !
-Yousef, je vous demande pardon, mais il faut me comprendre, vous pourriez profiter de l'occasion pour me l'enlever.

-C'est réellement ce que vous pensez de moi, Mira ? J'ai, c'est vrai, déjà fait d'énormes bêtises à votre sujet, mais je serais incapable de lui enlever le plaisir d'être avec vous.

-Excusez-moi, je suis un peu nerveuse au sujet de Yamir. J'ai maintenant à vous parler d'une autre chose qui m'embarrasse.

-Ça ne va pas, Mira ? Il y a quelque chose que je peux faire ?

-C'est au sujet de quelque chose que vous avez fait justement.

-Qu'ai-je encore fait qui vous mette dans cet état ?

Elle prit son temps avant de répondre intriguant davantage Yousef qui l'observait.

-Lorsque j'ai entrepris ce voyage, c'était pour venir rejoindre Rustopov. J'ai emmené Yamir avec moi parce que je savais que je me serais rendue jusqu'ici et que je voulais vous donner l'occasion de le voir une autre fois. À mon arrivée, le Grand Vizir m'a montré… un… un présent que vous m'aviez envoyé un peu plus tôt.

Elle s'arrêta visiblement ennuyée et puis elle reprit.

-Yousef, je dois admettre que je n'ai jamais reçu un tel présent. J'ai… J'ai d'abord voulu vous le retourner parce que je considérais que je ne méritais pas une telle attention, mais le Grand Vizir m'a fait comprendre que vos coutumes étaient bien différentes des nôtres à ce sujet et que vous verriez peut-être ce geste comme… comme un affront. J'ai longuement hésité mais je tenais à vous dire que je suis très mal à l'aise face à la qualité de ce présent.

-Mira, j'ai une seule question : vous a-t-il plu ?

Elle leva ses grands yeux bleus sur lui.

-C'est effectivement ce qui me dérange le plus, c'est une véritable splendeur, je ne comprends pas.

-Je suis heureux qu'il vous ait plu à ce point, mais sachez Mira que même si mon présent était déjà commandé bien avant que je sache votre venue ici, il n'y a rien sur cette terre qui équivaut votre propre personne à mes yeux, aucun rubis, aucune pierre précieuse si belle soit-elle ne sera à la hauteur de votre beauté et de votre grandeur. Ce présent a été fait avec tant de minutie et il vous a été remis dans le seul but de vous rendre justice.

Elle se mordillait encore la lèvre, signe qu'elle était sérieusement embêtée.

-Je ne peux plus rien vous dire. Vous me troublez tellement par vos paroles et ce présent, je ne sais plus quoi dire. Et que dire du présent que vous avez fait à Yamir.

-Est-il à la hauteur aussi de l'excellente cavalière que vous êtes ? Même si ce présent est pour notre fils, il n'en reste pas moins que je sais que c'est vous qui apprendrez à Yamir les secrets que vous êtes la seule à connaître.

-Ce présent est pour Yamir et il m'est beaucoup moins difficile de l'accepter. Vous n'avez pas à craindre de la qualité de ce présent non plus, laissez-moi vous dire que je connais les chevaux depuis ma plus tendre enfance et jamais je n'ai monté sur une telle bête.

-Je suis content de voir que vous avez déjà pu apprécier la quasi-perfection de nos montures.

-Yamir a bien apprécié.

-Parce que vous avez déjà fait monter Yamir ?

-Il s'est beaucoup amusé.

-Je n'ai pas d'inquiétude sur ce point, si vous réussissez à lui apprendre ce que vous savez il sera le meilleur cavalier de tout mon Royaume. Puisque maintenant vous m'avez éclairé sur vos inquiétudes et que je vous ai informé sur le pourquoi de mes présents je vais vous laisser à vos activités. Je suis un homme heureux et comblé. J'ai eu le plaisir de revoir mon fils et une femme d'une extraordinaire beauté qui restera à jamais dans mes pensées.

Il se pencha et lui embrassa la main. Il se releva et la regardait en souriant. Il se retourna pour sortir mais fut arrêté dans sa course.

-Yousef, je…

-Oui, Mira ?

-J'ai… j'ai été prise par surprise, mais j'aurais moi aussi un présent à vous faire.

-Un présent pour moi, mais pourquoi ?

-Parce que… Parce que vous venez de me prouver que vous ne désirez pas acheter mon affection par le biais d'un présent.

-Acheter votre affection ? Je suis très surpris que vous ayez pensé cela, mais je comprends j'ai été si maladroit les premières fois que je vous ai rencontrée. Cependant vous m'intriguez et je suis curieux de savoir qu'est-ce que vous avez à m'offrir ? Vous m'intriguez, Mira !

-Ce… ce n'est peut-être pas aussi splendide que ce que vous m'avez offert, mais c'est quelque chose que vous m'aviez demandé il y a longtemps, j'espère seulement que ça vous plaira.

-Quelque chose que je vous ai demandé ?

-Ne posez pas de question. Sortez et suivez Mirikof.

-Parce que Mirikof est dans le coup ?

-Sortez je vous dis et ne posez plus de questions.
-Bon, bon, ce que vous demandez Madame, je l'exécute, mais…
-Enfin Yousef, Sortez !

Il referma la porte derrière lui et effectivement, je l'attendais tranquillement assis sur une chaise de l'autre côté du corridor. Sans dire un mot, préservant le mystère à son paroxysme, je lui fis signe de me suivre. Yousef était transporté par une telle joie lorsqu'il vit que je le conduisais vers la chambre de Mira sans toutefois réellement comprendre pourquoi il était reconduit. J'ouvris la porte et Yousef s'y introduisit. À sa grande surprise, il n'y avait personne. Il se retourna vers moi et de ses yeux surpris, il me posait une silencieuse question à laquelle je répondais :

-Veinard !
-Quoi ? Mirikof ?

Mais le temps de le dire et j'avais déjà refermé la porte à son nez l'enfermant seul dans la pièce.

-Pourquoi m'a-t-il dit veinard ?

Yousef qui ne comprenait plus rien, s'assit d'abord sur le lit se posant mille et une questions. Que voulait dire le général Mirikof par veinard ? Se disait-il à lui-même. Mais, il cessa d'approfondir son questionnement lorsqu'il entendit des gens entrer dans la pièce qu'on avait séparée en deux par une draperie très épaisse. Il fronça les sourcils. Il allait se lever pour pousser la draperie et voir ce qui s'y passait derrière, mais une douce musique se fit entendre. Son cerveau en pleine ébullition prit quelques secondes avant d'arriver à une conclusion. C'est que la solution à cette énigme était si improbable que sa raison combattait ce que lui suggérait sa logique. La musique persistait et cet air, il le connaissait bien. Il se souvint alors des paroles de Mira : « *C'est quelque chose que vous m'aviez demandé il y a longtemps* ». C'était impossible… Non… il n'arrivait pas à se convaincre mais lorsqu'elle apparut ayant traversé de son côté, habillée en danseuse de baladi, il faillit avoir une attaque.

Elle s'exécutait devant lui telle la première fois où il l'avait espionnée. Ses yeux ténébreux se noyaient dans la perfection de cette danse. Son cœur battait si fort qu'il avait l'impression qu'on le voyait battre dans sa poitrine. Son corps se tendait à chaque respiration. La danseuse poursuivait son œuvre de destruction avec raffinement car il était dans un tel état émotif qu'on aurait pu lui couper la tête et il n'aurait rien senti.

Ces trois minutes de danse semblèrent durer une éternité. Le temps n'existait plus, le monde n'existait plus, la terre avait cessé de tourner, le soleil ne se serait pas levé demain. À la fin de la danse les musiciens se retirèrent laissant planer un silence sur les deux êtres un en face de l'autre séparés par quelques mètres dans une pièce où les dimensions semblaient s'être rapetissées au point d'être limitée à cet écart entre eux. Mira, essoufflée, avait terminé sa danse agenouillée et voulait connaître l'appréciation de son seul spectateur.

-J'espère seulement que j'ai été à la hauteur de vos danseuses, Sire !
-À la… la hauteur, bien sûr que non, vous êtes bien meilleure qu'elles.

Cloué sur place Yousef était assis immobile, complètement sous le choc. Son immobilité serait mise à rude épreuve car elle se releva et se dirigea droit sur lui. Que faisait-elle ? Pourquoi s'approchait-elle si près ?

-Ce présent ne vaut rien comparé à celui que vous m'avez offert mais il m'a fallu tout l'après-midi pour le pratiquer et tout mon courage pour danser devant vous, Sire.

Luttant de toutes ses forces contre les désirs qui le brûlaient telles les flammes de l'enfer, il lui prit la main et l'emporta à ses lèvres l'embrassant, la serrant entre ses mains, la frottant contre sa joue.

-Mira, aucune splendeur n'est comparable à toi. Je n'aurais jamais osé espérer recevoir un tel présent. Je t'assure qu'il vaut bien plus que ce que je t'ai offert. Va… Retire-toi… Je… je ne peux plus te toucher, je ne peux plus rester aussi près de toi… C'est inhumain… Va, petite Reine venue du Nord… Échappe-toi car Yousef livre un combat contre lui-même et il risque de perdre la bataille si tu restes là.
-Et si mon présent n'était pas complet ? Sire, votre cœur est-il libre ?
-Non… Il y a très longtemps, une danseuse de baladi me l'a volé.
-Alors la danseuse vous le rendra cette nuit…

Elle déposa ses lèvres sur les siennes embrasant Yousef qui l'enveloppait de ses bras. L'impossible se produisait ! Il n'espérait plus ce doux instant et au moment où il s'y attendait le moins, elle comblait tous ses désirs.

Yousef livrait maintenant une douce bataille à coup de caresses et de baisers. L'affection, la tendresse, l'amour s'offraient à lui à chaque contact avec cette peau de satin, cette chevelure de rêve, ce corps féminin, quelle extase ! Il s'enivrait d'elle se perdant complètement dans les parfums de rose et de lilas qu'il goûtait de ses lèvres enflammées.

Plusieurs minutes plus tard lorsqu'ils eurent consommé un tel festin de passions dévorantes, Yousef souhaitait lui témoigner son amour.

-Mira, Mira, je t'aime Mira ! Je suis fou de toi. Je n'ai pas oublié et je n'oublierai jamais. Voir tes yeux Mira après l'amour c'est comme voir un coucher de soleil. Mira, épouse-moi !

Elle fut surprise par la proposition soudaine de Yousef et détourna son regard faisant un long silence.

-Ton silence en dit long ! Pourquoi tu ne veux pas ?
-Yousef, c'est impossible.
-Pourquoi ?
-Yousef nous sommes de deux mondes trop différents.
-C'est ce qui fait tout notre charme.
-Je parle de nos différences de religion, de royaume… Yousef… Nous sommes trop différents.
-Je ferai tout ce que tu me demanderas, je peux changer de religion si tu veux !
-Yousef, ne fait pas l'enfant. Tu sais que tes sujets n'accepteront jamais un tel revirement de ta part. Et tu oublies que si on se mariait, nos deux royaumes n'en feront plus qu'un. Ça deviendrait un empire immense, je ne crois pas que ce soit une bonne idée.
-Mes sujets n'ont rien à dire sur mes convictions religieuses. Faire un empire avec toi ça passerait à l'histoire, Mira. Je t'aime et je veux partager ma vie avec toi.
-Yousef, tu oublies que tu as des fils… Ils sont prédestinés à devenir Roi comme toi. Moi, j'ai déjà un fils sur le trône. Comment réagirait-il s'il devait se voir ravir sa Couronne parce que sa mère se remarie avec un homme qui a déjà un fils et qui a l'âge de gouverner. La fameuse loi salique qui oblige le remplacement d'un Roi par un autre Roi de sexe masculin et par l'aîné en plus.
-Tu me brises le cœur, Mira. Tu te trouves toutes sortes d'excuses pour refuser ma requête. Je me doutais bien que tu ne m'aimais pas autant que je peux t'aimer.

Il se retourna tendu par la déception et la douceur incarnée de cette femme et elle ne lui rendait pas service le touchant de ses petites mains voulant qu'il tourne de nouveau son regard vers elle.

-Yousef... Je t'assure que je ne veux pas te briser le cœur et tu me fais de la peine lorsque tu parles comme ça. Yousef, n'as-tu pas attendu assez longtemps pour que je me donne à toi ? Si je ne t'aimais pas Yousef, je n'aurai pas pilé sur mon orgueil et je ne t'aurais jamais pardonné ce qui c'est passé entre nous. J'ai dû apprendre à te connaître et à t'apprécier depuis, car au moment où tu t'es intéressé à moi, j'étais déjà engagée ailleurs ! Je ne suis pas comme vous les hommes, je ne peux pas aimer deux personnes à la fois. Lorsque j'aime moi c'est si bête, si difficile, je n'aime jamais le bon Roi au bon moment. J'ai tellement souffert de mes relations avec les hommes si tu savais, Yousef. Je ne me cherche pas des excuses, ce que tu demandes est impossible, Yousef. La guerre ne saurait tarder après notre mariage, crois-moi !

Yousef n'ayant pas l'habitude de se faire refuser quelque chose, restait de marbre. Il avait effectivement dû attendre après la belle et ça non plus ça ne lui avait pas plu. Comprenant pas son silence qu'il demeurait sur ses positions, elle se releva couverte d'un drap et commença à ramasser ses vêtements.

-Je me rends compte que j'ai fait une erreur. Je regrette amèrement. Je n'aurais pas dû. Je t'ai mal jugé. Je pensais que tu comprendrais pourquoi je ne peux pas te marier. N'en parlons plus. Tu sais maintenant que je ne t'en veux plus et je sais également pourquoi tu réagis comme ça. Yousef, tu as obtenu de moi ce que tu voulais. J'ai été idiote de croire à tout ça. Tu es libre, tu peux partir, je ne m'accrocherai pas à toi. Je t'assure que je ne te ferai pas de scène. Si je t'ai offensé par mon refus, je t'en demande pardon. Cette fois j'ai vraiment compris et j'ai eu ma leçon. Je ne recommencerai plus je te jure. Je suis si maladroite. J'ai peut-être un fils qui est Roi, mais moi je resterai toujours une paysanne, j'ai tort de croire que je peux vous fréquenter et vous comprendre Messieurs les Rois. Tu... tu pourras quand même emmener Yamir avec toi demain. Moi, je suis ici depuis trop longtemps déjà, j'ai oublié que j'ai des obligations.

Elle sentait son cœur se resserrer devant Yousef qui restait sur ses positions et restait silencieux. Il se retourna brusquement vers elle se rendant compte qu'elle était sur le point de sortir.

-Si tu quittes cette pièce, Mira… Reviens ici… ! Il faut qu'on se parle !

-Tu n'as aucune obligation envers moi Yousef, tu as eu ce que tu voulais, je ne peux pas t'en donner plus. Si tu ne peux pas me pardonner d'avoir refusé ta proposition, je comprendrais… J'ai été attirée vers toi, c'était idiot de me laisser aller à mon caprice. Je n'aurais pas dû… La solitude me pèse depuis longtemps et j'ai agi sur un coup de tête.

Elle allait ouvrir la porte quand Yousef se leva d'un bond et poussa fortement la porte au-devant d'elle. Il la retourna vers lui.

-Mira, non. Tu ne t'enfuiras pas cette fois ! Tu es comme un animal blessé, tu te caches pour souffrir. C'est vrai que j'ai mauvais caractère. Oui, je l'avoue. Mais je ne veux pas être un coup de tête pour toi, Mira. Tu n'as pas idée comme je peux lire dans tes yeux. J'ai été offensé parce que tu refuses de m'épouser Mira. Je suis un impatient incurable. Tu me demandes pardon ! Mira, je t'ai brusquée. Tu… tu revires la situation contre toi, pourquoi ? Je ne suis pas fâché contre toi. Tu dis être maladroite avec nous les hommes, sur ce point tu ne me vas pas à la cheville du pied. C'est à moi à te demander pardon. Mira, j'aimerais tant que tu restes avec moi que ça devient une obsession et parfois je dis et fais des choses impulsives, sans réfléchir !

Elle pleurait. Il l'a pris dans ses bras. Qu'avait-il fait ? Pourquoi lui avait-il brisé le cœur ?

-Mira, ne pleure pas. Je t'en prie ne pleure pas. Je suis un Roi capricieux. Je dois apprendre à vivre avec certaines restrictions. Ce n'est pas facile pour un homme qui a toujours tout ce qu'il veut dans la vie. Tu as été si inaccessible, si distante, si indépendante avec moi, j'en ai beaucoup souffert. Aujourd'hui je comprends mieux ce que tu es mais j'ai encore beaucoup à apprendre. Je t'aime Mira et j'ai voulu aller trop vite. Dis-moi encore que tu m'aimes… Dis-le-moi, petite déesse venue du Nord pour m'arracher ce cœur qui ne bat que pour toi.

-Yousef, sache que mon cœur est fidèle et que je suis sincère quand je dis quelque chose. Je veux juste que tu comprennes que j'aimerais t'épouser mais je ne fais pas ce que je veux…

-Mira, Mira regarde-moi ! N'en parlons plus… Sèche tes larmes… Quel idiot, je suis ! Viens, ne me laisse pas seul dans ce lit cette nuit.

-Surtout que c'est le mien… Vois comme tu t'accapares tout !

-Puis-je espérer accaparer votre lit et que vous y serez avec moi, Madame ?

-Si vous savez me convaincre, peut-être !

-Petite coquine !

Il l'a pris dans ses bras et la transporta jusqu'au lit couvrant complètement de son corps la dame. Ce ne fut pas très long que les vêtements de la belle étaient tous par terre près du lit. Yousef lui ferait l'amour pendant toute la nuit.

Aux petites heures du matin, Mira, épuisée, demandait grâce à Yousef. Il l'avait dévoré comme un affamé ! Rassasié pour le moment, notre Yousef fit membre honorable et l'endormie contre son torse en sueur. Il avait été comblé par tant de passion par une femme non seulement belle comme le jour mais cette fois lui avait rendu l'appareil. Il s'endormit à son tour satisfait, heureux dans l'allégresse d'avoir retrouvé la femme, la seule qui le chavirait complètement.

Le jour se levait. L'activité quotidienne des gardes, des servantes et des gens de la demeure du Grand Vizir débuta comme à tous les matins. Mira et Yousef dormaient, récupérant les énergies dépensées pendant la nuit. Quant à moi, ayant passé une nuit où je m'étais totalement reposé, j'étais déjà en direction pour rejoindre Omar sur la terrasse.

-Comme il fait beau ce matin Grand Vizir, le soleil n'est-il pas merveilleux ?
-Mirikof vous vous sentez bien ?
-Quelle question, bien sûr que oui, pourquoi, cela vous dérange que je trouve que c'est une magnifique journée ?
-Non, Mirikof, mais cette poésie à table ce matin vous donne un air plutôt bizarre !
-Bizarre ? Grand Vizir, je me suis levé du bon pied et je sens que nous allons faire un beau petit voyage aujourd'hui !
-Un petit voyage ? Que voulez-vous dire, Mirikof ?
-Vous verrez bien, dans quelques minutes, la Reine me demandera pour aller avec elle chez Yousef.
-Vous semblez bien sûr de vous, cher Mirikof. Ce n'est pas parce que vous avez deviné juste pour cette nuit que vous aurez encore raison ce matin !
-Je vous gage deux couronnes que non seulement elle me demandera ça, mais qu'elle voudra visiter un peu le royaume de Yousef.
-Pari tenu ! Je suis certain que vous rêvez en couleur, Mirikof.
-Vous ne devriez pas parier avec un vieux général comme moi qui devine presque tout ce qui passe par la tête de cette femme !
-Je vous ai d'abord trouvé bizarre ce matin, et puis là, je vous trouve bien prétentieux, vieux général de la Reine !

-Si j'ai tort je vous donne non seulement vos deux couronnes mais je m'agenouille devant vous. Si par contre j'ai raison vous devrez en faire autant.

-Je crois que vous avez dû dormir à l'Est de votre lit. Le soleil en se levant ce matin a dû vous taper sur la tête. Vous êtes dérangé si vous pensez que je vais m'agenouiller devant un vieux général comme vous ! Devant une belle dame, une Reine peut-être, mais pas devant vous !

-Encore les dames qui me volent la vedette, je suis né sous la mauvaise étoile ! Ce que je peux être malheureux ! Et j'ai dormi dans les grands coussins au fond de la pièce, il n'y a aucune lumière qui s'y rend. Surpris ?

-Ah ! Je savais bien, vous avez attrapé froid et le petit pois que vous avez à la place du cerveau n'a pas résisté ! Et depuis quand dormez-vous sur des coussins au lieu de dormir confortablement dans votre lit ?

-Je n'ai jamais osé vous en parler, parce que je suis un homme très bien élevé, mais Grand Vizir, la chambre que vous m'avez assignée devait servir de chambre de torture, il y a bien longtemps. Le lit est un véritable massacre pour mon dos d'athlète !

Le Grand Vizir n'en pouvait plus et se mit à rire. Il riait aux larmes et moi, pince-sans-rire, je le regardais sérieux.

-Quoi ? ça vous amuse que je doive dormir dans des coussins, seul en plus ? Vraiment Grand Vizir !

-Arrêtez Mirikof, je vais avoir une attaque si vous continuez, vous êtes hilarant ! Comment faites-vous pour rester si sérieux lorsque vous dites de telles imbécillités ?

-Si au moins vous aviez eu la décence de m'envoyer une belle jeune dame !

Le Grand Vizir n'en pouvait plus. Il continua en disant :

-Ha ! ha ! Une belle jeune fille pourquoi ? Qu'en auriez-vous fait ? Ha ! ha ! Pouvez-vous encore faire quelque chose ? Ha ! ha ! Il y a tellement longtemps que vous ne l'avez pas utilisé que vous êtes redevenu puceau ! Ha ! ha !

Le Grand Vizir se bidonnait ! Et cette fois, j'avoue qu'Omar m'empêcha de garder mon sérieux. Nous nous regardions riant aux éclats un en face de l'autre autour de cette table où un déjeuner digne de ce nom était étalé.

-Dieu du ciel ! qu'avez-vous tant à rire de si bonheur le matin ?

-Ha ! ha ! Majesté, pardonnez-moi, mais Mirikof est en pleine prestation théâtrale et je vous jure que c'est réussi ! Ha ! ha !

-Ce qui me surprend un peu c'est de voir Mirikof rire à ce point. Vous perdez la main Mirikof en vieillissant ?

-Hi ! hi ! Majesté… Ouf ! Le Grand Vizir est encore plus fou que moi !

Elle leva les sourcils, fit un petit sourire en coin, nous regardant espérant que nous reprenions notre sérieux.

-Je ne tiens pas à savoir le sujet de ces rires, vous n'auriez pas consommé quelque chose qui vous mettrait dans un état pareil, par hasard ?

-Ouf ! Non… Majesté, nous n'avons rien avalé encore et puisque vous êtes là, veuillez nous faire le plaisir de partager le petit-déjeuner avec nous. Lui répondis-je ayant toutes les difficultés à m'arrêter de rire.

-Je ne sais pas ce que vous lui avez dit, Grand Vizir, mais c'est la première fois que je vois Mirikof dans cet état. Il est capable de vous dire les pires âneries, de vous faire les cent coups et de garder un sérieux de curé ! Auriez-vous trouvé chaussure à votre pied, Mirikof ? Est-ce possible ?

-Je déclare forfait, Majesté. Le Grand Vizir et moi nous ne pourrions pas travailler ensemble, non, je crois que nous passerions notre temps à blaguer.

-Il a raison, Majesté. Nous avons de la difficulté à discuter, cela tourne presque toujours à des fous rires incontournables.

-Bon, c'est mieux de vous voir rire que de vous voir pleurer !

-Majesté vous êtes resplendissante ce matin ! Déjeuner avec vous, Madame, c'est un véritable cadeau du ciel ! Lui fit remarquer le Grand Vizir.

-Merci beaucoup ! C'est de même pour moi, déjeuner avec deux Messieurs qui sont de si belle humeur ce matin, c'est merveilleux !

-Majesté, le Roi Yousef ne se joindra pas à nous ? Lui demandais-je prenant mon air innocent.

-Il va nous rejoindre n'ayez crainte Mirikof. Il est juste un peu fatigué…

Elle nous regardait avec un air si taquin. Nous n'étions pas dupes et avions compris le sens de « fatigué » dans les paroles de la reine. Les serveurs du Grand Vizir déposaient des plats, plus appétissants les uns que les autres sur la grande table ajoutant plus de couleurs aux plats déjà présents. Ces pays chauds produisaient une quantité inégalable de fruits et de légumes de toutes sortes. C'était une fête pour les yeux et surtout pour nos estomacs. Nous commencions à remplir nos assiettes picotant tantôt dans un plat de melon, tantôt dans un plat de fraises… Dire que nous, c'était l'hiver et ici, il y avait un soleil de plomb ! Un garde venant vers nous, s'arrêta à bonne distance de notre table et captivant notre attention en annonçant :

-Les Princes Tarkan, Salim et Aït, fils du Roi Yousef !

Nous nous étonnâmes d'abord d'une telle visite pour ensuite tous nous lever debout quand nous vîmes s'avancer vers nous les trois jeunes hommes richement vêtus. Mira observait avec surprise les fils de Yousef qui par leur démarche paraissaient sûrs d'eux. De beaux jeunes hommes, pas très âgés, le début de la vingtaine tout au plus. Il y en avait un qui ressortait plus du lot que ses frères car il ressemblait à Yousef comme deux gouttes d'eau. C'est d'ailleurs lui qui se diri-geait vers elle, suivi de près des deux autres, le regard ténébreux et inquisiteur qui la fixait sans aucune gêne. Sans démentir son assu-rance, il se fraya un chemin directement vers Mira et lui prit la main se courbant pour l'embrasser sans jamais la quitter des yeux.

-Majesté, je suis le Prince Tarkan, fils du Roi Yousef.
-Moi, je suis Salim.
-Je suis Aït.

Mira était très embarrassée de se faire déshabiller du regard par ces trois jeunes princes âgés de vingt, dix-neuf et dix-sept ans mais éga-lement de se faire assaillir avec empressement par les trois jeunes hommes qui se bousculaient presque pour lui embrasser la main. Tar-kan qui semblait le plus dégourdi des trois se rapprocha d'elle et toujours sans baisser le regard, la fixait droit dans les yeux.

-Majesté, on m'avait vanté votre beauté, mais je crois qu'on est loin de la vérité, vous êtes exceptionnellement belle ! Je suis ébloui.

Mira baissa les yeux et rougit à cette effusion de compliments en-voyés avec autant d'audace. Il ne ressemblait pas juste à son père, il avait aussi le tempérament direct et expéditif de ce dernier.

-N'est-ce pas Princes Salim et Aït ? Demanda-t-il à ses frères qui étaient eux aussi sous le charme de la grande blonde aux yeux azur. Salim prit la parole.
-Tu as raison Tarkan. C'est un cadeau que seul un Roi peu s'offrir !

-Parlant de Roi, où est donc notre Père, Majesté ? Demanda Tarkan.

Le Grand Vizir voyant l'embêtement de la reine face aux trois hommes qui la harcelait du regard :

-Le Roi Yousef est ici, il va nous rejoindre bientôt, Prince Tarkan. Désirez-vous vous joindre à nous pour le déjeuner ?
-C'est avec un plaisir immense que nous dégusterons ce repas en si charmante compagnie.

Comme Tarkan et ses frères allaient tirer les chaises pour s'asseoir, à ce moment précis, Yousef fit son apparition sur la terrasse, surpris d'y retrouver ses trois fils. Il s'approchait d'eux et remarquait avec quelle intensité ils dévisageaient Mira remarquant par la même occasion que Tarkan était terriblement près d'elle. Il s'avançait vers eux les yeux remplis de reproches.

-Tarkan, Salim et Aït, pourriez-vous m'expliquer la raison de votre présence ici ?

Les trois princes se retournèrent. Tarkan prit la parole.

-Père, je suis heureux de vous voir en pleine forme ! Nous étions inquiets. Vous êtes parti hier sans aucun de vos hommes et vous n'avez pas donné signe de vie par la suite. Nous sommes venus pour savoir ce qui advenait de votre royale personne, mais nous savons maintenant le pourquoi d'un tel retard !

Yousef foudroya Tarkan du regard et les deux autres n'y échappèrent pas non plus.

-Venez avec moi, je dois vous parler !

Tarkan et les deux autres princes se regardèrent, sourire en coin, devinant qu'il avait choqué le paternel. Tarkan se retourna vers la belle.

-Nous nous reverrons sûrement, Majesté. Peut-être pas aujourd'hui car le Roi ne semble pas avoir apprécié notre petite visite. Madame, Messieurs. Dit-il en nous présentant ses salutations
-Tarkan ! Lui cria Yousef qui s'était retourné remarquant que contrairement à ses frères, il ne le suivait pas dans les entrailles du château.

D'un pas décidé, Yousef les conduisit vers le bureau du Grand Vizir et ferma bruyamment la porte derrière lui, s'enfermant avec les trois princes qui étaient cordés côte à côte en face de leur père, visiblement contrarié.

-Je n'aime pas du tout qu'on s'introduise auprès de la Reine de manière aussi cavalière. Tarkan tu la regardais avec tant d'appétence que cette dame ne savait plus quoi faire pour se soustraire à ce regard, et toi Salim et toi Aït, depuis quand dévisagez-vous une dame de cette façon ? Vous n'avez donc aucun respect ?

Les jeunes hommes se regardaient du coin de l'œil. Tarkan répondit à son père :

-Père nous la regardons de la même manière que vous avez dû la regarder la première fois que vous l'avez vue !
-J'aurais bien envie de t'arracher les yeux, Tarkan. Tu as toujours été si irrespectueux et ce, même envers moi !

Yousef était dans une colère. Tarkan avait l'habitude. Il affrontait toujours son père. Il n'avait pas peur de lui. Cette attitude agaçait au plus haut point Yousef. Ils étaient toujours à couteaux tirés.

-Seriez-vous jaloux, Sire ? Auriez-vous peur que la dame préfère l'un de nous à votre Grandeur ? Elle n'a que vingt-neuf ans. Vous en avez trente-huit et moi j'en ai vingt.

À ces paroles, Yousef se déchaîna et se rua sur son fils. Les deux autres princes réussirent à retenir leur père pendant que Tarkan se relevait et replaçait correctement ses vêtements en regardant son père avec rancœur.

-Lâchez-moi ! A-t-on idée de retenir le Roi ! Bande d'idiots. Tu es mieux de changer de discours Tarkan parce que je peux bien te faire passer tes petites envies. Tu chasses aussi les petites idées saugrenues que tu as dans la tête au sujet de la Reine… Je te connais trop bien. Si tu as l'intention de lui toucher… de toucher à un seul cheveu, je te ferai castrer. Oui, castrer ! Tu sais que j'en suis capable, n'est-ce pas Tarkan ?
-Vous voyez Messieurs ! Le Grand Yousef, prêt à faire castrer son propre fils, héritier de la Couronne pour les yeux azur de cette femme étrangère. Si tu penses que tu me fais peur, tu te trompes ! Je toucherai bien si je veux toucher ! Tu t'es déjà permis, n'est-ce pas Père ? et ce sans que la belle, la très belle Mira n'y consente.

-JE VAIS TE TUER !

Cette fois Yousef était hors de lui. Il voulait étrangler ce fils ingrat et effronté qu'il avait engendré. Il fonça de nouveau sur lui et Tarkan répondait de la manière forte également. Les deux autres fils qui essayaient tant bien que mal de séparer les deux hommes hurlaient d'arrêter cette bataille. Les gardes ouvrirent la porte, attirés par les bruits insolites. Ils s'introduisirent dans la pièce et séparèrent les deux hommes.

-Lâchez-moi !

Yousef reprit ses esprits et regardait son fils avec haine.

-Vous allez reprendre votre route et retourner chez votre mère. Je ne veux pas vous voir au château pour les prochaines semaines. Quant à toi Tarkan, tu ne perds rien pour attendre ! Je vais personnellement m'occuper de ton cas. La Couronne ne te sera pas si facile à obtenir. J'ai bien d'autres fils héritiers mais je vous réserve toute une surprise. Votre comportement est inacceptable et le Roi Yousef verra bien à vous punir comme je suis le seul à le pouvoir !
-Ta surprise on la connaît. C'est ce fils aux yeux bleus dont tout le monde parle ! Si tu penses que tes sujets vont te laisser faire, tu es bien prétentieux de croire qu'on laissera monter un étranger sur le trône. Fais attention, Père, nous avons beaucoup plus d'alliés que tu penses. Menaça Tarkan.
-Écoutez-moi ce petit avorton menacer le Roi ! Tarkan, tu m'as mis dans une colère terrible, vous allez tout de suite quitter et retourner chez votre mère. Je repars ce matin pour le château et je vais faire en sorte que vous soyez puni. Et ma punition sera à la juste mesure de vos insultes, Monsieur Tarkan qui se prend pour je ne sais qui ! Tu vas voir si tu as des alliés lorsque je l'ai aurai tous fait pendre.

Tarkan se tut, mais il affrontait de façon désinvolte le regard de son père. Les gardes se reculèrent et les trois jeunes gens se dirigeaient vers la porte. Tarkan se retourna et regarda encore son père.

-C'est vraiment un morceau de Roi ! Une très belle femme, et il faudrait bien que tu lui fasses attention, la laisser voir à découvert comme ça aux autres hommes, tu auras toujours à lutter pour la conserver, car elle est exceptionnellement belle. Et malgré que tu me menaces, je suis un homme dont les femmes raffolent. Si elle a fini par se soumettre à toi, elle n'aura aucune difficulté à se soumettre à moi ! Je suis plus jeune et un bien meilleur amant !

Yousef prit un appui livre sur le bureau du Grand vizir et le lança à Tarkan qui refermait la porte derrière lui. L'appui livre éclata en mille morceaux. Yousef était dans une rage quasi hors contrôle. Il s'assit tentant de se contenir. Il passait ses mains dans sa chevelure, reprenant du mieux qu'il le pouvait son souffle. Cette dispute entre lui et ses fils, surtout avec Tarkan, faisait remonter à la surface son caractère violent et impétueux. Son propre fils avait les yeux bien fixés sur sa belle. Il voyait rouge tellement sa jalousie le dévorait. Une jalousie d'autant plus meurtrière puisqu'elle se déroulait entre un fils et un père pour la même femme. Il se remettait à peine de ces émotions lorsque je fis irruption dans la pièce en regardant par terre. Des éclats de céramique gisaient sur le sol. Je les repoussai de mon pied et compris que la petite réunion avait très mal tourné.

-Sire, nous vous attendions pour déjeuner, mais je vois bien que vous n'êtes pas en état de déjeuner à nos côtés. Je vais vous laisser seul.
-Non, ne sortez pas ! Je vais reprendre mes esprits et je vais retourner avec vous auprès de la Reine. Il ne faut pas qu'elle se rende compte de ce qui s'est passé avec mes fils ce matin. Pouvez-vous me promettre que vous ne lui en glisserez pas un mot, Mirikof ?
-Sire, je vous assure de toute ma discrétion.
-Que des enfants peuvent devenir ingrats et irrespectueux en vieillissant. Tarkan m'a mis dans une colère ! Dans une colère !

Je n'aurais jamais osé demander ce qui s'était passé, mais je devinais que Mira était encore au centre de cette violente dispute. Tarkan était assez vieux pour voir et ressentir des émotions. Je connaissais également le pouvoir insoupçonné que détenait Mira inconsciemment sur la gent masculine et je devinais que le fils voulait ravir au père, la belle Promise.

-Je ne vous connais pas très bien, mais je vous connais assez pour savoir que vous êtes un homme de bon jugement, Mirikof.
-Merci, Sire.
-Je vais emmener Yamir avec moi aujourd'hui et Mira désirait que vous soyez du voyage. Voulez-vous m'accompagner ?
-Bien sûr, Sire. Mais la Reine ne fera pas partie du voyage ?
-Non, elle ne m'a pas laissé entendre qu'elle souhaitait venir. Je vous avoue que j'aimerais bien qu'elle daigne remettre les pieds dans mon château, mais je n'insisterai pas. Il ne s'est pas passé de bien belles choses à cet endroit et peut-être préfère-t-elle ne pas se souvenir…

-Vous avez raison, Sire.

-Allez, nous allons rejoindre le Grand Vizir et la belle Reine.

Yousef avait repris ses esprits et c'est en ma compagnie que nous regagnâmes la terrasse. Mira était assise plus belle que jamais sous le soleil matinal. Yousef s'approcha d'elle et lui baisa la main. Il s'assit près d'elle. Le Grand Vizir regardait le roi qui malgré sa nuit remplie d'amour avait un air bien soucieux et se demandait bien ce qu'il avait bien pu dire à ses fils. Il connaissait bien tout ce petit monde et les événements des dernières années depuis la venue de Mira. Il savait que Yousef avait connu plus d'une friction avec ses femmes et ses enfants à cause de Mira et de son fils Yamir.

-Les Princes sont déjà partis, Sire ? Demanda naïvement Mira.

-Oui, ils étaient venus s'enquérir de mon bien être, ils ont bien vu que j'étais bien portant et ils sont repartis.

-Je savais bien que vous aviez des fils, mais je ne les imaginais pas si grands. Ce sont des hommes. Souligna Mira inconsciente de la scène qui venait de se dérouler à l'autre bout du château du Grand Vizir.

Yousef nous lançait des regards sachant très bien que nous n'avions pas été aussi dupes que Mira.

-Vous avez raison, Madame, des hommes mais qui ont tout à apprendre du respect et de la manière de diriger un Royaume.

Mira continuait de se sustenter, n'ayant pas compris l'allusion pleine de sous-entendus de Yousef. Elle préférait penser à cette longue nuit. Yousef, assis près d'elle, aurait tant voulu lui dire ce qui s'était passé avec ses fils, mais il s'en sentait incapable. Elle aurait peut-être donné raison à ses fils, elle l'aurait peut-être délaissée pour un prince, jeune et beau. Il doutait maintenant de sa virilité, de son fameux pouvoir de séduction, de sa propre beauté et de ses charmes… Il ne se sentait plus en sécurité avec les jeunes vautours qui tournaient autour de la belle.

-Sire, vous emportez Yamir avec vous aujourd'hui ?

-Oui, je vais repartir dans quelques instants d'ailleurs. Mirikof a accepté de m'accompagner selon vos propres désirs, Madame !

-Si je vous demandais…

-Me demander ?

-Si…

Je pillais de ma grosse botte sur le pied du Grand Vizir réalisant que j'allais gagner mon pari.

-Si ? Vous désirez quelque chose, Madame, demandez, je suis là pour répondre à tous vos souhaits ? Lui dit avec empressement Yousef.

-Je ne sais pas si c'est… prudent !

-Mais quoi ? Je suis accroché à vos lèvres, Madame, cessez de me torturer ! Lui dit avec amusement Yousef.

-J'aimerais vous accompagner…

-Vous voulez venir avec nous ? Mais c'est merveilleux, elle va venir avec moi, Mirikof vous avez entendu ?

Yousef avait presque oublié la dispute avec ses fils. Il était transporté de joie et s'était levé debout prenant la petite main dans la sienne. Le Grand Vizir me devait deux couronnes et un agenouillement ! Je le comblais de mes plus beaux clins d'œil pavoisant à ma manière devant Omar qui tentait de retenir son envie de rire et de me dire que jamais plus il ne gagerait contre le grand Mirikof !

-Levez-vous Madame, nous allons chercher notre fils et vous allez vous asseoir confortablement dans votre carrosse.

Elle se leva sourire aux lèvres. Yousef ne portait plus à terre. Une fois à l'intérieur et s'assurant d'être loin des regards indiscrets, il entraîna Mira dans une petite pièce où il l'emprisonna entre ses bras.

-Mira, Mira, je suis si heureux que tu veuilles venir avec moi !

Il l'embrassait et la serrait contre lui.

-Yousef, qu'est-ce qui te prends ! Arrête… Ha ! ha ! Arrête, tu me chatouilles… Ce n'est pas bientôt fini, Monsieur ! Voyons ! tu es comme un enfant à qui on vient d'offrir le plus gros sucre d'orge de sa vie !

-Je suis si content, si tu savais. Toi, avec moi, et Yamir, ensemble chez-moi ! Je t'aime, je t'aime ! ! !

Il continuait à la couvrir de baisers. Elle riait. Il était si fou. Elle réalisait à quel point il tenait à elle. Il n'avait rien demandé gardant secrète son envie qu'elle se rende chez lui. Il finit par se résigner à sortir de la minuscule pièce, il aurait bien pris encore un autre long moment avec elle pour la caresser, mais là il devait partir avec son fils et la belle blonde aux yeux azur. Ils sortirent en riant, il la tenait par la main. Ils couraient ensemble jusqu'à la chambre de Yamir qui était en train de jouer assis sur le plancher.

Le carrosse avancé, une partie des hommes de Mira et tout le monde prêt, le convoi se mit en route direction Est vers le château du roi. Yousef était assis avec Mira et Yamir. Tout au long du voyage, Yousef n'avait cessé de dire à Mira combien il pouvait l'aimer et combien il était fier de son fils. Mira lui donnait un baiser presque à chaque déclaration. Il aimait cette petite fantaisie et continuait en lui disant que si elle n'arrêtait pas de l'embrasser, il ne cesserait de lui chanter son amour pour elle. Cette petite scène familiale amusait Yamir. Il riait et touchait ce grand monsieur demandant de s'asseoir sur lui. Yousef ne lui refusait rien. Mira trouvait ce contact bénéfique pour l'enfant et appréciait la grande patience de Yousef envers lui. Il avait même la faculté de le rendre joyeux et discipliné sans même le gronder. Peu d'hommes avaient ce tour avec les enfants. Il aimait les enfants et ça sautait aux yeux.

Alors que s'était-il passé ce matin avec ses trois fils ? Il ne les avait pas invités à rester et à voyager avec lui. Mira se questionna soudainement et finit par trouver bizarre que Yousef n'ait pas parlé plus longuement avec ses princes. Elle n'osa pas demander à Yousef. Il avait sûrement ses raisons.

Nous approchions du château. Cinq des gardes de Yousef vinrent à notre rencontre, ne sachant pas le roi présent dans le carrosse. Ils firent arrêter le convoi. Yousef débarqua et à sa seule vue, les gardes s'apprêtaient à faire demi-tour pendant qu'il leur ordonna de se rendre immédiatement au château et de réunir tous les membres de sa cour et de voir à préparer un très grand festin pour le soir ainsi qu'une fête avec les meilleurs musiciens et les meilleurs danseurs. Il reprit sa place dans le carrosse. Les hommes de Yousef s'en retournèrent à pleine vitesse pour exécuter les ordres de leur roi. Le convoi reprit sa route.

Nous sommes entrés dans la cour de ce palais. Tous les hommes de Yousef étaient alignés en plusieurs rangées et les gens de la Cour de Yousef exclusivement des hommes attendaient avec impatientes l'arrivée de la femme, cette reine blonde dont ils avaient entendu parler et pour qui plusieurs années passées, le roi avait presque déclenché un conflit d'envergure. La garde de Mira était constituée d'hommes respectueux, grands et pour la plupart aussi blonds qu'elle. Ces différences physiques et culturelles donnaient un charme à la rencontre.

Yousef débarqua le premier, puis déposa l'enfant devant lui et tendit sa main et elle descendit. Il foudroya du regard ses gardes qui baissèrent respectueusement les yeux n'ayant pas le droit d'admirer cette merveille. Yousef prit l'enfant dans ses bras. Il se dégagea le bras droit et délicatement le posa dans le dos de Mira. Ils avançaient solennellement vers la harde de hauts fonctionnaires du roi. Ils étaient tous silencieux et sérieux ce qui troubla Mira. Ces hommes par centaines qui la dévisageaient. Elle qui n'aimait pas faire de vagues, c'était plutôt un raz-de-marée qu'elle avait l'impression de voir déferler sur elle.

-Messieurs, je vous présente la Reine Mira. Et ce jeune homme est le Prince Yamir.

Ils se courbèrent tous en présentant leur hommage à la reine et au petit prince. Ils laissèrent un large passage à ces trois personnages royaux qui s'avancèrent jusque dans un grand salon à l'intérieur de la magnifique construction.

Mira scrutait l'intérieur de cette demeure admirant les murs, les plafonds, les meubles. Tout était si différent de ce qu'elle avait vu jusqu'à maintenant. La délicatesse des sculptures et des broderies qu'elle voyait était exécutée avec minutie. C'était un palais magnifique, exotique.

Yousef déposa Yamir qui se jeta sur les nombreux coussins qui se trouvaient par terre dans le coin gauche de la pièce. Yousef regardait Mira qui ne le voyait plus tellement elle était envahie par ce qu'elle voyait autour d'elle. Il s'approcha, la sortant de l'esprit rêveur dans lequel elle se plongeait en voyant de si merveilleuses choses.

-Tu aimes ce que tu vois, Mira ?
-C'est… c'est tellement beau ! Si différent, de ce que j'ai pu voir…
-Tu n'as pas tout vu. J'ai un magnifique bain et j'ai aussi d'autres cachettes secrètes qui te surprendront davantage, ma belle déesse venue du Nord !

Il l'a pris dans ses bras et l'embrassait sur le cou.
-Yousef, arrête, pas ici, parmi tous ces gens qui attendent de l'autre côté de la porte. Arrête…
-Qu'ils attendent, ils ont eu la permission du Roi de pouvoir te voir, ils en ont bien eu assez ! Ici, un homme ne montre presque jamais sa femme devant autant d'hommes. Comme tu n'es pas voilée et

que je ne désire pas que tu le sois, ils ont eu le privilège de pouvoir admirer ta beauté.

-Yousef, je suis si embarrassée ! Il n'y a donc pas de femme dans ton château ?

-Il n'y en a plus depuis un certain temps. Les seules qui me restent sont des servantes très dévouées.

-Tu ne reçois donc jamais aucune femme sous ton toit ?

-Bien sûr que j'en reçois ! Mais dans des occasions très spéciales. Exemple… Un grand banquet où les hommes apportent leur femme, ou une réunion importante où les femmes ont le droit d'assister. Mais il n'y a plus sous mon toit de femme qui occupe ta place, Mira.

-Ma place, que veux-tu dire ?

-Tu le sais ce que je veux dire Mira, la place d'une Reine, de la femme, d'une épouse, de la seule femme de ma vie !

-Maman, Maman, des chameaux !

-Des chameaux… Qu'est-ce que tu veux Yamir ?

-Je sais ce qu'il veut ! Reste ici, je vais sortir et je vais demander à Mirikof et quelques-uns de mes hommes de l'accompagner jusqu'à un endroit où il verra et embarquera sur tous les chameaux qu'il veut.

-Ce n'est pas dangereux, ces bêtes sont si grandes !

-Si tu connais bien les chevaux, ici on connaît bien notre animal national, le chameau ! N'aie pas peur Mira, je reviens tout de suite.

Il sortit de la pièce en tenant l'enfant d'un bras et en posant ses lèvres sur le front de Mira. Mira faisait le tour de la pièce, s'approcha d'une fenêtre pour mieux admirer l'extérieur de la propriété. La fenêtre donnait sur la cour avant du château. L'environnement paysager de l'avant-cour était exquis. Plantes, fleurs, arbres tous disposés avec goût et discernement. Les plantes étaient toutes inconnues de Mira. La flore et la faune étaient bien différentes du pays nordique d'où elle venait. Ici tout était soleil et chaleur à l'année. Les hommes de Yousef avaient repris leurs activités, mais plusieurs groupuscules étaient restés sur place et discutaient ensemble. Elle admirait la vue. La mer était à plusieurs mètres mais elle débordait d'activités. Des bateaux, des navires marchands, des gens sur les plages, tout était magnifique. Yousef revint dans la pièce.

-Tu admires la vue panoramique que j'ai sur la mer ?

-C'est à couper le souffle, cette mer si bleue sous un soleil si radieux, tu as vraiment un Royaume exceptionnel Yousef.

-Je sais, mais j'ai tellement combattu pour le garder tel qu'il est ! Mais aucun Royaume ne t'équivaut Mira.

-Ne sois pas ridicule, Yousef, cette mer est vraiment d'une beauté renversante.

-C'est vrai mais si elle est renversante je ne sais pas ce que tu es, Mira ? Tu es si belle que mes hauts fonctionnaires ont failli avoir une attaque, je ne les avais jamais vus aussi sérieux et nerveux devant une femme. Par respect pour moi, ils ne t'ont rien dit mais ils avaient tous envie de se jeter sur toi !

-C'est ça Yousef, continues, je suis déjà tellement gênée d'être ici que si tu n'arrêtes pas je ne pourrai plus sortir de cette pièce.

-Hum ! Plus sortir de cette pièce... Oui, oui, ce serait peut-être une merveilleuse idée ! Je vais continuer comme ça et tu ne pourras plus repartir et tu devras rester avec moi !

-Ah ! Yousef ! Tu es impossible... Toujours le moyen de te sortir efficacement des situations qui te déplaisent ! Je devrai bien repartir. J'ai moi aussi deux fils et une fille qui n'ont pas revu leur mère depuis bientôt trois mois et il m'en faudra tout autant pour revenir. Si seulement je pouvais retourner douze ans en arrière, avec ce que j'ai vécu et ce que je sais maintenant tout serait si différent.

-Je n'en suis pas si certain, Mira. M'aurais-tu préféré à Bjarni et à Boris ?

-Je ne sais pas... Lorsque j'aime il n'y a personne d'autre et je crois bien qu'il aurait fallu un sérieux combat entre vous trois pour que je choisisse l'un de vous, vous êtes tous à mes yeux égaux. Vous êtes tous différents, autant physiquement que par le caractère, mais vous avez eu la même place dans mon cœur.

-Moi, j'aurais combattu pour te gagner, la belle, j'aurais même risqué ma vie et je le ferai encore si cela devenait nécessaire. Et personne ne t'enlèvera à moi, qu'Allah m'entende, je l'étranglerai de mes propres mains, celui qui osera !

-Yousef, serais-tu jaloux ? Et de qui ?

-Oui je suis jaloux. Je n'ai aucune honte à te l'avouer. Je suis fou de toi ! Je t'aime à la folie !

-Mais de qui es-tu jaloux ?

-De tous ces hommes qui te désirent, qui salivent en te voyant passer devant eux, de tous mes soldats qui te regardaient quand tu as débarqué du carrosse, de tous mes fonctionnaires qui auraient bien voulu t'ajouter dans leur harem, de tous les hommes de la terre entière si c'est toi qu'ils veulent !

-Mais c'est qu'en plus d'être jaloux, Monsieur est possessif !

-Oui, je suis possessif. Alors tu comprends peut-être mieux pourquoi te voir repartir loin de moi, me déchire le cœur, ma beauté nordique !

-C'est que tu es un homme dangereux pour une femme ! Je me demande si c'est bien prudent de rester seule ici avec toi ?

-Seule avec moi, il n'y a aucun problème, je ne suis pas dangereux du tout, je peux même être doux comme un agneau et ça, tu le sais, c'est quand il y a plusieurs prétendants sur la liste, je me transforme en lion terrifiant et là je suis féroce. Mais je ne mords pas les jolies femmes !

-Ce que tu peux avoir mauvais caractère, Yousef ! Tu es si impulsif, c'est peut-être pour cela que je suis attirée vers toi, moi, je n'arrive pas à bondir hors de mes gonds.

-C'est parce que toi, la belle, tu n'as pas à lutter dans une jungle pour accéder aux cœurs des Messieurs, tu y vas sans t'en rendre compte, en ligne droite, tandis que nous nous devons d'éliminer la concurrence et là c'est la loi du plus fort, crois-moi !

-Tu as une façon si imagée de décrire tout ça. Tu es peut-être jaloux, possessif, caractériel et impulsif, mais tu es le plus grand conteur d'histoires et poète que j'ai rencontré, un autre petit côté amusant de ta personnalité si contradictoire !

-Si au moins avec le tas de défauts que tu viens d'énumérer sur ma triste vie de Roi tu me disais que tu me trouves beau, je serais un peu consolé !

-Ha ! ha ! Yousef, Yousef... Roi capricieux, si grand et si fort qui doute de son charme et de l'effet qu'il produit sur les dames. Yousef, si je n'ai pas répondu tout de suite à tes avances, c'est que j'étais déjà mariée. Ce n'est pas parce que je ne te trouvais pas beau, bien au contraire, lorsque je t'ai vu pour la première fois sous la tente avec Boris, je me demandais bien qui était ce beau jeune homme au teint bronzé, grand et vêtu à la royale... Mais je suis très discrète sur mes goûts, spécifiquement sur les hommes. J'admets que mes deux maris étaient tous les deux très beaux et les dignes représentants de la race masculine, mais même si tu es très différent d'eux, tu n'as rien à leur envier. Tu es grand, fort, très bien constitué, et ce de partout, et tu es très très beau. Mais je sais que d'autres te l'ont dit avant moi, alors je ne me fatiguais pas à te répéter ce que les femmes te disent.

-Ce n'est pas les autres femmes qui importent pour moi, c'est toi ! Les autres pourraient me trouver le plus bel homme de la terre, je m'en fous mais si toi tu ne me trouvais pas de ton goût, je serais si malheureux.

-Eh ! Bien, Sire, maintenant, vous êtes rassuré ? Je préfère changer de sujet. Plus je vous regarde plus je me dis que j'ai perdu un temps fou à vous en vouloir, Monsieur et plus j'ai hâte à ce soir !

-Ce soir, que me dites-vous là, Madame ? Auriez-vous le goût de prolonger votre séjour sous mon toit et dormir dans mon lit ? Aurais-je eu l'impression que ce "ce soir" voulait dire "ce soir" ?

-Vous avez peut-être deviné juste, Monsieur !

-Ce n'est pas vrai ! Deux surprises le même jour, vous allez me tuer, Madame, mon cœur va flancher. Une hier soir qui a duré toute la nuit et aujourd'hui deux dans la même journée ! Je suis si heureux, si heureux. Je t'aime, je t'aime.

-Yousef ! Arrête tu m'étouffes ! Ne me sert pas si fort…

-Mira, si seulement tu pouvais comprendre pourquoi je suis si heureux, j'ai tellement attendu, je n'espérais plus ! Et là au moment où je m'y attendais le moins, j'apprends que tu viens rencontrer le Grand Vizir et que tu es avec Yamir. Puis tu m'invites, tu me combles de caresses, tu réponds à mes espoirs ! Je t'aime ! Je t'aime !

Yousef était si excité exprimant démesurément ses sentiments. On savait tout de suite avec lui ce qu'il ressentait. Haine, désir, amour, frustration, joie, peine, toutes la gamme des émotions était transparente avec lui.

-Yousef, si tu n'arrêtes pas de m'embrasser partout dans le cou et si on ne sort pas de cette pièce, je ne sais pas ce qu'on pensera de nous !

-D'accord je me calme, je me calme. Je vais essayer de rester si calme que personne ne pourra voir dans mon visage à quel point je suis heureux et que j'attends avec impatience la nuit qui approche. Nous allons sortir et nous rendre dans ma salle à dîner. Nous allons prendre un bon repas et tu vas rencontrer plusieurs de mes très proches collaborateurs. Tu inviteras qui te plaira à dîner avec nous. N'oublie pas que je t'aime !

-C'est difficile d'oublier avec tous ces baisers et les étreintes que tu me fais, c'est bien difficile, je t'assure, Yousef.

C'est vrai qu'il se gavait de sa présence et de bonheur auprès d'elle. Ils sortirent de la pièce et se dirigèrent vers la salle à dîner.

Sur son chemin, Mira admirait la construction parfaite de ce palais. Elle voyait tout avec un œil intéressé, les vêtements des gardes, leur arme, les couleurs, le soleil présent presque dans toutes les pièces, les fenêtres arrondies dans la partie du haut, les voiles qui agrémentaient les fenêtres, les murs, les coussins placés par terre… tout était parfait.

Il marchait aux côtés de Mira et son cœur était comme les nuages qui se déploient dans le ciel. Il avait l'impression que Mira le transportait dans un monde irréel. Elle était accrochée à son bras, mais c'était pour lui comme si elle l'entraînait au-delà de la vie terrestre. Son parfum, sa féminité, sa douceur le rendait esclave complètement de la femme. Ils avançaient vers la grande salle à dîner, mais Yousef était comme dans un état de transe. Il avait tellement rêvé de la voir déambuler dans ces corridors qu'il se disait qu'il faisait un rêve éveillé. Mira, toujours aussi impressionnée par l'aspect exotique de l'endroit, suivait Yousef en silence et regardait sans se rendre compte que Yousef ne la lâchait pas des yeux. Lorsque son regard croisa le sien, elle se mit à lui sourire :

-Yousef, tout va bien ?

Il ne répondait pas et continuait à la regarder.

-Yousef ? Qu'est-ce que tu as ?

-Excuse-moi ma belle déesse, je suis comme dans un rêve ! Je n'arrive pas à croire que tu marches près de moi, me tenant par le bras, dans ma demeure et que tu y es de ton plein gré ! Je n'arrive pas à croire que tu fais route avec moi vers ma salle à dîner et que tu partageras un repas sous mon toit à mes côtés ! Je suis charmé, envoûté ! Je ne peux pas m'empêcher de te regarder... Je suis conquis sans même avoir livré bataille. J'ai perdu toute une guerre sans même avoir pu combattre ni même lever l'épée. Je ne sais vraiment pas qui tu es Mira, mais aucun enchanteur ne possède ton pouvoir !

-Yousef ! Je n'ai aucun pouvoir et tu sais qui je suis. Je suis une paysanne qui a vécu au sein de familles royales bien malgré elle... Je ne suis rien de plus Yousef ! Tu es un poète Yousef, je t'assure... tu as manqué ta carrière, tu aurais dû être troubadour tu aurais fait fureur !

-C'est qu'à tes côtés ma belle, les hommes se transforment... Troubadours, guerriers, Rois personne n'y échappe... Et ne me regarde pas comme ça ! Tu sais que tu me troubles... Tes yeux feraient fondre les plus grands glaciers !

-Ha ! bon... si tu ne veux pas que je te regarde, je ne regarde plus ! Je peux regarder les autres hommes ?

-Ha ! ha ! Coquine ! Il n'en est pas question. Regarde-moi alors, et fais-moi divaguer, j'aurai bien belle allure devant tout ce monde toute à l'heure, le Roi Yousef qui n'a pas toute sa tête !

-Alors il faut vous décider votre Grande Majesté, je vous regarde ou je ne vous regarde pas ?

-Regarde-moi... je ne veux absolument pas que tu en regardes d'autres... Tu as réveillé le Roi jaloux que je suis. Déjà que je leur permets de dîner avec toi... Je me pile sur le cœur parce que je n'ai pas le choix. Autrement, je te garderais pour moi tout seul.

-Oh ! Yousef ! Je suis à toi tout seul. Ils vont seulement dîner avec nous. Ils ne toucheront pas, ils ne m'embrasseront pas, voyons, ne sois donc pas si jaloux !

-Je voudrais bien voir celui qui se lèverait de table et qui oserait te toucher. Je lui couperai les mains sur le champ et s'il tenterait de te voler un seul baiser, je lui couperais la tête !

-Oh ! Yousef ! Toute cette violence dans tes paroles, alors que je sais maintenant que tu es capable de tant de tendresse… Je crois Monsieur que vous cherchez à m'impressionner et je ne vois vraiment pas pourquoi, je le suis déjà !

-Je t'impressionne moi ? Je t'impressionne Mira ? Vraiment ?

-Bien sûr ! Tu m'as toujours impressionnée.

-Et pourquoi donc, Madame ?

-Parce que le Grand Roi du désert… Yousef Le Dominant, a non seulement un Royaume aussi grand que le mien, mais il en possède un d'une beauté exceptionnelle. Il a tant de trésors que je n'aurais jamais imaginés et aujourd'hui, il se fait une joie de seulement m'avoir dans sa demeure.

-Ha ! ha ! Seulement l'avoir dans ma demeure ! Ha ! ha ! Mira… ta simplicité me déconcerte… Et si je t'impressionne pour cette raison, je suis l'homme le plus heureux du monde ! Ha ! ha ! Tu es si drôle !

Ils arrivaient aux portes de la grande salle à dîner dans un esprit de joie. Il la trouvait si délicieuse. Et il était sincère quand il lui disait que sa simplicité le déconcertait. Parce que c'était vrai pour la plupart des gens qui la rencontraient, elle dégageait tellement un esprit sincère et pur que peu restaient indifférents.

Il ouvrit la porte et derrière, les hommes de Yousef se levèrent de table et saluèrent honorablement le couple qui faisait son entrée. Mira était encore un peu intimidée par la présence de tous ces hommes inconnus. Yousef l'emporta avec elle et la fit asseoir à ses côtés. Les hommes s'asseyent sans dire un mot. Mira jetait de petits regards rapides autour d'elle. Yousef avait repris son sérieux mais il gardait un petit sourire parce qu'il avait en tête ce qu'elle venait de lui dire. Lorsque les serveurs et servantes commencèrent à servir le repas, l'un des hommes à la droite de Mira lui posa une question.

-Très belle Reine Mira, je suis le conseiller du Roi Yousef, je me présente, Samir. Je tenais à vous dire au nom de tous comme nous sommes honorés de votre présence parmi nous. Mes confrères et moi, nous nous demandions si vous aviez fait bon voyage ? Car nous savons que vous êtes partie de très loin pour venir jusqu'ici !

-Oui, ce fut un voyage agréable mais surtout rempli de surprises !

-C'est merveilleux que vous soyez partie de si loin pour venir jusqu'ici aujourd'hui Madame ! Oh ! Pardonnez-moi, je suis Sukru, le ministre des finances de Sa Majesté !

Tout au long du repas, les hommes de Yousef s'entretenaient avec convivialité aux côtés d'une femme exquise. Yousef les observait avec sérénité. Ils étaient tous conquis. Mira répondait aux questions posées sans hésitation et semblait avoir mis aux oubliettes sa gêne caractéristique. Yousef voyait qu'ils avaient tous adopté la belle Mira au-delà de ses espérances. Mira la belle, l'exquise, la charmante, la reine paysanne avait encore frappé de plein fouet une assemblée d'hommes qui se serait jetée à ses pieds pour répondre à ses moindres désirs. Yousef était heureux de voir que ses ministres, ses généraux appréciaient à sa juste valeur la qualité de la personne pour qui il avait abandonné, harem, femmes, enfants et jusqu'à un certain point son intérêt pour le pouvoir. Plus aucun d'eux n'aurait désormais critiqué ses décisions connaissant maintenant le pourquoi de tous ces changements.

Lorsque arriva l'heure du souper, le grand banquet organisé en l'honneur de Mira battait son plein. Les hommes de la reine s'étaient installés confortablement sur des coussins et avaient vivres, boissons à profusion. Les gardes et les soldats de Yousef aussi étaient présents, pas tous bien sûr, mais les escadrons les plus importants de la garde royale. Il y avait beaucoup de monde. Exclusivement des hommes. Puis arrivèrent les hauts dignitaires, les conseillers spéciaux du roi, les membres de sa cour tous accompagnés par leurs femmes. Enfin Mira ne serait plus seule.

Yousef et Mira firent leur entrée et se dirigèrent vers la place d'honneur situé au centre d'une longue table de plusieurs mètres où étaient déjà assis autres invités de marque du roi. Ils burent et mangèrent sous la douce musique Arabe de quatre musiciens. Mira regardait tout ce monde qui riait, souriait, parlait et ses hommes et ceux de Yousef qui se fondaient ensemble comme s'ils s'étaient toujours connus. Yousef était un peu plus sérieux et attentif à ce qui se passait autour de lui. Mira lui changea les idées.

-Yousef, qu'est-ce que tu cherches ?
-Moi, rien de spécial, j'observe.
-Tu observes ? Je pourrais savoir ce que tu observes depuis que nous sommes arrivés ?
-Si je te le dis tu vas encore me dire que j'ai mauvais caractère !
-Non, Yousef, tu ne regardes pas si il y a quelqu'un qui me regarde, quand même Yousef, tu n'as pas honte ?
-C'est plus fort que moi. Les femmes sont voilées généralement ici. Toi tu ne l'es pas et tu es plutôt le point d'attraction de la soirée, crois-moi !

-Yousef, ne sois pas ridicule, enfin ! Mes hommes sont habitués de me voir et tes hommes m'ont vu cet après-midi ainsi que la plupart des gens de ta Cour… Ils ne sont pas tous comme toi, ils regardent et après c'est fini.

-Ah ! Madame croit ça ! Tes hommes habitués, tu sauras qu'ils te regardent toujours autant. On ne peut pas s'habituer à te regarder Mira ! Et mes hommes, ma Cour, ils t'ont vue et ils ne regardent pas et après c'est fini, non, non, non ! Détrompe-toi ! J'observe depuis tout à l'heure et ce que je vois ne me plaît point, ils ont tous les yeux rivés sur toi !

-Yousef, continues, je suis mal à l'aise maintenant… Ton cœur va peut-être flancher, mais ce n'est pas mes surprises qui l'achèveront, c'est ta jalousie maladive ! Et puis après s'ils me regardent comme tu dis, ils ne touchent pas !

-Bon, bon, je vais te regarder, tu vas me changer les idées. Avant que je leur fasse tous crever les yeux !

-Ah ! Yousef, franchement, si tu fais ça moi, je te ferai couper quelque chose qui te rendra doux comme un agneau en tout temps.

-Non, non, Allah protège-moi contre cette tigresse qui veut m'enlever ma virilité !

-Je te l'ai déjà dit, Mirikof numéro 2, ce que vous pouvez être impossibles quand vous vous y mettez ! Des enfants dans un corps d'homme voilà ce que vous êtes !

-Être un enfant dans un corps d'homme et s'abreuver à votre poitrine Madame, c'est un si charmant sacrifice !

Mira le regardait, ce charmeur aux dents si blanches et aux yeux si noirs qui était penché sur son oreille et lui murmurait ces mots amusants. Elle hochait la tête en lui souriant. Mais Yousef avait raison. Les hommes présents dans cette grande salle ne cessaient de lancer des regards fuyants vers la belle. Certains des ministres de Yousef parlaient carrément d'elle ensemble depuis son arrivée.

Un garde vint prévenir Yousef qu'on voulait avoir une audience. Yousef demanda qui le demandait. Le garde disait qu'il s'agissait du garde de camp de la Reine Aïsha. Yousef trouva très bizarre cette visite et s'excusa auprès de Mira. Il sortit de la pièce accompagné de plusieurs gardes. La voisine de Mira, la femme d'un des ministres curieuse d'avoir près d'elle une femme si connue voulait engager la conversation avec elle. Elle ne parlait pas la langue de Mira. Elle demanda un interprète et posa plusieurs questions à la reine. L'interprète, l'un des hommes de Yousef se faisait une fête d'être près de la femme aux yeux azur. Mira répondait avec respect et gentillesse à la femme qui la regardait intensément. La femme était subjuguée par la simplicité et la finesse de cette grande dame belle et majestueuse.

Yousef était dans le hall d'entrée et reconnu tout de suite l'aide de camp qu'il avait mis au service de la reine Aïsha.

-Qu'y a-t-il Nagib ?
-Sire, puis-je vous voir en particulier ?
-C'est donc si important ?
-Je crois que oui.

Il entraîna l'homme avec lui dans son bureau.

-Parlez Nagib, le Roi vous écoute !
-Sire, je suis venu ici ce soir discrètement. La Reine Aïsha ne sait pas que je suis ici. Depuis plusieurs jours, elle démontre une agressivité extrême et je tenais à vous en informer.
-Que veux-tu dire par une agressivité extrême ?
-Depuis l'arrivée de la reine Mira chez le Grand Vizir avec le Prince Yamir, elle est irritable et traite ses servantes avec violence. Elle a même demandé aux Princes Tarkan, Salim et Aït d'aller chez le Grand Vizir et de mettre fin aux jours de la Reine Mira.
-Que dis-tu ?
-Oui, mais vos trois fils, Sire, ont simplement suivi la requête de la Reine dans un but précis. La curiosité de voir de près la Reine, qu'on dit belle comme le jour, les a enchantés. Ils n'en ont glissé mot à la Reine Aïsha et elle pensait qu'ils auraient exécuté ses désirs. Lorsqu'ils sont revenus, le Prince Tarkan, lui a vanté la grâce et la beauté de la Reine blonde aux yeux d'azur. Elle est alors entrée dans une rage folle. Elle a chassé vos fils hors de la maison et elle prépare quelque chose, j'en suis convaincu surtout depuis qu'elle sait que la Reine Mira est présentement ici avec le jeune Prince Yamir.
-Je te remercie brave Nagib. Retournes avant qu'elle ne se rende compte que tu m'as informé de ces détails. Je vais augmenter la garde autour de la Reine Mira. Cependant, je ne crois pas qu'elle puisse faire grand-chose. Elle est simplement jalouse et la venue de la Reine Mira, ici l'a encore plus enragée. Je te demande seulement de ne glisser mot à personne de ce que tu viens de me raconter, personne ne doit savoir, même pas les Princes.
-Non, Sire. J'ai fait bien attention et je vais continuer dans cette voie.
-Avant que tu partes, où sont les Princes depuis ?
-Ils sont à votre manoir de d'Alhababouch.
-Bien merci, va maintenant et fais vite !

Yousef était encore en colère. Aïsha était sa première femme. Elle avait partagé une partie de sa vie avec lui, mais comme il s'agissait d'un mariage « arrangé » comme on dit chez nous, il n'avait rien de commun avec cette femme, si ce n'est d'avoir eu trois fils d'elle et là, il passait de l'indifférence la plus complète à une haine coriace envers elle. Il resta assis pendant un moment seul dans son bureau, revirant la situation dans tous les sens afin d'assurer au maximum la sécurité de Mira.

Au banquet, les invités de Yousef continuaient à s'amuser. Mira était toujours en discussion avec l'interprète de la femme du ministre lorsque son attention fut détournée de l'intéressante conversation vers l'arrivée à ses côtés de trois jeunes hommes. La femme du ministre et l'interprète s'arrêtèrent de parler et se levèrent pour saluer les princes. Mira qui venait juste de les apercevoir se leva à son tour et fit de même. Chacun leur tour ils baisèrent la main de la belle. Tarkan envoya ses frères s'asseoir malgré leurs protestations en Arabe. Mira voyait bien qu'il y avait un malaise entre les frères. Tarkan resta près d'elle et s'assit à la place de Yousef. Mira, embarrassée par cette intrépidité spontanée du jeune prince qui ressemblait à Yousef comme un jumeau, baissa les yeux, évitant de le regarder. Tout le monde présent à ce banquet distinguait ce qui se passait et parlait entre eux de l'intérêt du fils pour la femme du père.

-Comment le Roi Yousef peut-il vous laisser seule, Madame ? Une femme aussi belle que vous, aussi désirable, il devrait faire un peu plus attention. Où est-il ?
-Il… il a dû aller régler une affaire urgente, Prince.
-Qu'est-ce qui peut bien être plus urgent que de vous tenir la main et vous regarder, Madame ? Il se fait vieux le Roi Yousef, il prend trop à la légère votre présence auprès de lui.

Devant un voisin aussi entreprenant, elle aurait voulu s'enfuir à toutes jambes. Être devant le fils de Yousef qui se montrait insistant ne lui laissait entendre rien de bon. Le jeune homme ne dissimulait aucunement qu'elle lui plaise car il la reluquait sans ménagement parcourant de son regard ténébreux toute l'anatomie de la femme et se tenait à peine à quelques centimètres d'elle.

-Avez-vous fait bon voyage pour vous rendre ici ?
-Oui, Prince Tarkan.
-Et comment trouvez-vous notre coin de pays ?

-C'est un pays riche d'hommes et de femmes de bonne volonté, riche de culture, c'est un magnifique pays.

-Votre venue ici a fait le tour du pays, Madame. On ne parle plus que de vous ! On jalouse la ravissante et merveilleuse Reine Mira. Les hommes se bousculent pour pouvoir vous apercevoir... Et je suis de ceux-là ! Mais moi j'ai la chance d'être un Prince et le fils du Roi, je peux même vous voir de près et embrasser votre main, quel délice !

Mira était stupéfaite d'autant d'audace. Il était bien le fils de Yousef ayant le même caractère prétentieux et impétueux que son père avait si bien démontré lors de sa première rencontre. Tarkan voyant qu'il la troublait, continuait allégrement dans cette direction, il aimait voir cette femme douce et belle se replier sur elle-même lorsqu'elle était dans une telle situation.

-Vous êtes vraiment une femme spéciale. Les femmes ont toujours la langue bien pendue, il faut parfois leur dire de se taire, alors que vous vous êtes si réservée ! Vous n'aimez pas discuter avec moi ? Dois-je m'en offenser ?

-Oh ! Non... non... Je ne veux pas... vous offensez... Excusez-moi... Je ne vous connais pas beaucoup et je suis plutôt... timide avec... certaines personnes.

-C'est la première fois qu'une femme s'excuse de cette manière envers moi, surtout une dame de votre rang, Madame. Vous m'impressionnez ! Je vous taquinais. Je ne suis pas du tout offensé et d'être ici près de vous et de voir vos yeux, Madame, c'est un plaisir indescriptible ! Je vais retourner à mon grand regret rejoindre mes frères qui sont jaloux à mourir de me voir aussi près de vous. Il faut que je redonne la place à mon père qui va sûrement revenir d'un instant à l'autre, jamais je ne croirai qu'il va vous laisser seule plus longtemps. Si c'est le cas, je reviendrai vous agrémenter de ma présence. Je garde les yeux fixés sur vous, délicieuse créature !

Il se leva et embrassa de nouveau la main de la belle, insistant plus qu'il n'en faut à faire sa formule de politesse. Ouf ! Enfin, il était parti. Elle était soulagée qu'il reparte avant que Yousef ne revienne. Comment aurait-il réagi devant tant d'insistance de la part de son fils ? Yousef était si jaloux. Et le fils ne semblait pas beaucoup mieux. Il ressemblait trait pour trait à Yousef. Le prince Tarkan regagna sa place auprès de ses frères qui le harcelaient de questions.

-Tarkan si tu penses qu'on ne voit pas ton petit manège avec la Reine ! Lui dit Salim.

-Je n'ai pas de comptes à te rendre. Tu sais que je suis ton futur Roi, alors tais-toi ! Ma foi, tu es jaloux ? Je suis plus vieux que toi et je suis plus beau aussi !

-Ah ! Ce que tu peux être prétentieux ! Je te ferai remarquer que tu es l'aîné d'un an seulement sur moi. J'ai beaucoup plus de dignité que toi. Je ne peux pas m'empêcher comme tous les hommes d'admirer la beauté de cette femme, elle... elle est vraiment renversante. Mais je tiens mes distances parce que je la respecte, tu n'as jamais eu le soupçon d'aucun respect toi !

-Ha ! ha ! Et toi Aït, tu penses la même chose que Salim ?

-Moi ! Je sais que je n'ai aucune chance avec une femme comme elle, je suis trop jeune et elle est vraiment trop belle, mais Salim a raison tu es d'une prétention !

-Sachez Messieurs que je l'enfilerai avant qu'elle ne reparte, je me suis promis qu'il n'y aura pas que Yousef qui se permettra de toucher sa peau de velours !

-Tarkan, c'est ta vie que tu mets en jeu, si Père s'aperçoit de ce que tu as l'intention de faire, il te tuera !

-Le jeu en vaut la chandelle ! Elle est si belle ! Ce que ça doit être une splendeur de partager son lit avec cette femme ! Si vous déliez vos langues je m'occuperai personnellement de vous deux.

-Nous n'aurons pas besoin de délier nos langues, tu rêves en couleur et ton réveil sera bien dur lorsqu'elle se refusera à toi, si jamais tu peux arriver jusqu'à elle. Lui répondit Salim qui regardait son frère Aït.

-Nous verrons bien, nous verrons bien. Elle préférera peut-être mon corps d'Apollon jeune et beau à Yousef qui se fait vieux.

Les deux autres princes étaient insultés d'autant de vantardise de la part de leur frère. Yousef revenait à l'instant dans la grande salle et reprit sa place aux côtés de Mira.

-Je te demande pardon, Mira d'avoir été si long.

-Je me suis entretenue avec cette dame assise près de moi. Elle est très intéressante et m'a posé des tas de questions.

-C'est la femme de mon ministre de la guerre. C'est effectivement une très charmante personne. Mira... Je t'aime ! Je t'aime !

-Moi aussi je t'aime Yousef, et j'espère que personne d'autre ne viendra t'enlever à moi ce soir !

-Personne ma belle. C'est moi qui vais t'enlever. Dans quelques instants nous allons prendre congé de nos invités et nous allons monter jusqu'à ma chambre et ensuite...

-Ce que tu peux être empressé ! Tu vas m'achever à ce rythme, Yousef !

-C'est vrai que je suis très entreprenant avec toi, mais je n'arriverai pas à t'achever par mes caresses et mes baisers, c'est si doux !

Mira lui souriait. Yousef lâcha un de ses gants par terre, se pencha pour le ramasser et son regard croisa celui d'un jeune homme assis en face d'eux, de l'autre côté de la pièce. Yousef se mit à soutenir le regard de Tarkan. Le fils et le père se dévisageaient à qui mieux mieux. Yousef lui avait bien défendu de venir au château pendant que la reine y était. Puis comme pour le provoquer davantage, Tarkan cessa de le regarder pour fixer son regard sur Mira. Yousef voyait rouge une autre fois. Le fils bavait son père sans faire dans la dentelle. La jalousie entre les deux hommes était à son apogée. Yousef se rendit compte par la même occasion que ses deux autres fils n'étaient guère mieux que leur aîné mais Tarkan était de loin le plus audacieux.

-Yousef qu'y a-t-il, tu sembles si irrité tout à coup ! ? !

Yousef ne répondit pas tout de suite à la question de Mira et la regarda n'osant pas exposer son dilemme entre lui et ses fils. Il cessa de la regarder pour perdre son regard dans les invités.

-Mes fils sont ici !
-Oui, ils sont venus me saluer à leur arrivée.
-Quoi ? Comment t'ont-ils présenté leurs hommages ?
-Que veux-tu dire ? Ils se sont présentés et ont été comme tous les autres qui se présentent à moi… !
-Et Tarkan ? Dis-moi qu'est-ce qu'il a fait lui ?
-Il… il… a envoyé ses frères s'asseoir et…
-Et ? Dis-moi Mira, qu'est-ce qu'il a fait ? Je te connais Mira ! Quand tu baisses les yeux et que tu hésites à répondre c'est qu'il y a quelque chose, dis-moi ?
-Tu… tu es si choqué… il est jeune… il…
-Je suis dans une rage folle ! Et ton hésitation à me répondre me prouve bien qu'il ne s'est pas conduit correctement envers toi, je veux savoir ce qu'il a fait, Mira ?
-Il… il s'est assis à ta place… il… il… m'a parlé… c'est tout !
-Comment ? Il a osé s'asseoir à ma place ? Ah ! Le petit impertinent, il va me le payer ! Il t'a parlé et en quels termes Mira ? En quels termes Mira ?
-Yousef… Yousef… c'est ton fils… il te ressemble beaucoup… il s'exprimait… de façon entreprenante, c'est tout… ! Je t'assure… ne sois pas si fâché… je…
-De façon entreprenante ? Il t'a carrément fait la cour ! Avoue-le, Mira ? Avoue-le ?

Mira était si mal à l'aise devant l'emportement de Yousef. Tarkan quant à lui observait son père qui avait les yeux injectés de sang tellement il était furieux. Il voyait Mira qui baissait les yeux, toute douceur incarnée, qui tentait d'apaiser le feu qu'il avait allumé. Il souriait. Il avait encore une fois de plus atteint son père. Yousef était tellement choqué qu'il tourna un regard envers son fils qui voulait tout dire.

-Dis-le, Mira ! Dis-le ce qu'il t'a dit, je veux savoir ce que ce petit prétentieux t'a dit !

-Il… il… m'a dit que tu n'étais pas prudent de me laisser seule… que… que… j'étais…

-Cesse d'hésiter ! Dis-le, je veux savoir !

-Que j'étais une femme spéciale… et… qu'il avait la chance d'être… d'être le fils du Roi… parce qu'il pouvait s'approcher de moi… et… m'embrasser la main, c'est tout, pourquoi es-tu si emporté ? C'est ton fils Yousef !

-Et que penses-tu de tout ça ? Est-ce que tu as aimé ses avances, Mira ?

-Oh ! Yousef, tu me blesses… J'étais tellement embarrassée… Je n'ai jamais eu l'intention de…

-Pas toi, mais lui oui ! Je le connais ce petit saligaud ! Je vais lui régler son compte…

-Non, Yousef… Yousef… Calme-toi ! Je t'en conjure, calme-toi ! C'est ton fils, Yousef, il s'est peut-être montré entreprenant à mon sujet et irrespectueux envers toi, mais c'est ton fils… Ne fais pas quelque chose que tu pourrais regretter, surtout si c'est à cause de moi, je t'en prie, reprends tes esprits, Yousef.

Yousef était tellement enragé qu'il aurait traversé la pièce et aurait de ses mains étranglé son fils. La douceur de Mira et le fait qu'elle lui tenait la main adoucissaient ses fougues. Il se leva et lui tendit la main.

-Viens nous allons nous retirer, je ne resterai pas plus longtemps sous les yeux de ce petit prétentieux.

Mira se leva et le suivit silencieusement. Avant de sortir, Yousef demanda à un garde en arabe de faire sortir tout de suite ses fils et de les faire reconduire jusqu'à son manoir d'Alhababouch. Les trois fils voyant leur père donner des ordres à sa garde royale, savaient que ces ordres les concernaient. Tarkan se leva le premier, suivi de ses frères. Les gardes n'eurent pas le temps de se rendre jusqu'à eux. Les trois princes quittaient la pièce et dans un temps trois mouvements, avaient déjà embarqué sur leur monture et partaient. Les deux autres fils de Yousef faisaient plein de reproches à Tarkan. Ils savaient que leur père était furieux et qui en était la cause. Tarkan riait. Il ne se souciait pas des emportements réguliers de son père à son égard. Bien au contraire, il aimait continuellement le provoquer et là il avait trouvé le talon d'Achille de Yousef. Et cette fois l'objet de la dispute était une beauté scandinave qu'il convoitait.

Yousef et Mira montaient vers leur chambre. Yousef était brusque dans ses mouvements entrant dans la chambre et fermant bruyamment la porte derrière lui. Mira le voyait se consumer par la rage envers son fils et préférait ne rien dire, espérant que son silence pourrait le calmer.

-Je ne sais pas ce qui me retient de lui crever les yeux ! Il essaie toujours de me provoquer et ce depuis bien trop longtemps. Les deux autres sont peut-être plus discrets et respectueux mais ils sont aussi coupables que lui.
   -Coupables ? Mais, Yousef…
   -Non, tu ne sais pas ce qui s'est passé ce matin au château du Grand Vizir ! Je n'ai pas voulu t'en parler, mais je dois t'informer qu'ils avaient une idée derrière la tête ce matin et le prétexte qu'ils ont choisi pour venir jusqu'à toi était si évident. Comment cela ne t'a-t-il pas sauté aux yeux Mira ?
   -Mais de quoi parles-tu Yousef ? Je ne comprends pas !
   -Ils n'étaient pas venus pour s'enquérir de ma bonne forme Mira, ils étaient venus pour te voir ! Ils te dévoraient des yeux ! Ils ont été tout de suite charmés par ta beauté et ta grâce. Mira, pas un homme normalement constitué ne peut rester insensible en te voyant. Même pas mes fils. Je suis leur père et malgré le respect qu'ils me doivent, ils en oublient même le sens de ce mot lorsqu'ils sont en contact avec toi. Ce n'est pas de ta faute ! Tu es si douce, si pure ! Tu ne peux pas t'imaginer ce qui passe dans la tête d'un homme lorsqu'il est en ta présence. Particulièrement Tarkan. Il a vingt ans, il est impertinent et prétentieux. Il voudrait bien que je lui laisse le trône et il te veut Mira…
   -Yousef… Yousef… ne trouves-tu pas que ta jalousie t'aveugle et que tu exagères un peu ? Ce sont tes fils !
   -Je suis jaloux, oui. Mais je ne suis pas aveugle ça non ! Et je suis loin d'exagérer, Mira. Si tu avais vu et entendu Tarkan ce matin. Il te veut Mira et il est capable de faire bien du mal autour de lui pour arriver jusqu'à toi ! La jalousie entre hommes c'est une chose mais quand elle est entre un père et son fils c'est terrible. Et ne me dis pas

qu'il me ressemble. Je sais trop bien qu'il me ressemble dans tous les sens du terme. Il est aussi caractériel et impétueux que moi. Je lutte contre un adversaire égal à moi et je n'aime pas ça du tout. J'ai peur pour toi, Mira ! Quel stratagème utilisera-t-il pour t'enlever à moi ?

-Yousef... Je suis vraiment peinée de voir que ma présence te trouble avec tes fils. Je veux que tu saches que Tarkan ne m'enlèvera jamais à toi. C'est bien mal me connaître que de croire que je ne t'aime pas suffisamment. Suffisamment pour partir avec le fils de mon amant, si jeune, si beau, si bon soit-il ! J'ai toujours été si fidèle à mes amours Yousef, comment peux-tu douter de moi ? J'ai assez souffert de vos guerres de jalousie entre vous Messieurs. Je veux aimer, moi Yousef, et être aimée. Si je peux avoir les deux à la fois je suis comblée et je n'ai pas besoin d'avoir d'aventure et de faire plusieurs lits pour me satisfaire. Comme j'ai tout ce que je veux avec toi, tu ne devrais pas te choquer contre ton fils, il n'atteindra jamais mon cœur, il est bien trop occupé à calmer l'homme de mes nuits. Ce Roi si fort et si grand qui doute de lui en face de moi et de son jeune fils. Yousef tu es beau, tu es intelligent, tu as parfois mauvais caractère, mais tu es ce que tu es... Tu t'es déjà montré si brutal autrefois. Aujourd'hui tu me combles de caresses et de baisers avec douceur et passion, tu t'es ravisé, tu as changé. Tu as appris à attendre, à savourer le temps qui passe. Je n'aime que toi. Ton fils est beau, jeune, mais il est le Yousef que je n'aimais pas. Si ma présence ici sème la discorde, je vais partir Yousef.

-Non, tu partiras quand tu le jugeras nécessaire. Mais ne pars pas à cause de... Déjà que je devrai me séparer de toi prochainement, je suis malheureux de ne pas pouvoir te garder près de moi. Si tu savais comme je t'aime. Comment ferai-je pour attendre de longs mois sans te revoir ?

-Je sais Yousef... Nous n'avons pas une situation matrimoniale idéale mais il faudra bien faire avec.

-Je t'aime.

Il l'embrassa avec passion, la serrait contre lui avec force comme si elle allait s'envoler et partir à l'instant de cette pièce. Il l'a pris dans ses bras et la transporta vers son lit où il la déposa avec douceur. Il redevenait peu à peu le Yousef doux et enflammé. Il enlevait ses vêtements avec fougue et l'embrassait. Les deux amants étaient encore corps contre corps et oubliaient ce qui venait de se passer sous les caresses et les frottements corporels. Sous l'emprise de ces divines sensations Yousef ne se souciait plus de Tarkan. Sentir cette femme frissonner sous ses mains le comblait et pour lui, cette femme était une merveille de désirs et de passions. Elle se donnait entièrement et complètement quand elle aimait. Cet amour qu'elle lui envoyait l'enivrait.

Il se saoulait dans ses yeux bleus à demi fermés marque de satisfaction sexuelle de la belle. Plusieurs fois encore pendant la nuit, les amants se donnaient l'un à l'autre.

Au petit matin Mira dormait paisiblement contre Yousef. Il recommença à la caresser et elle se réveillait doucement au contact de ses doigts sur sa peau. Elle s'étirait comme un chat. Il grimpa sur elle frottant son corps sur le sien.

Puis dans le corridor on entendit des voix et Yamir qui courait en riant aux éclats. Le petit ouvrit soudainement la porte. Yousef et Mira en position du légionnaire s'arrêtèrent et regardèrent le petit garçon qui entrait dans la pièce en véritable tornade. Les gardes refermèrent la porte en s'excusant. Le petit arrivé près du lit et voyant ses parents dans cette position dit :

-Papa tu fais boubou à maman ?

Mira se mit à rire et Yousef aussi.

-Mais non Yamir, papa aime maman ! Répondit Mira.
-De ses petits mots, il m'a coupé mon envie ! De rétorquer Yousef.

Mira riait et Yousef se laissa choir à ses côtés. Mira fit monter l'enfant dans le lit.

-Ha ! ha ! Espèce de petit espiègle ! Tu as enlevé à papa sa dernière chance pour aujourd'hui ! Dit Yousef à son fils.
-Yousef ! Les enfants ont tellement des comportements inattendus. Tu as bien des enfants tu devrais savoir ce qui en retourne !
-Oui, c'est vrai, papa aime maman. Beaucoup, beaucoup, beaucoup aimer maman !
-Les Chameaux… Les Chameaux, je veux voir les chameaux ! Demandait l'enfant
-Yamir tu es vraiment dur à satisfaire ! Chameau hier et encore chameau aujourd'hui ?
-Oui, papa, je veux voir les chameaux !
-Il aime se promener à ce point sur le dos d'un chameau ?
-Il ne fait pas que se promener il court dans tous les sens, il est une tornade d'énergie ! Ce qu'il aime par-dessus tout c'est de faire coucher les chameaux, il trouve ça tellement drôle !
-Tu penses que nous pourrions encore répondre à sa demande aujourd'hui ?

-Comment tu… tu veux dire que tu restes encore aujourd'hui avec moi, Mira ?

-Oui, encore aujourd'hui et j'ai même quelque chose à te demander…

-Je suis si heureux demande-moi ce que tu veux !

-Serait-il trop dangereux de visiter un peu tes terres ?

-Visiter mes terres ? Dangereux ? Tu veux faire un petit voyage ici dans mon Royaume, c'est ça ?

-Je trouve que c'est tellement beau, j'aimerais voir un peu de gens, de villes à l'accent Arabe… Même si je prolongeais de quelques jours mon voyage, cela n'a pas beaucoup d'importance je suis partie depuis trois mois.

-Ah ! Mira… Mira… Je t'emporterai où tu voudras… Rester avec toi est tout ce que je souhaite ! Si tu veux que je décroche la lune, demande-le…

-Ha ! ha ! Ne sois pas idiot, Yousef. Je veux moi aussi que tu profites de Yamir le plus longtemps possible et moi je veux profiter de toi !

-Petit garnement ! Ce que tu fais faire à ta mère… Et ce que ta mère fait faire à ton père, c'est disgracieux ! Ta mère veut profiter de moi. Pauvre Yousef, il est bien mal pris entre vous deux ! Et le pire c'est que je suis si heureux et je ne refuse rien. Même pas les chameaux, Yamir…

-Enfin, je vais revoir les Chameaux. Dit l'enfant visiblement satisfait qu'on réponde à sa requête.

-Je me lève et je vais ramener ce petit Prince avec moi ! Il va déjeuner avant d'aller voir les chameaux,

-Non, je veux voir les Chameaux tout de suite !

-Un instant jeune homme, on écoute toujours les dames ! Elles nous empoisonnent la vie, mais il faut bien être galant et leur laisser l'impression qu'on écoute ce qu'elles disent, souviens-toi de ce petit conseil Yamir. Les dames ont toujours raison !

-N'écoute pas ce qu'il te dit Yamir, ton père est le plus grand séducteur que la terre ait porté ! Les conseils qu'il te donne pourraient t'affecter sérieusement… C'est que ça pourrait être dangereux pour ton équilibre mental !

-Oh ! Mira ! Tu es méchante. N'avez-vous pas toujours raison, vous les femmes ?

-Oui. Nous sommes des êtres supérieurement intelligents !

-Ce qu'il ne faut pas entendre, Yamir, bouche tes oreilles ! Tu risques d'avoir boubou aux oreilles.

-Viens Yamir, viens avec maman. Ne reste pas ici c'est un homme au comportement plutôt insolite ton père. Yousef, franchement, bouche tes oreilles ! Ce que tu peux être bébé parfois.

-Madame sachez que je suis l'homme le plus mature que vous ayez rencontré dans votre vie, je suis un homme ravagé par le mal que me fait endurer cette déesse venue du Nord pour m'accabler…

-Pour t'accabler de… je sais grand fou !

Elle souriait et elle tenait Yamir qui se bouchait les oreilles comme un enfant obéissant. Yousef regardait sa petite famille et riait en voyant Yamir faire ce qu'il lui disait.

-Vous voyez Madame, il m'écoute.

-Yamir !

Mira hochait la tête négativement en regardant Yousef.

Elle sortit doucement de la pièce après avoir passé une robe légère faite de dentelles. Yousef s'habilla à son tour et se dirigea vers son bain et Mira le rejoignit peu de temps après. Le petit avait été laissé aux servantes permettant aux tourtereaux de savourer un bain et cela réussit plutôt bien à Yousef qui était encore prêt pour satisfaire la belle.

-Monsieur, ne pensez-vous pas que ce n'est ni le moment, ni l'endroit pour vaquer à de telles occupations ?

-J'aime finir ce que j'ai commencé, c'est tout ! Avec la tornade qui a envahi la chambre tout à l'heure, je n'ai pas pu finir, Madame !

Ce que Yousef pouvait être drôle lorsqu'il s'y mettait se disait-elle. Bien entendu l'insistance de Yousef n'était pas malveillante et Mira se laissait doucement tenter par l'homme.

Plus tard après avoir déjeuné, Yousef s'occupa de répondre aux désirs de Yamir. Il me le confia afin que je réponde à sa requête de chameau !

Yousef invita Mira à se rendre aux jardins. Les arômes et les odeurs de la multitude de fleurs donnaient un cachet très spécial à cet endroit.

-Comme c'est beau ici !

-Tout est beau Mira, mais rien ne l'est comme toi !

-Yousef ! Tu me gênes, arrête !

-Voir ses joues se rougir est une fête pour moi, ma belle !

-Si on préparait notre petit voyage ?

-J'ai déjà tout organisé. Les hommes font le nécessaire.

-Déjà ? Si vite ? En tout cas avec toi on ne répète pas deux fois les mêmes choses ! ! !

-Non c'est vrai ! Je suis impulsif n'oublie pas c'est toi-même qui me l'as dit !

-C'est vrai, comme un étalon en rut !

-Oh ! Comme j'aime cette comparaison, un étalon en rut ! C'est tellement grand et fort un étalon et quand on sait de quoi il est doté, Madame, c'est un compliment qui me va droit au cœur !

-Grand fou ! Tu renverses toujours les situations à ton avantage ! Je ne sais pas d'où te vient ce sens inné de toujours t'avantager.

-C'est mon petit côté exotique. On est très vantard !

-Vantard ! C'est le moins qu'on puisse dire, vous êtes si imbu de vous-même mon cher !

-Tu aimes ça, me taquiner ? Hein ? Avoue ? Tu aimes me contrarier, me piquer, m'affronter ? Hein ? Dis-moi ?

-C'est un véritable plaisir de voir ce jeune étalon ruer et vouloir se défaire de ses liens ! Je t'avoue que c'est un tout un spectacle !

-Vous êtes d'une méchanceté, Madame, avec moi ! Je suis à vos pieds et vous me piétinez ! Ne vous a-t-on jamais dit qu'on ne frappe pas un homme qui est déjà par terre ?

-Oui, un homme mais pas un Roi !

-Comme vous êtes injuste ! Je suis les deux !

-Je laisse l'homme par terre et je piétine le Roi !

-C'est qu'elle fait de l'esprit cette petite Suédoise !

-J'en suis capable, MOI !

-Ha ! ha ! Mira, tu es incroyable ! Je t'aime, je n'ai jamais connu quelqu'un comme toi !

Ils continuèrent à se taquiner pendant quelques minutes avant de retourner vers l'intérieur de la magnifique demeure.

Yousef s'assura que tout était prêt. De notre côté, nous étions tous prêts, impatients de voir du pays et les gardes de Yousef paraient aux derniers préparatifs. Mira n'avait nullement oublié Rustopov. Yousef accepta de se rendre jusqu'aux pyramides où elle pourrait voir ce cher Rustopov qui nous attendait depuis plusieurs semaines déjà. Il semblait que cette fois, rien ne viendrait remettre à plus tard ce rendez-vous.

Yamir entra dans le château et courait dans tous les sens, excité par l'idée d'aller voyager à dos de chameau. Mira regardait ce petit boute-en-train qui riait et courait sans jamais reprendre son souffle. Yousef se pencha et quand l'enfant passa, il le happa et lui dit :

-Jeune homme je trouve que vous êtes bien excité !

-Yamir va voyager sur le dos d'un chameau !

-Oui, oui tu vas faire un voyage à dos de chameau, c'est vrai, mais si tu n'arrêtes pas de courir comme ça, le chameau va tomber sur le dos et Yamir aussi !

Il prit son père par le cou et lui envoya un gros bisou ! Yousef était très surpris de cette soudaine marque d'affection.

-Ah ! Non, tu es trop souvent avec ta mère toi ! Tu ne m'attendriras pas avec des gros bisous. Petit coquin ! On ne copie pas les grandes personnes, je sais que ta mère à cette fâcheuse habitude d'obtenir tout ce qu'elle veut de moi seulement en m'embrassant, mais il faut que tu sois un peu moins démonstratif, tu es un Monsieur, toi !

-Yamir aime bien Yousef !

Puis un autre gros câlin. Yousef regardait Mira qui riait et l'enfant se collait le visage contre celui de son père qui levait les sourcils et faisait un petit sourire en coin.

-Vous avez pourri cet enfant, Madame !

-Je ne sais pas qui de nous deux le pourri le plus, Sire ? Il est comme son père très affectueux !

-Je fais ça moi ? En êtes-vous bien certaine ? Je devrais peut-être réviser mon comportement…

-Ah ! Non ! Votre Majesté est bien mieux de rester comme elle est ! C'est beaucoup plus agréable !

-Si vous le dites Madame, tiens Yamir…

Il donna un gros bisou sur la joue de l'enfant qui riait. J'entrais à ce moment.

-Sire, Majesté, les hommes sont prêts on attend plus que vous !

-Mirikof vous me semblez bien pressé. Lui dit Mira

-Je suis content qu'on voie encore du pays, Majesté !

-Il est aussi excité que vous le fussiez ce matin, Yousef !

-Madame, Mirikof et moi sommes des hommes qui aimons voir des choses belles.

-C'est ce que je disais des gros bébés !

-Ha ! ha ! Votre Reine, Mirikof, est une femme d'un esprit divin !

-C'est que j'ai eu un très bon professeur ! Monsieur, Mirikof, ici présent se vante d'être celui doté du meilleur sens de l'humour de la terre et vous, je n'ose même pas dire de quoi vous vous vantez !

-Sire, permettez-moi.

-Bien sûr mon brave, permettez-vous de répondre à cette dame ! Et si vous pouvez avoir le dernier mot, vous me donnerez votre recette !

La bonne humeur se lisait sur tous les visages en ce matin de début janvier. Après ce court intermède de rires, nous nous dirigeâmes vers l'extérieur, accompagnés du petit Yamir. À l'extérieur, plus de trois cents hommes attendaient cordés comme des moutons. Il y avait beaucoup de chevaux, mais aussi des chameaux. Mira qui ne connaissait pas tellement cet animal, regardait Yousef qui s'apprêtait à embarquer avec son fils sur le dos de l'un d'eux.

-Tu devrais essayer Mira, c'est confortable un chameau.

-C'est que je n'y connais rien, Yousef. Autant je peux être à l'aise debout sur le dos du cheval autant je me sens maladroite avec ce grand animal.

-Attends-je vais organiser quelque chose.

Il se retourna et me fit signe pour que j'aille le voir.

-Mon cher Mirikof, échangeriez-vous votre monture pour celle-ci ?

-Bien sûr, Sire. Depuis trois jours je monte cette bête comme un professionnel.

-Bon, montez avec Yamir et moi je vais monter avec Mira.

Il prit Mira par le bras et l'emmena près d'un autre chameau. Il la fit monter et monta derrière elle. Le chameau se releva doucement. Et Yousef donna le signal de départ. Mira, confortablement assise sur le dos énorme de cette bête entre les jambes de Yousef qui la tenait par la taille, sentit des papillons dans l'estomac quand l'animal se redressa complètement.

-Tu es bien assise ?

-Oui, je ne pourrais pas être mieux. Tu me tiens si près de toi…

-Il y a de la place sur le dos d'un chameau, Madame, mais c'est heureux pour moi qu'il n'y en a pas assez pour que vous soyez loin de moi. Vous tenir ainsi c'est même difficile pour moi !

-Pourquoi ? Vous n'êtes pas confortable ?

-Oh ! Si ma belle, si confortable que c'est presque pêché de t'avoir si près de moi.

-Yousef, tu ne penses qu'à ça ! Moi qui croyais que tu étais en mauvaise posture !

-À quoi peut-on penser quand on tient une femme comme toi dans ses bras ?

-Ne recommence pas ! Il y a beaucoup trop de monde ici pour que tu reprennes ton service de cette nuit.

-Et c'est bien dommage ! Je devrai rester sur mon envie jusqu'à ce soir.

-Et qui vous dit que ce soir vous aurez la possibilité de dormir avec moi ?

-Oh ! Non. Ne me torture pas ! Je ne dirai plus un mot, je serai aussi silencieux qu'un grand trou noir... Mais laisse-moi encore dormir avec toi !

-Je vais y penser !

Il l'embrassa dans le cou. Elle trouvait la sensation de marcher à dos de chameau si agréable. Beaucoup plus grand qu'un cheval, une fois assis sur le dos d'un chameau le point de vue était idéale pour observer, ce qu'elle n'hésitait pas à faire tournant la tête de tous les côtés pour admirer ce qui l'entourait.

Tous les gens qui les croisaient regardaient avec intérêt le convoi royal qui se déplaçait vers le Sud. Des curieux se massaient aux abords des routes pour voir le jeune prince aux yeux bleus et la beauté nordique. Le voyage était entamé et Yousef tenait toujours Mira contre lui.

Ils continuèrent jusqu'à ce qu'ils arrivent dans une grande ville. Il y avait une telle activité dans les entrailles de cette ville. Décidément, les villes ici étaient très populeuses. Les bâtiments étaient pour la plupart énormes et d'architecture typiquement Arabe. Certains même dataient de l'époque des Saintes écritures. Les églises, les mosquées, les constructions religieuses étaient présentes partout.

Les gens se retournaient sur leur passage et se courbaient à la vue des emblèmes royaux. Beaucoup d'entre eux n'avaient jamais vu autant de têtes blondes de leur vie et regardaient notre troupe comme s'ils avaient vu une apparition. Notre habillement, notre taille, nos peaux blanches, nos yeux clairs, nous étions étranges dans cet amas de peaux aux couleurs du désert, de regards sombres et de vêtements bien différents des nôtres. Et que dire de cette femme en compagnie du roi, non voilée et dont la chevelure volait au vent reflétant les rayons du soleil tel de l'or en mouvement ? Tous devinaient de qui il s'agissait mais peu auraient pu croire avoir la chance de la voir. Et que dire également de ce petit prince assis avec un homme blond et qui était aux couleurs de leur apparence physique mais dont les yeux bleus étaient comme de véritables saphirs. Chaque fois que le roi se déplaçait en grandes pompes, les sujets de Sa Majesté étaient toujours curieux de le voir, mais cette fois c'était différent. Ils n'étaient pas curieux, mais plutôt impatients de voir la reine venue du Nord. Même si elle était une étrangère, elle les épatait. Aussi blonde que le miel, délicate à souhait et gracieuse, elle estompait leurs ragots qui avaient couru quand le roi avait soudainement changé ses habitudes de vie, oubliant son harem, ce qui n'avait manqué d'agrémenter les discussions à travers tout le pays.

Nous passions en face d'un grand bâtiment et Yousef nous fit nous arrêter aux portes.

-Ceci est une de mes nombreuses maisons. Ici on est attendu. J'ai envoyé tôt ce matin des messagers pour les prévenir.

Effectivement les serveurs et les servantes étaient sur le pas de la porte et attendaient l'entrée des personnages royaux et de la grande dame venue du Nord. Les hommes se retirèrent dans la cour arrière où ils s'installèrent pour prendre leur repas. Moi, Mira, Yousef et Yamir, nous nous sommes introduits à l'intérieur de la demeure.

Cette demeure, même si elle n'avait pas la splendeur du palais de Yousef était tout de même remplie de charme. Une fois à l'intérieur, Mira observait silencieusement la décoration pleine de finesse. Ce genre architectural lui plaisait beaucoup. Les gens du manoir regardaient la jeune dame du coin de l'œil. Quel plaisir pour les yeux. Et le silence dont elle faisait preuve démontrait sans aucun doute la grande personnalité de la dame. Elle n'était peut-être pas voilée, elle n'était pas de la même religion et était une étrangère, mais elle inspirait le respect.

Yousef fit entrer plusieurs de ses gardes expliquant qu'ils veilleraient à la sécurité de Mira car il devait quitter sa belle pour quelques minutes ayant une affaire urgente à régler. Il ne laisserait plus la belle sans surveillance. Il me demanda de l'accompagner et s'excusa auprès de Mira pour lui infliger cette petite attente ne donnant aucun détail sur ce qui le pressait ainsi.

-Je vais revenir aussi vite que je vais pouvoir, installe-toi, mets-toi à l'aise et fais comme chez-toi.
-Mais où vas-tu ?
-J'ai malheureusement une petite affaire très urgente à régler et comme je passais par ici, j'en profite pour y voir. Je prends quelques hommes avec moi et Mirikof. Nous continuerons notre route dès que

nous serons de retour. Ne t'inquiète pas, ici il y a beaucoup plus de femmes que chez-moi !

-Bon très bien.

Elle n'osa pas poser de questions à Yousef. Le fait qu'il était si vague ne présageait rien de bon mais il m'emmenait avec lui, cela la rassurait. Yousef voyait qu'elle avait des questions pleins les yeux mais il lui aurait expliqué le moment venu. Sa discrétion naturelle toucha Yousef n'insistant pas en se confondant en questions de toutes sortes. Elle comprenait vite ! Beaucoup plus que ses autres femmes qui se seraient pendues à son cou en le suppliant de lui dire où il allait. Nous sortîmes de la demeure avec une cinquante d'hommes.

-Mon cher Mirikof je vous emmène avec moi pour m'empêcher de faire des bêtises.

-Que dites-vous, Sire ? De quoi parlez-vous et où allons-nous ?

-Nous allons dans mon manoir situé à environ une demi-heure à cheval. Je vais rendre visite à mes trois fils.

-Ah ! Bon, je vois, Sire. Mais pourquoi feriez-vous des bêtises ?

-J'aurai bien envie de leur tordre le cou et spécifiquement à Tarkan.

-C'est un Prince assez peu ordinaire, votre fils Tarkan, Sire !

-À qui le dites-vous ! Hier soir si Mira ne m'avait pas retenu je lui crevais les deux yeux. Et je suis aussi choqué ce matin juste à y penser. C'est pourquoi je n'ai rien dit à Mira et que je souhaite être accompagné.

-Moi, j'ai tout vu hier soir, Sire.

-Et si vous me racontiez votre version de l'incident, Mirikof, j'en serais fort aise.

-Je ne suis pas intervenu, Sire. C'est votre fils et il est Prince. Mais je n'ai pas du tout aimé, sans vouloir vous offusquer, son entrée en matière avec la Reine.

-Si vous pensez que je suis fier de lui et vous pouvez bien dire ce qui vous trotte dans la tête au sujet de Tarkan, je ne m'en offusquerai pas du tout, je suis en guerre avec ce petit effronté depuis plus de dix ans.

-Je vois.

-Racontez-moi Mirikof, je tiens à savoir.

-D'abord, ils se sont présentés peu de temps après votre sortie. Ils se sont dirigés directement vers elle. Elle ne les avait pas vus. Mais toute la salle les regardait. Ils marchaient d'un pas officiel les trois côte à côte. Comme je les avais vus le matin je savais qu'il s'agissait des Princes. Après avoir chacun présenté leurs hommages à la Reine, il semble y avoir eu une légère altercation verbale entre eux. Le Prince

Tarkan faisait signe à ses deux frères de retourner s'asseoir. Je voyais bien que ça ne leur plaisait pas du tout, mais je ne sais pour quelle raison, ils lui ont obéi. Puis c'est là que je n'ai pas aimé ce que le Prince faisait. Il s'est assis sur votre siège et était penché sur son coude la regardant de si près. Si je l'avais vu lever le petit doigt sur elle, je me levais avec mes hommes. On l'observait tous, même vos propres hommes qui discutaient entre eux, mais je ne parle pas votre langue, alors je ne sais pas ce qu'ils ont pensé de tout ça. J'étais trop loin pour entendre leur conversation mais à voir l'embarras de la Reine je me doutais que leur discussion était axée sur elle. Je la connais si bien. Elle déteste qu'un étranger s'exprime envers elle de façon aussi directe si vous voyez ce que je veux dire. Mais comme elle est timide et respectueuse des autres, elle préfère rester silencieuse et baisser les yeux. La Reine est une femme qui se bat, qui lutte, mais lorsqu'elle n'est pas préparée à une situation surtout une situation impliquant des hommes, elle n'a aucune défense. Et je crois que votre fils, Sire, c'est très bien rendu compte à quel point elle est vulnérable en face d'une situation improvisée. Après il s'est levé, a encore embrassé sa main et s'est assis près de ses deux autres frères qui semblaient très mécontents eux aussi de son comportement. Et là, il s'est installé de façon à pouvoir avoir la Reine dans son champ de vision. Et vous êtes revenu et vous connaissez la suite, j'ai bien vu que vous étiez hors de vous lorsque vous avez aperçu vos fils.

-C'est bien ce que je croyais. Mira a donné une version semblable mais beaucoup plus clémente envers mes fils. Je ne sais pas comment elle fait, mais avant je n'aurais jamais écouté une femme, je me serais levé et je les aurais étranglés de mes mains, surtout Tarkan.

-Mira est une Reine bien spéciale, Roi Yousef. Je ne le dirai jamais assez. Par un seul regard, une seule parole elle peut empêcher un conflit. C'est ce petit quelque chose qu'elle a quand elle nous supplie que je ne saurais décrire. Vous la connaissez mais savez-vous vraiment qui est cette femme Sire ?

-Je sais beaucoup de choses sur elle. Je sais qu'elle est originaire d'une forêt, qu'elle est une paysanne, je sais aussi comment Boris a été violent et injuste avec elle en tuant son premier prétendant devant ses yeux, pour l'emmener de force vers son château où il l'avait cloîtrée le temps qu'il revienne de l'une de ses croisades pour la marier. C'est là que vous et Bjarni êtes entrés dans sa vie. Bjarni a reconquis le Royaume de Boris et le jeune Roi était en exil. Je sais également qu'elle a beaucoup milité pour le droit des femmes et ensuite elle serait partie en mer où elle a découvert de nouvelles terres et un trésor, du moins c'est ce qu'on m'a raconté. Devrais-je savoir d'autres choses ?

-Vous connaissez assez bien le chemin sinueux qui l'a emmenée jusqu'ici, mais ce que vous ne savez pas c'est qu'elle a combattu aux côtés de Bjarni et de Boris sur les champs de bataille.

-Que dites-vous, Mira sur un champ de bataille ? Si fragile, je ne vous crois pas.

-Je vous ai dit tout à l'heure que lorsqu'elle est préparée elle peut être une femme incroyable. Vous savez comment elle monte les chevaux ?

-Oui, c'est d'ailleurs à cause de cette première rencontre que… On ne reviendra pas là-dessus.

-Non, Sire, c'est une vieille histoire que nous allons mettre aux oubliettes. Mira est une femme extrêmement agile. Elle est aussi un des meilleurs stratèges que je connaisse. Vous seriez surpris de son sens de l'embuscade et son intelligence en matière de guerre. Elle est d'une nature sensible et elle déteste la violence. À cause de ces deux critères spécifiques elle sait comment faire d'un escadron de guerriers une proie facile à prendre.

-Je savais Mira capable de bien des choses mais continuez, vous m'intriguez !

-Je ne vous citerai pas toutes les victoires que nous avons gagnées à cause d'elle, mais je peux vous dire, Sire, que l'ennemi a eu bien souvent de très mauvaises surprises. À elle seule, une fois, elle a fait prisonnier plus d'une quarantaine d'hommes.

-Vous chercher à ce que je vous traite de menteur ou quoi ?

-Sire, je sais que c'est difficile à croire, mais si vous demandez à mes hommes, ils vous confirmeront ce que je vous dis.

-Alors dites-moi comment a-t-elle fait ?

-La stratégie de cette femme est d'une ingéniosité parfois ! Elle savait que ce groupe de bandits attaquait et pillait des villages. Ils ont été pendant plusieurs semaines, une véritable calamité pour les villageois. Boris à l'époque qui venait tout juste d'entrer dans les bonnes grâces de Mira s'obstinait avec elle. Il ne croyait pas qu'elle soit à sa place à lutter contre un ennemi. Ce que la plupart de nous croyaient à l'époque. Mais moi, je l'avais vu à l'œuvre auprès de Bjarni. Alors elle s'est arrangée pour savoir à quel moment et à quel endroit Boris et ses soldats tenteraient d'embusquer les pillards. Elle savait aussi combien il y avait d'hommes qui faisaient partis de ce groupe de bandits. Elle savait par où ils arriveraient. Avec l'aide de quelques hommes elle a fait tendre un immense filet par-dessus la route, accroché sur les arbres. La forêt débouchait sur une petite clairière où attendaient Boris et ses hommes. À un moment bien précis, elle est sortie debout sur sa monture et à couper les cordes qui retenaient le filet. Les hommes qui voyaient déambuler cette cavalière en pantalon cheveux au vent debout sur un cheval devant eux n'ont pas eu le temps de réagir, trop

854

surpris par ce qui leur passait sous le nez. Le filet est tombé et les hommes étaient pris au piège. Il ne restait qu'à les cueillir.

-C'est incroyable ce que vous me racontez là !

-Vrai comme je suis ici, Sire. Vous n'êtes pas le seul à être surpris. Boris et ses hommes étaient restés bouche bée. Elle leur fit un petit signe et repartie comme elle était venue. Boris n'a plus jamais douté par la suite des capacités de la Reine. Il les a largement utilisées par la suite. En plus d'être une très très belle femme, elle est très rusée.

-Vous me coupez le souffle, Mirikof.

-C'est pourquoi je vous disais tout à l'heure que lorsqu'elle sait ce qu'elle fait et qu'elle y est préparée, elle est dangereuse pour qui se moque d'elle. Par contre, lorsqu'elle est surprise par une situation, surtout lorsqu'il s'agit d'hommes, elle panique et se replie sur elle-même. C'est une femme si sensible, si fragile. Comme deux extrêmes qui habitent la même personne. Heureusement qu'elle n'a jamais utilisé son pouvoir de séduction et de stratège à de mauvaises fins car on aurait un sérieux problème sur les bras.

-C'est vraiment une femme exceptionnelle... J'en suis très épris.

-Je sais Sire, je sais. Nous le sommes tous à notre manière. C'est difficile de lui résister. Mais qu'allez-vous faire de vos fils ? Le Prince Tarkan me semble prêt à commettre une bévue, ai-je tort ?

-Malheureusement vous n'avez pas tort. Hier matin, je me suis disputé aux poings avec lui, il m'a carrément fait comprendre qu'il avait des vues sur Mira. Il ne s'est jamais gêné de m'affronter et aujourd'hui, il veut ce que j'ai. De la Couronne jusqu'à la perle que j'ai dans les mains. Je suis si furieux. Vous qui êtes un homme, vous comprenez ce que peut être la jalousie. Imaginez lorsqu'il s'agit d'une jalousie entre un fils et son père pour la même femme, c'est horrible !

-Sire, je vous comprends. Cette situation s'est déjà produite avant.

-Que voulez-vous dire ?

-Le Roi Bjarni avait un frère, le Prince Varek. Varek n'avait jamais accepté son rang de deuxième Prince et savait qu'il n'aurait jamais accès à la Couronne et lorsque Mira est apparue la situation à dégénérée au point où Bjarni a dû placer Varek sous surveillance pendant plusieurs années. Ici c'est une jalousie entre deux frères mais c'est la même chose. Ça, c'est d'ailleurs très mal terminé, Varek a fini par faire assassiner son frère par une saugrenue stratégie et a monté sur le trône avec l'idée bien arrêtée qu'il aurait aussi la Reine. Le tout s'est terminé lorsque Boris fit un retour en force pour remettre son fils sur le trône que Varek avait sciemment évincé. Après, le jeune Roi déchu s'est enlevé la vie. C'est très compliqué. Soyez prudent, Sire.

-Décidément, Mira cause beaucoup de frictions autour d'elle !

-C'est vrai, Sire. Mais elle est si inconsciente de tout ça avant que les drames surgissent ! Elle ne connaît pas la haine, ni la vengeance.

Elle souffre de ces conflits. Elle ne sait pas comment réagir devant ces hommes qui s'affrontent entre eux pour elle. Elle est démunie de stratégie devant ce qui la concerne personnellement. Elle est simple et bien spéciale. C'est la seule femme que je connaisse à avoir autant semé autour d'elle, bonheur et prospérité pour des nations entières et destruction sans condition de sa vie sentimentale.

-Vous êtes de loin un très fin spécialiste de la condition humaine, Mirikof. Vous décrivez très bien la femme avec qui je rêverais de partager ma vie. Si seulement je l'avais rencontrée avant... Tout aurait été bien différent. Mais voilà je dois vivre avec mes fantômes et ma solitude. Ces derniers jours ont été pour moi un présent inattendu, inespéré et incalculable. Je ne pourrai jamais oublier ce petit Prince aux yeux bleus ni la femme qui l'a porté. Les distances qui nous séparent sont si grandes... On se reverra mais le temps me semblera une éternité.

-Elle a donc refusé de vous épouser ?

-Oui. Elle dit que si on convole en justes noces, nous joindrons nos deux royaumes et l'empire qui en résultera sera cahot et guerre. Nos deux mondes sont trop différents pense-t-elle. Et il y a son fils sur le trône, elle ne veut pas que le Prince Tarkan lui ravisse sa Couronne parce que je suis un Roi et qu'il est mon fils.

-Elle aurait bien envie de vous épouser, Sire. C'est clair comme de l'eau de roche ! Elle sacrifie encore sa vie pour le bien être de tous. Ne pensez pas qu'elle ne veut pas de vous, elle est sensible à ce que pourrait entraîner une alliance entre deux très grands Royaumes bien différents, c'est tout !

-Je sais Mirikof, je sais. Elle est beaucoup plus raisonnable que je ne le serai jamais. Je sais qu'elle a raison ! J'aimerais tant qu'elle ait tort, si vous saviez comment je souhaiterais qu'elle ait tort !

-Sire, peut-être que le temps jouera en votre faveur comme il l'a déjà fait ! Il suffit d'être patient. Elle vous sera fidèle. Elle est comme ça ! Même loin de vous, aucun homme n'aura accès à sa couche.

-Vous me rassurez, une femme aussi belle, seule... Les loups rôdent et je n'aime pas ça.

-Mais il y a un vieux loup, Sire. Un très vieux loup qui vieille sur elle. Il est trop vieux pour espérer partager sa couche, et il la considère comme sa fille. Alors ce vieux loup est bien armé pour empêcher des intrus et nos hommes le respectent énormément. Ils sont loin d'être aveugles, Sire, mais ils considèrent cette Reine comme un ange descendu parmi nous pour nous conduire droit vers le ciel. Elle était déjà partie intégrante d'une légende avant sa rencontre avec Boris. Depuis son très jeune âge elle a fait l'une des conversations dans les villages et même avant que Bjarni l'ait vue, il savait qu'il existait quelque part une femme extraordinairement belle et qui possédait des qualités spéciales.

-Je n'ai pas de misère à vous croire, Mirikof. Elle est, comme vous le dites, bien spéciale. C'est pourquoi elle me donne du fil à retordre ! Elle est si inaccessible ! Presque trop belle pour être vrai ! ! !

Nous continuions notre route en discutant. Lorsque nous arrivâmes au manoir de Yousef, les servantes et les serviteurs couraient dans tous les sens, surpris par la visite du roi. Il était presque midi. Nous descendîmes de nos montures et entrâmes dans une autre très belle demeure. Yousef demanda à voir ses fils. Le garde de service s'empressa d'aller en informer les personnes concernées. Yousef se rendit dans un petit bureau où il me fit entrer.

-Mirikof, vous attendrez à la porte. Emmenez plusieurs de mes hommes. Si vous n'entendez rien, inquiétez-vous, si vous entendez des bruits suspects, inquiétez-vous ! Vous me comprenez ?

-Oui, Sire. Message bien reçu !

Je ressortis allant cueillir plus d'une vingtaine d'hommes que je positionnai de chaque côté de la porte le long du mur du corridor. Quelques minutes plus tard je les voyais, les trois fils de Yousef s'avançant d'un pas solennel et fier. De belles pièces d'hommes, grands, musclés, jeunes qui devaient être une terreur sur un champ de bataille. Lorsque Tarkan arriva à ma hauteur, il me toisa d'un regard inquisiteur puis s'introduisit, suivi de ses frères, dans la pièce.

Yousef, assis derrière son bureau, était installé les pieds sur le bureau et le dos bien accoté sur le dossier de la chaise. Il regardait ses trois fils alignés devant lui.

-Vous vous pensez très braves d'avoir défié l'autorité du Roi, Messieurs ? Ne vous avais-je pas interdit de venir au château jusqu'à nouvel ordre ? Pensez-vous réellement que le Roi va laisser passer une telle occasion de vous punir ?

-Depuis quand punit-on des hommes comme des enfants, Père ? Lui dit Tarkan.

-Ne m'appelle pas Père, tu dis : ROI YOUSEF ! Petit avorton ! Petit vaniteux ! Tu es mieux de fermer ta grande gueule ! Et je punirai de la façon qui me plaira les fils indignes que vous êtes ! Aït et Salim vous n'êtes pas si idiots que votre grand frère, alors vous allez me faire le plaisir de ne pas le suivre dans tous ses plans diaboliques. Il vous est interdit d'avoir aucun contact, quel qu'il soit avec la Reine Mira. Vous êtes confinés à rester sur les terres de ce manoir jusqu'à nouvel ordre. Vous ne pourrez plus la dévorer des yeux. Et toi Tarkan tu seras mis aux arrêts pour quelque temps. Ça t'empêchera de t'adresser de façon si cavalière à une femme de si haut rang.

-Si tu penses que ça me dérange, ROI YOUSEF ! Tu as besoin d'avoir une belle prison avec des barreaux en acier, parce que Tarkan a plus d'un tour dans son sac !

-Je te connais. Je vais t'arranger pour que tu ne puisses plus nuire. Et tu vas t'excuser à la Reine.

-M'excuser ? Avec joie, si c'est pour revoir de près ces yeux azur et cette bouche vermeille !

Yousef se leva et regardait avec rage son fils droit dans les yeux.

-Aït et Salim, sortez. Le reste me concerne moi et ce dégénéré que j'ai engendré.

Les deux jeunes princes se regardèrent et sans dire un mot, sortirent de la pièce.

-Tu ne me feras pas sortir de mes gonds ce matin, Tarkan ! Ne rêves pas en couleur, tu feras tes excuses par écrit.

-Je refuse catégoriquement ! Si tu veux que je m'excuse de toutes les belles paroles que je lui ai dites à sa douce oreille hier soir, je le ferai seul avec elle ou pas du tout !

-Tiens donc ! Monsieur Tarkan se prend pour un Grand Sultan, un Roi, il pense qu'il a le choix ! J'ai dit et ça sera comme j'ai dit. Et parlons un peu de ses belles paroles que tu as dites à la Reine hier soir. N'as-tu pas honte de l'avoir embarrassée ? Tu peux remercier qu'elle m'a suppliée de te laisser t'en aller parce que je t'aurais arraché les yeux moi-même et devant tout le monde.

-Quel pouvoir elle a sur toi, Oh ! Grand Roi Yousef ! Jamais une femme ne t'a barré la route auparavant… Ce que ça doit être quelque chose de partager son lit, pour que le Roi d'habitude si cruel s'arrête aux supplications d'une femme ! Serait-ce que mes belles paroles et ma belle personne l'auraient impressionnée au point où elle ne souhaite pas que tu m'éclipses de sa vue ?

Yousef était sur le point d'éclater. Mais il se contrôla, son fils le provoquait encore et il ne voulait pas que ça finisse comme chez le Grand Vizir parce que cette fois, il l'étranglerait.

-Je t'ai dit que tu ne me ferais pas sortir de mes gonds aujourd'hui ! N'essaie pas, tu ne réussiras pas ! J'avoue que ça me prend tout mon courage pour ne pas t'arracher la tête, mais je vais me contrôler. Laisse-moi te dire ceci, petit prétentieux de mes deux, elle n'a aucune envie de changer de partenaire, elle me l'a dit hier et elle est bien trop digne pour se laisser faire la cour par un jeune écervelé de ta sorte. Si je ne t'ai pas crevé les yeux hier soir, la seule raison est que je la respecte trop pour ne pas écouter ce qu'elle dit. Avoue Tarkan que tu la désires, hein ? Avoue-le ?

-C'est bien le seul point sur lequel on peut être d'accord. Mais tu ne pourras pas l'empêcher de choisir entre le jeune et beau Prince et le vieux Roi.

-Parce que tu crois que Mira est ce genre de femme ? Jeune, tu es trop jeune pour comprendre Tarkan, tu la veux et tu es aveuglé parce qu'elle est très belle.

-Je ne suis pas trop jeune pour comprendre, j'ai vingt ans et j'ai déjà eu tellement de conquêtes dans mon lit que je ne peux plus les compter et tu le sais. Je ne suis pas idiot comme tu le penses, je sais très bien ce qu'elle est. Elle n'est pas ordinaire, elle est spéciale à tous les points de vue et ça, tu ne pourras pas le nier, elle n'est pas comme les autres ! Pourquoi aurais-tu le privilège de ses caresses ? Parce que tu es le Roi et moi le Prince ? Je pense plutôt que c'est parce que tu es jaloux et que tu as peur qu'elle aime mieux le fils que le père.

-J'ai la décence d'avouer que je suis très jaloux relativement à tout ce qui concerne Mira, mais tu es encore plus jaloux que moi. Je n'ai aucun privilège. C'est elle qui décide si je peux dormir avec elle ou non. Alors tu devrais comprendre que si elle avait décidé de prendre le fils plutôt que le père, elle l'aurait déjà fait.

-C'est que je n'ai pas eu encore la chance de l'enfiler comme toi ! Parce que tu l'enfiles, hein ? Tu la baisses toute la nuit, hein ? Tu ne pourras pas toujours la satisfaire tu n'es pas aussi jeune que moi et elle est plus jeune que toi !

Yousef se dirigea directement devant lui et lui envoya un coup de poing droit au visage. Le jeune Tarkan se releva mais ne répliqua pas.

-Est-ce que ça répond à tes paroles vulgaires, espèce de petit salaud ! Je suis plus vieux que toi, c'est normal je suis ton père, mais sache que cette femme a connu d'autres hommes, tous des Rois aussi grands que moi et ce n'est pas un petit vaniteux de ta sorte qui aura la chance de l'enfiler, comme tu dis ! Et prends bien garde à toi de t'aviser de lui toucher…

-Tu peux me frapper, me battre, m'enfermer… mais je te jure qu'avant qu'elle ne reparte j'aurai goûté à sa peau de velours. Je la grimperai tellement qu'elle en redemandera…

Yousef se rua sur son fils qui répondait à son père de la même façon. Mirikof et les gardes entrèrent dans la pièce. Les deux hommes étaient difficiles à séparer. Quand Tarkan fut maîtrisé, Yousef reprit ses esprits.

-Enfermez-le dans le donjon du château jusqu'à nouvel ordre ! Je ne veux plus le voir !

Les soldats avaient le prince par les bras. Il regardait son père avec une telle rage. Deux lions venaient de s'affronter. Les autres soldats sortirent me laissant seul avec Yousef qui s'accotait sur le bureau. Il frappait sur le bureau à coups de poing.

-Sire, prenez sur vous !
-Ah ! Tarkan ! si je ne me retenais pas, je l'étranglerais !
-Finalement, il vous a encore fait sortir hors de votre contrôle…
-Oui, il est vraiment un expert dans ce domaine. Si vous aviez entendu ce petit prétentieux ! La façon dont il parle de la Reine. Il est accroché à elle comme je le suis ! C'est peu dire !
-Il a malheureusement la même maladie que plusieurs hommes dont vous faites parti, Sire.
-C'est bien ce qui m'inquiète, Mirikof, il est capable de faire bien des choses ce jeune écervelé. Je vous jure que ça, je ne lui pardonnerai pas.
-Je vous comprends, mais reprenez-vous, Sire. Vous l'avez enfermé, il ne devrait plus représenter un danger pour le moment. Changez-vous les idées et revenez avec moi, nous allons rejoindre la douceur incarnée. À son contact vous oublierez Tarkan pour quelques jours !
-Vous êtes un homme peu ordinaire Mirikof ! Vous avez un "je-ne-sais-quoi" vous aussi. Je suis malin et impulsif. Il est presque incroyable que par vos paroles si pleines de sens, je sois capable de me contrôler. Je suis d'habitude beaucoup plus difficile à maîtriser lorsque je me mets en colère.
-L'expérience, Sire, l'expérience, c'est tout ! Je suis un vieux loup, rappelez-vous !

Yousef finit par me faire un sourire et me prit par l'épaule et nous sommes sortis pour reprendre notre route. Tout au long du voyage, je sentais Yousef aux prises avec le terrible dilemme concernant la femme qu'il aime et le fils qui serait devenu roi. Je fis de mon mieux pour lui changer les idées.

-J'étais inquiète, vous en avez mis du temps !
-Nous sommes là, sains et saufs, ma belle déesse !

Mais cette explication était loin de la satisfaire. Elle resta tout de même fidèle à elle-même et respectueuse envers Yousef ne lui posant aucune question.

Après avoir pris un bon repas, nous reprîmes la route et la destination n'était nul autre que les pyramides égyptiennes. Yousef savait que Mira et ses hommes auraient apprécié la splendeur de l'endroit.

Devant nous s'élevait dans le désert une métropole. Une ville immense grouillant de chameaux, de chevaux, mais surtout d'hommes, de femmes et d'enfants. Du monde partout dans les moindres recoins, de l'activité à chaque étage des maisons, dans chaque rue, enfin, une ville comme nous n'en avions jamais vu auparavant. Malgré les nombreux voyages que j'avais faits, je ne m'étais pas aventuré si loin hormis le voyage dans les Amers.

-Nous sommes arrivés au Caire, Madame. Dit Yousef.
-Le Caire ?
-Oui une très grande ville aux pieds de monuments de pierres de toute beauté.
-Des monuments de pierre, il y en a partout, Yousef !
-Non, pas ceux-là, vous allez voir dans quelques minutes nous allons nous diriger vers le désert et là vous allez voir, ce que vous allez voir !
-Les pyramides d'Égypte ? Je croyais qu'elles étaient dans la ville.
-Ha ! ha ! Non, la ville est en fait à leurs pieds. Eh ! bien, vous allez voir ! C'est une véritable splendeur, Mira…
-J'ai hâte de les voir et d'y retrouver Rustopov.
-Je me ferai un plaisir de regarder ces yeux bleus se poser sur une des merveilles de notre monde. J'ai toujours beaucoup de plaisir à te regarder surtout quand tu es émerveillée, tu es si belle.

Il l'embrassait dans le cou. Il ne souciait guère des gens qui les observaient lors de leur passage. Il avait lui aussi une merveille du monde assise devant lui. Il en était bien conscient.

La caravane s'avançait sortant tranquillement de la ville. Là, sous le chaud soleil d'un début d'après-midi, on voyait la chaleur qui faisait danser l'air au loin. Plus on s'avançait dans le désert brûlant, plus il se dessinait au loin de grandes pointes qui voguaient au gré du vent chaud. Mira regardait stupéfaite. Les grandes pointes devenaient peu à peu des formes triangulaires à bases carrées et leur approche dissipait peu à peu l'impression de vision embrouillée créée par la chaleur.

Comme une sentinelle de pierre, le sphinx nous apparut dans tout son gigantisme. Sa tête d'homme donnait à cet immense bloc de granit à la forme d'un lion un aspect mystique. Malgré qu'il fût imposant, les pyramides s'élevaient derrière lui ressemblant à des géants immobiles depuis l'éternité et le gigantisme de ces constructions par rapport à notre position terrestre nous donnait l'impression d'être un tout petit grain de sable dans l'univers. Nous étions tous impressionnés de voir que des rois aient pu, il y a de cela des millénaires, faire construire de main d'homme, de tels bâtiments. C'était presque l'euphorie dans nos cœurs de s'avancer vers elles. Elles s'élevaient encore et encore au fur et à mesure que nous progressions en leur direction.

Aux pieds de ces merveilles, Yousef fit monter le campement. Rustopov qui se trouvait à l'intérieur des pyramides à notre arrivée fut prévenu par l'un de ses aides et sortait hâtant le pas à notre rencontre. Mais Mira ne voyait plus personne autour d'elle. Elle se jeta en bas du chameau sans que Yousef n'ait le temps de faire quoi que ce soit. Son agilité légendaire l'avait sauvée de se casser un membre au grand soulagement de ce dernier. Elle regardait, extasiée semblant être dans un autre monde.

Yousef s'approchait d'elle en souriant, fier qu'il ait pu impressionner la belle avec quelque chose qu'il possédait dans son royaume. Elle resta silencieuse les yeux rivés sur la grande pyramide de Khéops. Elle tenait sa robe, relevant un peu ses jupons, puis comme plus personne n'existait autour d'elle, partit à la course vers l'entrée de la grande pyramide bousculant presque Rustopov qui arrivait. Yousef, partit à sa poursuite.

-Mira, Mira… Arrête, arrête !
-Yousef ?
-Au nom d'Allah, reviens sur terre, ma belle !
-Excuse-moi ?
-Reviens sur terre, ma belle ! Tu es comme sous un envoûtement ! Tu ne t'es même pas rendu compte que tu as failli te briser les os en descendant du chameau et c'est comme si soudainement Mira, la belle Mira, était seule sur la terre.
-Pardonne-moi, mais c'est… c'est… comme… comme si une voix m'appelait. C'est… c'est… plus qu'une splendeur… c'est… tout simplement indescriptible ce que je vois… je n'ai pas de mots… !
-Je suis heureux que tu aimes l'endroit mais fais quand même attention !

-Yousef, tu as le plus beau pays du monde ! Les richesses qu'il contient sont exceptionnellement belles !

-C'est vrai, mais la plus belle richesse n'est pas dans mon pays et ni demeurera jamais.

Mira tourna son regard vers lui. Il avait perdu son enthousiasme soudainement. Yousef s'approcha d'elle davantage et l'a pris dans ses bras.

-Je ne voulais pas te faire de peine en te disant cela, Mira. Mais je suis si peiné que je ne puisse pas te garder près de moi pour toujours.

-Je… je vais réfléchir à tout ça Yousef… Ne me brusque pas… !

-C'est déjà mieux ! Tu vas y réfléchir… c'est beaucoup mieux que non !

-Laisse-moi du temps…

-C'est tout ce qui me reste du temps… J'en aurai à revendre quand tu seras repartie, ma belle déesse ! Je suis un bel égoïste, Mira, j'en ai déjà eu beaucoup plus que je n'aurais jamais espéré, jamais je n'aurai cru me retrouver ici avec toi, c'est un véritable miracle pour moi !

-Tu es si bon pour moi, Yousef ! Tu me combles des plus beaux présents et moi je ne te donne rien en échange, c'est moi l'égoïste !

-Tu crois ça, toi ? Tu m'as donné beaucoup plus que tu ne le crois, Mira, je t'ai déjà dit qu'aucune splendeur ne t'équivalait Mira et c'est vrai. Dormir avec toi, être près de toi est de loin l'un des plus splendides présents que je pouvais recevoir.

-Tu te contentes de moi alors que tu as dans ton Royaume de telles merveilles ? Tu es de loin l'homme le moins extravagant que je connaisse !

-Ha ! ha ! Tu vois pourquoi je te dis que tu es une merveille ! "*Tu te contentes de moi !*" quelle drôle de manière de parler de vous Madame ! Mais où courrais-tu comme ça tout à l'heure ?

-Je voulais entrer dans cette pyramide !

-Vos désirs sont des ordres Madame, mais il faut pour cela prendre un guide, ma chère !

-Un guide pourquoi ?

-Parce que les pharaons qui ont fait construire ces gigantesques monuments n'étaient pas des fous ! Il y a pleins de labyrinthes à l'intérieur et il faut connaître avec précision les chemins à emprunter. Sinon…

-Sinon ?

-On ne reverra plus la belle Mira et le Roi Yousef !

-Tu es sérieux ? Il y a vraiment des labyrinthes à l'intérieur ?

-Disons que c'est plus des chemins incertains que des labyrinthes. Mais une chose est sûre : n'entre pas qui veut à l'intérieur de ces pyramides. Attends, je vais faire venir un guide et tu pourras visiter, tu vas voir c'est aussi grandiose à l'intérieur qu'à l'extérieur.

Yousef fit un signe à des gens qui étaient déjà là avant leur arrivée ayant complètement oublié Rustopov qui s'était réfugié à mes côtés débordant d'excitation qu'enfin nous étions là.

Les guides étaient bien connus de Yousef car il s'agissait des gardiens des grandes pyramides qui gagnaient leur vie à préserver du mieux qu'ils le pouvaient ce trésor. Ayant le petit Yamir dans mes bras, je m'approchai accompagné de Rustopov. Le guide interpellé par le grand roi se dépêcha de venir près du noble personnage toutes courbettes devant.

-Mirikof, approchez, nous allons entrer et je désire que vous nous accompagniez avec Yamir.
-Dieu du ciel ! Roi Yousef, c'est à couper le souffle. J'en ai beaucoup entendu parler mais de les voir c'est… c'est… Je n'ai pas de mot ! Répondis-je devant la splendeur de ce que j'avais dans les yeux.
-Hé ! hé ! Vous êtes comme votre Reine ! Vous n'avez pas de mot ! Que c'est drôle ! Viens avec papa Yamir, je te prends avec moi et il ne faudra pas courir partout. Parce qu'ici Yamir sinon beaucoup de boubous si Yamir court. Et qui est ce Monsieur à vos côtés Mirikof ?
-Oh ! Pardon, voici Rustopov, Sire.
-Enchanté Rustopov, j'ai beaucoup entendu parler de vous.
-Mais d'où sortez-vous. Demanda Mira sortit de son extase.
-De la pyramide, Majesté. Vous m'avez presque fait tomber à la renverse, vous ne m'avez pas vu ?
-Pardonnez-moi Rustopov… J'étais… j'étais en admiration !
-Alors, on y va dans cette pyramide ? Demanda Yousef.

Malgré la présence de Rustopov, Yousef préférait avoir avec lui un guide expérimenté ne connaissant pas très bien toutes le savoir de Rustopov sur ces bâtiments énigmatiques. Il se tourna vers le guide qui était resté courbé depuis son arrivée aux côtés du roi. Il lui dit en arabe qu'il voulait entrer à l'intérieur. Le guide s'empressa de les conduire à l'intérieur. Il prit une torche et m'en donna ainsi qu'à Rustopov.
-Pourquoi avons-nous besoin d'une torche ?
-Il fait peut-être soleil dehors mais ici c'est très sombre. Il n'y a pas de fenêtre, ma belle.
-C'est vrai, ce que je peux être idiote parfois !

-Ha ! ha ! Mirikof votre Reine a vraiment une façon particulière de parler d'elle !

-Ne craignez rien, Sire, elle a bien plus une façon particulière de parler de moi !

-Mirikof, quand même ! Si je vous taquine c'est parce que je vous aime bien !

-Oui, oui, Madame, c'est ce que l'on dit, alors vous devez m'aimer beaucoup parce que vous n'êtes pas toujours tendre à mon égard !

Notre petit groupe s'immisçait dans les entrailles du géant de pierre. Le guide était le premier en avant et Yousef servait de traducteur.

-Il nous dit de rester bien groupés.

-Il a bien raison, ne vous éloignez pas les uns des autres. Renchérit Rustopov

Mira regardait les immenses blocs de pierre encordés les uns sur les autres avec une précision incroyable. Plus nous avancions, plus les hiéroglyphes apparaissaient sur le long des murs. Un langage bizarre formé de dessins et de signes divers. Quelle splendeur. Mira avait les yeux ouverts au maximum.

-Il dit que nous sommes dans un passage conduisant à la chambre funéraire du Grand Pharaon Kheops. Les inscriptions sur les murs sont une description, selon lui, de la grande épopée de ce Pharaon qui aurait vécu il y a plus de trois mille ans. Traduisait Yousef.

-Comment, il ne sait pas ce que signifie cette écriture, Yousef ?

-Non, il y a bien longtemps que nous avons perdu la signification de ce langage codé. Nous n'arrivons pas à déchiffrer ce que signifient toutes ces images.

Rustopov se racla la gorge.

-Sire, le guide pensait qu'il s'agissait de ça, mais depuis mon arrivée ici, j'ai beaucoup éclairé du savoir du livre de Grovache cette langue depuis longtemps perdue ! Je suis en mesure de vous en dire bien d'avantage sur la raison d'être de ces constructions. Dit-il captivant complètement tout son auditoire.

-Monsieur, qu'avez-vous appris ? Nous sommes tous suspendus à vos lèvres. Dit Yousef.

-En fait, selon mes recherches, ces grands bâtiments sont en fait de grands tombeaux à la grandeur de leur Pharaon afin qu'ils puissent accéder à l'au-delà. Si vous saviez tout ce que livre explique ! De la construction jusqu'à la complexité de leurs rites depuis perdus à travers le temps. Mais continuons, je veux que vous voyiez toute la splendeur de cet endroit.

-Oui, continuons. Dit Yousef.

Le guide, suivi de ses visiteurs, s'engouffra davantage dans un corridor qui montait doucement. Tout au long du trajet Mira admirait les murs.

-Les artistes qui ont fait ces dessins faisaient du grand art, c'est vraiment époustouflant !

-C'est vrai Mira, c'est grandiose ! Dit Yousef, impressionné, malgré qu'il s'agissait d'une autre de ses nombreuses visites.

Continuant toujours notre ascension, après une montée de plusieurs mètres, nous arrivâmes dans une petite pièce dont le plafond s'élevait en pointe. Il y avait deux petites ouvertures qui traversaient la masse de pierre vers l'extérieur. Du moins, c'est ce qui nous semblait logique quoiqu'aucune lumière ne semble y pénétrer. La pièce était vide. Il y avait bien des inscriptions sur tous les murs, mais il n'y avait rien d'autre que le vide et des hiéroglyphes.

-Sire, nous avons atteint la chambre funéraire. Dit Rustopov.

-La chambre funéraire ? Demanda Yousef.

-Oui, ici aurait reposé le Pharaon, il y a de cela des millénaires mais je sais maintenant qu'il… Expliquait Rustopov avant que je ne l'interrompe.

-Mais où est le tombeau du Pharaon ?

-Il y a bien longtemps que les pilleurs de tombe se sont chargés des tombeaux et de leur contenu, Mirikof. Mais d'abord et avant tout, il semble que le Pharaon n'y a jamais été enseveli. Répondit Rustopov.

-Comment, que dites-vous Rustopov ? S'interrogea Yousef visiblement surpris par cette affirmation

-En effet, Sire, pour des raisons encore nébuleuses, c'est que je n'ai pas encore terminé mon travail ici, enfin… Il semble que le Pharaon Kheops se serait fait ensevelir ailleurs, mais je n'en connais ni l'endroit, ni le pourquoi !

-De pareilles constructions et elles n'auraient pas servi ? Se questionnait Mira.

-Ça semble incroyable, mais du moins, c'est ce que les indications laissent entendre dans le livre et comme j'ai encore beaucoup de travaux de recherches, je devrais découvrir d'autre chose d'ici peu… Je ne cesse à chaque jour de découvrir le pourquoi de ceci, de cela.

-Peu importe que cette pièce ait servi ou pas pour le dernier repos du Pharaon, il devait y avoir quelque chose ici. Je ne m'explique pas qu'on puisse piller des tombeaux. Comment ? Comment peut-on piller une tombe, c'est incroyable ça ? Dit Mira dégoûtée.

-Vous avez raison, Majesté, c'est un manque de respect terrible, mais vous savez, les Pharaons de l'ancien empire étaient très riches. Leurs croyances pourraient se résumer ainsi, lorsqu'ils mourraient, ils se rendaient vers un endroit où ils continuaient leur vie terrestre. Donc ils emportaient avec eux toutes leurs richesses. Quand on préparait le tombeau du Pharaon, on y laissait des vêtements, de la nourriture, mais aussi tous ses biens. Or, argent, diamant, et bien d'autres choses. Donc, quand le déclin de l'Empire est lentement mais sûrement arrivé, les pilleurs de tombes avaient les yeux rivés sur les richesses et les dents bien acérées. Ils pillaient et revendaient au plus offrant certains joyaux rares et exceptionnels. Même si ici, il semble ne rien avoir eu de dépouille, je crois aussi que cette pyramide n'était pas si vide qu'elle l'est maintenant. Expliqua Rustopov.

-C'est affreux ! C'est affreux que des gens puissent penser à l'argent devant de telles splendeurs. C'est même triste !

-Tu as encore raison ma belle. Mais tu sais, les hommes ne sont pas tous comme toi, bons, sincères et respectueux. Répondit Yousef.

Avec ses yeux d'enfant Yamir regardait partout autour de lui. Il s'accrochait au cou de son père. Je ne perdais rien des conversations autour de moi mais j'observais avec stupéfaction ce qui m'entourait et Mira était aussi éberluée que moi.

C'était presque incroyable que nous fussions là dans les entrailles de la plus grande pyramide d'Égypte ayant autour de nous l'histoire qui se traduisait par des peintures sur les murs vraiment exceptionnelles. Nous étions transportés dans une autre époque imaginant chacun à notre façon le règne exceptionnel de ces Grands Pharaons qui depuis avaient été oubliés, dépossédés de leurs dépouilles et leurs biens.

Une telle splendeur, une telle puissance et aujourd'hui, le fil de leur histoire ne tenaient qu'à un livre que nous avions trouvé dans les Amers. Je réalisais à quel point il était facile pour l'Homme de perdre le propre fil de son histoire. Que les années effaçaient lentement mais sûrement les faits, les gens, les rois, les règnes et Grovache me revint à l'esprit. Son histoire n'était pas différente des Grands Pharaons. Il avait bien failli rester l'Elfe de la Forêt d'Elfe pour des centaines d'années, encore si ça n'avait été de la légende vivante : Mira. Petite lueur d'espoir pour l'histoire, les légendes qui persistaient à travers le temps et qui gardaient un lien, parfois incertain, mais tout de même un lien avec notre mémoire temporelle.

Yamir se mit à pleurer nous ramenant tous à nos existences ternes de terrien. Fini l'envole avec les Dieux, Yamir pleurait et ses pleurs raisonnaient sur les murs de pierres faisant écho à presque nous briser les oreilles. Yamir avait peur. Cet endroit clos et sombre, éclairé que par la lumière de nos torche ne suffisaient pas à le sécuriser. Yousef nous fit retourner sur nos pas pour revenir vers la sortie. Rustopov nous informa que nous pouvions revenir et ce sans même un guide s'il nous accompagnait car désormais, il connaissait chaque recoin et à notre grande surprise nous n'avions pas tout vu, loin de là ! Quand nous sommes arrivés à l'orée de la pyramide, l'obscurité quasi complète où nous nous étions plongés jurait avec le soleil à l'extérieur. Nos yeux eurent toutes les difficultés du monde à s'habituer à pareils changements.

Les hommes avaient monté presque totalement le campement. Yousef remit un petit sac d'or à son guide et lui dit quelque chose en arabe avant qu'il ne reparte.

-Que lui as-tu dit ? Demanda Mira
-Que s'il osait encore te regarder, je lui crèverais les deux yeux !
-Yousef ! Ce que tu peux être cruel parfois !
-C'est vrai que je lui ai dit ça, mais je lui ai dit que demain tu visiterais les autres joyaux présents sur ce site et nous allons voir de plus près le Sphinx.
-Le Sphinx ?
-Cet immense lion à la tête d'homme que tu vois là-bas, c'est son nom le Grand Sphinx. Tu connaissais les pyramides de nom, tu ne connaissais pas le Grand Sphinx ?
-Non, j'avoue que j'avais entendu parler des pyramides mais pas du Grand Sphinx. Je n'arrive pas à croire que je suis ici ! Que nous sommes tous ici !
-C'est pourtant vrai, ma belle déesse ! Demain, je vais faire un cadeau à tes hommes, ils pourront visiter eux aussi, ils auront quelques choses à raconter lorsqu'ils reviendront de leur grand voyage. Quant à Monsieur Mirikof, je ne l'ai jamais vu aussi silencieux !

C'est vrai que je l'étais, admirant de plus belle de l'extérieur ce monstre de pierre à l'architecture parfaite.

-Que se passe-t-il Mirikof ?
-Quoi ? Sire, Pardon, vous me parliez ?
-Je disais que nous ne vous avions jamais vu aussi silencieux.

Yousef me criait dans les oreilles.

-Ah ! Ne criez pas Sire, je suis peut-être vieux, mais je ne suis pas encore sourd !

-Ha ! ha ! Et vous n'êtes pas encore aveugle non plus, vous dévorez des yeux la pyramide depuis que nous sommes arrivés.

-Vous avez raison, Sire. Je n'arrive pas à comprendre comment les architectes de l'époque ont réussi un ouvrage aussi colossal. La grosseur de ces blocs de pierre, comment ont-ils fait pour réussir à monter tout ça ! C'est incroyable, non ?

-Oui, c'est incroyable et c'est là un autre mystère que nos ancêtres nous ont légué. Personne ne peut expliquer de quelle façon ils ont transporté les blocs gigantesques jusqu'ici, ni comment ils les ont assemblés pour nous donner ce que nous avons sous les yeux.

-C'est vrai ça, c'est le désert ici, il n'y a pas de pierre ! C'est inimaginable !

-La Reine est très impressionnée mais vous l'êtes tout autant.

-Sire, peut-on ne pas être impressionné aux pieds de telles splendeurs ? Il faudrait un insensible complètement idiot pour ne pas être impressionné !

-Vous avez encore raison. Même moi, qui suis devenu le Roi de ces contrées et qui les ai vues à plusieurs reprises je suis toujours envoûté par l'ouvrage grandiose que représentent ces monuments historiques. Bon, maintenant retournons au campement. Nous pouvons rester aussi longtemps que vous le désirerez, mais il faut manger et coucher ce petit garnement qui vient de s'endormir sur mon épaule.

-Ce qu'il est mignon, endormi comme ça sur ton épaule, Yousef ! Dit Mira.

-Il est mignon ! Il est mignon ! Et moi, je n'ai jamais de compliment, moi, personne ne me trouve mignon, Madame !

-Mirikof saviez-vous que le Roi Yousef était un grand bébé, un incorrigible prétentieux qui a toujours besoin qu'on lui dise qu'il est beau, qu'il est grand et qu'il est le plus magnifique ? Le saviez-vous Mirikof ?

-Non, Madame, car je me vois mal dire au Roi Yousef que je le trouve beau, grand et magnifique… Vraiment je ne sais pas ce qu'il penserait de moi !

-Ha ! ha ! Si vous me disiez ça Mirikof, je crois que je vous ferais castrer !

-Ce que deux hommes peuvent dire comme bêtises lorsqu'ils veulent, vous n'êtes pas mieux l'un que l'autre ! Et je vous trouve bien sérieux, Rustopov ?

-Ce n'est pas l'envie qui me manque de rajouter quelque chose, mais à ce que je vois, il y a deux Messieurs ici qui excellent dans l'art de divaguer !

En continuant de se taquiner un envers l'autre nous regagnâmes le campement. Les hommes étaient tous installés pour prendre leur repas autour de plusieurs feux allumés. La nuit tombait doucement sur le grand désert. Le coucher du soleil était de toute beauté permettant d'apprécier davantage les pyramides qui paraissaient s'élever au-dessus de nous, nous couvrant de leur ombre telle une mère qui ferme les bras sur son enfant.

Après avoir festoyé aux pieds de nos hôtes immobiles, nous regagnâmes nos tentes respectives.

Yousef ne cessait d'être d'une galanterie envers Mira la transportant jusqu'à l'intérieur de la tente dans ses bras.

-Yousef, je suis peut-être fatiguée mais je suis encore capable de marcher sur mes jambes.

-J'aime tellement te prendre dans mes bras comme ça et te déposer sur le lit. Ça me fait une excuse pour me pencher sur toi et voir ces yeux aux couleurs de la mer !

-Yousef, tu es si poétique ! Tu viens encore de gagner…

-Mais qu'ai-je gagné Madame ? Qu'ai-je gagné ? Je suis bien impatient de le savoir !

-Un gros bisou et le droit de dormir avec moi et sur moi !

-Sur vous Madame ? Mais vous allez m'achever… Allah protège-moi de cette déesse aux yeux d'azur, elle va mettre fin aux jours du Roi Yousef !

-Hypocrite ! Tu as bien trop envie de moi ! Laisse Allah te guider vers moi ! Il est un sage homme ce Allah, il sait ce qui est bon pour toi !

-Ah ! Madame… que vous êtes exigeante ! Pourrais-je satisfaire cette grande dame encore longtemps ?

-Hypocrite ! Tu es un hypocrite ! Tu m'achèveras bien avant que je ne réussisse à vider tous vos liquides corporels, Monsieur !

-Mes liquides corporels ! Ha ! ha ! Comme j'aime cette expression ! Oui, ma jolie je vais t'enduire de mes liquides corporels aussi souvent que tu me le demanderas.

Les deux amants recommençaient à se donner l'un à l'autre. Les vêtements étaient lancés un après l'autre par-dessus l'épaule de Yousef. Encore une nuit où ils dormiraient peu. Une nuit encore à s'aimer à se caresser. Yousef était si heureux. Comblé était le mot le plus juste. Il avait oublié complètement sa dispute du midi avec Tarkan et ses autres fils. Après le coït, les deux amants étaient maintenant un à côté de l'autre.

-Yousef, que c'est spécial de faire l'amour aux pieds de monuments aussi spectaculaires que les pyramides.

-Tu as raison, mais pour moi c'est comme si j'étais toujours aux pieds des pyramides lorsque je te fais l'amour, Mira !

-Comme c'est beau ce que tu viens de me dire ! Tu es un charmeur, Yousef !

-Peut-être mais c'est vrai. Faire l'amour avec toi c'est… Je n'ai pas de mot pour décrire ce que c'est !

-Tu as attrapé ma maladie ? Tu n'as plus de mot !

-Ha ! ha ! C'est ça, d'abord toi, ensuite Mirikof et puis moi !

-Je t'aime Yousef !

-Arrête, ne me fait pas une déclaration si soudaine, c'est mauvais pour mon cœur ! Lorsque je ne m'y attends pas ça pourrait m'être fatal, ma belle déesse !

-Grand fou !

Elle fit un petit silence. Yousef lui caressait les seins.

-Yousef, ça serait indiscret de te demander ce que tu es allé faire avec Mirikof et tes hommes aujourd'hui ?

Yousef arrêta ses caresses. La question était embêtante et il hésitait à répondre.

-Je m'excuse Yousef, je suis indiscrète, si tu ne me l'as pas dit c'est que ça ne me regarde pas, excuse-moi !

-Non, ne t'excuse pas ! Au contraire ça te regarde puisque ma petite escapade était à ton sujet.

-À mon sujet ? Que veux-tu dire ?

-Mira… Mira je ne voulais pas te le dire parce que tu m'aurais certainement empêché d'aller.

-Yousef tu n'as pas mis ta vie en danger ?

-Non, pas ma vie. Mais j'ai bien failli tuer quelqu'un de mes propres mains !

-Yousef tu m'inquiètes explique-moi ce que tu as fait ?

-J'ai été à mon manoir.

-À ton manoir ? Pourquoi ?

-Parce que la Reine Aïsha a chassé mes trois fils et ils se sont installés dans mon manoir.

-Pourquoi une mère chasse-t-elle ses propres enfants ? Je ne comprends pas !

-Parce qu'Aïsha est furieuse contre moi et surtout contre toi. Elle est si jalouse qu'elle s'est abaissée à pondre des plans diaboliques pour t'éliminer de ma vie.

-Je suis triste d'apprendre que la Reine est aussi secouée par ma présence. Comme je suis sotte ! J'aurais dû me douter que venir ici aurait peut-être causé des remous avec tes autres femmes. Tu es beau, généreux, elles ont dû beaucoup t'aimer et moi, je n'ai même pas pensé que je pouvais les blesser. Ce que je suis sotte. C'est que moi, la jalousie je ne connais pas ça. Je n'ai jamais voulu avoir ce qui ne m'appartenait pas. Et même si je souhaite quelque chose et que je ne peux l'obtenir je préfère me retirer et tenter d'oublier. Tout le mal que je fais autour de moi, sans que je m'en rende compte ! Je suis la plus grande sotte du monde !

-Non, non, ne dis pas ça ! Aïsha et toutes les autres étaient de bonnes femmes, Mira mais je n'ai jamais aimé aucune d'elle. Je devais me marier c'est tout. Je devais avoir des héritiers, je sais que j'avais plusieurs femmes mais ça fait partie de notre culture. Aïsha n'a pas compris que tu n'y étais pour rien. Ne te culpabilise pas, Mira. Tu n'y es pour rien. C'est moi qui t'ai prise, souviens-toi ! J'ai même été jusqu'à prendre la femme d'un Roi qui était autrefois un très grand ami. Tu sais comment cela aurait pu se terminer si tu n'avais pas arrêté tout ça. Aïsha et toutes les autres, elles n'ont pas compris qu'un Roi musulman retourne ses femmes et vive seul en attendant une seule femme. Aïsha est jalouse, c'est vrai ! Elle désirerait que j'aie pour elle les mêmes sentiments que j'ai pour toi, mais ça, c'est impossible et elle le sait. Elle le sait tellement qu'elle avait envoyé mes fils pour une mission meurtrière au palais du Grand Vizir.

-Que veux-tu dire par une mission meurtrière ?

-Elle leur avait demandé de s'introduire sous un faux prétexte chez le Grand Vizir et de mettre fin à tes jours.

-Quoi ? Et pourquoi tes fils n'ont pas exécuté ce que leur mère demandait ?

-Parce que mes fils ne t'avaient jamais vue, mais certains de mes hommes oui ! Mira si tu savais à quel point tu impressionnes les hommes. Tu nous fascines. Tu nous intrigues. Il ne faut pas te toucher et encore moins te regarder. C'est fatal. Mes fils savaient que leur père avait tout laissé pour une seule femme. Ils entendaient parler de toi, cette déesse blonde venue du Nord qui renversait tout sur son passage et particulièrement le cœur des hommes. Ils étaient heureux au contraire que leur mère leur donne un prétexte pour te voir. Ils n'avaient pas du tout l'intention de te faire de mal, bien au contraire, ils étaient excités comme des puces. Ils savaient que je ne leur aurais probablement jamais permis de te voir. Quand ils t'ont vue, il était trop tard. Ils comprenaient pourquoi le paternel défendait à quiconque de regarder et de toucher la belle Reine Mira. Ce qui s'est passé par la suite à encore fait dégénérer davantage l'espoir d'Aïsha.

-Que s'est-il passé par la suite ?

-Premièrement, j'ai eu une forte dispute avec eux dans le bureau du Grand Vizir. Mes fils comprenaient que le Roi était jaloux et possessif. Deuxièmement, lorsqu'ils sont retournés, parce que je les avais envoyés chez leur mère avec l'ordre de ne plus te revoir, ils n'avaient pas exécuté les souhaits d'Aïsha. Elle se rendait compte qu'ils l'avaient bernée. En plus, comme si ce n'était pas assez, ils ont vanté ta beauté et ta grâce devant elle. Elle est devenue folle de rage et les a envoyés vivre dans mon manoir. Elle ne supporte pas que tu sois ce que tu es.

-Yousef, c'est affreux ce que tu me racontes là. Pourquoi alors es-tu allé au manoir aujourd'hui ?

-Comme je savais que mes fils y étaient, je voulais régler l'affront qu'ils m'ont fait hier soir en venant au palais sachant très bien que je leur avais interdit.

-Continue, explique-moi ce qui s'est passé ?

-Mes deux plus jeunes fils sont beaucoup moins coriaces que Tarkan. Ils ont eu ordre de ne pas quitter les terres du manoir jusqu'à nouvel ordre, mais Tarkan m'a encore affronté, il m'a encore fait sortir de mes gonds. Je me suis battu avec lui, si les gardes n'étaient pas entrés, je crois que je l'aurais tué.

-Yousef, Yousef… Dieu du ciel ! Non… Je suis terriblement troublée par toute cette histoire. J'ai vu deux frères se déchirer à cause de moi, trois Rois se battre, un innocent perdre la vie et aujourd'hui c'est un père et son fils. Pourquoi ? Pourquoi Dieu m'envoie-t-il ces épreuves ? Pourquoi moi ? J'ai tellement voulu que nous soyons tous égaux… J'ai toujours essayé d'être la plus respectueuse, de plaire à tous et je n'ai demandé que de vivre humblement, paisiblement et donner mon amour à qui le voudrait bien…

Elle pleurait. Yousef était attristé de voir cette femme si douce, qui n'avait pas une once de méchanceté s'interroger sur ce qu'elle ne faisait pas bien pour avoir autour d'elle autant de frictions.

-Mira… ne pleure pas ! Mira, ce n'est pas toi qui es en cause ! Plutôt ce que tu dégages. Tu es si belle, si majestueuse ! Nous voulons tous jeter notre dévolu sur toi et c'est ce qui cause toutes ces disputes, on te voudrait tous à nous égoïstement en même temps. Tu ne dois pas penser que c'est toi ! La jalousie des autres femmes à ton égard ne fait de toi qu'une plus grande dame encore. Oublies Aïsha et toutes les autres. Elles ne sont pas de taille avec la grande Mira. Elles le savent et cela les enrage encore plus mais ça Mira tu n'y peux rien. Tu es ce que tu es. Quant à la jalousie entre hommes, là encore tu n'y peux rien. Nous voulons tous la même chose de toi ! Ton cœur, dormir près de toi, te faire l'amour, être tes complices, on ne vit que pour toi ! J'ai tellement ri de Boris lorsqu'il me racontait qu'il y avait dans son pays natal une femme d'une rare beauté et que lorsqu'on la touchait on touchait le ciel ! À l'époque j'étais jeune et insouciant. Je ne croyais pas qu'une femme puisse faire tourner la tête à un homme à ce point. C'est que je ne t'avais jamais vue. Lorsque j'ai entrepris mon petit voyage pour saluer Boris qui était venu faire une visite au Grand Vizir et que du dessus de la montagne, on a aperçu cet éclair blonde qui montait debout sur un cheval, on s'est tous arrêtés. On te suivait du haut de la colline. Je n'oublierai jamais ce spectacle digne d'une grande pyramide, Mira. Il était déjà trop tard pour moi, comme pour mes fils, je t'avais vue. Voir cette femme non voilée, en pantalon qui montait et jouait avec un cheval comme on joue avec un ballon, voir cette blonde plantureuse qui montait aux arbres et qui se pose sur les branches comme un oiseau, était, je te le jure, si spectaculaire. Tu te tenais debout cheveux au vent scrutant l'horizon. Nous étions tous estomaqués. Moi comme mes hommes. Quand j'ai vu Boris venir vers toi, j'ai compris. Mais il était déjà trop tard, j'étais déjà accroc. Et je n'ai jamais décroché depuis. Je t'aime et je regrette que de te voir sème la zizanie autour de toi mais ma belle, ma douce, tu n'es pas responsable. Quant à moi et Tarkan, c'est la même histoire. Tarkan est pendu à tes lèvres, il te veut, il te désire, il ne cesse de le clamer haut et fort et ne se gêne pas devant moi. Comment penses-tu que je puisse réagir ? Je suis jaloux oui, mais je t'aime Mira et tu es pour moi une perle si rare si précieuse, j'en mourrais si tu me préférais mon fils.

-Ah ! Yousef ! Je n'aime qu'un homme à la fois, moi. Cesse de te battre contre ton fils. Tarkan est un très beau jeune homme il est la réplique presque exacte de son père, mais c'est toi que j'aime moi et Tarkan ne m'intéresse pas du tout. Si seulement tu pouvais avoir confiance en moi ! Je n'ai jamais laissé un homme pour un autre, moi ! Je t'aime Yousef et je veux que tu cesses tout de suite ces guerres inutiles entre vous. Peu importe ce que Tarkan peut te dire à mon sujet ça n'a pas d'importance pour moi. Il trouvera bien une femme qu'il aimera.

-Je ne voulais pas te parler de tout ça, mais tu avais le droit de savoir. Je t'aime et je ne veux plus que tu pleures. Je ne veux plus que tu pleures à cause des gens qui m'entourent. Je veux que tu sois heureuse. Je vais faire de gros efforts pour que tu ne ressentes plus le malaise qu'il y a entre moi et Tarkan. Laisse-moi encore t'aimer. Nous serons séparés bientôt et je voudrais profiter de chaque seconde à tes côtés, c'est très important pour moi !

Elle se serrait contre lui. Après ces émotions accablantes Mira et Yousef recommençaient à se donner de l'amour. De l'amour en profusion. Dans la grande tente, il n'y avait que ça ! Encore une nuit de frottements et d'attouchements entre eux.

Quand l'aube se pointa à l'horizon, les amants épuisés se laissaient volontiers bercer par les bras de Morphée.

Peu de temps après qu'ils furent endormis, le soleil maintenant en train de se lever suggérait aux hommes d'en finir avec leur sommeil et d'appareiller pour le train train du matin. C'est donc en s'étirant que plusieurs sortirent de leur tente prenant une bonne bouffée d'air frais du matin pour mieux se réveiller. Une fois la conscience au même niveau que le corps, c'est-à-dire bien réveillée, les hommes s'afférèrent entre autres à donner à boire aux chevaux et aux chameaux.

Mais il n'y a pas un coq qui aurait mieux réveillé son entourage que le petit Yamir qui courait dans tous les sens se laissant poursuivre par la servante qui faisait tout ce qu'elle pouvait pour le retenir. Il ne s'arrêtait que pour regarder les grandes choses de pierres près de lui et recommençait son manège à presque épuiser cette pauvre femme. Mais quand dans son champ de vision apparurent, les chameaux, il n'y avait rien d'autre pour l'intéresser. Il s'y dirigea à tout allure ne laissant d'autre choix à l'un des hommes de Yousef de l'agripper au passage de peur que l'une des bêtes énormes et au mauvais caractère ne le rue de ses gros sabots. Protestant de sa voix perçante, le jeune Yamir faisait entendre tout son mécontentement ! Ah ! Les enfants que d'énergie et d'insouciance. Mais le garde était plus imaginatif que ne l'aurait cru Yamir. Il lui dit quelque chose en arabe et calma instantanément le jeune énervé. Il le fit monter sur le dos du chameau et lui fit un tour ce qui eu pour effet : le calme plat !

Je me demandais bien comment mes deux tourtereaux continuaient à dormir après pareil vacarme fait par leur progéniture. Et puis, je me mis à me dire que je me faisais vieux, puisque je ne pensais plus qu'une nuit torride à se jeter l'un sur l'autre épuiserait même le plus résistant !
Il faut croire que j'avais aussi oublié que la jeunesse avait le don de récupérer dans un laps de temps record puisque je voyais Yousef qui sortait de la tente, suivi de près de Mira qui affichait une mine radieuse !

Mira et Yousef s'installèrent à la table devant leur tente où un véritable festin avait été préparé. Mira, assise sagement, contemplait ce paysage féerique. Le sable à perte de vue, la chaleur déjà présente en cette heure matinale qui faisait danser l'horizon et l'immobilité des géants aux devants d'elle de leur couleur de pierre révélant leur démesure. C'était magnifique. Au loin sur des dunes éloignées, des caravanes entièrement constituées de chameaux et d'hommes passaient pour se rendre au Caire. Le silence du désert et de la pierre et à côté, la ville en éternel éveil. Un contraste qui émerveillait Mira lui donnant l'impression de se déconnecter de la réalité les yeux scrutant le moindre recoin de ce qui l'entourait. Yousef observait la dame qui s'intriguait du nouveau et du merveilleux en silence. Elle n'était pas comme les autres. C'était vrai. Au lieu de s'écrier à la moindre petite chose, elle restait silencieuse et observait. Elle étudiait beaucoup ce qu'elle ne connaissait pas. Yousef restait fixé sur elle admirant l'œuvre du soleil sur la chevelure qui semblait s'animer aux moindres reflets et de son effet sur les yeux qui dévoilaient la pureté de leur bleu. Mira, toujours en admiration sur ce qui l'entourait, croisa le regard de Yousef.

-Il y a quelque chose qui ne va pas Yousef ?
-Non, pourquoi, ma belle ?
-Parce que tu es si sérieux !

Il sourit.

-C'est parce que j'admire !
-Tu admires, mais les pyramides sont derrières toi Yousef !
-Je regarde la plus belle et la plus grande d'entre elles !
-Yousef ! Tu es incorrigible. Comment peux-tu me regarder alors que derrière toi, il y a des millénaires d'histoire qui te contemplent !
-Peut-être, mais moi je contemple l'histoire qui se déroule sous mes yeux !
-Alors, Monsieur l'historien, vous m'emmenez faire une visite de la vraie histoire ! Celle qui se déroule derrière vous ?
-Mira tu n'as qu'à demander, je t'obéis !
-Ce que je déteste ça quand tu me donnes le rôle de la Reine capricieuse qui demande et à qui on obéit !
-Si toi tu es capricieuse, je me demande bien ce qu'on pourrait dire des autres femmes !
-Roi Yousef, vous êtes un éternel incorrigible, un fripon et j'ajouterai même un flatteur invétéré ! C'est quelque chose ça !
-Je suis le plus heureux des fripons !

Rustopov qui naviguait vers moi dut me prendre en passant son chemin puisque lui, comme moi, étions invités à partager le déjeuner de nos royaux personnages. Ce qui ne fut pas de refus. J'avais l'estomac dans les talons probablement dû au fait que toutes ces émotions depuis notre arrivée sur le site avaient eu raison de ma vieille carcasse. En compagnie du roi et de la reine nous avons ri, échangés des opinions, des connaissances à se remplir non seulement la panse mais aussi l'esprit. Cette matinée était fantastique en si bonne compagnie !

Mira se leva de table et s'éloigna un peu de nous, admirant les pyramides pendant que nous continuions à discuter ensemble. Soudainement et sans avertissement, elle se mit à courir jusqu'aux pieds de la grande pyramide où elle se mit à escalader les pierres dans une agilité surprenante compte tenu que d'une pierre à une autre, il y avait une bonne marche de distance et que l'angle de montée était abrupt. Rustopov la vit le premier attirant notre regard sur ce qui le rendait subitement muet. Yousef se leva et accouru vers elle essayant de la rattraper mais elle avait déjà une bonne avance. Moi et Rustopov, il est certain que nous ne nous serions pas aventurés à faire une telle ascension mais nous nous sommes rendus en courant aux pieds de la pyramide voyant Yousef qui tentait désespérément de la rattraper en lui criant de s'arrêter visiblement inquiet qu'elle ne glisse et se tue car déjà elle avait atteint la moitié de la pyramide grimpant à une vitesse fulgurante laissant loin derrière Yousef qui s'essoufflait et captivant complètement tous les gens présents sur le site. Yousef ne cessait de lui crier :

-Mira, arrête… Mira enfin, qu'est-ce qui te prend ? Reviens, tu vas te briser le cou… Je t'en prie, arrête ! Suppliait-il.
-Non, Yousef je dois monter jusqu'au sommet. Lui répondait-elle.
-Ça suffit Mira, arrête !
-Non, je dois monter jusqu'à son sommet car c'est là qu'on me montrera !

Un frisson me parcourut le corps. Cette phrase me plongeait directement dans des souvenirs enfouis depuis quelques années me faisant revivre l'épopée de la découverte du sarcophage de Grovache. Tout me revint à l'esprit, son état second, la peur qu'elle nous avait fait découvrant une Mira que j'aurais appris à côtoyer avec le temps ayant un sixième sens dont personne d'entre nous n'était pourvu. Mais depuis longtemps, je n'avais pas revu le phénomène se produire et là, je comprenais que cet être extrasensoriel venait d'être connecté à quelque chose d'invisible et d'inexplicable pour la plupart de nous.

Sans aucun problème elle arriva au sommet et se mit à scruter l'horizon la main par-dessus les sourcils pour se faire de l'ombre. Yousef poursuivait son escalade mais avait beaucoup ralenti la cadence. Les hommes, les gardes, les guides, Rustopov, moi étions tous bouche bée arrêtés, immobiles, aphones, abasourdis devant la flamboyante chevelure blonde qui se gonflait et se tordait sous l'effet du vent des hauteurs telle une voile de bateau en pleine mer. En équilibre comme une statue, la force du vent ne semblait pas avoir d'emprise sur elle. Tout à coup, elle s'écria :

-La vallée des Rois ! La vallée des Rois est là ! Tant de trésors ensevelis et de Pharaons y reposent, ne voyez-vous pas les richesses de votre histoire ?

Yousef qui avait fini par la rejoindre à bout de souffle, en sueur, la regarda émerveillé par l'assurance et les paroles qui sortaient de cette bouche vermeille comprenant qu'elle était sous l'effet d'une vision.

-Mira… Mira… Qu'y a-t-il dans la vallée des Rois ? Demanda-t-il essoufflé.
-Il y a là toute votre histoire Yousef !
-Mais nous connaissons déjà la vallée des Rois et elle a été pillée elle aussi Mira.
-Non… il y a encore des richesses inestimables, je les vois, là… là… là… Ils sont là Yousef. Disait-elle, pointa du doigt des sites qui n'étaient en fait qu'un amas de sable pour Yousef.
-Mira… Voyons comment peux-tu les voir, la vallée des Rois n'est pas visible d'ici ?
-Yousef c'est comme si on m'ouvrait les yeux… Je vois à travers la terre Yousef ! Je t'assure que je vois.

Et elle se tourna vers le Sphinx.

-Et là sous le Sphinx…
-Que vois-tu sous le Sphinx Mira… Lui demanda-t-il perplexe.
-Ne vois-tu pas cette grande salle remplie à craquer de documents et de peintures magnifiques ?
-Mira, je ne vois que le sable autour du Sphinx !
-Regarde mieux.

Un phénomène étrange se produisit alors. Elle déposa sa main au creux de la sienne. À ce contact, comme un frisson, comme un éclair, elle lui communiquait le pouvoir de ses visions et Yousef vu au tra-

878

vers du sable du Sphinx ! Il se mit à trembler et cette inexplicable hallucination l'envahit d'effroi n'étant nullement préparé à un tel phénomène. Il retira sa main tombant presque à la renverse, nous alarmant d'un tel déséquilibre mais il se reprit. Il était sous le choc essayant de rassembler ce qui lui restait de logique. Elle continuait à scruter du regard le site ne se rendant pas compte de l'état dans laquelle elle se trouvait.

-Yousef ce site est rempli d'artefacts, de ruines partout !
-Mira… Je t'en prie, reviens à toi !

Elle se tut et tourna son regard vers lui.

-Yousef… même si j'ai longtemps cru que notre rencontre était fortuite, je comprends maintenant que je suis ici pour une raison bien particulière. J'ai longtemps refusé de voir et de croire malgré mon passé rempli d'événements étranges, mais j'ai été choisie et je dois accomplir mon destin même s'il s'achève.
-Mira tu divagues et tu m'effraies… Mira !

Elle reprenait doucement son état normal. Se rendant compte que tout ceci pour Yousef était inimaginable et incompréhensible.

-N'aie pas peur Yousef, tu vivras encore longtemps et ton règne sera grandiose jusqu'à ce que les diables reviennent vers les hommes. Dieu nous donne encore une chance de nous racheter mais nous ne sommes que de pauvres mortels. Il faudra encore un autre millénaire avant que l'on trouve la voie du salut. Tu vas penser que je suis folle… Je sais… mais j'ai découvert les Amers de la même manière Yousef. Je ne peux expliquer comment et pourquoi on m'envoie des messages mais c'est une force divine… Tu comprends ?
-Tout ce que je sais… C'est que tu m'as foutu les boules et je ne m'explique pas encore ce que je viens de vivre !
-Redescendons… Je dois parler à Rustopov.
-Rustopov ? Pourquoi ? Qu'a-t-il à voir avec tout ça ?
-Ne comprends-tu pas que tout est relié ?
-Quoi Mira, qu'est-ce qui est relié ?
-Le livre de Grovache, la découverte des Amers, du trésor, ma venue ici ? Tu sais Yousef, il y a très longtemps, les hommes vivaient ensemble et les hommes par leur manque de jugement se sont séparés et même affrontés entre eux divisant à jamais leur culture, leur langue… et aujourd'hui, on veut nous montrer, on veut nous faire apprendre de nos erreurs et je ne suis que celle qui relie tout ça même si je sais qu'après mon passage on oubliera, mais il restera une par-

celle de moi qui traversera le temps ayant la même mission que moi, faire voir à l'homme jusqu'à ce qu'il soit prêt à s'arrêter !

-Pourquoi alors disais-tu que ton règne s'achève ?

-J'ai vu c'est tout ! Je ne sais ni où ni quand ! Parfois les messages sont clairs, parfois ils sont troubles.

-Petite déesse venue du Nord ! Je suis… je suis si troublé…

-Viens, je vais te prouver que j'ai vu.

-N'aie crainte tu m'as montré et c'est bien cela qui me trouble le plus !

Si Yousef et ses hommes étaient époustouflés par ce à quoi il venait d'assister, nous l'étions aussi, sauf que nous étions mieux préparés qu'eux ayant vécu aux côtés de la dame qui n'était pas à ses premières démonstrations de tels phénomènes.

Au grand soulagement de tous, ils redescendaient et encore là Mira faisait preuve d'une souplesse dont Yousef n'était pas pourvue. Comme une gazelle, elle revenait vers le sol sablonneux de l'endroit sans être essoufflée, sans être en sueur, ce qui n'était nullement le cas du roi. Il était ébranlé dans tous ses fondements, du physique jusqu'au mental.

Les hommes étaient toujours sous l'effet de cette expérience étrange. Les ouvriers qui œuvraient avec Rustopov, les guides et tout autre individu qui se trouvaient à proximité, étaient comme en commotion, rivés sur place. Ce n'est que lorsque le roi et la reine furent arrivés et en discussion avec Rustopov qu'ils revinrent à la vie, parlant entre eux, émettant des sons audibles, des phrases complètes, des mouvements !

Rustopov dut mettre ses oreilles au service de son service car la reine s'adressait à lui et il se devait de revenir parmi les mortels !

-Rustopov, vous êtes-vous rendu dans la vallée des Rois ? Demanda-t-elle d'un air tout à fait naturel, ce qui choquait totalement avec l'état qu'elle avait quelques minutes auparavant.

-Non… pas… pas encore, mais cela faisait partie de la deuxième phase de mes recherches, Majesté.

-Vous êtes-vous intéressé au Sphinx ?

-Non… en fait… oui, mais selon les indications relevées dans le livre de Grovache, je n'ai pas réussi à trouver l'entrée de cette bibliothèque secrète Majesté et j'ai préféré continuer à explorer les pyramides elles-mêmes.

-Les pyramides ne vous dévoileront plus rien d'intéressant, Rusto-pov. Vous avez déjà découvert la chambre de la Reine, la chambre du Roi, les conduits qui mènent vers les cieux et si vous ne le saviez pas, elles ont été disposées de manière bien précise se reliant par les astres vers la constellation d'Orion pour permettre aux Pharaons de voyager de cette constellation vers la terre et vis versa. Pour le moment, je crois que vous devriez vous concentrez sur la vallée des Rois. J'ai vu Rustopov.

-Quoi donc, Majesté ? Demanda-t-il les yeux écarquillés comme des soucoupes.

-La bibliothèque qui recèle tous les secrets de millénaires de dynasties pharaoniques, là sous le Sphinx et la vallée des Rois !

-Mais… mais… Majesté… Comment avez-vous pu voir ?

-Je ne peux l'expliquer par des mots Rustopov… Mais j'ai vu !

-Elle a raison… Rustopov, il y a bien là-dessous une pièce remplie de manuscrits, de livres… Je… je l'ai vue moi aussi. Dit Yousef incapable de mettre plus de conviction dans ce qu'il avait peine à croire lui-même.

J'avoue que j'étais un peu ébranlé moi-même car je doute qu'il est possible de s'habituer à de telles expériences et je n'avais jamais assisté à un passage des visions de Mira vers une autre personne. Je comprenais bien que Yousef puisse être presque traumatisé par ce qu'il venait de ressentir prenant conscience que le mot « spécial » que j'utilisais pour décrire la reine prenait une tout autre signification désormais.

Plusieurs jours passèrent entre ces événements spéciaux et la recherche d'arrache-pied qui s'entreprit près du grand Sphinx. Mira tenta de dissuader Yousef qui désirait se rendre à l'endroit qu'elle lui avait fait voir, persistant à dire que nous ne trouverions rien pour le moment mais Yousef se sentait épris d'une indescriptible envie de fouiller et souhaitait faire connaître au monde, une telle merveille.

Imposant personnage de pierre, le Sphinx restait impassible aux assauts que nous tentions de lui faire subir. Notre lutte à lui scruter les flancs à la hauteur de ses fondations était aussi veine qu'une fourmi qui tente de passer sa route sous un tigre couché paisiblement endormi ! On creusa, on frotta, on cogna, on jura, on s'épuisa contre le génie constructeur des anciens Égyptiens et on se frappa telle la tête sur la pierre à un mur de déceptions. Malgré la certitude que la vision reçue ne pouvait pas être autre chose que l'exactitude même, nous devions nous rendre à l'évidence : sans la clé, nous ne parviendrions pas à trouver quoique ce soit. Si de cette fatigue immense et de cette déconvenue nous étions tous amers, Mira restait de marbre ! Inébranlable dans ses convictions, la dame nous énergisant de son sourire et de son assurance car elle nous dit :

-Ne soyez pas déçus que le Sphinx ne veuille pas nous laisser voir la plus grande cachette de l'histoire du monde ! C'est que même si on me l'a montrée, il n'est pas de notre temps de la découvrir... Ce site sera encore oublié et dans sept cents ans, le monde redécouvrira les richesses de cette terre et quelques années plus tard, un homme d'origine égyptienne, un savant, sera celui qui aura la charge de faire connaître au monde entier les splendeurs de cette terre. Mais nous, nous avons le devoir de nous rendre en la Vallée des Rois où là, nous attendent des découvertes qui vous laisseront sans mots Messieurs. Mais avant que nous nous y rendions, il faudra être purs de cœur et d'esprit et ne pas déranger les sépultures qui y reposent tels des pillards sans conscience. Ce que nous y trouverons servira à éduquer les générations futures à la grandeur d'une société qui se voulait unifiée. Et même si j'ai vu bien des trésors enfouis, je me dois de n'en dévoiler que quelques-uns car là aussi, il n'est pas dans ma mission de toutes les mettre à jour.

Yousef dut se rendre à l'évidence que la sagesse de cette femme était de loin la meilleure conseillère. C'est donc avec le cœur bondé d'espoir que nous avons pris la route vers la vallée des rois qui étaient à quelques jours de l'endroit. Le livre de Grovache était clair à ce sujet, plusieurs sépultures de grands Pharaons y étaient ensevelies. Depuis la nuit des temps les pillards s'y rendaient mais depuis longtemps on la croyait vidée de tous ses biens. Donc, cet endroit était une vallée de montagnes de roc et de sable qui se faisait balayer par le vent et complètement déserte.

Arrivés sur place, nous installâmes notre campement en plein milieu ayant pour voisines des montagnes silencieuses ayant l'impression que la vie avait déguerpi en quatrième vitesse de ces lieux. Le nom de l'endroit me semblait plus approprié en « Vallée des Morts » qu'en « Vallée des Rois » car vraiment je n'y apercevais même pas un oiseau en plein vol. Le silence était omniprésent ayant pour seul concourant le vent qui se faisant entendre à se frotter contre les parois montagneuses en déplaçant des petits grains de sable qui aimaient bien venir se loger dans nos yeux donnant l'impression que nous avions des morceaux de verre dans le globe oculaire !

Par-ci, par-là, on observait de petites ouvertures dans les flancs de la montagne qui représentaient les orifices pratiqués par les pilleurs pour s'introduire dans les tombeaux. Quelques-unes furent envahies par notre groupe juste pour voir ce qui pouvait bien rester dans la cavité rocheuse. Malgré que les pièces visitées fussent visiblement dépossédées de leur contenu, nous étions quand même impressionnés de voir ce travail de maître.

Les tombeaux des Pharaons ou de très hauts dignitaires de l'apogée pharaonique avaient été creusés dans le roc avec précision et finesse, c'était renversant. Les dimensions de ces pièces étaient considérables. Vraiment, j'étais épaté par un tel travail. Et comme dans les pyramides, les murs parlaient de dessins et d'écritures relatant sûrement la grandeur du règne du propriétaire des lieux.

Une fois notre visite terminée, nous nous sommes concentrés sur les indications de Mira. Malgré que j'eusse, pour ainsi dire, une confiance aveugle en la précision de ses visions, j'avoue que j'ai beaucoup douté lorsqu'elle désigna le haut d'une des parois rocheuse et je n'étais pas le seul, Yousef démontra aussi beaucoup de réserve sur le lieu pointé à même le petit index délicat de la reine.

De un, l'endroit était peu accessible, de deux, ce n'était pas tellement logique qu'on y place une sépulture. Mais malgré notre acharnement aux côtés du Sphinx qui s'était soldé par un échec, nous nous sommes aventurés dans le projet élaborant des plans pour structurer nos recherches et nos excavations.

C'est donc, le lendemain matin que commença notre travail. Les ouvriers présents auprès de Rustopov sur le site des pyramides avaient été réquisitionnés pour la Vallée des Rois. Sous sa supervision, ils firent vibrer leurs outils, cambrer leurs muscles sous les charges, tamiser des tonnes de sable et de cailloux. Pendant plus de trois jours, le site ressemblait plus à un chantier de construction qu'à autre chose. Nous tentions de dégagé une soi-disant porte qui était supposée se trouver sur des tonnes de roches et de sable à un endroit précis et j'admets qu'après plus de trois jours n'ayant pas vu d'autre chose que le matériau premier constituant la majeure partie de ce territoire, nous étions encore une fois sur le bord de la déception qui nous guettait à chaque coup de pioche et de pelle. Cependant, nous nous regorgions de courage et d'énergie de voir la dame arborant un petit sourire comme sous l'emprise d'un enchantement permanent ce qui avait sur nous tous l'effet de nous remplir de plus d'ardeur à la tâche.

La chaleur du soleil du midi nous empêchait de travailler pendant près de trois heures durant le jour mais la fraîcheur de la nuit accommodait les Scandinaves que nous étions à supporter cette vie d'enfer car il était difficile pour des hommes du Nord tels que nous, de subir l'assaut de la chaleur ayant pour habitude des températures beaucoup plus froides. Mais on s'habitue à tout et nous étions costauds !

Le cinquième jour couronna nos efforts de succès. Contrairement à toute attente, la dame avait encore et toujours raison. Juchée à plusieurs mètres du sol, dans une pente plutôt escarpée des parois de la montagne, une porte de pierre se dévoilait peu à peu sous nos yeux. Nous prîmes bien la journée pour la dégager, ayant pour compagne une euphorie palpable dans tout le groupe, activant notre cadence.

Gigantesque porte de pierre ayant des écritures et deux personnages sculptés en bas-relief représentant sans l'ombre d'un doute un Pharaon et sa Reine. Car nulle hésitation ne pouvait traverser notre esprit, la splendeur de l'œuvre parlait d'elle-même. Une porte de plus de quatre mètres de haut sur trois mètres de large, massive, travaillée par des mains de maîtres ayant été préservée par des milliers d'années par la chaleur sec du désert. Les personnages, un homme et une femme y étaient représentés avec tous les atours d'un couple royal. De qui s'agissait-il ? Pour le moment, nous étions plus intéressés à savoir comment nous aurions pu ouvrir cette dernière qu'à nous poser mille et une questions sur l'identité des personnages.

J'avais beau être en présence de vestiges plus magnifiques les uns que les autres depuis plusieurs jours, je n'arrivais pas à cesser de m'émerveiller devant le génie constructeur de ces ouvriers d'antan. La porte pesant sûrement plusieurs tonnes était d'une finesse, laissant à peine passer l'espace d'une lame de couteau dans son contour. Une précision telle qu'on n'aurait pas, encore aujourd'hui, pu faire mieux. Quand l'homme veut, il peut être un véritable génie. Nous dûmes d'ailleurs nous rendre à nos couches pour reposer nos corps épuisés afin d'essayer pendant la nuit de trouver une solution qui sauverait à la fois la porte et nous laisserait entrer dans le tombeau.

Le lendemain matin, notre groupe s'était grossi d'une foule de curieux partie du Caire depuis plusieurs jours ayant été alertée par les exploits de Mira sur la grande pyramide. Les curieux étaient venus voir ce que le couple royal et les ouvriers avaient déniché dans la Vallée des Rois. À leur arrivée, la grande porte parlait à notre place laissant l'assistance sous l'effet de la surprise. Les gardes eurent beaucoup à faire pour les contenir et cette situation compliquait de beaucoup nos travaux.

Qu'à cela ne tienne, il n'y avait rien pour nous arrêter ! Mira monta la première ce matin-là vers la grande porte, suivie de plusieurs ouvriers, de moi, Rustopov, Yousef. Elle était observée par des centaines de curieux retenus pour les efforts constants des gardes pour limiter leur progression hors d'un périmètre improvisé.

Une fois arrivée près de la porte, elle s'en approcha collant son corps contre la pierre et de ses mains elle l'effleurait fermant les yeux semblant être en communication avec quelque chose d'inexplicable et d'intangible pour la plupart de nous. Notre petit groupe qui l'avait suivi n'osait bouger ou dire un mot. Sa concentration était telle qu'on aurait pu presque voir la force de ses pensées passer autour de sa tête. Comme si c'était écrit quelque part, elle passa sa main le long d'une des fentes du contour de la porte et y introduisit ses graciles doigts et on entendit alors un déclic qui nous fit tous sursauter car le bruit nous sembla être celui des cieux qui se fendent ! Un vacarme de pierres qui se glissent les unes sur les autres prit alors tout l'espace sonore de la vallée. Un mécanisme aussi ingénieux que puissant tirait la grande porte vers la gauche la faisant disparaître dans un mur d'une épaisseur inimaginable. Un grand trou noir apparaissait maintenant dans les flancs de la montagne. Elle avait ouvert la porte et comme des hypnotisés nous étions là, immobiles sous l'effet de la surprise. Mais après que la lumière du jour s'introduisit à l'intérieur jusqu'à un certain angle on percevait une pièce aux dimensions qui se perdait dans l'ombre à l'intérieur présentant de magnifiques peintures sur les murs. Yousef emboîta le pas, j'allais le suivre, Rustopov et les ouvriers aussi, mais elle se tourna vers nous et nous arrêta d'un geste de la main.

-Vous n'entrerez pas dans ce tombeau avant que je vous en donne la permission.

Dit-elle avec un regard d'acier. Elle se tourna vers la foule plus bas qui avait les yeux écarquillés devant ce à quoi elle venait d'assister.

-Personnes n'entrera dans ses lieux ayant dans le cœur la seule pensée d'en ressortir avec des bourses pleines d'or. Ce lieu est sacré et je vous le dévoile aujourd'hui pour vous montrer la grandeur de vos ancêtres. De grandes malédictions s'abattront sur ceux qui oseront profaner ce lieu. Il faut respecter la culture des hommes de foi même si cette foi n'est point la vôtre. Nous allons nous y introduire et nous ne toucherons rien, je dis bien rien. Nous toucherons avec nos yeux et tous les trésors qui s'y retrouvent seront préservés dans l'état dans lequel il était avant qu'on les y enferme pour l'éternité. Si aujourd'hui, on nous laisse voir ces splendeurs c'est dans un but précis. Celui d'être rempli d'enseignement et de sagesse. Puissiez-vous comprendre la grandeur de ces lieux sacrés. Puissiez-vous le faire voir aux yeux des enfants qui demain seront grands et qu'à leur tour, transmettront le savoir aux générations futures. Si de vos cœurs d'hommes vous bafouez cet avertissement, vous jetterez sur des siècles l'ignorance du passé.

Elle s'arrêta comme prise d'une tristesse soudaine. Elle se retourna vers nous et nous dit à voix basse :

-Je laisse ce lieu entre leurs mains et malgré mon avertissement, je sais d'ors et déjà que c'est en vain, mais, là est ma mission.

Yousef s'empressa de se rendre auprès d'elle.

-Mira, je ferai tout ce qui est possible de faire pour préserver cette splendeur, je te le jure. Je mettrai des gardes en permanence.
-Je sais, dit-elle ne semblant pas convaincue que cela puisse suffire.
-Ma belle colombe pose tes ailes sur nos âmes… C'est la seule façon d'empêcher la bêtise humaine. Dit Yousef se voulant rassurant.
-On me brisera les ailes Yousef. Et tu n'y pourras rien mais je sais que tu feras tout ce que tu peux pour que ce lieu reste dans l'état dans lequel on l'a trouvé. Allez, maintenant. Prenons des fanaux et entrons.

La permission nous avait été donnée et c'est sans se faire attendre, le cœur rempli de papillons qu'on s'introduisit dans les entrailles de ce trou béant ayant pour seul éclairage les rayons du soleil qui tentaient de se rendre au maximum de leurs tentacules le plus loin possible de l'entrée.

À première vue, la pièce était cubique ayant sur tous ses pourtours des peintures magnifiques qui dépeignaient sûrement la vie quotidienne de ce Pharaon. Mira s'approcha du mur et encore phénomène inexplicable, elle passa ses doigts sur ce que je peux qualifier d'écriture et se mit à lire comme dans un livre ouvert.

-Ici repose, Toutmess II Pharaon de la Haute et de la Basse Égypte unifiée, envoyé vers le pays des morts après un dur combat contre ses ennemis. Toutmess II a vécu plus de cinquante-cinq étés et de son règne il a unifié l'Égypte et le Dieu Ra lui a légué tous les pouvoirs dans ce monde et dans le monde éternel où maintenant il dirige un Royaume aux beautés indescriptibles dans les bras d'Orion.

Nous étions encore sous le choc. Yousef se surprenait de ne pas avoir décelé avant tous les atours autres que physiques que recelait la déesse venue du Nord. Il comprenait désormais ce qui l'avait chaviré au-delà de sa grande beauté. La femme qu'il aimait était plus que belle, plus qu'intelligente, elle était tout simplement exceptionnelle. Si nous, les hommes venus du Nord, avions appris à vivre à ses côtés connaissant ses prédispositions pour la divination et la prédiction, Yousef était tout simplement emporté par une vague énorme qui le balayait de plein fouet et cette révélation qui ne cessait depuis plusieurs jours de se manifester, ne l'aidait guère à reprendre son souffle.

Rustopov quant à lui était comme un enfant qui vient d'apprendre que 1 + 1 fait 2 et qui a compris toute la mécanique des mathématiques. En fait, il n'était pas mieux que Yousef. Même s'il avait longtemps entendu parler des dons de la reine, il n'avait jamais assisté, lui non plus, à de pareils événements ! Et là sous ses yeux, elle déchiffrait les écritures que depuis la nuit des temps, on avait perdu la signification.

Elle mit fin à cet immobilisme de notre part en faisant le tour de la pièce sous notre regard interrogateur. Qu'allait-elle encore nous faire voir, nous dire ou faire qui nous aurait encore plongés dans l'étonnement le plus complet ? Nous ne tarderions pas à le savoir.

Il n'y avait aucun artefact, aucun objet, aucune sépulture dans cette pièce. En fait, c'était même un peu décevant. Une pièce carrée taillée à même la pierre aux dimensions plutôt restreintes.

Mira continua à promener le fanal le long des murs, dévoilant à son passage de magnifiques fresques ayant conservées presque leur état orignal. Tout à coup, elle s'arrêta devant la représentation, selon moi, du Pharaon assis sur son trône qui tenait à la main un sceptre. En y regardant avec plus d'attention, je remarquai que le sceptre était sculpté en bas-relief comparativement à toutes les autres peintures. Elle passa ses doigts et poussa sur la pointe du sceptre. Un autre bruit infernal de pierres qui se déplacent faisant trembler le sol sur lequel nos pieds dansaient sous les vibrations. Le mur du fond de la pièce, qui était en fait une immense porte, se glissa comme la première à l'intérieur d'un mur laissant à nos yeux l'espoir d'apercevoir ce qu'il y avait derrière. Mais c'était encore un trou noir comme la nuit. Les bruits, les tremblements du sol nous avaient presque fait avoir une attaque. Nous revenions à peine de nos émotions que ce grand trou noir nous remplit d'effroi croyant que les profondeurs de l'enfer s'ouvraient aux devants de nous.

Cependant, Mira était tout à fait sûre d'elle et s'avança seule vers l'intérieur. À mesure qu'elle entrait la lumière produite par le petit fanal dévoilait peu à peu la configuration de cette pièce. Arrivée au milieu, elle se retourna vers nous ayant un petit sourire malicieux sur les lèvres et elle tendit son fanal au bout de son bras et fit un tour sur elle-même. Ce que nous avons vu alors nous resta sans voix. À l'intérieur de cette pièce, il y avait des objets partout autour d'elle. Sans dire un mot, d'un signe de la main, elle nous invita à entrer.

Sous l'effet de la surprise la plus complète, nous nous introduisîmes à l'intérieur et avec les fanaux réunis qui éclairaient le contenu de l'endroit nous avions tout autour de nous une véritable caverne d'Ali baba.

La pièce était de dimension assez vaste et partout le long des murs, des objets avaient été soigneusement entreposés dans un ordre spécifique. Il y avait un magnifique carrosse tiré par quatre chevaux de bois grandeur nature, probablement le carrosse du Pharaon lui-même, une véritable merveille. Il y avait là des articles sculptés dans le bois, dans le marbre, dans la pierre mais surtout de petites statuettes en or qui étincelaient telles des étoiles sous l'effet de nos fanaux. Des jarres de toutes sortes, des vêtements brodés de fils d'or et perlés de pierres précieuses, des bijoux, un amalgame d'articles ayant sans nul doute appartenu au grand personnage royal.

Si le trésor de Grovache était étincelant et d'une richesse exceptionnelle, celui-ci n'avait rien à lui envier. Ce qui était spectaculaire, c'était la conscience qui nous envahissait réalisant que les articles ici présents étaient ceux d'un individu ayant existé, régné parmi les hommes ! Je n'ai pas de mots pour décrire ce que nous ressentions. Les émotions que nous vivions s'enchaînaient à un rythme fou et il est certain qu'il ne fallait pas avoir le cœur fragile car nous nous serions éteints sur le champ…

Un des ouvriers s'approcha de l'une des petites statuettes et allait la prendre dans ses mains lorsque Mira poussa un cri strident qui nous arrêta dans notre exploration des lieux.

-NON ! ARRÊTE MALHEUREUX !

L'homme sursauta et se recula.

-N'ai-je pas dit que l'on touchait avec ses yeux ?
-Ne touchez à rien. Ordonna Yousef.

Elle se retourna vers le fond de la pièce et avança jusqu'à ce qu'elle eût atteint son but. Nous l'imitâmes emportant avec nous toute la lumière. Devant nous, la dernière demeure de Toutmess ! Un sarcophage immense sculpté dans un marbre blanc de toute beauté. Des anges, du moins si on peut s'exprimer ainsi, des dames avec des ailes étaient sculptées aux quatre coins du sarcophage se tenant chacune les mains. Magnifique, tout simplement magnifique ce que nous avions sous les yeux. Juste à penser que dans cette pièce, rien n'avait bougé depuis des millénaires et qu'ici reposait dans ce sarcophage un Pharaon Égyptien, les frissons me parcoururent tout le corps.

Debout, cordés, l'un à côté de l'autre, silencieux, nous jetions un regard sur le bloc de marbre sans pouvoir définir exactement ce que nous ressentions. Quelque part de la joie, quelque part de la tristesse, quelque part de l'extase, quelque part de l'euphorie... tout ça à la fois.

Mira se tourna vers Yousef.

-Yousef, il faut laisser voir l'intérieur. C'est d'ailleurs, la seule chose qu'on touchera ici.
-Vraiment, Mira ? Tu veux qu'on ouvre le sarcophage ?
-Oui. Mais avec précaution. Il ne faut rien abîmer.
-D'accord, ce sera fait immédiatement.

Yousef, homme à l'esprit structuré, fit reculer tout le monde et prit cinq ouvriers à qui il ordonna d'ouvrir le sarcophage avec minutie et déposer la dalle derrière le bloc de marbre. Les cinq costauds s'exécutèrent. Leurs muscles étaient lourdement mis à l'épreuve car la dalle qui refermait le tombeau était lourde et c'est après plusieurs efforts qu'ils réussirent à la soulever. Toutefois, la déposer c'était une autre histoire. D'abord, ils la soulevèrent pour la faire glisser vers le fond. Ils faillirent la perdre mais avec un déploiement d'une force extrême, ils réussirent à la déposer à l'arrière du sarcophage. Une petite poussière s'élevait doucement dans l'air au-dessus de tout ce remue-ménage.

Excités comme des puces, nous nous approchâmes pour voir le contenu. Nos fanaux tous au-devant de nous, nous examinions les restes du corps de Toutmess II. Ah ! Quelle fascination se lisait sur nos visages à ce moment. Une momie parée de ses plus beaux atours. Un sceptre, un collier paré de pierres précieuses mais surtout, oui surtout, de l'or ! En fait, le Pharaon devait être déposé dans ce que je qualifierais de cercueil en or. Nous avions une statue grandeur nature entièrement en or couché au fond de son dernier lieu de repos. Toute en or ! Magnifique, merveilleux, splendide sont des mots qui ne rendent pas justice à ce que nous avions sous les yeux. Le personnage royal était personnifié dans cette sculpture avec sa coiffe de roi, son costume, tous les détails y étaient et la finesse du visage nous laissait voir un homme à stature moyenne mais dont les traits étaient fins et distingués. C'était plus que nous aurions espéré trouver ! ! ! Si l'un de nous avait des doutes sur les origines du propriétaire des lieux, maintenant, il avait la réponse. Une splendeur digne des plus grands orfèvres reflétait la lumière de nos fanaux et même l'expression de nos visages dans l'or qui servait de peau au masque, de vêtements au corps. Je croyais rêver. Les yeux étaient dessinés avec une précision, une perfection... le nez, la bouche, les oreilles, la coiffe du grand pharaon nous étaient dévoilés dans tous ses détails. Yousef était émerveillé, Rustopov hypnotisé, les ouvriers sous le choc et moi, je me pinçais... C'était invraisemblable d'être présent à l'intérieur de cette pièce qui avait été scellée plusieurs milliers d'années auparavant. Nous vivions encore un autre moment de l'histoire que notre petite pucelle de la Forêt d'Elfe nous faisait découvrir.

Elle resta discrète pendant toute notre observation. Elle avait vu, on lui avait montré les richesses de cette terre qui au départ me semblait bien déserte et sans intérêt. Comment expliquer un tel phénomène ? Encore aujourd'hui, je ne me l'explique pas à moi-même. Tout ce que je peux dire c'est qu'elle était un être spécial et que j'avais la chance de suivre sa bizarre destinée depuis plusieurs années.

Quelques minutes plus tard, lorsque nous avons réalisé que nous étions toujours de ce monde, Yousef nous demanda de sortir pour s'entretenir avec Mira.

-Mira, je n'arrive pas à décrire tout ce qui se passe depuis quelques jours à tes côtés. C'est... c'est incroyable. Je te savais spéciale, pas comme les autres, mais jamais je n'aurais pu me douter que j'aurais vécu de telles émotions à tes côtés. Je suis désemparé devant des choses aussi inexplicables... et je dois dire que je comprends beaucoup mieux tout le sens des histoires qui m'étaient rapportées à ton sujet. Dire qu'aujourd'hui, je suis à tes côtés, dire que je suis l'homme qui partage tes nuits, dire que tu es plus grande que nature... Mira... Mira... Je suis...

-Chut ! Fit-elle doucement. N'essaie pas de comprendre, moi-même j'en suis incapable. Je ne sais pas pourquoi, je vois ces choses ni comment elles me parviennent. Depuis mon enfance, je suis appelée durant la nuit, durant le jour à voir, entendre des choses et je ne sais qui, ni quoi me dirige, c'est comme ça, c'est tout. Longtemps, j'ai refusé de voir et de croire, mais après l'histoire de Grovache, j'ai dû me soumettre à des forces beaucoup plus puissantes que je ne le suis. Yousef, je sais que tout ça doit être difficile à vivre pour toi, mais dis-toi qu'elles le sont davantage pour moi. Aujourd'hui, je t'ai fait voir les richesses de ton passé. Demain, il faudra les protéger. Peut-être n'y parviendrons-nous pas, mais au moins nous aurons essayé. Je suis terriblement épuisée. Tout ceci me demande une énergie que mon corps ne saurait supporter davantage. Fais le nécessaire pour sécuriser tout ça. Fais le nécessaire pour que des gardiens prennent soin de Toutmess et que ton peuple puisse voir. Tu dois lui permettre de voir et de croire.

-Je pourrais faire déplacer les objets jusqu'au Caire où on pourrait les exposer pour…

-NON ! Tu ne dois rien déplacer… Yousef promets-moi que tu ne feras rien déplacer.

-Mais Mira… pourquoi ?

-Parce que c'est ainsi, nous ne devons pas déranger les morts de leurs lieux de repos !

-Mais… mais, ce serait plus simple de les exposer dans un endroit grand et éclairé à la vue de tous !

-Non, Yousef… Non, il faut que les gens se déplacent, prennent conscience, qu'ils viennent ici comme on va à un pèlerinage.

-Mais ce sera difficile de leur faire voir sans que…

-Je sais, mais alors, il te faudra mettre des gardiens partout, et être discipliné. Les gens ne sont pas des idiots. Ils visiteront par petit groupe comme nous l'avons fait. Tout ce que je te demande, c'est que tu fasses en sorte que tu veilles sur ce trésor comme sur la prunelle de tes yeux.

-Ce sera fait sans l'ombre d'un doute puisque c'est mon trésor à moi qui me le demande. Yousef est à votre service et fera tout ce que vous me demandez Madame. Jamais je ne te refuserai rien et surtout après tout ce que m'a fait découvrir, je te promets que ta volonté sera respectée dans les moindres détails.

Ils sortirent nous rejoindre car nous n'avions pas redescendu vers notre campement. Non, la foule était en délire plus bas. À notre sortie, ils étaient pratiquement hystériques et leurs rangs s'étaient grossis car d'autres curieux affluaient vers le site. Les gardes faisaient ce qu'ils pouvaient pour les retenir de venir nous rejoindre. Heureusement, ils parvinrent à les contenir car s'ils avaient perdu le contrôle, cette foule se serait ruée vers nous et s'en serait fini du tombeau de Toutmess. Cependant, à la vue de Mira qui arrivait derrière nous avec Yousef, la foule se tut instantanément. Comme s'ils avaient vu une apparition, ils regardaient, attendaient, observaient. C'est Yousef qui s'adressa à eux.

-Sujets de ma Couronne, moi, Yousef, votre Roi, je vais vous dire qu'ici repose un Pharaon avec tous ses biens. Vous pourrez venir le voir mais cela se fera dans les prochains jours. Il ne sera pas toléré qu'aucun des visiteurs ne touche, ne déplace ou n'emporte quoi que ce soit. Nous devons pour cela organiser un escalier pour nous y rendre en toute sécurité et des gardes seront ici en permanence et seuls des petits groupes seront autorisés, chacun leur tour, à venir voir les splendeurs qui dorment ici depuis plusieurs siècles. Le Roi Yousef désire que vous ayez la chance de voir ce qu'il a lui-même vu. Alors, mes bons sujets, ne soyez pas impatients, retournez chez vous porter la bonne nouvelle.

Ils écoutèrent religieusement leur roi jusqu'à la fin de son discours. Une petite cacophonie se fit alors entendre. La confusion régnait en maîtresse parmi toutes ces bonnes gens. Comme de bons enfants, on commença à voir la foule se disperser et reprendre le chemin du retour au grand soulagement des gardes qui n'auraient su retenir l'arrivée massive d'une autre foule venue s'ajouter à celle-ci.

Les jours qui suivirent furent remplis de préparatifs pour faire de ce site un lieu sécuritaire et d'organisation pour son rôle futur. Yousef avait fait venir des renforts du Caire. La garde était renforcée prête à faire face à être envahie par une foule de visiteurs. Les curieux étaient refoulés à l'entrée de la Vallée des Rois jusqu'à ce que Yousef décide qu'il était temps de laisser voir cette splendeur.

Depuis la découverte du tombeau de Toutmess II, Mira s'était faite discrète. La chaleur, toute cette énergie qu'elle avait déployée, avaient contribué à l'épuiser. Yousef tentait tant bien que mal de lui consacrer du temps entre toutes les demandes, les requêtes, les décisions qu'il devait prendre.

Près d'une semaine après la découverte, Yousef était satisfait du travail accompli et prit la décision d'ouvrir le site aux visiteurs. C'est par vague de plusieurs centaines de personnes que l'endroit fut envahi peu à peu. Tout semblait se dérouler comme prévu. Les groupes montaient escortés d'une garde fortement armée et extrêmement disciplinée.

À travers le pays, la nouvelle circulait à la vitesse de l'éclair et ne s'arrêta pas à la Méditerranée. Non, elle prit le bateau et traversa la mer, débarqua en Turquie, pays d'origine de Yousef, et se déploya dans tous les sens vers l'Asie, la Russie, l'Europe, la Scandinavie. Une reine venue du Nord avait découvert un Pharaon en Égypte avec tous ses trésors. Voilà ce qu'on rapportait à qui voulait bien l'entendre.

Si Yousef était extrêmement riche, désormais il l'était encore davantage. Les coffres royaux débordaient, une reine exceptionnelle comme maîtresse et désormais il possédait dans son immense royaume des vestiges inestimables. Si le roi Turc était redoutable, là il n'y avait plus d'espoir pour ses ennemis. Ils étaient vaincus avant d'avoir livré combat ! Et ce qui allait suivre aurait été encore plus gigantesque.

Plus d'une semaine après l'ouverture du site, Mira considérant que Yousef avait rempli sa tâche de façon plus que satisfaisante prit une décision qui allait faire trembler les empires sur leurs fondations !

Lorsque Yousef se présenta à la grande tente pour venir la rejoindre à la nuit tombante, elle s'était allongée sur le lit en tenue légère admirait Yousef se débarrasser à son tour de ses vêtements et de son attirail d'épée, de couteau. Il la regardait du coin de l'œil, sourire en coin.

-Est-ce un tel spectacle que de me voir me dévêtir, Madame pour que vous me regardiez avec autant d'appétence ?
-Vous n'avez pas idée, Sire !
-Petite coquine !
-Non, vous n'avez pas idée, Sire !
-Ha ! ha ! Mira… Que veux dire ces « *Vous n'avez pas idée, Sire !* » ?
-Approchez vous verrez bien, Seigneur Turc aux yeux ténébreux !
-Une telle invitation ne saurait se refuser !
-Non… ne vous jetez pas sur moi tout de suite !
-Vous me demandez l'impossible, Madame !
-Peut-être pas… Si vous écoutiez d'abord la requête que j'ai à vous faire…
-Hum ! Cela n'augure rien de bon. Je sens que si la dame à une requête à faire et qu'elle fasse toute cette mascarade pour m'attirer si peu vêtue, j'ai bien peur de ce qu'elle va demander… Pourrais-je y répondre, Madame ?

-Cela dépensera de votre amour pour moi !

-Vous me faites peur, déesse venue du Nord ! Moi, qui ne peux rien vous refuser et que vous passiez par tous ces chemins sinueux pour me demander… Hum ! Que peut bien faire Yousef pour répondre à vos désirs ?

-Sire, il y a quelque temps vous m'avez demandé quelque chose… qui j'avoue à l'époque m'avait flattée, mais à laquelle je n'ai pu donner suite… Aujourd'hui, avec tout ce qui s'est passé, je crois que le moment est venu… Si bien sûr vous souhaitez toujours cette chose ?

-Mira ! Cesse de faire languir Yousef car il est sur le point de la crise cardiaque ! ! !

-D'accord, je vais aboutir ! Sire… Désirez-vous encore vous marier avec moi, la petite paysanne de la Forêt d'Elfe ?

Yousef ne s'y attendait pas du tout. Il eut d'abord un sourire mais quelques secondes lui suffirent pour réaliser la teneur de cette requête. Il se rua sur elle à coup de baisers et d'étreintes.

-Comment peux-tu douter que je puisse répondre non à une telle question. Je suis si heureux… si heureux… Ah ! Mira… Petite cachottière ! Depuis quand mijotes-tu ce plan dans ta petite tête ?

-Depuis que j'ai vu vos sujets dans la Vallée des Rois. Ils semblent heureux de cette découverte et ne paraissent pas avoir une dent contre la Reine venue du Nord qui avait auparavant fait de leur Roi, une épave.

-Ha ! ha ! C'était donc ça ta peur Mira ? Tu croyais que mes sujets ne t'aimaient pas !

-Yousef, je ne suis pas de ta religion, ni de ta culture… Un Roi Musulman qui laisse son harem, sa Reine pour une autre qui n'est pas avec lui, qui est retournée vers son pays et qui en plus a eu un fils qui n'était pas entièrement arabe de par ses origines… Tes sujets ont dû m'en vouloir, j'en suis certaine.

-Mira… Mira… Il est vrai qu'après ton départ, le massacre que je faisais de ma vie n'est pas passé inaperçu, mais je crois sincèrement qu'ils auraient compris si je t'avais marié dès que nous nous sommes retrouvés. C'est vrai que maintenant, ils sont tous comme moi, ils ne peuvent rien te refuser ! Tu es d'une stratégie, la belle ! Tu devrais être le général de mon armée !

-Ha ! ha ! Yousef ! S'il y a quelque chose que je déteste, c'est bien les armes et d'être obligée de m'en servir !

-Heureusement pour nous tous ! Pas un grand conquérant ne te va à la cheville.

-Hum ! en tout cas pour l'instant vous êtes plus qu'à ma cheville !

-Petite coquine ! Et je vais de ce pas, vous dévorez !

Yousef était au paroxysme du bonheur. Il n'aurait su demander plus. La vie lui faisait un cadeau plus grand que toutes les richesses que recélait son royaume. L'union de ces deux géants aurait unifié deux royaumes réalisant ainsi un empire aux accents Orient-Occident.

Le lendemain, Mira me fit venir et m'exposa la situation. Par son regard je comprenais qu'elle désirait une approbation, un conseil. Je discutai longuement avec elle. Nous ne pouvions pas lui refuser ça. Elle avait donné beaucoup aux Scandinaves, elle avait fait beaucoup pour le sort des plus démunis, des femmes, des enfants. Elle avait été si souvent foudroyée par le sort. Nous ne pouvions pas lui refuser de s'unir à Yousef et d'unir nos deux royaumes. Malgré les différences de religions, malgré que l'Église s'y serait sûrement opposée fortement, nous ne pouvions pas lui refuser !

Pour ma part, j'aimais bien Yousef. Si dans le passé, il avait fait des erreurs d'homme, il avait prouvé qu'il aimait Mira et tant qu'à elle, je la voyais de nouveau se frayer un timide chemin vers le bonheur qui l'avait souvent effleuré mais qui s'était toujours dérobé lui déchirant le cœur sans pitié.

Je fis donc envoyé des messagers vers la Norsufinde. Yousef ne tenait plus en place, il était comme un jeune adolescent ! Il fit démanteler le campement ne gardant que l'essentiel pour la nuit et fit préparer la caravane pour le retour imminent vers son château. Des messagers furent envoyés également afin d'avertir son monde qu'ils devaient voir aux préparatifs de la cérémonie.

Après une journée de branle-bas de combat, nous regagnâmes nos couches, exténués d'un tel train d'enfer. Comme le site était maintenant sécurisé, les ordres étaient clairs : Les visites seraient permises jusqu'à nouvel ordre sous haute surveillance. Rustopov aurait la charge d'administrer le site à sa grande satisfaction. Tout s'était bien déroulé jusque lors, alors pourquoi s'inquiéter !

Le lendemain aux premières lueurs de l'aube, Yousef était habillé, avait pris Yamir dans ses bras, faisant les cent pas près des montures attendant impatiemment que Mira le rejoigne. L'attente fut de courte durée. Elle sortit de la tente qui fut démontée quelques secondes après. Mira regarda Yousef et mit ses mains sur sa taille.

-Eh ! bien Monsieur, un peu plus et cette tente me tombait sur la tête !

-Ha ! ha ! Oui, Madame, je suis d'une impatience ! J'ai dit à mes hommes que dès que vous seriez sortie de la mettre par terre. Je ne tiens plus en place Mira.

-Je vois ça ! Il faudra bien vous calmer un peu, Monsieur, car nous sommes à plusieurs jours de votre palais, Sire ! Pourrez-vous attendre assis sur votre monture ? Je me le demande !

-Si vous êtes avec moi, Madame, je pourrai attendre !

-Bon ! C'est ce que nous allons voir !

Elle monta avec Yousef qui me demanda de prendre Yamir. Nous partîmes quelques minutes plus tard.

Le voyage ultime

De nouveau, nous étions à dos de cheval pour certains, à dos de chameaux pour d'autres à pieds, en route à travers les immenses étendues de sables sous un soleil de plomb. Yousef nous fit rejoindre la vallée du Nil que nous longions admirant la verdure contrastante avec la sécheresse du désert. Ce chemin différent du premier emprunté nous laissait voir d'autres vestiges laissés par l'époque pharaonique.

Vraiment ce voyage avait été rempli d'émotions de toutes sortes et de découvertes qui nous avaient gorgé l'esprit et le cœur d'aventures.

Plusieurs jours plus tard nous regagnâmes le château de Yousef. Nous étions arrivés en fin d'après-midi fatigués et empoussiérés. Nous avons tous rejoint nos appartements.

Yousef l'entraîna dans sa chambre.

-Si on prenait un bon bain, tous les deux ! Je te frotterais le dos.
-Hypocrite ! Tu me frotterais d'autre chose aussi.
-Je ne suis pas un hypocrite, je te frotterais d'autre chose aussi, je l'avoue.
-Va pour le bain, mais tu gardes tes distances. Toi d'un bout et moi de l'autre, il est si grand ce bain !
-À vos ordres Madame. Moi d'un bout et toi de l'autre.
-Je ne te crois pas ! Je pense que tu as un autre plan derrière la tête !
-Oserais-tu dire de moi que je mens ?
-Eh ! bien, votre Majesté, si vous ne mentez pas, je serai fixé dans quelques minutes !
-Douter ainsi de moi… que c'est décevant, moi si sincère, si pur, si franc !
-C'est que je trouve que vous avez répondu bien vite à mes demandes, Monsieur, c'est inquiétant !
-Viens ma belle déesse, le barbare t'accompagne jusqu'à ce bain.

Ils sortirent de la pièce et se rendirent directement vers le bain où il s'installa au bout du bain comme elle l'avait demandé et la regardait ayant un petit sourire mesquin sur les lèvres.

-Par contre, Madame, c'est un peu difficile de vous frotter le dos de si loin !

-Vous avez raison, Roi Yousef ! Mais je suis capable de me frotter le dos, moi !

-On sait bien, vous êtes si souple ! Moi, je ne suis pas un ver de terre comme vous, je ne peux pas me courber les bras de cette manière. C'est tellement injuste !

-Il y a au moins une chose que je peux faire que vous Messieurs vous ne puissiez pas !

-Si vous veniez me rendre service ?

-Vous n'avez donc pas de servante, Roi Yousef, pour vous laver ? Faites attention à ce que vous allez me répondre !

-Eh ! bien, oui, mes servantes, m'ont déjà beaucoup lavé mais depuis plusieurs années je n'utilise plus leur service.

-Ce que les Rois peuvent être veinards. Dès leur très jeune âge, les femmes s'occupent d'eux, les dorlotent, les lavent et même parfois les soulagent, c'est terrible d'être aussi gâté.

-Il faut bien apprendre quelque part, Madame. Je vois que vous en savez long sur ce point. Je n'étais donc pas le seul à utiliser de si bons services ?

-Malheureusement non. Vous êtes tous si dépendants des femmes et vous les traitez tellement de façon si injuste. J'en ai mal au cœur !

-C'est vrai, je vous donne raison ! Mais je vous ai dit que je n'utilise plus leur service dans ce sens. J'ai fait un pas dans la bonne direction, non ?

-Certes, Monsieur, mais vous avez toute une montagne à franchir avant de m'épater sur ce terrain !

-Je vais faire de gros efforts, j'aime vous épater, Madame, c'est mon sport favori ! Mais je n'ai toujours personne pour me frotter le dos. C'est ennuyeux !

Elle s'approchait de lui doucement.

-Vous avez donc encore besoin d'une femme pour votre confort, Monsieur ?

-Bien sûr, je n'ai peut-être plus besoin de mes servantes pour ma toilette personnelle, mais j'ai encore besoin d'une femme. Et quand la femme dont j'ai besoin est si belle, si gracieuse, si douce, c'est un véritable plaisir d'avoir des besoins qu'elle seule puisse combler.

-Faites bien attention de m'interrompre dans mon travail, Monsieur, je déteste commencer quelque chose et ne pas le finir. Tournez-vous, c'est un ordre !

-Je m'exécute. Ce que ça fait du bien. Comme vos mains sont douces. J'aurais aussi besoin de me faire laver le torse.

-Retournez-vous !

-Ah ! Ce que c'est bon. Que faites-vous, Madame ?

-Je vérifie ! Vous êtes si mesquin. Et je vois que j'avais vu juste, vous êtes encore en état de procréer ! C'est très indécent ! C'est même insultant pour moi !

-Comment insultant ? Vous devriez être fière de me faire tant d'effet ?

-Oui, là c'est moi qui suis avec vous ! Si vous aviez ce comportement avec vos servantes, c'est très insultant pour moi !

-Ha ! ha ! On voit bien que vous ne vous êtes jamais fait laver par les deux grosses Alanah et Saliba. Ha ! ha ! Je vous jure que ça coupe l'envie !

-Oh ! Yousef ! Tu veux me faire croire que tes servantes n'étaient pas jolies ! C'est terrible ce que tu dis là !

-Non, bien sûr elles n'étaient pas tous des laiderons, mais pas une n'avait le physique de l'emploi si tu vois ce que je veux dire.

-Je ne sais pas si je dois croire le plus grand menteur qu'ait porté la planète !

-Tu peux, si tu veux, ne pas me croire mais il faut me faire passer cette crampe que j'ai au bas du ventre.

-Yousef, tu recommences ! Tu m'avais promis.

-Ah ! Mira… c'est impossible de te résister. Approches, colles tes seins contre moi ! Ahhhhh ! Que c'est merveilleux de t'avoir dans cette position dans l'eau ! Je vais encore passer avec toi un autre très bon moment.

Les amants poursuivaient leurs ébats sexuels dans la grande baignoire royale du palais de Yousef. Ils étaient seuls au monde.

Les heures passaient et il était maintenant le temps d'aller au lit. Yousef attendait toujours ce moment avec empressement.

Deux jours passèrent dans la grande impatience de Yousef qui trouvait que les préparatifs n'avançaient pas assez rapidement. Mira lui faisait tout oublier d'un baiser.

-Ne sois pas si impatient Yousef ! Toute chose vient à point à qui sait attendre !

-Je sais… je sais… J'ai tellement hâte de t'épouser belle colombe !

-Encore trois jours. Toi, tu as tout ton monde près de toi. Moi, ils n'auront pas le temps de se rendre jusqu'ici.

-C'est vrai, tu as raison. Je suis un égoïste ! Tes enfants viendront-ils nous rejoindre bientôt ?

-Ils ne seront pas ici avant trois bons mois. Ils resteront ici quelque temps, mais Éric devra repartir avec Mirikof et je crois qu'il serait plus sage que nous les accompagnions.

-Oui, c'est évident que ta Cour, tes sujets voudront te revoir.

-Surtout te voir Yousef, n'oublie pas que tu deviens leur Roi !

-Oui, je sais !

Le soir venu, Mira et Yousef allaient se mettre au lit lorsqu'un général du roi cogna à la porte de la chambre. Yousef se dit que ça devait être important puisque personne n'avait le droit de venir cogner à sa porte surtout lorsqu'on savait avec qui il était. Yousef se rendit à la porte et sortit de la chambre. Le général ainsi que ses quatre caporaux étaient à la porte entre les deux gardes de service. Ils discutèrent en arabe.

-Oui, général qu'est-ce qui presse autant ?

-Sire, nous avons appris que votre fils Tarkan a organisé une rébellion qui serait présentement en train de se dérouler aux portes de la ville.

-Quoi ? Tarkan est au donjon, Monsieur !

-Non, justement, il s'est enfui avec l'aide de complices hier après-midi !

-Quoi ? Pourquoi personne ne m'en a parlé, qu'est-ce que cette manière de faire général ? Depuis quand le Roi est-il informé de ces choses une journée plus tard ?

-Je sais Sire, mais son évasion a été découverte seulement il y a quelques heures lorsque nous avons su la nouvelle pour la rébellion. Je suis venu tout de suite vous informer.

-Maudit Tarkan, qu'il soit maudit ! Que dit-on sur cette rébellion, général ?

-On ne sait pas grand-chose, seulement qu'il voudrait vous renverser avec l'aide de quelques hommes qui se seraient rangés de son côté car dit-on, il y aurait des mécontents sur vos futures noces avec la Reine Mira. Tout ce qu'on a réussi à obtenir comme informations, c'est qu'il aurait soulevé au moins cinq cents hommes, Sire.

-Ha ! ha ! Pauvre Tarkan, pense-t-il vraiment renverser le grand Yousef avec si peu d'hommes ?

-N'empêche Sire, qu'il est en liberté !

-Vous avez raison général. Puisque c'est mon fils et le Prince, attendez-moi, je vais vous accompagner pour lui mettre la main au collet et ne craignez pas qu'il puisse s'enfuir encore une fois. Je vais moi-même le mettre au donjon à coups de pieds au cul. L'espèce de petit… Arrrrr ! Vous deux, vous restez à vos postes, sous aucune considération je veux que quelqu'un entre ici.

-Oui, Sire. Répondirent les deux gardes.

Yousef retourna dans sa chambre, Mira était assise devant le secrétaire.

-Il y a quelque chose de grave Yousef ?

-Non pas vraiment mais je dois te quitter pour quelques minutes.

-Pour te retenir loin de moi pour quelques minutes à ce moment-ci, ça doit être grave, Yousef ! Tu ne veux pas me dire encore ce qui ne va pas ?

-Ah ! Ma petite déesse venue du Nord, je t'aime ! Tu connais bien ton Yousef. Je ne veux pas t'inquiéter avec des histoires d'État, tu en as bien assez avec les tiennes !

-Yousef, j'ai déjà un Roi qui est parti comme ça sur des histoires d'État et qui est revenu les pieds devant. Je ne veux plus jamais revivre une telle situation. Alors, si tu ne veux pas me dire ce qui te tracasse, soit, je ne te poserai pas de question, mais je veux être certaine que tu ne prendras pas de risques inutiles !

-Mmmm ! Je t'aime toi ! Tu prends soin de moi ! Tu as peur pour ma vie ! Ce que je t'aime !

-Yousef, soit prudent c'est tout ce que je te demande ! Si tu me disais… Je pourrais peut-être t'accompagner.

-Oh ! Non, non ma belle. Je sais que tu as fait tes preuves dans le passé sur les champs de bataille mais ici tu es en pays étranger ! Je ne risquerai pas ma vie et sûrement pas la tienne. Nous avons encore besoin de toi avec tous tes morceaux. Il n'en est pas question ! Ôte de ta jolie et mignonne petite tête cette idée.

-Bon, Monsieur a parlé ! Je n'ai qu'à m'incliner devant Sa Majesté !

-Ha ! ha ! Inclinez-vous Madame, vous avez tellement une belle devanture qu'il est agréable de vous faire incliner et ce même à répétition !

-Va ! Va ! Au lieu de dire des sottises et si tu ne me reviens pas en un seul morceau, je serai fâchée contre toi ! Tu n'auras plus le droit de dormir avec moi !

-Tout, ma belle, tout, mais pas ça ! Allah ! Allah ! Veilles sur moi. Parce que ce qu'elle vient de dire elle le pense vraiment ! Il faut me ramener en un seul morceau ! Sinon elle va me faire mourir à petit feu !

-Yousef ! Va, il y a sûrement quelqu'un qui t'attend et c'est impoli de faire attendre les gens !

-Donne-moi un beau gros bisou avant que je ne franchisse cette porte.

Il s'approcha d'elle et l'a pris dans ses bras. Comme il en profitait largement, elle essaya de se défaire de cette emprise.

-Yousef, arrête ! Tu sais ce qui t'arrive lorsque tu m'embrasses de cette façon !

-C'est déjà trop tard, j'ai encore goûté ces lèvres et je ne me possède plus !

-Yousef ! Tu es incorrigible, va on t'attend…

-Je m'en vais mais c'est avec un tel regret !

Mira le regardait sortir à reculons de la pièce. Elle souriait de le voir s'amuser ainsi avec elle. Il referma doucement la porte derrière lui. Il partit avec son petit groupe d'hommes pour se rendre à la cour avant. Là, plus de quatre cents hommes l'attendaient. Notre groupe regardait tout ce remue-ménage ne comprenant pas très bien ce qui se passait. Lorsque Yousef sortit, je m'approchai de lui.

-Sire, avez-vous besoin d'hommes supplémentaires, nous pourrions nous joindre à vous et faire venir de chez le Grand Vizir le reste de nos troupes ?

-C'est très gentil Mirikof mais pour l'instant nos informations indiquent que nous sommes en nombre suffisamment important. Par contre, il est agréable de voir que je peux compter sur vous. Cette attention me va droit au cœur, mon ami.

-Nous resterons sur le qui-vive. S'il y a quelque chose nous interviendrons.

-Merci ! Mais je ne veux pas risquer la vie des hommes de la Reine pour un conflit qui me concerne à moi et moi seul, Mirikof. Il faut compter que mon armée est tout près d'ici. Elle est très grande, mais ça vous le savez pour l'avoir déjà vue !

-C'est vrai Sire. Soyez prudent, c'est tout ce qui me reste à vous dire.

-Encore merci, Mirikof ! Ce que les gens de votre contrée sont bons pour ma personne. La Reine m'a donné les mêmes recommandations. À tout à l'heure mon ami, je suis certain que je reviendrai avant longtemps.

-Je le souhaite, Sire. Je le souhaite.

Il avait été évasif sur les raisons de cette sortie armée et je m'interrogeais sur le sens de « conflit ». Ce n'était pas quelque chose d'extrême puisqu'il n'avait pas déplacé son armée et qu'il avait laissé Mira sous bonne garde. Mais la curiosité me trépignait. Je repartis vers mes hommes dans les quartiers ouest où nous avions logis.

Mira s'était assise devant le secrétaire, un peu inquiète de cette sortie subite pleine de mystère. Pourquoi Yousef n'avait pas voulu lui glisser un mot sur ce qu'il était parti faire ? Encore des ennuis ! Pourvu que cette fois tout se passe bien ! Elle décida de se changer les idées. Elle prit du papier et s'installa confortablement pour écrire à ses enfants et donner des nouvelles à ses ministres des prochaines étapes après son mariage, ce qu'elle prévoyait faire et des décisions que cela impliquait.

Elle se sentait inspirée, les mots coulaient sur le papier. La première feuille terminée, elle écrivait la deuxième et au milieu de la troisième, la porte claqua derrière elle, la faisant sursauter. Elle ne se retourna pas continuant d'écrire.

-Yousef ! Pourquoi fermes-tu les portes si fortement, tu m'as fait sursauter et j'ai presque fait une faute. Tu es déjà revenu ? c'est vrai que ce n'était pas grand-chose !

Les mains de l'homme lui massaient les épaules et ensuite il l'embrassa doucement dans le cou.

-Yousef, attends un peu, je vais finir cette lettre et après je me consacre entièrement à toi.

Les mains descendaient le long de sa taille et les baisers étaient plus insistants.

-Yousef, arrête je te dis ! Attends ! Attends !

Le parfum de Yousef n'avait pas la même odeur, les mains baladeuses n'avaient pas le même touché sur son corps, elle tourna la tête et se raidit soudainement prise de panique. L'homme qui la cajolait et l'embrassait n'était pas Yousef. D'une emprise ferme, il la retint assise sur sa chaise.

-Continues… continues d'écrire… Ça ne me dérange pas, Mira. J'adore te voir écrire et je peux continuer de toucher ce petit corps magnifique et embrasser ce cou délicieux.

-Que faites-vous ici ? Lâchez-moi ! Non… Non…

-Comment Madame vous m'avez semblé avoir bien apprécié mes doux baisers et mes mains baladeuses à l'instant !

-Non… Non… Lâchez-moi ça suffit ! Prince Tarkan si vous sortez tout de suite je n'en parlerai pas du tout à votre père, je vous le jure !

-Quelle gentille attention ma belle ! Comme si je craignais Yousef ! Ha ! ha ! Mira… Mira… Délicieuse Mira ! Je viens tout juste d'arriver et je tiens à vous dire ma poupée sucrée que je ne sortirai pas de cette pièce sans vous…

-Laissez-moi Prince Tarkan… Que voulez-vous ?

-Ça me semble pourtant très évident, ma petite Reine de Saba ! C'est toi que je veux !

Il avait relâché son emprise mais Mira paniquait quand même. Elle s'était levée debout prise en souricière entre le prince et le secrétaire. Yousef avec dix-huit ans de moins ! Le Yousef qu'elle avait connu quelque temps auparavant, intransigeant, impulsif et impitoyable.

-Sortez… Prince Tarkan… je vous en supplie sortez ! Gardes… Gardes…

-Tu peux crier, personne ne t'entendra, la belle. Les gardes ont été occupés ailleurs et il n'y a presque plus personne au château. Il n'y a que tes hommes mais ils ne savent pas ce qui se passe ici et ne le sauront que trop tard.

Mira prenait conscience qu'il avait tout calculé. Elle sentait ses forces, ses pensées l'abandonner. Qu'est-ce qu'il lui aurait fait ? Jusqu'où était-il prêt à aller ? Clouée sur place, sa seule défense se traduisait par le tremblement de tous ses membres baissant les yeux pour ne pas encourager ce jeune écervelé debout devant elle ayant l'assurance d'un bourreau qui tient la hache. Autre prise de conscience, l'adversaire était de force et de taille supérieure la regardant avec désinvolture. Tarkan s'accota sur le baldaquin du lit et croisa les bras, fixant la belle qui tenait à peine sur ses jambes et ce sentiment de pouvoir sur la gracile dame le rendait encore plus audacieux.

-À ce que je vois, tu n'es pas tellement enchantée d'avoir devant toi le beau Prince Tarkan ! Tu ne réponds rien… Tu ne me regardes même pas… Bien d'autres femmes se rueraient sur moi… plutôt que de rester comme tu le fais accrocher à ce pupitre ! Tu vas rester longtemps à cet endroit ? Tu ne me sautes pas au cou comme je l'aurais cru !

Il attendait. Il la fixait. Elle se mordillait la lèvre et de ses yeux commençaient à jaillir de petites larmes qui coulaient doucement sur ses joues. Il voyait qu'elle ne ferait pas un seul pas vers lui. Il devint impatient, frustré qu'elle ne daigne pas se jeter sur lui.

-Tu pleures et tu trembles, aurais-tu donc peur de moi, Mira ? Mira La Grande Reine venue du Nord qui a découvert mille richesses dans ma contrée est effrayée par un Prince qui ne désire que la combler d'amour et d'affection. Oh ! Je suis déçu de voir que ma seule présence t'incommode. Si tu venais dans mes bras, tu y serais si confortable, je te donnerai tout ce que tu désires, je te comblerai de cadeaux et de caresses. C'est ce que j'attends depuis que je t'ai vue la première fois… Je me fous que tu penses que mon père est meilleur amant que moi… Après que tu auras passé une nuit à mes côtés tu verras ce qu'est un homme, un vrai, un homme jeune et beau qui veut avoir la plus belle femme du monde…

Comme elle restait immobile et ne daignait pas répondre à ses souhaits, il devint encore plus impatient.

-Ce silence est insupportable, Mira ! Puisque tu ne veux pas collaborer je vais donc être obligé d'utiliser un vieux truc de mon père qui a très bien fonctionné avec toi !

Elle leva les yeux vers lui. Il fouilla dans son haut de costume et en ressortit une petite bouteille qu'il lui montra avec un petit sourire démoniaque.

-Tu te souviens ? Tu sais, les hommes de Yousef sont tellement bavards, en échange d'un peu d'argent, ils sont prêts à délier leur langue !
-Non, Tarkan… Non, pas ça ! NON ! Ce que tu veux, je ne peux te le donner Tarkan…
-Vraiment ? Et bien alors, je ferai comme le paternel, je prendrai sans permission… Ça lui a bien réussi, tu es revenue et aujourd'hui, c'est un homme extrêmement puissant et comblé ! Quand tu connaîtras la jeunesse de mes élans, les étreintes incessantes que je t'offrirai, Yousef te paraîtra bien terne.
-Tarkan, tu fais erreur… Si je suis revenue vers ton père… C'est bien plus compliqué que tu le penses… J'ai…
-Voyons Mira. Je sais que ce fils issu de ses frasques passées t'a fait réfléchir. S'il n'y a que ça pour te convaincre, je me ferai un plaisir de te faire un fils et plus si tu le veux, je suis prêt à tout pour te conquérir.
-Non, n'avance pas Tarkan ! Arrête, tu vas commettre la pire bêtise de ta vie !

-Peut-être mais juste pour te tenir dans mes bras, je suis prêt à mourir !

Il s'approchait doucement. Catastrophe, elle se sentait défaillir même avant qu'il ne fasse un pas vers elle ! Elle tenta tout de même de l'esquiver mais trébucha sur la chaise perdant l'équilibre et tomba par terre. L'homme grand, fort et souple l'attrapa par le bras et la jeta sur le lit comme une plume. Il sauta à son tour dans le lit, s'agenouillant sur la dame qui se débattait n'arrivant pas à se dégager ayant sur elle le poids du jeune prince. D'un calme déconcertant, Tarkan versait doucement le liquide sur un petit morceau de coton blanc.

-Non Tarkan… Non… ne fais pas ça ! Laisse-moi ! Je t'en conjure laisse-moi, Tarkan ! Non, ne fais pas ça !
-Si tu avais démontré un peu plus d'enthousiasme, je ne ferais pas une telle chose mais comme tu résistes je vais faire autrement ! Oh ! Ces petits poings qui me labourent la poitrine comme c'est méchant de votre part ma chère ! Voilà ma jolie !

Il pressa le petit coton imbibé du liquide sur sa bouche et son nez. Elle lui donnait des coups de poings mais vu la taille de ses poings c'était peine perdue contre la poitrine dure et musclée du jeune homme qui recevait ces coups comme des petites taloches. Ses yeux l'imploraient qu'il ne fasse pas ce qu'il était en train de faire. Elle criait mais sous la main robuste du jeune homme et le coton, Tarkan n'entendaient que des petits cris étouffés.

-Comme tes yeux sont beaux ! Voilà… tu vas t'endormir et je vais t'emporter avec moi loin d'ici et je te garderai avec moi ! C'est ça, ferme doucement tes yeux magnifiques, ma jolie. Tu les fermes si doucement, tu es si belle, Mira.

Il sentait la résistance diminuer. Ses poings se desserraient doucement et la lutte s'amenuisait à chacune de ses respirations jusqu'à ce qu'elle tombe dans un sommeil artificiel. Tarkan enleva doucement sa main de sur ses lèvres. Elle était endormie. Il se releva doucement admirant la beauté paisiblement endormie ayant dans son combat fait relever ses jupons et sa robe. Tarkan examinait les cuisses légèrement repliées, la longueur et la finesse de cette jambe lui donnaient envie d'elle là, tout de suite. Il se raisonna, d'abord il fallait la transporter hors du château. Il aurait tout le temps pour batifoler avec la belle après. Il se pencha sur elle et la bascula sur son épaule droite. Il sortit de la chambre empruntant des corridors peu fréquentés ayant calculé son évasion avec minutie et déambula jusque dans le jardin avec une facilité déconcertante. Le reste de la garde de Yousef, il savait où elle se postait. Il connaissait chaque recoin du palais. Il traversa le jardin. Arrivé à une porte qui donnait sur une rue, il l'ouvrit et sauta avec la belle dans un carrosse qui l'attendait. Deux hommes alliés de Tarkan, l'attendaient fidèles au poste. Une fois confortablement installée, la belle sur sa poitrine, il donna le signe de départ à ses cochers. Il faisait nuit mais la pleine lune fournissait un éclairage et il pouvait regarder, comme son père avant lui, les détails anatomiques de la reine venue du Nord. Il embrassait tendrement les joues mouillées de larmes. Sa longue chevelure blonde le fascinait. Ce parfum était exquis, cette peau douce l'enivrait totalement. Il avait enfin la femme dans ses bras pour lui seul et pouvait lui toucher, l'embrasser.

Après trois bonnes heures de route, ils arrivèrent à destination et le carrosse s'arrêta. Il prit la belle et l'emmena à l'intérieur d'une très grande demeure. Il dit à ses gardes qu'il ne voulait pas être dérangé sous aucun prétexte.

Pendant ce temps, Yousef et ses hommes s'étaient rendus sur les lieux de la soi-disant rébellion. Aux portes de la ville, il n'y avait que quelques passants se rendant à leurs chaumières pour enfin rejoindre les bras de Morphée. Les généraux de Yousef firent un tour et puis deux, revenant sur leurs pas et rien, personne. Pas de petite armée en vue, aucune activité suspecte. Rien de rien. Avaient-ils déguerpi sachant Yousef en route ? Non, car les quelques personnes interrogées n'avaient rien vu d'inhabituel dans le secteur de toute la journée. Yousef resta perplexe quelques minutes et soudainement il comprit. Tarkan avait organisé une diversion pour l'éloigner du château. Il cria à ses généraux de le suivre poussant son cheval au maximum.

Son arrivée en fronde au château ne laissa personne indifférent. Je le voyais arriver suivi de ses hommes prenant la cour d'assaut de leur monture. Je courus vers lui, il y avait quelque chose qui clochait. Yousef entrait en courant dans le château suivi de ses généraux. Voyant la panique avec laquelle il s'introduisit en sa demeure, je courus moi aussi grimpant les escaliers quatre à quatre à sa poursuite. Arrivé à l'étage, Yousef s'aperçut que quelque chose n'allait pas du tout. Son cœur se mit à redoubler d'ardeur. Il n'y avait plus aucun garde devant sa porte qui était entrouverte. J'arrivais moi aussi sur l'étage avec plusieurs de mes hommes. Yousef entra dans la pièce. Il n'y avait plus personne. Des feuilles écrites de la main de Mira étaient éparses par terre, la chaise était renversée. Il était en proie à la rage et à la pani-que. Puis, il vit un petit flacon par terre et un coton blanc sur le lit qui avait été visiblement la scène d'une lutte. Yousef prit le flacon et le jeta contre le mur où il éclata en mille morceaux.

-Le petit saligaud ! Le salaud ! L'enfant de pute ! Cette fois je vais le tuer. Je vais l'étrangler et lui arracher les yeux !

Le roi, grand et fort déversait sa rage sur les objets qui l'entouraient. Je m'approchai du lion en furie.

-Sire, Sire… ! Yousef ! Reprenez-vous ! Vous pensez que c'est Tarkan ?
-Mirikof ! qui pensez-vous que ce soit d'autre ? Ce petit salaud a créé une diversion pour m'entraîner avec mes hommes loin du château pour l'enlever. Il va me le payer, on ne se moque pas du Roi Yousef comme ça ! Je vais le faire souffrir avant de le tuer, ça, je le jure sur la tête de Mira !
-Sire, il ne peut pas avoir enlevé la Reine, il est au donjon !
-Non, Mirikof il s'est enfui hier. Il me l'avait bien dit.
-Que vous avait-il dit Sire ?
-Qu'il… qu'il la prendrait et que pas une prison ne saurait le retenir !
-C'est pour cette raison que vous l'avez presque étranglé l'autre jour ?
-Je regrette tellement de vous avoir donné l'ordre d'intervenir ! J'aurais dû le tuer ce jour-là.
-Il a fait ça en maître. Personne ne s'est aperçu de rien. Nous sommes aussi responsables que vous. Je suis aussi choqué que vous. Mira était encore seule devant un adversaire de taille et j'imagine facilement la panique qui s'est emparée d'elle. Mais comment a-t-il fait pour la sortir sans que ses cris nous parviennent.
-Il l'a droguée. Une drogue qui endort qui vous plonge dans un sommeil profond pendant quelques heures.
-Une drogue ?
-Un produit qui lorsqu'il est inhalé vous endort. Elle est devenue aussi facile à transporter qu'une morte, Mirikof ! Croyez-moi, je sais de quoi je parle ! !

Il se tourna soudainement vers ses généraux qui étaient tous stupéfaits de ce qui venait de se passer. Il leur dit en arabe :

-Général, dites-moi donc qui vous a informé de cette fameuse rébellion ?
-Ce sont deux de vos gardes qui sont postés aux portes de la ville, Sire.

908

-Le petit salaud, j'aimerais bien savoir ce qu'il leur a donné pour qu'ils lui obéissent. Trouvez-moi ces deux traîtres tout de suite et avant de leur couper la tête je veux les voir.

-Bien Sire.

Comme je les voyais sortir d'un pas décider, je lui demandai :

-Où vont-ils ?

-Ils vont me trouver, les deux traîtres qui ont colporté jusqu'ici la nouvelle qu'une rébellion se déroulait aux portes de la ville pour me renverser. J'ai ri lorsque mon général en chef m'a informé de cette nouvelle parce qu'on m'a dit qu'il y avait seulement une petite armée de cinq cents hommes. Renverser le Roi avec une poignée d'hommes c'était ridicule et moi l'idiot j'ai marché dans sa petite combine. Le petit salaud !

-Sire, il n'y a pas de solutions miracles. Ma première question est : Savez-vous où il pourrait l'avoir emportée ?

-Il est plus futé que je le croyais. Il doit avoir pensé à l'emmener à un endroit connu que de lui seul. Je vais faire venir mes autres fils s'ils ne sont pas complices eux aussi.

-Sire, vous m'inquiétez ! Il ne faut pas que Mira soit seule avec vos fils. Ne me faites pas songer au pire. Elle est capable de s'enlever la vie si elle sent qu'elle est prise avec trois hommes qui veulent ce que nous savons tous les deux, vous ne la connaissez pas !

-Non, je ne crois pas que mes autres fils soient avec Tarkan. Ils sont peut-être complices mais Tarkan est beaucoup trop égoïste pour vouloir séparer Mira avec eux. Ça, j'en suis certain, Mirikof !

-Ouf ! Vous me rassurez ! Pikov, Gustaveson, allez informer le reste du régiment. Dites-leur qu'il faut se préparer à partir car la Reine a été enlevée par le Prince Tarkan. Nous allons vous attendre Sire, vous nous guiderez à travers la ville. Nous allons tout essayer pour la retrouver.

-Il faut réfléchir à l'endroit où il a bien pu l'emmener. Premièrement la drogue à un effet d'environ trois à cinq heures. Donc, nous devrions axer nos recherches sur les distances que nous pouvons parcourir dans ce laps de temps. Maintenant, je vais donner des ordres pour que mes autres fils viennent ici et parlent de ce qu'ils savent et ne craignez rien ils vont parler ! Je les ferai torturer s'il le faut.

-Je vais aller rejoindre mes hommes et nous nous rejoindrons devant le palais, Sire.

-Merci, Mirikof ! Vous êtes de loin le meilleur général qu'un Roi puisse souhaiter et je vous assure que votre présence est très réconfortante dans de tels moments.

Je sortis comme sur un nuage encore sous le choc d'un événement aussi dramatique.

Yousef s'assit sur le lit, découragé. Mira avait dû vivre des moments intenses de frayeur. Il se souvenait avec douleur de ce qu'il avait lui-même fait quelques années auparavant et la panique de la belle à son réveil. La suite faisait partie de l'histoire et avait résulté par un petit bonhomme aux yeux bleus. Les larmes montaient à ses yeux. Il s'écœurait d'avoir donné une tactique efficace contre les repoussements de la belle à son fils. Il regardait les objets de la pièce. La chaise renversée lui prouvait que Mira avait fait ce qu'elle pouvait pour s'enfuir des bras de son fils. Il se leva et ramassa les feuilles par terre. Elle avait écrit une lettre à ses enfants. Elle avait commencé une autre missive adressée à ses ministres mais elle était inachevée et il voyait qu'elle avait été dérangée dans le milieu d'une phrase. Sa plume avait fait un trait droit jusqu'au bord de la feuille. La plume était restée sur le secrétaire. Le pot d'encre était renversé et son contenu s'était écoulé sur le coin droit du petit bureau. Pourvu que Tarkan n'avait pas été trop brutal avec elle. Il revint vers le lit où les draps n'avaient pas été levés mais seulement froissés par le poids de deux corps qui luttent. Il s'étendit sur les draps qui portaient encore l'odeur du parfum de Mira. Le parfum qu'il avait lui-même offert à la belle. Il sentait cet arôme. Les larmes lui troublaient le regard.

La cérémonie du mariage devait avoir lieu dans deux jours et il rageait en pensant à Tarkan qui aurait commis l'irréparable. Il était triste pour Mira tout en vouant une haine sans bornes à son fils. Il essuya ses yeux, il devait retourner rejoindre ses hommes et interroger ses autres fils.

Arrivé en la demeure, Tarkan déposa la belle sur le lit qui dormait toujours. Il ferma à clé toutes les portes de la pièce. Il s'assit sur une chaise près du lit. Il admirait cette magnifique femme attendant avec impatience son réveil passant ses mains sur son visage.

Seule sa poitrine se soulevait à chacune de ses respirations. Il regardait d'ailleurs cette poitrine. Ce que cette femme était parfaite. Il ne s'étonnait pas que des rois aient lutté entre eux pour elle. On disait qu'elle était d'origines modestes, mais aucune reine n'avait la prestance de cette femme.

Il rêvait qu'elle se donnait à lui sachant qu'elle n'avait démontré aucune intention dans ce sens, mais il serait patient. Son père avait bien attendu et elle était revenue d'elle-même. S'il lui faisait un enfant, elle serait peut-être prête à laisser son père pour lui ? Avoir un enfant de cette femme aux yeux magnifiques quelle douce pensée ! Il aurait peut-être lui aussi un fils aux yeux couleur de mer ? Il lui tenait la main. Cette main douce et délicate.

Puis la main bougea. Elle se réveillait. Doucement, mais elle se réveillait. Il s'installa dans le lit collé sur elle. Il avait enlevé sa cape de prince et ses longues bottes. Il observait la belle. Des mouvements étaient perceptibles sur cette bouche vermeille et sa tête se balançait doucement. Elle repliait ses bras sur sa poitrine et ses mains touchaient son cou. Elle ouvrait doucement les yeux. Il était excité. Il avait de la difficulté à se retenir de lui arracher ses vêtements. Elle sentait qu'il y avait quelqu'un tout près d'elle. Elle tourna la tête vers ce quelqu'un et ouvrit les yeux. Sa vision n'était pas très claire. Elle poussa un grand soupir. Puis elle se rendit compte qu'elle était près de Tarkan. Étendu près d'elle le jeune prince lui souriait malicieusement.

-Où suis-je ?
-Au paradis avec un homme qui te désire, ma belle !
-Ahhh ! Tarkan… qu'est-ce que tu as fait… où m'as-tu emmenée ?
-Je t'ai emmené dans un endroit où nous pourrons être seuls, où nous pourrons nous aimer pendant des nuits entières, Mira.
Elle était encore sous l'effet de la drogue. Elle tenta de se lever. Tarkan la retenait.

-Laisse-moi… Tarkan… Lâche-moi…
-Non, je t'ai, je te garde. Et ta résistance ne fait qu'augmenter mon désir de te prendre… Laisse-moi t'aimer Mira.
-Non… non… Tarkan… arrête… tu n'as pas le droit… non…
-Je n'ai pas le droit ! Tu te donnes bien à mon père ! Pourquoi te refuses-tu à moi ? Pourquoi Mira ? Laisse-moi te faire l'amour, donne-toi… donne-toi… ma belle.
-Non… non… Tarkan… arrête…

Il était passé par-dessus elle et l'embrassait passionnément. Il était maintenant en position de force et elle était si faible. Il perdait la tête. Il passait ses mains sur sa poitrine, sur sa taille, sur ses hanches. Il ne se contenait plus. Il arrachait les agrafes de son bustier, ses jambes remontaient les jupons de la belle. Il enleva d'un seul mouvement son veston royal et son pantalon. Il était nu et se frottait frénétiquement sur la belle. Quand il mit à nu sa poitrine il devint encore plus excité. Cette poitrine généreuse et ferme. Il embrassait ses mamelons. Plus elle tentait de le repousser plus il devenait fougueux. Il l'embrassait dans le cou, il lui mordillait les lobes d'oreilles. Elle finit par se dégager une main et l'égratigna sur la poitrine.

-Ahhhh ! Tu me griffes ! Petite tigresse ! Il est beaucoup trop tard, ma belle, je vais te grimper, je vais te prendre, je vais t'enfiler... Il n'y a pas que mon père qui puisse se payer ta douce peau, moi aussi, je te veux... Ahhh ! Je te grimpe maintenant... Ce que c'est bon de te baiser Mira !

Il la pénétrait avec passion sans se soucier des pleurs étouffés sous son désir d'homme. Pourquoi devait-elle encore subir ce sort ? Pourquoi s'appropriait-on encore sa féminité et son intimité ? Le jeune homme âgé de vingt ans était un amant passionné et viril. Il enfilait la belle à grands coups. Il avait l'impression de faire l'amour à une vierge. Elle était si pure. Il continuait. Ces minutes semblèrent une éternité pour Mira. Lorsque Tarkan atteignit la jouissance elle aurait voulu n'être jamais venue au monde.

-Ohhh ! Mira... ce que ça doit être lorsque tu te donnes ! Je n'ai jamais éprouvé une si belle sensation de toute ma vie. Embrasse-moi, Mira. Embrasse-moi !
-Tarkan... non... Laisse-moi, débarque... tu as eu ce que tu voulais... laisse-moi !
-Non, je ne débarque pas, Madame ! Tu m'embrasses d'abord.
-Non... non... Laisse-moi ! Je n'ai pas envie de toi ! ! ! Laisse-moi !

Cette remarque choqua Tarkan qui était aussi impulsif que son père devait l'être à son âge. Il empoigna les poignets de la belle et les serrait de rage.

-Tu n'as envie que du Roi ? C'est ça ? Tu ne te donnes qu'aux Rois, Mira ? Tu réserves ton petit nid d'amour aux Rois ? Réponds-moi ? Mon père est mieux que moi ? Il te fait plus jouir, hein ? C'est ça ? Réponds-moi ! Réponds-moi !

Elle aurait voulu être sous la torture d'un bourreau au lieu de subir les fougues de jalousie du jeune prince. Elle pleurait et fuyait son regard. Il lui serrait fortement les poignets.

-Tarkan ! Tu... tu... me fais mal ! Arrête... Je t'en prie arrête... !

Il desserra les délicats poignets mais il les maintenait toujours. Il était frustré et Mira le sentait bien.

-Tu ne m'as pas répondu, Mira ! Tu te réserves aux Rois ? C'est une exclusivité ? Réponds, merde !

-Tarkan… Tarkan… je… je… ne me réserve à personne. Je me donne à celui que j'aime, c'est tout !

-Et celui que tu aimes c'est ce croulant de Yousef ? Hein ? C'est lui ! Comment peux-tu aimer cet homme ? Je suis plus jeune et plus beau que lui. Je serai pour toi un bien meilleur amant ! Et je serai Roi un jour moi aussi !

Elle ne répondait pas, le jeune Tarkan ne comprenait pas que la royauté pour Mira n'avait rien d'emballant. Les circonstances avaient voulu qu'elle soit promise à un roi et le reste elle l'avait beaucoup plus subi que provoqué. Tarkan toujours par-dessus elle tenant ses petits poignets sous ses mains robustes regardait les larmes qui coulaient se frayant un chemin jusqu'à l'oreiller. Tarkan réalisait qu'il avait commis une grave erreur. Elle ne se donnait pas à lui et il avait pris la belle sans son consentement. Il avait violé cette femme splendide dans l'espoir qu'elle tombe dans ses bras. Il voyait bien qu'elle ne répondrait pas à ses avances. Il donna un coup de poing dans l'oreiller et dégagea Mira qui tremblait de peur devant cet homme grand et fort qui était frustré à l'extrême. Qu'aurait-il fait maintenant ? Avait-il compris qu'il devait la laisser partir ? Était-il blessé au point de faire d'autres bêtises ? Elle se retourna empoignant les draps du lit rebaissant du mieux qu'elle le pouvait ses jupons. Tarkan était couché sur le dos à ses côtés et sa rage s'entendait dans chacune de ses respirations. Il n'obtenait pas ce qu'il voulait.

-Mira, je vais te retenir ici jusqu'à ce que tu te donnes à moi ! N'espère pas t'enfuir ! Je t'ai à l'œil. Je n'ai pas fait tout ça pour te laisser repartir sans que tu me donnes ce que je veux ! Je vais te prendre autant de fois qu'il le faudra… Tu es à moi maintenant ! Tu entends ! Tu es à moi !

Il hurlait ces paroles et la retourna contre lui. Elle était en si mauvaise posture. Elle n'avait aucune chance face à ce jeune homme corpulent et en parfaite forme physique.

-Tu es à moi ! À moi, Mira !

Il se calma la serrant fortement contre lui. Puis il ne dit plus un mot pendant plusieurs minutes. Mira ne bougeait pas. Sa joue droite était accotée sur le torse nu du jeune prince. Elle restait immobile, les yeux fermés se demandant quand ce cauchemar finirait-il. Tarkan lui restait les yeux fixés sur la tête blonde de la belle.

-Pourquoi es-tu si méchante avec moi, Mira ?

Elle ne pouvait pas répondre à cette question. Elle méchante ? Comment pouvait-il poser une pareille question ? Elle restait aussi inerte qu'une morte.

-Pourquoi te refuses-tu à moi ? Tant de femmes rêveraient d'être à ta place, Mira !

Elle saisit l'occasion.

-Alors pourquoi tu ne vas pas vers elles ?
-Pourquoi ? Parce que c'est toi que j'aime, Mira ! Si tu penses que j'ai fait tout ça pour tirer un coup et après te laisser t'en aller comme ça ! Il existe des femmes pour ça et tu n'en fais pas partie. C'est toi que je veux ! Je ne suis pas un barbare qui viole les femmes pour le plaisir. J'ai… j'ai peut-être abusé. Je ne voulais pas que ça se passe comme ça, mais tu ne m'as pas laissé aucun autre choix.
-Tarkan…

Elle fit un long silence. Tarkan la relâcha un peu. Il releva son menton vers lui. Il voulait qu'elle le regarde et qu'elle lui dise ce qu'elle hésitait à dire.

-Quoi ?
-Tarkan… Tu… tu dis m'aimer… Alors pourquoi m'as-tu prise aussi sauvagement ?

Elle touchait le prince droit au cœur. Il n'était pas à l'aise avec la question. Son orgueil masculin en prenait un coup. Il restait silencieux pesant chaque mot qu'il utiliserait pour s'expliquer.

-J'ai fait une erreur c'est vrai ! Je… je te veux tellement ! Je suis fou de toi ! Je t'aime, Mira, je t'aime tu comprends, je t'aime !
-Tarkan tu es jeune, tu es beau… Tu as à peine vingt ans, comment peux-tu être certain que c'est moi que tu aimes… Tu aimes peut-être plus affronter ton père… Tu penses qu'en prenant sa femme tu le feras bondir hors de ses gonds… Tu ne m'aimes pas Tarkan, tu veux atteindre ton père à travers moi.
-Non… Mon père et moi nous avons d'énormes problèmes de communication, c'est vrai, mais ça m'est complètement égal que tu sois sa femme ou pas, si tu étais avec quelqu'un d'autre j'aurais agi de la même façon. J'ai peut-être vingt ans mais sache que je sais faire la

différence entre une aventure et l'amour, Mira. J'ai connu énormément de femmes, j'en ai même fait une collection. J'en ai eu beaucoup dans mon lit, alors je sais que toi… toi… ce n'est pas la même chose… Je ne dors plus, je ne pense qu'à toi, je suis jaloux de tous tes hommes, des hommes de Yousef, de Yousef, de tous ceux qui te regardent… Quand je te touche c'est comme si je touchais un ange ! La lumière de tes yeux me transperce, me transporte dans un autre monde… si ce n'est pas l'amour, je me demande ce que c'est ? Cette sensation de serrement de cœur lorsque tu te déplaces, lorsque tes yeux croisent les miens. Les frissons que j'éprouve lorsque je touche ta main, ta peau, tes lèvres… Mira, personne ne dégage autant de sensualité et de fraîcheur que tu le fais ! Les hommes te dévorent des yeux. Certains, comme moi, te dévorent avec leur passion sexuelle. C'est la seule façon que j'ai trouvée pour te séduire, pour te faire arrêter et regarder l'homme que je suis. Tu es si discrète, si distante, si indépendante. J'avoue sincèrement que j'ai peut-être manqué de délicatesse tout à l'heure, mais Mira que veux-tu que je fasse, tu te refuses à moi et je t'aime à en mourir. Je vais mourir d'une façon ou d'une autre autant l'être de la plus douce et merveilleuse manière… Si ce n'est pas toi qui me tues à petit feu en te refusant à moi, c'est Yousef qui le fera parce que je sais qu'il ne me pardonnera pas de t'avoir enlevée et d'avoir abusé de ma force contre toi.

Mira écoutait la déclaration amoureuse du jeune homme en proie à des sentiments qu'elle connaissait trop bien. Elle ne voulait pas entendre un autre homme qui disait mourir à cause d'elle. Elle était prise entre l'arbre et l'écorce. Elle ne voulait pas blesser le jeune Tarkan. La peine d'amour était de loin le pire châtiment réservé à quelqu'un. Elle en avait tellement souffert déjà avec tout ce que la vie lui avait réservé tout au long de sa jeune existence. Elle n'aimait pas Tarkan. Il lui avait manqué de respect et avait sali son honneur par ses actions indécentes. Mais elle devait admettre qu'il était sincèrement blessé parce qu'elle n'éprouvait pas pour lui les mêmes sentiments qu'il pouvait avoir pour elle. Ses manières barbares étaient celles utilisées par la plupart des hommes. Il n'avait peut-être pas fait preuve d'imagination mais il utilisait les armes qu'il connaissait, celles des hommes surtout à cette époque guerrière, de conquête et de pouvoir. Le viol, la prise de possession, la domination pour se satisfaire et obtenir ce qu'ils voulaient.

-Tarkan… si tu pouvais comprendre… je ne veux pas me partager entre un père et son fils ! Moi j'aime. Oui j'aime. À chaque fois c'est la même histoire… Il y a toujours des frères, des hommes, des pères et des fils qui se déchirent… qui sont prêts à se tuer pour obtenir mes faveurs. Je… je… suis si fatiguée ! Moi, j'aime et je veux aimer passionnément, paisiblement sans être obligée de faire l'arbitre entre deux hommes ! L'amour est un sentiment qui est parfois à sens unique… Dans un couple il y en a toujours un qui est plus blessé que l'autre, alors c'est l'enfer quand en plus il y a des intrus, des personnages supplémentaires… Tu t'es fait mal Tarkan ! Parce que tu as pensé que je changerais d'avis et que je te préférerais à Yousef. Tu te fais encore plus mal lorsque tu t'entêtes à rêver que je vais aimer comme ça… un autre parce qu'il me fait des beaux yeux… L'amour pour moi est un sentiment précieux. C'est toute ma vie ! Mais Tarkan tu te heurtes à ma fidélité… Je ne pourrai pas te donner ce que tu veux Tarkan.

Tarkan se serrait contre elle, devenu fébrile. Il ne voulait pas entendre ce qu'elle lui disait. Il l'aimait et il ne voulait pas qu'elle souffre parce qu'il la voulait à tout prix.

-Mira… Mira ! Je ne pourrai pas vivre sans toi !

Il versait des larmes qui ne faisaient qu'alourdir le fardeau sur les frêles épaules de la belle. Ce jeune prince était en train de vivre une véritable catastrophe. Mira était déchirée entre ses sentiments pour Yousef et voir ce jeune homme qui versait des larmes pour atteindre son cœur.

-Tarkan… Je t'en prie… Arrête… Tu es jeune… Tu trouveras une jolie, une très belle arabe qui te donnera de magnifiques enfants.
-Non ! Non, pas une ne sera comme toi ! Pas une n'a ta grâce, ta beauté, ton intelligence, ta douceur ! Pas une ne me fera frissonner comme tu le fais. Pas une ne m'a jamais fait pleurer. Pas une n'est un trésor de splendeurs comme toi, Mira. Je t'aime, je veux que tu sois à moi !
-Arrête… tu ne veux pas entendre raison, Tarkan !
-Non… je ne veux pas entendre raison, parce que ma raison c'est toi Mira ! Tu… tu me blesses, tu m'arraches le cœur. Je t'aime, je t'aime, je t'aime comment pourrais-je te faire comprendre que je t'aime.
-Peut-être Tarkan… mais c'est impossible… comprends Tarkan, c'est impossible !

La frustration le gagna. Il la retourna sur le dos et était encore passé par-dessus elle. Il la tenait avec assurance dans cette position. Il lui parlait en ne desserrant pas les dents.

-Non, ce n'est pas impossible, c'est toi qui ne veux pas ! C'est toi qui rends la chose impossible. C'est assez ! Tu ne me manipuleras pas avec tes yeux doux et tes paroles envoûtantes. Je t'ai, je te garde et je vais te garder avec moi aussi longtemps qu'il le faudra.

Elle était surprise de la réaction violente de Tarkan. Elle voyait dans ses yeux qu'il ne voulait absolument pas lâcher le morceau. Il était si capricieux. Impulsif, sur le point de jaillir comme un jaguar sur sa proie. Cette force dans le corps du jeune homme l'effrayait. Cette fois, la robe partie en lambeaux. Il déchirait avec vigueur le vêtement et mettait à nu le corps de la jeune reine. Elle tremblait à penser qu'elle serait encore la victime d'un autre viol. Il la fixait droit dans les yeux.

-Je vais encore prendre ce que tu me refuses, Mira. Tu ne veux pas de moi, Eh ! Bien tant pis ! Je vais te baiser toute la nuit. Je vais m'offrir au moins ton corps, ta peau, tes lèvres.

Il lui murmurait ces paroles à l'oreille. Il passait ses mains partout sur elle et surtout sur son sexe. Il était en forte érection et Mira savait qu'elle n'y pouvait rien. Elle restait les yeux fermés, la tête penchée vers la droite. Elle restait inerte, aucune réaction de sa part. Lui résister était une perte d'énergie inutile. Il était trop fort pour elle. Tarkan l'enfourchait de nouveau avec vigueur et frénésie. Il perdait encore la tête à se frotter contre cette poitrine, cette peau douce et parfaite. Il ne s'arrêterait que lorsque jaillirait sa jouissance personnelle.

Toute la nuit durant, Tarkan profita de sa puissance sexuelle et de sa force pour se satisfaire. Mira était sur le bord du désespoir. Où était-elle ? Pourquoi Yousef et Mirikof ne venaient-ils pas la délivrer de cet enfer ? Était-elle si loin ? Tarkan, quant à lui, se satisfaisait sexuellement mais il était si frustré que Mira ne daigne pas lui démontrer la moindre affection. Il la violait sans relâche. Il déversait sa peine et sa profonde déception sur elle. Il exprimait son échec amoureux par la prise de possession de l'intimité de la femme de ses rêves.

Au petit matin, épuisé, Tarkan s'endormit contre elle. Il dormait sur sa poitrine les bras autour de sa taille. Mira regardait autour d'elle. Il y avait bien deux portes. Elles étaient fermées et sûrement barrées. Il y avait une grande fenêtre dont les volets étaient ouverts et laissait passer une légère brise qui faisait flotter les voiles qui faisaient office de rideaux. Le soleil était au rendez-vous. Mira écoutait. Pas un son n'émanait de la demeure. À l'extérieur elle entendait une légère activité mais qui semblait loin. Par contre, elle devinait qu'elle devait être près de la mer. Les vagues étaient près et elle entendait leurs mouvements. Elle n'osait pas bouger maintenant. Tarkan s'était endormi et elle devait être prudente avant de se lever et chercher à fuir. Puis elle pensa à ses vêtements. Tarkan avait déchiré la seule robe qu'elle avait. Elle était complètement nue. Elle voyait le pantalon du prince et son magnifique veston royal. Elle aurait pu enfiler ses vêtements mais il était loin d'être de la même taille qu'elle. Elle s'en serait accommodée. Elle aurait serré la ceinture du pantalon et retournerait les manches et les bas du pantalon. Elle était nus pieds. Elle ne voyait pas de souliers mais de longues bottes dont la pointure était bien trop grande pour elle. Elle marcherait donc pieds nus. Tout ce qu'elle souhaitait c'était de trouver une monture.

Après plusieurs minutes de silence et d'inactivité, le jeune prince était dans un sommeil profond. Elle se dégagea délicatement de peur de réveiller son bourreau. Elle avait réussi. Elle était debout et s'habillait avec les vêtements du prince en prenant garde de ne faire aucun mouvement brusque et que de ses gestes aucun bruit n'en émane. Le carré d'épaules imposant du prince faisait que son veston était trop grand mais la poitrine de la belle compensait un peu pour ce grand vide. Elle serrait fortement le pantalon pour ne pas le perdre. Sa petite taille n'avait rien à voir avec celle de Tarkan. Elle se rendit vérifier les portes sur la pointe des pieds. Comme elle le pensait, elles étaient fermées et elle n'arriverait pas à les ouvrir sans les clés. Elle se dirigea vers la fenêtre. La vue était splendide. La mer à droite et une forêt bordait la propriété. Elle voyait des hommes à gauche qui vaquaient à des occupations routinières. Cette demeure était sûrement retirée. Il n'y avait pas d'autres demeures autour, du moins, du point de vue où elle était. Les chevaux où étaient les chevaux ? Un homme ramenait justement une bête qu'il laissa brouter près du lieu où il travaillait. Bon, maintenant comment sortir par cette fenêtre ? Elle se trouvait au deuxième étage d'une grande construction. Elle étudia avec parcimonie les manières de descendre le long des parois. Il y avait une petite corniche un peu plus bas. Elle devait l'atteindre ensuite elle n'avait qu'à sauter en bas. Elle grimpa sur le rebord de la fenêtre. Elle était debout et tout ce qu'elle espérait c'était la réussite de son plan d'évasion sans que personne ne l'aperçoive. Comme elle s'apprêtait à descendre, elle fut stoppée brusquement. Tarkan était debout derrière elle et l'a pris par les cuisses et la fit descendre violemment. Il s'était enroulé la taille dans un drap blanc et il la regardait faisant paniquer Mira. Qu'aurait-il fait ? Elle baissait encore les yeux et les nerfs éprouvés de la belle étaient sur le point de flancher.

-Tu penses que tu aurais pu descendre sans te briser les os, Mira ?

Il attendait qu'elle lui réponde, mais elle restait immobile et silencieuse.

-Tu me déçois beaucoup la belle ! Si tu t'étais fait mal, j'aurais eu ça en plus sur la conscience !

Il la fixait toujours.

-Mes vêtements sont beaux sur moi, mais sur toi ! Mon costume te va à ravir ! La façon dont tu le portes... Tu es encore plus belle ce matin ! Tu m'excites encore ! Je me suis endormi et maintenant je suis reposé et je vais encore te prendre.
-Non, Tarkan, arrête, ça suffit maintenant ! Arrête tout de suite ! Lâche-moi ! Ne me touche plus.

Le prince l'avait empoignée. Il la serrait contre lui et l'embrassait dans le cou. Elle était folle de rage. Elle le griffait au dos.

-Griffe-moi ! Griffe-moi ! Ça ne changera rien ma poupée dorée ! Tu es encore plus belle quand tu es choquée. Viens ici ma petite reine de Saba, je vais retirer ces vêtements et te faire l'amour, encore et encore !
-Non, lâche-moi ! Tarkan... Non... non... pourquoi... non...

Il l'avait encore entraînée jusqu'au lit et elle se débattait. Mais effectivement, Tarkan avait raison ça ne changeait rien... Il enlevait les vêtements à la femme qui luttait. Elle le griffait sur les bras et le frappait de ses poings et lui assénait des coups de pieds. Elle était maintenant torse nu et dans son désespoir elle s'était retournée et Tarkan avait la boucle de la ceinture entre les mains. Il la détachait et d'un coup il enlevait le pantalon. Il était par-dessus elle. Il se frottait contre sa croupe et la retenait par les poignets. Il recommençait à la pénétrer et se collait sur elle la couvrant de baisers sur les épaules, sur le cou. Elle était essoufflée et exténuée. Des larmes jaillissaient encore de ses yeux d'azur. Il lui disait à l'oreille :

-Mira... Mira... Tu me rends fou ! Je n'ai jamais autant baisé une femme de toute ma vie ! Ton corps... tout de toi... me rend fou ! Donne-toi à moi... Donne-toi à moi... J'aimerais tant te faire l'amour tendrement... Ahhhh ! Beauté, donne-toi à moi... !

Elle ne bougeait plus, elle n'avait plus la force de lutter. Il venait de prendre ses dernières énergies. Elle fermait les yeux. Lorsqu'il atteint la jouissance elle avait tellement de chagrin que son cœur se resserra. Elle était si faible maintenant. Elle se sentait partir perdant doucement conscience. Tarkan ne se rendit pas compte tout de suite. Mais il paniqua lorsqu'il réalisa que la belle était silencieuse à ce point. Il la retourna et s'aperçut qu'il y avait quelque chose qui n'allait pas. Il sauta dans son pantalon et la recouvrit d'un drap, courut à la porte et débarra une serrure avec une grosse clé. Il la prit dans ses bras. Il se dirigeait vers la baignoire. Il savait qu'elle n'était pas morte. Mais qu'avait-elle ? Il se culpabilisait. Il avait trop abusé du corps fragile de la douce Mira. Il enleva son pantalon et sauta dans la baignoire avec elle. Il l'installa contre lui sur son torse. Elle était si vulnérable dans cet état. Il passait un doux coton sur sa peau de velours.

-Mira, Mira, je t'en prie reviens à toi ! Je regrette tellement de t'avoir violentée à ce point. Ma petite reine de Saba... ouvre tes yeux ! ! ! Reviens à toi ! Je t'en prie ! ! ! Je regrette Mira... tu es si fragile, si délicate... ! Pardonne-moi ! ! ! Mira...

L'eau rafraîchissante qui enveloppait le corps de la belle fit son œuvre. Elle revenait de sa perte totale de conscience de quelques minutes. Tarkan était sur le qui-vive. Heureusement, elle montrait signe de vie. Ses petits doigts bougeaient sur le torse du jeune prince. Elle renversa sa tête devenue trop lourde vers l'arrière. Elle ouvrait les yeux. Mais sa fatigue extrême les gardait à semi-ouvert.

-Mira... Mira... Regarde-moi ! Oh ! Mira... J'ai eu si peur ! ! ! Ma belle... ma belle Mira... Je t'en prie regarde-moi !

Elle était faible. Tarkan prit sa tête d'une main et la déposa tendrement contre lui.

-Tu es épuisée... Reste comme ça... Repose-toi... Dors... Je vais te laisser tranquille... Dors ma poupée dorée !

Effectivement Mira se sentait si faible. Elle fermait les yeux et le sommeil la gagnait malgré elle. Elle s'endormait contre lui. Tarkan fermait les yeux. Il avait eu si peur. Elle s'était finalement endormie. Tarkan resta dans cette position plusieurs minutes. Avoir contre lui une femme aussi belle et si délicate lui donnait une sensation agréable. Il déplaça la belle et l'accota contre le bain. Il sortit et revêtit son pantalon. Il sortit délicatement la belle et l'enveloppa de nouveau dans un drap blanc. Il la transportait dans le lit de la chambre. Il la déposa doucement sur le lit où il avait consommé la jeune beauté pendant toute la nuit. Il la borda et il embrassait ses douces lèvres. Elle dormait. Il referma les volets de la grande fenêtre à doubles tours. Il sortit de la pièce en prenant bien soin de refermer derrière lui.

Quant à moi et Yousef, nous avions, avec nos hommes, patrouillé les rues de la ville et ses environs toute la nuit.

Les fils du roi, Salim et Aït n'avaient pas été d'un grand secours. Comme Yousef le pensait, Tarkan avait tout organisé lui-même. Les deux jeunes princes s'étaient conformés aux ordres de leur père et n'avaient pas quitté les terres du manoir. Ils savaient que Tarkan avait un plan derrière la tête mais ils ne pensaient pas qu'il aurait osé enlever la reine.

Yousef était choqué que les recherches ne donnent rien. Il savait qu'il était déjà trop tard pour Mira. Tarkan avait sûrement profité au maximum des merveilles de la femme qu'il aimait. Plus le temps passait, plus Yousef devenait irritable. Les hommes interrogeaient les sujets du roi sans succès. Personne n'avait vu la belle blonde ni le beau prince Tarkan. Yousef allait d'une de ses demeures à une autre. Rien. Tarkan avait bien préparé son coup. Il avait emporté la belle dans un endroit introuvable.

Moi et mes hommes étions aussi nerveux que Yousef. Il faut comprendre qu'elle était pour nous cette reine brillante qui dirigeait son royaume d'une main de maître, avec doigté et respect. Elle représentait tant de choses pour nous qu'il était difficile de décrire dans quel était nous nous trouvions.

Yousef et toute sa suite arrêtèrent un moment près d'un grand puits au centre d'un amas de petites constructions villageoises. Il fallait faire reposer les chevaux et leur donner à boire. Yousef s'assit sur le rebord du puits. Il s'accouda sur ses genoux et ses mains lui couvraient le visage visiblement démoralisé.

-Sire… nous allons la retrouver. Le Prince Tarkan ne pourra pas la cacher éternellement ! Il faudra bien qu'il sorte lui aussi de sa cachette ! Je sais à ce que vous pensez, Sire, c'est évident. Il est déjà trop tard… il a commis l'irréparable… je sais… C'est un jeune homme en pleine forme et très bien constitué… Je sais… vous savez qu'il a profité de la situation… Nous le savons tous ! Il faut vous ressaisir et garder en tête qu'il n'a rien obtenu gratuitement… Je connais bien la Reine… Dis-je.

Yousef se balança vers l'arrière et fermait les yeux.

-Mirikof, je suis tellement choqué qu'il ait osé ! Si vous saviez ! Mira, si fragile, si douce, elle a sûrement passé une nuit horrible avec ce jeune écervelé. Combien de fois l'a-t-il grimpée ? Allez savoir ! Il est jeune et il est en pleine puissance… il est si prétentieux, si capricieux, si impulsif… C'est ce qui m'inquiète le plus… S'il lui a fait du mal, je lui arracherai moi-même le cœur à cet enfant de pute !

-Vous êtes blessé, Sire. C'est normal. Mais c'est tout de même votre fils et l'héritier de votre trône. Vous devriez peut-être penser plus à des châtiments corporels qu'à lui enlever la vie, même s'il a agi comme une brute… Occire votre fils n'atténuera en rien votre douleur. Ça ne réparera pas le mal qui a été fait. Vos sujets pourraient vous en vouloir.

-Ah ! Tarkan n'aura pas mon trône ! Il ne mérite rien de tout ça ! Aujourd'hui, il est allé trop loin et il le sait. Il sait que je vais remettre mon trône à un autre de mes fils. J'ai d'autres fils. Ils sont loin d'être parfaits, mais ils sont mieux que lui. Je vais d'abord le déshériter et ensuite je lui ferai sa fête, ce petit saligaud. Mirikof je vais le faire souffrir… comme il le fait avec moi et Mira. Vous avez raison, la mort n'est pas un châtiment suffisant, au contraire, le torturer sera beaucoup plus jouissif pour moi ! Je peux être si cruel lorsqu'on m'attaque sur mon propre terrain… !

Le roi était si blessé que l'orgueil d'homme et de roi puissant lui montait à la tête. Le fils était mieux de filer à toutes jambes parce que son père ne lui ferait pas de cadeau. Pas cette fois. Un des hommes de Yousef s'approcha.

-Sire, nous sommes prêts à repartir.
-Allez, nous continuons. Mirikof venez nous allons nous rendre à une autre de mes demeures et s'il n'est pas là, nous devrons réviser notre stratégie.

Les hommes quittaient l'endroit où les villageois s'étaient massés pour voir le roi et sa garde royale ainsi que les hommes de la garde royale de Mira.

Tarkan avait donné des ordres pour préparer un repas copieux et emporter des vêtements à la belle dame. Il allait voir ses hommes pour s'assurer que personne n'avait été vu dans les environs. Il était soulagé d'apprendre que son petit lieu secret restait inviolable pour l'instant. Il disposait d'une bonne garde mais rien de comparable à celle de son père. Il fit livrer le repas et les vêtements aux pieds de la porte de la chambre. Il retourna auprès de la douce Mira. Il prit les cabarets et les déposa sur une petite table près du lit. Il retourna chercher les vêtements et les déposa sur le dossier d'une chaise. Elle dormait toujours. Il y avait plus de quatre heures qu'elle dormait d'un sommeil de plomb. Elle était vraiment épuisée. Tarkan tira une autre chaise et s'assit confortablement aux côtés du lit. Il la regardait. Ses longs cheveux blonds couraient par-dessus et en dessous des couvertures. Ce qu'il la trouvait belle. Elle avait une main sur sa poitrine et l'autre posé à revers sur l'oreiller. Il fallait qu'il touche cette main. Les longs doigts délicats l'attiraient. Comme il aurait aimé que ces doigts, ces mains douces le caresse. Comme son père avait de la chance d'obtenir d'elle ses faveurs. Aurait-il pu un jour avoir ce privilège ? Il y rêvait tellement. Sa main robuste touchait les petits doigts. Il s'approchait et les embrassait. Il passait la paume de la douce main sur sa joue et l'embrassait. Elle se retourna doucement vers lui. Elle dormait et ne se rendait pas compte qu'il était là tout près d'elle. Sa généreuse poitrine bondissait quasiment hors des couvertures. Il touchait tendrement le haut de ses seins. Les couvertures laissaient deviner les formes parfaites de la belle. Il avait eu lui aussi de la chance de pouvoir tenir dans ses bras une si belle femme. Il ne l'oublierait jamais. Même si son père réussissait à lui enlever, il ne pourrait pas oublier. Jamais il ne trouverait une remplaçante. Même s'il était de la culture où les hommes pouvaient se permettre d'avoir plusieurs femmes, il n'en aurait plus jamais. Comme son père il se réservait à elle seule. Sous les caresses de l'observateur subjugué par le trésor qui dormait paisiblement devant lui, elle se réveillait. Elle ouvrait les yeux. Ces yeux magnifiques qui foudroyaient les hommes. Il restait là et continuait de la flatter et d'embrasser sa main.

-Tu vas mieux maintenant, Mira ?

Elle retira sa main de celle de Tarkan et remonta les couvertures jusqu'à son cou et se retourna sur le dos.

-Ne ferme pas tes yeux. Ils sont si magnifiques… Demande-moi ce que tu veux Mira, je veux que tu sois bien ici avec moi… Tu veux faire du cheval ? J'ai entendu dire que tu es exceptionnellement douée avec une monture. J'ai tellement entendu parler de cette femme qui traversait une vallée vers la mer debout sur le dos d'un cheval. Les hommes qui t'ont aperçue en parlent encore aujourd'hui. J'aimerais te voir, moi ! Dis quelque chose ! Je vais te laisser tranquille pendant un moment, je te jure que je ne te toucherai pas. Même si j'en ai affreusement envie. Demande-moi ce que tu veux.

-Tu sais ce que je veux, Tarkan. C'est inutile de te le demander.

-Je peux être aussi entêté que tu l'es Mira ! Tu n'obtiendras pas de moi un tel sacrifice de ma part. Je ne me séparerai pas de toi ! Seulement si on te sépare de moi par la force. Et même là, je ferai tout ce que je peux pour te reprendre si on ne m'a pas coupé la tête.

-Tarkan, plus tu me retiens ici, plus ton père sera intransigeant envers toi ! Il est puissant. Tu joues avec ta vie pour une femme qui ne vaut pas une telle offrande de ta part.

-Tu vaux toutes les offrandes, Mira. Ma vie est à toi ! Que Yousef la prenne, maintenant ça m'est égal. Je ne vis plus que pour toi, ma belle petite reine de Saba.

-Je ne t'aime pas Tarkan, mais je ne veux pas que tu perdes la vie pour moi ! Comment penses-tu que je survivrai à une autre mort d'homme que je considère inutile ?

-Tu ne m'aimes pas encore, parce que j'ai été obligé de te brusquer. Mais tu apprendras à me connaître et tu verras comme je suis amoureux de toi ! Je ne te refuserai rien. Tu feras ce que tu voudras de moi. Je suis à tes pieds, Mira. Je serai pendu à ton cou en attendant tes baisers, tes caresses. Je suis très impulsif, c'est vrai. Mais je sais être très patient aussi et pour toi ma belle j'attendrai, j'attendrai aussi longtemps qu'il le faudra. Par ce que tu viens de dire, je m'aperçois que je ne te suis pas indifférent totalement, tu crains pour ma vie ! Tu t'inquiètes pour moi, c'est déjà un début. Pourtant je sais que je n'ai pas été correct avec toi. Tu continues tout de même à espérer que mon père m'épargne !

-Tarkan, personne ne me laisse indifférente. Je suis très sensible à la condition humaine. Toi comme les autres. Je ne suis pas indifférente à la mort de quelqu'un, que ce soit toi ou un simple paysan. Personne n'a le droit de prendre la vie d'un autre, Tarkan. Et cette fois, c'est toi qui t'offres sous la hache du bourreau ! C'est encore pire pour moi ! Parce que tu aurais pu éviter tout ça. Tu mets de la pression sur mes épaules et je considère cette manière de faire les choses absurdes.

-Tu es si belle, si douce, si sensible ! Mettre ma tête sur le billot pour toi c'est un risque qui vaut la peine d'être couru... Je t'aime... Je t'aime, Mira. Je ne veux plus que tu penses à ça aujourd'hui, je veux que tu manges et que tu t'habilles, je veux que tu sortes avec moi voir la mer et galoper avec moi sur une monture. Allez, j'ai fait préparer un très bon repas. Il faut que tu manges et moi aussi. Assieds-toi ! Je vais vous servir Madame.

-Non... je n'ai pas du tout la tête à manger, Tarkan !

-Oh ! Mais ma chère j'insiste. Il est l'après-midi et tu n'as rien avalé depuis hier soir. Tu étais si faible tout à l'heure, il faut que tu manges. Assieds-toi.

-Non, laisse-moi Tarkan, tu me sers trop fort, arrêtes !

-Pardon, Madame ! C'est ce qui arrive lorsqu'on n'écoute pas le Prince Tarkan. Vos petits bras sont si délicats, j'en oublie ma force. Maintenant que tu es bien assise tu vas me faire le plaisir d'avaler quelque chose !

Elle restait les yeux baissés et boudait l'insistance du jeune homme. Il prit une assiette et la déposa sur ses cuisses.

-Si tu ne manges pas, c'est moi qui vais de faire manger ! Que préfères-tu, ma belle ?

Elle regardait l'assiette et aurait eu envie de l'envoyer éclater contre le mur. Tarkan aurait sûrement désapprouvé et se serait peut-être encore fâché. Il ne fallait pas jeter de l'huile sur le feu. Il aurait pu, encore, se lancer sur elle et recommencer à la violer. Elle n'avait pas beaucoup le choix.

-Mmmm, c'est bon. Mange, goûte comme les femmes ont préparé un excellent repas.

Mira prenait doucement un morceau de pomme. Tarkan la regardait avec les yeux rieurs et un petit sourire de satisfaction. Il savait qu'il ne lui avait pas beaucoup donné le choix mais il était fier de lui.

-Tarkan je me demandais qu'est-ce que…

Elle s'arrêta. Elle était troublée par quelque chose. Elle intriguait le prince.

-Qu'est-ce que quoi, Mira ?
-Non, rien…
-Non tu voulais me demander quelque chose, demandes Mira, demandes !

Elle hésitait à formuler sa question. Le prince était si imprévisible.

-Mais demandes, Mira… Je suis suspendu à tes jolies lèvres, il y a quelque chose qui te tracasse je le vois dans tes yeux. Demande ma poupée dorée !
-Qu'est-ce que… Qu'est-ce que ta mère pense de tout ça ?
-Ma mère ? Qu'est-ce que ma mère vient faire entre toi et moi ?
-Je… je ne la connais pas mais on m'a dit qu'elle avait très mal pris le fait que Yousef l'envoie avec vous vivre loin de lui… Qu'est-ce qu'elle pense de ce que tu fais aujourd'hui ?

-Ma mère n'a rien à redire sur ce que je fais ! Elle est peut-être la Reine mais elle n'a rien à voir avec toi, crois-moi ! Une Reine qui se prend pour le nombril du monde, qui se gave des largesses de son titre, qui se couvre de bijoux et qui est jalouse de tout ce qui porte un jupon. Elle n'a jamais et n'aura jamais la stature d'une Reine. Je me fous totalement de ce qu'elle peut penser !

Mira était visiblement intimidée par la réponse du prince. Elle retournait sa lèvre inférieure nerveusement. Tarkan ressentait le malaise qui venait soudainement de s'emparer de Mira.

-Je t'ai embarrassée, Mira ? Je le vois bien. Ce petit air que tu as quand tu es mal à l'aise face à quelque chose... c'est époustouflant comme tu es belle quand tu as les yeux de la petite fille qui pense qu'elle a fait quelque chose de mal !

Elle restait silencieuse.

-Qu'est-ce que tu veux savoir, Mira ?
-C'est ta mère Tarkan... Comment peux-tu parler d'elle de cette façon ! C'est... c'est troublant...
-C'est ma mère c'est vrai. Mais tu ne la connais pas et ça, c'est aussi très vrai. Elle ne s'est jamais occupée de nous. Elle préférait bien plus se disputer avec les autres femmes de Yousef. Elle régnait en tigresse vengeresse sur le harem. La jalousie l'a toujours aveuglée. Les autres femmes de mon père n'étaient pas non plus des anges ! Elles se disputaient à tous les jours et mon père devait souvent les séparer. Moi j'ai été élevé par des bonnes qui ont été bien plus des mères pour moi que cette femme prétentieuse et capricieuse.
-Mais... mais... tant de femmes pour un homme... c'est peut-être pour ça qu'elles se disputaient toutes, non ?
-Non, pas du tout. Yousef est le Roi. Yousef est riche. Yousef a un titre honorifique. Yousef était comme moi, un beau et un jeune Roi. Les femmes se pendaient à son cou pour qu'il les marie et les entretienne.
-Mais si elles l'aimaient ? La jalousie n'est pas une solution, mais peut-être qu'elles voulaient toutes la même chose, Tarkan ?
-Peut-être que certaines d'entre elles aimaient Yousef, mais la plupart préféraient, je te le jure, dire haut et fort, ma mère la première, qu'elles étaient les femmes du Roi. Mira toi tu es si pure, si sincère qu'il t'est difficile de croire que les femmes peuvent être aussi très mesquines et particulièrement entre-elles. Tu crois toujours que tout le monde est beau et gentil. Ta naïveté te rend si vulnérable sur ce point. Tu es la douceur incarnée. Un ange parmi les fauves.

926

Il s'était assis près d'elle et lui tenait la main. Elle ne disait plus un mot et gardait les yeux baissés. Tarkan voyait qu'elle était secouée par ce qu'elle venait d'apprendre. Elle leva les yeux vers lui et lui demanda :

-Alors pourquoi ta mère veut-elle mettre fin à mes jours ? Si elle est toujours Reine et qu'elle peut encore obtenir ce qu'elle désire ?

-Tu es au courant de ça, Mira ?

-Oui… et si elle sait ce que tu fais, elle m'en voudra à mort ! Elle pense que je lui ai enlevé le Roi et maintenant elle croira que je veux toute la famille ! ! ! J'aimerais tant qu'elle sache… qu'elle sache que je n'ai pas voulu tout ça ! ! ! Que je ne voulais pas la blesser, ni lui faire de mal ! J'étais tellement seule avec le fardeau du pouvoir et Yamir…

Elle rebaissait les yeux, troublée.

-Mira, elle sait déjà tout ça. Elle sait que tu n'es responsable de rien. Yousef peut parfois être très maladroit, mais avant de l'envoyer comme tu dis, il lui avait bien expliqué ainsi qu'à toutes les autres femmes. Elles ont toutes refusé de croire que la belle blonde avait autant de pouvoir sur lui. Quand tu es venue voir Yousef ici, ma mère est devenue folle de jalousie et de rage. Tu ne pouvais pas savoir ce qui se serait passé. Tu as un cœur si tendre. Yousef ne t'a pas beaucoup aidé non plus, je sais qu'il a tout fait pour te reconquérir, Mira. C'est vrai que ma mère m'a demandé et à mes deux frères d'aller chez le Grand Vizir te couper le cou. Nous nous sommes tous regardés sachant très bien qu'aucun de nous n'aurait osé couper un si joli cou. Nous n'allions pas lui dire ! Une occasion comme celle-là, on ne la raterait pas. Nous étions si heureux d'enfin avoir un prétexte pour se rendre chez le Grand Vizir voir la femme, celle dont tout le pays ne fait que parler. En plus, Yousef était parti depuis deux jours sans donner de nouvelles. Nous avions les meilleures excuses du monde pour se rendre jusqu'à toi. Quand nous sommes entrés sur la terrasse et que nous avons vu cette frêle silhouette et cette chevelure blonde qui s'éclairait sous les rayons du soleil, nous étions tous si impressionnés et tu t'es retournée et là tes yeux se sont posés sur nous. Tu t'es levée et tu es restée debout. Moi, j'étais transporté de désirs et de passions quand j'ai vu ces yeux si doux et lorsque j'ai embrassé ta main, c'est comme si des milliers de fourmis avaient envahi mon corps. Mes frères étaient comme moi ! Nous aurions tous sauté à ton cou et nous aurions tous embrassé ces lèvres invitantes aux baisers. Yousef est arrivé et il s'était aperçu de notre excitation. Il sait ce que tu fais comme effet aux hommes, il a été comme nous, envoûté. Pour ce qui est de ma mère, elle est jalouse, parce qu'elle sait que là, il n'y a rien qui puisse te surpasser. Elle était si furieuse lorsque nous sommes revenus en n'ayant pas exécuté son désir. Elle arrachait les rideaux aux fenêtres et nous lançait des objets. J'admets que nous n'aurions pas dû répondre à sa colère en riant et en vantant ta beauté et… et tout ce que les hommes peuvent dire sur une dame… Nous n'aurions pas dû parler de tes formes et de ta grâce devant elle. Mais nous étions si amusés de voir la frénésie qui s'emparait d'elle à chaque phrase que nous disions. Plus on disait des choses sur ta beauté et ta douceur plus elle renversait et lançait des objets. Nous sommes ressortis en riant. Nous sommes partis au manoir et nous nous sommes installés. Mes frères sont plus jeunes et plus raisonnables que moi. Ils ont ton visage gravé dans leur tête mais ils ont peur de Yousef. Ils se sont contentés de rêver de toi. Mais moi, je n'arrivais pas à me contenir. Je suis retourné au château alors qu'il me l'avait interdit parce que je ne pouvais plus me passer de te voir. J'ai ensuite été enfermé par Yousef au donjon. Moi et lui nous nous sommes disputés pour toi. Mais ce qu'il ne savait pas c'est que son fils est plus rusé que ça. Et la suite tu la connais. Si tu voyais ton visage d'ange Mira ! Ta douceur me déconcerte… Tu me combles à seulement me regarder. Je ne veux plus que tu penses à elle. Ma mère ne vaut pas le souci que tu as pour elle. Elle ne sait pas ce que j'ai fait, peut-être le sait-elle maintenant, mais ça m'est complètement égal.

Elle restait silencieuse. Ses doigts jouaient sur le bord de l'assiette. Tarkan savait qu'elle était encore troublée.

-Mira, ne pense plus à tout ça. Mange… Continue de manger…

-Je suis désolée Tarkan, je n'ai plus faim !

-Comment tu n'as plus faim ? Tu as à peine grignoté deux petits morceaux de pomme !

-Si j'avale encore quelque chose je vais être malade, je t'assure je n'en peux plus…

-Pas étonnant que tu gardes cette taille si tu manges aussi peu, Mira ! Bon puisque tu ne veux pas, vos désirs sont des ordres Madame ! Donne-moi tout ça et habille-toi on va sortir prendre l'air ensemble toi et moi.

-Sortir ?

-Oui sortir ! Tu dois prendre l'air et marcher un peu, ça te fera du bien. Je t'apporte tes vêtements et tu sautes dedans ensuite, nous deux dehors !

-Où allons-nous ?

-Pas très loin… Je ne peux pas me permettre de t'emmener loin ! Mais tu verras comme c'est beau ici. Je suis certain que tu vas aimer, ma poupée à moi !

Elle s'habillait et Tarkan la regardait. Les gestes souples et délicats de la belle le rendaient fou. Il aurait encore arraché les vêtements et pris la belle, mais il avait déjà beaucoup trop abusé durant la nuit. Il se raisonnait un peu. Il s'approcha d'elle et finit de boutonner le dos de la robe. Elle le laissait faire. Elle préférait qu'il boutonne au lieu de faire partir les petits boutons à la volée. Il replaça doucement la grande chevelure sur le dos de la belle.

-Comme tes cheveux sont doux, Mira !

Cette phrase n'était pas bon signe. Elle se retourna nerveusement.

-Je suis prête.
-Viens ma belle… je veux encore voir ta chevelure sous les rayons ardents du soleil.

Il lui tendit son bras.

-Allez Mira, prends mon bras ! Je ne te couperai pas la main ! ! ! Bien au contraire je lui ferai très attention !

Mira hésitait mais il aurait encore insisté et peut-être se serait-il choqué ! Elle ne voulait pas le provoquer et posa doucement sa main sur son avant-bras. Il l'entraîna hors de la pièce. Ils traversaient un grand corridor. Il n'y avait personne. Arrivés à l'escalier Mira voyait tout le hall d'entrée. Deux gardes étaient aux portes à l'intérieur et deux autres à l'extérieur. Des domestiques vaquaient à leurs occupations, mais tout le monde s'arrêta et regarda le jeune prince et la femme magnifique qui lui tenait le bras. Mira était intimidée par ses regards et rougissait. Tarkan les regarda tous avec des yeux qui voulaient tout dire. Ils reprirent leur travail et cessèrent de regarder la dame.

Lorsqu'ils furent rendus aux portes, Mira voyait la plage et la mer. C'est vrai que cet endroit était merveilleux. La demeure était située sur un site enchanteur. Une fois à l'extérieur elle regardait partout autour d'elle. Elle voyait bien de la civilisation, mais très loin. La demeure était très retirée.

Tarkan était fier d'avoir à son bras une femme aussi belle et charmante admirant du coin de l'œil la discrétion avec laquelle elle observait les lieux.

-Tu veux marcher le long de la plage ?
-Oui…

Il s'avança avec elle sur le sable brûlant de la plage qui s'étendait à perte de vue. Puis elle enleva ses souliers.

-Qu'est-ce que tu fais, Mira ?
-J'enlève mes chaussures… j'aimerais… j'aimerais marcher… si je peux… les pieds dans l'eau.

Tarkan souriait. Il trouvait cette demande charmante et formulée avec une telle réserve.

-Viens ma belle, tu peux marcher dans l'eau et tu peux même t'y baigner si tu veux !
-Non… non… je… je…
-J'aimerais ça, moi, te voir te baigner dans une eau de la couleur de tes yeux, ma petite reine de Saba.
-Non… je… ne peux pas… je…
-Tu peux mais tu ne veux pas, parce que pour te baigner il faudrait enlever tes vêtements et tu es pudique devant moi, c'est ça, hein Mira ?

Elle ne répondait pas. Il avait bien trop raison. Elle adorait se baigner mais elle n'aurait jamais demandé de le faire devant lui. Elle touchait l'eau du bout du pied.

-C'est trop froid pour les jolis petits pieds Madame ?
-Non… pas du tout ! Au contraire comme cette eau est chaude… La mer est tellement plus froide d'où je viens.
-C'est vrai j'aurais dû y songer… Il y a l'hiver dans ton pays, il neige. Moi je n'ai jamais vu la neige. C'est beau l'hiver ?
-C'est parfois dur mais c'est très différent d'ici. Il y a des matins, quand le soleil se lève et frappe de ses rayons la neige blanche on est presque aveuglé. C'est beau, oui je pourrais dire que c'est très beau.
-C'est si froid qu'on le dit l'hiver ?
-C'est parfois très froid, oui. Lorsqu'on voit la mer fumer le matin, c'est qu'il fait très très froid dehors. Quand nos fenêtres sont givrées au point de ne plus voir dehors, ça aussi c'est un signe qu'il fait très froid à l'extérieur.

-Comment faites-vous pour combattre le froid pendant tout un hiver ?

-Les hommes préparent pendant presque tout l'automne, des cordes de bois qu'ils entreposent en grande quantité pour que pendant les grands froids on n'en manque pas. Il faut continuellement alimenter nos fours, nos poêles, nos foyers pour ne pas geler.

-J'aurai probablement de la difficulté à m'habituer… moi qui vit sous un soleil ardent depuis ma naissance !

-L'homme s'habitue à tout Tarkan. Il suffit de savoir comment combattre les éléments.

-Tu as raison, l'homme s'habitue à tout ! (silence) Raconte-moi Mira… Toutes tes aventures !

-Mes aventures ? De quoi parles-tu Tarkan ?

-Mira… J'ai entendu dire de telles choses sur toi que si je ne t'avais jamais rencontrée, je ne pourrais les croire !

-Mais de quoi parles-tu ?

-Ce continent sur lequel tu as posé les pieds… Ce trésor que tu as ramené dans ton pays… Les habitants étranges qui habitaient ces terres lointaines… Tout ça Mira.

-Ah ! je vois… Tu sais Tarkan, même si j'ai été au cœur de cette aventure… C'est tout le peuple Scandinave qui avait cette aventure au cœur !

-Oui, peut-être mais, je veux savoir… Comment sont les habitants de ces lieux ? Raconte-moi Mira…

-Il est vrai que si pour la Scandinave que je suis, dans ce beau pays qui est le tien, je me sens à mille lieues de ma terre natale et que votre culture, vos habitudes de vie sont très différentes des nôtres, je dois admettre que le contact avec ce continent sur lequel nous avons posé le pied pour aller quérir le trésor de Grovache surpasse en tout l'étonnement qu'on puisse ressentir en pays étranger. Les habitants sont fiers mais ont un physique vraiment différent de ce que mes yeux ont pu voir dans les nombreux pays que j'ai eu la chance de visiter.

-Différents ?

-Différents parce que leurs vêtements, leurs coutumes, leur peau, leur regard, leur langage n'a rien à voir avec ce qu'on peut connaître.

-Ils ne sont pas constitués physiquement comme nous ?

-Bien sûr que oui… mais… je ne peux pas expliquer… Ils ont bien une hiérarchie, des chefs de clan, mais rien à voir avec le pouvoir que nous connaissons… Leur simplicité est bien plus omniprésente qu'ici… Ils sont très généreux.

-Tu y retourneras un jour ?

-Non, c'est une promesse que j'ai faite au chef du village pour avoir été aussi protecteur de notre bien pendant près d'un millénaire… Je ne voulais pas qu'on connaisse la route pour s'y rendre… L'homme peut parfois souiller de sa cupidité des êtres qui ne connaissent pas l'envie, ni la valeur de l'or puisque dans leur culture ce métal n'est pas connu pour ses valeurs monétaires, mais pour seulement être du soleil dans la pierre.

-Du soleil dans la pierre ? Comme c'est beau comme image !

-Si tu les avais entendus parler du ciel, de la terre, de la mer, des arbres, des animaux enfin de tout ce qui les entoure, tu comprendrais à quel point ils avaient le respect de la nature… Bien entendu, eux aussi connaissent les disputent entre tribus, mais leur mentalité est de loin la plus étrange et la plus près de ce que je considère la réalité à son état pur. C'est pourquoi, Bjarni qui était mon premier mari avec lequel j'ai fait ce voyage a eu l'ordre de taire nos connaissances de l'itinéraire pour s'y rendre… Si un jour ce continent est à nouveau débusqué par d'autres intrépides marins ce ne sera pas Mira la fille du sage de la Forêt d'Elfe qui leur aura montré la route à prendre.

Ils avançaient sur la plage doucement et Tarkan appréciait chaque seconde passée près d'elle. Il devait reconnaître que dans ce corps frêle habitait une sagesse hors du commun.

Le bas de sa robe était trempé mais elle ne semblait pas s'en faire pour ça. Tarkan souriait remarquant la simplicité et l'humilité de la dame à ses côtés. Une dame qui était reine et belle comme le jour de surcroît, et rien ne semblait lui tourner la tête.

Ils marchaient maintenant depuis plusieurs minutes mais Tarkan devait revenir sur ses pas, il ne pouvait pas trop s'éloigner. Mira sentait bien qu'il cherchait à cacher sa présence à des curieux qui auraient bien pu se cacher sur les dunes de sable qui bordaient la plage. Il ne tenait pas à ce que des mauvaises langues colportent au roi l'emplacement de son lieu secret.

En revenant, Mira admirait la demeure qui s'élevait entre les arbres. Une autre construction typiquement arabe avec des tours, des grandes fenêtres et des couleurs de sable agrémentée de décorations colorées de bleus, rouge, or, jaune. Elle était plus petite que le château de Yousef mais possédait un charme luxueux.

-Que penses-tu de cette maison Mira ?

-Elle est magnifique. J'aime le style et l'architecture de votre pays, c'est si différent de mon Royaume, sauf pour la partie où vit le Grand Vizir qui fait un peu partie de votre culture.

-Si tu dis qu'elle est magnifique, je vais la garder.

-Comment c'est à toi ?

-Oui, j'ai acheté cette maison à un des anciens ministres de Yousef. Il était vieux et il est mort le mois passé. J'ai pris connaissance de cette affaire et j'ai décidé de l'acheter. C'est pour ça que presque personne ne connaît cet endroit. Le vieux ministre n'y venait plus depuis plusieurs années et j'ai pensé que c'était l'emplacement idéal pour t'emmener. Je regrette de te le dire, mais même Yousef ne connaît pas cet endroit.

Mira enleva sa main sur son bras et releva ses jupons et sortit de l'écume des vagues. Elle remettait ses souliers. Tarkan sentait bien que cette remarque l'avait effarée. Elle ne le regardait pas, elle restait silencieuse et secouait nerveusement le bas de sa robe. Elle réalisait avec torpeur que le jeune prince avait bien préparé son coup. Elle ne serait pas si facile à retrouver. Elle serait encore prisonnière plusieurs jours voire peut-être des semaines. Plus elle y pensait, plus l'affolement s'emparait d'elle. Tarkan souriait malicieusement en regardant la belle et douce Mira prise d'effroi. Il aimait sentir qu'elle était effrayée parce qu'il pensait qu'il avait un certain pouvoir sur elle.

-Je t'ai fait peur, Mira ?

Elle répondait nerveusement à la question du prince.

-Non… pour… pourquoi ?
-Dès que je t'ai dit que personne, ou presque, ne connaissait cet endroit tu t'es mise à trembler comme une feuille, ma belle ! Je sais que tu as peur de rester ici seule avec moi ! Tu t'habitueras à moi, Mira… Je ne te ferai pas de mal, je veux juste t'aimer…

Il s'approchait d'elle la faisant reculer de quelques pas. Elle n'aimait pas voir ses yeux lorsqu'ils la regardaient avec cet air de supériorité.

-Tarkan… je veux rentrer maintenant, s'il te plaît ?
-Si tu n'as pas peur, alors pourquoi soudainement essaies-tu de m'esquiver, Mira ?
-Je… je… n'essaie pas de t'esquiver… je veux rentrer c'est tout !
-Ne joue pas ce petit jeu avec moi ! Tu trembles, tu es sur le point de t'effondrer.
-Je… je… tremble… j'ai froid !
-Ha ! ha ! Tu as froid, toi qui vis dans un pays où la neige couvre tes terres tout l'hiver, alors qu'il fait un soleil de plomb en pleine après-midi ici avec une chaleur étouffante ! Ha ! ha ! Mira, Mira… tu es aguichante quand tu mens… car on le sait tout de suite quand tu

mens ! Si tu pouvais t'envoler tu aurais déployé tes ailes depuis long-temps ma jolie pour t'enfuir. Viens, approches, je suis plus fort que toi mais je ne mords pas !

Elle se reculait encore ne sachant pas quelles étaient ses intentions.

-Tu vois tu recules… tu as peur ! Ha ! ha ! Mira, Mira… comment peut-on ne pas être fou de toi ? Tu es bien spéciale ! Viens maintenant nous allons répondre à ta requête et nous allons rentrer. Viens, ne m'oblige pas à te prendre par le bras de force… Tu pourrais me don-ner des idées, tu sais !

Cette remarque épouvanta encore plus la belle. Elle réalisait qu'elle avait bénéficié d'un moment de trêve mais que le jeune homme devait commencer à sentir monter en lui les pulsions qui l'habitaient depuis la nuit passée. Elle tremblait, oui elle tremblait et il ne l'aidait pas à soulager sa frayeur. Il lui tendait sa main. Elle n'avait pas le choix. Elle s'approcha et lui donna la sienne.

-Je ne t'ai pas encore dévorée ! Je ne mords pas, moi, Mira. J'embrasse, je caresse, je serre, mais je ne mords pas !

Elle le suivait et sa robuste main tenait avec fermeté la sienne. Tarkan sentait la nervosité de la belle. Ils revenaient vers la demeure. Il y avait des hommes qui vaquaient à des opérations dans la cour à droite qui s'arrêtèrent pour regarder la dame. Tarkan fit comme pour les autres. Il n'avait qu'à lancer un regard et les hommes reprenaient leurs travaux. Comme son père il n'aimait pas du tout que les autres hommes posent leur regard sur son petit trésor. Ils entrèrent et Tarkan l'a conduit dans un petit salon.

-Tu as faim ?

Elle hocha négativement la tête.

-Tu veux boire quelque chose ? Ah ! Attends, je reviens, il faut que tu goûtes à ça !

Il sortit à la course de la petite pièce. Il revint presque aussitôt. Il s'assit près d'elle. Une servante entra avec un plateau sur lequel était déposée une bouteille travaillée d'or et d'argent. Il y avait un liquide rouge vif à l'intérieur. La servante servit les deux petits verres de cristal et en remis un à la reine et un à Tarkan. Mira prit le verre entre ses frêles doigts. La femme déposa le cabaret tout près d'eux et ressortit silencieusement de la pièce.

-Goûte-moi ce nectar divin, ma belle ! Goûte je te dis !

-Qu'est-ce… qu'est-ce que c'est ?

-C'est une liqueur de cerises une spécialité de notre coin de pays. C'est bon, goûte. Mouille au moins tes charmantes lèvres, ma belle !

Mira s'exécuta en hésitant. Elle prit une petite gorgée. C'est vrai que cette liqueur était douce, légèrement sucrée et désaltérait. Tarkan avait avalé d'une seule gorgée le contenu du petit verre et s'en servait un autre verre.

-Et puis tu aimes ?

-C'est bon… oui… c'est délicat…

-Oui c'est délicat… doux… bon… sucré… rouge comme tes lèvres, Mira.

Mira était de nouveau embarrassée par la remarque du prince qui avalait encore d'une seule gorgée le contenu de son verre et lançait son verre par-dessus son épaule en s'approchant d'elle avec le regard d'un chat qui veut charmer. Elle tenait son verre serré entre ses doigts.

-Embrasse-moi Mira ! S'il te plaît, embrasse-moi, juste un petit baiser. Sois gentille avec moi, Mira.

Il avait passé ses bras autour d'elle et collait sa tête contre le cou de la belle. Il prit le verre dans ses mains et le balança. Il sentait la belle trembler et cette sensation lui plaisait énormément. Il ne voulait pas lui faire peur ou mal, mais elle lui semblait si vulnérable lorsqu'elle repliait ses petites mains sur son cou et qu'elle fuyait son regard. Il insistait.

-Juste un petit baiser ! Mira, s'il te plaît. J'ai été gentil aujourd'hui je ne t'ai pas touché. J'ai envie d'un baiser sucré !

-Non… Tarkan, non si… si je…

-Si tu ?

-Si… si je t'embrasse… tu… tu… vas…

-Non ! Je veux juste un baiser, Mira ! Je ne souhaite qu'un tout petit baiser, tout petit, tout petit.

Il était si près. Il avait les yeux à mi-clos et était comme un gros matou qui se fait caresser. Elle lui donna un tout petit baiser sur une joue. Elle avait fait ça si vite !

-Ha ! ha ! J'ai dit un tout petit baiser mais pas comme ça, ma belle ! Je sais que tu fais beaucoup mieux que ça... Je le sais Mira. Moi je veux un vrai baiser comme ça.

Il lui sauta aux lèvres. Elle se crispa réalisant qu'il prenait encore sans permission ! Il l'embrassait passionnément, se collant sur elle et de ses bras musclés la retenait fortement contre lui. Elle paniquait encore. Elle savait qu'il ne pouvait pas seulement se contenter de l'embrasser. Elle sentait bien qu'il était hors de contrôle.

-Mira, Mira... J'ai tellement envie de toi ! Je veux que tu te donnes à moi ! Mira, ne me repousse pas ! Je te veux Mira et je t'aime... Je t'en prie ma poupée sucrée ! Aime-moi !
-Arrête Tarkan... Je t'avais dit... Tu vois... Arrête ! Lâche-moi !
-C'est faux tu ne m'as rien dit ! Tu voulais dire quelque chose mais tu as tellement hésité... Moi je ne peux pas me contrôler quand je suis près de toi ! ! ! C'est ça que tu voulais dire hein Mira ?
-Non seulement tu ne peux pas te contrôler mais tu... tu...
-Je quoi, Mira ?
-Tu veux encore prendre ce que je te refuse, Tarkan. Lâche-moi ! Arrête c'est inutile... Tu ne pourras pas toujours me garder ici ! Je ne suis pas ta prisonnière. J'ai une armée imposante et mes hommes n'accepteront pas que je disparaisse comme ça sans rien faire !
-Tu me menaces, Mira ? Tu penses que je ne sais pas que tu es une Reine aussi puissante et sinon plus que Yousef lui-même ! Tu penses que je ne sais pas que ton armée se joindra à celle de Yousef pour te retrouver. Mais je t'ai déjà dit Mira que ça m'est complètement égal ! Je n'ai pas peur de Yousef ni de tes hommes.
-Tarkan... c'est assez maintenant ! Laisse-moi partir ! Je ne veux pas que tu souffres Tarkan mais tu es impossible. Si tu m'aimes comme tu le dis alors laisse-moi partir. Ce n'est pas facile les décep-tions amoureuses je ne le sais que trop bien, mais il faut comprendre qu'on ne peut pas forcer quelqu'un à éprouver des sentiments... Tar-kan, il n'est pas trop tard pour toi... Si tu me laisses partir, je te jure que je ne dirai pas à Yousef ni à mes généraux où tu te trouves, je te le jure sur la tête de mes enfants !
-Tu ne veux pas que je souffre mais tu me fais souffrir énormé-ment Mira ! Tu te refuses à moi, tu me repousses, tu m'arraches le cœur. Même si une armée entière me passait sur le corps, je ne souffri-rais pas plus que je souffre présentement !

Ces remarques la transformèrent tout à coup. Elle avait dans les yeux des éclairs de rage. Tarkan la regardait. Elle se leva.

-Lève-toi… Lève-toi… Debout Prince Tarkan ! C'est un ordre !

-Ma foi tu es choquée !

-Oui ! Je suis choquée, j'aurais envie de te griffer au visage ! Je suis dans une rage folle ! Lève-toi !

Tarkan était amusé de la voir sortir ainsi de ses gonds. Elle le surprenait. Il exécutait ses ordres, il se leva et la fixait avec intérêt. Elle le prit par la main. Tarkan était vraiment étonné.

-Viens… Tu veux que je me donne, eh ! bien, montes à l'étage avec moi, je vais me donner ! Tu vas avoir ce que tu veux… après tu n'auras plus de raison de me garder ici.

Il souriait se laissant entraîner par la femme en furie. Cette petite crise de colère amusait Tarkan qui ne demandait pas mieux. Ils gravissaient les marches à la course. Elle ouvrit la porte et la referma aussitôt. Elle était d'une agressivité remarquable. Tarkan enlevait doucement son veston. Elle se jeta à plat ventre sur le lit.

-Tu me déshabilleras !

Tarkan ne disait pas un mot souriant continuellement. Il trouvait Mira encore plus désirable. Il se mit à genoux par-dessus elle défaisant délicatement les boutonnières et lentement apparaissant la peau du dos de la belle. Il enfilait ses mains sous les vêtements prenant les épaules qu'il effleurait de ses mains doucement. Il enlevait le vêtement avec délicatesse et retourna lentement la belle sur le dos. Elle avait maintenant la poitrine à nue et il enleva d'un mouvement la robe.

-Si c'est ce que tu appelles te donner, Mira ! Tu es tellement en colère contre moi que tu es raide comme une barre de fer. Toute la nuit passée tu as été comme ça ! J'avoue que j'ai peut-être été un peu trop bestiale, mais je suis capable de faire bien mieux que ça.

Elle savait qu'il voulait plus que ça ! Elle essayait de se calmer afin de répondre à ses désirs car après, elle aurait la paix ! Puis Tarkan descendait le long de son corps en la couvrant de baisers tendres et de caresses chaudes se dirigeant vers son sexe.

-Non Tarkan ! Viens, je me suis calmée et je vais t'embrasser.

Tarkan leva les yeux vers elle, se doutant bien qu'elle voulait l'attirer pour qu'il fasse ce qu'il avait à faire et après elle aurait réussi à finir vite ce qu'elle lui avait promis. Il voulait quelque chose qu'elle lui refusait encore. Tarkan persévérerait dans cette voie.

Lorsqu'elle atteignit l'orgasme, elle vibra sous ses mains. Il embrassait maintenant son ventre remontant le long de son corps aphrodisiaque. Il l'embrassait sur les lèvres, la caressait se frottant contre elle. Mira ne résistait plus du tout. Elle était même attirée à caresser son corps. Il s'y prenait tellement avec douceur cette fois et ces étreintes le remplissant d'une continuelle extase. Il l'embrassait partout sur le cou, sur la bouche, sur les seins. Ses mains se promenaient le long du corps magnifique de la femme qui se donnait. Il finit par atteindre l'orgasme après plusieurs minutes de caresses et d'étreintes. Ce qu'il était bien. La sensation de bonheur et d'extase était tellement agréable. Il resta sur elle, la couvrant encore de baisers.

-Ce que c'était bon, ma petite Reine de Saba. Je savais que c'était spécial de faire l'amour avec toi quand tu te donnes. Je suis le plus heureux des hommes. Je t'aime, je t'aime Mira !

Elle ne disait pas un mot. Elle savait qu'elle n'aurait jamais dû se laisser aller avec lui. Comme je l'ai déjà dit, elle était presque parfaite mais il lui arrivait de commettre des erreurs et cette fois c'en était une erreur de taille ! La perfection n'est pas de ce monde et même Mira pouvait y échapper quelques fois même si je me dois d'admettre que c'était dans son cas à un rythme beaucoup moins déluré que le commun des mortels.

-Tu ne dis rien… Mira te sentir vibrer sous mains, c'était une sensation unique et merveilleuse. Je suis si heureux d'avoir donné le plaisir à une femme aussi exceptionnelle que toi !
-Tarkan…
-Quoi, mon amour ?
-Débarque maintenant… Laisse-moi !

Il s'accota près d'elle et la caressait encore.

-Tu es encore choquée contre moi, Mira ?
-Non… je… je… suis choquée contre moi !
-Tu es choquée contre toi parce que tu as fait l'amour avec moi ? C'est ça ?
-J'ai… j'ai tellement honte… Je ne voulais pas que ça se passe comme ça ! Laisse-moi maintenant. Tu as eu ce que tu voulais… laisse-moi partir.

-Je sais que tu voulais que je me soulage encore sur toi. Mais dis-moi pourquoi tu as honte, Mira, faire l'amour c'est tellement extraordinaire avec toi !

-Tarkan… c'est vrai… Tu peux être fier de toi… tu… tu… mais…

-Mais ? J'ai trouvé ton point sensible, Mira et tu es choquée parce que je sais maintenant ce qui t'allume, ce qui t'enflamme ?

-Laisse-moi !

-Ce que tu peux être délicieuse, Mira… Cependant si tu penses que je vais te laisser partir maintenant. Je vais te rendre folle de moi ! Tu vas te pendre à mon cou… Tu vas même laisser Yousef pour moi ! Je le sais maintenant.

-Ce que tu peux être vaniteux Tarkan ! Ne penses-tu pas que ton père ne me fait pas ce genre de chose ? Ne penses-tu pas que j'ai connu des hommes qui avaient eux aussi trouvé ce point sensible comme tu dis ? Si tu penses qu'il suffit de me faire jouir pour que je tombe comme ça dans ton lit. Tarkan tu es jeune, tu es un amant redoutable, c'est vrai, je dois l'admettre. Mais Tarkan l'amour c'est autre chose. Ce n'est pas seulement sexuel, c'est… c'est un sentiment si complexe si fragile… Tu dois comprendre Tarkan que j'aime ton père !

Tarkan était choqué et blessé. Il était devenu agressif et tourna la belle vers lui.

-Tu n'aimes pas mon père, c'est moi que tu aimes ! Je suis jeune, je vais être Roi, je suis un bel homme et je t'aime. Tu ne peux pas encore refuser d'y croire. Je suis si choqué contre ce que tu viens de dire, Mira. Si je ne me retenais pas je crois que…

Mira avait affronté le tigre. Il sortait ses griffes et montrait ses dents frustrées à l'extrême. Ses yeux étaient presque exorbités. Il lui serrait les poignets. Mira, elle, fermait les yeux et ne voulait pas voir Tarkan encore faire preuve de violence à son égard. Elle ne disait plus un mot. Tarkan se calma un peu relâchant les poignets délicats qu'il avait tellement serrés. Des marques rouges de doigts tapissaient comme des bracelets les petits poignets. Tarkan s'aperçut qu'il avait encore perdu le contrôle. Il regardait les poignets et s'en voulait énormément. Elle n'avait même pas demandé qu'il la relâche. Elle était clouée sur place effrayée. Il se leva et remit son pantalon et prit son veston. Elle s'enroulait dans les couvertures. Il sortit en claquant la porte.

Elle pleurait et s'assit dans le lit. Pendant plusieurs minutes elle resta dans cette position et finit par se consoler. Silencieusement elle remit ses vêtements. Ce qu'elle détestait cette robe. Pas parce qu'elle était laide, non, parce que les boutons étaient dans le dos et elle devait s'étirer au maximum pour l'attacher. Elle sauta dans ses souliers et essaya la porte. Elle n'était plus enfermée. La porte s'ouvrit. Il n'y avait personne. Elle referma doucement la porte derrière elle et s'aventura dans le long corridor à pas de loup. Elle se colla contre le mur pour regarder en bas. Les gardes étaient toujours à leur position mais il n'y avait plus d'activité dans le hall à part la présence des gardes. Allait-elle s'aventurer ? Il le fallait bien. Il fallait qu'elle sorte et qu'elle trouve une monture. Elle descendit doucement fixant les gardes percevant qu'ils la regardaient du coin de l'œil. L'auraient-ils laissée franchir la porte ? Elle n'avait plus rien à perdre. Elle descendait. Elle arrivait en face des grandes. Elle échangea des regards avec les gardes. Elle était embarrassée mais fonça empoigna la poignée et ouvrit la porte qui donnait sur la plage et l'océan sans que les gardes ne cherchent d'aucune façon à la retenir et les gardes à l'extérieur en firent de même. Elle se retourna n'arrivant pas à croire qu'ils l'avaient laissée passer. Et elle se mit à courir vers l'arrière de la demeure. Des ouvriers et des gardes se trouvaient dans la cour. Ils parlaient mais quand ils aperçurent la belle, ils s'arrêtèrent de travailler et de parler. Ils fixaient tous cette apparition dans toute sa splendeur. Mira arrêta d'un coup sec et regardait, embarrassée, tous ces hommes qui la fixaient. Elle tourna nerveusement son regard vers ce qui semblait être l'écurie. En effet, elle voyait de magnifiques purs sangs arabes. Elle regarda de nouveau en direction des hommes qui étaient immobilisés comme si on avait arrêté le temps quelques secondes. Elle se dirigea en marchant vers le premier cheval qu'elle voyait. Il n'était pas scellé, mais Mira n'avait aucun problème avec ça. Elle le touchait, elle le flattait. Toujours sous le regard curieux des hommes, elle se décida et d'un bond elle sauta sur le dos de la bête tenant la crinière de la bête entre ses doigts. Il se reculait et obéissait sans problème. Elle regardait autour d'elle. Quelle direction choisir ? Elle n'avait aucune idée de l'endroit où elle était ? Et elle ne parlait pas la langue du pays. C'était difficile mais elle devait choisir dans quelle direction elle s'en irait. De toute façon, se disait-elle, même si elle ne parlait pas la langue du pays, les habitants savaient qu'une reine blonde était dans les parages et qu'elle était la maîtresse du roi Yousef. Ils auraient sûrement collaboré aux meilleures de leurs connaissances pour expliquer à la reine quelle direction prendre. Elle poussa le cheval au maximum pour qu'il saute par-dessus la barrière de l'enclos dans lequel il était. Elle était maintenant sur les terres environnantes de la demeure. Elle s'arrêta scrutant du regard l'horizon. La nuit serait tombée bientôt. Le soleil décrivait un magnifique couché de soleil. Son cœur battait à tout rompre. Les hommes observaient toujours cette cavalière exceptionnelle qui regardait avec intérêt autour d'elle.

Elle recommença à pousser la bête au maximum. Elle allait vers le seul chemin qu'elle voyait. Il emprunterait un petit sentier qui traversait une forêt. Elle s'y aventura et fit ralentir la bête. Elle s'avançait doucement dans cette forêt bizarre. Oui, bizarre, Mira n'avait jamais vu ce genre d'arbres. C'était bien différent de ce qu'elle connaissait. Elle continuait son chemin. La route tournait brusquement vers la droite. Elle continuait, continuait. Arrivée au tournant, elle fit face à Tarkan assis, immobile sur une monture.

-Tu penses aller loin comme ça la belle ?

Elle était si surprise de ce face-à-face.

-Pensais-tu vraiment que je t'aurais laissée partir comme ça ? Si je rêve en couleur toi aussi ma jolie ! Je savais que tu serais passée par ici, je savais que tu aurais pris une monture, je savais que tu essaierais de me filer entre les doigts. J'ai laissé mes hommes se rincer l'œil pour leur faire plaisir mais aussi pour te donner l'impression que tu pouvais fuir. Le réveil est brutal, n'est-ce pas Mira ? Aussi brutale que tu l'es avec moi !
-Tarkan… Non… Laisse-moi partir… Je t'en prie !
-Ça, il n'en est pas question. Tu vas rester avec moi et je vais profiter au maximum du temps que tu y seras.
-Tarkan…
-Non, il n'y a pas de Tarkan qui tienne. Tu restes. J'étais curieux de te voir monter à cheval. Tu es exceptionnellement douée. Tu as sauté sur une monture même pas scellée et tu as réussi à passer pardessus la barrière. Félicitations. Ne me regardes pas comme ça, j'ai tout vu. Je te surveille depuis ta sortie. Je suis un incorrigible voyeur, Mira !
-Eh ! Bien puisque tu trouves que je monte si bien à cheval, tu n'as rien vu !

Elle retourna la bête et reparties à pleine allure vers la plage de la demeure. Tarkan la suivait. Elle eut l'idée de s'accrocher sur une branche au passage et s'y agrippa laissant sa monture. Tarkan s'arrêta brusquement et revint sur ses pas. Elle grimpait agilement le long du tronc de l'arbre et s'assit sur l'une des plus hautes branches. Tarkan était émerveillée de la vitesse et de la souplesse avec lesquelles elle avait escaladé cet arbre. Il était au pied du tronc et regardait les pieds et les jupons de la belle.

-J'avais entendu parler de toi, ma jolie. Je savais ce que tu pouvais faire avec un cheval mais on avait omis de me dire que tu avais aussi la facilité des hauteurs.

-Laisse-moi ! Va-t-en !

-Parce que tu crois qu'il suffit de se jucher à un arbre pour me décourager, Mira ?

-Je vais y rester aussi longtemps qu'il le faudra.

-Ha ! ha ! Mira, Mira ! Tu crois vraiment que je vais partir et te laisser gentiment descendre pour t'enfuir ? D'autant plus que la vue d'ici est plutôt intéressante, ma jolie.

Mira ramassa ses jupons et plia ses jambes. Elle s'accota le dos sur le tronc.

-Mira, pourquoi m'enlèves-tu aussi ce petit plaisir ? Tu es d'une cruauté ! Si tu ne descends pas de toi-même, je vais devoir me rendre jusqu'à toi !

-En es-tu capable Tarkan ?

-Mais si ! j'en suis capable ! Je suis moins, beaucoup moins agile que toi, mais pour toi je ferais n'importe quoi !

-Je vais sauter d'une branche à une autre si tu essaies !

-Mais tu as de la parenté avec les orangs-outans ma foi !

-Des orangs-outans qu'est-ce que c'est ?

-Ha ! ha ! Des singes qui se balancent d'une branche à une autre. Mais si tu es parenté avec eux c'est seulement pour cette raison parce qu'ils sont loin d'être aussi beaux que toi !

-Tarkan, ça suffit, j'en ai vraiment assez ! Laisse-moi ! Va courir après les jupons des jolies Arabes qui arpentent les rues de vos villes. Elles seront beaucoup plus gentilles que moi avec toi !

-Mira ! Tu penses vraiment que je m'intéresse aux jupons des autres femmes ? Tu me déçois beaucoup, beaucoup. Je veux avoir ce qu'il y a sous tes jupons à toi et je veux avoir ce cœur qui est si bien caché derrière cette opulente poitrine !

-Je ne descendrai pas, va-t-en !

Il approcha son cheval et monta debout sur son dos et commença à gravir lui aussi une branche et puis une autre. Elle se leva et le regardait. C'est qu'il grimpait. Peut-être plus lourdement qu'elle mais il grimpait. Elle ne lui échapperait pas de cette façon. Les autres arbres étaient beaucoup trop loin pour qu'elle puisse atteindre une branche.

-Non arrête ! Tarkan, arrête, je vais descendre.

Tarkan souriait et la regardait descendre.

-Mira, j'ai une vision d'ici, c'est tout simplement fantastique !

Mira se retourna. Elle agrippait ses jupons et était très insultée qu'il puisse faire de l'humour dans un tel moment.

-Que tu peux être grossier ! Je vais t'arracher les yeux ! Espèce d'incorrigible vicieux ! Tu m'insultes tellement.
-Ha ! ha ! C'est si beau Mira ! Comment peux-tu m'en vouloir ?
-Descends tout de suite ! Je ne veux pas te rencontrer en pleine descente, je serais capable de te pousser. Je suis tellement choquée !
-Bon, bon, je descends. Même si j'aurais bien envie de te prendre contre le tronc de l'arbre en pleine hauteur.
-Espèce de petit salaud ! Comment oses-tu penser à des choses comme... dans de pareils moments ! Tu ne perds rien pour attendre Tarkan. Je vais te faire passer l'envie, je sais comment faire. Ne crains rien !
-Ah ! Qu'Allah m'entende, elle veut me donner un coup dans les parties ! Comme si je ne savais pas que c'est l'arme favorite des dames.

Elle était sur la dernière branche et Tarkan était assis sur sa monture à la hauteur de ses pieds. Elle lui donnait des coups de pieds qui passaient tous dans le vide. Tarkan esquivait avec brio les pieds de la belle. Puis il attrapa son pied et la tira. Elle perdit l'équilibre et elle tomba assise devant lui. Elle était folle de rage. Elle lui donnait des coups de poings. Tarkan riait et il lui serra les poignets et avait une corde déjà toute prête pour attacher la belle récalcitrante.

-J'ai bien envie de te cracher au visage, Tarkan ! Je n'ai jamais fait ça mais tu le mérites ! M'attacher !
-Si tu fais ça, là, je serai en colère contre toi et tu sais que quand je suis en colère je peux être très méchant, Mira. Et je t'attache parce que tu ne me laisses pas le choix. Maintenant on retourne la petite diablesse comme ça et là elle ne peut plus rien faire.
-Si tu me trouves cruelle, je me demande quel mot je pourrais utiliser pour définir ce que tu me fais !
-Ah ! Petite tigresse ! Je t'ai je te garde ! Je te ramène avec moi et tu ne quitteras plus le foyer conjugal !
-Comment as-tu dit ? Le foyer conjugal ! Tarkan je ne suis pas mariée avec toi ! Je ne suis même pas ta femme, ni ta maîtresse.
-Tu seras ma femme un jour ! Je te marierai !

-Ce que tu peux être têtu ! Jamais, tu m'entends, jamais je ne serai ta femme Tarkan.

-Je suis têtu, mais je suis très patient ! J'attendrai c'est tout !

Mira était déchaînée. Elle avait les poignets attachés et il la tenait fortement contre lui avec son bras. Elle ne pouvait plus bouger.

-Cesses de te débattre pour rien, Mira. C'est d'une facilité de te tenir si tu savais. Tu gaspilles tes énergies pour rien. Prends plutôt plaisir à être contre moi sur le dos d'un cheval et admire le paysage.

Elle cessa de se débattre. Tarkan avait raison il la tenait si bien qu'elle n'avait aucune chance ! Il revenait vers la demeure la belle assise devant lui. Les hommes voyaient le prince de loin. Aucun d'eux n'avait le droit de regarder maintenant, il leur avait permis d'admirer une seule fois. Ils vaquaient à leurs occupations sans faire de cas des deux cavaliers qui s'avançaient vers eux. Tarkan se rendit jusqu'à la porte de la demeure. Puis il débarqua de la monture et prit Mira par la taille pour la descendre. Elle avait toujours les poignets liés. Les gardes restaient de glace devant la scène qui se déroulait devant eux. Ils n'avaient pas le droit d'émettre une opinion sur les agissements du prince. C'était comme ça. Mira opposait encore de la résistance. Tarkan devant ce manque de collaboration la balança sur son épaule.

-Lâche-moi Tarkan ! Je ne veux pas entrer ! Lâche-moi !

Tarkan faisait la sourde oreille. Il entrait et montait les marches avec la belle sur les épaules. Elle le frappait sur les fesses avec ses petits poings liés.

-Tu me frappes Mira ! Attends un peu qu'on arrive dans la chambre. Mauvaise fille !

Plus il en disait plus elle le frappait. Elle se déchaînait à nouveau. C'était la seule façon d'exprimer sa frustration. Entrés dans la chambre, il la déposa sur le lit. En furie, elle s'agenouilla, les cheveux en bataille essayant de défaire ses liens exprimant par des pleurs et des cris sa rage. Tarkan restait debout et regardait avec amusement la tigresse vaincue et capturée.

-Je déferais bien ces liens mais j'ai peur d'être griffé ou mordu !

Elle cherchait encore à le frapper, essoufflée et à bout de force toujours, agenouillée cherchant à reprendre son souffle.

-Il fera nuit bientôt. Je vais te faire monter quelque chose à manger. Tu en as grandement besoin. Après tu vas dormir.

-...Je... je... ne mangerai rien... tu peux bien faire ce que tu voudras ! Salaud... Salaud...

Elle se jeta à plein ventre sur le lit et éclata en sanglots, épuisée. Tarkan voyant qu'elle pleurait à tout rompre, se pencha sur le lit. Il prit ses petits poignets rougis et d'un coup de couteau la libéra. Il posait un genou sur le lit. Elle se releva et voulait encore le frapper mais elle s'éloigna comme un animal épeuré vers le coin supérieur gauche du lit.

-Ne me touche pas ! Ne me touche pas !

Elle pleurait tellement que Tarkan enleva son genou du lit et fit le tour pour s'approcher d'elle. Elle hurlait et le fuyait.

-Non... ne me touche pas ! Je ne veux plus de tes mains sur moi ! Va-t-en !

Tarkan sauta dans le lit et la prit contre lui. Elle se débattait encore. Il lui maintenait les bras fortement. Elle était en crise. Elle criait. Elle pleurait.

-Non, non, non ! Ne me touche pas ! Lâche-moi ! Lâche-moi !

Tarkan essayait de la raisonner. Elle criait encore plus fort qu'elle et il serait avec force ses petits bras.

-Mira ! Mira ! Ça suffit maintenant. Calme-toi !

Elle cherchait à lui mordre les doigts.

-Mira, ne m'oblige pas à être méchant. Calme-toi !

Il n'y avait rien à faire elle persistait à lui tenir tête. Elle le frappait dans le dos avec son genou. Tarkan perdait peu à peu patience.

-Si tu n'arrêtes pas tout de suite, Mira...

-Débarque, débarque, lâche-moi ! Salaud, Salaud ! Tu n'es pas un amant tu es une bête... Je te déteste...

Tarkan lui envoya une gifle en plein visage. La tête de la belle s'était retournée vers la gauche sur le coup. Il avait frappé la belle

Mira. Elle ne criait plus, elle ne bougeait plus. Elle était si essoufflée. Sa poitrine se soulevait si vite. Ses cheveux cachaient son beau visage. Elle était si calme soudainement. Elle était toute molle. Vidée de toute énergie. Tarkan s'était choqué une fois de trop. Il avait levé la main sur la douce en état de crise. Il relâcha son emprise. Il souleva douce-ment les cheveux du visage de la belle. Il avait peur de ce qu'il aurait trouvé dessous. Elle avait les yeux fermés. Les larmes avaient enduit son visage et rougi ses yeux. Il voyait l'empreinte de sa main sur la joue délicate de la belle. Il avait utilisé sa force contre elle. Il regardait ce qu'il avait fait et les remords le rongeaient. Il se pencha sur elle.

-Mira, Mira je te demande pardon… Mira pardonne-moi !

Elle ne bougeait plus. Elle ne faisait que reprendre son souffle. C'est tout ce qu'elle pouvait faire. Tarkan se collait sur elle. Il passait ses mains dans ses cheveux.

-Mira, dis quelque chose ! Je t'en prie, Mira ! Je te demande par-don, je n'aurai jamais dû… Mira, Mira…

Tarkan réalisait qu'il avait commis une autre terrible erreur. Le viol était sans aucun doute une erreur pour lui mais de l'avoir frappée était encore plus catastrophique. Il se culpabilisait. Elle ne méritait pas ce qu'il venait de lui faire. Il restait sur elle espérant qu'elle lui par-donne son geste. Il se leva et resta près du lit quelques secondes regardant Mira qui ne bougeait toujours pas. Il sortit en claquant en-core la porte. Mira avait la joue qui picotait. Elle reprenait son souffle. Elle essuyait ses joues. Elle était épuisée. Elle se relevait avec peine. Elle ne savait plus ce qu'elle devait faire. Elle n'était pas dans un état pour s'évader maintenant. Elle était exténuée et toutes les émotions qu'elle avait eues depuis la veille l'a rendaient impuissante de se lever debout et tenir sur ses deux jambes. Elle se coucha tout replier sur elle-même la tête sur un gros coussin. Elle avait le cœur comme une passoire. Les trous laissés par toutes ces déceptions, toutes ces luttes la rendaient vulnérable et elle le savait. Elle ferma les yeux. Elle re-passait tous les événements marquants de sa vie. La première rencontre avec Boris qui avait lui aussi au début cet air si prétentieux et si sûr de lui. La mort violente sous ses yeux d'Éric, jeune, beau et innocent. Son voyage forcé vers le château de Boris et le caractère impulsif du jeune roi. L'arrivée de Bjarni et Mirikof dans la chambre où elle était enfermée. La panique qu'elle avait ressentie lorsqu'elle avait compris ce qu'ils voulaient faire. Bjarni avait certes montré un peu d'agressivité mais de tous les hommes qui avaient partagé sa vie il était de loin le moins violent, le moins possessif, le plus charmant et il était son premier véritable amour. La naissance du prince Éric et la ressemblance avec Boris l'avaient profondément déçue. Ensuite Varek qui jalousait Bjarni au point de le tuer et de prendre sa femme. Le retour de Boris grand conquérant. Un Boris transformé par les remords et une séparation de plus de cinq longues années. Sa liaison avec lui pendant plusieurs années. Une liaison riche d'affection et d'amour après avoir été tellement déçue de l'homme qui avait pris sauvagement sa virginité. La rencontre avec Yousef qui présentait les mêmes symptômes de pouvoir et de puissance que le Boris du début. La prise de possession calculée et mesquine du roi Yousef grand conquérant et impitoyable guerrier. La mort violente et surprenante de Boris sur un tout petit champ de bataille coïncidant fatalement avec une naissance difficile et non désirée d'un autre fils aux traits d'un homme étrange et lointain. La visite surprise de Yousef après la mort de Boris et la vue de cet homme avec son fils âgé de quatre mois. Une vision incroyable et déconcertante d'un homme si dur et si intransigeant tenant un poupon comme une fleur. Sa croisade contre Gustof où Yousef s'était présenté la libérant d'une mort certaine et son voyage pour se changer les idées qui la ramenait vers cet homme qui démontrait lui aussi un changement à cent quatre-vingts degrés. Un homme qui ne cherchait plus à la prendre sauvagement mais à la combler d'amour et de tendresse. Et maintenant Tarkan qui lui rappelait d'affreux souvenirs de violence et de terreur. Quand cela se serait-il enfin terminé ? Et ses luttes pour l'égalité entre les sexes. Elle était vidée. Elle n'avait plus le goût de combattre. Elle s'endormit sur ces pensées.

Quelques heures plus tard, Tarkan revint dans la chambre. Il faisait nuit et la clarté de la lune en déclin donnait un léger éclairage dans la chambre. Il s'approcha doucement du lit. Elle dormait accroupie sur elle-même la tête sur un coussin et les mains qui avaient visiblement tenu le coussin fermement pendant plusieurs minutes. Mais elle était endormie, calme et sereine. Il regrettait amèrement son geste et était sorti se déraer le long de la plage. Il enleva son veston et s'installa tout près d'elle. Elle était froide, la nuit était plus fraîche. Il se releva et se rendit à la penderie où il y en sortit une grosse couverture et borda la belle. Il s'étendit près d'elle. Il passa son bras autour d'elle et resta dans cette position pendant un long moment. Il n'arrivait pas à dormir. À peine une petite respiration lui indiquait qu'elle n'était pas morte mais bien endormie. Puis elle semblait en plein cauchemar. Elle gémissait et faisait de petits mouvements brusques. Elle se retourna et sans s'en rendre compte elle se blottissait contre lui. Il l'installait confortablement afin qu'elle dorme paisiblement. Ses petites mains touchaient le torse nu du jeune homme. Elle avait le bout des doigts frigorifiés. Il l'enveloppait dans la couverture et se serrait contre elle. Sa délicatesse et sa fragilité donnaient encore plus de remords à Tarkan. Lui si fort et si robuste, il aurait pu lui faire vraiment mal. Il avait perdu contrôle et il ne se le pardonnerait jamais. L'aurait-elle pardonnée ? Il en doutait. Elle était si récalcitrante et résistait tellement à ses avances. Il fermait les yeux en espérant qu'à son réveil elle ne soit pas trop effrayée d'être si près de lui. Aurait-elle encore essayé de se débattre et serait-elle encore en colère contre lui ? Pour l'instant il était bien. Elle se réchauffait auprès de lui. Elle se blottissait contre lui. Ses douces mains sur son torse imposant le rendaient fier de lui servir d'oreiller. Elle était tout pour lui. Il en était fou. Fou, c'est ce qu'il devenait jour après jour. Il n'arrivait pas à se contenir dans tous les sens du terme. Il savait qu'elle lui faisait perdre la tête. Il l'aimait plus que lui-même. Les erreurs qu'il commettait envers elle lui donnaient l'impression qu'elle avait un pouvoir surnaturel sur les hommes qui l'entouraient. Elle dégageait une telle attirance. Elle était plus que belle, elle était énigmatique. Après une heure dans cette position idéale pour Tarkan elle montrait des signes d'agitation. Elle semblait encore être aux prises avec un autre cauchemar. Mais cette fois elle se réveilla en sursaut. Tarkan la tenait contre lui. Elle prit quelques instants avant de s'apercevoir où elle était et qui était près d'elle. Tarkan voyait qu'elle était effrayée.

-Mira... c'est moi ! Tu as fait un mauvais rêve...

Elle le regardait et se raidissait. Elle comprenait qu'elle avait dormi contre lui. Tarkan sentit les tremblements, la peur, l'angoisse s'emparer d'elle.

-Mira... Mira... n'aie pas peur de moi... Je regrette tellement ce qui s'est passé... Je te demande pardon... Pardonne-moi Mira, je t'en prie... Jamais plus je ne lèverai la main sur toi, jamais tu entends ? Jamais plus...

Elle était la Mira qu'il avait enlevée. Devenue une petite fille effrayée et qui était vulnérable face à la force de l'homme. Elle se repliait sur elle-même, silencieuse et épeurée. Elle ne bougeait pas.

-Mira, je t'en supplie, pardonne-moi ! Je me sens si coupable... Dis-moi que tu me pardonnes... Je vais devenir fou... Je regrette tellement, si tu savais...

Elle ne bougeait toujours pas, elle était entre ses bras et se demandait ce qu'il aurait encore fait. Elle fermait les yeux. Elle savait que

Tarkan regrettait sincèrement son geste, mais elle ne pouvait pas pardonner aussi facilement surtout avec tout ce qu'elle subissait depuis deux jours. La meilleure façon était pour elle de rester immobile et de ne plus l'affronter. Il n'avait pas du tout l'intention de la laisser partir et maintenant elle en était certaine. Yousef et Mirikof auraient fini par la retrouver. Mieux valait pour elle de vivre encore des assauts sexuels que des affrontements physiques avec un jeune homme fort, robuste, et impulsif. Elle restait entre ses bras et ne se rebuterait plus. De toute façon elle était épuisée. Tarkan la serrait contre lui passant ses gros bras sur son dos et voulait se faire pardonner. Comme elle ne répondait rien, Tarkan comprenait qu'elle ne lui pardonnerait pas aussi facilement.

Après plusieurs minutes de silence, Tarkan se mit à l'embrasser sur le front, la tête et le cou. Il avait envie d'elle. Elle le sentait bien. Elle gardait les yeux fermés. Elle restait comme une morte sans donner avale à ses caresses. Il la couchait doucement sur le dos. Il l'embrassait sur les lèvres il était si passionné. Il passait ses mains sous son dos et défaisait les boutons de la robe, un après l'autre doucement. Elle gardait les mains sur sa poitrine. Il enlevait la robe. Il enlevait son pantalon. Il se frottait avec fébrilité sur elle. Il recommençait à éprouver un désir irrésistible de la toucher partout, de l'embrasser partout. Il la prenait encore. Il faisait le tout avec tendresse et délicatesse. Comme elle n'opposait aucune résistance il ne la grimperait plus en sauvage.

Quant à moi et Yousef nous étions désespérés. Aucune trace de la belle et du jeune prince. Nous devions nous arrêter. La nuit était maintenant tombée et les hommes et les chevaux étaient à bout. Nous nous installâmes dans la cour d'une des demeures, la dernière, de Yousef. Nous avions passé au crible fin les demeures connues de Yousef et des princes mais rien, il n'y avait aucune trace. Yousef était tellement mélancolique. Où son fils avait-il pu emporter Mira ? Impossible que ce soit dans une demeure humble et sans intérêt. Non, il connaissait bien Tarkan et il savait qu'il n'aurait pas emmené la belle dans un endroit de la sorte. Le faste faisait bien trop partie de sa vie de prince. Mais Yousef se mit à réfléchir à une option. Une option qui ne lui avait pas traversé l'esprit dans ces moments d'émotion extrême. Et Si Tarkan avait emporté la belle dans une demeure d'un fonctionnaire important ? Eux aussi ils avaient des demeures riches et impressionnantes. Oui c'était certainement ce qu'il avait fait. D'un bond, il était sur ses pieds et je voyais qu'une idée venait de surgir dans la tête du roi.

-Sire, qui a-t-il ?

-Je pense savoir où il l'a emmenée. Je ne pense pas, j'en suis sûr maintenant !

-Mais parlez Sire ?

-Il l'a emmenée dans une demeure honorable. Une demeure appartenant à un fonctionnaire important peut-être l'un de mes ministres.

-Mais comment Sire, vos fonctionnaires ou vos ministres joueraient-ils avec leur titre contre vous ? Ça me semble improbable.

-Non, je pense plutôt à un fonctionnaire ou un ministre à la retraite ou l'un de ses fonctionnaires à lui qui aurait accepté de passer sa demeure au Prince et ce peut-être même sans savoir ce que Tarkan avait derrière la tête.

-C'est effectivement une stratégie digne d'intérêt !

-Je vais questionner mes généraux. Ils savent sûrement quelque chose qui pourrait nous mettre sur la bonne piste.

Yousef était si énergique tout à coup. Il fit venir tous ses généraux qui l'accompagnaient et les interrogea. Après plusieurs minutes de discussion en arabe, Yousef semblait satisfait de la réponse de l'un d'eux. Il revint à la course vers moi.

-Mirikof, je sais avec précision où il l'a emmenée !

-Comment, vous en êtes sûr ?

-Oui, il est futé, mais il est découvert maintenant.

-Mais parlez Sire je suis curieux de savoir qu'est-ce qui vous fait penser que…

-Mirikof, j'avais un vieux ministre qui était à la retraite depuis plusieurs années. Il était très malade. Il avait une magnifique demeure près de l'océan, très retirée et il n'allait plus dans cette demeure depuis plusieurs années. Le mois passé il est mort et un des fonctionnaires de Tarkan a acheté la demeure. Comme je sais que ce fonctionnaire n'est pas en moyen de s'offrir une telle demeure, il l'a fait à la demande de Tarkan. Mais je ne savais pas que ce fonctionnaire avait acheté cette demeure parce que c'est son nom à lui qui apparaît sur les titres de propriété et non celui du Prince Tarkan. Il avait bien tout calculé le petit salaud ! Je suis certain maintenant que c'est là. Nous allons encore rester les hommes et les chevaux se reposer pendant quelques heures. Aussitôt le levé du soleil on se mettra en route. C'est à environ cinq heures à cheval, d'ici. Nous devrions y être au début de l'avant-midi.

-Bon, je vais en informer mes hommes. Puissiez-vous avoir raison Sire, nous sommes si désespérés !

-Je suis convaincu que c'est là. On m'a même dit que certains paysans ont effectivement remarqué qu'il y avait de l'activité dans la demeure depuis plusieurs semaines. Il a dû envoyer quelques-uns de ses hommes rouvrir la demeure et vaquer aux occupations journalières pour la remettre en état. Je l'ai retrouvé ce petit enfant de pute et il va payer pour ce qu'il a fait… !

Tarkan se satisfait allégrement aux dépens de la belle. Il le faisait avec douceur mais il savait qu'elle ne se donnait plus. Il ne pouvait pas se contenir près d'elle et elle le savait bien. Plusieurs fois pendant la nuit, il l'enfilait profitant au maximum de sa présence dans son lit.

Au petit matin, il se leva et mit son pantalon. Mira, elle, épuisée mais en meilleure forme que la veille, se levait elle aussi. Il lui remit une autre robe qu'il avait déposée sur le dossier d'une chaise. Elle était en taffetas brodé or ton sur ton, les boutons cette fois étaient à l'avant. Les dentelles riches et travaillées étaient de toute beauté. Cette robe aux accents arabe donnait une allure à la reine blonde d'une princesse des mille et une nuits. Ce qu'elle était belle. Tarkan la regardait envoûté. Elle ne disait pas un mot et s'habillait sans le regarder. Elle boutonnait le dernier bouton quand soudainement la porte s'ouvrit brusquement.

Mira se retourna, et Tarkan qui était au fond de la pièce face à la porte regardait lui aussi. Yousef était debout dans le cadre de la porte. À l'arrière, je me trouvais accompagné de quelques hommes immobiles derrière le roi. Yousef jeta un coup d'œil rapide à Mira et se mit à fixer Tarkan avec un regard rempli de rage. Il entra et referma la porte avec fracas derrière lui. Je compris que nous devions laisser le roi régler ses comptes avec son fils. Nous restâmes derrière la porte et on interviendrait si le tout s'agiterait un peu trop.

Mira regardait Yousef et ne savait pas ce qu'il pensait de la trouver comme ça près d'un lit avec son fils à demi habillé. Elle voyait bien qu'il ne la regardait pas et qu'il fixait son fils qui lui restait sur sa position et ne démontrait aucune peur de l'intrus dans sa chambre. Les deux hommes plongeaient leur regard l'un dans l'autre. Mira devina que Yousef allait faire une chose épouvantable. Le silence entre les deux hommes face à face parlait de lui-même. Mais Tarkan prit la parole :

-Tu en as mis du temps pour la retrouver… Il est un peu trop tard, tu te doutes bien que je l'ai enfilée à ma guise pendant des nuits et des jours entiers.
-Espèce de fumier ! Je vais t'arracher les yeux, moi !

Il sortit son épée et faisait face à son fils. Mira s'interposa en larmes entre le fils et le père.

-Non... non... Yousef, Yousef, ne fait pas ça... non... c'est ton fils... Yousef... Non... Je t'en supplie... fais ce que tu veux de lui... mais ne le tues pas... Non...

Elle s'accrochait à lui en pleurant. Il détourna son regard vers elle et c'est avec stupéfaction qu'il vit une marque rouge sur sa joue et ses petits poignets rougis, cause des liens serrés de la veille. Il releva la tête vers Tarkan.

-Comment tu l'as battue ? Tu as osé lever la main sur elle. Dégueulasse ! Salaud ! Salopard ! Ça, je ne te le pardonnerai pas.

De son épée il fit une écorchure sur le torse nu du jeune homme qui se recula. Mira hurlait, tentant de retenir un roi aussi imposant et robuste que son fils.

-Non... non... Yousef...

Nous sommes entrés et nous dûmes retenir les deux hommes qui allaient visiblement s'entretuer. Yousef se mit à hurler en arabe à ses hommes :

-Emmenez-moi ce petit fumier au château à la salle de torture ! Fouettez-le, battez-le... je le finirai moi-même !
-Tu peux bien me faire fouetter, me torturer, je n'ai pas peur de toi ! ! ! J'ai eu un tel plaisir avec elle et ça, tu ne peux pas me l'enlever... !

Lui criait Tarkan qui se faisait entraîner hors de la pièce par plus de quatre hommes. C'est qu'il était un très solide gaillard comme son père et il était difficile à maîtriser. Yousef était lui aussi retenu par plusieurs hommes. L'épée du roi tomba avec fracas sur le plancher de pierre. Une fois son fils hors de vue il ordonna qu'on le relâche. Mira était en pleurs, les mains sur le visage. Les hommes se regardèrent tous et relâchèrent le roi.

-Sortez, sortez tous ! Criait Yousef.

Nous nous sommes retirés comprenant qu'il avait à parler avec la reine. Une fois tous sortis et la porte refermée, Yousef regardait Mira qui s'était assise sur le rebord du lit en larmes. Il se calma et s'approcha pour s'agenouiller devant elle. Il la prit dans ses bras.

-Mira... ne pleure plus... Je suis là ! J'ai mis trop de temps à te retrouver et je ne me le pardonnerai jamais. Je t'en prie ne pleure plus. Je vais te ramener avec moi et je vais prendre soin de toi. Cette fois Tarkan ne pourra plus s'enfuir je te le jure. J'ai tellement eu peur pour toi... Je n'ai pas fermé l'œil depuis le début de cette histoire. Je t'en prie ne pleure plus.
-Yousef... Yousef...

Elle se jetait à son cou et le serrait si fort. Elle était en larmes et elle n'arrivait pas à se consoler.

-Ma petite déesse, c'est fini. Je suis là ! Laisse-moi voir ton visage...

Elle le regardait les yeux pleins d'eau. Il regardait cette marque et les délicats poignets. Il rageait.

-Je suis tellement en colère contre lui d'avoir osé, d'avoir osé te faire tout ce qu'il a fait. Il va payer pour ça crois-moi !
-Yousef... que vas-tu faire de lui ?
-Ce que je vais faire de ce fils indigne ? Mais ma petite déesse il va mourir aux bouts de ses souffrances comme il t'a fait souffrir...
-Yousef... Non... il a certes manqué de jugement et de dignité envers moi, mais c'est ton fils Yousef... Enferme-le, exile-le, mais ne le torture pas... c'est affreux, c'est ton fils Yousef ! ! !

Yousef resta silencieux pendant quelques secondes.

-Pourquoi, Mira, dis-moi pourquoi je l'épargnerais après tout ce qu'il a fait ?
-Parce que c'est ton fils, Yousef !
-Est-ce la seule raison, Mira ? Ou parce que tu es tombée amoureuse de lui ?

Cette question blessa Mira. Elle retira ses bras autour de lui et se recula.

-Comment peux-tu me demander ça, Yousef ?

Elle se leva et voulu sortir de la pièce en courant. Elle était si offensée qu'il ait pu douter d'elle à ce point. Mais Yousef la retint. Il savait qu'il l'avait blessée.

-Mira, Mira excuse-moi ! Mais il fallait que je sache… Il est plus jeune que moi et il est plutôt beau… Après presque trois jours passés à ses côtés, j'ai cru que peut-être tu avais cédé à son charme. Il fallait que je sache Mira, comprends-moi !
-Et toi, tu n'as pas pensé que j'ai passé trois jours d'épouvante et de frayeur en plus de me faire continuellement…

Elle se tut pleurant à fendre l'âme. Yousef savait, avec son manque de délicatesse, qu'il avait humilié Mira par sa question. Elle avait subi des dégâts émotifs importants. Tout ce qu'il espérait c'est qu'ils ne soient pas irréparables. Il la prit contre lui.

-Mira calme-toi… Chuuuut ! Arrête de pleurer. Tu es épuisée et moi aussi. Sèches tes larmes je te ramène à la maison. C'est fini maintenant, je suis là.

Elle se collait contre lui fermant les yeux tentant de se contenir. Yousef la tenait et il était heureux de l'avoir retrouvée et qu'elle était encore amoureuse de lui. Après quelques minutes de calme et d'étreintes il se pencha et la prit dans ses bras et sortit de la pièce. Elle s'était accrochée à son cou et se laissait transporter. Certains des hommes de Yousef étaient déjà partis emportant avec eux le jeune prince vers le château.

Quant à nous, nous attendions, ayant fait avancer un carrosse pour ramener la belle. Tout le monde était soulagé lorsqu'ils virent Yousef sortir la dame dans les bras et embarquer dans le véhicule. On se remit en route aussitôt. Yousef était assis et Mira le tenait toujours par le cou. Yousef l'entourait de ses bras et embrassait cette tête blonde en pensant avec effroi à tout ce qui s'était passé.

Après leur arrivé au palais, Mira se remettait tant bien que mal de la mauvaise aventure qu'elle avait subie. Yousef était très compréhensif. Il ne demandait pas de faire l'amour avec elle. Il attendait qu'elle se décide d'elle-même. Il dormait avec elle et la tenait toujours contre lui pour l'endormir.

Deux jours plus tard, Mira se donna à Yousef. Il était si heureux. Ils se retrouvaient encore une fois. Sa belle déesse était toujours un précieux trésor pour lui.

La cérémonie du mariage avait été mise en suspens. Le roi considérait que la reine devait se remettre complètement de toutes ses émotions. Lorsqu'elle serait prête, il savait qu'elle le lui aurait demandé de convoler en justes noces avec lui. De toute façon, il ne restait plus qu'elle donne son aval car tout était prêt.

Mira n'avait pas parlé de Tarkan à Yousef depuis son arrivée, mais là, elle sentait de son devoir de savoir ce que le père avait fait du fils. Elle se sentait si coupable d'être au centre d'une polémique entre Yousef et son fils.
-Yousef je… je veux savoir…
-Savoir quoi, Mira ?
-Je veux savoir ce que tu as fait de Tarkan ?

Yousef la regardait surpris par la question. Son regard perçant et inquisiteur venait de refaire surface. Il ne voulait pas parler de Tarkan. Son silence en disait long. Mira le regardait et comprenait ce que l'expression de son visage voulait dire.

-Yousef tu dois me dire…
-Pourquoi, Mira ? Pourquoi ? Après tout ce qu'il t'a fait, il ne mérite pas que tu t'inquiètes pour lui.
-C'est pour toi que je m'inquiète Yousef. C'est ton fils et si tu le tues, qu'en penseront tes sujets ? Le Roi Yousef qui tue son fils pour une Reine étrangère…
-Le Roi Yousef fait ce qu'il veut, Mira. Mes sujets le savent très bien.
-Mais Yousef là c'est différent, il s'agit de ton fils, de moi, de ta Couronne…
-N'insiste pas Mira, je ne te dirai rien sur ce que j'ai fait de Tarkan.

Yousef était choqué. Il se tournait et s'apprêtait à sortir de la pièce. Mira voulait savoir. Il se retourna.

-Je dois sortir, mais tu seras sous bonne garde. Je reviens dans quelques minutes.

Il sortit de la pièce. Mira se leva et s'habilla en vitesse. Elle devait retrouver son général Mirikof. Elle sortit de la pièce et me retrouva dans la cour arrière avec mes hommes.

-Mirikof, s'il vous plaît, j'ai à vous parler.

Elle m'entraîna dans le hall d'entrée et après s'être assuré que personne ne nous écoutait, elle me regarda fixement dans les yeux avec insistance me laissant présager qu'elle était inquiète.

-Majesté, qu'avez-vous ? Vous êtes si pâle et vous tremblez ?
-Mirikof, ma requête va sûrement vous sembler ridicule mais il faut que je sache ce que Yousef a fait de Tarkan.

La question ! Je baissai les yeux et mon air déconfit ne plaisait pas à Mira. Mon hésitation à répondre qui n'était guère dans mes habitudes, lui laissa penser au pire.

-Mirikof, je vous en prie, dites-le moi ?
-Vous le dire, Madame, ne changera rien à la situation. Je crains fort que cela ne vous blesse davantage.
-Non… Mirikof, je vous en prie… Je dois savoir… Je ne veux pas avoir encore sur la conscience la mort d'un jeune homme… Je dois savoir.
-Puisque vous insistez, Madame. Le Roi Yousef avait d'abord l'intention de mettre fin aux jours de son fils par lui-même. Il était tellement enragé après son fils lorsqu'il a fait… enfin, je l'ai raisonné du mieux que j'ai pu mais…
-Mais quoi ?
-Il ne l'a pas tué mais il est sous la torture depuis deux jours, Madame.

Mira se jeta le dos contre le mur. Elle avait la main devant la bouche et les yeux pleins d'eau. Comme si je l'avais poignardé, elle était sous le choc voyant sans l'ombre d'un doute qu'elle se culpabilisait. Il faut avouer que la situation était particulièrement délicate.

-Madame, vous n'y pouvez rien, Tarkan a choisi lui-même cette torture quand il vous a enlevée. Il savait bien que son père le retrouverait un jour ou l'autre, il ne vous a pas relâchée pour autant.
-Où est-il ?
-Ça Madame, je ne peux pas vous le dire.
-Comment votre Reine vous demande quelque chose pour la première fois de sa vie et vous refusez de me répondre, Mirikof ?
-Croyez-moi, Majesté, c'est pour moi un calvaire, mais Yousef m'a fait promettre de ne pas vous le dire.
Elle me regarda et se sauva en courant. Je la regardais courir jupons au vent à travers le long corridor montant les grands escaliers à la course où je la perdis de vue. J'étais sous la déception la plus com-

plète de la savoir encore une fois éprouvée par le destin et de ne pouvoir rien y faire.

Elle se rendit sur la tour de garde. Les gardes regardaient cette grande femme blonde aux yeux d'azur s'avancer vers eux les yeux hagards. Elle les dévisageait mais comme elle ne parlait pas arabe elle n'aurait aucune réponse de ces hommes. Elle se pencha sur les parapets. Elle observait les bâtiments. Les hommes se regardaient. Que cherchait-elle ? Elle cherchait quelque chose. Elle se déplaçait d'un point à un autre étudiant avec précision les différentes tours. Cette recherche intriguait les gardiens disposés tout au long de la tour de garde. Elle cherchait quelque chose dans un bâtiment. Puis elle semblait avoir trouvé. Elle courut vers l'escalier le plus proche et descendait les marches à toute vitesse. Elle traversa une petite cour. Les gardes pouvaient l'observer. Ils savaient désormais ce qu'elle cherchait. Elle entra dans le bâtiment. Il y avait deux gardes à une grosse porte. Elle s'avança vers eux. Comme elle mettait la main sur la poignée, les gardes croisèrent leurs longues hallebardes. Signe qu'elle ne pouvait pas entrer à cet endroit. Elle les regarda. Les deux Arabes savaient qui était cette dame. Elle se pencha et passa sous leurs armes. Ils se regardaient mais n'osaient pas retenir cette dame. Elle ouvrit la porte. Elle était devant une salle ronde dont le plafond était très haut uniquement limité par le sommet de la tour. Elle était sur une petite galerie qui surplombait cet endroit. De son regard elle fit le tour de la pièce d'abord par le haut puis vers le bas. Elle distinguait Tarkan qui lui faisait dos debout sous un échafaud de bois sur lequel on lui avait attaché les bras et les mollets. Elle regardait le dos du jeune homme lacéré, fouetté d'où le sang rigolait. Les trois autres hommes présents dans cette pièce s'étaient arrêtés et regardaient la beauté qui se tenait debout sur la petite galerie surélevée. Ils étaient tous immobiles. Elle les regardait stupéfaite et soudainement elle se tourna vers la gauche et descendit le petit escalier. Les hommes ne disaient plus un mot et ne faisaient plus un mouvement, ils étaient gelés sur place à la vue d'une femme qui entrait dans un endroit interdit. Elle les foudroya du regard. Ils savaient ce que son silence et ses yeux voulaient dire. Ils se retirèrent l'un après l'autre de la pièce et refermèrent la porte derrière eux. Tarkan disait quelque chose en arabe.

-Pourquoi vous vous arrêtez bande d'incapables…

Il avait la tête accotée sur son bras gauche, visiblement affaibli. Elle s'approcha silencieusement et observait le dos non seulement lacéré mais enflé par les coups de fouet. Les larmes lui vinrent aux yeux. Elle fit le tour et se rendit en face de Tarkan qui ne pouvait la voir car sa chevelure lui recouvrait le visage. Elle poussa délicatement la chevelure vers l'arrière. Il gardait les yeux fermés.

Elle touchait maintenant la blessure faite par Yousef sur le torse de Tarkan. À ce doux touché, Tarkan ouvrit les yeux. Elle était devant lui en larmes. Silencieuse comme toujours. Il releva doucement la tête.

-Ahhhhhh ! Mira !
-Pourquoi Tarkan, pourquoi ?
-N'aie pas peur Mira… cette torture n'est rien pour moi ! ! ! Je n'ai qu'à fermer les yeux et penser à toi…

La vue de ce massacre et ces paroles la foudroyèrent et ses larmes jaillissaient sans ménagement. La main sur la bouche fixant avec horreur les nombreuses tortures dont il avait été victime. De l'entendre accepter avec dignité sa torture pour elle lui crevait le cœur.

-Tarkan… tout ça pour une femme…
-Pour une femme si belle, si douce que les étoiles en sont jalouses… Ne pleure pas Mira… Tu as choisi et moi aussi…
-Tarkan, je ne pourrai pas oublier ce que je vois, c'est horrible… !
-Sache que ce qui est horrible c'est qu'Allah a décidé que tu en aimes un autre…
-Tarkan… je… je vais me marier dans deux jours… je ne reviendrai plus et jamais plus tu ne me verras… j'étais venue te dire Adieu…
-Non… ne me dis pas Adieu, plutôt au revoir, Mira…
-Tarkan c'est… tu espères encore… tu es bien le fils de ton père… aussi entêté !
-Mira… je t'aime… je n'accepterai jamais… et tu le sais maintenant… Voir tes jolis yeux c'est pour moi le plus beau cadeau que tu pouvais me faire…
-Adieu Tarkan.

Elle baisa sa main et la mit sur la bouche de Tarkan. Elle était en larmes. La porte plus haut s'ouvrit et j'entrais suivi de Pikov et Gustaveson, nous dévalions l'escalier. Mira restait figée sous le regard émerveillé de Tarkan.

-Majesté, venez maintenant, vous ne devriez pas être ici.
-C'est donc ça Mirikof que vous ne vouliez pas que je voie… Ce spectacle macabre auquel se livrent deux hommes pour la même femme ! Comment avez-vous pu laisser faire ça Mirikof ? Vous savez

comme je hais la torture, encore bien plus lorsqu'elle est prodiguée pour des desseins aussi futiles.

Je comprenais qu'elle était effondrée par ce qu'elle avait sous les yeux. À ce moment, Yousef faisait son entrée et dévalait lui aussi les escaliers. Lorsqu'elle l'aperçut, elle se mit à lui faire d'énormes reproches.

-Yousef… Je ne marierai pas dans deux jours, je m'en vais tout de suite, je repars en Norsufinde… Comment as-tu pu faire ça à ton propre fils… ? Que la cruauté vous emporte tous !

Elle s'enfuit en courant. Moi et mes généraux regardions Yousef et nous décidâmes de nous retirer aussitôt. Yousef s'approchait de Tarkan qui le regardait.

-Tu ne voulais pas qu'elle voie, hein ? Yousef, tu lui avais interdit de venir ici ?
-Tarkan ne joue pas ce petit jeu avec moi. Tu as bien mérité ce qui t'arrive et tu le sais.
-Si je n'étais pas suspendu et les pieds attachés je te…
-Assez… ! Tu m'as manqué de respect, mais ce n'est rien à côté de ce que tu lui as fait à elle. Elle a un cœur tendre et elle a de la peine pour toi parce qu'elle pense encore qu'il y a quelque chose de bon en toi. Malgré ce que tu lui as infligé elle oublie complètement ce qu'elle a pu souffrir parce qu'elle refuse de voir souffrir surtout lorsqu'elle est au centre de cette souffrance. Tu peux être fier de toi tu l'as détruite et maintenant elle va repartir chez elle avec le souvenir infect de deux hommes qui se déchirent pour elle.
-Tu peux bien parler toi, tu l'as aussi bien affligée de lourds souvenirs lorsqu'elle est venue au château du Grand Vizir pour la première fois… Hein Yousef ? Aurais-tu déjà oublié ce que tout le monde sait…
-Tu vas encore souffrir ! Espèce de petit salaud ! Tu ne t'en tireras pas comme ça !
-Ha ! ha ! Je t'ai dit Yousef, tu peux me fouetter, me faire battre, me tuer si tu veux mais jamais, jamais tu ne pourras m'enlever les souvenirs de sa peau de velours contre la mienne, de ses yeux d'azur, de sa bouche vermeille…

Yousef était déjà rendu aux marches qu'il montait quatre à quatre. Il ne voulait plus entendre son fils lui rappeler qu'il avait lui aussi goûté à la belle. Il était jaloux, enragé, frustré. Il sortit de la pièce. Il cherchait Mira. On l'avait vu monter à l'étage. Elle était repartie dans la chambre. Il montait à la course. Il ouvrit la porte et il vit Mira assise devant le secrétaire, penchée et en larmes. Il s'approcha. Il savait qu'il aurait une dure négociation à subir avec la belle.

-Mira… Mira…

-Ne me touche pas… !

-Mira, pourquoi es-tu allée, alors que je ne voulais pas ?

-Tu vas me faire fouetter moi aussi ! Vas-y je t'ai désobéi, vas-y Yousef ! Et moi, je ne veux pas de bourreau, c'est toi qui me fouette-ras… !

-Mira… ne dis pas de bêtises ! Mira, Tarkan savait très bien ce qu'il faisait… Il avait été prévenu et je suis certain que toi aussi tu l'avais prévenu que je ne lui pardonnerais pas…

-Qu'a-t-il fait de pire que toi et Boris ? Je n'ai pas souvenir qu'on vous ait fouetté pendant des jours ?

Yousef ne savait plus quoi dire. Elle avait peut-être pardonné mais elle n'avait pas oublié. Yousef était bouche bée.

-Laisse-moi, je veux rester seule… Je partirai demain matin dès le levé du soleil.

-Mira je t'en prie, écoute-moi ! C'est vrai que de voir un homme se faire torturer pour une femme aussi douce et tendre que toi c'est affreux. Mais…

-Non seulement c'est affreux Yousef, mais je suis si frustrée…

-Frustrée ?

-Oui frustrée, parce que je n'ai jamais voulu ce qui se passe et que je n'y peux rien. Je suis tellement en colère contre moi ! ! ! Pourquoi est-ce que je suis venue jusqu'ici ? Pourquoi est-ce que Dieu m'envoie toujours des épreuves au-dessus de mes forces auxquelles il n'y a pas de solution ? Pourquoi les hommes s'arrachent-ils mon cœur ? J'ai le cœur si déchiré que je ne sais même pas s'il en reste assez pour mes enfants…

-Mira, arrête, tu te fais du mal pour rien. Tu n'as pas à te sentir coupable. C'est vrai que nous ne te rendons pas la tâche facile, mais Tarkan m'a tellement provoqué et sur mon propre terrain cette fois.

-Yousef arrête tout de suite cette torture. Enferme-le… Exile-le… fais ce que tu veux mais cesses cette torture !

Yousef ne répondait rien. Il restait silencieux.

-Je ne te demande pas de me mettre dans son lit, non… Yousef… Je suis loin d'en avoir envie… Je ne veux pas qu'on souffre à cause de moi… c'est trop dur… J'en ai déjà suffisamment sur la conscience sans en plus savoir qu'il y a un Prince quelque part qui souffre les pires martyres à cause qu'il m'aime et que son père m'aime aussi.

-Mira… c'est vrai que je t'aime, je t'aime à la folie, je suis fou de toi, j'aurai toutes les difficultés du monde à te savoir loin de moi et que tu ne veuilles plus m'épouser, j'en ai le cœur brisé. Tu le sais Mira. Mais ce que tu me demandes, je ne peux te le donner, Mira.

-Alors ce n'est pas demain que je vais partir… c'est tout de suite, j'irai dormir chez le Grand Vizir… Je ne veux plus savoir qu'il y a sous le même toit que moi un homme qui souffre. Le fils de l'homme avec qui je rêvais de finir mes jours.

Elle se leva et se dirigea vers la porte. Yousef courut au-devant d'elle et s'interposa.

-Non… Mira… non… ne pars pas… non… je t'en prie, Mira, comprends-moi ! ! ! C'est peut-être mon fils Mira, mais c'est un étranger qui a essayé de me ravir le plus beau trésor qu'un homme puisse posséder.

-Un étranger qui a profité de ton trésor Yousef mais qui n'a nullement réussi à te le dérober. Laisse-moi passer !

-Non… non… Mira… Mira… ne pars pas… pas comme ça ! Je ne veux pas que tu partes sans qu'on se soit réconcilié… je ne veux pas que tu partes comme ça…

-Non Yousef si lui, il avait choisi, toi aussi tu viens de choisir et je ne peux faire partie de ces choix. Laisse-moi passer !

-Mira… non… je veux que tu restes… restes… je t'en prie… Mira… !

-Laisse-moi passer Yousef !

-Mira… non… arrêtes… ne pars pas. Pas comme ça. Non… Je t'en prie… Mira… tu me demandes une chose si difficile… je… je ne sais pas… D'accord… je vais… je vais… le libérer de sa torture… si tu restes avec moi !

-Si tu me mens Yousef, c'est moi qui te torturerai !

-Non… je te jure que je le ferai libérer mais il restera enfermé.

-Je veux que tu le fasses maintenant. Cette torture a assez duré. Et je te jure Yousef que je vais savoir si tu mens.

Yousef ouvrit la porte et sortit aussitôt. Il revint quelques minutes plus tard. Elle était assise sur le bord du lit. Elle se retourna vers lui. Il la regardait et s'avançait vers elle.

-Tu as encore obtenu ce que tu voulais de moi, Mira.

-Je vais savoir Yousef si tu m'as menti… et ça Yousef je ne te le pardonnerai pas. Si tu te joues de moi, ça non je ne te le pardonnerai pas.

-Je ne jouerai jamais avec ce que j'ai de plus précieux au monde, Mira. Je t'aime au point d'oublier qui je suis.

Elle le regardait droit dans les yeux. Il s'approchait. Il était clair qu'il souhaitait un baiser. Il s'approchait si doucement et passait ses bras autour d'elle. Elle ne pouvait pas lui refuser maintenant qu'il avait fait preuve d'aussi bonne volonté envers elle. Ils s'embrassaient. Les lourds nuages de tempête s'étaient dissipés comme par enchantement. Les amants se retrouvaient et s'aimaient éperdument. La nuit était chaude, parfumée de désirs et de passions.

Deux jours paisibles passèrent. En pleine après-midi Yousef se rendit chez un marchand d'étoffes et de bijoux. Il voulait offrir à la belle d'autres belles surprises. Il choisissait les robes les plus dispendieuses, les plus délicates, les bijoux les plus extravagants. Mira était retournée dans le petit salon où elle s'était assise pour lire. On cogna à la porte. Un garde annonça une visite peu commune.

-La Reine Aïsha désire s'entretenir avec vous Majesté.
-La… la Reine Aïsha… Laissez-la entrer !

La dame plus âgée que Mira se présenta à la porte. Elle était de plus courte taille et souffrait un peu d'embonpoint. Elle était couverte de bijoux et habillée d'une robe taillée dans une riche étoffe. Elle était jolie mais sans plus. Elle fixait avec jalousie la belle dame qui se trouvait devant elle. Mira l'invita à s'asseoir. Elle s'approcha de Mira sans daigner s'asseoir. Mira était devant elle et ne savait pas trop ce que voulait la première femme de Yousef. Elle parlait la langue de Mira mais avec difficulté.

-Toi, Mira, Reine du Nord, tu venue ici m'enlever mon Roi et toi pris mon fils Tarkan.

Sur ces mots elle mit la main à son corsage et en ressortit un couteau et se jeta sur Mira. Mira prise par surprise n'avait pas eu le temps de réagir. Elle la poignarda à deux reprises à l'abdomen. Mira s'effondra à genoux, la main sur les plaies qui saignaient. Les gardes qui avaient entendu Mira crier entrèrent et s'emparèrent de la femme. Les autres gardes alertés par leurs confrères accoururent. Mira était toujours agenouillée, la main sur son abdomen. À mon tour alerté par les cris et les mouvements, j'entrai en courant suivi de Pikov et Gustaveson.

La scène qui nous attendait nous cloua sur place ayant sous les yeux la jeune et belle reine agenouillée, les mains sur l'abdomen souffrant et dont les petites mains n'arrivaient pas à dissimuler complètement les plaies qui saignaient. Ayant aperçu la reine Aïsha, nous comprîmes tout de suite ce que la malheureuse avait fait. Les gardes sortirent la reine Aïsha. Yousef qui arrivait justement fut alerté dès son arrivée de se rendre au salon. Il entrait à toute allure et le spectacle qui l'attendait était loin d'être réjouissant. Il se précipita vers Mira.

-Mira, Mira... non... non... Mira... Le médecin vite !
-Yousef... Yousef...
-Ne dis rien Mira laisse-moi te transporter dans ton lit, ne dis rien.

Il était si énervé. Il prit la belle dans ses bras et escaladait les marches avec Mira qui fixait Yousef en se tenant l'abdomen. Nous le suivions tous. On installa la belle sur le lit et le médecin entra dans la pièce bondée à la belle épouvante. Yousef demandait ce qui s'était passé. Lorsqu'il sut, il ordonna qu'on coupe la tête d'Aïsha. Comme il avait donné ses ordres en arabe, Mira n'avait rien entendu. On fit sortir les gardes, les généraux et seuls moi et Yousef fûmes autorisés à rester avec le médecin et Mira.

-Messieurs vous aussi vous devez sortir... je dois examiner la dame.
-Mira, Mira ma belle déesse je reviens tout de suite après que le médecin voudra bien que j'entre.

Après plusieurs minutes interminables pour tout le monde, le médecin ressortit de la pièce. Il demanda à voir le roi seul. Mais Yousef insista pour que je sois présent. Le médecin se retira avec nous deux dans une petite pièce.

-Roi Yousef, Monsieur Mirikof, j'ai malheureusement de tristes nouvelles à vous apprendre.
-Elle n'est pas...
-Non Sire, pas encore, mais les coups de couteaux ont été portés sur une dame si frêle, si délicate... Certains organes vitaux ont été atteints... Elle va malheureusement mourir d'hémorragie interne...
-Non... non... non...

Yousef s'effondra sur une chaise en larmes. Cette nouvelle sans appel me laissa sur mes mots et moi aussi j'avais des larmes pleins les yeux, la tristesse plein le cœur... Ma reine s'en allait et cette fois ma protection, mon dévouement ne seraient d'aucun secours... Après toutes ses années passées à ses côtés... Non... ma reine à moi... ma petite pucelle de la Forêt d'Elfe, La Promise... Non !

-Si seulement je pouvais faire quelque chose, mais ce genre de blessures ne pardonne pas, Sire. Elle se videra de son sang... il lui reste peut-être quelques jours tout dépendra de son endurance... Sire... la seule chose qui reste à faire... c'est de lui administrer certains médicaments pour la soulager de la douleur... Elle est très courageuse, elle ne se plaint pas... elle n'a même pas gémi une seule fois... mais elle souffre je le sais...

Yousef se leva et courut à son chevet. Quant à moi, je revins vers mes hommes cordés dans le corridor en face de la porte de la chambre, les yeux rougis leur annonçant le verdict. Les hommes étaient tous sous le choc. Certains des hommes de Mira se laissèrent tomber sur des chaises d'autres le long des murs du corridor et la plupart en larmes. Les hommes de Yousef quant à eux étaient aussi attristés mais ce n'était pas leur reine même s'ils comprenaient la douleur de leurs semblables. Elle était si importante pour nous, elle représentait tant de choses. Une si belle et douce femme qui terminerait ses jours de façon si tragique. Je restais debout accoté sur le mur regardant tous ces hommes qui étaient à pleurer une reine jeune et belle au cœur vaillant. Je me disais que je me serais réveillé que c'était un cauchemar. Je ne pouvais croire à cette tragédie. Mira devait survivre. Elle avait été si courageuse et si forte... Elle aurait vécu et devait survivre envers et contre tous. Ses dons lui auraient peut-être servi à elle pour une fois au lieu de servir aux autres.

Yousef qui pleurait abondamment tenait la main de Mira qui le regardait compatissante de voir ce grand homme pleurer comme un enfant.

-Yousef... ne pleure pas... Celle qui devrait pleurer c'est moi, Yousef. Je suis partie de chez-moi depuis plus de trois mois et je ne reverrai pas mes autres enfants...
-Mira ne dis pas ça, Mira... Je suis sûr que tu vas combattre Mira... Tu dois combattre Mira... pour tes enfants, pour moi, pour ton Royaume, pour toutes tes causes, il faut que tu guérisses Mira... Je sais que tu vas lutter et que tu vas faire mentir ce médecin... Ah ! Mira, Mira ma petite déesse venue du Nord...

-Je vais essayer Yousef… Je vais essayer, seul Dieu peut décider maintenant.

-Je sais que tu as du mal Mira, mais la douleur de te voir souffrir est bien pire. Je t'aime, Mira, je t'aime… je ne pourrai pas vivre sans toi…

-Yousef, arrête de pleurer… je t'en prie… je suis encore près de toi et tu vois… je ne te quitterai plus. Tu as toujours voulu que je reste et que je sois toujours près de toi… Ton vœu est exhaussé.

Yousef fondit en larmes sur elle. Il passait ses mains autour de son visage, dans ses cheveux. Il resta inconsolable pendant plusieurs minutes. Mira avait les yeux pleins d'eau et la douleur qu'elle avait au côté droit était insupportable. Mais elle ne voulait pas montrer qu'elle avait mal. Elle tenait la tête de Yousef qui pleurait sur son épaule. Elle passait ses doigts dans la longue chevelure épaisse et frisée du roi démoli par la douleur. Il finit par se contrôler. Il l'embrassait sur les joues, sur le cou, et lui donna un tendre baiser sur ses douces lèvres. Il se releva et la regardait.

-Tu es si belle… tes yeux sont comme des saphirs… je t'aime tant… pourquoi s'être attaqué à toi. Elle aurait dû me poignarder à moi. Je suis bien plus coupable que toi. Toi, tu n'as rien fait… tu demandais juste d'exister… et nous on ne t'a jamais laissée vivre comme tu le méritais, c'est si injuste Mira.

-Ne dis pas ça Yousef… J'ai eu une vie difficile c'est vrai… mais Dieu a choisi pour moi, je suis une de ses brebis égarée qu'il a retrouvée et il me rappelle vers lui.

-Je ne veux pas que tu lui réponds, Mira… Il faut que tu vives, tu es jeune et il te reste encore tellement à faire… Tu ne peux pas nous laisser avec tout ça sur les bras… J'ai besoin de toi, Mira…

-Je veux juste que tu saches, Yousef, que je t'aime et que je t'aie toujours été fidèle. Tu as pourtant douté de moi, mais tu sais que je ne te mentirai pas sur mon lit de mort.

-Je te demande pardon pour tout ce que je t'ai fait, Mira… J'ai été cruel et je regrette tellement de t'avoir fait pleurer, d'avoir voulu te sacrifier parce que je t'aimais, je suis un égoïste, un capricieux, un vaniteux qui ne te méritait pas…

-Yousef tu es bien dur avec toi… C'est vrai que tu as été particulièrement capricieux les premières fois, mais tu as changé depuis. Tu es devenu un bon Roi, quelqu'un de bien, un homme compréhensif… ne sois pas si dur envers toi… Sache que je t'ai pardonné depuis longtemps. J'ai vécu à tes côtés peu de temps, mais des moments inoubliables et fantastiques. Tu m'as donné tout ce que tu pouvais et encore plus… Yousef, il faut que tu continues et que tu reprennes les rênes du pouvoir de ton royaume comme tu l'as toujours fait… Tes sujets ont besoin de toi et il leur faut un bon Roi... Un Roi juste et sensible à leurs problèmes à leurs requêtes...

-Je ne pourrai pas faire ça sans toi, Mira.

-Tu oublies Yamir... Il est ton fils... Il n'aura plus de mère et il est si jeune, c'est encore un enfant et il lui faut un père qui s'occupe de lui. Parce que si tu veux bien, Yamir va rester avec toi. C'est inutile qu'il retourne chez-moi, il est comme son père, un arabe à la peau foncée. Il a peut-être mes yeux mais il ressemble tellement à son père. Ce Roi grand et beau.

-Je vais le garder avec moi, oh ! Oui Mira, je te promets que je veillerai sur lui...

-Va chercher Mirikof, j'ai des choses à lui dire.

-Oui...

Il l'embrassait encore. Il se leva et sortit de la pièce. J'entrai me contenant du mieux que je pouvais mais Mira voyait bien que j'étais effondré de chagrin.

-Mirikof, mon bon vieux Mirikof, vous ne m'aidez pas beaucoup vous non plus. Avec la tête que vous faites, c'est difficile de dire quelque chose.

-C'est que je suis bouleversé par ce qui vous arrive, Majesté. Nous le sommes tous ! J'ai fait rappeler le reste de notre troupe du château du Grand Vizir, ils arrivent dans quelques minutes.

-Vous n'auriez pas dû déplacer tout ce monde, Mirikof. C'est bien inutile pour ce qui va se passer.

À ces paroles, j'éclatai en sanglots. Mira était émue elle aussi. Surtout de me voir dans cet état, moi qui avais toujours le mot pour rire.

-Mirikof, je... je vais essayer de... vous dire ce que j'ai à vous dire... il faut bien m'écouter... parce que je ne... ne pourrai peut-être pas vous le répétez... Le temps presse et j'ai beaucoup de choses à régler avant de...

Elle s'arrêta un moment. Je me ressaisis malgré la peine affligeante de l'entendre parler comme si elle n'avait pas mal, avec un tel calme, avec une telle sérénité. La voir accepter son sort avec un tel courage. Elle était comme toujours, déconcertante. Que cette femme était extraordinaire !

-Je veux que vous veilliez sur Éric... Il est jeune et à encore besoin d'aide pour l'ingrate tâche qu'il doive assumer. Puisqu'il est si jeune, puisque vous n'avez plus vingt ans, je vous demanderais de faire appel à mon frère Stephen comme successeur à votre tâche advenant qu'il vous arriverait malheur. C'est très important pour moi Mirikof que vous me promettiez de faire ce que je vous demande.

-N'ayez crainte, Majesté, vous avez toujours pu compter sur moi et je ne défaillirai pas à ma tâche maintenant.

-Je veux aussi que vous disiez à mes enfants que je les aime et que leur mère regrette d'avoir été si loin d'eux et de ne pas leur avoir donné le dernier baiser qu'ils méritaient. Je souhaite que Ursula et Rainer restent au château, mais vous ferez venir mon autre frère, sa femme et ses deux enfants pour qu'ils prennent soin d'eux, je suis certaine qu'ils accepteront avec plaisir de s'installer au château même s'ils me l'ont toujours refusé jusqu'à maintenant. Il faut absolument qu'Éric reste pour tous et particulièrement pour son frère et sa sœur le Roi et le bon grand frère qu'il a toujours été. Yamir restera avec son père, Mirikof. Sa place est ici et ce n'est encore qu'un bébé. Yousef a accepté sans condition de le garder près de lui. Pour ce qui est de mes choses personnelles, ne gardez que les petits bijoux pour ma fille, mes robes et tout ça remettez-les aux femmes de votre choix. Quant à tous les fonctionnaires, ministres, généraux, armée, il faut que tout reste comme c'est dans le moment, sous les ordres du jeune Roi Éric aidé du général Mirikof. Boris n'avait pas conquis tout ce Royaume pour le voir s'effriter parce que la Reine n'est plus là. Éric s'il est adéquatement dirigé sera en mesure de devenir et de rester un grand Roi comme son père l'a été. Aussi Mirikof... Bjarni vous avait mis dans la confidence de l'endroit où le plus gros du trésor de Grovache est caché... Gardez comme la prunelle de vos yeux l'endroit au secret et vous dévoilerez à Éric en temps et lieux les détails de tout ceci quant à l'itinéraire pour se rendre dans les Amers... Vous savez comme nous tenions à ce que personne ne s'aventure sur ses terres avec un dessein qui ne serait pas honorable vous ferez le nécessaire pour que tout ceci ne tombe entre des mains qui ne feraient qu'une bouchée de ces peuplades plutôt pacifiques. Ai-je oublié quelque chose, selon vous Mirikof ?

-Non... non... Majesté... Vous avez seulement oublié de vivre pour vous Madame.

Mira me regarda et malgré le contrôle qu'elle avait depuis, les larmes commençaient à jaillir de nouveau de ses yeux d'azur. Je restais silencieux à ses côtés m'essuyant les yeux. Elle me connaissait si bien et à quelque part elle venait de réaliser que j'avais raison, elle n'avait pas vécu pour elle mais pour les autres. Elle baissa les yeux et n'ajouta rien à cette phrase.

-C'est tout Majesté ?

-Non, Mirikof maintenant je veux que vous me disiez Mira quand vous vous adressez à moi, Majesté, je ne l'ai jamais été et vous me connaissez si bien et depuis si longtemps j'aimerais que vous me disiez Mira. Je suis un peu comme votre fille, non ?

-Ah ! Mira… Tu es comme ma fille c'est vrai, et tu as toujours été une grande Reine crois-moi ! Je dois partir maintenant, je ne peux plus rester, c'est trop dur pour moi… Je vais revenir un peu plus tard si tu veux bien…

-Allez Mirikof, allez, ce n'est pas très réjouissant ici et je comprends.

Je sortis sans demander mon reste n'arrivant plus à me contrôler pleurant à chaudes larmes et ce sans-gêne devant mes hommes qui me voyant dans cet état. Ils n'avaient d'ailleurs par meilleure mine que moi.

Yousef revint les yeux rougis et se rendit près d'elle.

-Tu veux voir quelqu'un en particulier, Mira ?
-Oui, je veux voir Yamir.
-Oui, je l'ai fait venir il est à la porte il attend… Mira il ne comprend pas tu sais… Il est si jeune…
-Ce n'est pas grave Yousef, je préfère ça comme ça, ceux qui réalisent sont bien plus à plaindre que lui.

Yousef avait les yeux pleins d'eau. Il se rendit à la porte et fit entrer le jeune enfant qui courait insouciant de ce qu'il allait perdre à jamais. Yousef le rattrapa avant qu'il ne monte dans le lit.

-Non Yamir, maman a boubou, tu comprends boubou.
-Boubou ? Ou boubou ? Ou boubou ?

Mira leva la couverture et montra à l'enfant sa plaie qui saignait abondamment. A cette vue Yousef recommença à pleurer. L'enfant intrigué par le sang et qui voyait son père pleurer prit son père par le cou.

-Mira… Mira… C'est affreux Mira, je ne veux pas Mira !

Il pleurait de plus en plus.

-Yamir… Yamir veut embrasser maman !
-Oui, tiens embrasses-là ta maman…

Il pencha l'enfant sur Mira. L'enfant lui donnait des bisous sur la joue.

-Ah ! Mon petit Yamir j'espère que tu seras un bon garçon et que tu ne feras pas de mal aux petites filles... Yousef, laisse-le près de moi. Je veux le tenir.

Yousef le laissa près d'elle mais il avait peur que l'enfant s'agite et blesse davantage Mira. Yamir se collait sur sa mère. Yousef était au bord du gouffre. Mira tenait l'enfant et le regardait.

-Finalement ce petit garçon nous a réunis Yousef. Il a bien failli me coûter la vie, mais aujourd'hui il est si vigoureux, si beau.
-Mira, il est beau parce qu'il vient de toi... Tu m'auras au moins laissé quelque chose de toi, quand je regarderai ses yeux je te verrai toujours à travers lui.

Yousef pleurait encore. Et l'enfant regardait sa mère et puis son père. Mira souffrait atrocement mais elle ne voulait pas le faire voir, surtout devant son fils.

-Yamir, viens maintenant, maman est fatiguée, elle doit se reposer.

Yousef le prit dans ses bras et Mira se fermait les yeux de douleur. Yousef voyait qu'elle souffrait. Il sortit en informer le médecin qui revint quelques minutes plus tard avec une petite tasse remplie d'un liquide vert. Il entra dans la pièce, seul. La belle femme étendue sur le lit essayait de garder ses yeux ouverts. Le médecin lui expliqua qu'elle serait soulagée de la douleur avec la mixture qu'il avait lui-même préparée. Elle en but une gorgée, mais la saveur était désagréable. Elle refusa d'en prendre plus. Le médecin n'insista pas. Il sortit et Yousef revint. Toujours aussi ébranlé par ce qui se passait.

-Yousef...
-Oui...
-Viens ici et écoute-moi bien...

Yousef traîna la chaise près du lit et s'installa près d'elle et lui tenait la main. Il écoutait. Elle allait lui demander quelque chose.

-Yousef... Comme tu as libéré Tarkan de la torture, je veux que tu lui donnes le droit de venir à mon chevet...

Yousef pleurait encore. Il ne pouvait pas refuser les dernières volontés de Mira. Cependant, il avait tellement eu de mal avec ce que Tarkan lui avait fait qu'il hésitait à lui répondre.

-Yousef dans quelque temps je ne serai plus... Il faut que tu lui pardonnes Yousef, c'est ton fils. Si je veux le voir à mon chevet Yousef, c'est simplement parce qu'il m'a dit qu'il m'aimait et il a le droit lui aussi de me dire ce qu'il ressent, il se sentira libérer... Si tu lui refuses ce droit, vous resterez à jamais des ennemis et je ne veux pas que vous continuiez à vous battre parce que là vous n'avez plus aucune raison... Je ne serai plus Yousef... Tu comprends Yousef? Sache que je n'ai pas pardonné tout de suite à Boris ni à toi, mais mes heures sont comptées maintenant je dois lui pardonné tout de suite. Il faut qu'il le sache.

Yousef pleurait et il lui embrassa la main. Il s'essuya les yeux et sortit de la pièce. Quelques minutes plus tard Tarkan entrait en larmes et courait à son chevet. Il s'agenouilla près d'elle et lui prit la main qu'il embrassait sans relâche.

-Tarkan, sèches tes larmes... Yousef a accepté de te laisser venir parce que je lui ai demandé. Je lui ai demandé parce que dans quelque temps je serai partie Tarkan et là où je vais on n'en revient pas.
Tarkan pleurait à son tour à se fendre l'âme.

-Tarkan avant que je pousse mon dernier souffle je tenais à te dire que je te pardonne. Je veux maintenant que tu me promettes, Tarkan, que tu vas bien t'entendre avec ton père, je lui ai demandé la même chose. Vous ne pourrez peut-être pas oublier tout de suite, mais toi, Tarkan, tu es jeune et beau, il faut que tu penses à te marier à fonder une famille, tu n'es pas obligé d'oublier si tu ne le veux pas mais si tu te souviens de moi, rappelle-toi la femme que je suis et non la Reine que tu voulais à tout prix.
-Je ne pourrai jamais t'oublier Mira et j'ai toujours aimé la femme et non la Reine... Je regrette tellement de t'avoir fait mal, de t'avoir brusquée et d'avoir voulu de toi, ce que tu me refusais. La torture que j'ai subie n'est rien à côté de celle que je vis présentement à savoir que ma mère a osé poignarder la plus belle femme que j'ai vue, que j'ai connue et avec qui j'ai partagé des jours inoubliables, Mira. Je ne pourrai pas t'oublier et je doute que je puisse un jour me marier... pas après t'avoir caressée, t'avoir aimée.
-Tarkan, il faut que tu te reprennes en main que tu vis pour aider Yousef. Cessez de vous quereller et de vous affronter, il n'y a plus de

raison maintenant. Quant à ta mère je lui pardonne elle aussi, parce qu'elle a souffert plus que je ne souffre maintenant.

-Non... elle n'a jamais souffert, elle était jalouse et possessive, elle...

-Chuuutttt ! Non Tarkan, il ne faut pas que tu haïsses ta mère... c'est ta mère comme Yousef est ton père. Moi, je ne suis qu'une étrangère qui est venue ici et à cause de qui une femme et deux hommes ont failli perdre la vie. Je n'avais pas à venir ici...

-Non... non... Mira ne dis pas ça... ne dis pas ça... Tu es la lumière, le soleil, les étoiles, la lune et bien plus encore... Tu as mis dans chacune de nos vies un rayon de lumière si intense qu'il brillera à jamais... Mira, je ne regrette rien de ta venue ici... non... Même Yousef dirait comme moi... Tu es si merveilleuse, si exceptionnelle, tu n'as pas à te culpabiliser pour ce qui s'est passé, bien au contraire nous sommes tous responsables de ce qui arrive, moi le premier.

-Tarkan... Tu dois partir maintenant je suis si fatiguée...

-C'est dur... très dur pour moi de ne plus jamais te revoir...

Il éclata en sanglots et fit comme son père et mit sa tête contre elle. Elle était en prise avec une douleur intense et Tarkan se rendait compte qu'elle souffrait énormément. Il était si triste, si peiné de la voir souffrir et de mourir un peu à chaque seconde qui passait. Il lui donna un baiser sur les lèvres et sortit en larmes. Il fit face à son père.

-Je crois que vous devriez tous y aller maintenant, elle souffre énormément...

Tarkan resta accoté sur une table en larmes parmi les hommes qui l'avaient emmené à la torture. Nous sommes entrés moi et Yousef et je suis resté debout devant le pied du lit. Yousef s'agenouilla de nouveau et prit la main de la belle qu'il ne cessait d'embrasser. Mira était vraiment souffrante. Elle regardait Yousef.

-J'ai froid...

Nous savions qu'elle se vidait de son sang et que la fin était proche.

-Yousef, je ne crains point la mort. Le monde où je me rends est magnifique. Je l'ai déjà vu et un jour, vous m'y rejoindrez tous. Mais tout ce que j'espère c'est que dans celui-ci, ce pour quoi j'ai combattu, l'égalité entre les hommes et les femmes, l'égalité entre les pauvres et les riches... si seulement je pouvais mourir en espérant que le peu que j'ai accompli durant ma vie porte fruit...

-Mira… ceux qui ont été en contacte avec toi, ceux qui te connaissent, et comme tout le monde t'aime, ils s'en souviendront sois en certaine. Il ne faut plus penser aux autres ma belle déesse venue du Nord, il faut penser à toi aujourd'hui. Ton royaume a eu de la chance d'avoir une femme telle que toi et tes sujets le savent très bien parce que… parce qu'à l'endroit où vous vous rendez Madame, tous les hommes sont égaux.

Sur ces derniers mots, Mira eut un grand soupir et Yousef agenouillé à ses côtés, la regardait voyant qu'elle fermait doucement les yeux en le regardant.

-Mira ? Mira ?

Sa petite main délicate était devenue inerte et elle ne respirait plus. Le silence qui suivit était significatif. Et comme pour ajouter à cette scène pathétique, une lumière étrange envahie la pièce et disparue aussi vite qu'elle était apparue. Nous nous mîmes à pleurer mais Yousef était le plus inconsolable. Il s'était couché sur sa poitrine et pleurait à tout rompre. Ses bras la serraient, il la caressait. Tarkan revint dans la pièce et voyait son père en pleurs au chevet de la plus belle petite Reine de Saba aux yeux fermés. Tarkan sortit en courant et se retira complètement des terres du château pendant plusieurs heures. Quant à moi, je dus sortir informer tous les hommes de la mort de la reine. Je ne pouvais plus rester là. Yousef resta à son chevet jusqu'à ce que je revienne quelques heures plus tard. Je le fis relever, il était dans un état lamentable.

Dans la soirée du septième jour du mois de mars de l'an de grâce 1360, Mira La Promise, La Légendaire avait rejoint la grande lumière sonnant le glas dans nos âmes terminant ainsi le règne de La Grande Reine Mira, la petite paysanne qui avait conquis le cœur des hommes. Elle était morte comme elle avait vécu sans laisser personne indifférent, courageusement, silencieusement, délicatement, doucement. Les yeux d'azur de la déesse venue du Nord s'étaient fermés à jamais. Tout ce fardeau qu'elle avait porté pendant toutes ces années s'était envolé en même temps que la vie s'évadait de ce petit corps frêle. La sérénité que Yousef voyait sur son doux visage lui rappelait les premiers jours où il l'avait rencontrée. Cette femme qui montait debout sur le dos des chevaux et qui se posait sur les hautes branches des arbres comme un aigle royal n'était plus maintenant que repos et deviendrait à jamais le plus doux, le plus merveilleux souvenir. Son petit corps fragile n'avait pas pu survivre à cette agression armée n'ayant résisté que quelques heures.

Yousef fit venir des artistes et on coula un magnifique masque en or aux traits délicats du visage de la belle pour perpétuer la tradition des Pharaons Égyptiens auxquels Mira avait redonné vie. Il fut déposé par-dessus la tombe de Mira. Son cercueil était massif et orné de décorations riches et d'inscriptions en arabe et dans sa langue natale. On pouvait y lire : *Ici repose la Déesse venue du Nord, la Reine au cœur d'or et aux yeux d'azur.* La tombe fut entreposée pendant quelque temps au château de Yousef pour ensuite être placée dans une mosquée construite à la demande de Yousef dont la teinte extérieure était bleue comme les yeux de la douce.

De son existence paisible de petite paysanne, à l'immensité de ce qu'elle avait accompli pendant son règne, ses sujets et les hommes de son armée avaient connu une des plus grandes reines de ce monde. Son règne ne dura que treize années, mais marqua son époque d'une marque indélébile. Elle avait apporté l'espoir, la délivrance, la joie, le bonheur et l'amour sur son passage parmi les hommes. Elle avait à peine trente printemps lorsqu'elle s'éteignit, mais avait largement contribué à l'émancipation de toute une génération. Les hommes puissants qui peuplèrent ses jours et ses nuits avaient découvert un être exceptionnel et l'avaient aimé au point qu'aucune conquête ne leur avait rempli le cœur d'une telle allégresse. Ils auraient conquis l'univers qu'ils n'auraient pas été plus riches, plus puissants, ni mieux comblés. Ils avaient pourtant conquis pour elle toute la Scandinavie et une partie du Moyen Orient. Et ce, sans même qu'elle ne l'exige.

Toutefois, l'Homme étant ce qu'il est, des jours sombres et aux couleurs des tréfonds de l'enfer se levaient déjà à l'horizon. L'appétit insatiable du pouvoir et des richesses faisant son œuvre au sein des hommes en quête de titre, de puissance.

Après quelques mois, malgré le souvenir douloureux au sein des troupes de soldats et le vide laissé par l'absence d'une femme aussi exceptionnelle, les loups rôdaient tels des vautours au-dessus d'une proie.

Son fils Éric, promu à titre de roi comme le voulait son rang régna pendant quelque temps sur le royaume de Mira, mais fut tué accidentellement lors d'un exercice de combat. Il avait à peine vint ans. Comme il n'avait pas encore de progéniture, on mit alors le jeune frère Rainer sur le trône qui mourût peu de temps après d'un mal mystérieux. Il était âgé de dix-sept ans lors de son décès et déjà le spectre d'un complot pour lui ravir le trône se transportait à la Cour comme une traînée de poudre. À qui aurait profité cet assassinat ? Enfin, jamais on ne put élucider cette énigme et le trône revenait à la petite Ursula, belle et douce comme l'était sa mère. Elle n'avait que quinze ans lorsqu'on lui mit la Couronne sur la tête. Pauvre enfant ! Le sort d'un tel royaume reposait maintenant sur ses frêles épaules. Elle prit tout de même les rênes et courageusement fit de son mieux pour essayer de rapatrier les différents clans qui poussaient comme des champignons aux quatre coins du royaume. Les disputes pour des terres et des titres étaient devenues aussi fréquentes que la rosée du matin. Les complots, les meurtres entre frères de sang, cousins, beaux-frères, etc. étaient monnaie courante. Montant les uns contre les autres, des individus de même famille, de même rang et ce dans le seul but d'arriver à devenir de plus en plus puissant et de soulever une armée assez puissante pour renverser son frère devenu le pire des ennemis. Le cahot était à la porte du royaume. Ursula se maria à dix-huit ans avec un général et tomba enceinte. Cette nouvelle jeta sur certaines ambitions, un coup de masse. Nous connûmes alors une accalmie de neuf mois. Comme si la venue de cette enfant avait scellé le destin de tous ceux qui luttaient désespérément pour se hisser au pouvoir. Mais... mais... Le destin en avait décidé autrement. Après plusieurs heures de travail, c'est dans la mort de la mère et de l'enfant que le dénouement de cette histoire trouva la fin la plus pathétique. Ursula rendit l'âme à dix-neuf ans exterminant la lignée Scandinave de Mira. Ceci jeta sur le pays un vent de tempête, déclencha un véritable ouragan ! Les guerres de clans reprirent de plus belle. Cousins, frères, princes, barons, enfin tout le gratin du pays était en ébullition. Le cahot n'était plus aux portes du royaume mais s'était confortablement installé au sein de la Norsufinde divisant le pays en plusieurs régions jalousement gardées. On jetait sur son voisin un regard d'acier. Des guerres éclatèrent, inévitables et le sang à nouveau coula, se versant dans les rivières limpides à les colorer de rouge. C'est alors qu'un homme vint en conquérant, le roi Haakon. De tous les clans, c'était le sien le plus dévastateur, le plus puissant. Avide de pouvoir et de richesse, c'est donc dans ces conditions qu'il entra en la demeure de Bjarni et s'y installa en roi et maître incontesté. La grande université fut transformée en bagne où il prit soin de débuter son œuvre de destruction. Les Archives royales rapportaient avec exactitude, les exploits de Mira et la grande beauté de la reine légendaire. Ce n'était pas pour plaire à l'homme qui voyait, Mira faire ombrage à sa puissance d'homme de pouvoir. Il tenta de s'approprier les richesses du trésor qu'elle avait ramené des Amers exécutant plusieurs de nos généraux espérant découvrir le lieu où il se trouvait. Mais il n'obtint pas ce qu'il voulait et il était loin de se contenter de cette action. Une femme ne saurait être une divinité. Car Mira était vue et connue comme tel ! Il fit interdire toutes allusions à son souvenir dans tout le royaume qui n'était plus maintenant que la Suède jadis connue avant que Bjarni unifie les trois pays Scandinaves. Il fit envoyé au-delà de ses frontières, des hommes qui se chargèrent de voler et de brûler tout ce qui parlait du passage de Mira. On réécrit plusieurs lignes dans les livres d'histoire, faisant passer cette merveille au rang de simple épouse des rois Bjarni et Boris. Il fallait bien faire taire les soldats d'armée qui l'avaient connue et côtoyée ! Parler de Mira, était devenu péché mortel. Un génocide de la pensée et de la parole, voilà ce que fit Haakon. Et commencèrent les déportations. Comment appeler ça autrement ? Plusieurs de mes confrères avaient déjà connu la mort et il ne restait plus beaucoup d'entre nous qui pouvions peindre un portrait fidèle de ce qu'était Mira. C'est donc les chaînes aux pieds qu'on m'emprisonna à Orlitza. Ce lieu, qui jadis, était un lieu de savoir et d'éducation était devenu pouilleux, sale et humide. On m'y enferma et je n'eus droit qu'à du pain sec et de l'eau pendant plusieurs mois. Je ne compris pas tout de suite pourquoi on ne me mit pas à la torture comme plusieurs dans cette prison. Les cris effroyables de ces hommes qui parfois étaient torturés uniquement pour de menus larcins ou tout simplement parce qu'ils déplaisaient à Sa Majesté. Il me fallut plusieurs années avant d'enfin comprendre ce qui motivait Haakon à me laisser la vie. Malgré sa brutalité et sa bestialité, Haakon avait peur de ce que je représentais et surtout, il savait que je savais où… oui, où le trésor de Grovache était dissimulé et comme il ne lui restait plus de proches collaborateurs de Mira, il n'allait pas assassiner le dernier encore de ce monde. Peut-être espérait-il que le général Mirikof se délie la langue en échange de la liberté ? Et bien, jamais. Jamais je ne dirai où il se trouve. D'autant plus que j'avais connu et côtoyé Mira pendant toutes les années qu'elle avait été au pouvoir. J'avais été un fidèle collaborateur de la pucelle de la légende. Il avait peur. Cette révélation me vint alors que part une nuit d'été je regardais au travers les barreaux de ma cellule et que, perdu dans mes pensées, je revoyais mes jeunes années, mes aventures aux côtés de Mira. M'aurait-elle envoyé un message ? Je le croyais. Haakon savait que Mira avait prouvé qu'elle était liée à quelque chose d'incompréhensible, quelque chose d'intouchable que l'homme ordinaire ne peut comprendre. Alors, moi, le général Mirikof qui avait partagé cette période, qui avait connu et vu des choses telles, j'étais peut-être un intouchable ? Ce qui m'a conduit à vivre pendant toutes ces années au milieu de cette cellule d'où je ne ressortirai que les pieds devant. Il faut tout de même que je te raconte aussi ce qui se passait dans le royaume de Yousef pendant toutes ces années.

Pendant la destruction en bonne et due forme par Haakon du passage de Mira dans nos vies, quelque part au Moyen-Orient, il restait un mince espoir. Yamir. Il était le seul survivant de la lignée de Mira. Yousef, resta le maître incontesté de son royaume pendant plusieurs années. Il gardait Yamir à ses côtés comme une pierre précieuse. Cette enfant avait le regard de la déesse venue du Nord et lui rappelait à tous les jours le bonheur qu'il avait partagé avec la merveille faite femme. Tarkan et Yousef gardèrent leur distance mais ce que Mira avait pourtant déchaîné entre le père et le fils s'était transformé comme elle l'avait souhaité, en un profond respect de l'un envers l'autre. Ils vivaient séparés par une douleur que même le temps n'avait su atténuer. Mais ce jeune fils aux yeux azur qui grandissait et qui avait toutes les louanges du grand Yousef ne faisait pas l'unanimité dans son royaume Musulman. Cet amour que vouait Yousef à ce fils de la reine paysanne étrangère soulevait le mécontentement dans le peuple, ravivant la soif de pouvoir de certains groupuscules qui ne rêvaient que de ravir au roi, sa puissance et son royaume. Comme dans la Norsufinde, le royaume de Yousef connaîtrait des revirements dévastateurs. Et l'inévitable arriva. On tenta de renverser Yousef. Le coup d'État échoua. On ne parvint pas à lui ravir sa Couronne, mais pour Yousef on lui ravit bien pire. On réussit à lui enlever ce qu'il avait de plus cher, Yamir fut tué lors d'une échauffourée. Yousef fut dévasté de douleur. Comme la plaie ne s'était jamais refermée pour sa tendre Mira, voilà qu'on venait de l'ouvrir de nouveau avec la mort de son seul lien qui le rattachait aux rayons du soleil à peine âgé de six printemps. Voilà qu'on venait de ravir à Yousef tous les joyaux de sa Couronne, tout son royaume, toute son âme sans même avoir besoin de lui enlever son titre et ses richesses. Cette plaie béante qui saignerait à jamais l'atteignit jusqu'au plus profond de son être. Yousef s'enferma pendant des jours dans une pièce sombre. On le crut fou. Mais au bout de quelque temps, il sortit et fit parvenir à Tarkan une missive. Ce dernier qui vivait comme un être fantomatique dans sa demeure près de la mer reçue l'ordre de se rendre au château de son père. Yousef avait abdiqué en son nom et lui remettait tous les pouvoirs. Tarkan ayant lui même participé, dans l'ombre, à délivrer son père des manants qui voulaient le renverser ne se surprit pas des décisions qu'avait prises ce dernier. Lui-même aux prises avec d'interminables cauchemars, rêvant de nuits sombres essayant de délivrer Mira de guerriers sanguinaires sans jamais pouvoir y parvenir, avaient transformé le jeune prince de vingt-six ans en zombie. Il errait la nuit dans les corridors de sa luxueuse demeure cherchant à retrouver les parfums, les odeurs de la femme qui lui avait fait découvrir l'amour, la passion. Ayant eu vent que le jeune Yamir avait été tué laissait comprendre à Tarkan toute la douleur dont son père était de nouveau affligé. Il répondit donc à la demande de son père et arriva au château du paternel par un beau matin de mai. Il n'y trouva point son père. Aussitôt dans la demeure, les courbettes des serviteurs, la soumission des proches de Yousef étaient claires. Yousef lui laissait les clés du royaume. Il apprit que son père s'était exilé sur une île lointaine où il vivrait désormais cloîtré tel un moine et on lui annonça en faisant grande grimace que Yousef s'était converti au christianisme, religion de la déesse venue du Nord. Cette nouvelle avait été accueillie par toute la Cour comme la peste parmi les troupes. Cette conversion ne laissa personne indifférent et surtout personne en accord avec cette décision. Tarkan se retrouva à la tête du royaume. Il n'avait point le cœur à la tâche. S'il avait été avide de ce pouvoir dans sa jeunesse, depuis le passage de Mira dans sa vie, rien de tout cela ne l'intéressait plus désormais. Il était devenu maussade, sans éclat. Il regardait les murs de ce palais, touchait les draps du lit nuptial, humait les odeurs, déambulait dans les grandes pièces, dans la cour et se rendit même dans la grande tour où il ressentait encore les coups de fouets et la petite main qui était venue déplacer sa tignasse pour voir le désespoir lui sauter aux yeux. Jamais il n'oublierait ces moments. Marqué au fer rouge dans son esprit, Tarkan n'avait que faire de ressentir ses souvenirs douloureux. Il délaissa la demeure royale et se réfugia de nouveau dans son manoir près de la mer, car tout dans cette demeure avait les couleurs, les odeurs, la douceur de la petite reine de Saba. Comme le fils ne prenait point femme et ne démontrait aucun enthousiasme à la direction du royaume, les vautours revinrent. Comme l'appât du gain est puissant ! De nouveaux coups d'éclat, de nouvelles intrigues, apparurent à l'horizon et comme un éternel recommencement, la guerre civile s'installa. Tarkan du faire face à l'éruption d'une armée qui était dirigée par des fervents musulmans. Après de nombreux bouleversements, Tarkan fut tué lors d'un affrontement. On raconte qu'il avait couru au-devant des épées telle une bête devenue folle. Je crois plutôt que Tarkan avait le mal de vivre et avait trouvé un certain courage de mettre fin à ce supplice qui le grugeait depuis nombre d'années. Le beau prince, le jeune roi Tarkan rendit l'âme à l'âge de trente ans. C'est donc son frère Salim qui devint leur nouveau souverain. Mais comme si la fatalité suivait les hommes qu'avaient connus Mira, Salim fut tué par la ruade de son cheval et ne fut à la tête du royaume que quelques mois. C'est Aït, le plus jeune des fils de Yousef, encore vivant qui eut ce fardeau. Et Aït, est je crois toujours sur le trône. Ça fait maintenant plus de quarante ans. On m'a raconté qu'il est un grand roi à l'image de son père qui lui était tombé dans l'oubli de tous. Mais même s'il était oublié de tous, je parvins à savoir que Yousef s'était reclus dans une île lointaine qui porte le nom de l'île Maurice. Une île que je n'ai jamais visitée, mais qu'on dit luxuriante.

Comme si le destin veillait à ce que je sache et que je transmette toutes informations même du fond de ma cellule, c'est par l'arrivée de nouveaux bagnards qui avaient beaucoup voyagé avant de s'arrêter pour leur dernière demeure, que j'appris, il y a quelques années, qu'on avait retrouvé Yousef mort dans sa mansarde. Il se serait éteint paisiblement pendant son sommeil. Lorsqu'on le retrouva, il arborait un léger sourire et il tenait entre ses doigts un bijou d'une très grande valeur. Ce qui intrigua vivement les insulaires qui le connaissaient peu et ne savait pas ou peu d'où émanait cet être énigmatique arrivé sans richesse apparente, mais qui possédait une immense culture. Il était mort dans l'anonymat, mais à la découverte de ce qu'il tenait entre les doigts, c'est comme si un livre d'histoire s'était ouvert en même temps que ses doigts. C'est alors qu'on découvrit qui il était, d'où il venait et surtout à qui appartenait ce collier qu'il avait lui même offert à Mira plusieurs années auparavant. Aït fut appelé aux chevets de la dépouille. Il se rendit dans l'île. Comme il lui fallut plusieurs semaines avant de parvenir au but de son voyage, c'est un cercueil fermé qu'il rapatriât en son royaume la dépouille de son père ainsi que le précieux bijou. Yousef n'avait jamais retourné sur ses terres malgré les nombreuses demandes de son fils. Aït lui fit des funérailles dignes de son rang. Yousef trouva le repos éternel auprès de la femme qui avait bouleversé sa vie.

Après toutes ces années, les royaumes de Bjarni, Boris et de Yousef n'étaient plus à l'image de ce qu'ils étaient. La Norsufinde était de nouveau trois pays distincts et Aït avait réussi à sauvegarder une parcelle du royaume initial de son père, mais sans plus. Le temps et les hommes avaient fait leur ravage.

Rien ou presque de ce que Mira avait contribué à construire n'avait vraiment résisté à cette usure lente mais pourtant destructrice. Tout avait volé en éclat. Comme les tombeaux des Pharaons, malgré les efforts soutenus d'Aït, la tombe de Mira fut pillée, le corps fut emporté et on ne retrouva jamais le magnifique masque d'or aux traits délicats de la belle ni la magnifique parure qui avait jadis orné son cou. On chercha longtemps à comprendre le geste des pillards. Qu'avaient-ils fait du corps et pourquoi l'avait-il volé ?

Enfin, malgré les efforts du roi Haakon pour radier des livres et de la mémoire de tous le passage de Mira, une légende persistait. On se racontait le soir autour du feu, l'histoire d'une reine belle, intelligente, sensible courageuse et d'une simplicité exemplaire. Comme d'autres grands esprits avant elle, elle avait été tuée par l'un des siens. Une femme qui n'avait rien compris à la grandeur de la dame exceptionnelle qu'était Mira aveuglée par un mal bien trop souvent ignoré mais combien destructeur, la jalousie.

Peut-être survit-elle malgré tout sous les traits d'un aigle royal, fier, survolant les plaines. Mira restera à jamais au fond du cœur de chacun de nous sous la forme de cette petite fille aux yeux remplis de naïveté et de douceur. Elle était un vent de fraîcheur et d'espoir d'égalité entre les hommes et les femmes.

Mais avant que j'aille rejoindre les étoiles du ciel, je tiens à te laisser un indice sur le lieu où se trouve le cœur même de la légende de Grovache : Retrouve l'endroit exact où était enterré Grovache dans la Forêt d'Elfe et tu trouveras le chemin que tu dois emprunter pour te rendre aux pieds du trésor… La Forêt d'Elfe est toujours en Suède et même si aujourd'hui on ne sait plus très bien où sont ses limites étant donné tout le massacre que Haakon à fait lors de sa prise de possession, je suis certain que toi, tu trouveras et que tu auras la force de faire renaître encore la paix parmi les hommes.

Comme c'est étrange ! Il me semble la voir, oui, je la vois ! Elle arrive sur un magnifique étalon blanc, tenant sur son poignet un aigle royal au regard perçant, vêtue d'une robe d'une telle blancheur qu'elle m'éblouit ! Ah ! Mira, comme c'est merveilleux de te voir à nouveau… Elle me sourit… Mira.

Ce fut là, les dernières paroles de mon copain de cellule, le grand général Mirikof. Elle était venue le chercher pour l'emporter vers le sommeil du juste.

Lorsque la nouvelle de la mort du général lui fut annoncée, le roi Haakon nous surprit tous en donnant des funérailles grandioses au général Mirikof, qu'il avait pourtant pris soin d'enfermer et de museler plusieurs années auparavant. Haakon ne saurait jamais où se trouve le trésor de Grovache car le dernier survivant de cette épopée venait de rendre l'âme.

On vint de partout rendre un dernier hommage à la dépouille du grand général Mirikof. Sur sa pierre tombale on inscrivit : *Ici, gît, Ladislas Mirikof, Général des Armées Royales qui vécut auprès des anges de la Forêt d'Elfe.*

J'en étais consterné. Pendant toutes ces années, j'avais partagé les aventures et les exploits de cet homme unique et visionnaire. Mais, jamais je n'aurais soupçonné qu'il avait vécu l'aventure de toute une nation ! Il avait gardé secret cet épisode de sa vie et après avoir raconté ce récit qu'il me dictait, je me fais un devoir de préserver ses dernières volontés : je cache ce livre avec soin dans les murs de cette prison en espérant réellement qu'un jour, toi, qui a lu, tu puisses lui rendre hommage et retrouver le chemin de la légende et de la faire revivre, car souviens-toi, Grovache n'a-t-il pas dit que la pucelle renaîtrait de ses cendres et reviendrait parmi les hommes afin de leur montrer de nouveau le chemin de la vérité et de la lumière ?

Elitch Harmaïnen
Fidèle compagnon du grand général Mirikof

Table des matières